RITUALIA GALLICA
II/3

RITUALIA GALLICA
Les rituels des diocèses français de 1480 à 1800

RITUALIA GALLICA
Les rituels des diocèses français de 1480 à 1800

II
FORMULAIRES ET FORMULES

TOME 3A

PÉNITENCE
ENSEIGNEMENT DE LA FOI
CONSEILS DE VIE CHRÉTIENNE

par

Annik AUSSEDAT-MINVIELLE

BREPOLS

© 2019, Brepols Publishers n.v., Turnhout, Belgium.

All rights reserved. No part of this publication may be reproduced, stored in
a retrieval system, or transmitted, in any form or by any means, electronic,
mechanical, photocopying, recording, or otherwise without the prior permission
of the publisher.

D/2019/0095/10
ISBN 978-2-503-55167-8 (2 vols.)

Printed in the EU on acid-free paper.

Fol.xxv.

¶ De Penitentia.

Discernitur penitentia ab eius sacramento, prout lector fusius discet tam ex Gersone & sacri Tridentini Concilij decretis quàm ex editis de ratione confitendi libellis.

Est autem penitentia, peccatoris ad Deum ex intimo corde conuersio cum proposito deinceps non peccandi, sed eo adiutore vitam in melius commutandi.
<small>c.ecce. §.peniten= tia. de penit. dist.1.</small>

Secunda est tabula, qua subnixus peccator enatat è peccatorum diluuio, si post baptismum rursus fecerit naufragium.
<small>c.secuda. dist.ead.</small>

Si grauiter eam apprehenderit,ad salutis portum tuto perueniet,quamlibet periculosi sint scopuli,in quos inciderit.

De partibus penitentie.

Tres sunt eius precipue partes: videlicet contritio, confessio, & satisfactio. Cum demum illa perficitur, cùm in corde est contritio, in ore confessio, & in opere satisfactio.
<small>c.perfecta de penit. dist.3. ex concil. Trid.de pen.sa= cram.c.3. sess.14</small>

Interdum tamen singule partes ille generali penitentie nomine appellantur.

De contritione.

Contritio est intimus dolor conscientie, que sentit Deum iratum peccatis, & se propter eum grauiter dolet peccasse cum voto vitam emendandi.
<small>c.conuer= timini. de penit. dist.1. ex eod cō= cil Trid. eod.Tit. c.4.</small>

Habet sua preambula, antequam perfecta sit, in-
Carū.   G

Manuale sacerdotum ad munus suum pie et graviter obeundum longè emendatius meliorique ordine quam antea restitutum. Per… Nicolaum de Thou Episcopum Carnotensem. Parisiis. Apud Jacobum Kerver… M.D.LXXXI…

Rituel de Chartres imprimé en 1581 par l'imprimeur parisien Jacques Kerver

(Paris, Bibliothèque nationale, Réserve B. 1754)

AVANT-PROPOS

Les rituels sont des livres liturgiques, à l'usage des prêtres, destinés à la célébration des sacrements de baptême, de la pénitence, de l'extrême-onction et du mariage. Ils se distinguent d'autres livres liturgiques : missels et sacramentaires orientés vers l'eucharistie, pontificaux qui proposent les célébrations réservées à l'évêque, bréviaires offrant l'office psalmique à dire journellement par les clercs.

Comme l'indiquera la bibliographie, les livres liturgiques manuscrits de France ont fait l'objet des répertoires réalisés de 1924 à 1941 par Victor Leroquais. Mais ce célèbre érudit n'a pas eu le temps d'inventorier les rituels manuscrits, ce qu'a commencé à faire le Père Pierre-Marie Gy († 2004). Ce catalogue des rituels manuscrits médiévaux n'est pas encore achevé, ni, certes, publié. En revanche, les rituels imprimés, plus nombreux, on le comprend, que ceux du Moyen Âge ont fait l'objet d'un recensement réalisé par Jean-Baptiste Molin et Annik Aussedat-Minvielle, et édité sous le titre *Répertoire des rituels et processionnaux imprimés conservés en France*, Paris, Éditions du CNRS, 1984. In-4°, 716 p.

Publication complétée par une thèse doctorale soutenue en 1987, à l'Université Paris I, par Annik Aussedat-Minvielle sur l'histoire et le contenu des rituels diocésains et romains imprimés en France de 1476 à 1800. Cette thèse, remaniée et mise à jour, devrait faire bientôt l'objet d'une édition imprimée. En résumé, on peut dire que la première partie de ce travail offre plusieurs vues d'ensemble : histoire, contenu, centres d'impression et d'édition des rituels. On relève la progression de la langue vernaculaire dans les instructions et les rubriques. La présence de cartes, de graphiques, de tableaux permet une visualisation rapide fort précieuse, par exemple des centres d'impression selon les siècles ou des titres donnés selon les lieux et les temps aux rituels. Une deuxième partie analyse les divers courants du renouveau pastoral dans les provinces de Paris, Reims, Rouen à l'époque moderne.

À la suite de ces approches d'ensemble, il convenait de proposer l'essentiel des textes eux-mêmes contenus dans les rituels. La présentation qui a paru la plus judicieuse pour des études et analyses ultérieures d'ordre historique, liturgique, pastoral est celle différenciée par les sacrements et les prières dont parlent les rituels, c'est-à-dire : baptême, pénitence, extrême-onction, mariage, bénédictions et prières du prône.

On sera peut-être étonné que cet ordre à peu près logique ne soit pas ici respecté et que la publication commence, non par le baptême premier sacrement, reçu de la vie chrétienne, mais par la pénitence. Choix justifié par l'abondance de la documentation se rapportant à ce sacrement et parce que celle-ci ouvre la voie, non pas sur le sacrement de l'ordre proprement dit (qui relève, on l'a signalé, de l'évêque et du pontifical), mais sur la science du prêtre et le discernement pastoral abondamment traités dans les rituels. Ministère sacerdotal qui fera l'objet d'une prochaine publication. Paraîtront aussi le baptême et le mariage qui, dans les rituels, font l'objet d'exposés nettement plus brefs.

Certes, à la différence des autres livres liturgiques où l'impulsion romaine est devenue peu à peu très forte, la réalisation des rituels a dû beaucoup aux initiatives locales : évêques, chapitres, imprimeurs, éditeurs… Ainsi le *Rituale romanum* de Paul V publié en 1614 n'a pas été rendu obligatoire et beaucoup de rituels ont conservé jusqu'au xixe siècle leurs particularités diocésaines ou conventuelles. Néanmoins, il faut souligner l'influence exercée sur tous par le Concile de Trente (1545-1563) et notamment par les décrets sur les sacrements qui jalonnèrent, si l'on peut dire, le déroulement du concile depuis la session VII sur les sacrements en général, le baptême et la confirmation (mars 1547), jusqu'à la session XXIV sur le mariage (novembre 1563), en passant par les sessions XIII sur l'eucharistie (octobre 1551), XVII sur la communion sous les deux espèces et celle des enfants (juillet 1562), XXI sur le sacrifice de la messe (septembre 1562), et la session XIV qui nous intéresse plus directement ici sur la pénitence et l'extrême-onction (octobre 1551).

Les Pères du Concile de Trente avaient été formés par la scolastique qui a élaboré une théologie très développée et structurée des sacrements : celle-ci n'a pas manqué d'orienter les décrets de Trente, en particulier peut-être, ceux sur l'eucharistie et la pénitence. Enracinement normal dans le passé, mais aussi influence très nette des décrets sacramentaires de Trente sur la théologie et la pastorale des siècles postérieurs, comme le montrent, entre autres, les rituels. C'est ainsi qu'on a pu dire que le catholicisme était sorti de Trente plus sacramentel que jamais.

Alors que s'annonce ou plutôt que se continue cette vaste étude sur les rituels imprimés, il reste à féliciter Madame Annik Aussedat-Minvielle de l'avoir entreprise et poursuivie malgré bien des difficultés, et aux éditions Brepols, sous la responsabilité de Monsieur Luc Jocqué, *Publishing Manager*, d'en avoir accepté et dirigé avec grande attention et compétence la publication.

Jean LONGÈRE

PLAN DE LA COLLECTION

[I]
Présentation générale

I. Qu'est-ce qu'un rituel? Les sources des rituels. Les rituels manuscrits en France.
II. Les rituels imprimés en France. Éditions. Centres d'impression. Titres. Langues utilisées.
III. Les rituels antérieurs à la Réforme catholique, ou non influencée par celle-ci (1480-1612 environ).
IV. Le renouveau pastoral dans les rituels au xvie siècle.
V. Le rituel de Paul V (1614) et son influence en France.
VI. Évolution des rituels aux xviie et xviiie siècles.

[II/1-6]
Formulaires et formules

[II/1] **Baptême des enfants et des adultes.**
Éducation chrétienne des enfants: Conseils d'éducation. Catéchisme. Petites écoles. Première communion. Rénovation des promesses du baptême.

[II/2] **Mariage et rites concernant les époux.**
Fiançailles. Bénédiction du lit nuptial. Prières pour les époux victimes de maléfices. Formulaires pour les femmes enceintes. Choix et serment des sages-femmes. Relevailles. Autres formulaires réservés aux femmes.

[II/3] **Pénitence.**
Pénitence publique. Office du Mercredi des cendres. Absolutions générales. Confessions générales. Pénitence privée. Confession des enfants. Absolutions diverses (excommunication, hérésie…). Excommunications. Cas de péchés réservés au pape et aux évêques.

Enseignement de la foi.
Conseils de vie chrétienne.

[II/4] Visite des malades. Extrême-onction. Funérailles. Séparation des lépreux.

[II/5] Bénédictions. Exorcismes.

[II/6] Prônes dominicaux. Conseils de dévotion. Calendriers (maximes et préceptes au XVIe siècle).

[III/1-2]
INVENTAIRE DESCRIPTIF DES RITUELS IMPRIMÉS
DES DIOCÈSES FRANÇAIS DE 1480 À 1800

INTRODUCTION

De tous les livres liturgiques, le rituel est celui qui jusqu'ici a été le moins étudié, mais qui, à certains égards, présente le plus d'intérêt général. L'ouvrage contient en effet les sacrements et rites administrés par le prêtre, et qui touchent souvent de près à la vie de tous les jours : baptême, pénitence, visite et onction des malades, mariage, funérailles, nombreuses bénédictions, exorcismes variés, formulaires très divers allant des relevailles ou des serments des sages-femmes à l'exclusion des lépreux, ou aux prônes du dimanche.

Définition du rituel

Le rituel est le livre liturgique qui rassemble les rubriques et formules d'administration des sacrements (baptême, pénitence, onction des malades, mariage), et des rites connexes (funérailles, bénédictions, exorcismes) dont le simple prêtre est ministre.

Il se distingue par là du *pontifical*, lequel contient en plus, ou exclusivement, les rites sacramentels et bénédictions réservés à l'évêque.

Il se distingue aussi du *missel*, qui renferme les formulaires de messes pour les différentes fêtes de l'année liturgique, en plus, bien entendu, de l'*Ordo missae* invariable.

Il s'oppose encore au *cérémonial* et à son ancêtre l'*ordinaire*, qui sont des recueils de rubriques donnant l'indication détaillée des gestes à accomplir ; si le cérémonial renferme parfois aussi les formules de prières, il ne les donne qu'en fonction de rubriques.

Le rituel se distingue enfin du *pastoral*, ouvrage non liturgique qui donne au prêtre les directives pastorales et canoniques pour l'administration à bon escient des rites contenus dans le rituel.

À partir du xe siècle et jusqu'au xve siècle, un autre livre liturgique, le *collectaire* – recueil d'oraisons pour l'Office – et spécialement le collectaire monastique, s'enrichit souvent d'éléments de rituel : formulaires pour le baptême, la pénitence, l'onction des malades, l'assistance des mourants, les funérailles, et quelques bénédictions insérées à leur place dans l'année liturgique.

D'autres recueils contiennent aussi, parfois, des parties de rituel : *bénédictionnaires, bréviaires, psautiers, processionnaux.*

Il n'existe donc pas au Moyen-Âge, de recueil spécial pour le prêtre pouvant lui servir de rituel : il utilise les *sacramentaires,* où la messe tient la place principale ; mais il peut aussi y trouver la visite des malades, les funérailles, et certaines bénédictions.

Ce qui semble distinguer en définitive un authentique rituel, c'est que ce dernier, ouvrage proprement liturgique, se présente de telle façon qu'il puisse être utilisé par le célébrant pendant l'accomplissement même du rite.

Ce fait explique en partie la variété des titres que peut porter ce qui est défini ici comme rituel. Avant 1614, date importante marquée par la publication du *Rituale Romanum* du pape Paul V, le titre actuel paraît très peu utilisé (et uniquement en Italie). Les intitulés les plus courants sont alors *Manuale* (en Angleterre, Espagne, France) et *Agenda* (en pays germaniques et slaves), mais aussi *Obsequiale* (en Allemagne) et *Ordinarium* (en Catalogne et Narbonnaise). Après 1614, ils cèdent peu à peu la place, mais non pas complètement, au terme *Rituale.*

Les premiers rituels « paroissiaux » apparaissent en France dès le XIIe siècle.

À partir du XIIIe siècle, les statuts synodaux recommandent aux prêtres des paroisses l'utilisation du *Manuale.*

Les rituels français manucrits connus sont peu nombreux et très partiels : on en connait environ soixante-dix à l'usage de cathédrales, de paroisses, ou d'abbayes exerçant des fonctions pastorales, souvent fautifs ou incomplets. Les plus nombreux sont originaires de la moitié nord du pays ; la Bretagne et la partie sud en sont presque totalement dépourvus. Une trentaine de diocèses seulement sont concernés[1].

Les premiers imprimés, datant de la fin du XVe siècle et du début du XVIe siècle, sont très proches des manuscrits (ainsi à Bâle ou à Genève) ; les moins évolués présentent une succession d'*ordines,* avec un minimum de rubriques. Très rares sont ceux qui ajoutent des instructions comme à Strasbourg et à Toulouse, empruntées généralement aux statuts synodaux. Certains, comme ceux de Strasbourg [1490] et d'Autun

---

[1]   Une liste de rituels manuscrits composée à partir d'une liste de manuscrits liturgiques des bibliothèques publiques de France établie par le Père Pierre-Marie Gy figurera dans le volume de présentation générale.

INTRODUCTION

ou de Cambrai 1503, empruntent déjà à des rituels d'autres diocèses des rubriques, des exhortations, et même quelques formulaires.

Les plus complets (140 f. et plus) viennent le plus souvent de la moitié nord du pays en comptant la Bretagne : Chartres, Reims, Strasbourg, le Mans, Tours, Rennes, Saint-Brieuc, Saint-Malo ; au sud, Maguelonne, Périgueux et Uzès. A l'opposé, les rituels des diocèses principalement situés dans le sud-est, Lyon, Vienne, Genève, Maurienne, Carcassonne, et Narbonne, sont extrêmement succincts (moins de 50 f.). Aucun rituel de cette époque n'est demeuré, en particulier pour les gros diocèses d'Albi, Auch, Bordeaux, Poitiers, Évreux, ou Arras.

Sauf exception, l'édition des tout premiers rituels diocésains imprimés ne paraît pas due à l'initiative de l'évêque : même si les armes épiscopales et, à partir de 1550, le nom de l'évêque, apparaissent sur un certain nombre d'entre eux, c'est probablement le chapître cathédral qui au début prend la responsabilité de leur édition. Les imprimeurs – sur place ou ambulants – sont aussi pour beaucoup dans l'initiative de leur impression et des additions qui s'y font au fur et à mesure des rééditions.

L'intérêt principal de ces premiers manuels, avant la réforme romaine qui entraine une certaine uniformisation, réside dans les rites, dont certains diffèrent souvent d'un diocèse à un autre : ils offrent des différences parfois considérables entre diocèses pour le baptême, l'onction des malades, le mariage, les litanies. Plus tard, le centre d'intérêt se déplace vers les instructions et l'enseignement de la foi qui accompagnent les différents formulaires, mais certaines provinces conservent leurs particularismes.

À ce sujet, il faut signaler qu'un certain nombre de rituels imprimés anciens contiennent des formulaires en langues autres que le latin et le français : allemand, basque, breton, catalan, néerlandais, occitan. Le plus ancien texte connu en breton vannetais est le prône du rituel de Vannes de 1631.

Le concile de Trente se déroule de 1545 à 1563. Peu-à-peu, les rituels vont en répercuter l'esprit et les décisions dans leurs instructions, leurs exhortations, et certains de leurs rites. Mais la renaissance religieuse voulue par le concile sera lente à pénétrer, en partie à cause des guerres de religion qui ravagent la France de 1560 à 1610, en partie aussi du fait que les décrets conciliaires ne seront pas publiés dans le pays avant 1615.

Pourtant, à partir des années 1560, les décisions du concile tridentin, et spécialement les décrets sur les sacrements en 1547-1551, commencent à se propager. Les conciles provinciaux de l'époque s'efforcent d'en faire passer dans la vie quotidienne.

Les caractéristiques des nouvelles éditions sont éloquentes : les instructions, quasi inexistantes jusqu'alors, et les rubriques se développent, marquées par le souci d'expliquer la doctrine et la morale catholiques ; les exhortations se multiplient ; l'emploi du français progresse ; la division en chapitres s'installe ; les références marginales sont fréquentes ; des rites nouveaux apparaissent. En outre, beaucoup de rites anciens sont remaniés et développés. Certains de ces rituels sont de véritables catéchismes pour adultes, annonçant les ouvrages volumineux des XVIIe et XVIIIe siècles ; avec les catéchismes et les statuts synodaux, ils vont jouer un rôle essentiel dans le renouveau général de l'Eglise. Ils intègrent à leur fonds propre des matériaux venus d'autres rituels français, mais aussi étrangers : rituels romano-vénitiens, *Agenda* de Trèves de 1574-1576, *Manuale* espagnol de 1585, *Pastorale* de Malines de 1589... D'où leur diversité et leur richesse.

Les provinces les plus concernées par la réforme sont, au nord, celles de Cambrai, Paris, Reims et Rouen ; au sud celles d'Albi et Bordeaux. La plupart des provinces du midi sont peu ou pas touchées par le mouvement.

On note donc l'influence relativement importante des **rituels romano-vénitiens** dans certaines régions : *Sacerdotale* d'Alberto Castellano, *Sacra Institutio baptizandi, Ordo baptizandi* :

Le succès à Venise, entre 1523 et 1603, du volumineux et compact *Liber Sacerdotalis*, puis *Sacerdotale*, de Castellano, a son importance : le premier, il incorpore des instructions sur les sacrements et présente une division logique en traités et chapitres. Son influence s'exerce dès 1542 sur le *Liber sacerdotalis* lyonnais.

Il sera suivi en Europe de toute une série de rituels marqués par l'esprit de la réforme catholique, qui s'influencent les uns les autres.

La *Sacra Institutio baptizandi*, de format très modeste, est une simple suite d'*ordines*, sans instructions, et connait de nombreuses éditions entre 1571 et 1618. Elle va servir de substitut aux rituels diocésains pendant les guerres de religion, principalement à Paris et à Lyon où elle est éditée.

L'*Ordo baptizandi* (éditions entre 1592 et 1613) va être adopté en tout ou en partie au début du XVIIe siècle par les diocèses de Cahors 1604, Évreux 1606, Genève 1612.

INTRODUCTION

Le succès rencontré en France par ces ouvrages, considérés comme les livres romains officiels, facilitera l'influence du rituel de Paul V à partir de 1614. Un certain nombre de leurs formulaires vont être repris dans les rituels français à la fin du XVIe siècle et au début du XVIIe siècle, avant la publication du *Rituale romanum* de Paul V.

Le rituel romain officiel est publié en 1614. Paul V se contente d'exhorter les évêques à l'utiliser, ne voulant pas détruire les nombreuses coutumes locales que le concile de Trente avait reconnues. La publication de cet ouvrage suscite en France des réactions variées, mais la très grande majorité des évêques refondent leur ancien manuel diocésain en y intégrant des éléments romains ; plusieurs diocèses du sud-ouest et de l'ouest l'adoptent très rapidement. Cependant, au fur et à mesure que les années passent, les additions se multiplient. De diocèse à diocèse, les influences se croisent, et des filières se créent à la suite de quelques rituels plus importants.

À partir des années 1640, les rituels présentent de plus en plus fréquemment de volumineuses instructions sacramentelles, parfois doctrinales. Celles-ci, généralement rédigées en français, deviennent de véritables traités, parfois aussi développés que les manuels écrits pour les séminaristes de l'époque. Les évêques voient désormais dans le rituel l'instrument indispensable pour former les prêtres à l'administration des sacrements et à la pastorale. C'est parmi ceux-ci en particulier que vont se propager le courant rigoriste et le courant dit néo-gallican.

Le **courant rigoriste**, influencé par le jansénisme, est caractérisé par un durcissement très sensible dans l'attitude des confesseurs ; les principales polémiques portent sur les cas où l'on doit retarder ou refuser l'absolution, et sur les dispositions pour communier dignement. À la fin du XVIIIe siècle, la moitié des diocèses présentent des instructions plus ou moins rigoristes.

Le **courant dit néo-gallican** : parallèlement, dès la seconde moitié du XVIIe siècle, mais surtout au XVIIIe, un certain nombre d'évêques veulent réagir, et parfois, affirmer leur indépendance à l'égard de Rome. Ils désirent aussi revenir, dans une certaine mesure, aux anciens usages diocésains.

Cette tendance se manifeste de plusieurs façons : retour à l'ancien rite diocésain après l'utilisation du rite romain ; compilation du rite romain et de rites diocésains ; utilisation de nouvelles formules, essentiellement pour les funérailles qui sont parfois entièrement renouvelées.

INTRODUCTION

Sont concernés une trentaine de diocèses, surtout situés dans le centre, à l'est, et dans le sud-ouest du pays. On est loin toutefois des bouleversements qui affectent les bréviaires et les missels à la même époque, où quatre-vingt-dix diocèses, sur les cent trente deux que compte alors la France, se dotent d'une liturgie particulière.

C'est au XVIIIe siècle, dans quelques rituels dont certains de tendance dite néo-gallicane, que réapparaît le baptême des adultes en plusieurs étapes, abandonné progressivement depuis le VIe siècle.

Par ailleurs, des **courants dévotionnels et catéchétiques** se développent, principalement au XVIIe siècle : des exercices de piété à pratiquer au cours de la journée figurent dans les rituels d'une vingtaine de diocèses ; les prières accompagnant la visite des malades prennent un peu partout une importance considérable.

Les prônes dominicaux insistent dorénavant sur l'enseignement de la foi et de la prière ; les exhortations accompagnant l'administration des sacrements sont l'occasion d'expliquer leur signification et leur déroulement ; plus d'une vingtaine de catéchismes, brefs ou développés, sont insérés dans les rituels, le premier en 1582 à Angoulême, reproduisant celui du concile de Trente.

Au XIXe siècle, après la Révolution, les évêques se contentent au début de rééditer les anciens manuels, puis adoptent peu-à-peu, surtout à partir de 1850, le rituel romain, comme le demande Rome.

On connait environ 620 éditions diocésaines différentes jusqu'à 1800, pour cent trente deux diocèses : 22 au XVe siècle, 210 au XVIe, 166 au XVII[e][2], et 221 au XVIIIe. On constate par ailleurs qu'une vingtaine de petits diocèses du sud-est semblent n'avoir jamais possédé de rituels propres.

Il est évident que de très nombreuses éditions ont disparu, surtout dans la moitié sud du pays ; le seul rituel connu au XVIe siècle pour la province d'Auch, couvrant onze diocèses, est celui de Bazas imprimé en 1503. De nombreuses autres éditions, même au XVIIIe siècle, ne sont connues qu'à un ou deux exemplaires.

Il est difficile de parler de traditions diocésaines à propos de la plupart des rites, les évêques, ou plutôt les éditeurs n'hésitant pas à emprunter à des sources variées la matière de leurs manuels, et, selon les besoins, à y opérer des adaptations.

---

[2] 166 seulement car à partir de 1614, le Rituel romain de Paul V est utilisé, parfois parallèlement avec le Rituel diocésain.

INTRODUCTION

L'intérêt scientifique de la collection envisagée est de fournir de nouveaux matériaux aux historiens, non seulement pour l'histoire de la liturgie en France, mais aussi pour celle des moeurs, des coutumes, et même du folklore, à une époque où plus que jamais les gens sont à la recherche de leurs racines ; jusqu'ici en effet les rituels n'ont jamais fait l'objet d'une analyse exhaustive, que ce soit en France ou ailleurs.

Ainsi que l'écrivait Mgr Martimort en 1996, cette publication « permettra de trouver réunis, avec leur grande diversité et leur évolution, les usages religieux qui ont marqué les plus humbles paroisses rurales de France depuis 1480 jusqu'à 1800, alors que les livres qui les décrivent sont dispersés au gré des bibliothèques publiques et privées. De ce point de vue, ce travail aura une importance plus grande que les célèbres publications des livres liturgiques de la messe, des offices choraux ou des rites épiscopaux : il apporte en effet une contributions hors de pair à l'histoire des mentalités et des croyances (voire parfois des superstitions) des populations de nos diverses provinces : les rituels accompagnent de leurs prières et de leur liturgie les grands évènements de la vie des familles : naissance, adolescence, mariage, maladie, mort, et aussi les soucis de la vie quotidienne et des intempéries : bénédictions, processions, exorcismes, exclusions des lépreux, etc. »[3].

Les rituels imprimés ont fait l'objet d'un recensement paru en 1984 aux Éditions du CNRS dans la collection de l'IRHT : J.-B. Molin, A. Aussedat-Minvielle, *Répertoire des rituels et processionnaux imprimés conservés en France* (un vol. in-4° de 716 p.). Mademoiselle Jeanne Vielliard, directrice de l'IRHT, et le Père Pierre-Marie Gy o.p. ont été à l'origine de la section Liturgie, créée pour établir ce Répertoire.

Je voudrais rendre hommage ici à Mgr Martimort qui, durant plus de vingt années, m'a fait profiter avec tant de bienveillance de sa très large information et de ses connaissances en liturgie, notamment pour l'étude des rituels des xve-xvie siècles.

Je tiens aussi à remercier les personnes qui m'ont aidée dans la poursuite de mes recherches, en particulier le P. Jean Longère pour ses bons conseils concernant la pénitence.

Ma reconnaissance s'adresse également à mon ancienne collègue Marie-Louise Auger, qui m'a soulagée dans les tâches particulièrement ingrates de relecture de nombreux formulaires et de transcription de cas réservés.

---

[3] Lettre de A.-G. Martimort à A. Aussedat-Minvielle, 5 février 1996.

Tous les ritues cités sont référencés dans :
Jean-Baptiste MOLIN, Annik AUSSEDAT-MINVIELLE, *Répertoire des rituels et processionaux imprimés conservés en France*, Paris, Éditions du CNRS, 1984.

Les rituels considérés sont ceux des diocèses du territoire de la France actuelle ainsi que des trois diocèses de Bâle, Genève et Tournai, dont les diocèses français limitrophes ont recueilli une partie considérable du territoire ancien.

ADDITIONS
AU *RÉPERTOIRE DES RITUELS*
ET PROCESSIONNAUX IMPRIMÉS[*]

1. NOUVEAUX RITUELS OU FORMULAIRES DE PRÔNE

– Rituel de **Beauvais c. 1505**: [*Manuale*, Paris, W. Hopyl pour Simon Vostre?]
D'après le titre de l'édition de 1513 et la date des modèles d'actes de l'édition 1544.
– Rituel de **Belley 1833**: *Extrait du Rituel du Diocèse de Belley, pour MM. les Curés, Vicaires, et autres Prêtres employés à l'exercice du saint ministère, auquel on a joint quelques prières à l'usage des Ecclésiastiques.* Armes épiscopales [Alexandre-Raymond Devie] Bourg, imprimerie de P. F. Bottier, 1833, [4], 296 p.
Paris, Bibliothèque Sainte-Geneviève, 8 Z 2482 inv. 5040.
– Rituel de **Bourges 1517** (Molin Aussedat n° 302).
Collection privée. Mf. IRHT, J.31415.
– Rituel de **Dax 1701** [Rituel romain à l'usage du diocèse de Dax. Par Monseigneur Bernard d'Abbadie d'Arboucave, evesque de Dax.]
Cité par P. Coste, « Histoire des Cathédrales de Dax », *Bulletin trimestriel de la Société de Borda*, t. 34 (1909), p. 81.
– Rituel de **Lescar c. 1642**.
Cf. Antoine de Froissart, *Montaut, l'église Saint-Hilaire. Édité par les Amis des églises anciennes du Béarn*, 1997, p. 16.
– Rituel de **Lyon c. 1580**.
Seul le prône dominical est connu, édité à Bordeaux avec d'autres formulaires de prône par l'imprimeur Simon Millanges dans un recueil intitulé: *Guide des curés contenant le formulaire de divers prosnes...* Trois éditions imprimées entre 1583 et 1602 (Molin Aussedat n° 1305 et 1440).
– Rituel de **Lyon 1648**: *Formulaire de Prosne. Dressé pour le diocese de Lyon; contenant succinctement tout ce qu'un Chrestien doit croire, faire, sçavoir, et éviter pour estre sauvé.* Lyon, s.d. Ordonnance du vicaire général J.-Claude Deville datée 17 mai 1648. In-12, 36 p.
Lyon, Bibl. mun. Part-Dieu, 363.576.

---

[*]   J.-B. MOLIN, A. AUSSEDAT-MINVIELLE, *Répertoire des rituels et processionnaux imprimés conservés en France*, Éditions du CNR: Paris, 1984.

ADDITIONS AU RÉPERTOIRE DES RITUELS

- Prône de **Mâcon 1658**: *Prosne ordonné a tous les curez de ce Diocese, par Monseigneur l'... Evesque de Mascon.* A Mascon, par Simon Bonard, marchand libraire, et imprimeur... M.DC.LVIII. In-12, [6]-47 p.
  Mâcon, Bibl. mun., 130862 et 190049.
- Rituel de **Nantes 1498**.
  L'abbé janséniste N. Travers en donne une analyse dans son *Histoire civile, politique et religieuse de la ville et du comté de Nantes...*, Nantes, 1837, p. 28.
- Rituel de **Nantes 1518**.
  Une brève analyse de ce rituel est donnée par É. Catta, «Les évêques de Nantes des débuts du XVIe siècle aux lendemains du concile de Trente», *Revue d'histoire de l'Église de France*, t. 51 (1965), p. 27-28.
- Rituel de **Narbonne** [**entre 1628-1659**] : rituel publié par Claude de Rebé, archevêque de Narbonne, connu uniquement par la référence qui en est faite p. 95 du rituel diocésain de 1736 pour le *Rit des enterremens*.
- Rituel d'**Oloron 1679** (Molin Aussedat n° 817).
  4°, 20,5 × 15 cm, [16]-439-[1] p.
  Pau, Arch. dép. des Pyrénées atlantiques, U.5049 (R.)
- Rituel d'**Oloron 1720**: *Rituel romain à l'usage de la province ecclesiastique d'Auch. Reimprimé par l'ordre de Monseigneur... Joseph de Revol Evêque d'Oleron* [*sic*]. A Pau chez Jerôme Dupoux imprimeur... M.DCC.XX. In-4°, 19 × 15 cm, [8]-609-[5] p.
  Oloron, Bibl. mun. (mq. p. 607 sq.). – Toulouse, Bibl. univ.
- Rituels d'**Orléans c. 1518** et **c. 1523**, d'après les dates des modèles d'actes de l'édition c. 1548.
- Rituel de **Quimper** [**1680**]: *Ritus sacramenta administrandi et quaedam officia ecclesiastica peragendi. De mandato... Domini Francisci de Coëtlogon, Episc. Corisopitensis, et Comitis Cornubiensis Dioc. Ex Rituali Rom. Extractus. In quo habentur festa quae in Cornub. Leonensi, Trecorensi et Venetensi Dioecesibus sub peccato mortali convenit observari.* Corisopiti. Apud G. Buitingh, hujus Dioecesis typ. (s.d.)[1]. In-24, 11 × 6,5 cm.
  L'ouvrage ne porte pas de date d'impression. Toutefois la lettre épiscopale est datée du 8 mai 1680.
- Prône de **Saintes c. 1625**: édition disparue, dûe à Michel Raoul, évêque de Saintes de 1618 à 1631, attestée par l'Ordonnance au début du formulaire du prône diocésain de 1639.
- Prône de **Toulouse 1602**: édition disparue, attestée par la mention *Donné à Tolose le 4. Janvier 1602* à la fin des formulaires du prône toulousain de 1614 et 1621.

---

[1] Ouvrage consulté en août 1985 par A. Aussedat-Minvielle à Brest, collection privée; mq p. 161-164 dans l'exemplaire consulté.

ADDITIONS AU RÉPERTOIRE DES RITUELS

– Rituel de **Vannes 1618** : *La forme d'administrer les ss. sacremens, selon l'usage de l'Eglise romaine… par commandement de M. Jean Gentil, grand vicaire de Monseigneur le reverendissime Evesque de Vennes.* A Vennes, par Joseph Moricet,… M.DC.XVIII. In-8°, 16 × 10,5 cm, [16]-244-CLX p. Nantes, Bibl. mun., R.117.332. Mf IRHT, 35029.

Quelques cas douteux sont par contre à éliminer : Arras 1628, Sens 1654, Cambrai 1697.

2. Nouveaux microfilms conservés à l'IRHT[2]

– Amiens 1554 : Amiens, Bibl. mun., Fonds Masson 2661 : Mf 13028[3].
– Angoulême 1509 : Paris, Bibl. Mazarine, 11872 : Mf 52513.
– Angoulême 1582[4] : Paris, Bibl. Sainte-Geneviève, BB 4° 143 inv. 357 : Mf 43894.
– Arras 1600 : Paris, Bibl. Sainte-Geneviève, BB 4° 234 inv. 457 : Mf 43899.
– Autun 1545 : Lyon, Bibl. mun., 317.518 : Mf J.38205.
– Besançon c. 1510 (?) : Paris, Bibl. Sainte-Geneviève, BB 8° 863 inv. 1050 (Molin Aussedat n° 237) : Mf 43901.
– Bourges 1517 (*Processionale*) : Collection privée : Mf J. 31414.
– Cahors 1593 : Cahors, Bibl. mun., QY.d.399 : Mf 13594-13595. Paris, Bibl. Sainte-Geneviève, 8° Z 5343 inv. 8529 FA.
– Carcassonne 1517 : Paris, Bibl. Sainte-Geneviève, OE.XV.4° 289 (3) : Mf J. 44031.
– Chartres 1580 : Paris, Bibl. Sainte-Geneviève, BB 4° 131 inv. 344 : Mf 43892.
– Chartres 1581 : Paris, Bibl. Sainte-Geneviève, BB 4° 133 inv. 346 : Mf 43893.
– Évreux 1606 : Paris, Bibl. Sainte-Geneviève, BB 4° 142 inv. 356[5] : Mf 44030.
– Genève [peu avant 1500] : Aoste, Grand Séminaire : Mf J. 40578.
– Lisieux 1507 : Caen, Musée des Beaux-Arts, coll. Mancel 1743 : Mf J. 40004.
– Maguelonne 1526 : Paris, BnF, Rés. B.13659 : Mf J. 40028.
– Orléans 1548 (?) : Paris, Bibl. Mazarine, 11867 : Mf J. 40986.
– Le Puy 1527 : Paris, BnF, Rés. B.2659 : Mf J. 40988.
– Rodez 1513 : Paris, Bibl. Sainte-Geneviève, BB 4° 202 inv. 425 : Mf 43895.
– Rodez 1671 : Toulouse, Bibl. mun., Fa D 1776 : Mf J. 39658.
– Rouen 1500 : Paris, Bibl. Mazarine, Inc. 1477 : Mf J. 52514.
– Saint-Omer 1606 : Paris, Bibl. Sainte-Geneviève, BB 4° 237 inv. 460 : Mf 43900.

---

[2] Institut de Recherche, d'Histoire des Textes, 40 avenue d'Iéna, 75016 Paris.
[3] Indiqué par erreur mf 3208 dans J.-B. MOLIN, A. AUSSEDAT-MINVIELLE, *Répertoire des rituels*, p. 56.
[4] Angoulême 1582, et non 1532 comme indiqué par erreur dans J.-B. MOLIN, A. AUSSEDAT-MINVIELLE, *Répertoire des rituels*, p. 65.
[5] BB 4° 142, et non BB 4° 152 comme indiqué par erreur dans J.-B. MOLIN, A. AUSSEDAT-MINVIELLE, *Répertoire des rituels*, p. 139.

22 ADDITIONS AU RÉPERTOIRE DES RITUELS

- Sées 1634 : Paris, Bibl. Sainte-Geneviève, BB 4° 204 inv. 427 : Mf 43896.
- Sens 1500 : Paris, Bibl. Sainte-Geneviève, BB 4° 207 inv. 430 : Mf 43897.
- Soissons 1576 : Paris, Bibl. Sainte-Geneviève, BB 4° 1241 inv. 1414 bis : Mf J. 44029.
- Strasbourg c. 1490 : Strasbourg, BNU: Mf J. 40029. Paris, Bibl. Sainte-Geneviève, BB 4° 228 inv. 452 : Mf 43898.
- Toul [entre 1482 et 1491?] : Paris, BnF, Rés. B.1818 : Mf J. 40987.
- Toulouse 1526 : Paris, Bibl. Sainte-Geneviève, BB 4° 1251 inv. 1424 : Mf J. 44028.
- Uzès 1500 : Lyon, Bibl. mun., Inc. 1088 : Mf J. 35046.
- Vannes 1532 : Paris, Bibl. Sainte-Geneviève, BB 4° 225 inv. 449 : Mf 38515.
- Verdun 1554 : Verdun, Bibl. mun. : Mf 39301.
- Vienne [1500?] : Paris, Bibl. de l'Arsenal, Rés. 8° T 2366 : Mf 41939.

3. Nouveaux exemplaires
depuis la publication du *Répertoire des rituels*

- Auch 1780 : Pau, Arch. dép. des Pyrénées atlantiques, U 4156 (R).
- Belley 1733 : Paris, Bibl. Sainte-Geneviève, Z 8° 2842 inv. 5040 FA.
- Chalon-sur-Saône 1605 : Paris, Bibl. Sainte-Geneviève, Delta 16652 FA.
- Évreux 1753 (*Ordre des Processions*) : Paris, Bibl. Sainte-Geneviève, Z 8° 5612 inv. 8614 FA.
- Lectoure 1751 : Pau, Arch. dép. des Pyrénées atlantiques.
- Le Mans 1572 : Paris, Bibl. Sainte-Geneviève, Z 4° 1601 inv. 1579.
- Oloron 1751 : Pau, Arch. dép. des Pyrénées atlantiques, U 4986 (R).
- Périgueux 1536 : Périgueux, Bibl. mun., PZ 6287 ; Arch. dép. de la Dordogne, 1 Mi 396.
- Périgueux 1827 et 1839 : Périgueux, Bibl. mun. et Arch. dép. de la Dordogne.
- Rodez c. 1542 (Molin Aussedat n° 1084) : Rodez, Arch. Dép. de l'Aveyron, AB 1741 : Mf 33640.
- Rouen 1740 (*Ordo ministrandi sacramenta*) : Paris, BnF, 16° B 706.
- Rouen 1763 (*Processionale*) : Paris, Bibl. Sainte-Geneviève, Z 8° 2272 inv. 4782[6].
- Tours 1570 : Paris, Bibl. Sainte-Geneviève, BB 8° 1273 inv. 1441bis FA.
- Sarlat 1729 : Périgueux, Bibl. mun., MZ1405. Paris, Bibl. Sainte-Geneviève, Z 4° 1272 inv. 1194.
- Tarbes 1751 : Pau, Arch. dép. des Pyrénées atlantiques, U 6274.
- *Rituale romanum Pauli V…* Avenione 1802 : Paris, Bibl. Sainte-Geneviève, Z 8° 4704 inv. 7819 FA.

---

[6] Z 8° 2272, et non D 8° Sup 6625 comme indiqué par erreur dans J.-B. Molin, A. Aussedat-Minvielle, *Répertoire des rituels*, p. 255.

BIBLIOGRAPHIE SÉLECTIVE

Sources

Andrieu, Michel, *Les Ordines romani du haut moyen âge*, Louvain, 1931 et suiv. (*Spicilegium sacrum Lovaniense*, 11, 23, 24, 28, 29).

Andrieu I, II, III = Andrieu, Michel, *Le Pontifical romain au Moyen-Âge*: I. *Le Pontifical romain du XIIe siècle*; II. *Le Pontifical de la Curie romaine au XIIIe siècle*; III. *Le Pontifical de Guillaume Durand*; IV. *Tables*, Città del Vaticano, 1938-1941 (*Studi e testi*, 86, 87, 88, 99).

Castellano, Alberto, o.p., *Liber sacerdotalis nuperrime ex libris sancte Romane ecclesie et quarumdam aliarum ecclesiarum… Venetiis… m.ccccc.xxiii* [Première édition parue à Venise en 1523; nombreuses rééditions de ce rituel romano-vénitien jusqu'en 1603[1]. Premier rituel incorporant des instructions sur les sacrements et présentant une division logique en chapitres.].

Catechismus ex decreto concilii tridentini *ad parochos S. Pii V. Pont. Max. et deinde* clementis xiii. *jussu editus nunc ad fidem Manutiani textus juxta editionem quae anno .m.dccc.lxxi. prodiit ex typis S. Congr. de Propag. Fide… impressus*, Tornaci Nerviorum, 1890.

Chavasse, Antoine, *Le sacramentaire gélasien (Vaticanus Reginensis 316). Sacramentaire presbytéral en usage dans les titres romains au VIIe siècle*, Paris-Tournai, Desclée, 1958 (*Bibliothèque de Théologie*, série IV; *Histoire de théologie*, 1), p. 140-154.

Clementinae = Constitutions clémentines [Recueil de lois du pape Clément V (1305-1314)].

Corpus iuris canonici… instruxit Aemilius Friedberg. Pars prior: *Decretum Magistri Gratiani*. Pars secunda: *Decretalium Collectiones*, Leipzig, 1879; rééd. Graz, 1959.

Deshusses = Deshusses, Jean, *Le Sacramentaire grégorien. Ses principales formes d'après les plus anciens manuscrits*, 3 t., Fribourg (Suisse), Éditions universitaires Fribourg, 1979-1982 (*Spicilegium Friburgense*, 16, 24, 28).

Deshusses – Darragon = Jean Deshusses – Benoît Darragon, *Concordances et tableaux pour l'étude des grands sacramentaires*, 3 t. en 6 vol.,

---

[1] Cf. Molin Aussedat n° 1466, 1471, 1476, 1478, 1479, 1482… Ouvrage intitulé à partir de 1554: *Sacerdotale iuxta S. Romane ecclesie et aliarum ecclesiarum…*

24   BIBLIOGRAPHIE SÉLECTIVE

Fribourg (Suisse), Éditions universitaires Fribourg, 1982-1983 (*Spicilegium Friburgense*, 9-14).

DREVES – BLUME = G. DREVES, C. BLUME, H. BANNISTER, *Analecta hymnica medii aevi*, Reisland, 1888-1922, 55 vol. rendus plus maniables grâce aux 3 vol. d'index par M. LÜTOLF, Bern, Francke Verlag, 1978.

DUMAS, A. – DESHUSSES, J., *Liber sacramentorum Gellonensis*, 2 vol., Turnhout, Brepols, 1981 (*Corpus Christianorum, series latina* 159 et 159A).

GLORIEUX, Palémon (éd.), Jean Gerson, *Œuvres complètes. Introduction, texte et notes*, Paris-Tournai, Desclée, 1960-1973.

GOULLET = *Le Pontifical de la curie romaine au XIIIe siècle*. Texte latin, traduction, introduction par M. Goullet, G. Lobrichon, E. Palazzo, Paris, Le Cerf, 2004 (*Sources liturgiques*, 4).

HESBERT, R. J., *Corpus Antiphonalium Officii* (*Rerum Ecclesiasticarum Documenta Cura Pontificii Athenaei Sancti Anselmi de Urbe Edita*), vol. III : *Invitatoria et Antiphonae*. Editio critica (Series Maior, Fontes IX), Roma, 1968 ; vol. IV : *Responsoria, Versus, Hymni et varia*. Editio critica (Series Maior, Fontes X), Roma, 1970.

JANINI, Sac. = JANINI, José, *Liber ordinum sacerdotal (Cod. Silos, Arch. monastico, 3)*, Abadia de Silos, 1981 (*Studia Silensia*, 7) [Textes wisigothiques].

LEROQUAIS, Victor, *Les Sacramentaires et les Missels manuscrits des bibliothèques publiques de France*, 3 vol. et un album de planches in-fol., Paris, 1924.

OLIVAR, Alejandro, *El Sacramentario de Vich*, Madrid-Barcelona, 1953 (*Monumenta Hispaniae Sacra. Serie liturgica*, 4).

Ordo baptizandi = *Ordo baptizandi et alia sacramenta administrandi…* Rituel romano-vénitien dont les éditions se succèdent à Venise de 1592 à 1613[2].

PONT. R. = *Pontificale romanum Clementis VIII Pont. Max. iussu editum. Romae*, M.D.XCV. Tertia pars : *Ordo excommunicandi, et absolvendi ; Ordo ad reconciliandum apostatam, schismaticum, vel haereticum.*

PRG = VOGEL, Cyrille, et ELZE, Reinhard, *Le Pontifical romano-germanique du dixième siècle*, Città del Vaticano, 1963-1972 (*Studi e testi*, 226, 227, 269)

Répertoire des visites pastorales de la France. Première série : Anciens diocèses (jusqu'en 1790), 4 vol. Paris, Éditions du CNRS, 1977-1985.

Romanum = *Rituale Romanum Pauli V. Pont. Max. iussu editum. Romae*, 1614 [Rééditions jusqu'au Concile Vatican II][3].

Rituale Romanum. Editio princeps 1614. Edizione anastica, éd. Manlio SODI – Juan Javier FLORES ARCAS. Libreria Editrice Vaticana, 2004 (*Monumenta liturgica Concilii Tridentini*, 5).

---

[2]   Cf. Molin Aussedat n° 1516, 1520, 1521 etc. Une édition à Toulouse en 1604 (Molin Aussedat n° 332). Adopté comme rituel diocésain à Cahors en 1604. Cf. P1339, P1340, P1431 etc.).

[3]   Cf. Molin Aussedat n° 1564-1777 pour les éditions jusqu'en 1900.

BIBLIOGRAPHIE SÉLECTIVE

Sacra Institutio baptizandi = Sacra baptizandi institutio iuxta ritum Sanctae Romanae Ecclesiae… Venetiis, 1571-1589 [et] Sacra Institutio baptizandi iuxta ritum Sanctae Romanae Ecclesiae… Paris, 1575-1618 [ou] Lyon, 1589, etc.[4]. Rituel romano vénitien adopté comme rituel diocésain à Lyon en 1589.

CONCILES

MANSI = MANSI, Joannes Dominicus (cont. Ioannes Baptista MARTIN, Ludovicus PETIT), *Sacrorum conciliorum nova et amplissima collectio…*, 53 vol., Florence-Venise-Paris-Leipzig, 1759-1927.
Les Conciles œcuméniques, I : *L'histoire*. II-1 : *Les Décrets. Nicée I à Latran V.* II-2 : *Les Décrets. Trente à Vatican II*, sous la direction de G. Alberigo. Éd. française sous la direction d'A. Duval, Paris, Le Cerf, 1994.

RÉPERTOIRES ET DICTIONNAIRES

Ouvrages liturgiques

DARRAGON = DARRAGON, Benoît, *Répertoire des pièces eucologiques* [oraisons] *citées dans le « De antiquis Ecclesiae ritibus » de dom Martène*, Roma, Edizioni Liturgiche, 1991 (*Bibliotheca Ephemerides Liturgicae, Subsidia* 57).
DEUFFIC, Jean-Luc, *Inventaire des livres liturgiques de Bretagne*, Turnhout, Brepols, 2014. CDrom.
KLÖCKNER, Martin, « Die Ritualiensammlung in der Bibliothek des Deutschen Liturgischen Instituts. Anlässlich der Ritualienbibliographie von Manfred Probst », *Liturgisches Jahrbuch*, t. 44 (1994), p. 33-61.
LEVRESSE, René-Pierre, « Les rituels incunables de Strasbourg », *Archives de l'Église d'Alsace*, t. 39 (1976-79), p. 65-69 et 87-91.
MARTÈNE, Edmond, *De antiquis Ecclesiae ritibus*, 3 vol., Rouen, 1700-1702. Les références aux diverses éditions sont à retrouver dans A.-G. MARTIMORT, *La documentation liturgique de dom Edmond Martène*, Città del Vaticano, 1978 (*Studi e testi*, 279).
MOLIN AUSSEDAT = MOLIN, Jean-Baptiste – AUSSEDAT-MINVIELLE, Annik, *Répertoire des rituels et processionnaux imprimés conservés en France*, Paris, Éditions du CNRS, 1984.

---

[4]   Cf. Molin Aussedat n° 1493 etc.

26 BIBLIOGRAPHIE SÉLECTIVE

PROBST, Manfred, *Bibliographie der katholischen Ritualiendrucke des deutschen Sprachbereichs. Diözesane und private Ausgaben*, Münster, Aschendorff, 1993 (*Liturgiewissenschaftliche Quellen und Forschungen*, 74).

SALMON, Pierre, *Les manuscrits liturgiques latins de la Bibliothèque vaticane*, III : *Ordines Romani, pontificaux, rituels, cérémoniaux*, Città del Vaticano, 1970 (*Studi e testi*, 260).

ZANON, Giuseppe, « Catalogo dei rituali liturgici italiani dall' inizio della stampa al 1614 », *Studia Patavina*, t. 31 (1984), p. 497-564.

Répertoires d'évêques

EUBEL, Conradum, *Hierarchia Catholica Medii Aevi (Medii et recentioris Aevi) sive Summorum Pontificum, S.R.E. Cardinalium-Ecclesiarum Antistitum series.* Editio altera, 9 vol., Monasterii, 1913 – Patavii, 2002.

GAMS, Pius Bonifacius, *Series Episcoporum Ecclesiae Catholicae…*, Ratisbonae, 1873.

Ancien français

GODEFROY, Frédéric, *Dictionnaire de l'ancienne langue française et de tous ses dialectes du IXe au XVe siècle*, Paris, 1880-1902.

HUGUET, Edmond, *Dictionnaire de la langue française du seizième siècle*, Paris, 1925-1967.

MATSUMURA, Takeshi, *Dictionnaire du français médiéval*, sous la direction de Michel Zink, Paris, Les Belles Lettres, 2015.

TRAVAUX

AMANN, E., « Laxisme. II. Histoire de la querelle du laxisme », *Dictionnaire de théologie catholique*, t. 9 (1926), col. 41-86.

—, « Pénitence-Repentir. Doctrine de l'Eglise : le concile de Trente », *Dictionnaire de théologie catholique*, t. 12 (1933), col. 738-748.

AMIET, Robert, « La Pénitence », in *Rituale Augustanum*, Aoste, 1991 (*Monumenta Ecclesiae Augustanae*, 12), p. 125-164 [Rites pénitentiels dans le Val d'Aoste du XIIe au XVe siècles].

– Expulsion des pénitents le mercredi des Cendres, p. 130-137.

– Réconciliation des pénitents le Jeudi Saint, p. 137-148.

– Pénitence privée, p. 148-160.

– Absolution d'un homme rebaptisé par un hérétique, p. 160-162.

– Bénédiction et réconciliation d'un hérétique converti, p. 163-164.

BIBLIOGRAPHIE SÉLECTIVE

ANCIAUX, Paul, *La théologie du Sacrement de Pénitence au XIIe siècle*, Louvain, Gembloux, 1949 (Universitas catholica Lovaniensis, Dissertationes ad gradum magistri..., Series II, t. 41).

APPOLIS, Émile, *Entre jansénistes et zelanti. Le « Tiers Parti » catholique au XVIIIe siècle*, Paris, 1960.

ARMOGATHE, Jean-Robert, « Jansénisme. Historiographie et histoire », *Dictionnaire de Spiritualité*, t. 8 (1974), col. 102-128.

AUBERT, J. M., « Rigorisme », *Catholicisme*, t. 12 (1990), col. 1232-1240.

AUSSEDAT-MINVIELLE, Annik, *Histoire et contenu des rituels diocésains et romains imprimés en France de 1476 à 1800. Inventaire descriptif des rituels des provinces de Paris, Reims, Rouen*. Thèse de Doctorat de l'Université de Paris I Panthéon-Sorbonne, sous la direction de Jean Delumeau, année universitaire 1987-1988, 2 vol.

—, « La Vierge Marie dans les rituels français imprimés de 1481 à 1800 », *Marianum. Ephemerides Mariologiae*, 60 (1998), p. 17-196 [Pour la Pénitence, voir p. 37-48].

AVRIL, Joseph, « Remarques sur un aspect de la vie religieuse paroissiale : la pratique de la confession et de la communion du Xe au XIVe siècle », in *Actes du 109e Congrès national des Sociétés savantes* (Dijon, 1984), p. 345-363.

BEAULANDE-BARRAUD, Véronique, « Jean Gerson et les cas réservés. Un enjeu ecclésiologique et pastoral », *Revue d'histoire de l'Église de France*, t. 100, 2014, p. 301-318.

BÉRIOU, Nicole, « Autour de Latran IV (1215) : la naissance de la confession moderne et sa diffusion », in *Groupe de la Bussière. Pratiques de la confession des Pères du désert à Vatican II*, Paris, Le Cerf, 1983, p. 73-93.

BERNARD, P., « Contrition. Aspects dogmatiques », *Dictionnaire de théologie catholique*, t. 3 (1957), col. 1671-1687.

BERNOS, Marcel, « Saint Charles Borromée et ses "Instructions aux Confesseurs". Une lecture rigoriste par le clergé français (XVIe-XIXe siècle) », in *Groupe de la Bussière, Pratiques de la confession des Pères de l'Église à Vatican II*, Paris, Le Cerf, 1983, p. 187-200.

BEUGNET, A., « Attrition », *Dictionnaire de théologie catholique*, t. 1 (1937), col. 2235-2262.

BLIC, Jacques de, « Probabilisme », *Dictionnaire apologétique de la foi catholique*, t. 4 (1922), col. 301-361.

BRIDE, A., « Réserve. Cas réservés », *Dictionnaire de théologie catholique*, t. 13 (1937), col. 2447-2461.

BROUILLARD, R., « Contrition et attrition », *Catholicisme*, t. 3 (1952), col. 150-154.

CARREYRE, Jean, « Jansénisme », *Dictionnaire de théologie catholique*, t. 8 (1924), col. 315-529.

28 BIBLIOGRAPHIE SÉLECTIVE

CATTANEO, E., « Il rituale romano di Alberto Castellani », in *Miscellanea Lercaro*, t. II, Roma, 1966, p. 629-647.

COGNET, Louis, *Le Jansénisme*, Paris, PUF, 1961 (*Que sais-je ?*, 960).

DEGERT, Antoine, « Saint Charles Borromée et le clergé français », *Bulletin de littérature ecclésiastique*, 4 (1912), p. 145-159 et 193-213.

—, « Réaction des "Provinciales" sur la théologie morale en France », *Bulletin de littérature ecclésiastique*, 5 (1913), p. 400-420 et 442-453.

DELUMEAU, Jean, *Le péché et la peur. La culpabilisation en Occident, XIIIᵉ-XVIIIᵉ siècle*, Paris, Fayard, 1983.

—, *L'aveu et le pardon. Les difficultés de la confession, XIIIᵉ-XVIIIᵉ siècle*, Paris, Fayard, 1990.

DEMAN, Th., « Probabilisme », *Dictionnaire de théologie catholique*, t. 13 (1936), col. 417-619.

DUBU, Jean, « De quelques rituels des diocèses de France au XVIIᵉ siècle et du théâtre », *L'Année canonique*, 5 (1957), p. 95-124 ; 6 (1959), p. 99-114.

DUPUY, Michel, « Jansénisme, Doctrine spirituelle », *Dictionnaire de Spiritualité*, t. 8 (1974), col. 128-148.

DUVAL, André, *Des Sacrements au concile de Trente. (Collection Rites et symboles)*, Paris, Le Cerf, 1985.

FOLZ, Robert, « La pénitence publique au IXᵉ siècle d'après les canons de l'évêque Isaac de Langres », in *Actes du 109ᵉ Congrès national des Sociétés savantes* (Dijon, 1984), p. 331-343.

GAY, J.-P., *Morales en conflit. Théologie et polémique au Grand siècle (1640-1700)*, Paris, 2011.

GHESQUIÈRES, L. É., « Peines ecclésiastiques », *Catholicisme*, t. 10 (1985), col. 1073-1084.

—, « Réconciliation des Hérétiques », *Catholicisme*, t. 12 (1990), col. 574-576.

GUERBER, Jean, *Le ralliement du clergé français à la morale liguorienne. L'abbé Gousset et ses précurseurs (1785-1832).* Roma, Universita Gregoriana, 1973 (*Analecta Gregoriana*, 193) [Les p. 1-93 de la première partie traitent du délai d'absolution en France aux XVIIᵉ et XVIIIᵉ siècles ; les p. 309-327 de la troisième partie sont intitulées « Charles Borromée et François de Sales, garants prétendus du rigorisme français »].

GY, Pierre-Marie, « Collectaire, rituel, processionnal », *Revue des sciences philosophiques et théologiques*, t. 44 (1960), p. 441-469. Réimpression in *La liturgie dans l'histoire*, Paris, Le Cerf, 1990 (Liturgie), p. 91-126.

—, « La pénitence et la réconciliation », in A.-G. MARTIMORT, *L'Église en prière. Introduction à la Liturgie.* Édition nouvelle, III : *Les sacrements*, Paris, Desclée, 1984, p. 115-131.

BIBLIOGRAPHIE SÉLECTIVE

JACQUEMET, G., « Absolution (Formule de l') », *Catholicisme*, t. 1 (1948), col. 59-62.

—, « Excommunication », *Catholicisme*, t. 4 (1956), col. 877-887.

JOMBART, É., « Excommunication », *Dictionnaire de droit canonique*, t. 5 (1953), col. 615-628.

LECLERCQ, Henri, « Liturgies néo-gallicanes », *Dictionnaire d'archéologie chrétienne et de liturgie*, t. 9 (1930), col. 1667-1718.

LEMAÎTRE, Nicole, « Pratique et signification de la confession communautaire dans les paroisses au XVIe siècle », in *Groupe de la Bussière, Pratiques de la confession des Pères de l'Église à Vatican II*, Paris, Le Cerf, 1983, p. 139-157.

—, « Confession privée et confession publique dans les paroisses au XVIe siècle », *Revue d'histoire de l'Église de France*, t. 69 (1983), p. 189-208.

LONGÈRE, Jean, *Œuvres oratoires de Maîtres parisiens au XIIe siècle. Étude historique et doctrinale*. T. I : *Textes*, p. 279-280. T. II : *Notes*. p. 221-285, Paris, Études augustiniennes, 1975 [Origine et classification des vertus et des vices depuis l'Antiquité gréco-latine jusqu'au Moyen-Âge].

—, « Les évêques et l'administration du sacrement de pénitence au XIIIe siècle : les cas réservés », in *Papauté, Monachisme et Théories politiques. Mélanges Marcel Pacaut*, Lyon, 1994, Centre interuniversitaire d'Histoire et d'Archéologie médiévales. Presses universitaires de Lyon (*Collection d'histoire et d'archéologie médiévales*, 1), p. 537-550.

—, « La prédication d'après les statuts synodaux du Midi au XIIIe siècle », in *La prédication en Pays d'Oc (XIIe-début XVe siècle)*, Toulouse, Privat, 1997 (*Cahiers de Fanjeaux*, 32), p. 251-274 [Articles de foi, Décalogue].

MARTIMORT, Aimé-Georges, *Le Gallicanisme*, Paris, PUF, 1973 (*Que sais-je ?*, 1537).

MICHAUD-QUANTIN, Pierre, *Sommes de casuistique et manuels de confession au Moyen Âge (XIIe-XVIe siècles)*, Louvain, Lille, Montréal, 1962 (*Analecta Mediaevalia Namurcensia*, 13).

MICHEL, A., « Pénitence. III. L'œuvre doctrinale du concile de Trente. IV. La théologie post-tridentine », *Dictionnaire de théologie catholique*, t. 12 (1933), col. 1069-1127.

—, « Trente (concile de). V. Promulgation et application des décrets », *Dictionnaire de théologie catholique*, t. 15 (1946), col. 1486-1496.

MORIN, J., *Commentarius historicus de disciplina in administratione sacramenti paenitentiae*, Paris, 1651 ; deuxième édition : Antverpiae, F. Metelen, 1682.

NAZ, R., « Monition », « Monitoire », *Dictionnaire de droit canonique*, t. 6 (1957), col. 938-942.

30   BIBLIOGRAPHIE SÉLECTIVE

NOCENT, Adrien, « La pénitence dans les ordines locaux transcrits dans le *De antiquis Ecclesiae ritibus* d'Edmond Martène », in *Paschale Mysterium*, Rome, 1986 (*Studia Anselmiana*, 91), p. 115-138.

NOYE, Irénée, « Miséricorde (Œuvres de) », *Dictionnaire de Spiritualité*, t. 10 (1980), col. 1328-1349.

ORTOLAN, T., « Contrition. Questions morales et pratiques », *Dictionnaire de théologie catholique*, t. 3 (1957), col. 1687-1694.

PÉRINELLE, Joseph, *L'attrition d'après le Concile de Trente et d'après saint Thomas d'Aquin*, Le Saulchoir, Kain (Belgique), 1927 (*Bibliothèque thomiste*, 10 ; Section théologique, 1).

POSCHMANN, B., *La pénitence et l'onction des malades*, traduit de l'allemand (*Histoire des dogmes*, t. IV : Sacrements, fasc. 3), Paris, Le Cerf, 1966.

RICHARD, Hugues, « Une source pour l'étude des connaissances du clergé français en matière de droit canonique à la fin du XVIIIe et au début du XIXe siècle : les Instructions du rituel de Toulon », *Revue de droit canonique*, t. 29 (1979), p. 104-137.

ROUILLARD, Philippe, o.s.b., « Le sacrement de pénitence », *Catholicisme*, t. 10 (1985), col. 1135-1161.

SÉJOURNÉ, dom P., « Sorcellerie », *Dictionnaire de théologie catholique*, t. 14 (1941), col. 2394-2417.

TAVENEAUX, René, *Le jansénisme en Lorraine (1640-1789)*, Paris, 1960.

TEETAERT, A., *La confession aux laïques dans l'Église latine*, Louvain, 1926 (Universitas Catholica Lovaniensis, Dissertationes ad gradum magistri in Facultate Theologica, series II, t. 17), p. 1-24, 38-43, 85-101 et 256-275.

VEREECKE, Louis, *De Guillaume d'Ockham à saint Alphonse de Liguori. Études d'histoire de la théologie morale moderne, 1300-1787*, Romae, Collegium S. Alfonsi de Urbe, 1986 (Bibliotheca Historica Congregationis SSmi Redemptoris, 12).

VOGEL, Cyrille, *Le pécheur et la pénitence au Moyen Âge*, Paris, Le Cerf, 1969 (rééd. 1982).

Enseignement de la foi

AUSSEDAT-MINVIELLE, Annik, « Le Credo des douze Apôtres dans les premiers rituels imprimés français », in *Pensée, image et communication en Europe médiévale. À propos des stalles de Saint-Claude*, Besançon, Aprodic, 1993, p. 171-174.

COLIN, P., GERMAIN, E., JONCHERAY, J., VENARD, M. (dir.), *Aux origines du catéchisme en France*, Paris, Desclée, 1989.

DHÔTEL, Jean-Claude, *Les origines du catéchisme moderne d'après les premiers manuels imprimés en France*, Paris, 1967.

BIBLIOGRAPHIE SÉLECTIVE

GERMAIN, Élisabeth, *Langages de la foi à travers l'histoire. Mentalités et catéchèse*, Paris, Fayard-Mame, 1972.

HÉZARD, *Histoire du catéchisme depuis la naissance de l'Église jusqu'à nos jours*, Paris, 1900.

LEMAÎTRE, Nicole, « L'éducation de la foi dans les paroisses au XVIᵉ siècle », in *Actes du 109ᵉ Congrès national des Sociétés savantes* (Dijon, 1984), p. 429-440.

—, « Le catéchisme avant les catéchismes, dans les rituels », in *Aux origines du catéchisme en France*, éd. P. Colin, Paris, Desclée, 1989, p. 27-44.

MONAQUE, Antoine, dir., *Catéchismes diocésains de la France d'Ancien Régime conservés dans les bibliothèques françaises* [avant-propos de Marc Venard], Paris, Bibliothèque nationale de France, 2002.

VEISSIÈRE, Michel, « Guillaume Briçonnet, évêque de Meaux de 1515 à 1534 et l'instruction religieuse des fidèles de son diocèse », in *Actes du 109ᵉ Congrès national des Sociétés savantes* (Dijon, 1984), p. 441-449.

RÈGLES D'ÉDITION

Le texte choisi pour chaque formule est, sauf exceptions, celui de la première édition imprimée connue. Les variantes orthographiques ne sont pas toujours prises en compte ; la ponctuation est parfois modernisée et les abréviations développées ; les majuscules sont restituées suivant les habitudes modernes. Dans les oraisons, on a supprimé systématiquement les formules mises au féminin. Les inversions de mots ne sont pas indiquées dans les variantes.

Dans les textes français des xve-xvie siècles, les apostrophes sont restituées suivant les habitudes modernes ; le i et le j sont distingués ; l'accent aigu est ajouté sur les e et es finaux, chaque fois qu'ils ne sont pas atones.

Dans les textes latins et français, le u et le v sont distingués.

Le mot [rare] faisant suite à une formule signifie que celle-ci est inconnue des autres rituels ou des rituels précédant celui-ci.

Chaque formule est suivie en premier lieu de la liste des rituels où elle se trouve ; l'édition la plus ancienne servant de référence est placée en tête de la liste ; les éditions suivantes suivent l'ordre alphabétique des diocèses. *Romanum* indique l'utilisation de la formule dans le rituel romain de Paul V. Les noms des rituels en *italiques* sont ceux dont les variantes ne sont pas notées. Les textes comportant des notations musicales sont précédés de ♪.

Dans le cours d'une citation, les mots ou phrases non reproduits sont remplacés par …

Les sources bibliographiques sont citées ensuite : *Réf.*

Cf. indique que la formule en question est proche de celle qui figure dans l'ouvrage de référence cité (Cf. Deshusses…).

Les variantes textuelles sont indiquées après chaque formule.

Les dates d'impression des rituels du début du xvie siècle sont indiquées en nouveau style quand il y a lieu : Clermont-Saint-Flour 1506 n.st., Reims 1506 n.st., Genève 1524 n.st., Lisieux 1524 n.st., Senlis 1526 n.st., Avranches et Coutances 1540 n.st.

Les noms des évêques promulgateurs de formulaires, ou sous le pontificat desquels ont été promulgués ceux-ci, sont indiqués avant chaque formulaire.

Tous les rituels cités sont répertoriés dans: J.-B. MOLIN, A. AUSSE-DAT-MINVIELLE, *Répertoire des rituels et processionnaux imprimés conservés en France*, Paris, Éditions du CNRS, 1984.

Toutes les formules (antiennes, versets, répons, oraisons...) sont reproduites intégralement avec leurs variantes

Par contre, les formulaires, très nombreux et souvent proches les uns des autres pour certains rites, ne sont pas tous reproduits, mais des indications sur leur contenu figurent dans les listes de leurs titres.

Formulaires cités intégralement

Pénitence publique (chap. I)
Confessions générales (chap. VI, VII, VIII, IX)
Examens de conscience (chap. XII)
Instructions sur la contrition (chap. XIII)
Conseils aux pénitents selon leur état de vie (chap. XIV)
Confession des enfants (chap. XVI)
Excommunications au prône dominical (chap. XXII)
Cas de péchés réservés au pape (chap. XXIV)
Cas de péchés réservés aux évêques (chap. XXV)
Aides-mémoire de la foi chrétienne (chap. XXVI).

Les absolutions de l'hérésie (chap. XX) et les catéchismes (chap. XXVI) sont tous présentés, mais ne sont édités que partiellement lorsqu'ils sont trop développés.

Choix de formulaires

Offices du Mercredi des Cendres (chap. II)
Absolutions générales (chap. III et IV)
Conseils aux prêtres (chap. XI)
Pénitence privée (chap. XV)
Absolutions de l'excommunication (chap. XVII)
Absolutions à l'article de la mort (chap. XVIII)
Absoutes d'un excommunié après sa mort (chap. XIX)
Autres cas d'absolution (chap. XXI)
Excommunication publique (chap. XXIII)
Prônes dominicaux; Instructions et exhortations (chap. XXVI)
Conseils de vie chrétienne (chap. XXVII).

ABRÉVIATIONS ET SIGLES UTILISÉS

A., ant.	*antiphona (ae)*, antienne
add.	addition(s)
B., bén.	*benedictio*, bénédiction
c.	circa
ch.	chiffré(s), chiffrée(s)
Dne, Dno, Dnum, Dnus	*Domine, Domino, Dominum, Dominus*
Dnus vob.	*Dominus vobiscum*
Éd. éd.	édition
etc.	*et caetera*
f.	folio
f.n.ch.	folio non chiffré
I. C.	*Iesu Christe, Iesus Christus, Iesum Christum, Iesu Christi*
Ill. et Rev	*Illustrissime(i) et reverendissime(i)*
mq.	manque(nt)
n.m., note marg.	note marginale
n.st.	nouveau style[1]
O. s. Deus p. dni n. I. C.	*Omnipotens sempiterne Deus pater domini nostri I. C.*
Omnip. semp.	*Omnipotens sempiterne*
P	La lettre P signifiant PÉNITENCE, utilisée devant chaque numéro d'ordre, renvoie à la numérotation du volume consacré principalement à ce sacrement. Elle n'est pas reprise dans la numérotation des index.
p.	page
p.n.ch.	page non chiffrée
Ps.	psaume(s)
Ps. pénit.	psaumes pénitentiels
qs	*quesumus*

---

[1] Rituels datés nouveau style : Clermont-Saint Flour 1505 : 1506 n.st. ; Reims 1505 : 1506 n.st. ; Genève 1523 : 1524 n.st. ; Lisieux 1523 : 1524 n.st. ; Senlis 1525 : 1526 n.st. ; Avranches et Coutances 1539 : 1540 n.st.

R.	*responsorium*, répons
Réf.	ouvrages de référence
sq.	et suivant(e)s
V.	verset
v.g.	*verbi gratiâ*

Le sigle ♪ indique des notations musicales.

ABRÉVIATIONS DES NOMS DE DIOCÈSES DANS L'APPARAT CRITIQUE

Ag.	Agen	El.	Elne
Air.	Aire	Em.	Embrun
Aix	Aix-en-Provence	Ev.	Évreux
Alb.	Albi		
Ale.	Alet	Ge.	Genève
Am.	Amiens		
An.	Angers	Lan.	Langres
Ang.	Angoulême	Lao.	Laon
Ar.	Arras	LaR.	La Rochelle
Auc.	Auch	Lem.	Le Mans
Aut.	Autun	Lim.	Limoges
Aux.	Auxerre	Lis.	Lisieux
Av.	Avranches	Lu.	Luçon
		Ly.	Lyon
Bal.	Bâle		
Bay.	Bayeux	Mag.	Maguelonne
Baz.	Bazas	Mea.	Meaux
Bea.	Beauvais	Met.	Metz
Bes.	Besançon		
Bor.	Bordeaux	Nan.	Nantes
Bou.	Bourges	Nar.	Narbonne
Boul.	Boulogne	Ne.	Nevers
		No.	Noyon
Cah.	Cahors	Or.	Orléans
Cam.	Cambrai		
Car.	Carcassonne	Pa.	Paris
ChM.	Châlons-sur-Marne	Pé.	Périgueux
	(Châlons-en-Cham-	Po.	Poitiers
	pagne)		
ChS.	Chalon-sur-Saône	Rei.	Reims
Cha.	Chartres	Ren.	Rennes
Cl.	Clermont	Rod.	Rodez
Cou.	Coutances		

ABRÉVIATIONS DES NOMS DE DIOCÈSES

Romanum	*Rituale romanum*	St.	Strasbourg
	Pauli V	Ste.	Saintes
Rou.	Rouen	Tlon	Toulon
Sai.	Saintes	To.	Toul
SBr.	Saint-Brieuc	Tols.	Toulouse
SDié	Saint-Dié	Trn.	Tournai
Sée.	Sées	Trs	Tours
Sen.	Sens	Tro.	Troyes
Senl.	Senlis	Uz.	Uzès
SFl.	Saint-Flour		
Sl.	Senlis	Va.	Vannes
So.	Soissons	Val.	Valence
SOm.	Saint-Omer	Ve.	Verdun
SPa.	Saint-Papoul	Vi.	Vienne

CHAPITRE PREMIER

PÉNITENCE PUBLIQUE

1. Expulsion des pénitents le Mercredi des Cendres

Pratiquée dans l'Antiquité, puis tombée en désuétude, la pénitence publique est restaurée à l'époque carolingienne dans les pays francs pour les péchés les plus graves. La liturgie solennelle de l'expulsion et de la réconciliation des pénitents se trouve dans le Pontifical romain germanique[1], dans le Pontifical de Guillaume Durand de Mende[2], dans le Pontifical romain du XIIe siècle[3], et dans le *Pontificale Romanum, Tertia Pars, De expulsione publice paenitentium ab Ecclesia, in feria quarta Cinerum. De Reconciliatione paenitentium, quae fit in quinta feria Caenae Domini.*

Les rituels de Clermont-Saint-Flour (pour l'expulsion) et de Chartres 1580 (pour la réconciliation) s'inspirent en partie de ces sources.

a. Formulaires

Clermont et Saint-Flour 1506 n.st.-1608

[Clermont 1506 : Jacques d'Amboise]

Les rituels de ces deux diocèses gardent un vestige de l'expulsion des pénitents le Mercredi des Cendres après l'imposition des cendres, inspirée du Pontifical romano-germanique.

P1 **Clermont 1506.** f. 61-62 … Post predictam orationem eiiciendus est populus ab ecclesia tali modo increpandus :

Ecce eiicieris hodie a sinu matris tue sancte ecclesie propter peccatum tuum, sicut Adam primus homo eiectus est a paradiso propter transgressionem suam. P40

---

[1]   PRG II.
[2]   Andrieu III.
[3]   Andrieu I. Sur la pénitence publique, voir P. Gy, « La pénitence et la réconciliation », dans A.-G. Martimort, *L'Église en prière, Introduction à la liturgie*, Paris-Tournai, 1961, p. 116-127.

A. *Immutemur habitu in cinere et cilicio, ieiunemus et ploremus ante Dominum, quia multum misericors est dimittere peccata nostra Deus noster.* P26

Ps. *Miserere…* A. *Immutemur.* Gloria Patri. A. *Immutemur.*

Et iteratur A. predicta secundum multitudinem recipientium cineres, sed non ps. *Miserere,* nec *Gloria Patri.*

Oremus. Assit quesumus Domine his famulis tuis inspiratio gratie salutaris que cereorum fletuum ubertate resolvat, sicque macerando conficiat ut iracundie tue motus idonea satisfactione compescat. P33

Chartres 1580

[Nicolas de Thou]

Le rituel chartrain de 1580, original à plus d'un titre, est le seul au xvɪᵉ siècle à donner un rite complet de pénitence publique, absent des éditions antérieures imprimées.

La cérémonie a lieu dans la cathédrale : après prime et un sermon ordinaire, les pénitents vont s'agenouiller devant l'autel du Crucifix pour les psaumes pénitentiaux, les litanies, et les oraisons demandant à Dieu sa miséricorde et la rémission de leurs péchés ; ils reçoivent ensuite l'absolution et l'imposition des cendres, et on leur distribue en signe de pénitence des cilices (« haires ») et des sacs bénits auparavant. On leur fait alors une brève exhortation avant de les expulser de la cathédrale.

P2 **Chartres 1580 f. 216-218.** *Expulsion des penitens publics hors l'Eglise*

Ce jour, les penitens sont expulsez de l'Eglise par ordonnance du concil [*sic*] d'Agathe, en la forme et avec les prieres et ceremonies declarées és decrets d'iceluy.

De la forme observée en l'Eglise de Chartres.

Ils se presenteront à ce jour à l'Evesque, ou ses vicaires, pour entendre ce qu'ils ont à faire le Quaresme, afin d'accomplir leur penitence en ce sainct temps. Puis apres prime et le sermon ordinaire faict au peuple en la nef de l'eglise, vont au devant de l'autel du Crucifix, où sont dicts à genoux les sept psalmes penitenciaux, avec la letanie, vers. et oraisons ensuyvans.

V. *Exaudi Deus salutaris noster.* R. *Ostende faciem tuam, et salvi erimus.* P24

V. *Non prosternimus preces Domine in iustificationibus nostris, sed in multis miserationibus tuis.* R. *Exaudi, placare, attende, fac, et ne moreris propter temetipsum.* P29

V. *Exaudi orationem meam…* P25

Oremus. Deus qui magnus es, faciens mirabilia, verax, patiens, et multae misericordiae omnibus invocantibus te… P34

Memor esto, quesumus Domine, verbi tui, in quo spem dedisti, et praesta, ut qui à te cum voto in melius vitam commutandi ex toto corde convertuntur, remissionem obtineant peccatorum, et salventur. P35

Adesto Domine poenitentium supplicationibus, ut auxilium tuae miserationis implorantes, quae pie postulant… P31

[Absolutions]

Apres lesdictes prieres, l'evesque ou son vicaire se souslevera pour donner l'absolution aux penitens en ceste maniere.

Oremus. Dominus I. C. qui dixit discipulis suis: «Quaecunque ligaveritis super terram erunt ligata et in celis», de quorum numero me quamvis indignum peccatorem… P37

Absolutionem et remissionem omnium peccatorum vestrorum, spatium verae poenitentiae, et emendationem vitae, tribuat vobis omnipotens Deus. Amen. P36

[Bénédiction des haires et des sacs]

Ladicte absolution faicte, sera mis lesdictes cendres sur le chef des penitents, et procedé à la benediction des haires et sacs qui leur sont baillez en signe de penitence. *Adiutorium nostrum…*

Oremus. Deus qui superbis resistis, et gratiam praestas humilibus, benedic, quaesumus, haec cilicia et indumenta, ut qui ea in signum poenitentiae detulerint, indulgentiam tuae consolationis obtineant. In nomine Patris… P39

Ce qu'est faict apres ladicte benediction.

L'on remonstre aux penitens la gravité des offenses, pour l'expiation desquelles ils sont mis hors l'Eglise, comme Adam fut expulsé de paradis pour sa prevarication, avec doulce exhortation de ne desesperer de la misericorde de Dieu, par les moyens à plein declarez par sainct Jean Chrysostome et autres, qui se peuvent recueillir de la saincte Escriture.

[Expulsion]

Ce faict, sont mis hors l'eglise par la porte royale en chantant le R. ensuivant.

R. ♪*In sudore vultus tui vesceris pane tuo, dixit Dominus ad Adam. Cum operatus fueris terram, non dabit fructus suos, sed spinas et tribulos germinabit tibi.* V. *Pro eo quod obedisti voci uxoris tuae plusquam meae, maledicta terra in opere tuo.* P42

Ce qu'est faict au retour de ladicte porte.

L'Evesque, ou celuy qui officie, impose les cendres benistes sur le chef des chanoines et ministres de l'Eglise, assistans au choeur. Et le Penitencier en depart au peuple au devant de l'autel du Crucifix, ou derriere celuy du choeur. Et se fait, la procession va apres Sexte en l'eglise de S. Sierge [*sic*], autrement dicte S. Nicolas. Et consecutivement None et la messe dictes, sont vespres chantées selon l'ordinaire de l'Eglise.

Rouen 1640, 1651

[Rouen 1640 : François Ier de Harlay]

P3 **Rouen 1640** p. 287-290 ; **Rouen 1651** pars II, p. 378. *Ordo faciendi absolutiones feriâ quartâ in capite ieiunii.*

Brève allusion à l'expulsion publique des pénitents après la bénédiction des cendres :

… His peractis fit benedictio et impositio cinerum, ac expulsio publice poenitentium.

Alet 1667-1771

[Alet 1667 : Nicolas Pavillon]

À la suite des *Instructions aux confesseurs* de saint Charles Borromée, le rituel janséniste d'Alet remet le rite de la pénitence publique en vigueur : le pénitent vient à l'église habillé simplement, se tient à genoux à la porte, et fait au prêtre une demande de pardon ; celui-ci lui impose la pénitence avant une brève cérémonie suivie de l'expulsion.

P4 **Alet 1667** p. 163-164. ***Dixiême Instruction. De la penitence publique.***

Qu'est-ce que la penitence publique ? C'est celle qui se reçoit, et qui se pratique à la veüe de l'Eglise.

… le saint Concile de Trente ayant jugé que les penitences publiques estoient utiles, et mesme necessaires en plusieurs cas, comme à l'egard des pechez notables et scandaleux, il en a ordonné le rétablissement.

p. 164-167 *Ordre pour l'imposition de la penitence publique.*

[Requête du pénitent]

Le penitent viendra à l'eglise habillé simplement, sans armes, sans bottes ny éperons, avec un exterieur modeste, et se tenant à genoux à

PÉNITENCE PUBLIQUE 43

la porte de l'eglise en dehors, s'il est excommunié, ou interdit; ou en dedans, s'il ne l'est pas. …

Mon pere, je me presente icy pour demander tres humblement pardon à Dieu… P12

[Imposition de la pénitence]

Puis le Prestre…

Mon frere, encore que l'enormité de vostre peché soit telle … Sortez donc de cette sainte assemblée… P13

V. *Salvum fac servum tuum (ancillam tuam)… P30*

V. *Mitte ei Domine auxilium de sancto. … P27*

V. *Nihil proficiat inimicus in eo. … P28*

V. *Domine Deus virtutum converte nos. … P21*

V. *Domine exaudi orationem meam. … P64*

V. *Dominus vobiscum. …*

Oremus. Adesto Domine supplicationibus nostris, nec sit ab hoc famulo tuo clementiae tuae longinqua miseratio… P32

[Expulsion des pénitents]

Puis le prestre se tounant vers le penitent, et le prenant par la main droite, ou s'ils estoient plusieurs, prenant le premier par la main, et tous se donnant la main les uns aux autres, il le conduira à la porte, disant:

Ecce ejiceris tu (ejicimini vos) hodie de liminibus sanctae Matris Ecclesiae, propter peccata et scelera tua (vestra) sicut Adam primus homo ejectus est de paradiso propter transgressionem suam. P40

Et le penitent ayant esté conduit jusques hors la porte de l'eglise, le Prestre rentrant dedans, la ferme. Si le penitent n'estoit point dans l'excommunication, ou dans l'interdit, aprés luy avoir imposé la penitence, on dira les prieres cy-dessus marquées; et ensuite le Prestre luy marquera la place qu'il doit occuper dans l'eglise pendant le cours de sa penitence, qui doit estre auprés de la porte de l'eglise à main gauche, afin qu'il paroisse le dernier des chrestiens…

Nevers 1689

[Edouard Vallot]

P5 **Nevers 1689** p. LXXII-LXXIV[4].

Formulaire d'Alet 1667 sauf une courte instruction expliquant que :

« Quoique l'usage de la penitence publique, pour les péches publics, soit assez rare aujourd'hui, il suffit cependant que le saint Concile de Trente ait souhaité qu'il fût, en certains cas, rétabli, pour devoir mettre ici la formule des prières dont il faut accompagner cette pratique ».

Celle-ci ne portera que sur « des péchés notoires et scandaleux » (p. LXXII).

La demande de pardon du pénitent et la réponse du prêtre sont abrégées.

Toul 1700, 1760

[Toul 1700 : Henri de Thyard de Bissy]

P6 **Toul 1700** p. 117-122. *De la pénitence publique.*

La pénitence publique est rétablie, mais avec « beaucoup de nécessité et de précaution ». Il est précisé que le diocèse de Toul « a toûjours conservé et l'esprit et la pratique de la pénitence publique ». Deux sortes de pénitence publique sont prévues : l'une qui est une réparation devant la communauté paroissiale du dommage causé ; l'autre, plus solennelle, est réservée à l'évêque. Le rite est absent.

Évreux 1706

[Jacques Potier de Novion]

P7 **Évreux 1706** [Supplément intitulé *De l'administration des Sacremens*, relié à la suite du rituel.]

p. 28-29 *Pour l'imposition de la penitence publique.*

Formulaire d'Alet 1667 p. 164-165 (dialogue du pénitent et du pénitencier, sans la cérémonie)

p. 29-30 *Pour la reconciliation des Penitens…*

---

4 Certains exemplaires du rituel de Nevers 1689 (Paris, Bibl. de l'Arsenal ; Nevers et Provins, Bibl. mun.) contiennent, relié entre les p. 70-71, un cahier de [16] p. chiffrées LXXI-LXXXVI reprenant plusieurs chapitres du rituel d'Alet 1667 concernant la pénitence avec quelques remaniements.

Narbonne 1736

[René-François de Beauvau]

P8 **Narbonne 1736** p. 198-199.

Brève allusion à une expulsion des pénitents après la bén. des cendres avec référence aux Pontificaux narbonnais des cardinaux Roger [archevêque de 1375 à 1391] et Pizzani [archevêque de 1551 à 1561].

Soissons 1753

[François de Fitz-James]

P9 **Soissons 1753** p. 143-155. *De la Pénitence publique.*

Il est certain par les écrits des SS. Peres, et presque par tous les Conciles, qu'on imposoit autrefois une Pénitence publique pour les grands péchés. …

Instruction sans rite.

Le Mans 1775

[Louis-André de Grimaldi]

P10 **Le Mans 1775** Deuxième partie, p. 120-122. *De la cérémonie des Pénitens.*

La Cérémonie des Pénitens qui se pratique tous les ans dans l'Eglise Cathédrale de ce Diocèse, est un reste très précieux de la discipline des premiers siècles du Christianisme… Nous approuvons et renouvelons, en tant que besoin, cette louable et ancienne coutume…

p. 122-123 *Ordre pour la cérémonie des Pénitens dans l'Eglise cathédrale.*

Le Mercredi des Cendres, après le sermon, Mgr l'Evêque … va … dans la croisée de l'Eglise, devant le crucifix … reciter les sept ps., les litanies des saints avec les V. et oraisons et donner l'absolution au peuple.

Lorsqu'on commence la messe du chœur … on se rend … à la grande porte de l'Eglise… le pénitencier conduit les pénitens qui vont deux à deux…

Etant arrivé à la grande porte de l'Eglise, il (l'évêque) adresse une exhortation aux pénitens qui sont rangés devant lui et à genoux, et les asperge d'eau-bénite. Pendant l'aspersion, le sous-chantre entonne le R. *Emendemus* P23, que les vicaires continuent, pendant que le clergé retourne à la sacristie.

46   CHAPITRE PREMIER

Lyon 1787

[Antoine de Malvin de Montazet]

P11   **Lyon 1787** p. 231-238. *De la pénitence publique. De la nécessité d'expier les désordres publics et scandaleux par une satisfaction publique, et des règles à observer pour prescrire cette satisfaction.*
Instruction sur l'histoire de la pénitence publique et conseils au sujet de ses possibles inconvénients.

B. FORMULES

[Requête du pénitent au pénitencier ou au prêtre commis pour cette cérémonie]

P12   Mon pere, je me presente icy pour demander tres humblement pardon à Dieu de mes pechez, et à tous les assistans du mauvais exemple que je leur ay donné[5], les suppliant de ne me pas suivre en ma chute, mais d'implorer la misericorde de Dieu, afin qu'il me fasse la grace de m'en relever ; et vous, mon pere, de m'imposer la penitence que vous jugerez convenable pour exciter la bonté divine à me faire cette grace[(a)].

Alet 1667-1771. Évreux 1706. Nevers 1689.

Variante. [(a)] et vous mon pere, imposez-moy la penitence que vous jugerez la plus convenable pour attirer la misericorde divine. *Ev.*

[Imposition de la pénitence]

P13   Mon frere, encore que l'enormité de vostre peché soit telle que selon la discipline ancienne et canonique de l'Eglise, vous deussiez estre privé plusieurs années de la participation des sacremens, et mesme de l'entrée de l'eglise, voulant toutefois user d'une charitable condescendence à[(a)] vostre infirmité... nous vous enjoignons seulement telle et telle chose...
     Le Prestre lira alors la penitence qui luy aura esté envoyée, et il ajoûtera...
     Nous vous avertissons neanmoins que ces peines estant beaucoup moindres que celles que la justice divine, et l'Eglise mesme exigeroit pour l'expiation de vostre faute, vous devez les suppléer par d'autres bonnes oeuvres, et faire que toute vostre vie soit une continuelle penitence : cependant allez accomplir celle-cy... et aprés... nous vous donnerons l'absolution.
     Que si l'excommunication, ou l'interdit estoit attaché au peché pour lequel on impose la penitence, il ajoûtera :

---

5   Nevers 1689 omet tout ce qui suit *que je leur ay donné.*

PÉNITENCE PUBLIQUE

Sortez donc de cette sainte assemblée, jusques à ce que vous ayez merité de mesler vos vœux et vos prieres avec les siennes ; elle va supplier la misericorde de Dieu de vous en faire la grace.

Alet 1667-1771. Évreux 1706. Nevers 1689.
Variante. [a] à] à cause de *Ev.*

Psaumes

P14 6. Domine ne in furore… miserere
P15 31. Beati quorum remissae sunt
P16 37. Domine ne in furore… quoniam
P17 50. Miserere
P18 101. Domine exaudi… et clamor meus
P19 129. De profundis
P20 142. Domine exaudi… exaudi me

Chartres 1580 [7 Ps. pénitentiaux] ; Clermont-Saint-Flour 1506 n.st.-1608 [seulement Ps. 50].

Antiennes, versets, répons

P21 V. Domine Deus virtutum converte nos. R. Et ostende faciem tuam, et salvi erimus.

Alet 1667-1771. Nevers 1689.
Réf. PRG I, 173, 278 ; II, 385. Absent de Janini, Sac., Andrieu, Deshusses.

P22 V. Dominus vobiscum. R. Et cum spiritu tuo.

Alet 1667-1771. Nevers 1689.
Réf. PRG I, 276 etc. Andrieu I, 272 etc. ; II, 21, 40 etc. Absent de Deshusses.

P23 R. Emendemus in melius quae ignoranter peccavimus, ne subito praeoccupati die mortis, quaeramus spatium poenitentiae, et invenire non possimus : Attende, Domine, et miserere, quia peccavimus tibi. V. Peccavimus cum patribus nostris ; injuste egimus, iniquitatem fecimus[6].

♪ Le Mans 1775.
Réf. Cf. PRG II, 23. Cf. Andrieu I, 210. Absent de Janini, Sac., Deshusses.

P24 V. Exaudi Deus salutaris noster. R. Ostende faciem tuam, et salvi erimus.

Chartres 1580.
Réf. Absent de PRG, Andrieu, Deshusses.

---

[6] Le V. complet et son R. figurent dans le *Processionnale Cenomanense*, Parisiis, 1752, 1e partie, p. 47, *Feriâ quartâ Cinerum.*

48 CHAPITRE PREMIER

P25 V. Exaudi[a] orationem meam. R. Et clamor meus ad te veniat.

Chartres 1580. Alet 1667-1771. Nevers 1689.
Réf. Andrieu I, 272, 276 etc.; II, 382 etc. Absent de PRG, Deshusses.
Variante. [a] Domine] *add.* Al. Ne.

P26 A. Immutemur habitu in cinere et cilicio, ieiunemus et ploremus ante Dominum, quia multum misericors est dimittere peccata nostra Deus noster.

Clermont-Saint-Flour 1506 n.st.-1608.
Réf. PRG II, 22, Andrieu I, 210. Absent de Deshusses.

P27 V. Mitte ei Domine auxilium de sancto. R. Et de Sion tuere eum.

Alet 1667-1771. Nevers 1689.
Réf. PRG II, 230, 232, 248, 386. Andrieu I, 216, 273, 276 etc. Absent de Deshusses.

P28 V. Nihil proficiat inimicus in eo. R. Et filius iniquitatis non apponat nocere ei.

Alet 1667-1771. Nevers 1689.
Réf. PRG I, 63, 77, 283; II, 230, 232, 248. Andrieu I, 276 etc. II, 346. Absent de Janini, Sac., Deshusses.

P29 V. Non prosternimus preces Domine in iustificationibus nostris, sed in multis miserationibus tuis. R. Exaudi, placare, attende, fac, et ne moreris propter temetipsum.

Chartres 1580.
Réf. Absent de PRG, Andrieu, Deshusses.

P30 V. Salvum fac servum tuum (ancillam tuam). R. Deus meus sperantem in te.

Alet 1667-1771. Nevers 1689.
Réf. PRG I, 63 etc.; PRG II, 232, 271. Andrieu I, 170, 266, 272, 273, 276, II, 382 etc.; III, 398 etc. Absent de Deshusses.

Oraisons

P31 Adesto Domine poenitentium supplicationibus, ut auxilium tuae miserationis implorantes, quae pie postulant, intercedente beatissima virgine Maria cum omnibus sanctis, assequantur, et me, qui etiam misericordia tua prius indigeo, clementer exaudi, quem non electionis merito, sed dono gratiae tuae, constituisti operis huius ministrum, da fiduciam tui muneris exequendi, et ipse in nostro ministerio, quod tuae pietatis est, operare. Per Christum.

Chartres 1580.
Réf. Absent de PRG, Andrieu, Deshusses.

PÉNITENCE PUBLIQUE

P32 Adesto Domine supplicationibus nostris, nec sit ab hoc famulo tuo clementiae tuae longinqua miseratio; sana vulnera, ejusque dimitte peccata; ut ab omnibus iniquitatibus expiatus tibi Domine semper valeat adhaerere. Per Christum…

Alet 1667-1771. Nevers 1689.
Réf. Cf. PRG II, 19, 244, 278. Cf. Andrieu I, 273; Deshusses 1381. Absent de Janini, Sac.

P33 Assit quesumus Domine his famulis tuis inspiratio gratie salutaris que cereorum fletuum ubertate resolvat, sicque macerando conficiat, ut iracundie tue motus idonea satisfactione compescat.

Clermont-Saint-Flour 1506 n.st.-1608.
Réf. Cf. PRG II, 21; Deshusses 3961. Absent d'Andrieu.

P34 Deus qui magnus es, faciens mirabilia, verax, patiens, et multae misericordiae omnibus invocantibus te, qui non vis mortem peccatorum, sed magis ut convertantur et vivant, succurre lapsis, miserere confessis, et da veniam poenitentibus, ut ab iniquitate laqueisque diaboli (à quo captivi tenentur) resipiscentes, bene coeptam efficaciter impleant poenitentiam, ne ab expectatione confundantur et pereant.

Chartres 1580.
Réf. Absent de PRG, Andrieu, Deshusses.

P35 Memor esto, quesumus Domine, verbi tui, in quo spem dedisti, et praesta, ut qui à te cum voto in melius vitam commutandi ex toto corde convertuntur, remissionem obtineant peccatorum, et salventur.

Chartres 1580.
Réf. Absent de PRG, Andrieu, Deshusses.

[Absolution et prière d'accompagnement]

P36 Absolutionem et remissionem omnium peccatorum vestrorum, spatium verae poenitentiae, et emendationem vitae, tribuat vobis omnipotens Deus. Amen.

Chartres 1580.
Réf. Absent de PRG, Andrieu, Deshusses.

P37 Dominus I. C. qui dixit discipulis suis: «Quaecunque ligaveritis super terram erunt ligata et in celis», de quorum numero me quamvis indignum peccatorem, ministrum tamen esse volui, intercedente gloriosa Dei genitrice Maria, et beato Michaële archangelo, et beato Petro apostolo, cui data est potestas ligandi atque solvendi, et omnibus sanctis, ipse vos absolvat per ministerium nostrum ab omnibus peccatis vestris, quaecunque aut cogitatione, aut locutione, aut operatione negligenter egistis, atque à vinculis peccatorum vestrorum absolutos perducere dignetur ad regna caelorum. Qui cum Patre et Spiritu Sancto vivit et regnat Deus, per omnia saecula saeculorum. Amen.

Chartres 1580.
Réf. Cf. Andrieu II, 493. Absent de Janini, Sac., PRG, Deshusses.

[Bénédiction des haires et des sacs]

P38 Adiutorium nostrum in nomine Domini. R. Qui fecit coelum et terram.

Chartres 1580.
Réf. PRG I, 282 ; Andrieu II, 579 etc. Absent de Deshusses.

P39 Deus qui superbis resistis, et gratiam praestas humilibus, benedic, quaesumus, haec cilicia et indumenta, ut qui ea in signum poenitentiae detulerint, indulgentiam tuae consolationis obtineant. In nomine Patris…

Chartres 1580.
Réf. Cf. Deshusses 2345. Absent de PRG, Andrieu.

[Expulsion des pénitents]

P40 Ecce ejicieris hodie a sinu matris tue sancte ecclesie propter peccatum tuum, sicut Adam primus homo eiectus est a paradiso propter transgressionem suam.

Clermont-Saint-Flour 1506 n.st.-1608.
Réf. PRG II, 21. Absent de Andrieu, Deshusses.

P41 Ecce ejiceris tu (ejicimini vos) hodie de liminibus sanctae Matris Ecclesiae, propter peccata et scelera tua (vestra) sicut Adam primus homo ejectus est de paradiso propter transgressionem suam.

Alet 1667-1771. Nevers 1689.
Réf. Cf. Andrieu III, 556. Absent de PRG, Deshusses.

P42 R. In sudore vultus tui vesceris pane tuo, dixit Dominus ad Adam. Cum operatus fueris terram, non dabit fructus suos, sed spinas et tribulos germinabit tibi. V. Pro eo quod obedisti voci uxoris tuae plus quam meae, maledicta terra in opere tuo.

♪Chartres 1580.
Réf. PRG II, 21. Cf. Andrieu III, 556. Absent de Janini, Sac., Deshusses.

PÉNITENCE PUBLIQUE

2. Réconciliation des pénitents le Jeudi Saint

a. Formulaires

Avranches et Coutances 1540 n.st.

[Avranches: Robert Cenalis; Coutances: Philippe de Cossé]

P43 Une rubrique (Avranches f. 104v) fait mention d'une procession le Jeudi Saint allant chercher les pénitents à la porte de l'église:

> Feria v in cena Domini fiat processio ad penitentes qui debent recipi ad portam ecclesie. Finita processione dicantur septem ps. penitentiales sicut in die cinerum cum vii orationibus ibidem positis.

Chartres 1580

[Nicolas de Thou]

Formulaire s'inspirant du Pontifical romano-germanique, du Pontifical de Guillaume Durand, et du Pontifical romain du XIIe siècle[7]. Les pénitent qui en ont été jugés dignes viennent sur les marches du portail de la cathédrale pour une longue cérémonie comprenant essentiellement deux « requestes », les psaumes pénitentiaux, et des prières. Après quoi l'évêque entre dans l'église et les prend par la main l'un après l'autre pour les y faire entrer, puis les absoudre devant l'autel.

P44 **Chartres 1580** f. 219v-223v. *Maniere de proceder a la reconciliation des penitens.*

L'Evesque apres avoir oy le rapport du penitencier sur leur comportement et conversion, arreste ceux qui luy semblent dignes de reconciliation, et les faict venir à l'heure pour ce ordonnée, sur les degrez du portail de l'eglise, vers l'hostel episcopal.

Apres le sermon ordinaire faict au peuple en la nef, il part du vestiaire en pontificat pour aller au devant dudict portail, où estans sis en sa chaise, luy est faicte par un du clergé, au nom des penitens, la requeste ensuyvante.

Requeste des penitens.

Venerabilis pontifex, tempus adest acceptum, dies propitiationis divinae et salutis humanae… P50

Ladicte requeste finie, l'evesque fera approcher les penitens, disant

---

[7] PRG II, 59-61; Andrieu III, 563; Andrieu I, 215.

♪ *Venite filii, audite me, timorem Domini docebo vos.*
Celuy qui a faict la requeste dict aux penitens.
♪ *Accedite ad eum, et illuminamini, et facies vestrae non confundantur.*
Les penitens approchez, le predicateur du Quaresme leur remonstre de l'ordonnance de l'evesque ce qu'est convenable pour les instruire de la bonté de Dieu, faisant misericorde aux pecheurs toutes et quantes fois qu'ils recourent à luy par vraye et entiere penitence, et les asseurer que recevant l'absolution sacramentelle, seront remis en estat de grace, et au chemin de salut, pour obtenir la vie eternelle.

[Interventions du prédicateur (?) et de l'évêque]

Apres ladicte remonstrance, est la requeste desdicts penitens reitérée ainsi qu'ensuit.
Reintegra in his, apostolice pontifex, quicquid diabolo suadente corruptum est… P53
L'evesque enquiert celuy qui faict la requeste.
Scis illos dignos reconciliatione? R. *Scio, et testificor.*
L'evesque dict. *Deo gratias.*

[Cérémonie pénitentielle]

Ce faict, l'evesque se prosterne, et dict avec ceux qui luy assistent les antiphones, sept psalmes penitenciaux, la letanie, vers, et oraisons qui ensuyvent.
A. *Intret oratio.* Ps. 6, 31, 37, 50, 101, 129, 142.
A. *Intret oratio nostra in conspectu tuo Domine, inclina aurem tuam ad preces nostras…* P68
Kyrie… Pater de caelis Deus, miserere nobis, etc. P73
Pater… V. *Salvos fac servos tuos. …* P75 V. *Convertere Domine usquequo. …* P63 V. *Mitte eis Domine auxilium de sancto. …* P70
L'evesque icy se souz-leve, et se retournant vers le peuple les mains joinctes, l'exhorte ainsi à prier avec luy pour les penitens.
Deprecemur dilectissimi maiestatem Dei omnipotentis… P77
Icy l'evesque estendra les mains sur les penitens, et dira la preface ensuyvant, pour les preparer à l'absolution.
… Vere dignum et iustum est… ut debitum Adae tibi persolveret aeterno patri… P81

[Réintégration des pénitents]

L'evesque apres ceste priere, entre en l'eglise, et se sied à la porte, disant.

♪*Dico vobis, ita est gaudium in coelo super uno peccatore poenitentiam agente.*

Celuy qui a faict la requeste pour les penitens les advertit de suyvre l'evesque, disant.

♪*Levate capita vestra, ecce appropinquat redemptio vestra.*

L'evesque les prenant par la main l'un apres l'autre, les introduict en l'eglise, de laquelle ils avoyent esté expulsez le jour des cendres, dont les chantres en la personne des penitens louent Dieu, disans le ps. 33.

♪*Benedicam Dominum in omni tempore…* P82

Les penitens introduicts en l'eglise suyvent l'evesque pour recevoir de luy absolution à l'autel, au devant duquel il se prosterne pour faire l'oraison qui ensuit. [V.] *Domine exaudi orationem meam…* P88

Oremus. Deus humani generis benignissime conditor et misericordissime reformator… P99

L'evesque apres ladicte oraison se releve, et le visage tourné vers les penitens procede à leur absolution, ainsi qu'ensuit.

Dominus I. C., qui totius mundi peccata sui traditione, atque immaculati sanguinis effusione dignatus est expurgare… P101

Benedicat vos omnipotens Deus… R. *Amen.* P104

Ce faict, l'evesque les licentie de se retirer pour, à l'exemple de ce que fist Joseph au sortir de sa prison, deposer le poil et habitz portez au temps de leur penitence, et se parer nettement, afin d'assister au service divin avec les fideles en l'eglise, au giron de laquelle ils sont reintegrez.

Au retour de l'evesque au vestiaire, les chantres l'accompagnent, chantant en la personne des penitens ce qu'est extrait du ps. 40 [47, 9-15].

♪*Sicut audivimus, sic vidimus in civitate Domini virtutum, in civitate Dei nostri, Deus fundavit eam in aeternum.* ps. 40 [sic pour 47, 9] P106

Arras 1600, 1623, 1644, 1757

[Arras 1600: Matthieu Moullart]

P45 **Arras 1600** p. 172-175. *Feria quinta in coena Domini fit reconciliatio seu absolutio poenitentium.*

Arras 1623-1757 (Éd. 1623 p. 276-279) *Reconciliatio poenitentium feria 5 Hebdomadae maioris.*

Rite d'absolution générale le Jeudi Saint; les pénitents doivent être prostrés devant l'autel.

La rubrique initiale de l'édition Arras 1623 indique que la réconciliation publique des pénitents le Jeudi Saint est tombée en désuétude (exoluit), mais qu'elle est restée en vigueur dans quelques églises du diocèse. *Voir* Absolutions générales P422.

Rouen 1640, 1651

[Rouen 1640 : François de Harlay]

P46 **Rouen 1640** p. 290-293. *Ordo faciendi absolutionem feriâ quintâ in Coena Domini.*

Rite classique d'absolution générale le Jeudi Saint[8] P355 ; la rubrique initiale indique simplement qu'auparavant a eu lieu une réconciliation publique des pénitents :

Post Nonam in Ecclesia Cathedrali reconciliatione publicè poenitentium facta per D. Archiepiscopum vel celebrantem…

Alet 1667-1771
Nevers 1689. Évreux 1706[9]

[Alet 1667 : Nicolas Pavillon]

P47 **Alet 1667** p. 164. … le saint Concile de Trente ayant jugé que les penitences publiques estoient utiles, et mesme necessaires en plusieurs cas, comme à l'egard des pechez notables et scandaleux, il en a ordonné le rétablissement.

Alet 1667 p. 167-174. Nevers 1689 p. LXXI-LXXXVI. *Ordre pour la reconciliation des penitens, et pour l'absolution publique des censurez.* Longue cérémonie pénitentielle, suivie de la réintégration des pénitents. Si le pénitent est excommunié, le prêtre pendant le ps. *Miserere* le frappe légèrement sur les épaules avec une baguette ou un fouet de cordes à chaque V. Après l'absolution, il le conduit par la main au milieu de la nef. Si le pénitent est seulement interdit, on omet la flagellation. Si le pénitent n'est dans aucune censure, la cérémonie est beaucoup plus courte.

Alet 1667 p. 167-174. *Ordre pour la reconciliation des penitens, et pour l'absolution publique des censurez.*

Quand il ne faudra attendre que quelques semaines pour remettre la reconciliation des penitens au Jeudy-saint, on les différera à ce jour…
Ps. 6. *Domine ne in furore.*

---

8 Formules au chapitre III : *Absolutions générales durant le Carême et le jour de Pâques.*
9 Évreux 1706, Supplément intitulé *De l'administration des Sacremens,* relié à la suite du rituel. p. 29-30 : *Pour la reconciliation des Penitens, et pour l'absolution publique de ceux qui sont tombez dans les Censures.* Seule figure l'exhortation au pénitent (p. 169-170 d'Alet).

PÉNITENCE PUBLIQUE

A. *Ne reminiscaris Domine delicta nostra, vel parentum nostrorum;
neque vindictam sumas de peccatis nostris.* P71 *Kyrie… Pater…*
V. *Iniquitates meas ego cognosco.* R. *Et peccatum meum contra me
est semper.* P67
V. *Averte faciem tuam à peccatis meis.* R. *Et omnes iniquitates meas
dele.* P62
V. *Redde mihi laetitiam salutaris tui.* R. *Et spiritu principali confirma
me.* P74
V. *Domine exaudi…* P64 V. *Dominus vobiscum…*
*Oremus. Exaudi quesumus Domine supplicum preces, et confitentium
tibi parce peccatis, ut pariter nobis indulgentiam tribuas benignus et
pacem.* P79
*Praesta quesumus Domine famulo tuo dignum poenitentiae fructum,
ut Ecclesiae tuae, admissorum veniam consequendo, reddatur innoxius.
Per Christum.* P80
p. 169-170 [Exhortation].
Que si le penitent est dans l'excommunication, le prestre demeurant
assis et couvert, le clergé debout… il recitera le ps. *Miserere…* et à chaque
V. il frappera legerement le penitent ou la penitente excommuniée sur
les épaules avec une baguette, ou un foüet de cordes. Puis il se levera…
p. 171-174 *Kyrie… Pater…* V. *Salvum fac servum tuum.* R. *Deus meus
sperantem in te.* P76
V. *Nihil proficiat inimicus in eo.* R. *Et filius iniquitatis non apponat
nocere ei.* P72
V. *Esto ei Domine turris fortitudinis…* P66 V. *Domine exaudi…*
V. *Dominus vobiscum…*
*Deus, cui proprium est misereri semper et parcere, suscipe depreca-
tionem nostram…* P78

[Absolutions]

… *Dominus noster I. C. vos absolvat, et ego auctoritate ipsius, et
sanctissimi Domini nostri Papae…* P103
Que si le penitent est seulement interdit, on omettra la flagellation;
et incontinent aprés l'exhortation le prestre s'estant mis à genoux avec
le clergé et le peuple, commencera le Ps. *Miserere mei Deus…*
Le Ps. estant achevé le prestre… dira les prieres cy-dessus marquées
jusques à l'absolution exclusivement…
Dominus noster I. C. te absolvat, et ego auctoritate mihi tradita…
P102

[Réintégration des pénitents dans l'Église]

Ensuite le prestre prenant le penitent par la main, et s'ils sont plusieurs se donnant la main les uns les autres, il les conduit au milieu de la nef...

Ps. 116. *Laudate Dominum... P84 Gloria Patri.*

V. *Benedic anima mea Domino. R. Et noli oblivisci omnes retributiones ejus. P85*

V. *Domine exaudi orationem meam. ... V. Dominus vobiscum. ...*

Oremus. Deus cujus misericordiae non est numerus, et bonitatis infinitus est thesaurus... P98

Si le penitent n'est dans aucune censure, incontinent apres l'exhortation marquée cy-dessus, on allumera un cierge, et le prestre prenant le penitent par la main le conduira au milieu de l'eglise... Ps. *Miserere... Kyrie... Pater...*

V. *Domine non secundum peccata nostra facias nobis. R. Neque secundum iniquitates nostras retribuas nobis. P90*

V. *Domine ne memineris iniquitatum nostrarum antiquarum. R. Cito anticipent nos misericordiae tuae. P89*

V. *Convertere Domine usquequo. R. Et deprecabilis esto super servos tuos. P86*

V. *Salvos fac servos tuos et ancillas tuas... P75*

V. *Esto eis Domine turris fortitudinis. ... P92*

V. *Mitte eis Domine auxilium de sancto... P95 V. Domine exaudi ...* V. *Dominus vobiscum...*

Oremus. Maiestatem tuam supplices Domine deprecamur... P100

Absolution. *Oremus.*

Dominus I. C., qui totius mundi peccata sui traditione... P101

Metz 1713

[Henri-Charles du Cambout de Coislin]

P47bis Pars secunda p. 77-79 [Absolution générale le Jeudi-Saint et le jour de Pâques]

Feria 5. in Coenâ Domini, et die festo Paschae, fit absolutio generalis, eo modo.

Feria 5. in Coenâ Domini, primùm recitantur à prostratis, aut saltem flexis genibus, Psalmi poenitentiales sine Gloria Patri, qui omittuntur die Paschae. Deinde addet Pastor.

PÉNITENCE PUBLIQUE

La Ceremonie de l'Absoûte est un reste de la réconciliation des penitens publics. Elle se faisoit le Jeudi Saint ; et l'Eglise, pour en conserver la mémoire, et témoigner aux Fideles, que selon que l'enseigne le saint Concile de Trente, qu'elle souhaiteroit le rétablissement de la penitence publique, en a conservé la premiere et la derniere ceremonie. Le premier jour du Carême, on a mis des cendres sur la tête des Fideles, ce qui ne se faisoit, dans les premiers siecles, qu'aux penitens ; et aujourd'hui on donne une Absolution publique, pour nous faire souvenir qu'on réconcilioit en ce jour les penitens publics à l'Eglise. Comme ils avoient confessé leurs pechez à l'Evêque, ou au Pasteur, qui faisoit cette ceremonie, cette Absolution étoit pour eux sacramentelle. Presentement elle n'est qu'une ceremonie qui nous fait ressouvenir de la penitence publique, pour exciter les Chrêtiens à concevoir des sentimens d'une sincere penitence. ...

Dites donc tous avec moi en esprit de penitence.

Je confesse à Dieu tout puissant...

Deinde Pastor dicet stans, omnibus genuflexis.

Per meritum passionis, et resurrectionis Domini nostri J. C. ... (comme Metz 1605, P1150)

Indulgentiam, absolutionem, et remissionem omnium peccatorum vestrorum, (comme Metz 1605, P1122)

Benedictio Domini nostri J. C. descendat super vos, et maneat semper. In nomine Patris...

Le Mans 1775

[Louis-André de Grimaldi]

P48 La réconciliation a lieu le Jeudi Saint, les pénitents étant à genoux à la porte de l'église :

Deuxième partie, p. 123

Le Jeudi Saint... après l'exhortation, le Pénitencier présente chacun des Pénitents au Grand Archidiacre, et celui-ci à Mgr L'Evêque qui lui demande : *Dignus (digna) est reconciliari ?* L'Archidiacre ayant répondu : *Dignus (digna) est* ; Mgr l'Evêque l'asperse d'eau bénite, et lui donne le baiser de paix, en lui disant : *Vade in pace* ; on fait avancer les Pénitens dans l'Eglise jusqu'à la croisée... *Miserere...* etc.

58 CHAPITRE PREMIER

B. FORMULES[10]

[Requête des pénitents]

P49 ♪Accedite ad eum, et illuminamini, et facies vestrae non confundantur.

Chartres 1580.
Réf. Andrieu III, 563. Absent de PRG, Deshusses.

P50 Venerabilis pontifex, tempus adest acceptum, dies propitiationis divinae et salutis humanae, quo mors interitum et vita aeterna accipit principium, quando in vinea domini Sabbaoth sic novorum plantatio facienda est, ut purgetur execratio vetustatis. Quamvis enim ad vicem bonitatis Dei nihil temporis vacet; nunc tamen et largior per indulgentiam est remissio peccatorum, et copiosior per gratiam assumptio renascentium, augemur regenerandis, crescamur reversis. Lavant aquae, lavant et lachrymae. Inde est gaudium vocatorum. Hinc laetitia de absolutione poenitentium. Inde est quod supplices tui, posteaquam in varias formas criminum, (neglectu mandatorum coelestium, et morum probabilium transgressione), ceciderunt, humiliati atque prostrati prophetica ad Deum voce clamant, dicentes: « Peccavimus cum patribus nostris, impie egimus, iniquitatem fecimus. Miserere nostri Domine, miserere nostri », et evangelicam vocem non frustratoria aure capientes, « Beati qui lugent, quoniam ipsi consolabuntur ». Manducaverunt (sicut scriptum est) panem doloris, lachrymis stratum rigaverunt, cor luctu, et corpus suum afflixerunt ieiuniis, ut animarum recuperarent (quam perdiderant) sanitatem. Unicum itaque est poenitenti suffragium, quod in singulis prodest, et omnibus in commune succurrit.

Chartres 1580.
Réf. Andrieu III, 562. Cf. PRG II, 59.

P51 ♪Venite filii, audite me, timorem Domini docebo vos.

Chartres 1580.
Réf. PRG II, 61. Andrieu III, 563.

[Interventions du prédicateur et de l'évêque]

P52 Deo gratias.
Chartres 1580.

P53 Reintegra in his, apostolice pontifex, quicquid diabolo suadente corruptum est, et orationum tuarum patrocinantibus meritis, per divinae

---

[10] Voir aussi *infra* Office du Mercredi des Cendres à Avranches et Coutances 1539, Absolution générale le Jeudi Saint à Arras 1600-1757 et Rouen 1640-1651.

reconciliationis gratiam, fac homines proximos Deo, ut qui antea in suis sibi perversitatibus displicebant, nunc iam placere se Deo in regione vivorum, devicto mortis suae gratulentur auctore.

Chartres 1580.
Réf. PRG II, 60. Andrieu I, 215; Andrieu III, 56.

P54 Scis illos dignos reconciliatione? R. Scio, et testificor.

Chartres 1580.
Réf. Cf. Andrieu III, 564. Absent de PRG, Deshusses.

Psaumes

P55 6. Domine ne in furore... miserere
P56 31. Beati quorum remissae sunt
P57 37. Domine ne in furore... quoniam
P58 50. Miserere
P59 101. Domine exaudi... et clamor meus
P60 129. De profundis
P61 142. Domine exaudi... exaudi me

Avranches-Coutances 1540 n.st., Chartres 1580 [7 Ps. pénitentiaux]; Alet 1667-1771, Nevers 1689 [seulement Ps. 6 et 50].

Antiennes et versets

P62 V. Averte faciem tuam à peccatis meis. R. Et omnes iniquitates meas dele.

Alet 1667-1771. Nevers 1689.
Réf. Andrieu I, 215; II, 579. PRG II, 274. Pont. R. Cf. Janini, Sac., 248, 336, 373, 445. Absent de Deshusses.

P63 V. Convertere Domine usquequo. R. Et deprecabilis esto super servos tuos.

Chartres 1580.
Réf. Andrieu I, 275. Cf. PRG I, 278, 282, 318; PRG II, 61, 229, 248. Absent de Janini, Sac., Deshusses.

P64 V. Domine exaudi orationem meam. R. Et clamor meus ad te veniat.

Chartres 1580. Alet 1667-1771. Nevers 1689.
Réf. PRG II, 278, 343. Andrieu I, 272 etc. Absent de Deshusses.

P65 V. Dominus vobiscum. R. Et cum spiritu tuo.

Alet 1667-1771. Nevers 1689.

CHAPITRE PREMIER

P66 V. Esto ei Domine turris fortitudinis. R. A facie inimici.

Alet 1667-1771. Nevers 1689.
Réf. PRG I, 63, 77, 276, 282; II, 242, 248. Andrieu I, 272 etc. III, 545 etc. Absent de Janini, Sac., Deshusses.

P67 V. Iniquitates meas ego cognosco. R. Et peccatum meum contra me est semper.

Alet 1667-1771. Nevers 1689.
Réf. PRG II, 60. Andrieu I, 215; III, 564. Pont. R. Absent de Janini, Sac., Deshusses.

P68 A. Intret oratio nostra in conspectu tuo Domine, inclina aurem tuam ad preces nostras, parce Domine, parce famulis tuis, quos redemisti precioso sanguine tuo, ne in aeternum irascaris eis.

Chartres 1580.
Réf. PRG II, 137, 249. Absent de Janini, Sac., Andrieu, Deshusses.

P69 Kyrie eleyson etc.

Chartres 1580.
Réf. PRG I, 50 etc.

P70 V. Mitte eis Domine auxilium de sancto. R. Et de Syon tuere eos.

Chartres 1580.
Réf. PRG II, 61, 227, 230 etc. Andrieu III, 545, 555 etc. Absent de Deshusses.

P71 A. Ne reminiscaris Domine delicta nostra, vel parentum nostrorum; neque vindictam sumas de peccatis nostris.

Alet 1667-1771. Nevers 1689.
Réf. Andrieu, III, 555. Absent de Janini, Sac., PRG, Deshusses.

P72 V. Nihil proficiat inimicus in eo. R. Et filius iniquitatis non apponat nocere ei.

Alet 1667-1771. Nevers 1689.
Réf. PRG I, 63, 77, 283; II, 230, 232, 248. Absent de Janini, Sac., Andrieu, Pont. R. Deshusses.

P73 Pater de caelis Deus, miserere nobis, etc.

Chartres 1580.
Réf. PRG II, 127 [début d'une prière litanique]. Absent d'Andrieu, Deshusses.

P74 V. Redde mihi laetitiam salutaris tui. R. Et spiritu principali confirma me.

Alet 1667-1771. Nevers 1689.
Réf. PRG II, 60. Andrieu I, 215. Pont. R. Absent de Janini, Sac., Deshusses.

PÉNITENCE PUBLIQUE

P75 V. Salvos fac servos tuos. R. Deus meus sperantes in te.

Chartres 1580.
Réf. PRG II, 61, 227, 229, 230. Andrieu I, 216; II, 346; III, 545, 555, 620. Absent de Deshusses.

P76 V. Salvum fac servum tuum. R. Deus meus sperantem in te.

Alet 1667-1771. Nevers 1689.

Oraisons

P77 Deprecemur dilectissimi maiestatem Dei omnipotentis, ut his famulis suis longo squalore maceratis veniam suae miserationis elargiri digne-tur, et ad reconciliationis sacramentum admittere, quatenus recepta nuptiali veste ad regalem mensam, unde eiecti fuerant, mereantur in-troire. Per Dominum nostrum I. C.

Chartres 1580.
Réf. Absent de PRG, Andrieu, Deshusses.

P78 Deus, cui proprium est misereri semper et parcere, suscipe depreca-tionem nostram, ut hos famulos tuos, et ancillas tuas, quos excommu-nicationis sententia constrinxerat, miseratio tuae pietatis clementer absolvat. Per Christum…

Alet 1667-1771. Nevers 1689.
Réf. PRG II, 271. Cf. Andrieu II, 554; III, 623(36). Deshusses 851. Absent de Janini, Sac., Pont. R.

P79 Exaudi quesumus Domine supplicum preces, et confitentium tibi parce peccatis, ut pariter nobis indulgentiam tribuas benignus et pacem.

Alet 1667-1771. Nevers 1689.
Réf. Deshusses 842. Cf. Andrieu II, 483. Absent de Janini, Sac., PRG.

P80 Praesta quesumus Domine famulo tuo dignum poenitentiae fruc-tum, ut Ecclesiae tuae, admissorum veniam consequendo, reddatur innoxius. Per Christum.

Alet 1667-1771. Nevers 1689.
Réf. Cf. PRG I, 319; II, 62, 276. Andrieu, I, 65; III, 566. Deshusses 1384.

P81 Vere dignum et iustum est, aequum et salutare, nos tibi semper et ubique gratias agere: Domine sancte, pater omnip., aeterne Deus, per Christum Dominum nostrum: quem omnip. genitor nasci voluisti, ut debitum Adae tibi persolveret aeterno patri, mortemque nostram sua interficeret, et vulnera nostra in suo corpore ferret, nostrasque maculas sanguine suo dilueret, ut qui antiqui hostis corrueramus invidia, ipsius resurgeremus clementia. Te per eum Domine supplices rogamus ac petimus, ut pro aliorum excessibus nos digneris exaudire, qui pro nostris non sufficimus exorare. Tu igitur, clementissime Domine, hos famulos tuos, quos à te separaverunt flagitia, ad te revoca pietate solita. Tu namque nec Achab scelestissimi humiliationem despexisti, sed vindictam debitam protelasti; Petrum quoque lachrymantem exaudisti, clavesque post modum coelestis regni tradidisti, et confitenti latroni eiusdem regni praemia promisisti. Ergo clementissime Domine, hos, pro quibus preces tibi fundimus, clemens recollige, et tuae Ecclesiae gremio redde, ut nequaquam de eis valeat triumphare hostis, sed tibi reconciliet filius tibi coaequalis, emundetque eos ab omni facinore, et ad tuae sacratissimae coenae dapes dignetur admittere. Sicque sua carne et sanguine reficiat, ut post huius vitae cursum ad coelesta regna perducat I. C., filius tuus, Dominus noster. R. Amen.

Chartres 1580.
Réf. Absent de PRG, Andrieu, Deshusses.

[Réintégration des pénitents]

Psaumes

P82 Ps. 33. Benedicam Dominum in omni tempore…

♪Chartres 1580.
Réf. PRG II, 61. Andrieu III, 516, 563.

P83 Ps. 50. Miserere…

Alet 1667-1771. Nevers 1689.
Réf. PRG II, 61.

P84 Ps. 116. Laudate Dominum omnes gentes…

Alet 1667-1771. Nevers 1689.

Antiennes et versets

P85 V. Benedic anima mea Domino. R. Et noli oblivisci omnes retributiones ejus.

Alet 1667-1771. Nevers 1689.
Réf. Cf. PRG I, 318. Cf. Andrieu I, 151; II, 364(33); III, 387. Absent de Janini, Sac., Deshusses.

P86 V. Convertere Domine usquequo. R. Et deprecabilis esto super servos tuos.

Alet 1667-1771. Nevers 1689.

PÉNITENCE PUBLIQUE

P87 Dico vobis, ita est gaudium in coelo super uno peccatore poenitentiam agente.

♪Chartres 1580.

Réf. Cf. Andrieu III, 564. Absent de PRG, Pont.R., Deshusses.

P88 V. Domine exaudi orationem meam. R. Et clamor meus ad te veniat.

Chartres 1580. Alet 1667-1771. Nevers 1689.

P89 V. Domine ne memineris iniquitatum nostrarum antiquarum. R. Cito anticipent nos misericordiae tuae.

Alet 1667-1771. Nevers 1689.

Réf. PRG I, 276 ; II, 242, 272, 386. Absent de Janini, Sac., Andrieu, Pont. R., Deshusses.

P90 V. Domine non secundum peccata nostra facias nobis. R. Neque secundum iniquitates nostras retribuas nobis.

Alet 1667-1771. Nevers 1689.

Réf. PRG II, 242. Andrieu III, 566. Absent de Janini, Sac., Pont. R., Deshusses.

P91 V. Dominus vobiscum. R. Et cum spiritu tuo.

Alet 1667-1771. Nevers 1689.

P92 V. Esto eis Domine turris fortitudinis. R. A facie inimici.

Alet 1667-1771. Nevers 1689.

P93 Kyrie eleison. Christe eleison. Kyrie eleison.

Alet 1667-1771. Nevers 1689.

P94 Levate capita vestra, ecce appropinquat redemptio vestra.

♪Chartres 1580.

Cf. Andrieu III, 561. Absent de PRG, Pont.R., Deshusses.

P95 V. Mitte eis Domine auxilium de sancto. R. Et de Sion tuere eos.

Alet 1667-1771. Nevers 1689.

P96 Pater noster…

Alet 1667-1771. Nevers 1689.

P97 V. Salvos fac servos tuos et ancillas tuas. R. Deus meus sperantes in te.

Alet 1667-1771. Nevers 1689.

Oraisons

P98 Deus cujus misericordiae non est numerus, et bonitatis infinitus est thesaurus, piissimae majestati tuae pro collatis donis gratias agimus, tuam

64 CHAPITRE PREMIER

Domine clementiam exorantes, ut qui petentibus postulata concedes, eosdem non deserens ad praemia futura disponas. Per Christum.

Alet 1667-1771. Nevers 1689.
Réf. Absent de Janini, Sac., PRG, Andrieu, Deshusses.

P99 Deus humani generis benignissime conditor et misericordissime reformator, qui hominem invidia diaboli ab aeternitate deiectum unici filii tui sanguine redemisti, vivifica hos famulos tuos, quos tibi nullatenus mori desideras, et quos reliquisti devios assume correctos, moveant pietatem tuam, quesumus Domine, horum famulorum tuorum lachrymosa suspiria, tu eorum medere vulneribus, tu iacentibus manum porrige salutarem, ne Ecclesia tua aliqua sui corporis portione vastetur, ne grex tuus detrimentum patiatur, ne de familiae tuae damno inimicus exultet, ne renatos lavachro salutari, mors secunda possideat. Tibi ergo Domine supplices preces, tibi fletum cordis effundimus, tu parce confitentibus, ut sic in hac mortalitate peccata sua te adiuvante defleant, quatenus in tremendi iudicii die sententiam aeternae damnationis evadant, et nesciant quod terret in tenebris, quod stridet in flammis, atque ab erroris invio ad iter reversi iustitiae nequaquam ultra vulneribus saucientur, sed integrum sit eis atque perpetuum, et quod gratia tua contulit, et quod misericordia tua reformavit. Per Christum. R. Amen.

Chartres 1580.
Réf. Andrieu III, 567. Cf. PRG II, 64., Deshusses 1385, Pont. R. Absent de Janini, Sac.

P100 Maiestatem tuam supplices Domine deprecamur, ut his famulis tuis longo squalore penitentie maceratis, miserationis tue veniam largiri digneris, ut, nuptiali veste recepta, ad regalem mensam, unde eiecti fuerant, mereantur introire. Per.

Alet 1667-1771. Nevers 1689.
Réf. Andrieu I, 267; II, 485. Deshusses 1397, 3978. Absent de Janini, Sac., PRG.

[Absolutions et prière d'accompagnement]

P101 Dominus I. C., qui totius mundi peccata sui traditione, atque immaculati sanguinis effusione dignatus est expurgare[a], quique discipulis suis dixit: «quaecunque ligaveritis super terram erunt ligata et in coelis, et quaecunque solveritis super terram, erunt soluta et in coelis», de quorum numero me quamvis indignum et peccatorum[b] [*sic*] ministrum esse voluit, intercedente Dei genitrice Maria, et beato Michaële archangelo, et sancto Petro apostolo, cui data est potestas ligandi atque solvendi, et omnibus sanctis, ipse vos absolvat sancti sui

PÉNITENCE PUBLIQUE

sanguinis interventione, qui in remissionem peccatorum effusus est, per ministerium meum, ab omnibus peccatis vestris, quaecunque aut cogitatione, aut locutione, vel operatione, negligenter egistis, atque a vinculis peccatorum absolutos perducere dignetur ad regna coelorum, qui cum Deo Patre et Spiritu Sancto vivit…

Chartres 1580. Alet 1667-1771. Nevers 1689.

Réf. Andrieu III, 568. Pont.R. Absent de Janini, Sac., PRG, Deshusses.

Variantes. [a] expurgare] expugnare Alet. Nev. –[b] Et peccatorum] *om.* Pont. R. et Alet.

P102 Indulgentiam, absolutionem, et remissionem omnium peccatorum vestrorum, cor contritum, et verè poenitens, gratiam et consolationem sancti Spiritûs, tribuat vobis omnipotens, pius et misericors Dominus. Amen.

Metz 1713

P103 Per meritum passionis, et resurrectionis Domini nostri J. C., per intercessionem Beatae Mariae semper Virginis et omnium Sanctorum, misereatur vestri, omnipotens Deus, et dimittat vobis omnia peccata vestra, et perducat vos ad vitam aeternam. R. Amen.

Metz 1713

P103bis Dominus noster I. C. te absolvat, et ego auctoritate mihi tradita, absolvo te à vinculo interdicti quod incurristi (ou incurrisse declaratus es) et restituo te sanctis sacramentis Ecclesiae, in nomine Patris…

Alet 1667-1771. Nevers 1689.

Réf. Absent de Janini, Sac., PRG, Andrieu, Pont. R., Deshusses.

P103ter Dominus noster I. C. vos absolvat, et ego auctoritate ipsius, et sanctissimi Domini nostri Papae (ou Rev. Episcopi N.) mihi commissa, absolvo vos à vinculo excommunicationis quam incurristis (ou : incurrisse declarati estis) et restituo vos communioni et unitati fidelium, et sanctis sacramentis Ecclesiae, in nomine Patris…

Alet 1667-1771. Nevers 1689.

Réf. Absent de Janini, Sac., PRG, Andrieu, Pont. R., Deshusses.

[Bénédiction finale]

P104 Benedicat vos omnipotens Deus Pater, et Filius, et Spiritus sanctus. R. Amen.

Chartres 1580.

Réf. Andrieu II, 573 ; III, 391 etc. Absent de PRG.

66 CHAPITRE PREMIER

P104bis Benedictio Domini nostri J. C. descendat super vos, et maneat semper. In nomine Patris…

Metz 1713

P105 Vade in pace

Le Mans 1775.
Absent de PRG.

[Retour de l'évêque au vestiaire]

P106 Sicut audivimus, sic vidimus in civitate Domini virtutum, in civitate Dei nostri, Deus fundavit eam in aeternum. ps. 40 [*sic* pour 47, 9]

♪Chartres 1580.
Réf. Absent de PRG, Andrieu, Deshusses.

CHAPITRE II

OFFICE DU MERCREDI DES CENDRES

1. Présentation des formulaires

La cérémonie de bénédiction et d'imposition des cendres est présente dans le *Sacerdotale* romano-vénitien de Castellano au XVIe siècle, et dans le *Missale romanum* publié après le concile de Trente, mais – étant absente du *Rituale romanum* de 1614 – se raréfie dans les rituels au cours des XVIIe et XVIIIe siècles.

Au XVIe siècle, les rituels d'une trentaine de diocèses de la moitié nord de la France donnent des formulaires, la distinction entre missels et rituels n'étant pas encore bien établie.

Une quinzaine ajoutent à la bénédiction et à l'imposition des cendres, ainsi qu'à la procession les accompagnant, des prières d'entrée dans la pénitence. Celles-ci comprennent comme les absolutions générales les sept psaumes pénitentiaux[1], des prières litaniques, des versets psalmiques, des oraisons, et des formules d'absolution.

C'est le cas à Chartres 1490-1553, Strasbourg [1490]-1590, Reims c. 1495-1585, Autun 1503-1545, Cambrai 1503-1562, Lisieux 1507-1523, Rennes c. 1510-1533, Avranches et Coutances 1540 n.st., Beauvais 1544, Meaux 1546, Bayeux 1577, Laon et Senlis 1585, Amiens 1586.

Au XVIIe siècle, c'est le cas à Arras 1600[2], Chartres 1627-1689, Saint-Brieuc 1605 (recopiant Reims 1585), Amiens 1607, Bayeux 1611, Laon 1621-1671, Reims 1621-1677, Rouen 1640-1651, La Rochelle 1689, Soissons 1694.

Au XVIIIe siècle, c'est encore le cas à Blois 1730 et dans les diocèses normands : Rouen 1739-1771, Bayeux, Coutances, Lisieux 1744, ainsi qu'à La Rochelle 1744 et Laon 1782.

---

[1] Psaumes de la pénitence : 6. *Domine ne in furore ... miserere*, 31. *Beati quorum remissae sunt*, 37. *Domine ne in furore ... quoniam*, 50. *Miserere*, 101. *Domine exaudi ... et clamor meus*, 129. *De profundis*, 142. *Domine exaudi ... exaudi me*.

[2] L'édition d'Arras 1563, disparue, étant très proche de celle de 1600, devait déjà comporter ces prières.

68 CHAPITRE II

2. Titres et schémas des offices[3]

P107 **Bâle 1488** 2ᵉ partie f. b7-c3. *Benedictio super cineres in capite ieiunii*: bén. et imposition des cendres.

P108 **Chartres 1490-1553, 1604.** *Incipit officium quod celebratur in qualibet ecclesia. Feria quarta in capite ieiunii.* P158

P109 **Strasbourg [1490]-1590.** *Feria quarta in capite ieunii. Benedictio super cineres.* P159

P110 **Reims c. 1495-c. 1540.** *Modus inchoandi et perficiendi servitium in ecclesiis parrochialibus Remensis in die cinerum, videlicet feria iiii in capite ieiunii.* P160

P111 **Uzès 1500.** *Feria quarta cinerum in capite ieiunii. Sequitur benedictio cinerum.* P161

P112 **Périgueux c. 1502, 1536.** Éd. c. 1502 f. 117v-118v. *Benedictio cinerum*: bén. et imposition des cendres (= Bazas 1503 + imposition des cendres).

P113 **Autun 1503, 1523, 1545.** *In capite ieiunii ante missam… primum ad cineres benedicendum…* P162

P114 **Bazas 1503** f. k3-k3v. *Benedictio cinerum*: bén. des cendres.

P115 **Cahors 1503** f. 75v-78. *Benedictio cinerum in capite ieiuniorum*: bén. et imposition des cendres.

P116 **Cambrai 1503** f. 107v-108. *Feria.iiij. in capite ieiunii fit absolutio*: absolution, ps. pénitentiels, *preces*, V. et oraisons empruntés à l'extrême-onction, bén. et imposition des cendres.

P117 **Clermont-Saint-Flour 1506 n.st.-1608.** Éd. 1506 f. 61-62. *Benedictio cinerum in die prima Quadragesime*: bén. et imposition des cendres, expulsion des pénitents, procession.

P118 **Lisieux 1507, 1524 n.st.** *Feria quarta in capite ieiunii. Absolutio populi.* Éd. 1507 f. 76v-67v [*sic* pour 69v-73v]: ps. pénitentiaux, V., cinq oraisons, deux «prières d'absolution».

P119 **Angoulême 1509** f. 69v. *Benedictio cinerum*: bén. des cendres (une oraison) et imposition.

P120 **Rennes c. 1510, 1533.** *Ad processionem. In die cinerum.* Éd. c. 1510 f. 106v-108v: procession comportant antiennes, ps., répons et versets chantés.

P121 **Limoges 1518.** *Benedictio cinerum in die prima quadragesime.* P163

P122 **Toul 1524, 1525.** Éd. 1524 f. g4v-g5: bén. et imposition des cendres.

---

[3] Les offices du Mercredi des Cendres comportant des absolutions générales, sont également mentionnés au chapitre III: *Absolutions générales durant le Carême et le jour de Pâques.*

OFFICE DU MERCREDI DES CENDRES

69

P123 **Maguelonne 1526** f. 18v-21; **Maguelonne 1533** f. 42v-44v. *Feria iiij in capite ieiuniorum exorcismus cineris*: bén. et imposition des cendres proches d'Uzès 1500.

P124 **Avranches 1540 n.st. et Coutances 1540 n.st.** *In capite ieiunii hoc est feria quarta. Absolutio super penitentes prostratis omnibus.* **Avranches 1540 n.st.** f. 103-104v: absolution, ps. pénitentiaux, sept oraisons, bén. et imposition des cendres.

P125 **Lyon 1542** f. 51-51v: bén. et imposition des cendres.

P126 **Beauvais 1544** f. 21-28v. *Feria quarta in capite ieiunii in ecclesiis parrochialibus*: ps. pénitentiels, A. *Parce Domine*, vingt-six oraisons, dont vingt-trois pour des intentions diverses, absolutions, bén. des cendres, procession.

P127 **Meaux 1546** f. 56v-57v. *Benedictio cinerum mercurii in capite ieiunii*: bén. des cendres, ps. pénitentiaux, oraisons, absolution.

P128 **Reims 1554** f. 22-28v. *Modus inchoandi et perficiendi servitium in ecclesiis parrochialibus Remensis in die cinerum, videlicet feria iiii in capite ieiunii.* P164

P129 **Verdun 1554.** *Sequitur officium in die Cinerum, videlicet quarta feria in capite ieiunii celebrandum.* P165

P130 **Nantes c. 1560** f. 113-113v; **Poitiers 1587, 1594.** Éd. 1587 f. T2v-T3. *Benedictio cinerum in principio* XL: trois oraisons et imposition des cendres.

P131 **Cambrai 1562** f. 168v-170. *Benedictio cinerum feria quarta in capite ieiunii*: reprend Cambrai 1503 avec addition de l'oraison *Mordacis conscientiae stimulis…*

P132 **Châlons-sur-Marne 1569.** *Benedictio cinerum*: deux oraisons.

P133 **Bayeux 1577, 1611.** Éd. 1577 p. 291-292. *Absolutio super penitentes in capite ieiunii*: reprend Avranches et Coutances 1539 sans la bén. et l'imposition des cendres.

P134 **Chartres 1581.** *De benedictione cinerum in capite ieiunii Quadragesimalis.* P166

P135 **Reims 1585, 1621.** Éd. 1585 f. 104-106. *Benedictio cinerum in capite ieiunii.* P167

P136 **Laon 1585, 1621.** *Benedictio cinerum in capite ieiunii*: reprend Reims 1585-1621.

P137 **Senlis 1585.** *Benedictio cinerum in capite ieiunii*: reprend Reims 1585.

P138 **Amiens 1586, 1607.** *Benedictio cinerum in capite ieiunii*: reprend Reims 1585.

CHAPITRE II

P139 **Cahors 1593** f. 76-80. *Benedictio cinerum*: bén. et imposition des cendres. Formulaire du *Sacerdotale* de Castellano[4], et du *Missale romanum*.

P140 **Bâle 1595** deuxième partie, p. 23-26. *Benedictio cinerum in capite ieiunii quadragesimalis*: bén. et imposition des cendres. Formulaire du *Sacerdotale* de Castellano et du *Missale romanum*.

P141 **Arras 1600** p. 167-169. *Feria quarta in capite ieiunii*...: ps. pénitentiaux, litanies, bén. et imposition des cendres.

P142 **Chartres 1627-1640.** Éd. 1627 p. 296-303. *Feria quarta Cinerum*: reprend Chartres 1490-1553 sans la confession générale; une absolution diffère.

P143 **Metz 1605, 1631.** Éd. 1605 p. 184-186. *Benedictio cinerum*: bén. et imposition des cendres.

P144 **Saint-Brieuc 1605.** *Benedictio cinerum in capite ieiunii*: identique à Reims 1585.

P145 **Rouen 1640** p. 287-290; **Rouen 1651** tome 2, p. 378-381. *Ordo faciendi absolutiones feriâ quartâ in capite ieiunii*: ps. pénitentiaux, A. *Ne reminiscaris*, V., quatre oraisons, absolution, bén. et imposition des cendres, «expulsio publice poenitentium».

P146 **Laon 1671** deuxième partie, p. 78-92. *Benedictio cinerum in capite ieiunii*: ps. pénitentiaux, A. *Ne reminiscaris*, sept V., trois oraisons, bén. et imposition des cendres. Pas d'absolution.

P147 **Reims 1677** p. 386-406. *Benediction des cendres le premier jour de Carême*: reprend Reims c. 1495 sauf litanies des saints légèrement remaniées et oraisons pour intentions diverses et V. moins nombreux. Absolutions de Reims 1585.

P148 **Chartres 1680, 1689.** *Ordo faciendi absolutiones diebus Cinerum.* P168

P149 **La Rochelle 1689, 1744.** Éd. 1689 p. 158-177. *Ordre pour l'Absolution du Mercredy des Cendres et autres jours du Carême*: ps. pénitentiaux, prières litaniques, dix V., quatre oraisons, *Confiteor*, trois absolutions, pénitence.

P150 **Verdun 1691.** *Bénédiction des Cendres pour le premier jour de Carême*: reprend Verdun 1554 sans le ps. 68 et les antiennes.

P151 **Soissons 1694** p. 384-389. *Benediction des Cendres*: ps. pénit, V., quatre oraisons, *Confiteor*, quatre absolutions, bén. et imposition des cendres.

P152 **Blois 1730.** *Absoute pour le mercredi des Cendres.* P169

---

4   Sur Alberto Castellano o.p., auteur du rituel romano-vénitien intitulé *Liber sacerdotalis*, puis *Sacerdotale*, édité à Venise de 1523 à 1603, voir *supra* Bibliographie sélective – sources, p. 23.

OFFICE DU MERCREDI DES CENDRES

P153 **Narbonne 1736** p. 197-199. *Rit de la Benediction des Cendres*: bén. et imposition des cendres, A., oraison. Allusion à une cérémonie d'«expulsion des Pénitens»[5].

P154 **Rouen 1739, 1771.** Éd. 1739 p. 280-286. Bayeux, Coutances, Lisieux 1744. *Ordo precum pro peccatis et absolutionis caeremonialis in Ecclesiis Parochialibus et aliis servandus. Feria IV Cinerum in capite ieiunii*: ps. pénitentiaux, sept V., cinq oraisons, deux absolutions, bén. et imposition des cendres.

P155 **Senlis 1764** p. 499-503. *Benedictio Cinerum, in capite Jejunii*: reprend Senlis 1585 (= Reims 1585) en l'abrégeant.

P156 **Laon 1782** *Pars secunda*, p. 83-97. *Benedictio Cinerum in capite jejunii*. Trois formules diffèrent de l'édition 1671: l'A. *Domine, memor esto mei...* remplace l'A. *Ne reminiscaris...* L'oraison *Deus qui humilitate flecteris*, remplace *Deus qui humiliatione...* Nouvelle formule d'imposition: *Memento homo quia pulvis es...* Suppression de l'oraison finale *Concede nobis Domine...*

P157 **Verdun 1787** t. II p. 583-586. *Bénédiction des cendres le premier jour de Carême*. Nouveau formulaire s'inspirant en partie de Verdun 1554-1691 et de Laon 1782.

3. Choix de formulaires

Chartres 1490-1553, 1604

[Chartres 1490: Miles d'Iliers]

P158 **Chartres 1490** f. 48-49. *Incipit officium quod celebratur in qualibet ecclesie feria quarta in capite ieiunii*.

[Bénédiction des cendres]

Et primo benedicuntur cineres que fiunt et sunt parate de bandelis confirmatorum vel albarum puerorum post baptismum vel alias.
Benedictio. *Benedicite. R. Dominus.* P230
Oratio. *Oremus. Deus qui non mortem sed penitentiam desideras peccatorum fragilitatem...* P253
Alia benedictio. Oratio. *Deus qui sanguine indutus mortalitatis ob culpam prothoplausti...* [rare] P254

---

5 Références marginales aux Pontificaux narbonnais de l'archevêque La Jugée (à Judic.) [archevêque de 1347 à 1375] et du cardinal Pizzani [archevêque de 1551 à 1561], ainsi qu'aux anciens Cérémoniaux de Narbonne intitulés «Livre vert» et «Mandataire».

CHAPITRE II

[Psaumes pénitentiaux. Litanies des saints. Prières litaniques]

Post hec dicuntur septem ps. penitentiales.
A. *Ne reminiscaris Domine delicta nostra vel parentum nostrorum …*
P488
Ps. [6] *Domine ne in furore* etc.
Post genibus flexis dicitur letania. *Kyrie… Pater de celis Deus miserere nobis, Sancta Maria, Sancta Dei genitrix, Sancta Virgo virginum, Sancte Michael, Sancte Gabriel, Sancte Raphael, omnes sancti Angeli, Sancte[6] Throni, Sancte Dominationes, Sancti Principatus, Sancte Potestates, Sancte Virtutes celorum, Sancta Cherubin, Sancta Seraphin, Omnes sancti patriarche, Omnes sancti apostoli et evangeliste, Omnes sancti martires, Omnes sancti confessores, Omnes sancte virgines, Omnes sancti, orate pro nobis.*
Propicius esto parce nobis Domine. Propicius esto libera nos Domine. Ab hoste malo, A concupiscentia iniqua[7]…
Preces. [Versets] *Ego dixi Domine miserere mei … Convertere Domine usquequo. … Sacerdotes tui induantur iustitiam. … Domine salvum fac regem. … Salvos fac servos tuos et ancillas tuas. … Salvum fac servum tuum. … Salvum fac populum tuum Domine. Et benedic hereditati tue. … Fiat pax in virtute tua. … Oremus pro fratribus nostris absentibus. … Pro omnibus benefactoribus nostris. … Pro cunctis fidelibus defunctis… Oremus etiam pro peccatis et negligentiis nostris. … Illustra faciem tuam super servos tuos. … Domine vide humilitatem meam et laborem meum. … Exaudi me Domine quoniam benigna est misericordia tua. … Ne memineris iniquitatum nostrarum antiquarum. … Adiuva nos Deus salutaris noster. … Esto nobis Domine turris fortitudinis. … Domine exaudi… Dominus vobiscum…*

[Oraisons]

Oratio. Oremus. *Exaudi Domine preces nostras et confitentium tibi parce peccatis…* P1068
Alia oratio. *Omnip. semp. Deus confitentibus his famulis tuis pro tua pietate peccata relaxa…* P1074
Alia oratio. *Omnip. et misericors Deus qui peccatorum indulgentiam in confessione…* P1073
Alia oratio. *Preveniat hos famulos tuos quesumus Domine misericordia tua…* P1086

---

[6]   Sancte] Sancti Chartres 1680.
[7]   *Voir infra* Prières litaniques, Chartres 1490-1689 (P557-P590).

OFFICE DU MERCREDI DES CENDRES

Alia oratio. *Adesto Domine supplicationibus nostris nec sit ab his famulis tuis...* P1044

Alia oratio. *Domine Deus noster qui offensione nostra non vinceris ...* P1063

[Exhortation. Confession et absolution générale]

His dictis secundum usum ecclesiarum parrochialium diocesis Carnotensis fit ad populum aliqua brevis monitio seu exhortatio, ut in *Doctrinale Fidei* vel alibi potest provideri. Et generalis confessio gallicana ut in die Pasche inferius continetur[8], vel aliomodo qua finita unusquisque dicit *Confiteor Deo*. Et presbyter dicit

Misereatur vestri omnipotens Deus ... P1129

Absolutio. *Indulgentiam absolutionem et remissionem omnium peccatorum...* P1125

Alia absolutio generalis. *Omnipotens Deus qui beato Petro apostolo ceterisque discipulis suis ...* P1132

[Procession. Imposition des cendres. Messe]

Et fit processio cantando hoc R. [Gen. 3, 17-19] ♪*In sudore vultus tui vesceris pane tuo. Dicit Dominus ad Adam: cum operatus fueris terram. Non dabit fructus suos, sed spinas et tribulos germinabit tibi. V. Pro eo quod obedisti voci uxoris tue plus quam mee, maledicta terra in opere tuo.* [rare] P237

In reditu processionis intrando ecclesiam distribuuntur cineres penitentibus, clericis cantantibus ps. [50] *Miserere mei Deus* etc.

Et distribuendo presbyter dicit cuilibet. *Memento homo quia cinis es et in cinerem reverteris. Pulvis es et in pulverem reverteris.* P268 Et apponit cuilibet in frontinella in modum crucis. Et post populus aspergatur aqua benedicta.

Et incipit missam *Misereris omnium* etc. P274

---

[8] *Voir infra* Confession générale de Pâques, Chartres 1490 f. 85v-91 (P1207).

74 CHAPITRE II

Strasbourg [1490]-1590

[Strasbourg 1490 : Albert de Bavière]

P159 **Strasbourg [1490]** f. 56 (ch. par erreur 61)-63v *Feria quarta in capite ieiunii benedictio super cineres.*

[Bénédiction des cendres]

Oremus. Omnip. semp. Deus, parce metuentibus, propiciare suppli-cibus… P259
Alia oratio. *Deus qui humiliatione flecteris, et satisfactione placaris…* P250
Hic aqua benedicta aspergantur cineres.
A. *♪Exaudi nos Domine quoniam benigna est misericordia tua…* P234
V. *Salvum fac populum tuum Domine et benedic hereditati tue…* P244 Et repetitur A. *Exaudi.*
Postea dicit presbyter *Oremus. Flectamus genua. Levate.*
Oratio. *Concede nobis quesumus omnip. Deus, presidia christiane militie…* P249
Tunc imponatur A. *♪Iuxta vestibulum et altare plorabant sacer-dotes…* P240

[Imposition des cendres]

Tunc presbyter imponat cinerem capitibus singulorum dicens. *Me-mento homo quia cinis es, et in cinerem reverteris.* P271
Et interim cantetur A. *♪Immutemur habitu in cinere et cilicio ieiu-nemus…* P236
R. *♪Emendemus in melius quod ignoranter peccavimus…* P233
V. *Peccavimus cum patribus nostris, iniuste egimus, iniquitatem fe-cimus.* P243 *Attende Dne et miserere…* P233
Vel R. *Tribulare si nesci* [sic] [rare] P247. Vel R. *Paradisi portas* [sic] [rare] P242

[Litanies des saints]

Quibus finitis legatur letania sanctorum[9].
… Line, Clete, Clemens, Sixte, Corneli, Cipriane, Georgi, Crisogone, Maurici cum soc., Leo, Hilari, Amande, Arbogaste, Florenti, Udalrice, Co-lumbane, Galle, Leonarde, Egidi, … Felicitas, Perpetua, Margareta, Co-lumba, Aurelia, Otilia, Barbara, Appolonia, Scolastica, Athala, Elizabeth…

---

[9]   Litanies romaines des saints (*Septem Psalmi Poenitentiales, cum litaniis*) sans *Joannes et Paule, Gervasi et Protasi, Benedicte, Bernarde, Dominice, Francisce*, avec additions ci-après.

OFFICE DU MERCREDI DES CENDRES

[Prières litaniques]

Propitius esto. Parce nobis Domine…[10].

Preces

Et veniat super nos misericordia tua Domine… P474 *Esto nobis Domine turris fortitudinis…* P472 *Memor esto congregationis tue. Quam possedisti ab initio* P483. *Oremus pro fidelibus defunctis…* P495 *Requiescant in pace…* P512 *Domine exaudi… Dominus vobiscum…*

[Oraisons]

Oremus. Deus cui proprium est misereri semper et parcere, suscipe deprecationem nostram, ut quos delictorum cathena constringit, miseratio tue pietatis absolvat. P1051

Alia. *Parce Domine parce peccatis nostris, et quamvis incessabiliter delinquentibus continua pena debeatur, presta qs, ut quod ad perpetuum meremur exitium, transeat ad correctionis auxilium. Per Christum.* [rare] P1078

Alia. *Eripiat nos quesumus Domine tuorum deprecatio sanctorum et sicut per Moysen famulum tuum peccata dimisisti, ita per intercessionem omnium sanctorum tuorum nostra omnium iubeas relaxari peccata. Qui vivis.* [rare] P1067

Reims c. 1495, 1506, c. 1540

[Reims c. 1495 : Robert Briçonnet]

P160 **Reims c. 1495** f. c7v-d8v *Modus inchoandi et perficiendi servitium in ecclesiis parrochialibus Remensis in die cinerum, videlicet feria IIII in capite ieiunii.*

[Psaumes pénitentiaux. Litanies des saints]

Primo presbyter indutus alba cum stola et fanone post ultimam pulsationem misse parrochialis genibus flexis existens ante maius altare clericis et parochianis circumstantibus hinc inde incipiat submissa voce sive cursorie et versiculatim dicat septem psalmos penitentiales cum letania, precibus, et orationibus sequentibus.

Et primo. *Deus in adiutorium meum intende. Domine ad adiuvandum me festina.* P460 *Gloria Patri. Sicut erat.*

Septem psalmi penitentiales videlicet *Domine ne in furore*, cum ceteris dicendi sunt per ordinem cum *Gloria Patri* in fine cuiuslibet

---

[10]   *Voir infra* Prières litaniques, Strasbourg [1490] (P591-P638).

CHAPITRE II

psalmi. Quibus decursis subiungitur A. *Ne reminiscaris*, cum letania, precibus et orationibus sequentibus.

(c8) A. *Ne reminiscaris Domine delicta nostra, neque vindictam sumas de peccatis nostris.* P488

Letania[11]. *... Sancte chorus archangelorum, chorus apostolorum, Line, Clete, Clemens, Marcelle, Calixte, Nicasi cum soc., Ypolite, Vincenti, Georgi, Dionysi cum soc., Maurici cum soc., Quintine, Simphoriane, Maure cum soc., Timothee, Apolinaris, Chorus martyrum, Remigi, Sixte, Sinicy, Nivarde, Rigoberte, Reole, Iuliane, Germane, Basili, Eligi, Hilari, Ludovice, Theodorice, Theodulphe, Basole, Fiacri, Chorus confessorum, Anna, Maria Egiptiaca, Felicitas, Perpetua, Barbara, Christina, Anastasia, Scolastica, Clara, Eutropia, Fides, Petronilla, Genovefa, Columba, Machra, Gertrudis, Bova, Doda, Iustina, Chorus virginum...*

[Prières litaniques]

Propitius esto parce nobis Domine. Propitius esto libera nos Domine. ...[12].

[Versets]

Ego dixi Domine miserere mei... P471 *Convertere Domine usquequo...* P458 *Oculi Domini super iustos...* P492 *Confiteantur tibi Domine omnia opera tua...* P456 *Oremus pro omni gradu Ecclesie...* P497

[Prières à des intentions diverses]

Pro congregatione sanctorum. *Memor esto congregationis tue, quam possedisti ab initio* P483 ...[13].

[Versets]

Adiuva nos Deus salutaris noster... P450 *Domine exaudi orationem meam...* P464 *Miserere mei Deus secundum.* P484 Etc. [Ps. 50, 1]. *Exaudi Domine vocem meam qua clamavi ad te...* P475 *Dominus vobisc. ...*

[Oraisons à des intentions diverses]

Oremus. Oratio pro peccatis. *Exaudi quesumus Domine supplicum preces et confitentium tibi parce peccatis* P204 ...[14].

---

[11] Litanies romaines des saints, sans *Joannes et Paule, Cosma et Damiane, Gervasi et Protasi, Bernarde, Dominice, Francisce,* avec additions ci-après.

[12] *Voir infra* Prières litaniques, Reims c. 1495-1540, 1677 (P639-P664).

[13] Dix-neuf formules. *Voir infra* Prières à des intentions diverses le Mercredi des Cendres. Versets (P173-P192).

[14] Une trentaine d'intentions différentes. *Voir infra* Oraisons à des intentions diverses le Mercredi des Cendres (P193-P217).

OFFICE DU MERCREDI DES CENDRES

[Versets]

Dominus vob. … Benedicamus Domino… P453 Anime omnium fidelium defunctorum per misericordiam Dei sine fine requiescant in pace… Et nos maneamus in pace… P452

Et his dictis persbyter surgens et accedens ad altare super quod in disco sint cineres per clericum preparati, eosdem cineres ibidem stando benedicat sic dicendo.

[Bénédiction et distribution des cendres. Oraisons]

Benedictio cinerum.

Omnip. semp. Deus parce metuentibus propitiare supplicibus et mittere dignare sanctum angelum tuum de celis… P259

Oratio. *Deus qui non mortem sed penitentiam desideras peccatorum… P253*

Postea aspergat cineres aqua benedicta et incipiat A. sequentem.

A. *♪Exaudi nos Domine quoniam benigna est misericordia tua secundum multitudinem miserationum tuarum respice nos Domine. P234*

Ps. [68] *Salvum me fac Deus quoniam intraverunt aque… P245 A. Exaudi. Gloria Patri. A. Exaudi.*

Et dum cantatur per clericos et parochianos in choro, interim presbyter stans ad dextrum cornu altaris dispergat cineres in modum crucis super capita omnium parochianorum utriusque sexus in ecclesia existentium et dicat. *Memento homo quia cinis es, et in cinerem reverteris. P269*

Et cineribus datis dicat presbyter.

Oremus. Deus qui humiliatione flecteris et satisfactione placaris… P250

Oremus. Omnip. semp. Deus qui Ninivitis in cinere et cilicio penitentibus… P262

Postea incipit cantare. *♪Immutemur habitu in cinere et cilicio ieiunemus et ploremus ante Dominum… P236*

Deinde incontinenti incipiat aliam A. sequentem, videlicet A. *♪Iuxta vestibulum et altare plorabant sacerdotes et levite… P240*

Qua cantata statim dicitur a presbytero oratio sequens.

Oremus. *Concede nobis Domine presidia militie christiane sanctis inchoare ieiuniis… P249*

Et his dictis presbyter induat casulam et procedat ad missam celebrandam in quaquidem missa consuetum est habere sermonem post offertorium misse.

78 CHAPITRE II

Uzès 1500

[Nicolas Maugras]

P161 **Uzès 1500** f. 10v-12 *Feria quarta cinerum in capite ieiunii. Sequitur benedictio cinerum.*
Formulaire inspiré du Pontifical romano-germanique, proche de Maguelonne 1526.

[Bénédiction et imposition des cendres]

Sacerdos dicat V. *Ostende nobis Domine…* P241 *Domine exaudi. Dominus vobisc.*
Oremus. Deus qui non mortem sed penitentiam desideras peccatorum… P253
Oremus. Alia oratio. *Omnip. semp. Deus qui primo homini transgredienti mandatum tuum…* P263
Oremus. Oratio. *Deus qui humiliatione flecteris et satisfactione placaris…* P250
Et benedictio Dei omnipotentis Patris… descendat super hos cineres.
R. *Amen.* P255
Et aspergatur aqua benedicta super cineres; quo facto cantor incipiat A. sequentem. Et interim quod cantatur, fiat aspersio aque benedicte super altaria, clerum et populum.
A. ♪*Exaudi nos Domine quoniam benigna est misericordia tua…* P234 V. ♪*Salvum me fac Deus quoniam intraverunt aque…* P245 V. *Gloria Patri.*
Quo facto sacerdos stans ante altare dicat V. *Ostende nobis Domine…* V. *Domine exaudi… Dominus vob.*
Oremus. Oratio. *Concede nobis quesumus Domine presidia militie christiane…* P249
Deinde cantetur A. *Immutemur habitu,* P236 cum sequenti.
Et interim quod cantant sacerdos imponat super capita singulorum cineres benedictos dicendo
In nomine Patris et Filii et Spiritus Sancti. Memento quia cinis es, et in cinerem reverteris. P265
Et facta impositione nihil plus fiat, sed sacerdos preparet se ad celebrandam missam.

OFFICE DU MERCREDI DES CENDRES

Autun 1503, 1523, 1545

[Autun 1503 : Louis d'Amboise]

P162 **Autun 1503** f. 28v-29 *In capite ieiunii ante missam celebraturus vestimentis sacerdotalibus omnibus preter casulam indutus: primum ad cineres benedicendum procedat modo sequenti.* [Titre courant] *In die cinerum.*

[Bénédiction et imposition des cendres]

Adiutorium nostrum… Sit nomen Domini… Domine exaudi orationem meam… Dominus vobisc. …
Oratio. *Deus qui non mortem sed penitentiam desideras peccatorum…* P253
Item alia oratio. *Oremus. Omnip. semp. Deus, qui misereris omnium, et nichil odisti eorum que fecisti…* P261
Finitis orationibus predictis, aspergat aqua benedicta cineres predictos. Et tunc genibus flexis recipiat, ipse primo ab alio maiore vel minore sacerdote presente, deinde cunctis genibus flexis venientibus frontibus eorum de cineribus benedictis imponendo signum crucis imprimendo dicat.
Recognosce homo quia cinis es, et in cinerem reverteris. P273

[Psaumes pénitentiaux. Versets. Oraisons]

Quibus peractis. Et septem psalmis penitentialibus ubi moris fuerit genibus flexis finitis sequitur.
Kyrie… Pater noster… V. Et veniat super nos misericordia tua Domine. … P474 V. *Domine Deus virtutum converte nos. …* P463 *Domine exaudi orationem meam…* P464 *Dominus vobisc. …*
Oremus. Orationes sequentes dicuntur ad unum. *Per Dominum.*
Oratio. *Deus qui humili actione flecteris et satisfactione placaris, aurem tue pietatis inclina…* P1058
Adesto Domine supplicationibus nostris, nec sit ab his famulis tuis clementie tue longinqua miseratio… P1044
Oratio. *Miserere quesumus Domine Deus famulis tuis et continuis tribulationibus laborantes celeris propiciatione leticia. Per Dominum nostrum* [rare]. P1071

CHAPITRE II

Limoges 1518

[Philippe de Montmorency]

P163 **Limoges 1518** f. 63-65v *Benedictio cinerum in die prima Quadragesime.*

[Psaumes pénitentiaux. Litanies. Versets]

Episcopus vel ebdomadarius episcopo absente vel capellanus vel quilibet alius faciens officium indutus sacris sine infula[15] prosternitur in tapeto[16] qui debet esse positus ante maius altare una cum diacono a sinistris, et subdiacono a dextris. Et utroque choro etiam hinc et inde prostrato dicuntur septem ps. penitentiales submissa et competendi voce. Et in fine cuiuslibet ps. dicitur *Gloria Patri.*
Quibus dictis dicitur ab omnibus ant. *Ne reminiscaris* sine cantu.
Qua finita duo vicarii vel alii duo presbyteri in habitu suo stantes erecti incipiunt alta voce letaniam in hunc modum. *Kyrie eleyson. Christe eleyson. Kyrie eleyson.* Et omnes prostrati respondent idem quod et ipsi vicarii vel episcopi dicunt. Et sic dicitur tota letania usque ad illum locum. *Ut dominum apostolicum*[17].
Et post illum V. episcopus vel ebdomadarius vel capellanus a prostratione aliquantulum se erigens flexis genibus ibi in bacino cineres a dextris positos benedicat ter dicens. *Ut hos cineres benedicere digneris, te rogamus.*
Et sic bis dicitur. *Ut hos cineres benedicere et sanctificare digneris. Te rogamus.* [rare]
Et statim redeat in prostrationem duobus vicariis vel aliis duobus presbyteris prosequentibus residuum litanie.
Qua finita dicitur ab omnibus in secreto. *Pater noster.* Et hic due candele simul iuncte teneantur ad librum per subdiaconum coram episcopo vel ebdomadario vel quolibet alio faciente officium, qui aliquantulum sese erigens dicat.

[Versets]

… Et *ne nos inducas… Salvos fac servos tuos et ancillas tuas…* P515 *Mitte eis Domine auxilium de sancto…* P486 *Nichil proficiat inimicus in eis…* P489 V. *Esto nobis Domine turris fortitudinis…* P472 V. *Domine exaudi… Dnus vobiscum…*

---

[15] infula : insigne d'une charge ou d'une fonction.
[16] tapetus : tapis.
[17] Très probablement litanies de la bénédiction des fonts baptismaux le Samedi saint, f. 80-81v.

OFFICE DU MERCREDI DES CENDRES

Et dicuntur orationes flexis genibus usque ad orationem *Omnipotens sempiterne.* Sequuntur orationes.

Exaudi Domine preces nostras et tibi confitentium parce peccatis… P1068

Oratio. *Preveniat hos famulos tuos quesumus misericordia tua…* P1086
Oratio. *Adesto Domine supplicationibus nostris nec desit…* P1044

[*Confiteor.* Absolutions]

Deinde dicit prostratus. *Confiteor Deo omnipotenti.* Chorus. *Misereatur.* et *Confiteor Deo omnipotenti.*
Deinde solus et absolute dicat.

In ea auctoritate et potestate confidentes : quam omnipotens Deus nobis in beato Petro apostolorum principe tribuit… [rare] P1121
Vice beati Petri apostolorum principis cui a Domino collata est potestas… [aussi Rennes c. 1510] P1141

[Bénédiction]

Misertus et propicius sit vobis omnipotens Deus. R. *Amen.* V. *Dimittat vobis omnia peccata vestra. Amen. …* [rare] P1072
Et surgendo dicat. *Per Dominum, etc.*

[Bénédiction et imposition des cendres]

Hic vadat ad dextrum cornu altaris ad cineres benedicendos dicens. *Dominus vobiscum.*

Oremus. Omnip. semp. Deus parce metuentibus, propiciare supplicantibus… P259
Oratio. *Deus qui non mortem sed penitentiam desideras…* P253
Alia oratio. *Deus qui humiliatione flecteris et satisfactione placaris…* P250
Oremus. Omnip. semp. Deus qui Ninitivis in cinere et cilicio penitentibus… P262

Deinde aspergat cineres aqua benedicta, et post incenset eosdem et imponat capitibus singulorum penitentium : et dum imponuntur cantatur hec ant. *Exaudi nos Domine quoniam benigna est misericordia tua…* P234
V. *Salvum me fac Deus quoniam intraverunt aque usque ad animam meam.* P245

Et quamdiu durat cinerum impositio predicta ant. cantatur et repetitur dicente episcopo vel ebdomadario vel capellano vel quolibet alio faciente officium.

Memento homo quia cinis es et in cinerem ibis: pulvis es et in pulverem reverteris. P268

Completa cinerum impositione, episcopus vel ebdomadarius vel capellanus, vel quilibet alius faciens officium dicit *Dominus vobiscum…*

Concede nobis Domine presidia militie christiane sanctis inchoare ieiuniis… P249

Reims 1554

[Charles de Guise, cardinal de Lorraine]

P164 **Reims 1554** f. 22-28v *Modus inchoandi et perficiendi servitium, in Ecclesiis parochialibus Rhemensis in die cinerum…*

Formulaire de Reims c. 1495-c. 1540 avec addition d'une *Absolutio super populum* avant la bén. des cendres:

f. 27 … Tunc Sacerdos faciat absolutionem super populum.

Absolutio. *Absolvo vos vice beati Petri Apostolorum principis, cui dominus ligandi atque solvendi potestatem dedit: et quantum ad vos pertinet accusatio…* [rare] P1097

Oratio. *Misereatur vestri omnipotens Deus: et dimissis omnibus peccatis vestris…* P1129

Oratio. *Absolutionem et remissionem omnium peccatorum vestrorum largiatur vobis omnipotens pater, pius, et misericors Dominus. Amen.* [rare] P1088

Absolutio finita, Sacerdos stans ad altare, benedicit cineres sic (quasi legendo) inchoans: *Adiutorium nostrum… Sit nomen Domini…*

Oremus. Omnip. semp. Deus, parce metuentibus, propitiare supplicibus… P259

[La suite comme Reims c. 1495]

Verdun 1554

[Nicolas Psaulme]

P165 **Verdun 1554** f. 41-42. *Sequitur officium in die Cinerum, videlicet quarta feria in capite ieiunii celebrandum.*

Formulaire du *Sacerdotale* de Castellano et du *Missale romanum*.

Ex dictis beati Augustini. Presbyteri admonere debent plebem sibi subiectam ut omnis qui sentit se mortifero peccati vulnere sauciatum, feria quarta ante quadragesimam cum omni festinatione recurrat ad vivificantem matrem ecclesiam, ubi quod male commisit cum omni

OFFICE DU MERCREDI DES CENDRES

humilitate et contritione cordis simpliciter confessus, suscipiat remedia penitentie, secundum modum canonicis authoritatibus prefixum. *Modus inchoandi supradictum officium in predicta die cinerum, in ecclesiis parrochialibus diocesis Virdunensis talis est.*

[Bénédiction et imposition des cendres]

Imprimis presbiter indutus alba cum stola et manipulo existens ante maius altare, super quod in disco sint cineres preparati, qui fiunt ex bandelis confirmatorum, vel Ramis benedictis anni preteriti vel alias, eosdem cineres ibidem stando benedicat dicens. *Adiutorium... Sit nomen Domini... Dominus vob. ...*

Oremus. Omnip. semp. Deus, parce metuentibus, propiciare supplicibus... P259

Oremus. Deus qui non mortem, sed penitentiam desideras peccatorum... P253

Oremus. Deus qui humiliatione flecteris, et satisfactione placaris... P250

Postea aspergat presbiter cineres aqua benedicta et incenset, quo facto dicantur antiphone sequentes, et dum cantantur, distribuuntur cineres parrochianis, signando eos in fronte, et dicendo submissa voce.

Memento homo, quia cinis es, et in cinerem reverteris. P271

A. Exaudi nos Domine quoniam benigna est misericordia tua... P234

Ps. [68] *Salvum me fac Deus, quoniam... P226 Exaudi.*

A. Iuxta vestibulum et altare plorabant sacerdotes... P240

A. Immutemur habitu, in cinere et cilicio ieiunemus... P236

Oremus. Concede nobis quesumus Domine presidia militie christiane... P249

Chartres 1581
[Nicolas de Thou]

P166 **Chartres 1581** f. 119v-120 *De benedictione cinerum in capite ieiunii Quadragesimalis.*

Quadragesimale Jeiunium divinitus consecratum est, et insigne habet exemplum à Moyse, Elia, et Christo, ante legem, sub lege, et post legem : ut fideles per ciborum abstinentiam refrenentur à malo, et promptius excitentur ad bonum. Eorum qui illud hac die inchoant, capitibus cineres imponuntur, more Ninivitarum, in fragilitatis humane recordationem, et penitentie signum[18] : ut se cinerem esse, et in cine-

---

[18] Référence à Guillaume Durand de Mende, *Rationale divinorum officiorum.* Vaste compilation rédigée vers 1285.

rem reversuros meminerint: dignosque penitentie fructus facientes, peccatorum veniam a Deo misericorditer assequantur.

Sic autem benedicuntur.

Post decantatos in Ecclesia septem ps. penitentiales, una cum letania et precibus in missali contentis, Curatus dicet insequentem orationem: tum cineres asperget aqua benedicta.

Curatus. *Benedicite.* R. *Dominus.* P230

Oremus. Deus, qui non mortem, sed penitentiam desideras peccatorum... [comme Chartres 1490] P253

Reims 1585, 1621
Amiens 1586, 1607. Laon 1585, 1621. Senlis 1585.
Saint-Brieuc 1605

[Reims 1585: Louis III de Lorraine, cardinal de Guise]

P167 **Reims 1585** f. 104-106. *Benedictio cinerum in capite ieiunii*

Formulaire des éditions de Reims c. 1495-1554 sans les prières à des intentions diverses (V. et oraisons). Mais la rubrique indique que l'on récite les ps. pénitentiaux avec les litanies, les «preces» [V.] et oraisons habituelles, ou que l'on dit les «preces» et oraisons du Jeudi saint.

Les formules d'absolution diffèrent en partie de celles ajoutées en 1554.

Feria quarta in capite ieiunii sacerdos indutus alba, manipulo, et stola post ultimum pulsum, genibus flexis ante maius altare, clericis et paroecianis itidem genua flectentibus, recitat septem ps. poenitentiales cum litania, sicut in unaquaque dioecesi dici solet, cum precibus item et orationibus solitis, vel dicuntur preces et orationes, sicut habentur infra in die Coenae Domini.

Quibus recitatis erigens se sacerdos, et conversus ad populum, iubet dicere omnes *Confiteor*, quo dicto, dat absolutionem dicens.

Misereatur vestri omnip. Deus, et dimissis omnibus peccatis vestris perducat vos I. C. filius Dei ad vitam aeternam. Amen. [comme Reims 1554] P1129

Oremus. Indulgentiam, absolutionem, et remissionem omnium peccatorum vestrorum tribuat vobis... P1125

Tum stans ad altare benedicit cineres factos ex ramis palmarum benedictis anno praecedenti, hoc modo.

Benedictio cinerum... [comme Reims c. 1495]

OFFICE DU MERCREDI DES CENDRES

Chartres 1680, 1689

[Ferdinand de Neufville de Villeroy]

P168 **Chartres 1680** p. 354-363. *Ordo faciendi absolutiones diebus Cinerum.*
Comparée à Chartres 1604-1640 (P142), la bén. des cendres est modifiée, et le
rite développé après la distribution des cendres. Il est précisé que l'imposition
des cendres aux femmes se fait en dehors du choeur.

[Bénédiction des cendres]

... V. *Adjutorium*... V. *Sit nomen Dni*... V. *Dnus vob.* ...
Oremus. Omnip. semp. Deus, parce poenitentibus, propiciare suppli-
cantibus... [comme *Missale romanum*...] P259
Oremus. Deus qui non mortem... [comme Chartres 1490] P253
Oremus. Deus, qui humiliatione flecteris, et satisfactione placaris...
[comme *Missale romanum*...] P250
Oremus. Omnip. semp. Deus qui Ninitivis in cinere et cilicio peniten-
tibus... [comme *Missale romanum*...] P262
... Ant. *Asperges me*...

[Psaumes pénitentiaux. Litanies. *Preces*. Oraisons]

Formulaires des rituels précédents; suppression, comme en 1627-1640, aux
prières litaniques du V. *Ne memineris iniquitatum nostrarum antiquarum*...

[Absolutions. Imposition des cendres. Procession]

... *Misereatur vestri*... P1129
... *Dnus noster J. C., qui dixit discipulis suis*... P1113bis
Indulgentiam... P1125
Et benedictio Dei Patris... *descendat super vos et maneat semper*
[comme Chartres 1490] P1144
Deinde injungat ut quilibet dicat ter *Pater noster* et *Ave Maria*, vel
semel ps. *Miserere*, in remissionem peccatorum.
His dictis distribuuntur cineres, ita scilicet ut dignior ex clero...
imponat cinerem celebranti...
... *Memento homo quia cinis es*... [comme Chartres 1490] P268
Deinde veniunt alii, primo Clerus per ordinem, postea populus et
genibus flexis singulatim recipiunt cineres... Interim in choro nihil
cantatur. Mulieribus distributio cinerum fit extra Chorum.
Completa cinerum impositione, celebrans cantat... V. *Dnus vob.*

CHAPITRE II

Oremus. Concede nobis Domine, praesidia militiae Christianae sanctis inchoare jejuniis : ut contra spirituales nequitias pugnaturi, continentiae muniamur auxiliis. Per Christum. P249

Postea fit processio per caemeterium vel in circuitu Ecclesiae, cantando.

♩R. *Emendemus in melius quae ignoranter peccavimus…* [comme *Missale romanum*] P233

V. *Peccavimus cum patribus nostris, injuste egimus, iniquitatem fecimus.* [aussi Strasbourg 1490] P243

V. *Ostende nobis Domine misericordiam tuam…* [aussi Périgueux c. 1502-1536]

Oratio. *Oremus. Praesta Domine fidelibus tuis : ut jejuniorum veneranda solemnia, et congrua pietate suscipiant, et secura devotione percurrant. Per Christum.* [rare] P1079

… deinde cantatur Missa, cujus Introitus est Misereris omnium, etc. [comme Chartres 1490] P274

Blois 1730

[Jean-François Lefebvre de Caumartin]

P169 **Blois 1730** p. 117-125. *Absoute pour le mercredi des Cendres*

La plupart des formules se trouvent dans les rituels chartrains des XVIᵉ-XVIIᵉ siècles.

[Psaumes pénitentiaux]

… Le Curé recitera alternativement avec le Clergé. Ant. *Cor mundum.* Ps. 6… *Gloria Patri…* 31… *Gloria Patri…* 37… *Gloria Patri…* 50… *Gloria Patri…* 101… *Gloria Patri…* 129… *Gloria Patri…* 142… *Gloria Patri…*

Ant. *Cor mundum crea in me Deus, et spiritum rectum innova in visceribus meis.* P459

[Litanies des saints][19]

… Ignati, Dionysi cum soc., Aigulphe, Hilari, Leobine, Solemnis, Carole, Launomare, Carilephe, Ludovice, Justi… Anna, Genovefa, Monica, Clotildis, Maria AEgyptia…

---

[19] Litanies romaines des saints très incomplètes, sans : *S. Dei genitrix, S. Virgo Virginum, Gabriel, Raphael, Thoma, Jacobe, Philippe, Bartholomeae, Matthaee, Simon, Thadeae, Mathia, Barnaba, Luca, Marce, Innocentes, Fabiane, Joannes et Paule, Cosma et Damiane, Gervasi et Protasi, Bernarde, Agatha, Lucia, Caecilia, Catharina, Anastasia,* avec additions ci-après.

OFFICE DU MERCREDI DES CENDRES

[Prières litaniques[20]. Versets]

… Ut veniam peccatorum nobis dones… P1028
V. Ego dixi Domine miserere mei. R. Sana animam meam quia peccavi tibi. P471
V. Convertere Domine usquequo. R. Et deprecabilis esto super servos tuos. P458
V. Salvum fac populum tuum Domine. Et benedic hereditati tue. R. Et rege eos. Et extolle illos usque in eternum. P516
V. Domine ne memineris iniquitatum nostrarum antiquarum. R. Cito anticipent… P487
V. Domine exaudi… V. Dominus vobiscum …

[Oraisons. Exhortation. *Confiteor*. Absolutions]

Oremus. Deus cui proprium est misereri semper et parcere… P1051
Omnip. semp. Deus confitentibus his famulis tuis… P1074
Adesto Domine supplicationibus nostris, nec sit ab his famulis tuis… P1044
Domine Deus noster, qui offensione nostra non vinceris… P1063
[Exhortation] …
Confiteor… Misereatur vestri omnip. Deus et dimissis peccatis… P1129
Dominus noster I. C. qui dixit discipulis suis: quecunque ligaveritis…
P1113bis
Indulgentiam, absolutionem et remissionem… tribuat vobis… P1125
Et benedictio Dei omnip. Patris… descendat super vos et maneat semper. R. Amen. P1144
Puis il enjoindra à chacun de dire trois fois *Pater*, et *Ave Maria*, ou le ps. *Miserere mei Deus*. Cela fait, il prendra la chape noire pour benir et donner les Cendres comme il est marqué dans le Messel [*sic*].

4. Exhortations annonçant le Mercredi des Cendres

P170 **Reims 1585** [Louis III de Lorraine, cardinal de Guise]
    f. 96 Mercredy prochain vous aurez le jour des Cendres: vous viendrez tous le matin à l'Eglise, et assisterez devotement à la predication et service divin, et le reste du jour pourrez vacquer à vos affaires. C'est aussi le premier jour de la sainte Quarantaine, laquelle tous Chrestiens et Chrestiennes doivent jeuner entierement, s'ils ne sont legitimement empeschez, tels que sont les enfans de bas aage… les vieilles gens fort

---

[20]   Prières litaniques romaines très incomplètes avec addition *Ut veniam…*

debiles et caduques, les malades, les femmes enceintes, et nourrices, les manouvriers, et voyagers, qui ont long voyage à faire : et generallement toutes personnes qui ne peuvent porter longue abstinence, sans un evident peril de santé. … D'avantage je vous advise que manger chair et autre viande defendue d'ancienneté est un cas reservé à l'Evesque… Vous penserez aussi à voz consciences de bonne heure, et ne differerez de venir à confesse jusques à la derniere semaine, ayans bon loisir et commodité de ce faire tout le long du Caresme, et dés les premiers jours, vous nous envoyerez voz enfans pour les catechizer et instruire, comme on a coustume de toute ancienneté.

P171 **Genève 1612** [François de Sales]

p. 385 Mercredy prochain nous commencerons le sainct Caresme, et ferons l'imposition des sainctes Cendres, selon l'institution apostolique et catholique : partant un chascun soit adverty de rendre son devoir, en s'abstenant depuis ledit jour, jusques au jour de Pasques de l'usage de la chair, des oeufs, et du fromage : sinon que pour quelque cause raisonnable il en fust dispensé des Superieurs ecclesiastiques. Comme aussi un chascun doit jeusner tous les jours, le dimanche reservé, si-non que pour l'aage, maladie, ou autres occasions il en soit exempté. Et par ce que ce sainct temps est saison de la cuillette [*sic*] spirituelle des bonnes oeuvres, on vous exhorte au nom de Dieu de vaquer plus soigneusement à prieres, aumosnes, et penitences, en vous preparant de faire la saincte Confession et Communion de Pasques à la gloire de Dieu et salut de vos ames.

P172 **Poitiers 1705, 1719** [Jean-Claude de La Poype de Vertrieu]

Formulaire pour faire le Prosne, p. 31-32. Mercredy prochain c'est le jour des Cendres, on vous exhorte de venir le matin à l'Eglise pour recevoir des Cendres avec esprit de penitence et d'humilité, et pour assister au Service.

C'est aussi le premier jour de la sainte Quarantaine pendant laquelle tous les Fideles qui ont l'âge competent, sçavoir vint-un an accomplis, sont obligez de jeûner entierement, s'ils n'ont un empêchement legi-time…

Vous aurez soin de vous preparer pour vous confesser au plustost… Tous ceux qui ont des enfans, ou serviteurs, nous les envoyeront de bonne heure pour estre catéchisez, principalement ceux et celles qui ont l'âge de pouvoir communier à Pâques, afin que nous les instrui-sions, et les preparions à leur premiere Communion.

OFFICE DU MERCREDI DES CENDRES

FORMULES

Seules figurent dans ce chapitre les formules propres au Mercredi des Cendres : prières à des intentions diverses, bénédiction des cendres, procession durant l'imposition, imposition des cendres.

Les prières d'entrée dans la pénitence (psaumes, antiennes, versets, prières litaniques, oraisons) ainsi que les formules d'absolution, sont classées au chapitre III avec les absolutions générales durant le Carême et le jour de Pâques, car le plus souvent identiques.

La mention (mer. cen.) indique alors les formules utilisées (aussi) le Mercredi des Cendres.

5. PRIÈRES À DES INTENTIONS DIVERSES

Les intentions proposées figurent uniquement dans les rituels de Reims c. 1495-1677 et Beauvais 1544, exceptionnellement dans les rituels chartrains de 1489-1689[21] :

Liste des intentions

Ad Dei gratiam postulandam, Ad postulandum divinum auxilium, Ad prosternanda inimicorum superbiam.

Pro adventu Spiritus Sancti, Pro adversantibus et calumniantibus nos, Pro afflictis et captivis, Pro amicis viventibus, Pro benefactoribus, Pro concordia fratrum, Pro congregatione, Pro congregatione sanctorum, Pro cuncto populo christiano, Pro discordantibus, Pro fidelibus defunctis, Pro fratribus nostris absentibus, Pro infirmis, Pro inimicis, Pro iter agentibus, Pro libertate Ecclesie, Pro navigantibus, Pro nobismetipsis, Pro omnibus nobis bona facientibus, Pro pace, Pro patientia contra murmurantes, Pro peccatis, Pro peccatis et negligentiis nostris, Pro peccatis et pro quacunque tribulatione, Pro penitentibus, Pro pontifice et pro congregatione, Pro pontifice nostro, Pro rege nostro, Pro tribulatione.

Contra temptatione carnis.

---

[21] Les rituels de Rodez 1513 et 1542 contiennent un petit processionnal comportant de nombreuses prières à des intentions diverses (f. 75v-81v de l'éd. 1513). Les rituels de Saintes 1520 f. 2-9v et Verdun 1554 f. 112v-119v proposent des prières à des intentions diverses, mais indépendantes d'un rite précis. Ces formulaires figurent au volume II/6 (*Prônes dominicaux. Conseils de dévotion*).

Versets

P173 V. Pro adversantibus et calumniantibus nos. R. Domine I. C. ne statuas illis hoc peccatum, quia nesciunt quid faciunt.

Reims c. 1495-1677.
Réf. Absent de Janini, Sac., PRG, Andrieu, Deshusses.

P174 V. Pro afflictis et captivis[a]. R. Libera eos Deus Israel, ex omnibus tribulationibus suis.

Reims c. 1495-1677.
Réf. Absent de Janini, Sac., PRG, Andrieu.
Variante. [a] et peregrinis christianis] *add.* Reims 1677.

P175 V. Pro afflictis et captivis[a]. R. Mitte eis Domine auxilium de sancto. Et de Syon tuere eos.

Reims c. 1495-1677.
Réf. Absent de Janini, Sac., PRG, Andrieu.
Variante. [a] et peregrinis christianis] *add.* Reims 1677.

P176 V. Pro congregatione sanctorum. R. Memor esto congregationis tue, quam possedisti ab initio.

Reims c. 1495-1585.
Réf. Absent de Janini, Sac., PRG, Andrieu.

P177 V. Pro cuncto populo christiano[a]. R. Salvum fac populum tuum Domine et benedic hereditati tue, et rege eos et extolle illos usque in eternum.

Reims c. 1495-1677.
Réf. Absent de Janini, Sac., PRG, Andrieu.
Variante. [a] christiano] catholico Rei. 1677.

P178 V. Pro discordantibus. R. Et[a] pax Dei que exuperat omnem sensum convertat corda et intelligentias eorum ad pacem.

Reims c. 1495-1677.
Réf. Absent de Janini, Sac., PRG, Andrieu.
Variante. [a] Et] *om.* Rei. 1677.

P179 V. Pro fidelibus defunctis. R. Requiem eternam dona eis Domine et lux perpetua luceat eis.

Reims c. 1495-1677.
Réf. Andrieu II, 501, 504 etc. Absent de Janini, Sac., PRG.

OFFICE DU MERCREDI DES CENDRES

P180 V. Pro fratribus nostris absentibus. R. Salvos fac servos tuos, Deus meus sperantes in te.

Reims c. 1495-1677.
Réf. Andrieu II, 346; III, 545 etc. Absent de Janini, Sac., PRG.

P181 V. Pro infirmis. R. Mitte Domine verbum tuum et eripe eos de interitionibus eorum.

Reims c. 1495-1677.
Réf. Absent de Janini, Sac., PRG, Andrieu, Deshusses.

P182 V. Pro iter agentibus. R. O Domine salvum me fac, o Domine bene prosperare, benedictus qui venturus es[a] in nomine Domini.

Reims c. 1495-1677.
Réf. Absent de Janini, Sac., PRG, Andrieu.
Variante. [a] venturus es] venit Rei. 1677.

P183 V. Pro navigantibus. R. Exaudi nos Deus salutaris noster, spes omnium finium terre et in mari longe.

Reims c. 1495-1585.
Réf. Absent de Janini, Sac., PRG, Andrieu.

P184 V. Pro nobismetipsis. R. Fiat misericordia tua Domine super nos, quemadmodum speravimus in te.

Reims c. 1495-1677.
Réf. Absent de Janini, Sac., PRG, Andrieu.

P185 V. Pro omnibus benefactoribus nostris. R. Mitte eis Domine auxilium de sancto, et de Sion tuere eos.

Chartres 1490-1689.
Réf. Absent de Janini, Sac., PRG, Andrieu, Deshusses.

P186 V. Pro omnibus nobis bona facientibus. R. Retribuere digneris omnibus nobis bona facientibus propter nomen sanctum tuum vitam eternam, amen.

Reims c. 1495-1677.
Réf. Absent de Janini, Sac., PRG, Andrieu, Deshusses.

P187 V. Pro pace. R. Fiat pax in virtute tua et abundantia in turribus tuis.

Reims c. 1495-1677.
Réf. Absent de Janini, Sac., PRG, Andrieu.

92   CHAPITRE II

P188   V. Pro peccatis et negligentiis nostris R. Adiuva nos Deus salutaris noster. Et propter gloriam nominis tui Domine libera nos et propicius esto peccatis nostris propter nomen tuum.

Reims c. 1495-1585.
Réf. Absent de Janini, Sac., PRG, Andrieu.

P189   V. Pro peccatis et negligentiis nostris. R. Domine ne memineris iniquitatum nostrarum antiquarum, cito anticipent nos misericordie tue, quia pauperes facti sumus nimis.

Reims c. 1495-1677.
Réf. Absent de Janini, Sac., PRG, Andrieu.

P190   V. Pro penitentibus. R. Convertere Domine usquequo et deprecabilis esto super servos tuos.

Reims c. 1495-1585.
Absent de Janini, Sac., PRG, Andrieu.

P191   V. Pro pontifice nostro. R. Dominus conservet eum et vivificet eum, et beatum faciat eum, et non tradat eum in manus inimicorum eius.

Reims c. 1495-1677.
Réf. Cf. PRG I, 63, 77 ; II, 230, 232, 248. Absent de Janini, Sac., Andrieu.

P192   V. Pro rege nostro. R. Domine salvum fac regem et exaudi nos in die qua invocaverimus te.

Reims c. 1495-1677.
Réf. Absent de Janini, Sac., PRG, Andrieu.

Oraisons à des intentions diverses

P193   Absolve quesumus Domine nostrorum vincula peccatorum, et quicquid pro eis meremur propiciatus averte. (*Pro peccatis*).

Reims c. 1495-1554. Beauvais 1544.
Réf. Deshusses 174. Absent de Janini, Sac., PRG, Andrieu.

P194   Adesto Domine supplicationibus nostris, et viam famulorum tuorum in salutis tue prosperitate dispone, ut inter omnes vie et vite huius varietates, tuo semper protegantur auxilio. (*Pro iter agentibus*).

Reims c. 1495-1677. Beauvais 1544.
Réf. Deshusses 1317, 2730. Absent de Janini, Sac., PRG, Andrieu.

P195   Clamantes ad te Deus dignanter exaudi, ut nos de profundo iniquitatis eripias, et ad gaudia eterna perducas.

Reims c. 1495-1554 (*Pro tribulatione*). Beauvais 1544 (*Contra tribulationem*).
Réf. Deshusses 964. Absent de Janini, Sac., PRG, Andrieu.

OFFICE DU MERCREDI DES CENDRES

P196 Da quaesumus Domine famulis et famulabus tuis sperata suffragia obtinere, ut qui nobis temporaliter suis eleemosinis ministraverunt, intercessione omnium sanctorum premia recipiant sempiterna.

Reims c. 1495 (*Pro benefactoribus*). Reims 1677. Beauvais 1544 (*Pro benefactoribus*).
Réf. Absent de Janini, Sac., PRG, Andrieu, Deshusses.

P197 Deus a quo sancta desideria, recta consilia, et iusta sunt opera, da servis tuis illam, quam mundus dare non potest, pacem, ut et corda nostra mandatis tuis dedita, et hostium sublata formidine, tempora sint tua protectione tranquilla. Per Christum. (*Pro pace*).

Reims c. 1495-1677. Beauvais 1544.
Réf. Deshusses 1343, 2575, 2581. Absent de Janini, Sac., PRG, Andrieu.

P198 Deus largitor pacis et amator caritatis, da nobis famulis tuis veram cum tua veritate concordiam, ut ab omnibus que nos pulsant tentationibus liberemur. (*Pro concordia fratrum*).

Reims c. 1495-1554. Beauvais 1544.
Réf. Deshusses 2315. Absent de Janini, Sac., PRG, Andrieu.

P199 Deus omnium fidelium pastor et rector, famulum tuum Papam nostrum, N. quem pastorem Ecclesiae tuae praeesse voluisti, propitius respice: da ei, quesumus, verbo et exemplo quibus praeest, proficere, ut ad vitam aeternam una cum grege sibi commisso perveniat sempiternam. (*Pro papam*).

Reims 1677.
Réf. PRG I, 65, 68, 277. Andrieu II, 367(35); III, 391, 629. Cf. Deshusses 1992.

P200 Deus pacis, caritatisque amator et custos, da omnibus inimicis nostris pacem caritatemque, veram, cunctorumque eis remissionem peccatorum tribue, nosque ab eorum insidiis potenter eripe. (*Pro inimicis*).

Reims c. 1495-1677. Beauvais 1544.
Réf. Deshusses 2669. Cf. Andrieu I, 53. Absent de Janini, Sac., PRG.

P201 Deus qui caritatis dona per gratiam Sancti Spiritus tuorum cordibus fidelium infudisti, da famulis et famulabus tuis pro quibus tuam deprecamur clementiam, salutem mentis et corporis, ut te tota virtute diligant, et que tibi placita sunt tota dilectione perficiant. (*Pro amicis viventibus*).

Reims c. 1495-1677. Beauvais 1544.
Réf. Deshusses 1304, 2420. Absent de Janini, Sac., PRG, Andrieu.

P202 Deus qui transtulisti patres nostros per mare rubrum, et transvexisti per aquam nimiam, laudem tui nominis decantantes, supplices te precamur[a], ut famulos tuos, repulsis adversitatibus, portu semper acceptabili, cursuque tranquillo tuearis. (*Pro navigantibus*).

Reims c. 1495-1554. Beauvais 1544.
Réf. Deshusses 1320, 2757. Absent de Janini, Sac., PRG, Andrieu.
Variante. [a] precamur] deprecamur Bea.

P203 Ecclesie tue quesumus Domine preces placatus admitte, ut destructis adversitatibus et erroribus universis, secura tibi serviat libertate. (*Pro libertate Ecclesie*).

Reims c. 1495-1677. Beauvais 1544.
Réf. Cf. Deshusses 1357, 2651. Absent de Janini, Sac., PRG, Andrieu.

P204 Exaudi quesumus Domine supplicum preces et confitentium tibi parce peccatis, ut quos conscientie reatus accusat, magnitudo tue pietatis absolvat, et indulgentiam omnium peccatorum nostrorum nobis pariter largiaris et pacem. (*Pro peccatis*).

Reims c. 1495-1677.
Réf. Cf. PRG II, 19, 62, 243, 273. Cf. Andrieu II, 483. Absent de Janini, Sac., Deshusses.

P205 Hostium nostrorum quesumus Domine elide superbiam, et eorum contumaciam dextere tue virtute prosterne. (*ad prosternandam inimicorum superbiam*).

Reims c. 1495-1554. Beauvais 1544.
Réf. Andrieu III, 631. Absent de Janini, Sac., PRG., Deshusses.

P206 Ineffabilem misericordiam tuam quesumus Domine nobis clementer ostende, ut simul nos et a peccatis omnibus exuas, et a penis quas pro his meremur eripias. (*Pro peccatis et pro quacunque tribulatione*).

Reims c. 1495-1554. Beauvais 1544.
Réf. Deshusses 1346, 2475, 2482. Absent de Janini, Sac., PRG, Andrieu.

P207 Ne despicias omnipotens Deus populum tuum in afflictione clamantem, sed propter gloriam nominis tui tribulatis succurre placatus. (*Pro tribulatione*).

Reims c. 1495. Beauvais 1544.
Réf. Absent de Janini, Sac., PRG, Andrieu, Deshusses.

P208 Omnipotens sempiterne Deus qui facis mirabilia magna solus, pretende super famulum tuum[a] et super cunctam congregationem illi commissam, spiritum gratie salutaris, et ut in veritate tibi placeamus[b],

OFFICE DU MERCREDI DES CENDRES

perpetuum nobis[c] rorem tue benedictionis infunde. (*Pro pontifice et pro congregatione*).

Reims c. 1495-1677. Beauvais 1544

Réf. PRG I, 75. Andrieu III, 400, 628. Deshusses 1308, 2014, 2242. Absent de Janini, Sac.

Variantes. [a] Pontificem nostrum N.] *add.* Rei. 1677. –[b] placeamus] complaceant Rei. 1677. –[c] nobis] eis Rei. 1677.

P209 Omnipotens sempiterne Deus, qui vivorum dominaris simul et mortuorum, omniumque misereris quos tuos fide et opere futuros esse prenoscis, te suppliciter exoramus, ut pro quibus effundere preces decrevimus, quosque vel presens seculum adhuc in carne retinet, vel futurum iam exutos corpore suscepit, pietatis tue clementia, delictorum suorum omnium veniam, et gaudia consequi mereantur eterna. (*Oratio generalis*).

Reims c. 1495-1677. Beauvais 1544.
Réf. Deshusses 3085. Absent de Janini, Sac., PRG, Andrieu.

P210 Omnipotens sempiterne Deus, respice propicius ad preces Ecclesie tue, et da nobis fidem rectam, spem certam, charitatem perfectam, humilitatem veram. Concede Domine, ut sit in nobis simplex affectus, paciencia fortis, obedientia perseverans, pax perpetua, mens pura, rectum et mundum cor, voluntas bona, consciencia sancta, compunctio spiritalis, virtus anime, vita immaculata, consummatio irreprehensibilis, ut viriliter currentes in tuum feliciter mereamur introire regnum. (*Ad Dei gratiam postulandam*).

Reims c. 1495-1677. Beauvais 1544.
Réf. Deshusses 2146. Absent de Janini, Sac., PRG, Andrieu.

P211 Pie et exaudibilis Domine Deus noster I. C., clementiam tuam cum omni supplicatione deposcimus, ut per intercessionem[a] beate et gloriose semperque[b] virginis Marie omniumque sanctorum angelorum, archangelorum, patriarcharum, prophetarum, apostolorum, martirum, confessorum, virginum, electorum, et omnium civium supernorum, Ecclesie tue sancte catholice fidem augeas, rectoribus nostris pacem tribuas, et nobis remissionem et indulgenciam peccatorum concedas. Amen.

Infirmis salutem, et lapsis reparationem, aeris commoditatem navigantibus atque iter agentibus[c] iter prosperum ac salutis portum. Amen.

Tribulatis gaudium, oppressis revelationem, captivis vinctis et peregrinis absolutionem et remissionem, et peregrinis[d] ad patriam reversionem. Amen.

CHAPITRE II

Angelum tuum sanctum nobis hic et ubique custodem ac defensorem mutuam discordantibus caritatem, infidelibus veram fidem, et defunctis fidelibus requiem sempiternam propicius donare digneris. Qui cum Deo Patre et Spiritu Sancto vivis et regnas Deus. Per omnia secula seculorum. Amen. (*Oratio generalis*).

Reims c. 1495-1677. Beauvais 1544.

Réf. Absent de Janini, Sac., PRG, Andrieu, Deshusses.

Variantes. [a] intercessionem] interventum et meritum Rei. 1677. –[b] semperque] semper Rei. 1677. –[c] fidelibus] *add.* Rei. 1677. –[d] peregrinis] *om.* Rei. 1677.

P212 Presta quesumus Domine ut mentium reprobarum non curemus obloquium, sed tandem pravitate calcata exoramus, ut nec terreri nos lacerationibus patiaris iniustis, nec captiosis adulationibus implicari, sed potius amare que precipis. (*Pro patiencia contra murmurantes*).

Reims c. 1495-1554. Beauvais 1544.

Réf. Deshusses 1360, 2660. Absent de Janini, Sac., PRG, Andrieu.

P213 Presta quesumus omnipotens Deus, ut Spiritus Sanctus adveniens templum nos glorie sue dignanter habitando perficiat. (*Pro adventu Spiritus Sancti*).

Reims c. 1495-1554. Beauvais 1544.

Réf. Deshusses 539, 1825. Absent de Janini, Sac., PRG, Andrieu.

P214 Pretende Domine misericordia tua famulis et famulabus tuis dexteram celestis auxilii, ut te toto corde perquirant, et que digne postulant consequi mereantur. (*Ad postulandum divinum auxilium*).

Reims c. 1495-1554. Beauvais 1544.

Réf. Deshusses 2412. Absent de Janini, Sac., PRG, Andrieu.

P215 Quesumus omnipotens Deus, ut famulus tuus rex noster N., qui tua miseratione suscepit regni gubernacula, virtutum etiam[a] omnium percipiat incrementa, quibus decenter ornatus, viciorum monstra devitare[b], et ad te, qui via, veritas, et vita es, gratiosus, valeat pervenire. (*Pro rege*).

Reims c. 1495-1677. Beauvais 1544.

Réf. PRG I, 282. Deshusses 1270, 2031. Absent de Janini, Sac., Andrieu.

Variantes. [a] etiam] *om.* Bea. –[b] et hostes superare] *add.* Reims 1677.

P216 Tribulationem nostram quesumus Domine propicius respice, et iram tue indignationis quam iuste meremur propiciatus averte. (*Pro tribulatione*).

Reims c. 1495-1677. Beauvais 1544.

Réf. Deshusses 860, 2532. Absent de Janini, Sac., PRG, Andrieu.

OFFICE DU MERCREDI DES CENDRES

P217 Ure igne Sancti Spiritus renes nostros et cor nostrum Domine, ut tibi casto corpore serviamus et mundo corde placeamus. (*Contra temtationes carnis*).

Reims c. 1495-1544. Beauvais 1544.
Réf. Deshusses 2320. Absent de Janini, Sac., PRG, Andrieu.

6. BÉNÉDICTION DES CENDRES ET PROCESSION DURANT L'IMPOSITION

Psaumes

P218 6. Domine ne in furore... miserere
P219 31. Beati quorum remissae sunt
P220 37. Domine ne in furore... quoniam
P221 50. Miserere
P222 101. Domine exaudi... et clamor meus
P223 129. De profundis
P224 142. Domine exaudi... exaudi me

Autun 1503-1545 [7 Ps. pénitentiels] ; Limoges 1518 [7 Ps. pénitentiels] ; Chartres 1490-1553, Clermont c. 1506 n.st.-1608 [seulement Ps. 50]. Bâle 1488 [seulement Ps. 129].

P225 43. Deus auribus nostris

♪Rennes c. 1510-1533.
Réf. PRG I, 282 etc.

P226 68. Salvum me fac Deus quoniam intraverunt aque

Arras 1600. Bâle 1595. Cambrai 1503-1562. Clermont c. 1505-1608. Limoges 1518. Lyon 1542. Metz 1605. Périgueux c. 1502-1536. Reims c. 1495-1585. ♪Rennes c. 1510-1533. Senlis 1585-1764. Verdun 1554-1787.
Réf. PRG II, 22 ; *Missale romanum*.

Antiennes, versets, répons

P227 V. Adiutorium nostrum in nomine Domini. R. Qui fecit celum et terram.

Autun 1503-1545. Laon 1671-1782. Verdun 1554. Etc.

P228 V. Adiuva nos Deus salutaris noster, et propter honorem nominis tui Domine libera nos.

Clermont c. 1505-1608. Bâle 1595. ♪Cahors 1593.
Réf. Cf. PRG I, 276 ; II, 242, 249. Absent d'Andrieu, Deshusses.

98 CHAPITRE II

P229 R. Afflicti pro peccatis nostris quotidie cum lacrimis expectamus finem nostrum dolor cordis nostri ascendat ad te Domine. Ut eruas nos a malis que innovantur in nobis.

Bâle 1488.
Réf. Absent de Janini, Sac., PRG, Andrieu, Deshusses.

P230 V. Benedicite. R. Dominus.

Chartres 1490-1553, 1581.
Réf. Cf. PRG I, 9. Absent d'Andrieu, Deshusses.

P231 A. Domine si iratus fueris adversum nosque adiutorem petimus aut quis miserebitur infirmitatibus nostris qui Cananeam et publicanum vocasti ad penitentiam et Petrum, Domine suscepisti et nostras penitentias suscipe misericors et salva nos salvator mundi.

♪Cahors 1503.
Réf. Absent de PRG, Andrieu, Deshusses.

P232 V. Dominus vobiscum. R. Et cum spiritu tuo.

Autun 1503-1545. Verdun 1554. Etc.

P233 R. Emendemus in melius, quod[a] ignoranter peccavimus, ne subito praeoccupati die mortis, quaeramus spacium poenitentiae, et invenire non possimus. Attende Domine, et miserere : quia peccavimus tibi[b].

Strasbourg c. 1490-1590. Bâle 1595. ♪Cahors 1593. ♪Chartres 1680. Clermont c. 1505. ♪Rennes c. 1510-1533.
Réf. Cf. PRG II, 23. Cf. Andrieu I, 210. Absent de Janini, Sac., Deshusses.
Variantes. [a] quod] que Ba. Cah. Ch. Cl. Re. –[b] Peccavimus cum patribus nostris iniuste egimus iniquitatem fecimus] *add.* Ren.

P234 A. Exaudi nos Domine quoniam benigna est misericordia tua secundum multitudinem miserationum tuarum. Respice nos Domine.

♪Bâle 1488-1595. Arras 1600. ♪Beauvais 1544. ♪Cahors 1503-1593. Cambrai 1503-1562. Clermont c. 1505-1608. Limoges 1518. Lyon 1542. ♪Maguelonne 1526. Metz 1605. Périgueux c. 1502-1536. Reims ♪1495-♪1677. ♪Rennes c. 1510-1533. ♪Soissons 1694. Strasbourg 1490-1590. ♪Uzès 1500. Verdun 1554-1787.
Réf. PRG I, 270 ; II, 22. Andrieu III, 597. Absent de Janini, Sac., Deshusses.

P235 A. Exurge Domine adiuva nos et libera nos propter nomen tuum.

♪Rennes c. 1510-1533.
Réf. PRG I, 63, 77, 173, 282, 283 ; II, 249, 271 etc. Andrieu I, 272. Absent de Deshusses.

OFFICE DU MERCREDI DES CENDRES

P236 A. Immutemur habitu in cinere et cilicio, ieiunemus et ploremus ante Dominum, quia multum misericors est dimittere peccata nostra Deus noster.

♩Bâle 1488-1595. ♩Beauvais 1544. ♩Cahors 1503-1593. Cambrai 1503-1562. Clermont c. 1505-1608. ♩Maguelonne 1526. Metz 1605. Périgueux c. 1490-1536. ♩Reims c. 1495-♩1677. ♩Rennes c. 1510-1533. Strasbourg c. 1490-1590. *Uzès 1500.* Verdun 1554.
Réf. PRG II, 22, 120, 127, 129. Cf. Andrieu I, 210. Absent de Janini, Sac., Deshusses.

P237 R. In sudore vultus tui vesceris pane tuo. Dicit Dominus ad Adam : cum operatus fueris terram, non dabit fructus suos, sed spinas et tribulos germinabit tibi. V. Pro eo quod obedisti voci uxoris tue plus quam mee, maledicta terra in opere tuo.

♩Chartres 1490-1553 ;
Réf. PRG II, 21. Cf. Andrieu II, 578. Absent de Deshusses.

P238 A. Inter vestibulum et altare plorabant sacerdotes et levite ministri Domini et dicent : parce Domine parce populo tuo, et ne dissipes ora clamantium ad te Domine.

Cambrai 1503-1562.
Réf. Absent de PRG, Andrieu, Deshusses.

P239 A. Intret oratio nostra in conspectu tuo Domine, inclina aurem tuam ad preces nostras, parce Domine, parce famulis tuis, quos redemisti Christe sanguine tuo, ne in eternum irascaris eis.

Meaux 1546.

P240 A. Iuxta[a] vestibulum et altare plorabant sacerdotes[b] ministri Domini et dicent[c] : parce Domine parce populo tuo, et ne dissipes ora canentium[d] ad[e] te Domine.

♩Bâle 1488-1595. ♩Beauvais 1544. ♩Cahors 1503-1593. Cambrai 1503-1562. Clermont c. 1505. Lyon 1542. ♩Maguelonne 1526. Metz 1605 (Graduale). Périgueux c. 1502-1536. ♩Reims c. 1495-♩1677. ♩Rennes c. 1510-1533. Strasbourg c. 1490-1590. Verdun 1554.
Réf. PRG II, 22. Cf. Andrieu I, 210. Absent de Janini, Sac., Deshusses.
Variantes. [a] Iuxta] Inter Cam. – [b] et levite] *add.* Cah. Cam. Met. Pé. Ren. St. Ve. – [c] et dicent] dicentes Cah. Met. Pé. Ve. – [d] canentium] clamantium Cah. Cam. Ly. Pé. Rei. Ren. St. – [e] ad] *om.* Met.

P241 V. Ostende nobis Domine misericordiam tuam. R. Et salutare tuum da nobis.

Uzès 1500. Chartres 1680. Périgueux c. 1502-1536.
Réf. PRG I, 285 ; II, 385. Cf. Andrieu III, 334(22), 506(35). Absent de Deshusses.

CHAPITRE II

P242 R. Paradisi porta per Evam cunctis clausa est, et per Mariam Virginem iterum patefacta est.

Strasbourg 1490-1590[22].
Réf. Hesbert IV, 7347. Absent de PRG, Andrieu, Deshusses.

P243 V. Peccavimus cum patribus nostris, iniuste egimus, iniquitatem fecimus.

Strasbourg 1490-1590. Chartres 1680.
Réf. Cf. PRG II, 23. Cf. Andrieu III, 562(22). Absent de Deshusses.

P244 V. Salvum fac populum tuum Domine et benedic hereditati tue, et rege eos et extolle illos usque in eternum.

Strasbourg 1490-1590.
Réf. Cf. PRG I, 282; II, 335. Absent de Deshusses.

P245 V. Salvum me fac Deus quoniam intraverunt aque, usque ad animam meam.

♪Bâle 1488. Beauvais 1544. ♪Cahors 1503-1593. Limoges 1518. ♪Maguelonne 1526. ♪Uzès 1500.
Réf. Cf. PRG II, 22. Cf. Andrieu III, 585, 597. Absent de Deshusses.

P246 V. Sit nomen Domini benedictum. R. Ex hoc nunc et usque in seculum.

Autun 1503-1545. Verdun 1554. Etc.
Réf. Andrieu II, 129 etc. Absent de PRG, Deshusses.

P247 R. Tribularer si nescirem misericordias tuas, Domine; tu dixisti: Nolo mortem peccatoris, sed convertatur et vivat; qui Chananaeam et publicanum vocasti ad poenitentiam.

Strasbourg c. 1490-1590[23].
Réf. Hesbert IV 7778. Absent de PRG, Andrieu, Deshusses.

Oraisons

P248 Assit quesumus Domine his famulis tuis inspiratio gratie salutaris que cereorum fletuum ubertate resolvat, sicque macerando conficiat ut iracundie tue motus idonea satisfactione compescat.

Clermont c. 1505-1608.
Réf. Cf. PRG II, 21, 244. Absent d'Andrieu, Deshusses.

---

[22] Strasbourg 1490 et 1590 donnent seulement: *Paradisi portas* [*sic*].
[23] Strasbourg 1490 donne seulement *Tribulare si nesci*. Strasbourg 1590 donne seulement: *Tribularer si nescirem.*

OFFICE DU MERCREDI DES CENDRES

P249 Concede nobis Domine quesumus[a] presidia militie christiane, sanctis[b] inchoare ieiuniis, ut contra spirituales[c] nequitias pugnaturi, continentie muniamur auxiliis[d]. Per Christum.

Bâle 1488-1595. Beauvais 1544. Cahors 1593. Cambrai 1503-1562. Chartres 1680. Laon 1671-1782. Limoges 1518. Lyon 1542. Maguelonne 1526. Metz 1605. Narbonne 1736. Périgueux c. 1502-1536. Reims c. 1495-1677. Strasbourg 1490-1590. Uzès 1500. Verdun 1554.

Réf. PRG II, 22. Andrieu I, 210. Deshusses 153. Absent de Janini, Sac.

Variantes. [a] quesumus] *om.* Bea. Cam. Cha. Mag. Nar. Rei. Uz. –[b] sanctis] sacris Lao. –[c] spiritales] Lao. –[d] auxilio] St.

P250 Deus qui humiliatione flecteris, et satisfactione placaris, aurem[a] tue pietatis inclina precibus nostris[b], et capitibus servorum tuorum, horum[c] cinerum aspersione[d] attactis, effunde propitius[e] gratiam tue benedictionis, ut eos et spiritu compunctionis repleas, et que iuste postulaverint, efficaciter tribuas, et concessa perpetua stabilitate manere intacta[f] decernas. Per Dominum.

Uzès 1500. Bâle 1488-1595. Bazas 1503. Cahors 1593. Chartres 1680. Laon 1671. Limoges 1518. Maguelonne 1526. Narbonne 1736. Périgueux c. 1502-1536. Reims c. 1495-1677. Strasbourg 1490-1590. Verdun 1554.

Réf. PRG II, 22. Andrieu III, 554. Absent de Janini, Sac., Deshusses.

Variantes. [a] aures] Bal. Lim. St. –[b] inclina… nostris] precibus inclina Lim. –[c] horum] *om.* Rei. –[d] aspersione] infusione Lao. Rei. –[e] propitius] super eos Lim. –[f] intacta] intactos Bal. Cah. Cha. Lim. Nar. Pé. Ve.

P251 Deus qui humilitate flecteris, et sanctificatione placaris, aures tue pietatis inclina precibus nostris, et capitibus servorum tuorum, qui hos cineres se humiliando acceperint, per eorundem cinerum infusionem, gratiam infunde tue benedictionis, ut eos spiritum compunctionis repleas, et que fideliter postulaverint, efficaciter tribuas, concessa perpetua stabilitate, in ea manere concedas. Per Dominum.

Nantes c. 1556. Poitiers 1587.

Réf. Cf. PRG II, 22. Cf. Andrieu III, 554. Absent de Deshusses.

P252 Deus qui humilitate flecteris, et satisfactione placaris, aurem tuae pietatis inclina precibus nostris, et famulis tuis quorum capita cinere aspersimus, gratiam tuae benedictionis propitius infunde, ut eis spiritum compunctionis, emendationem vitae, et perpetuam in bono stabilitatem misericorditer largiaris; Per Christum…

Laon 1782. Verdun 1787.

Réf. Cf. PRG II, 22.

102 CHAPITRE II

P253 Deus qui non mortem sed penitentiam desideras peccatorum[a], fragilitatem conditionis[b] humane benignissime[c] respice, et hos cineres, quos causa[d] preferende[e] humilitatis, atque promerende[f] venie[g] capitibus nostris imponi decernimus[h], benedicere pro[i] tua pietate digneris[j], ut qui nos[k] cinerem[l] esse, et ob pravitatis nostre meritum in pulverem reversuros[m] cognoscimus[n], peccatorum[o] omnium[p] veniam, et premia penitentibus[q] repromissa, misericorditer[r] consequi mereamur. Per.

Chartres 1490-1689. Angoulême 1509. Arras 1600. Autun 1503-1545. Bâle 1488-1595. *Bazas 1503.* Beauvais 1544. Cahors 1503-1593. Cambrai 1503-1562. Châlons/Marne 1569. Clermont c. 1505-1608. Laon 1671-1782. Limoges 1518. Lyon 1542. Maguelonne 1526. Meaux 1546. Metz 1605. Nantes c. 1556. Narbonne 1736. Périgueux c. 1502. Poitiers 1587. Reims c. 1495-1677. Rennes c. 1510. Soissons 1694. Uzès 1500. Verdun 1554-1787. *Réf.* PRG II, 22. Andrieu I, 209; III, 553. Darragon 2663, 2776, 7800, 7824. Absent de Janini, Sac., Deshusses.

Variantes. [a] peccatorum] *om.* Lim. –[b] nostrae] *add.* Ba. 1595. –[c] benignissime] benignus ChM. –[d] causa] eam Bea. –[e] preferende] ferendae Met. – referende Cah. Cam. – proferendae Ba. 1595. Cah. Lao. 1782. – promovende Ba. –[f] humilitatis atque promerende] *om.* Ly. –[g] preferende… venie] promerende venie atque profitende humilitatis Rei. – promerende venie, atque preferende humilitatis Ve. –[h] decernimus] decrevimus Cah. Cam. Cl. Lao. Met. Nan. Poi. Ren. Ve. – imponendos cernimus Mag. – [i] pro] *om.* Aut. –[j] digneris] dignare Ang. Aut. Ba. 1595. Cah. Lao. 1782. Rei. 1585. Ve. – pro tua pietate digneris] et sanctificare Ar. –[k] nos] *om.* Mag. –[l] cinerem] cineres Ang. Ly. Nar. – pulverem Ar. –[m] reversos] Mag. – esse] *add.* Lim. –[n] cognoscimus] nos esse credimus Nan. Poi. –[o] omnium] *om.* Mag. Nan. Poi. –[p] nostrorum] *add.* Lao. 1671. –[q] penitentibus] petentibus Aut. –[r] misericorditer] *om.* Nar.

P254 Deus qui sanguine[a] indutus mortalitatis ob culpam prothoplausti humanum genus ad yma[b] demersum pie et misericorditer redemisti : benedic + hos cineres quos plebs tua ob recordationem sue infirmitatis et culpe humiliter suscipit ac memorare nostre substantie et recordare quia pulvis sumus, ut per hoc indicium nostre humilitatis luctus dignos penitentie, veniamque scelerum et eterna vite gaudia te largiente valeamus percipere. Qui vivis et regnas…

Chartres 1490-1553, 1604-1640.
Réf. Absent de Janini, Sac., PRG, Andrieu, Darragon, Deshusses.
Variantes. [a] sanguine] tegmine Cha. 1604-1640. –[b] ima] Cha. 1604-1640.

P255 Et benedictio Dei omnipotentis Patris et Filii et Spiritus Sancti, descendat super hos cineres[a]. R. Amen.

Uzès 1500. Angoulême 1509. Maguelonne 1526.
Réf. Cf. Andrieu III, 639. Absent de Janini, Sac., PRG., Deshusses.
Variante. [a] et maneat semper] *add.* Mag.

OFFICE DU MERCREDI DES CENDRES   103

P256   Exorciso te cinis in nomine Dei Patris omnipotentis et in nomine I. C. Filii eius, et Spiritus Sancti, qui te per ignem in favillam converti precepit, ut sicut iussione eius per sanctum famulum tuum Moysen cinis vitule aspersus in populo omnem congregationem Israel sanctificavit, ita et tu exorcisatus in nomine Trinitatis eiusdem Domini nostri, eos in quorum capitibus aspersus fueris, interius exteriusque sanctifices, quatines divina aspiratione compuncti, pulverem se esse cognoscant humilitati per penitentiam peccatorum rubiginem deponant, quo igne divini amoris succensi conformes efficiantur I. C. Domini nostri, ut regni eius mercantur esse participes. Per eum.

Maguelonne 1526.

Réf. Cf. PRG II, 23. Cf. Andrieu II, 494. Absent de Janini, Sac., Deshusses.

P257   Mordacis conscientiae stimulis, et delictorum nostrorum recordatione commoti, te Deum indulgentiae deprecamur, ut quicquid dicto, vel facto, seu cogitatione peccatum est lubricae aetatis impulsu, vel ignorantiae errore commissum, pietate domini nostri I. C. resolvere, atque indulgere digneris, Per eundem dominum.

Cambrai 1562.

Réf. Deshusses 4383. Absent de PRG.

P258   Omnipotens sempiterne Deus parce metuentibus, ignosce peccantibus, propiciare supplicibus[a] et mittere digneris sanctum angelum tuum de celis, qui benedicat et sanctificet cineres istos, ut sint remedium salubre omnibus nomen tuum sanctum humiliter implorantibus, ac seipsos[b] pro conscientia delictorum suorum accusantibus, et ante conspectum divine clementie tue facinora sua deplorantibus, atque[c] serenissimam pietatem tuam suppliciter obnixeque flagitantibus[d], presta quesumus, per invocationem sanctissimi nominis tui, ut quicunque eos super se asperserint, pro suorum redemptione peccatorum, corporis sanitatem, et anime tutelam percipiant[e]. Per te redemptorem mundi dominum nostrum I. C. Amen.

Cambrai 1503-1562. Arras 1600. Nantes c. 1556. Poitiers 1587.

Réf. PRG 1, 139 ; II, 21. Andrieu I, 181 etc. Absent de Janini, Sac., Deshusses.

Variantes. [a] supplicibus] supplicantibus Nan. Poi. –[b] seipsos] semetipsos Ar. Nan. Poi. –[c] atque] vel Nan. Poi. –[d] flagitantibus] implorantibus Nan. –[e] corporis… percipiant] corporis et anime sanitatem ac tutelam recipiant Nan. Poi.

P259   Omnipotens sempiterne Deus parce metuentibus[a], propiciare supplicibus[b], et mittere digneris[c] sanctum angelum tuum de celis, qui benedicat et sanctificet cineres istos[d], ut sint remedium salutare[e] om-

CHAPITRE II

nibus nomen sanctum[f] tuum humiliter[g] implorantibus[h], ac semetipsos pro conscientia delictorum suorum accusantibus, atque[i] ante
conspectum divine clementie tue facinora sua deplorantibus[j], vel[k]
serenissimam[l] pietatem[m] tuam suppliciter obnixeque flagitantibus,
presta quesumus[n] per invocationem sanctissimi[o] nominis tui, ut
quicunque asperserint eos super se, pro redemptione et remissione[p]
peccatorum suorum, corporis sanitatem et anime tutelam percipiant.
Per Dominum nostrum I. C. …

Bâle 1488-1595. Cahors 1593. Châlons/Marne 1569. Chartres 1680-1689. Limoges 1518.
Metz 1605. Reims c. 1495-1677. Senlis 1585-1764. Strasbourg c. 1490-1590. Verdun 1554.
Réf. Andrieu I, 181, 209; II, 428; III, 466, 553. Cf. PRG I, 139; II, 21. Absent de Janini,
Sac., Deshusses.

Variantes. [a] metuentibus] poenitentibus Ba. 1595. Cha. –[b] supplicibus] supplicantibus
Ba. 1595. Cah. Cha. Lim. –[c] digneris] dignare Rei. Senl. –[d] cineres istos] hos cineres
Cah. Cha. Lim. Rei. Senl. –[e] salutare] salubre Ba. 1595. Cah. Cha. ChM. Lim. Met. Rei.
St. Ve. – salutare] *om.* Senl. 1764. –[f] sanctum] *om.* Senl. 1764. –[g] humiliter] *om.* ChM.
Ve. –[h] implorantibus] invocantibus ChM. –[i] atque] *om.* Cha. Rei. – et] Senl. 1764. –
[j] ac semetipsos… deplorantibus] *om.* ChM. –[k] ac] ChM. – atque] Senl. 1764. –[l] ac
semetipsos… serenissimam] atque Met. –[m] pietatem] maiestatem Cah. Lim. Rei. Senl.
Ve. –[n] quesumus] *om.* Cah. Cha. Lim. Rei. St. Ve. –[o] sanctissimi] sancti Lim. –[p] et
remissione] *om.* Cah. Char. ChM. Lim. Met. Rei. Senl. Ve.

P260 Omnipotens sempiterne Deus: qui misereris omnium, et nichil odisti
eorum que fecisti, dissimulans peccata hominum propter penitentiam,
qui etiam misericorditer subvenis clamantibus adaperias clementie tue
aures humilitatis nostre precibus: benedicere et sanctificare digneris
hos cineres, quos super capita nostra causa sancte religionis et humilitatis propter peccata nostra, more Ninivitarum ferre contulisti, da per
invocationem sancti tui nominis, ut eos qui super capita sua tulerint,
mereantur omnium delictorum suorum veniam percipere. Per Dominum.

Clermont c. 1505-1608.
Réf. Absent de PRG, Andrieu, Deshusses.

P261 Omnipotens sempiterne Deus: qui misereris omnium, et nichil odisti
eorum que fecisti, dissimulans peccata hominum propter penitentiam,
qui etiam[a] subvenis in necessitate laborantibus, benedicere et sanctificare hos cineres dignare, quos causa humilitatis et sancte religionis,
ad emundanda[b] delicta nostra super capita nostra ferre[c] contulisti[d],
more Ninivitarum, et[e] da per invocationem[f] tui nominis, ut omnes
qui eos ad deprecandam tuam misericordiam super capita sua tule-

OFFICE DU MERCREDI DES CENDRES

rint, a te mereantur omnium delictorum suorum veniam accipere[g], et hodie sic eorum[h] inchoare ieiunia sancta, ut in die resurrectionis, purificatis mentibus, ad sanctum mereantur accedere Pascha, et in futuro perpetuam accipere gloriam. Per.

Autun 1503-1545. Avranches 1539. Coutances 1539. Soissons 1694. Verdun 1787.

Réf. Absent de PRG, Andrieu, Janini, Sac., Deshusses.

Variantes. [a] misericorditer] *add.* Ver. –[b] emundanda] emendanda Avr. –[c] ferre] deferre Soi. –[d] contulisti] constituimus Ver. – constituisti Avr. Soi. –[e] et] *om.* Ver. – [f] sancti] *add.* Ver. –[g] accipere] percipere Ver. –[h] eorum] *om.* Avr. Soi. Ver.

P262 Omnipotens sempiterne Deus qui Ninivitis in cinere et cilicio penitentibus indulgentie tue remedia prestitisti, concede propitius, ut sic eos imitemur habitu, quatinus venie prosequamur obtentu[a]. Per Dominum nostrum I. C.

Reims c. 1495-1585. Bâle 1595. Cahors 1593. Chartres 1680-1689. Limoges 1518. Senlis 1764.

Réf. PRG II, 22. Andrieu I, 209 ; III, 553. Absent de Janini, Sac., Deshusses.

Variantes. [a] quatinus… obtentu] ut veniam consequamur Senl. – obtentu] obtentum Lim.

P263 Omnipotens sempiterne Deus qui primo homini transgredienti mandatum tuum, nec confitenti[a] peccatum proprium, denunciasti quod cinis esset, et in cinerem reverteretur, te supplices exposcimus[b], ut parcas nobis peccata nostra tibi[c] veraciter confitentibus, et da ut per impositionem[d] huius cineris veniam consequamur, et de peccato ad iusticiam, de corruptione ad incorruptionem, de morte ad vitam, pervenire mereamur eternam[e]. Per Christum.

Uzès 1500. Bazas 1503. Maguelonne 1526. Narbonne 1736. Périgueux c. 1502-1536.

Réf. PRG III, 553. Absent de Janini, Sac., Andrieu, Deshusses.

Variantes. [a] mandatum… confitenti] *om.* Nar. –[b] exposcimus] te quaesumus Nar. – [c] tibi] *om.* Nar. –[d] da… impositionem] aspersione Nar. –[e] eternam] *om.* Mag.

P264 Parce Domine parce populo tuo, ut dignis flagellationibus castigatus in tua miseratione respiret. Per Christum.

Beauvais 1544.

Réf. Deshusses 161, 864. Absent de Janini, Sac., PRG, Andrieu.

Praesta Domine fidelibus tuis : ut jejuniorum veneranda solemnia…
P1079

106 CHAPITRE II

7. IMPOSITION DES CENDRES

P265 In nomine Patris et Filii et Spiritus Sancti. Memento quia cinis es, et in cinerem reverteris.

Uzès 1500.
Réf. Absent de PRG, Andrieu, Deshusses.

P266 Memento homo quia cinis es, et in cinerem ibis. Pulvis es, et in pulverem reverteris. Ideo, age penitentiam de peccatis tuis. In nomine Patris, et Filii. Et Spiritus sancti. Amen.

Périgueux c. 1502-1536.
Réf. Absent de PRG, Andrieu, Deshusses.

P267 Memento homo quia cinis es et in cinerem reverteris. Ideo age penitentiam ex omnibus peccatuis tuis. In nomine Patris.

Cahors 1503.
Réf. Absent de PRG, Deshusses.

P268 Memento homo[a] quia cinis es et in cinerem reverteris[b][c]. Pulvis es et in pulverem reverteris.

Chartres 1490-1689. Angoulême 1509. Arras 1600. Clermont c. 1505. Limoges 1518. Saint-Brieuc 1506. Rennes c. 1510.
Réf. Cf. Darragon 7821, 7840, 7875, 7916 etc. Absent de Janini, Sac., PRG, Deshusses.
Variantes. [a] Memento homo] O homo memento Ang. Cl. –[b] reverteris] ibis Ang. Lim. –[c] et quia] *add.* Ar.

P269 Memento homo quia cinis et pulvis es et in cinerem et pulverem reverteris. In nomine…

Saint-Brieuc 1506. Rennes c. 1510.
Réf. Absent de Janini, Sac., PRG, Deshusses.

P270 Memento homo, quia pulvis es, et in pulverem reverteris.

Cahors 1593. Bâle 1595. Laon 1782. Senlis 1764. Verdun 1787.
Réf. PRG II, 21. Andrieu I, 210. Absent de Deshusses.

P271 Memento[a], quod[b] cinis es, et in cinerem reverteris[c].

Bâle 1488. Avranches 1539. Cambrai 1503-1562. Coutances 1539. Laon 1671. Lyon 1542. Maguelonne 1526. Metz 1605. Narbonne 1736. Reims c. 1495-1677 Strasbourg c. 1490. Verdun 1554.
Variantes. [a] homo] *add.* Ca. Ly. Met. Nar. St. Ver. –[b] quod] quia Avr. Cam. Cou. Ly. Mag. Met. Nar. Rei. St. Ver. –[c] In nomine Patris…] *add.* Avr. Cou.
Réf. Absent de PRG, Andrieu, Deshusses.

OFFICE DU MERCREDI DES CENDRES

P272 Penitentiam age in cinere et cilicio, et memento quia cinis es, et in cinerem reverteris.

Nantes c. 1556. Poitiers 1587.
Réf. Absent de PRG, Andrieu, Deshusses.

P273 Recognosce homo quia cinis es, et in cinerem reverteris.

Autun 1503.
Réf. Absent de PRG, Andrieu, Deshusses.

8. Messe

P274 Misereris omnium Domine.

Cambrai 1503. Chartres 1490-1689. Etc.
Absent de PRG.

CHAPITRE III

ABSOLUTIONS GÉNÉRALES
DURANT LE CARÊME ET LE JOUR DE PÂQUES

1. Présentation des formulaires

Les absolutions générales, dérivées du Pontifical romano-germanique, n'ont pas de valeur sacramentelle ; elles sont un reste et une image de la réconciliation publique des pénitents qui se faisait dans les premiers siècles.

Ces absolutions peuvent avoir lieu **durant le Carême**, au cours d'un rite pénitentiel : le Mercredi des Cendres surtout dans les diocèses normands et dans la province de Reims ; les lundis, mardis et vendredis, surtout dans la province de Tours, les lundis à Narbonne, ou encore le Jeudi Saint à Angers, Arras, Beauvais, Lisieux, Reims, Rouen à partir de 1640, et Verdun.

Durant le Carême elles comprennent généralement les psaumes pénitentiaux, les litanies, des versets psalmiques, des oraisons, une ou plusieurs formules d'absolution ; parfois le « *Je confesse à Dieu* ».

Aux xvie siècle et xviie siècles, les absolutions données au cours d'un rite pénitentiel sont présentes dans quarante-quatre diocèses, majoritairement de la moitié nord du pays (trente-deux diocèses) : Amiens, Angers, Arras (1600-1644), Autun, Avranches (1539), Bayeux (1577-1611), Beauvais (1544), Besançon, Bourges, Cambrai (1503-1562), Châlons-sur-Marne, Chartres (1490-1553, 1604, et 1627-1689), Coutances (1539), Laon, Le Mans (c. 1505-1680), Lisieux (1507-1523), Meaux (1546), Nantes, Orléans, Paris (1497-1654), Poitiers, Reims (c. 1495-1677), Rennes, Rouen (1640-1651), Saint-Brieuc, Saint-Malo, Sées (1695), Senlis (1585), Soissons (1694), Tours, Vannes, Verdun.

Douze diocèses dans la moitié sud[1] : Agen, Béziers, Cahors, Clermont-Saint-Flour, Genève, La Rochelle (1689), Limoges, Lyon, Maguelonne, Narbonne, Périgueux.

---

[1] De nombreux rituels publiés au xviie siècle pour les diocèses du sud du pays ont disparu, le plus souvent sans laisser de traces.

110 CHAPITRE III

Les absolutions générales ont lieu aussi **le jour de Pâques** à la fin de la confession générale qui tient lieu de prône pascal dans plus d'une trentaine de diocèses[2] dans le but de préparer à la communion pascale, surtout au XVIᵉ siècle[3].

Ces absolutions du jour de Pâques sont liées à la démarche de confession annuelle prescrite par le concile de Latran (1215), canon 21, et donc à la communion pascale[4].

Toutes ces absolutions, absentes du rituel de Paul V, disparaissent peu à peu au cours du XVIIIᵉ siècle : il s'agit alors d'un simple rite de dévotion. Les derniers formulaires connus se trouvent dans les rituels de Poitiers 1766, Le Mans 1775, Paris 1777, Laon 1782.

Carcassonne 1764 et Luçon 1768 renvoient à leurs missels diocésains respectifs.

2. TITRES ET SCHÉMAS[5]

P275   **Chartres 1490-1553 et 1604.** *Incipit officium quod celebratur in qualibet ecclesie feria quarta in capite ieiunii.* P158

P276   **Chartres 1490-1553 et 1604.** Éd. 1490 f. 52. *Feria quinta scilicet die Iovis Sancta in cena Domini.* Ps. pénitentiaux, litanies (comme le jour des cendres), confession générale de Pâques, absolutions, messe. Après none, ablution des autels, lavage des pieds de douze pauvres, etc.

P277   **Chartres 1490-1553 et 1604.** Éd. 1490 f. 85v-91. **Autun 1503** f. 72v-77v. **Autun 1523.** (titre courant). *In die Pasche :* confession générale de Pâques. P1207

P278   **Reims c. 1495, 1506, c. 1540.** Éd. 1495 f. e1v-f4v. *Modus faciendi servitium in die iovis sancta. Absolutio generalis in die cene Domini facienda in ecclesiis parrochialibus. Initium confessionis generalis.* P1225

P279   **Reims c. 1495-1554.** Éd. 1495 f. i8v-k1v. *Die sancto Pasche :* exhortations, absolution.

---

[2]   Voir chapitre V : *Confessions générales le jour de Pâques.*

[3]   Elles peuvent aussi avoir lieu à la fin du prône dominical, ou d'une exhortation le jour de Pâques. *Voir* chapitre IV : *Absolutions générales à la fin du prône dominical ou de l'exhortation pascale.*

[4]   P. Gy, « La pénitence et la réconciliation », dans A.-G. Martimort, *L'Église en prière, Introduction à la liturgie,* Paris-Tournai, 1961, p. 127.

[5]   La liste comprend les absolutions données durant le Carême, y compris le Mercredi des Cendres, le jour de Pâques, et à la fin des Confessions générales.

ABSOLUTIONS GÉNÉRALES
DURANT LE CARÊME ET LE JOUR DE PÂQUES

P280 **Paris 1497** f. m8v-n6v. **Amiens 1509-1554.** Éd. 1509 f. 96-103. **Laon 1538** f. 83v-89v. **Noyon 1546** f. 30v-37. *S'ensuit une Confession et absolution generale composée par maistre Jehan Gerson[6] en son vivant chancelier de Paris. Et de son temps fut ordonné que chascun curé ou son vicaire la liroit ainsi qu'elle est escripte au peuple en son eglise le jour de Pasques avant la communion. Aussi avant la dicte confession liroit aucuns bons enseignemens et monitions qui s'ensuivent* : confession générale de Pâques. P1207

P281 **Sens 1500-c. 1580.** Éd. 1500 f. 33v-40v. **Cambrai 1503** f. 75v-80v. **Châlons-sur-Marne 1569** f. 29v-34. **Clermont-Saint-Flour 1506-1608.** Éd. 1506 f. 22v-29v. **Limoges 1518** f. 21-27v. **Orléans c. 1548-1581** (Éd. 1548 f. N5v-O4). *Instructiones fiende in die Pasche* : confession générale de Pâques. P1207

P282 **Cambrai 1503** f. 107v-108. *Feria.iiij. in capite ieiunii fit absolutio* : absolution, ps. pénitentiels, *preces*, V. et oraisons empruntés à l'extrême-onction, bén. et imposition des cendres.

P283 **Le Mans c. 1505-1608.** Éd. c. 1505 f. 33v-40. *Absolutiones quadragesimales*. P407

P284 **Paris c. 1505-1542.** Éd. c. 1505 f. sign. a5-a8-b1-b3 reliés à la suite du rituel. *Cy s'ensuyt une Commendace que on fait communement le jour de Pasques aux eglises parrochiales[7]* : confession générale de Pâques. P1207

P285 **Saint-Brieuc [1506]** f. 39-42v. *Diebus lune, mercurii, et veneris in Quadragesima quando fiunt absolutiones*. P408

P286 **Saint-Brieuc [1506]** f. 133-143. **Rennes c. 1510** f. 87-96v. **Rennes 1533. Saint-Malo 1557[8].** *Ci ensuist une Exhortation salutaire qui se doibt faire communement par les parroisses a chacun jour de Pasques et par les recteurs ou curez d'icelles* : confession générale de Pâques. P1207

P287 **Lisieux 1507, 1524.** *Feria quarta in capite ieiunii. Absolutio populi.* P409

P288 **Lisieux 1507, 1524.** Éd. 1507 f. 67v-78v. *Sequitur Absolutio penitentium que fit feria quinta ebdomade sancte.* P410

---

[6] Texte non recensé dans Jean Gerson, *Œuvres complètes*, éd. P. Glorieux.

[7] Texte faisant partie du supplément intitulé *Sequuntur recommendationes fiende diebus dominicis in ecclesiis parrochialibus*, relié à la suite de ces rituels.

[8] Saint-Malo 1557 : édition apparemment perdue, très proche de celles de Rennes. L'analyse des différences entre l'édition de Saint-Malo et l'édition de Rennes c. 1510 figurait sur quelques feuillets manuscrits insérés dans l'exemplaire de ce dernier, conservé en 1962 au Grand Séminaire de Rennes, mais dont on n'a plus aucune trace en 1992. Les indications données par ces feuillets rapprochent l'édition de Saint-Malo de celle de Saint-Brieuc.

110 CHAPITRE III

P289 **Lisieux 1507, 1524.** Éd. 1507 f. 113-119. *Cy ensuit une confession generale qui se lit communement le jour de Pasques es eglises parrochiales*: confession générale de Pâques. P1207

P290 **Rennes c. 1510, 1533.** Éd. 1510 f. 37v-41. *Diebus lune, mercurii, et veneris in Quadragesima quando fiunt absolutiones.* P411

P291 **Rennes c. 1510, 1533.** Éd. 1510 f. 103v-104v. *Orationes dicende post letania in absolutionibus XL.* P412

P292 **Limoges 1518** f. 63-65v. *Benedictio cinerum in die prima Quadragesime.* P163

P293 **Maguelonne 1526, 1533.** Éd. 1526 f. 21-22. *Collecta super populum feria II, III et VI a dominica prima XL (quadragesima) usque ad dominicam de Passione.* P413

P294 **Rouen 1530-1573.** Éd. 1530 f. A2v-A5v. *Cy s'ensuit une Commendace que on faict communement le jour de Pasques aux eglises parrochiales*: confession générale de Pâques identique à Paris c. 1505-1542. P1207

P295 **Vannes 1532, 1596.** Éd. 1532 f. 116v-118v. *Absolutiones in Quadragesima.* P414

P296 **Maguelonne 1533** f. 47-49v. *Instructiones fiende presbyteris curam animarum habentibus in quadragesima et in festivitatibus solemnibus.* Confession générale et absolution. P1207

P297 **Tours 1533, 1570.** Éd. 1533 f. 143v-148. *Sequitur absolutio super penitentes in capite ieiunii, videlicet inchoanda est in die mercurii cinerum.* P415

P298 **Tours 1533, 1570.** Éd. 1533 f. 153-163. *Cy s'ensuyt une confession generale qui se lit communement le jour de Pasques es eglises parrochiales*: très proche de Paris c. 1505. P1207

P299 **Périgueux 1536** f. 24v-31. *Institutiones* [sic] *fiende in die sancto Pasche*: confession générale de Pâques. P1207

P300 **Avranches** et **Coutances 1540 n.st.** Éd. Avranches 1540 n.st. f. 103-104v. *In capite ieiunii hoc est feria quarta. Absolutio super penitentes prostratis omnibus.* P416

P301 **Bourges 1541.** *Cy s'ensuyt une confession generalle qui se lit communement le jour de Pasques es eglises parochialles.* P1207

P302 **Angers 1543, 1580.** Éd. 1543 f. 29-36v. *Absolutiones quadragesimales.* P417

P303 **Metz 1543** f. 33v-34v. *Confessio generalis diebus solennibus in ambone facienda*: confession générale les jours solennels. P1243

P304 **Beauvais 1544** f. 21-28v. *Feria quarta in capite ieiunii in ecclesiis parrochialibus*: A. *Parce Domine*: ps. pénitentiels, six V., trois oraisons suivies de vingt-trois oraisons «ad devotionem» pour des intentions diverses, deux absolutions, bén. des cendres, procession. P126

ABSOLUTIONS GÉNÉRALES
DURANT LE CARÊME ET LE JOUR DE PÂQUES

P305 **Beauvais 1544** f. 32-33v. *Feria quinta in cena Domini…*: ps. pénitentiaux, six V., huit oraisons, absolution.

P306 **Beauvais 1544** f. 33v-41v. *Absolutio generalis in die cene Domini facienda in ecclesiis parrochialibus*: confession générale le Jeudi Saint identique à Reims c. 1495-1554. P1225

P307 **Beauvais 1544** f. 41v-42. *Absolutio in die Pasche*: formule d'absolution de Reims c. 1495-1554.

P308 **Autun 1545** p. 58-61. *Confessio generalis*: confession générale de Pâques. P1249

P309 **Narbonne 1545** f. E2v-E3v. *Sequitur Reconciliatio sive benedictiones super populum secundis feriis per totam quadragesimam*. P418

P310 **Meaux 1546** f. 56v-57v. *Benedictio cinerum mercurii in capite ieiunii*: bén. des cendres, ps. pénitentiaux, confession générale[9], trois oraisons, absolution.

P311 **Meaux 1546** f. 77v-82v. Sans titre [Confession générale de Pâques]. P1207

P312 **Paris [1552], [1559]**. Éd. 1552 f. C2-C6v. *Preparatoire exhortation pour recepvoir le sainct sacrement de l'autel*: confession générale de Pâques. P1213

P313 **Reims 1554** f. 22-28v. *Modus inchoandi et perficiendi servitium, in Ecclesiis parochialibus Rhemensis in die cinerum…* P164

P314 **Reims 1554** f. 31-35. *Feria quinta in Coena domini*. Ps. pénit., *Kyrie, Pater*, dix versets, quatre oraisons, confession générale, quatre absolutions. P1234

P315 **Verdun 1554** f. 49-54v. *Officium in die Iovis sancta cum modo faciendi absolutionem et abluendi altaria*: confession générale le Jeudi Saint identique à Reims c. 1495-1540. P1225

P316 **Verdun 1554** f. 69v-75. *Die sancto Pasche… exhortation facienda ad populum ante absolutionem*: confession générale très proche de Paris 1552. P1252

P317 **Toul 1559** f. 52-56. *Preparatoire exhortation pour recevoir le sainct sacrement de l'autel le jour de Pasques*. Formulaire de Paris 1552. P1213

P318 **Nantes c. 1560** f. 96v-100. *Letania dicenda tempore quadragesimarum in absolutionibus*: litanies, cinq oraisons, *Confiteor*, cinq absolutions.

P319 **Besançon 1561, 1581**. Éd. 1561 f. A1-A6 reliés à la suite du rituel. *Commendationes quedam cum confessione generali… in die sancto Pasche…*: confession générale de Pâques. P1255

P320 **Cambrai 1562** f. 168v-170. *Benedictio cinerum feria quarta in capite ieiunii*: quelques remaniements par rapport à Cambrai 1503.

---

9   Renvoi est fait à la confession générale de Pâques, f. 77v-82v.

114 CHAPITRE III

P321 **Cambrai 1562** f. 194-198. *Admonitiones faciende circa festum Paschae*: confession générale entièrement remaniée par rapport à Cambrai 1503. P. 1258

P322 **Agen 1564** f. 21v-26v. *Instructiones fiendae in die Paschae*: exhortation avec confession générale et absolutions. P1261

P323 **Paris 1574, 1581, 1601, 1615.** *Preparatoire exhortation pour recepvoir le sainct sacrement de l'autel.* Éd. 1574 f. C2-C6v: confession générale de Pâques, légèrement simplifiée par rapport à Paris 1552. P1213

P324 **Soissons 1576** f. 12-19v. *L'exhortation, que l'on fait communement le jour de Pasques aux Eglises parrochiales*: confession générale de Pâques. P1181

P325 **Bayeux 1577, 1611.** Éd. 1577 p. 291-292. *Absolutio super penitentes in capite ieiunii*: identique à Avranches et Coutances 1540 n.st. sans la bén. et l'imposition des cendres. P416

P326 **Chartres 1581** f. 30-31. *De publica et generali peccatorum confessione, que fit à populo ante sacram communionem*: confession générale de Pâques. P1263

P327 **Poitiers 1581-1594.** Éd. 1581 f. N1-N8v. *Sequitur Absolutio Quadragesime.* P419

P328 **Nevers 1582** f. 67-71v. Sans titre: confession générale de Pâques très proche de Paris 1552-1581. P1266

P329 **Reims 1585, 1621.** Éd. 1585 f. 37-43v. *Modus administrandi augustissimum Eucharistiae sacramentum… in die Paschae*: confession générale de Pâques différente des précédentes, *Confiteor*, deux absolutions. P1237

P330 **Reims 1585, 1621.** Éd. 1585 f. 104-106. *Benedictio cinerum in capite ieiunii.* P167

P331 **Reims 1585, 1621.** Éd. 1585 f. 107-108. *Absolutio generalis, in die Coenae Domini.* P420

P332 **Laon 1585, 1621. Senlis 1585. Amiens 1586, 1607. Châlons-sur-Marne 1606**[10]. *Modus administrandi augustissimum Eucharistiae sacramentum… in die Paschae; Benedictio cinerum in capite ieiunii; Absolutio generalis in die Coenae Domini*: identiques à Reims 1585, 1621. P1237

P333 **Bourges 1588, 1593** f. x-xvii du supplément. *Exhortation sommaire à la Penitence. Confession generale*: confession générale de Pâques identique à Paris 1552-1581. P1213, P1267

---

[10] Châlons-sur-Marne 1606 n'a pas la bénédiction des cendres au début du carême et l'absolution générale le Jeudi saint.

ABSOLUTIONS GÉNÉRALES
DURANT LE CARÊME ET LE JOUR DE PÂQUES

P334 **Cahors 1593** p. 1-3. *Absolutio et benedictio pontificalis quae quotannis à Rev. Cadurcensibus Episcopis in Ecclesia Cathedrali in vigiliis dierum Nativitatis et Resurrectionis Domini nostri I. C. et in celebratione Synodi Dioecesis Cadurcensis populo dari...* P421

P335 **Limoges 1596** p. 28-30. *Publica et generalis peccatorum confessio quotamvis à populo ante sacram communionem in die festo Paschae fieri consueta*: formulaire de Pâques de Chartres 1581. P1263

P336 **Limoges 1596** p. 32-37. *Ritus communicandi plebem. In diebus solemnibus Paschae...*: exhortation, *Confiteor*, absolutions, communion.

P337 **Arras 1600** p. 172-175. *Feria quinta in coena Domini fit reconciliatio seu absolutio poenitentium*. P422.

P338 **Cahors 1604, 1619.** Éd. 1604 2ᵉ partie p. 43-45. *Absolutio et benedictio pontificalis, quae, quotannis, ab Episcopo Cadurcensi, in Ecclesia cathedrali, pridiè, et in vigiliis dierum Nativitatis et resurrectionis Domini nostri I. C. et in celebratione Synodi, populo dari, et concedi solet*: reprend Cahors 1593 avec addition du *Confiteor*.

P339 **Metz 1605, 1631, 1662.** *Ce que le Curé dira le saint jour de Pâques.* Formulaire sans confession générale. Les absolutions et prières en français viennent de Reims 1585.

P340 **Saint-Brieuc 1605.** *Ce que les curez doivent dire le jour de Pasques... Benedictio cinerum in capite ieiunii. Absolutio generalis in die Coenae Domini*: édition de Reims 1585[11].

P341 **Vannes 1618** 2ᵉ partie p. 43-54. *Litania vetus, quae post septem psalmos poenitentiales, in Ecclesiis, tempore Quadragesimae, pro consuetudine loci publice recitari solet*: litanies romaines avec addition de saints locaux, douze V., six oraisons, *Confiteor*, deux absolutions.

P342 **Poitiers 1619 et 1655.** Éd. 1619 p. 365-369. **Genève 1632. Béziers 1638.** *L'absolution qu'on dict aux Parroisses au temps de Caresme, és jours de Lundy, Mercredy, et Vendredy*: identiques à Poitiers 1581-1594 sans les litanies et les V. P419

P343 **Angers 1620, 1626.** Éd. 1620 p. 306-329. *De Absolutionibus Quadragesimalibus.* Reprend Angers 1543-1580 ; litanies romaines avec addition de saints locaux. P417

P344 **Arras 1623, 1644, 1757.** Éd. 1623 p. 276-279. *Reconciliatio Poenitentium feria 5. Hebdomadae maioris*: rite d'Arras 1600 sans les oraisons *Praesta quesumus Dominé... et Deus humani generis...* P422

---

[11] Rituel de Saint-Brieuc 1605: édition du *Sacerdotale* de Reims 1585 avec substitution de quelques nouveaux cahiers pour les adaptations indispensables à Saint-Brieuc.

116 CHAPITRE III

P345 **Chartres 1627-1640.** *Feria quarta Cinerum.* Éd. 1639 p. 296-303 : reprend Chartres 1490-1553 sans la confession générale ; une absolution diffère.

P346 **Chartres 1627-1640.** Éd. 1639 p. 304. *Feria V in Coena Domini* : ps. pénitentiaux, litanies comme au Mercredi des Cendres, exhortation, trois absolutions.

P347 **Chartres 1627-1689.** Éd. 1639 p. 304-305. *In die sancto Paschae* : *Confiteor,* trois absolutions, bénédiction.

P348 *Rituel romain 1629, 1634, 1640, 1645, 1649, 1652 (Rituel romain pour bien et duement administrer…)*[12]. Éd. 1629, Supplément, p. 1-4, *L'absolution qu'on dict aux Parroisses au temps de Caresme…* : identique à Poitiers 1619.

P349 **Paris 1630** f. 114v-118. *Exhortation preparatoire qui se faict au peuple le jour de Pasques pour dignement recevoir le sainct Sacrement de l'Autel. Confession generale vulgairement dicte Absoulte. Generalis absolutio.* P1213

P350 **Noyon 1631** deuxième partie, p. 38-43. *Confession generalle* : identique à Paris 1630.

P351 **Vannes 1631.** *Litanies qu'on doit dire au temps du Caresme, apres les sept Psalmes penitentiaux, le Lundy, Mercredy, et Vendredy, jours d'absolution* : reprend Vannes 1618.

P352 **Genève 1632.** *L'absolution qu'on dict aux Parroisses au temps de Caresme, és jours de Lundy, Mercredy, et Vendredy* : identiques à Poitiers 1619.

P353 **Beauvais 1637, 1725.** Éd. 1637 2e partie p. 191-194. *Ordo faciendi absolutiones quadragesimales* : ps. pénitentiaux, A., V., six oraisons, absolution.

P354 **Béziers 1638** 2e partie p. 1-4 : *L'absolution qu'on dict aux Parroisses au temps de Caresme, és jours de Lundy, Mercredy, et Vendredy* : identique à Poitiers 1619.

P355 **Rouen 1640** p. 287-290. *Ordo faciendi absolutionem feriâ quartâ in capite ieiunii* : ps. pénitentiaux, A. *Ne reminiscaris,* V., quatre oraisons, absolution, bén. et imposition des cendres, « expulsio publice poenitentium ».

P356 **Rouen 1640** p. 290-293. *Ordo faciendi absolutionem feriâ quintâ in Coena Domini* : « reconciliatio publicè poenitentium », ps. pénitentiaux, V., cinq oraisons, deux absolutions.

P357 **Orléans 1642** p. 146-157. *De Communione Paschali* : confession générale très proche de Paris 1630. P1213, P1269.

---

[12] Molin Aussedat n° 1650, 1651bis, 1653, 1656, 1658, 1660.

ABSOLUTIONS GÉNÉRALES
DURANT LE CARÊME ET LE JOUR DE PÂQUES

P358 **Paris 1646, 1654.** Éd. 1646 p. 486-497. *Le jour de Pasques. Confession generale vulgairement dicte Absoute. Generalis absolutio*: confession générale très remaniée, absolutions. P1216

P359 **Le Mans 1647** p. 371-392. *De Absolutionibus Quadragesimalibus. Ordo faciendi absolutiones quadragesimales. Litaniae*: proche du Mans c. 1505-1608. A. *Ne reminiscaris…* Litanies des saints romaines sans *Thadeae, Joannes et Paule*, avec additions.

P360 **Châlons-sur-Marne 1649** p. 210-226. *Le jour de Pâques, il dira.* Formulaire de Paris 1646.

P361 **Rouen 1651** tome 2, p. 378-381. *De absolutionibus quae fiunt feriâ quartâ Cinerum, et quintâ in coena Domini*: reprend Rouen 1640.

P362 **Troyes 1660** p. 259-275. *Confession generale vulgairement dite Absoute.* Formulaire de Paris 1646-1654.

P363 **Le Mans 1662, 1680.** Éd. 1662 p. 404-423. *Ordo faciendi Absolutiones Quadragesimales.* Comme Le Mans 1647 avec addition aux litanies de *Renate, Carole, Joseph, Joachim*.

P364 **Bourges 1666** t. I p. 326-333. *Ordre pour l'absolution qui se fait le mercredy de la semaine sainte, par Monseigneur l'Archevêque en l'Eglise cathedrale.* P423

P365 **Bourges 1666** t. I p. 334-336. *Ordre pour l'absolution qui se fait par les Curez dans leurs Paroisses, le samedy saint apres midy*: Confiteor, trois absolutions, bénédiction.

P366 **Laon 1671** 2ᵉ partie p. 95-99. *Absolutio seu benedictio generalis in die Coenae Domini. Confiteor, Misereatur…*, ps. pénitentiaux, six V., six oraisons, ps. 66, *Indulgentiam…*

P367 **Rodez 1671** p. 622-634. *De la Confession generalle vulgairement dite absôute, pour les Dimanches de la Passion, des Rameaux, et pour le jour de Pasques*: confession générale très proche de Paris 1646. P1216

P368 **Angers 1676, 1735.** Éd. 1676 p. 139-161. *De Absolutionibus Quadragesimalibus*, identique à Angers 1620 ; p. 162-163. *In die Jovis sancta…*: addition de l'oraison *Deus humani generis…*

P369 **Reims 1677** p. 108-116. **La Rochelle 1689** p. 180-188. *Maniere de faire la Confession generale le jour de Pasque* [*sic*], *et de donner l'absolution au peuple qui est présent à cette cérémonie*: confession générale reprenant Reims 1585 en le modernisant légèrement. P1240

P370 **Reims 1677** p. 386-406. *Benediction des cendres le premier jour de Carême*: proche de Reims 1585.

P371 **Reims 1677** p. 407-409. *Absolution generale qui se fait le Jeudy Saint*: très proche de Reims 1585.

P372 **Chartres 1680, 1689** p. 354-363. *Ordo faciendi absolutiones diebus Cinerum.* P168

P373 **Chartres 1680, 1689.** Éd. 1680 p. 363-365. *Feria quinta in Coena Domini*: nouveau formulaire par rapport aux éditions 1627-1640 : *Confiteor*, deux absolutions, oraison, bénédiction, messe, A. *Diviserunt*, ps. 21.

P374 **Chartres 1680, 1689.** Éd. 1680 p. 365-366. *In die sancto Paschae.* Formulaire de 1627-1640 sauf l'absolution.

P375 **Amiens 1687** p. 293-299. *Absolution ou benediction generale qui se fait le Jeudi Saint*: ps. pénitentiaux, V., cinq oraisons, exhortation, *Confiteor*, absolutions, bénédiction.

P376 **La Rochelle 1689, 1744.** Éd. 1689 p. 157-177. *Ordre pour l'absolution du Mercredy des Cendres et autres jours du Carême*: ps. pénitentiaux, prières litaniques, dix V., quatre oraisons, *Confiteor*, trois absolutions.

P377 **La Rochelle 1689, 1744.** Éd. 1689 p. 177-180. *Ordre pour l'absolution du Jeudy Saint*: ps. pénitentiaux, prières litaniques, six V., quatre oraisons, absence d'absolution.

P378 **La Rochelle 1689, 1744.** Éd. 1689 p. 180-188. *Maniere de faire la confession generale le jour de Pâques…* : identique à Reims 1677. P1240

P379 **Verdun 1691** p. 313-328. *Pour le saint jour de Pâques*: confession générale de Pâques, trois absolutions. P1270

P380 **Soissons 1694** p. 384-389. *Benediction des cendres*: ps. pénitentiaux, V., quatre oraisons, *Confiteor*, quatre absolutions, bén. et imposition des cendres.

P381 **Soissons 1694** p. 391. *Absolution générale qui se fait le Jeudy Saint.* Ps. *Miserere*, A. *Clementissime Domine… Kyrie…* La suite comme pour « l'Absoute du jour des Cendres. » Messe.

P382 **Sées 1695** p. 61-76. *Forma absolutionis faciendae super populum tempore Quadragesimae*: A. *Ne reminiscaris*, ps. pénitentiaux, *Pater*, neuf V., deux oraisons, absolutions, bénédiction.

P383 **Paris 1697, 1701, 1777.** Éd. 1697 p. 532-563. *Le saint jour de Pâques*: nouveau formulaire très développé de confession générale de Pâques, trois absolutions. P1219

P384 **Poitiers 1712** p. 109-110. *L'Absoute que l'on fait dans les Paroisses du Diocese de Poictiers, les Lundis, Mercredis, et Vendredis de Carême*: reprend Poitiers 1619 et 1655. P342

P385 **Metz 1713** Pars secunda, p. 77-79. *Feria 5. In Coenâ Domini, et die festo Paschae, fit absolutio generalis, eo modo*: *Je confesse à Dieu*, deux absolutions, bénédiction, recommandations. Le Jeudi saint, addition au début des ps. pénitentiaux et du *Pater*. P428

P386 **Orléans 1726** p. 142-146. *De Communione Paschali.* P1273

ABSOLUTIONS GÉNÉRALES
DURANT LE CARÊME ET LE JOUR DE PÂQUES

P387 **Auxerre 1730** Pars quarta, p. 35-57 : *Jeudi Saint* : identique à la confession générale de Pâques de Paris 1697. P1219

P388 **Blois 1730** p. 117-125 : *Absoute pour le Mercredi des Cendres* : ps. pénitentiaux, A. *Cor mundum*, litanies[13], six V., quatre oraisons, exhortation sur la pénitence, *Confiteor*, absolutions, bén. finale, trois *Pater* et trois *Ave* en privé, ou ps. *Miserere*, bén. et imposition des cendres. P169

P389 **Blois 1730** p. 125-126. *Absoute pour le Jeudi Saint* : reprend l'absoute du Mercredi des Cendres sauf une exhortation sur l'amour de Dieu et une des absolutions.

P390 **Blois 1730** p. 127-128. *Absoute pour le jour de Pâques* : instruction sur la résurrection, *Confiteor*, trois absolutions, bénédiction.

P391 **Clermont 1733** p. 146-168. *Formule du Prosne pour le saint jour de Pasques, avec l'Absoûte generale qui se fait en ce saint jour* : reprend Paris 1697, confession générale de Pâques. P1219 et P1276

P392 **Narbonne 1736** p. 47-50. *Rite de l'absoute ou absolution generale* : reprend Narbonne 1545 avec addition du *Confiteor* au début. P430

P393 **Rouen 1739, 1771.** Éd. 1739 p. 280-286. **Bayeux 1744 ; Coutances 1744, 1777 ; Lisieux 1744.** *Ordo precum pro peccatis et absolutionis caeremonialis in Ecclesiis Parochialibus et aliis servandus. Feria IV Cinerum in capite ieiunii* : ps. pénitentiaux, A. *Cor mundum crea in me Domine*, sept V., cinq oraisons, deux absolutions, bén. et imposition des cendres.

P394 **Rouen 1739, 1771.** Éd. 1739 p. 286-288. *Feria V. In Coena Domini.* **Bayeux 1744 ; Coutances 1744, 1777 ; Lisieux 1744** : ps. pénitentiaux, A. *Cor mundum...*, six V., quatre oraisons, deux absolutions.

P395 **Sées 1744** p. 444-456. *Forma absolutionis faciendae super populum tempore Quadragesimae* : ps. pénit., A. *Domine, memor esto mei...*, prières litaniques, douze V., cinq oraisons, deux absolutions.

P396 **Bourges 1746** p. 253-257. *Ordre pour l'absoute qui se fait le Mercredi saint par Monseigneur l'Archevêque en l'Eglise Cathédrale* : reprend Bourges 1666 sauf instructions et rubriques ; la première absolution est remaniée. P431

P397 **Bourges 1746** p. 257-258. *Ordre pour l'absoute qui doit être faite par les Curés dans leurs Paroisses, le Samedi Saint après Complies* : reprend Bourges 1666.

P398 **Arras 1757** p. 536-539. *Reconciliatio Poenitentium feria 5â hebdomadae majoris* : identique à Arras 1623-1644.

98bis **Périgueux 1763** p. 388-391. *Le dimanche de Pasques. Je confesse à Dieu*, quatre absolutions, bén.

---

[13] Litanies romaines avec additions. *Voir infra* Saints cités dans les litanies, p. 1945-1959.

120 CHAPITRE III

P399 **Carcassonne 1764** p. 253-254. *Absoute* [dans les Eglises du Diocèse de Carcassonne le Mercredi des Cendres et le Jeudi Saint. Rit dans le missel diocésain p. 67 et 166].

P400 **Poitiers 1766** p. 145-157. *L'Absoute que l'on fait dans les Paroisses du Diocese de Poitiers, les Lundis, Mercredis, et Vendredis de Carême,* ps. pénit., A. *Domine memor esto mei...*, huit oraisons, *Confiteor,* une bénédiction, quatre absolutions.

P401 **Luçon 1768** p. 150. *Absoute* [dans les Églises du Diocèse de Luçon le Mercredi des Cendres et le Jeudi Saint. Rit dans le missel du diocèse].

P402 **Troyes 1768.** *Le saint Jour de Paques. Confession générale, vulgairement dite Absoute.* P1277

P403 **Le Mans 1775** seconde partie, p. 217-228. *Des Absolutions Quadragésimales. Ordre pour les Absolutions Quadragésimales*: reprend Le Mans 1647-1680 sauf A. *Domine memor esto mei...*, litanies des saints développées[14] et dix V. proches de Sées 1744.

P404 **Paris 1777** p. 538-568. *Formule de Confession générale*: reprend Paris 1697-1701.

P405 **Laon 1782** 2ᵉ partie p. 100-104. *Absolutio seu Benedictio generalis in die Coenae Domini*: reprend Laon 1671.

P406 **Paris 1786.** *In die sancto Paschae.* Confession générale et absolutions. P1222

3. Jours où ont lieu les absolutions générales

Les absolutions générales peuvent être données à la fois durant le Carême et le jour de Pâques, principalement le Mercredi des Cendres, le Jeudi Saint, et le jour de Pâques. Le jour de Pâques, la plupart des absolutions clôturent la « Confession générale ».

– Veilles de Noël et de Pâques, et jour du synode diocésain: Cahors 1593-1619.
– Mercredi des Cendres: Avranches 1539, Bayeux 1577-1611 et 1744, Cambrai 1503, Chartres 1490-1553 et 1604-1689, Coutances 1539 et 1744, Laon 1585-1621, Le Mans 1647-1680, Lisieux 1507-1523, Luçon 1768, Meaux 1546, Reims 1585-1677, Rouen 1640-1771, Saint-Brieuc 1605, Sées 1744, Senlis 1585, Soissons 1694, Tours 1533-1570.
– Mercredi des Cendres et autres jours de Carême: La Rochelle 1689.

---

[14] Litanies des saints identiques à celles des *Prières pour détourner les orages et les tempêtes,* seconde partie du rituel, p. 31-40. *Voir infra* Saints cités dans les litanies, p. 1945-1959.

ABSOLUTIONS GÉNÉRALES
DURANT LE CARÊME ET LE JOUR DE PÂQUES

- Mercredi des Cendres et le Jeudi Saint : Bayeux 1744, Beauvais 1544-1725, Coutances 1744, Lisieux 1744, Rouen 1739-1771, Sées 1744.
- Mercredi des Cendres, Jeudi Saint et jour de Pâques : Amiens 1586-1607, Blois 1730, Chartres 1627-1689, Laon 1585-1621, Reims c. 1495-1677, Saint-Brieuc 1605, Senlis 1585.
- Lundis de Carême : Narbonne 1545.
- Lundis, mardis et vendredis de Carême : Maguelonne 1526 f. 21-22, Maguelonne 1533, Poitiers 1619-1655 et 1766, Rennes c. 1510-1533, Saint-Brieuc 1506, Saint-Malo 1557, Tours 1533.
- Lundis, mercredis et vendredis de Carême : Béziers 1638, Genève 1632 et 1667, Le Mans 1647-1775, Poitiers 1619, 1655-1766. (pas 1637), Rennes c. 1510 f. 37v-41, Saint-Brieuc 1506, Saint-Malo 1557, Tours 1533, Tours 1570, Vannes 1631, Romain (Lyon) 1629-1726.
- Pendant le Carême, sans précision : Angers 1543-1735, Beauvais 1637-1725, La Rochelle 1689, Le Mans c. 1505-1680, Nantes c. 1556, Poitiers 1581-1594, Sées 1695-1744, Vannes 1532-1631.
- Mercredi Saint : Bourges 1666 (absolution par l'archevêque en l'église cathédrale). Carcassonne 1764.
- Jeudi Saint : Amiens 1586-1687, Angers 1676-1735, Arras 1600-1757, Beauvais 1544, Blois 1730, Chartres 1490-1553 et 1604-1689, Laon 1585-1782, La Rochelle 1689, Le Mans 1647-1680, Lisieux 1507-1523, Luçon 1768, Metz 1713, Noyon 1546, Reims c. 1495-1677, Rouen 1530-1573, Saint-Brieuc 1605, Senlis 1585, Soissons 1694, Verdun 1554 (Beauvais, Reims c. 1495 et Verdun sont identiques). (Reims 1585-1621 est repris par Laon 1585-1621, Senlis 1585. Amiens 1586-1607, Saint-Brieuc 1605).
- Samedi Saint : Bourges 1666 (absolutions dans les paroisses le Samedi saint après-midi). Carcassonne 1764.
- Le jour de Pâques[15] : Agen 1564, Amiens 1509-1554, Autun 1503-1545, Beauvais 1544, Besançon 1561-1581, Blois 1730, Bourges 1588-1593, Cahors 1593-1619, Cambrai 1503-1562, Châlons-sur-Marne 1569, Chartres 1490-1689, Clermont-Saint-Flour c. 1505-1608, Clermont 1733, Laon 1538, La Rochelle 1689, Limoges 1518-1596, Lisieux 1507-1523, Meaux 1546, Metz 1605-1713, Orléans 1548-1642, Paris 1497-1777, Périgueux 1536, 1763, Reims c. 1495-1677, Rennes 1510-1533, Rouen 1559-1573, Saint-Brieuc 1506-1605, Saint-Malo 1557, Sens 1500-c. 1580, Soissons 1576, Tours 1533-1570, Verdun 1554-1691.

---

[15]   La plupart des absolutions le jour de Pâques viennent à la fin d'une Confession générale. *Voir* chapitre V : *Confessions générales le jour de Pâques.*

– Pendant le Carême, au moins le premier dimanche après les Cendres et le dimanche de la Passion : Narbonne 1736.
– Les jours solennels Metz 1543.

À Lisieux 1507-1523, Bourges 1666, La Rochelle 1689, Blois 1730, trois formulaires différents sont prévus ; quatre formulaires à Beauvais 1544.

4. Déroulement du rite

La cérémonie débute par les psaumes pénitentiaux, accompagnés d'une antienne, la plus fréquente étant *Ne reminiscaris Domine delicta nostra…*

Suivent des versets psalmiques (preces), utilisés parfois aussi pour l'extrême-onction, par exemple :

V. *Domine ne memineris iniquitatum nostrarum antiquarum.* R. *Cito anticipent nos misericordie tue, quia pauperes facti sumus nimis.*

V. *Domine non secundum peccata nostra que fecimus nos.* R. *Neque secundum iniquitates nostras retribuas nobis.*

V. *Domine vide humilitatem meam et laborem meum.* R. *Et dimitte omnia peccata mea…*

Les rituels d'une quinzaine de diocèses contiennent aussi des prières litaniques autres que les litanies des saints.

Les oraisons et bénédictions diffèrent selon les diocèses ; on en connaît plus d'une quarantaine, certaines couramment utilisées, parfois aussi durant l'extrême-onction :

Adesto Domine supplicationibus nostris, et me qui etiam misericordia tua… (quinze diocèses)

Adesto Domine supplicationibus nostris, nec sit ab his famulis… (dix-neuf diocèses)

Domine Deus noster, qui offensione nostra non vinceris… (vingt diocèses)

Exaudi Domine preces nostras… (vingt-quatre diocèses)

Preveniat hos famulos tuos quesumus Domine… (dix-huit diocèses)

Dix-huit autres sont présentes dans un seul diocèse :

Concede quesumus omnipotens Deus, ut intercessio nos sancte Dei genitrice Marie… (Narbonne 1545)

ABSOLUTIONS GÉNÉRALES
DURANT LE CARÊME ET LE JOUR DE PÂQUES

Deus qui iustificas impium, et non vis mortem peccatorum… (Narbonne 1545)

Deus qui mundum in peccati fovea iacentem erexisti… (Lisieux 1507-1524)

Domine Deus omnipotens, rex regum et dominus sominantium… (Rennes c. 1510-1533)

Domine sancte pater omnipotens eterne Deus qui vulnera nostra curare dignatus es… (Lisieux 1507-1524)

Parce confessis, ignosce nostris omissis… (Arras 1600-1757) Etc.

La récitation du *Confiteor* sous diverses formulations est parfois prévue.

Les formules d'absolution sont très variées; les plus courantes sont aussi utilisées durant l'extrême-onction ou la visite des malades:

Dominus I. C. qui dixit discipulis suis: Quecunque ligaveritis…
Indulgentiam, absolutionem et remissionem omnium peccatorum vestrorum…
Misereatur vestri omnipotens Deus…

Une vingtaine de formules sont utilisées dans un seul diocèse et semblent inconnues des autres formulaires de pénitence et d'extrême-onction:

Absolvat vos Pater et Filius et Spiritus Sanctus, amen. Et sancta Maria… Narbonne 1545. P1120

Dominus I. C., Dei hominumque mediator… Amiens 1687.

Dominus sit vobis adiutor atque omnium peccatorum vestrorum pius indultor… Rennes c. 1510-1533.

Ipse Dominus omnipotens I. C. equalis Patri Sanctoque Spiritui… Vannes 1532-1596. Etc.

Le Mercredi des Cendres sont ajoutées au cours de la cérémonie la bénédiction et l'imposition des cendres.

5. CHOIX DE FORMULAIRES

Le Mans c. 1505-1608

[Le Mans c. 1505: Philippe de Luxembourg]
[Absolutions de Carême]

P407 **Le Mans** c. 1505[16], f. 33v-40 *Absolutiones quadragesimales.*

---

[16] Molin Aussedat n° 669.

124   CHAPITRE III

[Psaumes pénitentiaux. Litanies des saints[17]]

Populo congregato, genibus flexis et crinibus discopertis, presbytero similiter ambo genua flectente, dicantur cum maxima devotione vii ps. penitentiales sub A. sequentem videlicet *Vivo ego. Ps. Domine ne in furore tuo…* (Ps. 6) A. *Vivo ego dicit Dominus, nolo mortem peccatoris, sed ut magis convertatur et vivat.* P522

Kyrie… Christe audi nos. Christe exaudi nos. Salvator mundi, adiuva nos… ss. Iuda, Christofore, Blasi, Clete, Clemens, Dyonisi cum soc., Maurici cum soc., Eustachi cum soc., Iuliane, Gaciane, Turibi, Libori, Victuri, Victure, Domnole, Aldrice, Pavaci, Albine, Paule heremita, Leonarde, Egidi, Ludovice, Machari, Hylarion, Bernardine… ora pro nobis.

Barbara, Margareta, Martha, Appollonia, Maria Egiptiaca, Iuliana, Anna, Scolastica, Genovefa, Petronilla, Felicitas, Perpetua, Fides, Spes, Caritas… ora pro nobis.

[Prières litaniques]

Propicius esto: parce nobis Domine. …[18].

[Versets. Oraisons]

V. *Salvos fac servos tuos et ancillas tuas…* V. *Mitte eis Domine auxilium de sancto…* V. *Esto nobis Domine turris fortitudinis…* V. *Nichil proficiat inimicus in nobis…* V. *Oremus pro pastore nostro et fratribus nostris…* P499 *Domine exaudi…*

Oremus. Adesto Domine supplicationibus nostris, et me qui etiam misericordia tua… P1043

Oremus. Exaudi Domine supplicum preces… P1068

Oremus. Preveniat hos famulos tuos… P1086

Oremus. Adesto Domine supplicationibus nostris, nec sit ab his famulis… P1044

Oremus. Domine Deus noster qui offensione nostra non vinceris… P1063

[*Confiteor.* Absolutions. Pénitence]

Oremus. Dominus I. C. qui dixit discipulis suis: «Quecumque ligaveritis…» P1105

---

[17]   Litanies romaines des saints (chap. *Septem Psalmi Poenitentiales, cum Litaniis, éditions Rituale romanum* Antverpiae 1625 et Paris 1679) sans *Thadeae, Joannes et Paule, Anastasia,* avec additions ci-après:

[18]   *Voir infra* Prières litaniques, Le Mans c. 1505-1608 (P665-P723).

ABSOLUTIONS GÉNÉRALES
DURANT LE CARÊME ET LE JOUR DE PÂQUES

125

Postea dicat sacerdos populo ut unusquisque dicat *Confiteor*. Quo facto dicat *Amen fratres. Misereatur vestri…* P1128

Deinde faciat crucem super populum dicendo : *Absolutionem et remissionem omnium peccatorum vestrorum…* P1092

Iniungatur ut quilibet dicat ter *Pater noster, Ave Maria*, ante exitum misse in remissionem peccatorum.

Saint-Brieuc [1506]

[Christophe de Penmarch ou Olivier du Châtel]
[Absolutions les lundis, mercredis et vendredis de Carême]

P408 **Saint-Brieuc [1506]** f. 39-42v *Diebus lune, mercurii, et veneris in Quadragesima quando fiunt absolutiones*

[Psaumes pénitentiaux. Litanies des saints]

primo dicuntur ps. penitentiales scilicet *Domine ne in furore…* (Ps. 6) Postea dicatur ant. *Ne reminiscaris Domine delicta nostra vel parentum nostrorum…* P488

Letania[19]. *… Juda, Thimothee, Marcialis, Line, Clete, Clemens, Corneli, Cypriane, Sixte, Christofore, Grisogone, Georgi, Maurici cum soc., Dyonisi cum soc., Eustachi cum soc., Ypolite cum soc., Nicasi cum soc., Thoma, Sergi et Bache, Simphoriane, Quintine, Blasi, Adriane, Leo, Remigi, Hylari, Leodegari, Brioce, Guillerme, Maclovi, Sanson, Paterne, Corentine, Tugduale, Eligi, Egidi, Albine, Iuliane, Maure, Yvo, Paterne, Maglori, Mevenne*[20]*, Paule, Gobriane… Anna, Maria Egyptiaca, Martha, Monica, Felicitas, Perpetua, Scolastica, Margareta, Iuliana, Brigida, Petronilla, Christina, Genovefa, Fides, Spes, Charitas, Castitas…*

[Prières litaniques]

Propicius esto : parce nobis Domine[21]*…*

[Versets. Oraisons. Absolutions]

Salvos fac servos tuos et ancillas tuas… Mitte eis auxilium de sancto… Dne Deus virtutum converte nos… Dne exaudi orationem… Dnus vobisc. …

Oremus. Deus cui proprium est miserere semper et parcere… P1051

---

[19] Litanies romaines des saints sans *Cosma et Damiane, Bernarde, Anastasia*, avec additions ci-après.
[20] Saint Méen, fondateur de l'abbaye de saint Méen-le-Grand (Ille-et-Vilaine).
[21] *Voir infra* Prières litaniques, Saint-Brieuc 1506 (P724-P772).

126   CHAPITRE III

Oremus. Deus sub cuius oculis omne cor trepidat omnesque conscientie contremiscunt… P1062
Oremus. Dne Deus noster, qui offensione nostra non vinceris sed satisfactione placaris… P1063
Hic surgat sacerdos, et manu extensa super populum, dicat.
Dnus I. C. qui dixit discipulis suis: Quecunque ligaveritis super terram erunt ligata… P1106
Absolutionem et remissionem omnium peccatorum vestrorum, spacium vere penitentie, et emendationem vite, tribuat vobis omnip. Deus. Amen. P1091

[Imposition des cendres]

Quando cineres dantur sacerdos dicat:

Memento homo quia cinis es et in cinerem reverteris, pulvis es et in pulverem reverteris. P268
Vel sic dicat brevius:

Memento homo quia cinis et pulvis es, et in cinerem et pulverem reverteris. P269

Lisieux 1507, 1524 n.st.

[Lisieux 1507: Jean Le Veneur]
[Absolution le Mercredi des Cendres]

P409   Lisieux 1507 f. 76v-67v[22] *Feria quarta in capite ieiunii. Absolutio populi.*

[Psaumes pénitentiaux. Versets. Oraisons. Absolutions]

A. *Ne reminiscaris.* Ps. [6] *Domine ne in furore*, cum ceteris ut supra[23], cum *Gloria Patri* in fine cuiuslibet ps.
Kyrie… Pater noster… Salvos fac servos tuos et ancillas tuas… Esto nobis Domine turris fortitudinis… Nichil proficiat inimicus in eis… Mitte eis Domine auxilium de sancto… Domine exaudi… Exurge Domine adiuva nos. … P477 *Dominus vobisc.*
Oratio. *Adesto Domine suplicationibus nostris, et me etiam qui tua misericordia…* P1043
Oratio. *Exaudi Domine quesumus preces nostras, et confitentium tibi…* P1068

---

[22]   sic pour 69v-73v; les f. 69-73 sont ch. par erreur 76, 67, 75, 76, 67.
[23]   Les sept psaumes pénitentiaux donnés au début de l'extrême-onction: ps. 6, 31, 37, 50, 101, 129, 142.

ABSOLUTIONS GÉNÉRALES
DURANT LE CARÊME ET LE JOUR DE PÂQUES
127

Presta quesumus Domine his famulis et famulabus tuis dignum penitentie fructum… P1083

Oratio. *Domine Deus noster qui offensione nostra non vinceris…* P1063
Deus qui mundum in peccati fovea iacentem erexisti, Deus qui leprosos et aliis irretitos contagiis sacerdotum iudicio mundari precepisti… [rare][24] P1060

Absolutio. *Dominus I. C. qui dixit discipulis suis: quecunque ligaveritis…* P1105

Submissa voce dicat
Absolutionem et remissionem omnium peccatorum vestrorum tribuat vobis omnip. et misericors Dominus. Amen. P1092

Lisieux 1507, 1524 n.st.

[Lisieux 1507: Jean Le Veneur]
[Absolution le Jeudi Saint]

P410 **Lisieux 1507** f. 67v-78v[25] *Sequitur absolutio penitentium que fit feria quinta ebdomade sancte.*

[Psaumes pénitentiaux. Versets. Oraisons. Absolution]

A. *Ne reminiscaris* P488 cum ps. penitentialibus sine *Gloria Patri.*
Kyrie… Pater noster… Salvos fac servos et ancillas tuas… Mitte eis Domine… Esto illis Domine… Nichil proficiat… Domine non secundum peccata nostra que fecimus nos. … P467 *Exurge Domine adiuva nos…* P477
Oremus. Domine sancte pater omnipotens eterne Deus qui vulnera nostra curare dignatus es, te supplices rogamus ac petimus nos humiles tui sacerdotes… [rare] P1065
Deus misericors, Deus clemens qui secundum multitudinem miserationum tuarum peccata penitentium deles[26]… P1056
Maiestatem tuam supplices Domine deprecamur[27]… P1070
Absolutio.
Absolvimus vos vice beati Petri apostolorum principis cui Dominus potestatem ligandi atque solvendi dedit ab omnibus peccatis vestris… [rare] P1096

---

[24]   Oraison employée pour la visite des malades à Toul c. 1481.
[25]   Sic pour 73v-74v; les f. 73-74 sont ch. par erreur 67-78.
[26]   Oraison parfois utilisée pour l'extrême-onction.
[27]   Oraison souvent employée au cours de l'extrême-onction.

128 CHAPITRE III

Rennes c. 1510, 1533

[Rennes c. 1510 : Yves de Mayeuc]

[Absolutions les lundis, mercredis et vendredis de Carême]

P411 **Rennes c. 1510 f.** 37v-41 *Diebus lune, mercurii, et veneris in Quadragesima quando fiunt absolutiones*

[Psaumes pénitentiaux. Litanies des saints]

primo dicuntur ps. penitentiales scilicet *Domine ne in furore...* Postea dicatur A. *Ne reminiscaris Domine delicta nostra vel parentum nostrorum...* P488

Letania[28]. *Thimothee, Marcialis, Line, Clete, Clemens, Corneli, Cypriane, Sixte, Georgi, Blasi, Dyonisi cum soc., Maurici cum soc., Eustachi cum soc., Ypolite cum soc., Iuliane, Marcelline, Petre, Thoma, Eligi, Leo, Armagile, Hylari, Sulpici, Evurci, Moderanne* [Moderan, évêque de Rennes], *Germane, Mevenne* [Méen, abbé], *Egidi, Yvo... Maria Egiptiaca, Felicitas, Perpetua, Margareta, Lucia, Columba, Genovefa, Apollonia, Helena, Iuliana, Petronilla, Emerentiana, Barbara, Scolastica, Radegundis, Fides, Spes, Anna, Susanna, Opportuna, Caritas.*

[Prières litaniques. Versets]

Propicius esto parce nobis Domine. Ab omni malo[29]...
V. *Et veniat super nos misericordia tua Domine...* P474 V. *Salvos fac servos tuos et ancillas tuas...* V. *Mitte eis auxilium de sancto...* V. *Esto nobis Domine turris fortitudinis...* V. *Fiat pax in virtute tua. ...* P479 V. *Domine exaudi orationem... Dominus vobisc. ...*

[Oraisons. *Confiteor*. Absolutions]

Adesto Domine supplicationibus nostris, et famulorum famularumque tuarum confessionem benignus assume... [rare] P1041
Deus infinite misericordie veritatisque immense, propiciare iniquitatibus nostris... P1055
Precamur Domine clementiam tue maiestatis ac nominis... P1080
Domine Deus omnipotens rex regum et dnus dominantium... [rare] P1064

---

[28] Litanies romaines des saints sans *Joannes et Paule, Cosma et Damiane, Gervasi et Protasi, Antoni, Bernarde, Dominice, Anastasia*, avec additions ci-après.

[29] *Voir infra* Prières litaniques, Rennes c. 1510-1533 (P773-P809).

ABSOLUTIONS GÉNÉRALES
DURANT LE CARÊME ET LE JOUR DE PÂQUES

Dominus I. C., qui beato Petro principi apostolorum et ceteris discipulis dedit potestatem ligandi… P1103

Tunc dicitur *Confiteor* et *Misereatur vestri*, etc.

Vice beati Petri apostolorum principis cui a Domino collata est potestas ligandi atque solvendi… P1141

[Imposition des cendres]

Quando cineres dantur sacerdos dicat:
Memento homo quia cinis es et in cinerem reverteris. Pulvis es et in pulverem reverteris. P268
Vel sic dicat brevius:
Memento homo quia cinis et pulvis es, et in cinerem et pulverem reverteris. P269

Rennes c. 1510, 1533
[Prières après les litanies des absolutions de carême.
probablement supplément des f. 37v-41]

P412 **Rennes c. 1510** f. 103v-104v *Orationes dicende post letania in absolutionibus XL.*

Oremus. Deus cui proprium est misereri semper et parcere… P1051
Pretende Domine famulis tuis dexteram celestis auxilii, ut te toto corde perquirant… P1084
Omnip. semp. Deus qui facis mirabilia magna solus pretende super famulos tuos… [rare] P1076
Deus a quo sancta desideria, recta consilia, et iusta sunt opera… P1050
Exaudi Domine preces nostras et confitentum [sic] *tibi parce peccatis…* P1068
Preveniat hos famulos tuos quesumus Domine misericordia tua… P1086
Adesto Domine supplicationibus nostris ut non sit ab his famulis tuis clementie tue longinqua miseratio… P1044
Omnip. semp. Deus confitentibus tibi his famulis tuis perpetua pietate peccata… P1074
Pretende Domine quesumus his famulis tuis fructum penitentie dignum… [rare] P1085

[Absolutions]

Dominus sit vobis adiutor atque omnium peccatorum vestrorum pius indultor… [rare] P1119

130 CHAPITRE III

Dominus I. C. qui dixit discipulis suis: Quecunque ligaveritis super terram… P1105
Absolvimus vos fratres vice beati Petri apostoli cui a Deo collata est ligandi atque solvendi potestas… P1095
Absolutionem et remissionem omnium peccatorum vestrorum percipere mereamini… P1089

Maguelonne 1526, 1533

[Guillaume Pellissier]
[Absolution les lundis, mardis, et vendredis de Carême]

P413 **Maguelonne 1526** f. 21-22. *Collecta super populum feria II III et VI a dominica prima XL usque ad dominicam de Passione.*

V. *Suscepimus Deus misericordiam tuam in medio templi tui, secundum nomen tuum Deus, sic et laus tua in fines terre, iusticia plena est dextera tua.* [rare] P519 *Gloria Patri… Kyrie… Pater noster. …*
Preces. *Salvos fac servos tuos… Esto eis Dne turris fortitudinis… Nihil proficiat inimicus in eis… Ostende nobis Dne misericordiam tuam… Dne exaudi… Dnus vobisc. …*
Oremus. *Deus qui culpa offenderis, penitentia placaris, preces populi tui supplicantis propicius respice, et flagella tue iracundie que pro peccatis nostris meremur averte. Per Christum.* P1057
Alia oratio. *Deus cui proprium est misereri semper et parcere…* P1051
Alia oratio. *Exaudi quesumus Dne supplicum preces, et confitentium tibi parce peccatis, ut pariter nobis indulgentiam tribuas benignus et pacem. Per Christum Dnum nostrum. Amen.* P1069
Absolutio. *Dnus noster I. C., qui dixit discipulis suis: Quecunque ligaveritis…* P1105
Deinde dicitur. *Benedicat vos Deus pater. Sanet vos Dei filius. Illuminet vos Spiritus Sanctus… R. Amen.* P1045

Vannes 1532, 1596

[Vannes 1532: Antoine Pucci]
[Absolutions de Carême]

P414 **Vannes 1532** f. 116v-118v; **Vannes 1596** f. 141-143. *Absolutiones in Quadragesima.*

ABSOLUTIONS GÉNÉRALES
DURANT LE CARÊME ET LE JOUR DE PÂQUES

[Ps. pénitentiaux. Prières litaniques]

Primo dicantur septem ps penitentiales cum A. *Ne reminiscaris* P488, et cum letania que sequitur.
Kyrie… Christe audi nos. Christe salva nos. Christe defende nos[30]…

[Versets. Oraisons]

Salvos fac servos tuos et ancillas tuas… Mitte eis Domine auxilium de sancto… Esto nobis Domine turris fortitudinis… Memor esto congregationis tue. … P483 Domine averte faciem tuam a peccatis meis. Et omnes iniquitates meas dele [rare] *P462. Domine exaudi… Dominus vobisc. …*

Adesto Domine supplicationibus nostris, et me qui etiam misericordia tua primus indigeo… P1043

Oratio. *Deus infinite misericordie veritatisque immense propitiare iniquitatibus nostris… P1055*

Oratio. *Deus sub cuius oculis cor trepidat omnesque conscientie contremescunt… P1062*

Oratio. *Presta quesumus Domine hiis famulis et famulabus tuis dignum penitentie fructum… P1083*

Deus humani generis benignissime conditor et misericordissime reformator… P1054

Precor Domine clementiam tue maiestatis ac nominis ut hiis famulis… P1080

Alia oratio. *Deus cuius indulgentia omnes indigent…* [rare] *P1052*

[*Confiteor*. Absolutions]

Absolutiones.

Hic debet dici a populo: *Confiteor Deo omnipotenti*, etc.

Dominus I. C. qui dixit discipulis suis: Quecunque ligaveritis super terram… P1105

Dominus I. C. qui beato Petro principi apostolorum et ceteris discipulis… P1103

Ipse Dominus omnipotens I. C. equalis Patri Sanctoque Spiritui a quo veniam queritis… [rare] *P1127*

Absolvimus vos vice sancti Petri apostoli cui a Deo concessa est… P1095

Absolutionem et remissionem omnium peccatorum vestrorum percipere mereamini a Domino Deo hic et in futurum. Amen. P1089

---

[30]   *Voir infra* Prières litaniques, Vannes 1532-1596 (P814-P824).

132   CHAPITRE III

Tours 1533, 1570

[Tours 1533 : Antoine de La Barre]
[Absolution des pénitents les lundis, mercredis et vendredis de Carême]

P415   **Tours 1533 f. 143v-148**

Je me confesse à Dieu et la formule d'absolution *Dominus noster I. C. qui dixit discipulis suis…* nomment des saints locaux.

Sequitur absolutio super penitentes in capite ieiunii, videlicet inchoanda est in die mercurii cinerum.

Et sic deinceps dicenda seriatim et qualibet ebdomada diebus lune, mercurii et veneris quadragesime sancte usque ad resurrectionem Domini inclusive, demptis duobus diebus sacrosancte ebdomade penose [semaine sainte], videlicet mercurii et sancte (!) veneris. Attamen dici debet in die Cene ante inchoationem servitii.

[Psaumes pénitentiaux. Litanies des saints]

Primo sic. ant. *Ne reminiscaris.* Septem ps. penitentiales dicantur videlicet *Dne ne in furore*, cum ceteris ps. sequentibus ut supra, ant. *Ne reminiscaris.* P488

His dictis sequitur Letania[31].

… Line, Clete, Clemens, Sixte, Corneli, Cypriane, Georgi, Maurici cum soc., Dionysi cum soc., Saturnine, Simphoriane, Genesi, Christofore, Gaciane, Lidori, Brici, Hylari, Iuliane… Maria Egyptiaca, Anna, Margareta, Felicitas, Perpetua, Petronilla, Radegundis, Iuliana, Susanna, Genovefa…

[Prières litaniques]

Propitius esto : Parce nobis Domine[32]…

[Versets. Oraisons]

V. *Et veniat super nos misericordia tua Dne…* P474 V. *Esto nobis Dne turris fortitudinis…* V. *Memor esto congregationis tue…* P483 V. *Salvos fac servos tuos et ancillas tuas…* V. *Mitte eis Dne auxilium de sancto…* V. *Dne exaudi… Dnus vobisc. …*

Oremus. Deus cui proprium est misereri semper et parcere… P1051
Oremus. Exaudi Dne preces nostras, et confitentium tibi parce peccatis… P1068

---

[31]   Litanies romaines des saints sans *Joannes et Paule, Antoni, Benedicte, Bernarde, Dominice, Francisce,* avec additions ci-après.
[32]   *Voir infra* Prières litaniques, Tours 1533 (P825-P863).

ABSOLUTIONS GÉNÉRALES
DURANT LE CARÊME ET LE JOUR DE PÂQUES

Oremus. Preveniat hos famulos tuos quesumus Dne misericordia tua... P1086

Oremus. Adesto Dne supplicationibus nostris nec sit ab his famulis... P1044

Oremus. Dne Deus noster qui offensione nostra non vinceris... P1063

Oremus. Adesto Dne supplicationibus nostris, et me qui etiam misericordia tua... P1043

Oremus. Deus qui peccantium animas non vis perire, sed culpas contine, quam meremur iram [sic]*, et quam precamur super nos effunde clementiam, ut de merore gaudium gratie tue consequi mereamur. Per Christum Dnum nostrum. Amen.* [rare] P1061

[*Je me confesse à Dieu*. Absolutions]

Sequitur confessio generalis vel *Confiteor*.

Attamen confessio sequens introducta fuit a reverendissimis dominis patribus nostris antiquissimis, pluribus de causis, que sacerdotes ignorare non debent.

Je me confesse a Dieu, a la benoiste glorieuse vierge Marie, a monseigneur saint Michel l'ange, a monseigneur sainct Gabriel... [rare] P444

Dicat sacerdos Amen. Misereatur vestri et dimittat vobis omnia peccata vestra, perducat vos I. C. filius Dei ad vitam eternam. Amen. P1129

Indulgentiam, absolutionem et remissionem omnium peccatorum vestrorum, spacium vere penitentie et emendationem vite... P1125

Oremus. Dominus I. C. qui dixit discipulis suis : Quecunque ligaveritis super terram... intercedente beata Dei genitrice Maria... egregioque martyre Mauricio, Gaciano patrono nostro... P1105

Deinde faciat sacerdos crucem super populum dicendo

Absolutionem et remissionem omnium peccatorum vestrorum percipere mereamini a Domino Deo hic et in eternum. In nomine Patris... P1089

Iniungantur ut quilibet dicat ter *Pater noster*, et ter *Ave Maria*, ante exitum ecclesie.

Avranches 1540 n.st.

[Robert II Cenau]

Coutances 1540 n.st.

[Philippe de Cossé][33]
[Absolution le Mercredi des Cendres]

P416 **Avranches 1540** f. 103-104v. *In capite ieiunii hoc est feria quarta. Absolutio super penitentes prostratis omnibus.*

---

[33] Rituels d'Avranches et Coutances : même édition à part le titre et le colophon.

134 CHAPITRE III

[Psaumes pénitentiaux. Versets]

Incipiat sacerdos A. *Parce Domine parce populo tuo quem redemisti precioso sanguine tuo ne in eternum irascaris ei.* P502 Ps. *Domine ne in furore.* Cum aliis septem. Et in fine cuiuslibet ps. dicatur *Gloria Patri. Kyrie eleyson.* III *Pater...* V. *Salvos fac servos tuos et ancillas tuas...* V. *Esto eis Domine turris fortitudinis...* V. *Nichil proficiat inimicus in eis...* V. *Mitte eis Domine auxilium de sancto... Domine exaudi... Dominus vobiscum...*

[Oraisons. Absolutions]

Oratio. *Adesto Domine supplicationibus nostris, et me etiam qui misericordia tua...* P1043

Oremus. Exaudi Domine preces nostras... P1068

Oremus. Preveniat hos famulos et famulas tuas quesumus Domine misericordia tua... P1086

Oremus. Adesto Domine supplicationibus nostris: nec sit ab his famulis tuis... P1044

Oremus. Presta quesumus Domine his famulis et famulabus tuis dignum penitentie fructum... P1083

Oremus. Domine Deus noster qui offensione nostra non vinceris sed satisfactione placaris... P1063

Oremus. Dominus I. C. qui dixit discipulis suis: quecunque ligaveritis super terram... P1105

Absolutionem et remissionem omnium peccatorum vestrorum tribuat vobis omnipotens et misericors Dominus. Amen. P1092

[Bénédiction et imposition des cendres]

Sequitur benedictio cinerum.

Omnip. semp. Deus: qui misereris omnium et nichil odisti eorum que fecisti... P261

Distribuendo cineres dicatur. *Memento homo quia cinis es et in cinerem reverteris. In nomine...* P271

Angers 1543, 1580

[Angers 1543: Gabriel Bouvery]
[Absolutions de Carême]

P417 **Angers 1543** f. 29-36v. *Absolutiones quadragesimales*

ABSOLUTIONS GÉNÉRALES
DURANT LE CARÊME ET LE JOUR DE PÂQUES

[Psaumes pénitentiaux. Litanies des saints]

Populo congregato, genibus flexis et crinibus discoopertis, presbitero similiter ambo genua flectente, dicantur cum maxima devotione septem ps. penitentiales sub ant. sequente vicelicet *Ne reminiscaris.* Letania[34]. *Iuda, Line, Clete, Clemens, Sixte, Corneli, Cypriane, Quintine, Serge, Bache, Christofore, Iuliane, Maurici cum soc., Dionysi cum soc., Eustachi cum soc., Hipppolyte cum soc., Apothemi, Maurili, Renate, Licini, Albine, Magnobode, Lupe, Iuliane, Remigi, Eligi, Laude, Coharde, Egidi, Yvo, Ludovice… Maria Egyptiaca, Maria Cleophe, Maria Salome, Anna, Martha, Felicitas, Perpetua, Margareta, Barbara, Genovefa, Apollonia, Scolastica, Brigida, Radegundis, Praxedis, Fides, Spes, Charitas, Castitas.*

[Prières litaniques]

… Ab imminentibus peccatorum nostrorum periculis[35]… Alta voce. *Pater noster…*

[Versets. Oraisons]

Et veniat super nos misericordia tua Domine… P474 *Esto nobis Domine turris fortitudinis… Memor esto congregationis tue…* P483 *Ostende nobis Domine misericordiam tuam…* P501 *Domine non secundum peccata nostra facias nobis…* P467 *Domine ne memineris iniquitatum nostrarum antiquarum…* P487 *Adiuva nos Deus salutaris noster…* P450 *Salvos fac servos tuos et ancillas tuas… Domine exaudi orationem meam… Dominus vobisc…*
Oremus. Adesto Domine supplicationibus nostris, et me etiam qui misericordia tua primus indigeo… P1043
Oremus. Presta quesumus omnipotens Deus his famulis et famulabus tuis dignum penitentie fructum… P1083
Oremus. Preveniat hos famulos tuos quesumus Domine misericordia tua, ut omnes iniquitates… P1086
Oremus. Adesto Domine supplicationibus nostris, nec sit ab his famulis clementer longinqua miseratio… P1044
Oremus. Exaudi Domine supplicum preces et confitentium tibi parce peccatis, ut pariter eis… P1069

---

[34] Litanies romaines des saints, sans *Thadeae, Joannes et Paule, Cosma et Damiane, Bernarde, Dominice, Francisce,* avec additions ci-après.

[35] *Voir infra* Prières litaniques, Angers 1543, 1580 (P864-P903).

Oremus. Exaudi quesumus Domine preces nostras, et confitentium tibi parce peccatis, ut quos conscientie reatus... P1068

Oremus. Domine Deus noster, qui offensione nostra non vinceris, sed satisfactione placaris... P1063

[*Confiteor*. Absolutions. Bénédiction. Pénitence]

Precipiat presbyter populo dicere *Confiteor*, totum. Quo finito dicat presbyter.

Misereatur vestri omnip. Deus, et dimissis omnibus peccatis vestris perducat vos Dominus noster I. C. ad vitam eternam. R. Amen. P1129 Sine *oremus*.

Dominus noster I. C. qui dixit discipulis suis: Quecunque ligaveritis... P1105

Indulgentiam, absolutionem et remissionem omnium peccatorum vestrorum tribuat vobis omnip. pater et misericors Dnus. Amen. P1125

Et benedictio Dei patris omnipotentis et Filii, et Spiritus sancti descendat super vos et maneat semper. Amen. P1144

Iniungat ut quilibet dicat ter *Pater noster*, et *Ave Maria*, ante exitum misse in remissionem peccatorum.

Narbonne 1545

[Jean de Lorraine]
[Absolutions les lundis de Carême]

P418 **Narbonne 1545 f. E2v-E3v**

Sequitur reconciliatio sive benedictiones super populum secundis feriis per totam quadragesimam.

[Versets. Oraisons. Bénédiction]

Et primo dicatur ter quod sequitur. *V. Suscepimus Deus misericordiam tuam. R. In medio templi tui.* [rare] P518

In ultimo, idest tertio *Suscepimus Deus. R. Secundum nomen tuum Deus, ita et laus tua in fines terre, iusticia plena est dextera tua.* [rare] P520

Gloria Patri... Kyri eleison... Pater noster... V. Salvos fac servos tuos et ancillas tuas... V. Mitte eis Domine auxilium de sancto... P486 *V. Nihil proficiat inimicus in eis... V. Esto ei Domine turris fortitudinis... V. Domine Deus virtutum converte nos.* P463 *V. Domine exaudi... Dominus vobisc. ...*

ABSOLUTIONS GÉNÉRALES
DURANT LE CARÊME ET LE JOUR DE PÂQUES

Oratio. *Preces populi tui quesumus Domine clementer exaudi, ut qui iuste pro peccatis nostris affligimur, pro tui nominis gloria misericorditer liberemur. Per.* [rare] P1081

Alia oratio. *Exaudi quesumus Domine supplicum preces, et confitentium tibi parce peccatis…* P1069

Deus cui proprium est misereri semper et parcere, suscipe deprecationem… P1051

Alia oratio. *Pretende Domine misericordiam tuam famulis et famulabus tuis dexteram…* P1084

Alia oratio. *Omnip. semp. Deus miserere famulis et famulabus tuis, et dirige eos secundum tuam clementiam in viam salutis eterne, ut te donante tibi placita cupiant, et tota virtute perficiant. Per.* [rare]. P1075

Alia oratio. *Deus qui iustificas impium, et non vis mortem peccatorum, maiestatem tuam suppliciter deprecamur, ut famulos tuos de tua misericordia confidentes, celesti protegas benignus auxilio, et assidua protectione conserves, ut tibi iugiter famulentur, et nullis tentationibus a te separentur. Per Christum.* [rare] P1059

Alia oratio. *Concede quesumus omnip. Deus, ut intercessio nos sancte Dei genitricis Marie sanctarumque omnium celestium virtutum, angelorum, archangelorum, et beatorum patriarcharum, prophetarum, apostolorum, martyrum, confessorum atque virginum, omnium electorum tuorum ubique letificet, ut dum eorum merita commemoramus, patrocinia sentiamus. Per Christum.* [rare] P1049

Benedictio. *Benedicat vos Deus Pater, amen. Sanet vos Dei Filius, amen. Illuminet vos Spiritus Sanctus, amen. Corpora vestra salvet, amen. Animas vestras dirigat, amen. Corda vestra irradiet, amen. Oculos vestros illuminet, amen. A potestate demonum vos eripiat, amen. Et ad beatitudinem angelorum vos perducat. Amen.* [rare] P1046

[Absolutions. Bénédiction]

Absolutio. *Et si in ista quadragesima mors vobis advenerit, absolvat vos Pater et Filius et Spiritus Sanctus, amen. Et sancta Maria cum choro virginum, amen. Et sanctus Michael qui est prepositus paradisi, amen. Et sanctus Petrus cum aliis apostolis, quibus Dominus dedit potestatem dimittendi peccata, amen.* [rare] P1120

Alia absolutio. *Misereatur vestri omnip. Deus, et dimittat vobis omnia peccata vestra, liberet vos ab omni malo…* P1131

Benedictio Dei … descendat super vos, et maneat semper. Amen. P1144

138   CHAPITRE III

Poitiers 1581, 1587, 1594, 1619[36], 1655
Rituel romain Lyon 1629, 1634, 1640, 1645, 1649, 1652, 1667[37]
Béziers 1638. Genève 1632

[Poitiers 1581 : Geoffroy de Saint-Belin]
[Absolutions de Carême]

P419   **Poitiers 1581** f. N1-N8v. *Sequitur Absolutio Quadragesime*

[Psaumes pénitentiaux. Litanies des saints]

Primo dicuntur septem ps. penitentiales, ut supra, cum ant. *Ne reminiscaris* P488, ut supra.

Sequitur litania[38].

... Christe audi nos. Christe exaudi nos. Christe adiuva nos. Christe parce peccatis nostris. ...

... Sancta regina caelorum, Sancta Domina angelorum, ss. Iuda, Simpliciane, Line, Clete, Clemens, Sixte, Desideri, Corneli, Savine, Cipriane, Blasi, Eutropi, Georgi, Leodegari, Honori, Christophore, Dionysi cum soc., Mauricii cum soc., Lamberte, Valentine, Policarpe, Lazare, Hilari, Martialis, Albine, Germane, Guillelme, Gelasii, Iovine, Leonarde, Ludovice, Mathurine, Maxenti, Maure, Brici, Macute, Clodoalde, Eligi, Egidi, Fortunate, Renate, Avertine... [*S. Martine* est cité deux fois] *... Maria Egyptiaca, Anna, Martha, Radegundis, Barbara, Margareta, Diciola, Appollonia, Quiteria, Flavia, Neomadia, Genovefa, Elizabeth, Anastasia, Marina, Solina, Gemma, Perpetua, Felicitas, Florentia, Troecia, Abra, Valeria...*

[Prières litaniques. Versets]

Propicius esto, parce nobis Domine[39]...

Et veniat super nos misericordia tua Domine... P474 *Esto nobis Domine turris fortitudinis... Memor esto congregationis tuae...* P483 *Domine salvum fac regem...* P468 *Salvos fac servos tuos et ancilas* [sic] *tuas... Fiat pax in virtute tua...* P479 V. *Oremus pro cunctis fidelibus defunctis...* P495 *Requiescant in pace... Domine exaudi orationem meam... Dominus vob. ...*

---

[36]   À partir de 1619, tous les formulaires sont intitulés *L'absolution qu'on dict aux Parroisses au temps de Caresme, és jours de Lundy, Mercredy, et Vendredy*. Ils font partie d'un supplément intitulé *S'ensuyt ce qui a esté adjousté en ceste derniere impression, et qui ne se trouve pas au Rituel Romain*. Les litanies et V. sont supprimés.

[37]   Molin Aussedat n° 1650, 1651bis, 1653, 1656, 1658, 1660, 542 [classé par erreur à Genève].

[38]   Litanies romaines des saints sans *Thadeae, Joannes et Paule, Bernarde*, avec additions ci-après.

[39]   *Voir infra* Prières litaniques, Poitiers 1581 (P933-P973).

ABSOLUTIONS GÉNÉRALES
DURANT LE CARÊME ET LE JOUR DE PÂQUES

[Oraisons. *Confiteor.* **Bénédiction]**

Oratio. *Deus cui proprium est misereri semper et parcere…* P1051

Oratio. *Ure igne Sancti Spiritus renes nostros et cor nostrorum Domine, ut tibi casto corpore serviamus…* P1087

Oratio. *Ecclesiae tuae quesumus Domine preces placatus admitte, ut destructis adversitatibus et erroribus universis, secura tibi deserviat libertate. Per Dnum.* P1066

Alia oratio. *Deus à quo sancta desideria, recta consilia, et iusta sunt opera…* P1050

Mes amis frappez vos coulpes[(a)], *et vous rendez confes et repentans à Dieu, et à*[(b)] *la benoiste vierge Marie, et à tous les saincts et sainctes de Paradis, et luy criez mercy, qu'il vous vueille*[(c)] *pardonner tous les pechez, et toutes les faultes que vous avez faictes depuis la journée que vous naquistes jusques aujourd'huy, et dictes tous et toutes, Confiteor Deo…*

Deinde sequuntur orationes.

Oremus. *Exaudi Domine preces nostras, et confitentium tibi parce peccatis…* P1068

Alia oratio. *Preveniat hos famulos et famulas tuas quesumus Dne misericordia tua…* P1086

Alia oratio. *Adesto supplicationibus nostris, nec sit ab his famulis tuis clementie tue…* P1044

Alia oratio. *Domine Deus noster, qui offensione nostra non vinceris…* P1063

Benedictiones.

Benedicat vos Deus pater. Amen. Sanet vos Dei filius, Amen. Illuminet vos… P1045

[Absolutions]

Alia oratio. *Dominus noster I. C. qui dixit discipulis suis: Quaecunque ligaveritis super terram…* P1105

Oratio. *Absolvimus vos fratres et sorores vice sancti Petri apostolorum principis…* P1094

Oratio. *Per intercessionem beatae et gloriose semper virginis Mariae…* P1133

Oratio. *Indulgentiam, absolutionem et remissionem omnium peccatorum vestrorum…* P1126

Dictes trois fois. *Pater noster. Ave Maria.*

Variantes Poitiers 1619. [(a)] coulpes] poitrines. –[(b)] confes… et à] coulpables devant Dieu, devant. –[(c)] et luy crier… vueille] criez mercy à Dieu, afin qu'il luy plaise vous.

Reims 1585, 1621
Amiens 1586, 1607. Laon 1585, 1621. Senlis 1585

[Reims 1585: Louis III de Lorraine, cardinal de Guise]
[Absolution générale le Jeudi Saint]

P420 **Reims 1585** f. 107-108. *Absolutio generalis in die Coenae Domini*
Feria quinta sacrae seu maioris hebdomadae, congregato populo manè hora debita, presbyter indutus sacris vestibus, alba nempe, manipulo, et stola, genibus flexis ante maius altare recitat septem ps. poenitentiales, cum *Gloria Patri*, in fine cuiuslibet ps. Quibus dictis subiicit ant. *Ne reminiscaris Domine delicta nostra…* P488 Deinde dicit *Kyrie… Pater noster…*

[Versets. Oraisons]

Ego dixi, Domine miserere mei… P471 *Convertere Dne usquequo…* P458 *Salvos fac servos tuos… Mitte eis Dne auxilium de sancto… Nihil proficiat inimicus in eis… Esto eis Dne turris fortitudinis… Dne exaudi… Dnus vobiscum.*

Oremus. Exaudi quaesumus Dne, supplicum preces, et confitentium tibi parce peccatis… P1068

In ultima tantum trium orationum quae sequuntur, additur, *Per Dnum.*

Oremus. Praeveniat hos famulos tuos quaesumus Dne, misericordia tua… P1086

Adesto Domine supplicationibus nostris, nec sit ab his famulis tuis clementiae tuae… P1044

Domine Deus noster, qui offensione nostra non vinceris… P1063

[Messe. Exhortation]

Tunc casulam induit, et missam celebrat, et post offertorium ascendit pronaum seu pulpitum, daturus absolutionem generalem, sed prius populum ita paucis exhortatur.

Brieve exhortation devant l'absolution generale.

Peuple chrestien, suivant la sainte et louable coustume de l'Eglise catholique nostre mere, vous devez faire aujourd'huy une confession generale, et je vous dois donner une generale absolution. Mais… vous entendrez, s'il vous plaist, que tout cecy n'est point suffisant pour vous rendre deuëment absoults devant Dieu, si depuis vostre derniere confession vous estes retombez en quelque peché mortel. Car nostre Seigneur l'a ainsi ordonné, que des pechez particuliers et mortels il s'en faut confes-

ABSOLUTIONS GÉNÉRALES
DURANT LE CARÊME ET LE JOUR DE PÂQUES

ser au prestre particulierement, et par le menu. Toutefois cependant si vous avez un ferme propos de ce faire, avant que vous presenter à la sainte Communion, la confession generale que ferez, et l'absolution que recevrez presentement, ne vous profitera point de peu pour disposer vos consciences à faire une bonne et entiere confession de tous voz pechez, et par un mesme moyen d'en obtenir de Dieu pleine et entiere absolution. Dites donc apres moi en toute humilité. Je me confesse à Dieu, etc. ut supra in die Paschae f. 37. Praecedens exhortatio poterit repeti in die Paschae...

Cahors 1593, 1604[40], 1619

[Cahors 1593 : Antoine Hébrard de Saint-Sulpice]
[Absolution les veilles de Noël et de Pâques et le jour du synode diocésain]

P421 **Cahors 1593** p. 1-3. *Absolutio et benedictio pontificalis quae quotannis à Rev. Cadurcensibus Episcopis in Ecclesia Cathedrali in vigiliis dierum Nativitatis et Resurrectionis Domini nostri I. C., et in celebratione Synodi Dioecesis Cadurcensis, Populo dari et concedi solet. Iussu... A. Ebrardi Sansulpitii[41]... typis excussa.*

Les rituels de Cahors 1593-1619 sont les seuls à présenter une absolution solennelle donnée par l'évêque en sa cathédrale les veilles de Noël et de Pâques et le jour du synode diocésain.

Le rite comprend trois formules d'absolution, avec addition de la récitation du *Confiteor* avant les absolutions à partir de 1604.

[Absolutions]

Misereatur vestri omnipotens Deus, et dimittat vobis omnia peccata vestra, liberet vos ab omni malo... P1131
Veram indulgentiam absolutionem et remissionem omnium peccatorum vestrorum tribuat vobis omnipotens Pater... [rare] P1140
Dominus noster I. C. per suam sanctam misericordiam vos absolvat, et infundat vobis gratiam suam. Et nos auctoritate Domini nostri I. C. ... [rare] P1109

---

[40] Cahors 1604, 2ᵉ partie, p. 43-45. *Absolutio et benedictio pontificalis, quae, quotannis, ab Episcopo Cadurcensi, in Ecclesia cathedrali, pridiè, et in vigiliis dierum Nativitatis et Resurrectionis Domini nostri I. C., et in celebratione Synodi, populo dari, et concedi solet.* Cahors 1619 reproduit Cahors 1604.
[41] Antoine Hébrard de Saint-Sulpice, évêque de Cahors et éditeur du rituel de 1593.

142 CHAPITRE III

Arras 1600
[Matthieu Moullart]
[Absolution le Jeudi Saint]

P422 **Arras 1600** p. 172-175. *Feria quinta in coena Domini fit reconciliatio seu absolutio poenitentium.*

[Psaumes pénitentiaux. Litanies]

Omnibus prostratis ante altare incipitur A. *Cor mundum.* Postea dicuntur septem ps. poenitentiales, scilicet [ps. 6] *Domine ne in furore tuo*, cum aliis, sine *Gloria Patri.* Quibus dictis dicitur tota A. *Cor mundum crea in me Deus, et spiritum rectum innova in visceribus meis* P459.

Postea dicitur litania consueta ut in Psalterio, sed in fine litaniae dicuntur istae preces. *Kyrie… Pater noster…*

[Versets. Oraisons]

Preces. *Salvos fac servos tuos… Convertere Domine usquequo… Fiat misericordia tua Domine super nos…* P478 *Mittat nobis Dominus auxilium de sancto…* P485 *Illustra faciem tuam super servos tuos…* P481 *Domine vide humilitatem nostram et laborem nostrum…* P469 *Exaudi nos Domine quoniam benigna est misericordia tua…* P476 *Ne memineris Domine iniquitatum nostrarum antiquarum…* P487 *Adiuva nos Deus salutaris noster…* P450 *Domine exaudi…* Non dicitur *Dominus vob.*, sed dicitur.

Oremus. Adesto Domine supplicationibus nostris, et me qui etiam misericordia tua primus indigeo… P1043

Parce confessis, ignosce nostris omissis, sit in nobis non tantum confessio oris sed et doloris, non excusatio criminum, sed lamentatio peccatorum… [rare] P1077

Alia oratio. *Oremus. Deus infinitae misericordiae veritatisque immensae…* P1055

Alia oratio. *Oremus. Deus sub cuius oculis omne cor trepidat…* P1062

Alia oratio. *Oremus. Praesta quaesumus Domine his famulis tuis dignum poenitentiae fructum…* P1083

Alia oratio. *Oremus. Deus humani generis benignissime conditor…* P1053

[*Confiteor.* Absolution. Prière finale]

Postea sequitur confessio generalis, scilicet *Confiteor Deo.*

Sed prius dicitur V. *Confitemini Domino quoniam bonus.* R. *Quoniam in saeculum misericordia eius.* [rare] P457

ABSOLUTIONS GÉNÉRALES
DURANT LE CARÊME ET LE JOUR DE PÂQUES

Deinde sequitur absolutio. Sacerdos autem versus populum dicat.
Oremus. Omnip. Dominus, qui beato Petro apostolo suo caeterisque discipulis suis licentiam dedit... P1132
Alia oratio. *Oremus. Omnip. semp. Deus confitentibus tibi his famulis et famulabus tuis...* P1074

Bourges 1666

[Anne de Lévis de Ventadour]
[Absolution le Mercredi Saint]

P423 **Bourges 1666** tome I, p. 326-333. *Ordre pour l'absolution qui se fait le mercredy de la semaine sainte, par Monseigneur l'Archevêque en l'Eglise cathedrale*
Cette Absoute ou Absolution est une marque de l'ancienne reconciliation des penitens publiques [*sic*], qui se faisoit par les Archevêques ou Evêques, dans leurs Eglises Cathedrales le jour du Jeudy Saint, comme elle est marquée dans le Pontifical Romain : le Mercredy des Cendres on chassoit hors de l'Eglise les pecheurs publiques et autres... et le Jeudy Saint ils étoient reconciliez. ...

[Ps. *Miserere*. Versets]

Ps. Miserere... Kyrie...
Domine non secundum peccata nostra facias nobis... P467 *Domine ne memineris iniquitatum nostrarum antiquarum...* P487 *Convertere Domine usquequo...* P458 *Salvos fac servos tuos...* Esto eis Domine turris fortitudinis... Mitte eis Domine auxilium de sancto... Domine exaudi... Dominus vob. ...*

[Oraisons. Absolutions]

Oremus. Adesto Domine supplicationibus nostris... P1043
Oremus. Praesta, quaesumus Domine, his famulis tuis dignum poenitentiae fructus... P1083
Oremus. Precor, Domine, tuae clementiam malestatis, ut his famulis tuis peccata et facinora sua confitentibus veniam praestare... [rare] P1082
Oremus. Deus, humani generis benignissime conditor, et misericordissime reformator... P1054
Oremus. Deus, misericors, Deus clemens, Deus qui secundum multitudinem... P1056
Oremus. Majestatem tuam supplices deprecamur... P1070

144 CHAPITRE III

[*Confiteor*. Absolutions. Bénédiction]

Confiteor.

Absolution. *Dominus I. C., qui totius mundi peccata sui traditione, atque immaculati sanguinis effusione, dignatus est expurgare...* [rare][42] P1108

... Monseigneur concede – jours d'indulgences à tous ceux qui sont icy presens, et qui recevront devotement la benediction qu'il va donner. *Precibus et meritis beatae Mariae semper virginis, beati Michaelis Archangeli, beati Ioannis Baptistae...* [rare] P1138
Indulgentiam, absolutionem et remissionem omnium peccatorum vestrorum, tribuat omnipotens et misericors Dominus. Amen. P1125
Benedicat vos omnipotens Deus, Pater et Filius...

6. Instructions

Angers 1620, 1626

[Guillaume Fouquet de La Varenne]

P424 **Angers 1620 p. 306**

Olim in Ecclesia mos fuit, septem Ps. poenitentiales cum Litaniis genibus flexis recitari super poenitentes, iisque ab Episcopo manum imponi solemni ritu, tum feria quarta Cinerum, quo die ad agendam poenitentiam impositam publicè ex Ecclesia ejiciebantur; tum feria quinta in Coena Domini, quando, expleta poenitentia, reconciliabantur...

Atque hae sunt Absolutiones Quadragesimales... in quibus illa quae ad finem adiungitur manuum impositio, non ita accipienda est, quasi sit absolutio à peccatis, sicut illa quae in sacramentali confessione datur: sed est deprecatoria quaedam benedictio, cuiusmodi illa super Catechumenos... Haec enim tota caeremonia instituta est ab Ecclesia, ad obtinendum peccatoribus spiritum poenitentiae, et debitam animi dispositionem: ut deinde veniam peccatorum per sacramentum consequi possint. ...

Angers 1620-1626. Chartres 1627-1640.

---

[42] Formule remaniée en 1746 (P1107).

ABSOLUTIONS GÉNÉRALES
DURANT LE CARÊME ET LE JOUR DE PÂQUES

Arras 1623, 1644, 1757

[Arras 1623 : Hermann Ortemberg]

P425 **Arras 1623 p. 277-278**

Fuit olim Ecclesiae consuetudo, quando publicae poenitentiae adhuc usus erat, reconciliandi poenitentes feria quinta maioris hebdomadae, eosque in Ecclesiam ad participationem Sacramentorum introducendi. ... Nunc autem eiusmodi reconciliatio una cum publicae poenitentiae ritu exolevit. Caeterum simile quippiam in nonnullis Ecclesiis, ac nominatim in Atrebatensi remansit : ut videlicet dicta feria 5 Sacerdos nomine totius populi deprecetur pro remissione peccatorum, recitando septem ps. paenitentiales, omnibus genuflexis. Quibus confessionalem generalem facientibus, ipse absolutionem impendit non sacramentalem quidem, sed deprecatoriam, similem ei quae sit in Missae initio. ...

Le Mans 1647

[Emeric-Marc de La Ferté]

P426 **Le Mans 1647 p. 371**

Antiquus mos est, ut in multis ecclesiis, maxime autem in haec dioecesi, feria quarta Cinerum et feria quinta maioris hebdomadae et praeterea à Dominica prima Quadragesimae usque ad Dominicam Palmarum ter in hebdomada, nempe feria secunda, quarta et sexta recitentur ritu solenni septem ps. poenitentiales cum litaniis ; hae autem preces vocari solent Absolutiones ex eo quod in fine detur à sacerdote absolutio, non quidem sacramentalis, vel deprecatoria.

Quae caeremonia instituta est ad obtinendum spiritum poenitentiae, et debitam animi dispositionem, ut deinde facilius venia peccatorum per Sacramentum habeatur. ... Has autem absolutiones extra Quadragesimam celebrare non convenit...

Poitiers 1712

[Jean-Claude de La Poype de Vertrieu]

P427 **Poitiers 1712 p. 109**

Le Prestre avant que de commencer, exhortera le peuple de se mettre en priere, et enjoindra à ceux qui ne sçavent pas les sept Pseaumes de la Penitence, de dire sept fois Pater noster, et Ave Maria, et autres prieres à leur devotion.

146 CHAPITRE III

Et s'estant mis à genoux devant l'autel, il commencera l'antienne *Ne reminiscaris*. Il recitera ensuite les Pseaumes Penitentiaux, et les prieres suivantes à deux choeurs avec le Clergé et le peuple.

Metz 1713
[Henri-Charles du Cambout de Coislin]

P428 **Metz 1713** *Pars secunda*, p. 77 *Feria 5. In Coenâ Domini, et die festo Paschae, fit absolutio generalis, eo modo.*
Feria 5. In Coenâ Domini, primum recitantur à prostratis, aut saltem flexis genibus, Ps. Poenitentiales sine Gloria Patri, qui omittuntur die Paschae. Deinde addet Pater.
La ceremonie de l'Absoûte est un reste de la réconciliation des penitens publics. Elle se faisoit le Jeudi Saint ; et l'Eglise... en a conservé la premiere et la derniere ceremonie. Le premier jour de Carême, on a mis des cendres sur la tête des fideles, ce qui ne se faisoit, dans les premiers siecles, qu'aux penitens ; et aujourd'hui on donne une absolution publique, pour nous faire souvenir qu'on réconcilioit en ce jour les penitens publics à l'Eglise. Comme ils avoient confessé leurs pechez à l'Evêque, ou au Pasteur, qui faisoit cette ceremonie, cette absolution étoit pour eux sacramentelle. Presentement elle n'est qu'une ceremonie qui nous fait ressouvenir de la penitence publique...

Blois 1730
[Jean-François Lefebvre de Caumartin]

P429 **Blois 1730** p. 117
C'est un usage établi dans les Eglises paroissiales de ce Diocèse de faire sur le peuple des Absoutes solennelles le Mercredi des Cendres, le Jeudi Saint, et le jour de Pâques. Elles ont tiré leur origine de ce qui se pratiquoit autrefois lorsque la pénitence publique étoit en vigueur. ...
On aura soin d'avertir que ces Absoutes ne doivent point être regardées comme des absolutions sacramentelles qui aïent la force de remettre les pechez ; ce sont seulement des prieres et des cérémonies établies par l'Eglise pour exciter les fideles au regret de leurs fautes, et leur obtenir de Dieu l'esprit de penitence. ...

ABSOLUTIONS GÉNÉRALES DURANT LE CARÊME ET LE JOUR DE PÂQUES

Narbonne 1736
[René-François de Beauvau]

P430 **Narbonne 1736 p. 47**

Selon l'antique pratique de nôtre Eglise, on fera la cérémonie de l'absoute plusieurs fois dans le Carême, et ce sera au moins le premier dimanche après les Cendres, et le dimanche de la Passion, à la messe du prône, ou autre tems que le curé jugera plus convenable. Il n'oubliera rien pour y attirer ses parroissiens, et leur expliquera... que cette absolution est bien différente de celle qu'ils reçoivent dans le Sacrement de Penitence; que ce n'est qu'un reste et une image de la reconciliation publique des penitens qui se faisoit dans les premiers siécles ... que cette ceremonie n'a point la vertu du Sacrement, qu'elle est neantmoins très efficace, si on y assiste avec un coeur contrit et humilié...

Bourges 1746
[Frédéric-Jérôme de Roye de La Rochefoucauld]

P431 **Bourges 1746 p. 252**

Lorsque la Pénitence publique étoit en vigueur, ceux à qui on devoit l'imposer se présentoient le Mercredi des Cendres à l'Evêque, qui, après avoir fait sur eux l'imposition des mains, et récité certaines prieres les chassoit de l'Eglise. Pendant tout le Carême ils restoient à la porte, séparés de la communion des Fideles, et implorant le secours de leurs prieres. Le Jeudi-Saint on les réconcilioit solemnellement suivant la forme qui se lit dans l'Ordre romain pour l'office de ce jour[43].

Depuis que cette Pénitence solemnelle n'a plus été pratiquée, on a retenu l'usage de faire pour tout le peuple une Absolution générale avec l'imposition des mains; sçavoir, le Mercredi des Cendres, pour marquer qu'on se dévoüe à la pénitence pendant tout le Carême; le Jeudi Saint, pour se disposer par cette espérance de réconciliation à célébrer les mystéres de la Passion, de la Mort et de la Résurrection de Notre-Seigneur. Le Samedi Saint dans toutes les Eglises paroissiales de ce Diocese on en fait aussi une, qui est une espéce de préparation à la Communion Pascale.

---

[43] § repris par Carcassonne 1764, Poitiers 1766, Luçon 1768 (chap. *Des Absoutes*). La suite diffère selon les diocèses.

148 CHAPITRE III

Pour les Absoutes du Mercredi des Cendres et du Jeudi Saint, on observera dans toutes les églises de ce Diocèse, l'ordre et le rit prescrits dans le missel, p. 71 et 188.

... Ces absoutes ne sont point des absolutions sacramentelles... ce sont seulement des priéres et des cérémonies établies par l'Eglise, pour exciter les fidéles au regret de leurs fautes, et leur obtenir de Dieu l'esprit de pénitence. ...

7. PSAUMES

P432 6. Domine ne in furore... miserere

P433 31. Beati quorum remissae sunt

P434 37. Domine ne in furore... quoniam

P435 50. Miserere

P436 101. Domine exaudi... et clamor meus

P437 129. De profundis

P438 142. Domine exaudi ... exaudi me

Angers 1543-1735. Arras 1600-1757. Autun 1503-1545 (mer. cen.). Avranches 1539. Bayeux 1577-1611. Beauvais 1544. Cambrai 1503-1562 (mer. cen.). Chartres 1490-1689 (mer. cen.). Genève 1632. Laon 1671-1782. Lisieux 1507-1523. Le Mans c. 1505-1608. Meaux 1546. Poitiers 1581-1619. Reims c. 1495-1677 (mer. cen.). Rennes c. 1510-1533. Rouen 1640-1739. Saint-Brieuc c. 1506. Soissons 1694 (mer. cen.). Tours 1533. Vannes 1532-1631. [7 Ps. pénitentiaux].

Bourges 1666-1746 [seulement Ps. 50].

P439 21. Deus Deus meus respice in me

Chartres 1680 (Jeudi Saint).
Réf. PRG II, 146, 296.

P440 66. Deus misereatur nostri

Laon 1671-1782.
Réf. PRG II, 77, 78 etc.

ABSOLUTIONS GÉNÉRALES
DURANT LE CARÊME ET LE JOUR DE PÂQUES

149

8. *JE ME CONFESSE À DIEU*[44]
[DANS LES PREMIÈRES CONFESSIONS ET ABSOLUTIONS GÉNÉRALES][45]

P441 Je me confesse a Dieu le pere tout puissant, a la benoiste vierge Marie, a monseignieur sainct Michiel l'ange et archange, a monseignieur sainct Pierre, a monseignieur sainct Pol et a tous apostres. A monseignieur sainct Estiene, a monseignieur sainct Vincent, a monseignieur sainct Denis, et a monseignieur sainct Piat[(a)], et a tous martyrs, a monseignieur sainct Lubin, a monseignieur sainct Cheron mon patron[(b)], a monseignieur sainct Nicholas et a tous confesseurs. A madame saincte Katherine, et a toutes vierges, et a tous sainctz et a toutez sainctez, et a vous sire vicaire et lieutenant de tous lez pechiez que je feis oncquez depuis l'eure que je fus né jusques a l'eure de maintenant, desquieulx il ne me souvient mie. [Confession générale de Pâques]

Chartres 1490. Meaux 1546. Orléans c. 1548. Sens 1500. *Voir* P1207.

Variantes. [(a)] monseignieur sainct Denis… sainct Piat] monseigneur saint Laurens Or. Sen. – Mons. s. Vincent… s. Piat] *om.* Mea. –[(b)] monseignieur sainct Lubin… sainct Cheron mon patron] *om.* Mea. – monseigneur saint N. mon patron Or. Sen.

P442 Je me confesse a Dieu tout puissant, a la benoiste vierge Marie, a monseigneur saint Michel, a monseigneur saint Pierre et saint Pol, et a tous apostres, a monseigneur saint Estienne, a monseigneur saint Vincent, a monseigneur saint Laurens, a monseigneur saint Cristofle, a monseigneur saint Denis et a tous martyrs, a monseigneur saint Martin, a monseigneur saint Nicolas, et a tous confesseurs. A ma dame saincte Katherine, a saincte Marguerite, a saincte Geneviefve, et a toutes sainctes, et a tous sainctz et sainctes de la court de paradis. Et a vous sire qui estes vicaire et lieutenant de Dieu, de tous les pechez que je feiz oncques depuis l'heure et le jour que je fuz né jusques a l'heure de maintenant desquelz il me souvient et desquelz il ne me souvient pas. [Confession générale de Pâques]

Paris 1497. Saint-Brieuc 1506. *Voir* P1207.

P443 Je me confesse a Dieu le pere tout puissant, a la benoiste vierge Marie et a monseigneur sainct Michel l'ange[(a)], a monseigneur sainct Pierre

---

[44] *Voir infra* Confessions générales, Chartres 1490-1553, Paris 1497-1542, Laon 1538 (P1207, 25. Seconde partie: confession générale, *Je me confesse à Dieu*).

[45] Voir autres formulaires de *Je me confesse à Dieu* au chapitre V: *Confessions générales le jour de Pâques*, Paris 1552 et suivants (P1214, P1215, etc.); Reims c. 1495 et suivants (P1226, 1227, 1228, etc.)… Voir aussi chapitre X: *Pénitence privée, Premiers formulaires de confession*; Confiteor et actes de contrition (P1616-1661).

150 CHAPITRE III

et a monseigneur sainct Pol[b] et a tous apostres, a monseigneur sainct
Estienne et a tous martyrs, et a monseigneur sainct Martin[c] et a tous
confesseurs, a ma dame saincte Katherine et a toutes vierges. Et a tous
sainctz et a toutes sainctes, et a vous sire vicaire et lieutenant de Dieu,
de tous les pechez que je feiz onques depuis l'eure que suis né jusques
a l'eure de maintenant. Desquelz il me souvient et desquelz il ne me
souvient mye. Car j'ay peché es sept pechez mortelz et es branches et
dependances d'iceulx. ... [Confession générale de Pâques]

Paris c. 1505. Bourges 1541. Lisieux 1507. Rouen 1573. Tours 1533. *Voir* P1207.

Variantes Bourges. [a] l'ange] *om.* –[b] Pol] Paul –[c] et N.] *add.*

P444   Je me confesse a Dieu, a la benoiste glorieuse vierge Marie, a monseigneur saint Michel l'ange, a monseigneur sainct Gabriel. Et a tous anges
et archanges de paradis. A monseigneur sainct Jehan Baptiste, et a tous
benoistz patriarches et prophetes, a monseigneur sainct Pierre, a monseigneur sainct Pol, a monseigneur sainct André, a monseigneur sainct
Jacques, et a tous benoistz apostres et evangelistes, a monseigneur sainct
Estienne, a monseigneur sainct Maurice et a ses compaignons, a monseigneur sainct Laurens et a tous benoistz martyrs, a monseigneur sainct Gacien nostre premier patron, a monseigneur sainct Lydoire, a monseigneur
sainct Martin, a monseigneur sainct Nicolas, et a tous benoistz confesseurs. A ma dame saincte Marie Magdalene, a ma dame saincte Anne, a
ma dame saincte Katherine, et a toutes benoistes vierges et continentes.
Et generalement a tous sainctz et sainctes de paradis, de tous et chascuns
les pechez lesquelz j'ay commis et perpetrez, soit en faict, en dict ou
en pensée, depuis l'heure de ma nativité jusques a ceste presente heure,
desquelz et chacun d'eulx je me rendz coulpable et confez et en prens ma
coulpe, beau sire Dieu ma coulpe, beau sire Dieu ma tresgrande coulpe.

Tours 1533 f. 147-147v (*Absolutio super penitentes in capite ieiunii...*). *Voir* P415.

P445   Je me confesse a Dieu mon tres glorieux pere et createur, a la glorieuse
vierge Marie sa mere. A monsieur sainct Michel ange et archange. A
monseigneur[a] sainct Jehan Baptiste, a tous patriarches et prophetes,
a monseigneur[a] sainct Pierre et sainct Pol. A monseigneur[a] sainct
Jehan l'evangeliste, et a tous apostres. A monseigneur[a] sainct Vincent,
sainct Laurens[b], sainct Denis, et a tous glorieux martyrs. A monseigneur[a] sainct Martin[c], sainct Nicolas, et a tous benoistz glorieux
confesseurs. A ma dame saincte Marie Magdalaine, a ma dame saincte
Katherine, saincte Marguerite, et a toutes benoistes vierges, et a tous
sainctz et toutes sainctes. Et generalement a toute la court de paradis,

ABSOLUTIONS GÉNÉRALES
DURANT LE CARÊME ET LE JOUR DE PÂQUES

151

et a vous sire, qui cy present representez la personne de Dieu, de tous les pechez que j'ay faitz, ditz, ou proposez[d] a faire depuis l'heure et le jour que je fuz né, et que je receuz le sainct[e] sacrement de baptesme, jusques a ceste heure presente, dont il me souvient, et dont il ne me souvient pas, dont je suis coupable, et dont je pourroye estre accusé a l'heure et au point de la mort, devant mon createur, et au jour du jugement. [Confession générale de Pâques]

Laon 1538. Noyon 1546. *Voir* P1207.

Variantes. [a] monseigneur] monsieur No. –[b] et] *add.* No. –[c] sainct Eloy] *add.* No. – [d] proposé] No. –[e] sainct] *om.* No.

P446   Je me rend coulpable a Dieu, a la glorieuse vierge Marie, a monsieur sainct N. mon patron, a tous sainctz, a toutes sainctes, a toute la court de paradis, et a vous. De tous les pechez que j'ay faictz depuis que vins en ce monde, jusque aujourd'huy.

Metz 1543 f. 34 (*confessio generalis diebus solennibus*). *Voir* P1244.

P447   Je me confesse a Dieu mon createur, a la glorieuse vierge Marie, a monsieur saint Michel ange, a monsieur saint Jean Baptiste, a N. mon patron, a monsieur saint Pierre et saint Paul, et a tous benoits apostres, et a saint N. duquel l'Eglise fait aujourd'huy feste, a monsieur saint Laurent, saint Vincent, saint Denys, et a tous glorieux Martyrs, a monsieur saint Martin, saint Nicolas, saint Remy, et tous vrais confesseurs, a madame sainte Catherine, sainte Marguerite, et sainte Barbe.

Soissons 1576 (*L'exhortation que l'on fait communément le jour de Pasques…*) [Confession générale de Pâques]. *Voir* P1207.

P448   Je poure pecheur renonce à l'ennemi, à toutes ses suggestions, conseils et faicts. Je croy en Dieu le Pere, en Dieu le Filz et en Dieu le sainct Esprit. Je croy entierement tout ce que l'Eglise catholique, apostolique et romaine commende de croire. Avec ceste saincte et catholique foy, je me confesse à Dieu tout puissant, à la glorieuse vierge Marie, sa tres-digne mere, à tous les saincts et sainctes, et à vous mon pere spirituel comme vicaire de J. C., me rendant coulpable de ce que j'ay dés ma jeunesse jusques à present, bien souvent et griefvement offensé mon Dieu… contre les dix commandemens de Dieu, es sept pechez mortels, par les cinq sens de mon corps, contre mon Dieu, contre mon prochain, et contre le salut de ma poure ame… Parquoy je frappe à mon coeur pecheur et dis avec le publiquain : Seigneur faictes misericorde à moy poure pecheur.

Bâle 1595, *Forme de confession generale*, p. 21 entre la première et la deuxième partie du rituel. *Voir* P1268.

152 CHAPITRE III

9. Antiennes, versets, répons[46]

P449 V. Ab occultis nostris munda nos, Domine. R. Et ab alienis parce servis tuis.

Amiens 1687.
Réf. PRG II, 18. Absent d'Andrieu, Deshusses.

P450 V. Adiuva nos Deus salutaris noster. R. Et propter gloriam nominis tui[(a)] libera nos, et propitius esto peccatis nostris propter[(b)] nomen tuum[(c)].

Chartres 1490-1689 (mer. cen.). Amiens 1687. Angers 1543-1626. Arras 1600-1757. Laon 1671-1782 (mer. cen.). La Rochelle 1689. Reims c. 1495-1677 (mer. cen.). Rouen 1739-1771.
Réf. PRG I, 276; II, 242, 249. Absent de Janini, Sac., Andrieu, Deshusses.
Variantes. [(a)] Domine] *add.* Am. Ar. Rou. –[(b)] sanctum] *add.* An. Lao. –[(c)] et propitius… tuum] *om.* LaR.

P451 R. Afflicti pro peccatis nostris quotidie cum lacrimis expectamus finem nostrum dolor cordis nostri ascendat ad te Domine. Ut eruas nos a malis que innovantur in nobis.

♪Bâle 1488 (mer. cen.).
Réf. Absent de Janini, Sac., PRG, Andrieu, Deshusses.

P452 V. Anime omnium fidelium defunctorum per misericordiam Dei sine fine requiescant in pace. R. Amen. Et nos maneamus in pace. Amen[(a)]. (mer. cen.)

Reims c. 1495-1677. Beauvais 1544.
Réf. Absent de Janini, Sac., PRG, Andrieu, Deshusses.
Variante. [(a)] Et nos… Amen] *om.* Rei. 1677.

P453 V. Benedicamus Domino. R. Deo gratias. (mer. cen.)

Reims c. 1495-1677. Beauvais 1544.
Réf. Cf. PRG II, 349, 366. Cf. Andrieu I, 233. Absent de Deshusses.

P454 R. Circumdederunt me gemitus mortis, dolores inferni circumde-derunt me.

Chartres 1627-1640 (*Feria V in Coena Domini*)[47]
Réf. Absent de PRG, Andrieu, Deshusses.

---

[46] Sont indiquées (mer. cen.) les formules utilisées aussi le Mercredi des Cendres.
[47] Le formulaire de Chartres 1627-1640 reprend Chartres 1490-1553 et 1604, légèrement remanié pour le lavement des pieds : … Post Nonam lavantur altaria aqua vino mixta in modum crucis super infusa : clero interim cantante R. *Circumdederunt.* – La formule complète de ce R. figure dans l'office des morts du rituel.

ABSOLUTIONS GÉNÉRALES
DURANT LE CARÊME ET LE JOUR DE PÂQUES

P455 Clementissime Domine exaudi preces nostras.

Soissons 1694.
Réf. Absent de PRG, Andrieu, Deshusses.

P456 V. Confiteantur tibi Domine omnia opera tua. R. Et sancti tui bene-
dicant tibi.

Reims c. 1495-1677 (mer. cen.).
Cf. Andrieu III, 594. Absent de PRG, Deshusses.

P457 V. Confitemini Domino quoniam bonus. R. Quoniam in saeculum
misericordia eius.

Arras 1600-1757.
Réf. Andrieu I, 248 ; III, 643. Cf. PRG II, 111, 118. Absent de Janini, Sac., Deshusses.

P458 V. Convertere Domine usquequo. R. Et deprecabilis esto[a] super servos
tuos.

Chartres 1490-1689 (mer. cen.). Angers 1676-1735. Arras 1600-1757. Blois 1730. Bourges
1666-1746. Laon 1671-1782 (mer. cen.) La Rochelle 1689. Reims c. 1495-1677 (mer. cen.).
Rouen 1640-1771. Sées 1634.
Variante. [a] deprecabilis esto] deprecare Rou. Sé.

P459 A. Cor mundum crea in me Deus, et spiritum rectum innova in visceribus meis.

Arras 1600. Blois 1730. Rouen 1739-1771.
Réf. PRG I, 70 ; II, 61, 249, 274. Andrieu I, 216 ; III, 565. Absent de Janini, Sac.,
Deshusses.

P460 [V.] Deus in adiutorium meum intende. [R.] Domine ad adiuvandum
me festina.

Reims c. 1495-1677. (mer. cen.)
Réf. Andrieu III, 465, 480 etc. Cf. PRG II, 122. Absent de Deshusses.

P461 A. Diviserunt sibi vestimenta mea, et super vestem meam miserunt
sortem.

Chartres 1680-1689. (*Feria quinta in coena Domini*)
Réf. Andrieu II, 553. Absent de PRG., Deshusses.

P462 V. Domine averte faciem tuam a peccatis meis. [R.] Et omnes iniquitates meas dele.

Vannes 1532-1596.
Réf. PRG II, 248. Andrieu II, 484. Absent de Janini, Sac., Deshusses.

154 CHAPITRE III

P463 V. Domine Deus virtutum converte nos. R. Et[a] ostende faciem tuam et salvi erimus.

Autun 1503-1523 (mer. cen.). Saint-Brieuc 1506. Angers 1676-1735. Beauvais 1637. Laon 1671-1782. Narbonne 1545. Rouen 1640-1771. La Rochelle 1689. Sées 1634. Soissons 1694. *Variante.* [a] Et] *om.* LaR.

P464 V. Domine exaudi orationem meam. R. Et clamor meus ad te veniat. Ps. 101.2.

Chartres 1490. Angers 1543-1735. Arras 1600-1757. Autun 1503-1545. Avranches 1539. Bayeux 1577-1611. Beauvais 1544. Lisieux 1507. Le Mans c. 1505-1608, 1775. Maguelonne 1526. Nantes c. 1556. Narbonne 1545. Poitiers 1581. Reims c. 1495-1677 (mer. cen.). Rennes c. 1510. Saint-Brieuc 1505. Tours 1533. Vannes 1532 [Etc.]

P465 A. Domine, memor esto mei, et ne vindictam sumas de peccatis meis; neque reminiscaris delicta mea, vel parentum nostrorum[a]. Tob. 3. 3.

Sées 1744. Laon 1782. Le Mans 1775. Poitiers 1766.
Réf. Absent de PRG, Deshusses.
Variante. [a] meorum] LeM. Poi.

P466 V. Domine ne memineris iniquitatum nostrarum antiquarum. R. Cito anticipent nos misericordiae tuae.
Voir: Ne memineris iniquitatum nostrarum…

P467 V. Domine non secundum peccata nostra que fecimus nos[a]. R. Neque secundum iniquitates nostras retribuas nobis. Ps. 102.10.

Lisieux 1507. Amiens 1687. Angers 1543-1626. Bourges 1666-1746. Laon 1671-1782 (mer. cen.) La Rochelle 1689. Le Mans 1775. Sées 1744. Vannes 1618-1631.
Variante. [a] que fecimus nos] facias nobis Am. An. Bou. Lao. LaR. Sées. Va.

P468 V. Domine salvum fac regem. R. Et exaudi nos in die qua invocaverimus te.

Chartres 1490-1689 (mer. cen.). Poitiers 1581.
Réf. PRG I, 247. Absent de Janini, Sac., Andrieu., Deshusses.

P469 V. Domine vide humilitatem meam[a] et laborem meum[b]. R. Et dimitte omnia peccata[c] mea.

Chartres 1490-1689 (mer. cen.). Arras 1600-1757.
Réf. PRG II, 61. Absent de Janini, Sac., Andrieu., Deshusses.
Variantes. [a] meam] nostram Ar. –[b] meum] nostrum Ar. –[c] peccata] delicta Ar.

P470 V. Dominus vobiscum. R. Et cum spiritu tuo.

Reims c. 1495-1677. Bayeux 1577-1611 etc.

ABSOLUTIONS GÉNÉRALES
DURANT LE CARÊME ET LE JOUR DE PÂQUES

P471 V. Ego dixi Domine miserere mei. R. Sana animam meam quia peccavi tibi.

Chartres 1490-1689 (mer. cen.). Blois 1730. Laon 1671-1782 (mer. cen.). Reims c. 1495-1677 (mer. cen.)
Réf. PRG I, 278, 282, 318 ; II, 271, 292. Andrieu I, 272. Absent de Janini, Sac., Deshusses.

P472 V. Esto eis[a] Domine turris fortitudinis. R. A facie inimici.

Le Mans c. 1505-1775. Angers 1543-1626. Avranches 1539. Bayeux 1577-1611. Beauvais 1544. Bourges 1666-1746. Chartres 1490-1689 (mer. cen.). Laon 1671-1782 La Rochelle 1689. Le Mans 1505-1608, 1775. Limoges 1518. Lisieux 1507. Maguelonne 1526-1533. Meaux 1546. Narbonne 1545. Poitiers 1581. Reims 1554-1585. Rennes c. 1510. Sées 1744. Strasbourg c. 1490-1590 (mer. cen.). Tours 1533. Vannes 1532-1631.
Variante. [a] nobis] An. Cha. LaR. LeM. Lim. Lis. Ren. Po. Trs. Va.

P473 [V.] Et nos maneamus in pace. [R.] Amen. (mer. cen.)

Reims c. 1495-1585. Beauvais 1544.

P474 V. Et veniat super nos misericordia tua Domine. R. Et salutare tuum secundum eloquium tuum.

Strasbourg c. 1490-1590 (mer. cen.). Angers 1543-1626. Autun 1503-1523 (mer. cen.). La Rochelle 1689. Poitiers 1581. Rennes c. 1510. Tours 1533.
Réf. Absent de PRG, Andrieu, Janini, Sac., Deshusses.

P475 V. Exaudi Domine vocem meam qua clamavi ad te. R. Miserere mei et exaudi me.

Reims c. 1495-1585 (mer. cen.).
Réf. PRG II, 136. Absent d'Andrieu, Deshusses.

P476 V. Exaudi me[a] Domine quoniam benigna est misericordia tua. R. Secundum multitudinem miserationum tuarum respice in me[b].

Chartres 1490-1689 (mer. cen.). Arras 1600-1757.
Réf. PRG I, 270 ; II, 22. Andrieu III, 597. Absent de Janini, Sac., Deshusses.
Variante. [a] me] nos Ar.

P477 V. Exurge Domine[a] adiuva nos. R. Et libera nos propter nomen[b] tuum.

Lisieux 1507. Amiens 1687. Beauvais 1637. Laon 1671-1782 (mer. cen.). Rouen 1640-1651. Sées 1634.
Réf. PRG I, 63, 77 etc. Andrieu I, 272. Absent de Janini, Sac., Deshusses.
Variantes. [a] Domine] Christe Am. –[b] sanctum] *add.* Bea.

P478 V. Fiat misericordia tua Domine super nos. R. Quemadmodum speravimus in te.

Arras 1600-1757. Laon 1671-1782 (mer. cen.).
Réf. PRG I, 172, 278 ; II, 242, 385. Absent de Janini, Sac., Andrieu, Deshusses.

156 CHAPITRE III

P479 V. Fiat pax in virtute tua. R. Et abundantia in turribus tuis.

Chartres 1490-1689 (mer. cen.). Poitiers 1581. Reims c. 1495 (*Pro pace*). Rennes c. 1510.
Réf. Cf. PRG I, 285. Absent de Janini, Sac., Andrieu, Deshusses.

P480 V. Illustra faciem tuam super servos tuos. R. Salvos fac eos in tua misericordia.

Chartres 1490-1689 (mer. cen.).
Réf. Cf. PRG I, 318 ; II, 61. Absent de Janini, Sac., Andrieu, Deshusses.

P481 V. Illustra faciem tuam super servos tuos et ancillas tuas. R. Salvos fac eos in misericordia tua Domine, non confundantur quoniam invocaverunt te.

Arras 1600-1757.

P482 A. Intret oratio nostra in conspectu tuo Domine, inclina aurem tuam ad preces nostras : parce Domine, parce populo tuo, quem redemisti, Christe, pretioso sanguine tuo, et ne in aeternum irascaris nobis.

La Rochelle 1689.

P483 V. Memor esto congregationis tue. R. Quam possedisti ab initio. Ps. 73.2.

Strasbourg c. 1490-1590 (mer. cen.). Angers 1543-1626. La Rochelle 1689. Le Mans 1775.
Nantes c. 1556. Poitiers 1581. Sées 1744. Tours 1533. Vannes 1532-1596.
Réf. Absent de Janini, Sac., PRG, Andrieu, Deshusses.

P484 [V.] Miserere mei Deus secundum. [Ps. 50, 1]

Reims c. 1495-1554 (mer. cen.).
Réf. PRG I, 70, 84 etc.

P485 V. Mittat nobis Dominus auxilium de sancto. R. Et de Sion tueatur nos.

Arras 1600-1757.
Réf. Cf. PRG I, 213, 228, 240. Cf. Andrieu I, 260. Absent de Deshusses.

P486 V. Mitte eis Domine auxilium de sancto. R. Et de Syon tuere eos.

Chartres 1490. Arras 1600-1757. Avranches 1539. Bayeux 1577-1611. Beauvais 1544.
Bourges 1666-1746. Laon 1671-1782. Le Mans c. 1505-1608. Limoges 1518. Lisieux 1507.
Meaux 1546. Nantes c. 1556. Narbonne 1545. Reims c. 1495-1677 (mer. cen.). Rennes
c. 1510. Saint-Brieuc c. 1506. Tours 1533. Vannes 1532-1631.

P487 V.[a] Ne memineris[b] iniquitatum nostrarum antiquarum. R. Cito anticipent nos misericordie tue, quia pauperes facti sumus nimis[c].

Chartres 1490-1553 (mer. cen.). Amiens 1687. Angers 1543-1626. Arras 1600-1757. Blois
1730. Bourges 1666-1746. Laon 1671-1782 (mer. cen.). La Rochelle 1689. Rouen 1739-1771.
Réf. PRG I, 276 ; II, 61, 242, 272, 274, 386. Absent de Janini, Sac., Andrieu, Deshusses.
Variantes. [a] Domine] *add.* An. Bl. Bou. Lao. LaR. – [b] Domine] *add.* Ar. –[c] quia…
nimis] *om.* Bou.

ABSOLUTIONS GÉNÉRALES
DURANT LE CARÊME ET LE JOUR DE PÂQUES

157

P488 A. Ne reminiscaris Domine delicta nostra, vel parentum nostrorum, neque vindictam sumas de peccatis nostris, sed[a] parce Domine parce populo tuo quem redemisti[b] precioso sanguine tuo, ne in eternum irascaris nobis, et ne des hereditatem tuam in perditionem[c].

Chartres 1490-1689 (mer. cen.). Amiens 1687. Angers 1543. Beauvais 1637. Laon 1671 (mer. cen.). *Limoges 1518* (mer. cen.). *Lisieux 1507*. Poitiers 1581. Reims c. 1495-1677 (mer. cen.). Rennes c. 1510. *Rouen 1640-1651*. Saint-Brieuc 1506. *Sées 1695*. *Tours 1533*. *Vannes 1532*. *Réf.* Cf. Andrieu III, 555. Absent de Janini, Sac., PRG, Deshusses. *Variantes.* [a] sed] *om.* Am. An. Cha. 1604-1689. Po. Rei. –[b] Christe] *add.* Bea. –[c] et ne des... perditionem] *om.* Am. An. Bea. Ren. SBr. – et ne des... perditionem] sed parce peccatis nostris Po.; *om.* Lao. Rei.

P489 V. Nichil[a] proficiat inimicus in eis[b]. R. Et filius iniquitatis non apponat nocere eis[b].

Le Mans c. 1505-1608. Avranches 1539. Bayeux 1577-1611. Beauvais 1544. Limoges 1518. Lisieux 1507. Maguelonne 1526-1533. Narbonne 1545. Reims 1554-1585. Vannes 1631. *Variantes.* [a] Nihil] Bor. Mag. –[b] nobis] Va.

P490 V. Non intres in iudicium cum servis tuis Domine. R. Quia non iustificabitur in conspectu tuo omnis vivens.

Meaux 1546.
Réf. Andrieu I, 282; II, 512. Cf. PRG II, 298. Absent de Janini, Sac., Deshusses.

P491 V. O Domine salvos eos fac. R. O Domine bene prosperare.

Laon 1671-1782.
Réf. Absent de PRG, Andrieu., Deshusses.

P492 V. Oculi Domini super iustos. R. Et aures eius in preces eorum.

Reims c. 1495-1677 (mer. cen.).
Réf. Absent de PRG, Andrieu, Deshusses.

P493 V. Oremus etiam pro peccatis et negligentiis nostris. R. Domine ne memineris iniquitatum nostrarum antiquarum, cito anticipent nos misericordie tue: quia pauperes facti sumus nimis.

Chartres 1490-1689 (mer. cen.).
Réf. Absent de PRG, Andrieu, Deshusses.

P494 V. Oremus pro benefactoribus nostris. R. Retribuere dignare Domine omnibus nobis bona facientibus propter nomen tuum vitam aeternam. Amen.

Vannes 1618-1631. Le Mans 1647-1680.
Réf. Absent de PRG, Andrieu, Deshusses.

158 CHAPITRE III

P495 V. Oremus pro fidelibus defunctis. R. Requiem aeternam dona eis Domine, et lux perpetua luceat eis.

Strasbourg c. 1490 (mer. cen.). Le Mans 1647-1680. Poitiers 1581. Vannes 1618-1631.
Réf. Absent de PRG, Janini, Sac., Deshusses.

P496 V. Oremus[a] pro fratribus nostris absentibus. R. Salvos fac servos tuos et ancillas tuas Deus meus sperantes in te.

Chartres 1490-1689 (mer. cen.). Vannes 1618-1631.
Réf. Absent de PRG, Deshusses.
Variante. [a] Oremus] *om.* Va.

P497 V. Oremus pro omni gradu ecclesie. R. Sacerdotes tui induantur iustitiam. Et sancti tui exultent.

Reims c. 1495-1677 (mer. cen.).
Réf. Absent de Janini, Sac., PRG, Andrieu, Deshusses.

P498 V. Oremus pro Papa nostro N. R. Dominus conservet eum, et vivificet eum. Ps. 40.

Sées 1744.
Réf. Absent de PRG, Andrieu, Deshusses.

P499 V. Oremus pro Pastore nostro et fratribus nostris[a]. R. Dominus conservet eos[b] et vivificet[c].

Le Mans c. 1505-1608, 1775.
Réf. Absent de PRG, Janini, Sac., Andrieu, Deshusses.
Variantes. [a] et fratribus nostris] *om.* Le Mans 1775. –[b] eos] eum LeM. 1775. –[c] eum] *add.* LeM. 1775.

P500 V. Oremus pro Pontifice nostro N. R. Dominus conservet eum[a], et beatum faciat in terra, et non tradat eum in animam inimicorum eius.

Vannes 1618-1631. Le Mans 1647-1680.
Réf. Absent de PRG, Deshusses.
Variante. [a] et vivificet eum] *add.* LeM.

P501 V. Ostende nobis Domine misericordiam tuam. R. Et salutare tuum da nobis.

Maguelonne 1526-1533. Angers 1543-1735. La Rochelle 1689.

P502 A. Parce Domine parce populo tuo quem redemisti precioso sanguine tuo ne in eternum irascaris ei.

Avranches 1539 (mer. cen.). Bayeux 1577-1611. Beauvais 1544 (mer. cen.).
Réf. PRG II, 22, 249, Deshusses 4027. Cf. Andrieu I, 210. Absent de Janini, Sac.

ABSOLUTIONS GÉNÉRALES
DURANT LE CARÊME ET LE JOUR DE PÂQUES

159

P503 V. Peccavimus, Domine[a], cum patribus nostris. R. Injuste[b] egimus, iniquitatem fecimus.

Amiens 1687. Rouen 1739-1771.
Réf. Andrieu III, 562(22). Absent de PRG, Deshusses.
Variantes. [a] Domine] *om.* Rou. –[b] Injuste] Inique Rou.

P504 V. Pro Antistite nostro N. R. Mitte ei, Domine, auxilium de sancto, et de Sion tuere eum. Ps. 19.

Sées 1744.
Réf. Absent de PRG, Andrieu, Deshusses.

P505 V. Pro benefactoribus nostris. R. Deus omnem gratiam abundare faciat in illis, et augeat incrementa frugum justitiae illorum. 2. Cor. 9. 8.10.

Sées 1744. Le Mans 1775.
Réf. Absent de PRG, Andrieu, Deshusses.

P506 V. Pro cunctis fidelibus defunctis. R. Educat eos Dominus in lucem, et videant justitiam ejus. Mich. 7. 9.

Sées 1744. Le Mans 1775.
Réf. Absent de PRG, Andrieu, Deshusses.

P507 V. Pro cunctis fidelibus defunctis. R. Requiem eternam dona eis Domine, et lux perpetua luceat eis.

Chartres 1490-1553 (mer. cen.)
Réf. Absent de PRG.

P508 V. Pro fratribus nostris absentibus. R. Benefac, Domine, bonis et rectis corde. Ps. 124, 4.

Sées 1744. Le Mans 1775.
Réf. Andrieu III, 545. Absent de PRG, Deshusses.

P509 V. Pro infirmis, afflictis, captivis et peregrinis. R. Libera eos, Deus, ex omnibus tribulationibus suis. Ps. 24, 22.

Sées 1744. Le Mans 1775.
Réf. Absent de PRG, Andrieu, Deshusses.

P510 V. Pro omnibus benefactoribus nostris. R. Mitte eis Domine auxilium de sancto, et de Sion tuere eos.

Chartres 1490-1689 (mer. cen.)

CHAPITRE III

P511 V. Pro Rege nostro. R. Domine, salvum fac Regem, et exaudi nos in die qua invocaverimus te. Ps. 19. 10.

Sées 1744. Le Mans 1775.
Réf. Absent de PRG, Andrieu, Deshusses.

V. Pro… *Voir aussi* : Oremus pro…

P512 V. Requiescant in pace. R. Amen.

Strasbourg 1490-1590. Poitiers 1581. Vannes 1631.
Réf. PRG II, 284, 305. Andrieu III, 626. Absent de Deshusses.

P513 V. Sacerdotes tui induantur iustitiam. R. Et sancti tui exultent.

Chartres 1490-1689 (mer. cen.). Reims c. 1495. *Pro omni gradu Ecclesie.* (mer. cen.)

P514 V. Sacrificium Deo spiritus contribulatus. R. Cor contritum et humiliatum, Deus, non despicias (Ps. 50, 19).

Rouen 1739-1771.
Réf. Absent de PRG, Andrieu, Deshusses.

P515 V. Salvos fac servos tuos et ancillas tuas. R. Deus meus sperantes in te.

Chartres 1490-1689 (mer. cen.). Angers 1543-1735. Arras 1600-1757. Avranches 1539. Bayeux 1577-1611. Beauvais 1544. Bourges 1666-1746. Laon 1671-1782. La Rochelle 1689. Limoges 1518. Lisieux 1507. Le Mans c. 1505. Maguelonne 1526-1533. Meaux 1546. Nantes c. 1556. Narbonne 1545-1736. Poitiers 1581. Reims c. 1495. *Pro fratribus nostris absentibus.* (mer. cen.), 1554. Rennes c. 1510. Saint-Brieuc 1505. Tours 1533. Vannes 1532-1631.

P516 V. Salvum fac populum tuum Domine. Et benedic hereditati tue. R. Et rege eos. Et extolle illos usque in eternum.

Chartres 1490-1689 (mer. cen.). Blois 1730. Reims c. 1495 (*Pro cuncto populo christiano*) (mer. cen.)
Réf. Janini, Sac., 241. Cf. Janini, Sac. 203. Cf. PRG I, 282. Absent d'Andrieu, Deshusses.

P517 V. Salvum fac servum tuum. R. Deus meus sperantem in te.

Chartres 1490-1689 (mer. cen.).

P518 V. Suscepimus Deus misericordiam tuam. R. In medio templi tui.

Narbonne 1545 et 1736.
Réf. Cf. PRG II, 10. Absent de Janini, Sac., Deshusses.

P519 V. Suscepimus Deus misericordiam tuam in medio templi tui, secundum nomen tuum Deus, sic et laus tua in fines terre, iusticia plena est dextera tua.

Maguelonne 1526-1533.
Réf. Andrieu III, 558. Darragon 8333. Cf. PRG II, 10. Absent de Janini, Sac., Deshusses.

ABSOLUTIONS GÉNÉRALES
DURANT LE CARÊME ET LE JOUR DE PÂQUES

161

P520   V. Suscepimus Deus[a]. R. Secundum nomen tuum Deus, ita et laus tua in fines terre, iusticia plena est dextera tua.

Narbonne 1545 et 1736.
Réf. Darragon 8333. Cf. PRG II, 10. Andrieu III, 558. Absent de Janini, Sac., Deshusses.
Variante. [a] misericordiam tuam] *add.* Nar. 1736.

P521   V. Tempus beneplaciti Deus. R. In multitudine misericordiae tuae (Ps. 68, 14).

Rouen 1739-1771.
Réf. Absent de PRG, Andrieu, Deshusses.

P522   A. Vivo ergo dicit Dominus, nolo mortem peccatoris, sed ut magis convertatur et vivat.

Le Mans c. 1505-1608.
Réf. Andrieu III, 561. Darragon 3199, 3616, 3670, 3766. Absent de Janini, Sac., PRG, Deshusses.

10. PRIÈRES LITANIQUES
SANS LES LISTES DES SAINTS[48]

Classement chronologique Bâle 1488 – Le Mans 1775[49]

P523   Propicius esto, parce nobis, Domine.
P524   Propicius esto, libera nos Domine.
P525   A clade et peste, libera nos Domine.
P526   A subitanea et improvisa morte, libera nos Domine.
P527   A morte perpetua, libera nos Domine.
P528   Per incarnationem tuam, libera nos Domine.
P529   Per sanctam genitricem tuam, libera nos Domine.
P530   Per adventum tuum, libera nos Domine.
P531   Per baptismum tuum, libera nos Domine.
P532   Per ieiunium et temptationem tuam, libera nos Domine.
P533   Per crucem et passionem tuam, libera nos Domine.
P534   Per mortem et sepulturam tuam, libera nos Domine.
P535   Per gloriosam resurrectionem tuam, libera nos Domine.
P536   Per admirabilem ascensionem tuam, libera nos Domine.
P537   Per adventum Spiritus sancti paracliti, libera nos Domine.

---

[48]   *Voir infra* Saints cités dans les litanies, p. 1945-1959.
[49]   Les prières litaniques – regroupées dans ce chapitre pour plus de commodité – peuvent aussi faire partie d'offices du Mercredi des Cendres.

162 CHAPITRE III

P538 In die iudicii, libera nos Domine.

P539 Peccatores te rogamus audi nos.

P540 Ut pacem nobis dones, te rogamus audi nos.

P541 Ut sanitatem nobis dones, te rogamus audi nos.

P542 Ut dominum apostolicum et omnem gradum ecclesiastici ordinis in sancta religione conservare digneris, te rogamus audi nos.

P543 Ut cunctum populum christianum precioso sanguine tuo redemptum conservare digneris, te rogamus audi nos.

P544 Ut antistatem [sic] nostrum gregemque sibi commissum in sancta religione conservare digneris, te rogamus audi nos.

P545 Ut ecclesiam tuam regere et defensare digneris, te rogamus audi nos.

P546 Ut aeris temperiem nobis bonam donare digneris, te rogamus audi nos.

P547 Ut gratiam Sancti Spiritus cordibus nostris clementer infundere digneris, te rogamus audi nos.

P548 Ut nobis miseris misericors misereri digneris, te rogamus audi nos.

P549 Ut animabus omnium fidelium defunctorum requiem eternam donare digneris, te rogamus audi nos.

P550 Ut nos exaudire digneris, te rogamus audi nos.

P551 Fili Dei, te rogamus audi nos.

P552 Agne Dei qui tollis peccata mundi parce nobis Domine.

P553 Agne Dei qui tollis peccata mundi miserere nobis.

P554 Agne Dei qui tollis peccata mundi dona nobis pacem.

P555 Christe audi nos.

P556 Kyrielyson, Criste eleyson, Kyrieleyson.

> Bâle 1488 2ᵉ partie f. c3-c6v (*Letania que per quadragesimam dicitur semper in feria secunda et feria quarta et feria sexta*)⁵⁰

P557 Propicius esto parce nobis Domine.

P558 Propicius esto libera nos Domine.

P559 Ab hoste malo, libera nos Domine.

P560 A concupiscentia iniqua, libera nos Domine.

P561 A peccatis omnibus, libera nos Domine.

P562 A peste et clade, libera nos Domine.

P563 A persecutione inimici, libera nos Domine.

P564 A morte subitanea, libera nos Domine.

P565 A ventura ira, libera nos Domine.

P566 Ab omni malo, libera nos Domine.

P567 Per adventum tuum, libera nos Domine.

P568 Per crucem tuam, libera nos Domine.

---

⁵⁰ Formulaire faisant suite à *Benedictio super cineres in capite ieiunii* (P107).

ABSOLUTIONS GÉNÉRALES
DURANT LE CARÊME ET LE JOUR DE PÂQUES

P569 Per passionem tuam, libera nos Domine.
P570 Per resurrectionem tuam, libera nos Domine.
P571 Per ascensionem tuam, libera nos Domine.
P572 Per Spiritum paraclitum, libera nos Domine.
P573 In die iudicii, libera nos Domine.
P574 Peccatores. Te rogamus audi nos.
P575 Ut veniam peccatorum nobis dones. Te rogamus audi nos.
P576 Ut gratiam Sancti Spiritus nobis dones. Te rogamus audi nos.
P577 Ut nos adiuvare digneris, Te rogamus audi nos.
P578 Ut nos famulos tuos in tuo sancto servicio conservare digneris, Te rogamus audi nos.
P579 Ut bonam perseverantiam nobis dones, Te rogamus audi nos.
P580 Ut pacem et salutem nobis dones, Te rogamus audi nos.
P581 Ut ecclesiam tuam regere et defensare digneris, Te rogamus audi nos.
P582 Ut aeris temperiem et fructum terre nobis dones, Te rogamus audi nos.
P583 Ut omnia presentis et future vite commoda nobis dones, Te rogamus audi nos.
P584 Ut cunctis fidelibus defunctis requiem eternam dones. Te rogamus audi nos.
P585 Fili Dei, te rogamus audi nos. Fili Dei, te rogamus audi nos. Fili Dei, te rogamus audi nos.
P586 Agnus Dei qui tollis peccata mundi exaudi nos Domine.
P587 Agnus Dei qui tollis peccata mundi miserere nobis.
P588 Agnus Dei qui tollis peccata mundi dona nobis pacem.
P589 Kyrielyson, Christe eleyson, Kyrieleyson.
P590 Pater noster. Et ne nos. Sed libera nos a malo.

Chartres c. 1490-1689 (*Officium quod celebratur… feria quarta in capite ieiunii*, P158)

P591 Propitius esto. Parce nobis Domine.
P592 Ab insidiis dyaboli, libera nos Domine.
P593 A clade et peste, libera nos Domine.
P594 A subitanea et improvisa morte, libera nos Domine.
P595 Ab omni immunditia mentis et corporis, libera nos Domine.
P596 Ab omni temptatione dyabolica, libera nos Domine.
P597 Ab ira tua, libera nos Domine.
P598 A morte perpetua, libera nos Domine.
P599 Ab omni malo, libera nos Domine.
P600 Per sanctam genitricem tuam, libera nos Domine.
P601 Per incarnationem tuam, libera nos Domine.

CHAPITRE III

P602 Per baptismum et ieiunium tuum, libera nos Domine.
P603 Per crucem et passionem tuam, libera nos Domine.
P604 Per mortem et sepulturam tuam, libera nos Domine.
P605 Per sanctam resurrectionem tuam, libera nos Domine.
P606 Per gloriosam ascensionem tuam, libera nos Domine.
P607 Per adventum Spiritus sancti paracliti, libera nos Domine.
P608 In die iudicii, libera nos Domine.
P609 Peccatores. Te rogamus audi nos.
P610 Ut pacem et sanitatem nobis dones, Te rogamus audi nos.
P611 Ut ecclesiam tuam sublimare digneris, Te rogamus audi nos.
P612 Ut dominum apostolicum in vera religione conservare digneris, Te rogamus audi nos.
P613 Ut pastorem nostrum gregemque illi commissum conservare digneris, Te rogamus audi nos.
P614 Ut omnem gradum ecclesiastici ordinis in sanctam religionem conservare digneris, Te rogamus audi nos.
P615 Ut imperatorem nostrum et exercitum christianorum conservare digneris, Te rogamus audi nos.
P616 Ut gentium feritatem tua virtute comprimere digneris, Te rogamus audi nos.
P617 Ut cunctum populum christianum precioso sanguine tuo redemptum conservare digneris, Te rogamus audi nos.
P618 Ut ei pacem et unitatem largiri digneris, Te rogamus audi nos.
P619 Ut fraternam dilectionem nobis dones, Te rogamus audi nos.
P620 Ut fidem rectam et spem firmam nobis dones, Te rogamus audi nos.
P621 Ut mentis constantiam in bonis operibus nobis dones, Te rogamus audi nos.
P622 Ut gratiam sancti Spiritus cordibus nostris clementer infundere digneris, Te rogamus audi nos.
P623 Ut compunctionem cordis, fontemque lacrimarum nobis dones, Te rogamus audi nos.
P624 Ut arma celestia contra diabolum nobis dones, Te rogamus audi nos.
P625 Ut spacium ad emendationem nobis dones, Te rogamus audi nos.
P626 Ut dignos fructus penitentie nobis dones, Te rogamus audi nos.
P627 Ut remissionem omnium peccatorum nobis dones, Te rogamus audi nos.
P628 Ut aeris temperiem bonam nobis dones, Te rogamus audi nos.
P629 Ut fructus terre nobis dones, Te rogamus audi nos.
P630 Ut omnibus in Christo quiescentibus requiem eternam donare digneris, Te rogamus audi nos.

ABSOLUTIONS GÉNÉRALES
DURANT LE CARÊME ET LE JOUR DE PÂQUES

P631 Ut nobis peccatoribus misereri digneris, Te rogamus audi nos.
P632 Ut vitam eternam nobis dones, Te rogamus audi nos.
P633 Ut nos exaudire digneris, te rogamus audi nos.
P634 Fili Dei. Te rogamus audi nos.
P635 Agne[a] Dei qui tollis peccata mundi. Parce nobis Domine.
P636 Christe audi nos[b].
P637 Kyrieleyson. Christeleyson. Kyrieleyson.
P638 Pater noster.

Strasbourg 1490-1590 (*Feria quarta in capite ieiunii benedictio super cineres*, P159)
Variantes Strasbourg 1590. [a] Agne] Agnus. –[b] Christe audi nos] *om.*

P639 Propitius esto parce nobis Domine.
P640 Propitius esto libera nos Domine.
P641 A morbo malo[a], libera nos Domine.
P642 Ab insidiis diaboli, libera nos Domine.
P643 A persecutione inimici, libera nos Domine.
P644 A ventura ira, libera nos Domine.
P645 A subitanea et improvisa morte, libera nos Domine.
P646 Ab omni malo, libera nos Domine.
P647 Per crucem et passionem tuam, libera nos Domine.
P648 Per resurrectionem et ascensionem tuam, libera nos Domine.
P649 Per adventum Spiritus sancti paracliti, libera nos Domine.
P650 In die iudicii, libera nos Domine.
P651 Peccatores. Te rogamus audi nos.
P652 Ut pacem et sanitatem nobis dones, Te rogamus audi nos.
P653 Ut aeris temperiem nobis dones[b], Te rogamus audi nos.
P654 Ut fructum terre nobis dones, Te rogamus audi nos.
P655 Ut pestilentiam et mortalitatem a nobis auferas, Te rogamus audi nos.
P656 Ut grandinem et tempestatem a nobis auferas, Te rogamus audi nos.
P657 Ut misericordia et pietas tua nos custodiat, Te rogamus audi nos.
P658 Ut remissionem omnium peccatorum nostrorum nobis donare digneris, te rogamus audi nos.
P659 Fili Dei, te rogamus audi nos.
P660 Agnus Dei qui tollis peccata mundi, miserere nobis.
P661 Agnus Dei qui tollis peccata mundi, parce nobis Domine.
P662 Agnus Dei qui tollis peccata mundi, dona nobis pacem.
P663 Christe audi nos. Kyrie eleison. Christe eleison. Kyrie eleison.
P664 Pater noster. Et ne nos. Sed libera.

Reims c. 1495-1540, 1677 (*Modus inchoandi servitium… in die cinerum*, P160)
Variantes Reims 1677. [a] a morbo malo] ab omni malo. –[b] Ut aëris… dones] *om.*

P665 Propicius esto parce nobis Domine.
P666 Propicius esto, exaudi nos Domine.
P667 Ab omni malo, libera nos Domine.
P668 Ab omni peccato, libera nos Domine.
P669 Ab ira tua, libera nos Domine.
P670 A furore tuo, libera nos Domine.
P671 A subitanea et improvisa morte, libera nos Domine.
P672 Ab insidiis diaboli, libera nos Domine.
P673 Ab ira et odio et omni mala voluntate, libera nos Domine.
P674 A spiritu fornicationis, libera nos Domine.
P675 Ab imminentibus peccatorum nostrorum periculis, libera nos Domine.
P676 Ab infestationibus demonum, libera nos Domine.
P677 Ab immundis cogitationibus, libera nos Domine.
P678 A fulgure et tempestate, libera nos Domine.
P679 Ab immundicia mentis et corporis, libera nos Domine.
P680 A morte perpetua, libera nos Domine.
P681 A damnatione perpetua, libera nos Domine.
P682 A cecitate cordis, libera nos Domine.
P683 Per misterium sancte incarnationis tue, libera nos Domine.
P684 Per adventum tuum, libera nos Domine.
P685 Per nativitatem tuam, libera nos Domine.
P686 Per circumcisionem tuam, libera nos Domine.
P687 Per baptismum tuum, libera nos Domine.
P688 Per sanctum ieiunium tuum, libera nos Domine.
P689 Per passionem et crucem tuam, libera nos Domine.
P690 Per gloriosam resurrectionem tuam, libera nos Domine.
P691 Per admirabilem ascensionem tuam, libera nos Domine.
P692 Per gratiam Sancti Spiritus paracliti, libera nos Domine.
P693 In die iudicii, libera nos Domine.
P694 In hora mortis, succurre nobis Domine.
P695 Peccatores, te rogamus audi nos.
P696 Ut pacem nobis dones, te rogamus audi nos.
P697 Ut nobis parcas, te rogamus audi nos.
P698 Ut nobis indulgeas, te rogamus audi nos.
P699 Ut ad veram penitentiam nos perducere digneris, te rogamus audi nos.
P700 Ut ecclesiam tuam sanctam regere, pacificare, et conservare digneris, te rogamus audi nos.
P701 Ut dominum apostolicum et omnes ecclesiasticos ordines in sancta religione conservare digneris, te rogamus audi nos.
P702 Ut inimicos sancte ecclesie humiliare digneris, te rogamus audi nos.

ABSOLUTIONS GÉNÉRALES
DURANT LE CARÊME ET LE JOUR DE PÂQUES
167

P703 Ut regibus et principibus christianis pacem et veram concordiam donare digneris, te rogamus audi nos.

P704 Ut cuncto populo christiano pacem et unitatem largire digneris, te rogamus audi nos.

P705 Ut nosmetipsos in tuo sancto servitio confortare et conservare digneris, te rogamus audi nos.

P706 Ut mentes nostras ad celestia desideria erigas, te rogamus audi nos.

P707 Ut omnibus benefactoribus nostris sempiterna bona retribuas, te rogamus audi nos.

P708 Ut animas nostras, fratrum, propinquorum, et benefactorum nostrorum ab eterna damnatione eripias, te rogamus audi nos.

P709 Ut fructus terre dare et conservare digneris, te rogamus audi nos.

P710 Ut omnibus fidelibus defunctis requiem eternam donare digneris, te rogamus audi nos.

P711 Ut compunctionem cordis fontemque lachrymarum nobis donare digneris, te rogamus audi nos.

P712 Ut remissionem omnium peccatorum nostrorum nobis donare digneris, te rogamus audi nos.

P713 Ut fidem, spem, caritatem, ceterasque virtutes nobis donare digneris, te rogamus audi nos.

P714 Ut nobis miseris misericors miserere [*sic*] digneris, te rogamus audi nos.

P715 Ut spacium vere et fructuose penitentie, emendationem morum et vite, gratiam et consolationem Sancti Spiritus, perseverantiam in bonis operibus, cor contritum et vere penitens atque exitum bonum nobis donare digneris, te rogamus audi nos.

P716 Ut nos exaudire digneris, te rogamus audi nos.

P717 Fili Dei, te rogamus audi nos. Fili Dei, te rogamus audi nos. Fili Dei, te rogamus audi nos.

P718 Agnus Dei qui tollis peccata mundi : parce nobis Domine.

P719 Agnus Dei qui tollis peccata mundi : exaudi nos Domine.

P720 Agnus Dei qui tollis peccata mundi : miserere nobis, et dona nobis pacem.

P721 Christe audi nos. Christe exaudi nos.

P722 Kyrie eleyson. Christe eleyson. Kyrie eleyson.

P723 Pater noster. Et ne nos. Sed libera.

Le Mans c. 1505-1608 (*Absolutiones quadragesimales*, P407) [Nombreuses formules identiques dans le *Rituale romanum* de 1614].

P724 Propicius esto: parce nobis Domine.

P725 Ab omni malo, libera nos Domine.

P726 Ab insidiis dyaboli, libera nos Domine.

P727 Ab infestationibus demonum, libera nos Domine.

P728 A damnatione perpetua, libera nos Domine.

P729 A spiritu fornicationis, libera nos Domine.

P730 Ab appetitu inanis glorie, libera nos Domine.

P731 Ab ira et odio et omni mala voluntate, libera nos Domine.

P732 Ab immundis cogitationibus, libera nos Domine.

P733 A cecitate cordis, libera nos Domine.

P734 A fulgure et tempestate, libera nos Domine.

P735 A subitanea et eterna morte, libera nos Domine.

P736 Per mysterium sancte incarnationis tue, libera nos Domine.

P737 Per nativitatem tuam, libera nos Domine.

P738 Per circumcisionem tuam, libera nos Domine.

P739 Per baptismum tuum, libera nos Domine.

P740 Per ieiunium tuum, libera nos Domine.

P741 Per passionem, crucem et mortem tuam, libera nos Domine.

P742 Per gloriosam resurrectionem tuam, libera nos Domine.

P743 Per admirabilem ascensionem tuam, libera nos Domine.

P744 Per gratiam Sancti spiritus Paracliti, libera nos Domine.

P745 In hora mortis succurre nobis Domine.

P746 In die iudicii, libera nos Domine.

P747 Peccatores: Te rogamus audi nos.

P748 Ut pacem nobis dones, te rogamus audi nos.

P749 Ut misericordia et pietas tua nos custodiat, te rogamus audi nos.

P750 Ut ecclesiam tuam regere et defensare digneris, te rogamus audi nos.

P751 Ut dominum apostolicum et omnes gradus Ecclesie in sancta religione conservare digneris, te rogamus audi nos.

P752 Ut regibus et principibus nostris pacem et veram concordiam atque victoriam donare digneris, te rogamus audi nos.

P753 Ut episcopos et abbates et omnes congregationes illis commissas in sancta religione conservare digneris, te rogamus audi nos.

P754 Ut congregationes omnium sanctorum in tuo sancto servitio conservare digneris, te rogamus audi nos.

P755 Ut cunctum populum christianum precioso sanguine tuo redemptum conservare digneris, te rogamus audi nos.

P756 Ut omnibus benefactoribus nostris sempiterna bona retribuas, te rogamus audi nos.

ABSOLUTIONS GÉNÉRALES
DURANT LE CARÊME ET LE JOUR DE PÂQUES

P757 Ut animas nostras et parentum, atque benefactorum nostrorum ab eterna damnatione eripias, te rogamus audi nos.

P758 Ut oculos misericordie tue super nos reducere digneris, te rogamus audi nos.

P759 Ut fructus terre dare et conservare digneris, te rogamus audi nos.

P760 Ut obsequium servitutis nostre rationabile facias, te rogamus audi nos.

P761 Ut mentes nostras ad celestia desideria erigas, te rogamus audi nos.

P762 Ut miserias pauperum et captivorum intueri ac relevare digneris, te rogamus audi nos.

P763 Ut locum istum et omnes habitantes in eo visitare et conservare digneris, te rogamus audi nos.

P764 Ut celestibus disciplinis nos instruere digneris, te rogamus audi nos.

P765 Ut cunctis fidelibus defunctis requiem eternam dones, te rogamus audi nos.

P766 Ut nos exaudire digneris, te rogamus audi nos.

P767 Fili Dei, te rogamus audi nos. Fili Dei, te rogamus audi nos. Fili Dei, te rogamus audi nos.

P768 Agnus Dei qui tollis peccata mundi : parce nobis Domine.

P769 Agnus Dei qui tollis peccata mundi : exaudi nos Domine.

P770 Agnus Dei qui tollis peccata mundi : miserere nobis.

P771 Kyrie eleyson. Christe eleyson. Kyrie eleyson.

P772 Pater noster. Et ne nos. Sed libera.

Saint-Brieuc [1506] (*Diebus lune, mercurii, et veneris in quadragesima quando fiunt absolutiones*, P408)

P773 Propicius esto parce nobis Domine.

P774 Ab omni malo, libera nos Domine.

P775 Ab insidiis diaboli, libera nos Domine.

P776 A damnatione perpetua, libera nos Domine.

P777 A fulgure et tempestate, libera nos Domine.

P778 A morte subitanea, libera nos Domine.

P779 A persecutione inimici, libera nos Domine.

P780 Ab appetitu inanis glorie, libera nos Domine.

P781 A concupiscientia inimici, libera nos Domine.

P782 A peccatis omnibus, libera nos Domine.

P783 A peste et fame, libera nos Domine.

P784 Per adventum tuum, libera nos Domine.

P785 Per nativitatem tuam, libera nos Domine.

P786 Per circumcisionem tuam, libera nos Domine.

P787 Per baptismum tuum, libera nos Domine.

P788	Per ieiunium tuum, libera nos Domine.
P789	Per passionem et crucem tuam, libera nos Domine.
P790	Per gloriosam resurrectionem tuam, libera nos Domine.
P791	Per gratiam Spiritus Paracliti, libera nos Domine.
P792	In hora mortis succurre nobis Domine.
P793	In die iudicii libera nos Domine.
P794	Peccatores. Te rogamus audi nos.
P795	Ut pacem nobis dones, te rogamus audi nos.
P796	Ut misericordia et pietas tua nos custodiat, te rogamus audi nos.
P797	Ut ecclesiam tuam sanctam catholicam regere et defensare digneris, te rogamus audi nos.
P798	Ut dominum apostolicum et omnes gradus Ecclesie in sancta religione conservare digneris, te rogamus audi nos.
P799	Ut episcopos et abbates nostros et omnes congregationes illis commissas in sancta religione conservare digneris, te rogamus audi nos.
P800	Ut regibus et principibus nostris pacem et veram concordiam atque victoriam donare digneris, te rogamus audi nos.
P801	Ut fructus terre dare et conservare digneris, te rogamus audi nos.
P802	Ut cunctum populum christianum precioso sanguine tuo redemptum conservare digneris, te rogamus audi nos.
P803	Ut oculos misericordie tue super nos reducere digneris, te rogamus audi nos.
P804	Ut obsequium servitutis nostre rationabile facias, te rogamus audi nos.
P805	Ut mentes nostras ad celestia desideria erigas, te rogamus audi nos.
P806	Ut locum istum et omnes habitantes in eo visitare et conservare digneris, te rogamus audi nos.
P807	Ut omnibus benefactoribus nostris sempiterna bona retribuas, te rogamus audi nos.
P808	Ut cunctis fidelibus defunctis requiem eternam dones, te rogamus audi nos.
P809	Ut nos exaudire digneris, te rogamus audi nos.

[La suite comme Saint-Brieuc 1506]

Rennes c. 1510-1533 (*Diebus lune, mercurii, et veneris in quadragesima quando fiunt absolutiones*, P411)

P810	Kyrie eleyson. Christe eleyson. Kyrie eleyson. …[51].
P811	Ut do(mi)num apostolicum et omnes gradus ecclesie in tua sancta religione regere et comfortare digneris. Te rogamus.

---

[51] Très probablement litanies de la Bénédiction des fonts baptismaux le Samedi saint, f. 80-81v.

ABSOLUTIONS GÉNÉRALES
DURANT LE CARÊME ET LE JOUR DE PÂQUES

P812 Ut hos cineres benedicere digneris, te rogamus. (ter) [rare]

P813 Ut hos cineres benedicere et sanctificare digneris. Te rogamus. (bis) [rare]

Limoges 1518 (*Benedictio cinerum in die prima Quadragesime*, P163)

P814 Kyrie eleyson. Christe eleyson. Kyrie eleyson.

P815 Christe audi nos. Christe salva nos. Christe defende nos. [rare]

P816 Pater de celis Deus. Miserere nobis.

P817 Fili redemptor mundi Deus. Miserere nobis.

P818 Spiritus sancte Deus. Miserere nobis.

P819 Sancta Trinitas unus Deus. Miserere nobis. Etc. *prout in Horis*[52].

P820 Agnus Dei qui tollis peccata mundi, parce nobis Domine.

P821 Agnus Dei qui tollis peccata mundi, exaudi nos Domine.

P822 Agnus Dei qui tollis peccata mundi, miserere nobis.

P823 Kyrie eleyson. Christe eleyson. Kyrie eleyson.

P824 Pater noster. Et ne nos.

Vannes 1532, 1596 (*Absolutiones in Quadragesime*, P414)

P825 Propitius esto : Parce nobis Domine.

P826 Ab hoste maligno, libera nos Domine.

P827 Ab imminentibus peccatorum nostrorum periculis, libera nos Domine.

P828 Ab omni immundicia mentis et corporis, libera nos Domine.

P829 Ab ira et odio et omni mala voluntate, libera nos Domine.

P830 Ab immundis cogitationibus, libera nos Domine.

P831 A fulgure et tempestate, libera nos Domine.

P832 A morte subitanea, libera nos Domine.

P833 A damnatione perpetua, libera nos Domine.

P834 Ab omni malo, libera nos Domine.

P835 Per mysterium sancte incarnationis tue, libera nos Domine.

P836 Per adventum tuum, libera nos Domine.

P837 Per nativitatem tuam, libera nos Domine.

P838 Per passionem et crucem tuam, libera nos Domine.

P839 Per gloriosam resurrectionem tuam, libera nos Domine.

P840 Per admirabilem ascensionem tuam, libera nos Domine.

P841 Per gratiam Sancti Spiritus Paracliti, libera nos Domine.

P842 In hora mortis, succurre nobis Domine.

P843 In die iudicii, libera nos Domine.

---

[52] Il s'agit de litanies romaines, sauf l'invocation *Christe audi nos. Christe salva nos…* On ne connaît aucun Livre d'Heures imprimé à l'usage de Vannes avant 1695. Cf. J.-L. Deuffic, *Inventaire des livres liturgiques de Bretagne*, Brepols, 2014. CDRom.

P844 In die presenti, libera nos Domine.
P845 Peccatores. Te rogamus audi nos.
P846 Ut pacem nobis dones, te rogamus audi nos.
P847 Ut misericordia et pietas tua nos custodiat, te rogamus audi nos.
P848 Ut ecclesiam tuam regere et defensare digneris, te rogamus audi nos.
P849 Ut regi nostro N. et principibus nostris pacem et veram concordiam donare digneris, te rogamus audi nos.
P850 Ut cunctum populum christianum precioso sanguine tuo redemptum conservare digneris, te rogamus audi nos.
P851 Ut omnibus benefactoribus nostris sempiterna bona retribuas, te rogamus audi nos.
P852 Ut animas nostras et parentum nostrorum ab eterna damnatione eripias, te rogamus audi nos.
P853 Ut locum istum et omnes habitantes in eo visitare et consolare digneris, te rogamus audi nos.
P854 Ut oculos misericordie tue super nos reducere digneris, te rogamus audi nos.
P855 Ut obsequium servitutis nostre rationabile facias, te rogamus audi nos.
P856 Ut mentes nostras ad celestia desideria erigas, te rogamus audi nos.
P857 Ut regularibus disciplinis nos instruere digneris, te rogamus audi nos.
P858 Ut fructus terre dare, multiplicare et conservare digneris, te rogamus audi nos.
P859 Ut miserias pauperum et captivorum intueri et relevare digneris, te rogamus audi nos.
P860 Ut omnibus fidelibus defunctis requiem eternam dones, te rogamus audi nos.
P861 Ut nos exaudire digneris, te rogamus, audi nos.
P862 Fili Dei, te rogamus audi nos. Fili Dei, te rogamus audi nos. Fili Dei, te rogamus audi nos.
    [La suite comme Saint-Brieuc 1506 sauf:]
P863 Agnus Dei qui tollis peccata mundi: miserere nobis et dona nobis pacem.

Tours 1533-1570 (*Absolutio super penitentes in capite ieiunii…*, P415)

P864 Propitius esto: Parce nobis Domine.
P865 Ab omni malo: Libera nos Domine.
P866 Ab insidiis diaboli: Libera nos Domine.
P867 Ab imminentibus peccatorum nostrorum periculis: libera nos Domine.
P868 A cecitate cordis: Libera nos Domine.
P869 A spiritu fornicationis: Libera nos Domine.
P870 A peste, fame, et gladio: Libera nos Domine.

ABSOLUTIONS GÉNÉRALES
DURANT LE CARÊME ET LE JOUR DE PÂQUES

P871 A subitanea et improvisa morte: Libera nos Domine.

P872 A carnalibus desideriis: Libera nos Domine.

P873 A damnatione perpetua: Libera nos Domine.

P874 A penis inferni: Libera nos Domine.

P875 Per mysterium sancte incarnationis tue: libera nos Domine.

P876 Per adventum tuum: libera nos Domine.

P877 Per nativitatem tuam: libera nos Domine.

P878 Per circuncisionem tuam: libera nos Domine.

P879 Per ieiunium tuum: libera nos Domine.

P880 Per passionem tuam: libera nos Domine.

P881 Per crucem et mortem tuam: libera nos Domine.

P882 Per gloriosam resurrectionem tuam: libera nos Domine.

P883 Per admirabilem ascensionem tuam: libera nos Domine.

P884 Per gratiam sancti spiritus paracliti: libera nos Domine.

P885 In hora mortis: Succurre nobis Domine.

P886 In die iudicii: libera nos Domine.

P887 Peccatores: Te rogamus audi nos.

P888 Ut pacem nobis dones, te rogamus audi nos.

P889 Ut misericordia et pietas tua nos semper custodiat, te rogamus audi nos.

P890 Ut ecclesiam tuam regere et defensare digneris, te rogamus audi nos.

P891 Ut dominum apostolicum et omnes gradus ecclesie in sancta religione conservare digneris, te rogamus audi nos.

P892 Ut regibus et principibus nostris pacem, victoriam, et concordiam donare digneris, te rogamus audi nos.

P893 Ut episcopos et abbates nostros, et omnes congregationes illis commissas in sancta religione et servitio conservare digneris, te rogamus audi nos.

P894 Ut cunctum populum christianum pretioso sanguine tuo redemptum conservare digneris, te rogamus audi nos.

P895 Ut fructus terre dare, crescere, multiplicare et augmentare digneris, te rogamus audi nos.

P896 Ut miserias pauperum et captivorum intueri et relevare digneris, te rogamus audi nos.

P897 Ut omnibus benefactoribus nostris sempiterna bona retribuas, te rogamus audi nos.

P898 Ut animas nostras et parentum nostrorum ab eterna damnatione eripias, te rogamus audi nos.

P899 Ut oculos misericordie tue super nos reducere digneris, te rogamus audi nos.

174 CHAPITRE III

P900 Ut omnibus fidelibus defunctis requiem eternam dones, te rogamus audi nos.
P901 Ut nos exaudire digneris, te rogamus audi nos.
P902 Fili Dei. III Te rogamus audi nos.
[La suite comme Saint-Brieuc 1506 sauf:]
P903 Agnus Dei qui tollis peccata mundi: miserere nobis et dona nobis pacem.

Angers 1543-1580 (*Absolutiones quadragesimales*, P417)

P904 Propitius esto Parce nobis Domine.
P905 Ab omni malo. Libera nos Domine.
P906 Ab insidiis diaboli. Libera nos Domine.
P907 A damnatione perpetua. Libera nos Domine.
P908 A spiritu fornicationis. Libera nos Domine.
P909 Ab immundicia mentis et corporis. Libera nos Domine.
P910 Ab ira et odio et omni mala voluntate. Libera nos Domine.
P911 A fulgure et tempestate. Libera nos Domine.
P912 A subitanea et improvisa morte. Libera nos Domine.
P913 A penis inferni, Libera nos Domine.
P914 A laqueis diaboli, Libera nos Domine.
P915 Per sanctam annunciationem tuam, Libera nos Domine.
P916 Per mysterium sancte incarnationis tue, Libera nos Domine.
P917 Per baptismum tuum, Libera nos Domine.
P918 Per ieiunium tuum, Libera nos Domine.
P919 Per passionem, crucem et mortem tuam, Libera nos Domine.
P920 Per gloriosam resurrectionem tuam, Libera nos Domine.
P921 Per admirabilem ascensionem tuam, Libera nos Domine.
P922 Per gratiam sancti Spiritus paracliti, libera nos Domine.
P923 In hora mortis, succurre nobis Domine.
P924 Peccatores, te rogamus audi nos.
P925 Ut pacem nobis dones, te rogamus audi nos.
P926 Ut misericordia et pietas tua nos custodiat, te rogamus audi nos.
P927 Ut ecclesiam tuam regere et defensare digneris, te rogamus audi nos.
P928 Ut fructus terre dare et conservare digneris, te rogamus audi nos.
P929 Ut mentes nostras ad celestia desideria erigas, te rogamus audi nos.
P930 Ut nos exaudire digneris, te rogamus audi nos.
P931 Fili Dei, te rogamus audi nos. Fili Dei, te rogamus audi nos. Fili Dei, te rogamus audi nos.
[La suite comme Saint-Brieuc 1506, sauf:]
P932 Agnus Dei qui tollis peccata mundi: miserere nobis, et dona nobis pacem.

Nantes c. 1560 (*Letania dicenda tempore quadragesimarum in absolutionibus*, P318)

ABSOLUTIONS GÉNÉRALES
DURANT LE CARÊME ET LE JOUR DE PÂQUES

P933 Propicius esto, parce nobis Domine.

P934 Ab omni malo, libera nos Domine.

P935 Ab insidiis Diaboli, libera nos Domine.

P936 Ab damnatione perpetua, libera nos Domine.

P937 Ab imminentibus peccatorum nostrorum periculis, libera nos Domine.

P938 Ab infestationibus demonum, libera nos Domine.

P939 A spiritu fornicationis, libera nos Domine.

P940 Ab ira et odio et omni mala voluntate, libera nos Domine.

P941 Ab immundis cogitationibus, libera nos Domine.

P942 Ab omni immunditia mentis et corporis, libera nos Domine.

P943 A fulgure et tempestate, libera nos Domine.

P944 A peste et fame, libera nos Domine.

P945 A morte subitania [sic] et improvisa, libera nos Domine.

P946 Per misterium sancte incarnationis tue, libera nos Domine.

P947 Per adventum tuum, libera nos Domine.

P948 Per nativitatem tuam, libera nos Domine.

P949 Per circuncisionem tuam, libera nos Domine.

P950 Per baptismum tuum, libera nos Domine.

P951 Per ieiunium tuum, libera nos Domine.

P952 Per passionem et crucem tuam, libera nos Domine.

P953 Per mortem et sepulturam tuam, libera nos Domine.

P954 Per gloriosam resurrectionem tuam, libera nos Domine.

P955 Per admirabilem ascensionem tuam, libera nos Domine.

P956 Per gratiam Spiritus Paracliti, libera nos Domine.

P957 In hora mortis, succurre nobis Domine.

P958 In die iudicii, libera nos Domine.

P959 Peccatores, te rogamus audi nos.

P960 Ut pacem nobis dones, te rogamus audi nos.

P961 Ut misericordia et pietas tua nos custodiat, te rogamus audi nos.

P962 Ut ecclesiam tuam regere et defensare digneris, te rogamus audi nos.

P963 Ut dominum apostolicum et omnes gradus ecclesiae in sancta religione conservare digneris, te rogamus audi nos.

P964 Ut regi et principibus nostris, pacem et veram concordiam donare digneris, te rogamus audi nos.

P965 Ut cunctum populum christianum, pretioso sanguine tuo redemptum, conservare digneris, te rogamus audi nos.

P966 Ut fructus terre dare, fructificare, et conservare digneris, te rogamus audi nos.

P967 Ut oculos misericordie tue super nos reducere digneris, te rogamus audi nos.

CHAPITRE III

P968 Ut omnibus benefactoribus nostris sempiterna bona retribuas, te rogamus audi nos.

P969 Ut animas nostras, parentum nostrorum, ab aeterna damnatione eripias, te rogamus audi nos.

P970 Ut omnibus fidelibus defunctis requiem aeternam dones, te rogamus audi nos.

P971 Ut nos exaudire digneris,te rogamus, audi nos.

P972 Fili Dei, te rogamus audi nos. Fili Dei, te rogamus audi nos. Fili Dei, te rogamus audi nos.

[La suite comme Saint-Brieuc 1506, sauf:]

P973 Agnus Dei qui tollis peccata mundi: miserere nobis, et dona nobis pacem.

Poitiers 1581 (*Sequitur Absolutio Quadragesime*, P419)

P974 Propitius esto, parce nobis Domine.

P975 Propitius esto, exaudi nos Domine.

P976 Ab omni malo, libera nos Domine.

P977 Ab omni peccato, libera nos Domine.

P978 Ab ira tua, libera nos Domine.

P979 A subitanea et improvisa morte, libera nos Domine.

P980 Ab insidiis diaboli, libera nos Domine.

P981 Ab ira et odio et omni mala voluntate, libera nos Domine.

P982 A spiritu fornicationis, libera nos Domine.

P983 A fulgure et tempestate, libera nos Domine.

P984 A morte perpetua, libera nos Domine.

P985 Per mysterium sanctae Incarnationis tuae, libera nos Domine.

P986 Per adventum tuum, libera nos Domine.

P987 Per nativitatem tuam, libera nos Domine.

P988 Per baptismum et sanctum ieiunium tuum, libera nos Domine.

P989 Per crucem et passionem tuam, libera nos Domine.

P990 Per mortem et sepulturam tuam, libera nos Domine.

P991 Per gloriosam resurrectionem tuam, libera nos Domine.

P992 Per admirabilem ascensionem tuam, libera nos Domine.

P993 Per adventum Spiritus sancti paracliti, libera nos Domine.

P994 In die judicii, libera nos Domine.

P995 Peccatores, te rogamus audi nos.

P996 Ut nobis parcas, te rogamus audi nos.

P997 Ut nobis indulgeas, te rogamus audi nos.

P998 Ut ad veram poenitentiam nos perducere digneris, te rogamus audi nos.

P999 Ut ecclesiam tuam sanctam regere et conservare digneris, te rogamus audi nos.

ABSOLUTIONS GÉNÉRALES
DURANT LE CARÊME ET LE JOUR DE PÂQUES

P1000 Ut dominum apostolicum et omnes ecclesiasticos ordines in sancta religione conservare digneris, te rogamus audi nos.

P1001 Ut inimicos sanctae ecclesiae humiliare digneris, te rogamus audi nos.

P1002 Ut regibus et principibus christianis pacem et veram concordiam donare digneris, te rogamus audi nos.

P1003 Ut cuncto populo christiano pacem et unitatem largire digneris, te rogamus audi nos.

P1004 Ut nosmetipsos in tuo sancto servitio confortare et conservare digneris, te rogamus audi nos.

P1005 Ut mentes nostras ad coelestia desideria erigas, te rogamus audi nos.

P1006 Ut omnibus benefactoribus nostris sempiterna bona retribuas, te rogamus audi nos.

P1007 Ut animas nostras, fratrum, propinquorum, et benefactorum nostrorum ab aeterna damnatione eripias, te rogamus audi nos.

P1008 Ut fructus terrae dare et conservare digneris, te rogamus audi nos.

P1009 Ut omnibus fidelibus defunctis requiem aeternam donare digneris, te rogamus audi nos.

P1010 Ut nos exaudire digneris, te rogamus audi nos.

P1011 Fili Dei, te rogamus audi nos.

P1012 Agnus Dei qui tollis peccata mundi, parce nobis Domine.

P1013 Agnus Dei qui tollis peccata mundi, exaudi nos Domine.

P1014 Agnus Dei qui tollis peccata mundi, miserere nobis.

P1015 Christe audi nos. Christe exaudi nos.

P1016 Kyrie eleïson…

P1017 Pater noster…

Romanum (Septem Psalmi Poenitentiales cum litaniis pro infirmis)[53]

P1018 Vannes 1618, 1631

(*Litania vetus, quae… tempore Quadragesimae… publice recitari solet*, P341) [Litanies romaines complètes sans additions]

P1019 A peste, fame et gladio, libera nos Domine.

Angers 1620, 1626, 1676, 1735 (*De Absolutionibus Quadragesimalibus*, P343) [Litanies romaines complètes avec addition ci-dessus].

P1020 Le Mans 1647, 1662, 1680

(*De Absolutionibus Quadragesimalibus*, P359) [Litanies romaines complètes]

---

[53] Le *Rituale Romanum Pauli V* ne contient pas d'absolutions générales; ces litanies pour les malades sont données ici à titre de comparaison et parce qu'elles apparaissent dans les prières litaniques.

178 CHAPITRE III

P1021 Ab immundis cogitationibus, libera nos Domine.

P1022 Ab ira et odio, et omni mala voluntate, libera nos Domine.

P1023 Ut remissionem peccatorum nostrorum nobis dones, te rogamus audi nos.

P1024 Ut compunctionem cordis, fontemque lachrymarum nobis dones, te rogamus audi nos.

P1025 Ut fidem, spem et charitatem nobis dones, te rogamus audi nos.

P1026 Ut antistitem nostrum, et omnes congregationes illi commissas in tuo sancto obsequio conservare digneris, te rogamus audi nos.

P1027 Ut regem nostrum custodire digneris, te rogamus audi nos.

> La Rochelle 1689-1744 (*Ordre pour l'absolution du Mercredy des Cendres… Ordre pour l'absolution du Jeudy Saint* P376, P377) [Litanies romaines incomplètes avec additions ci-dessus].

P1028 Ut veniam peccatorum nobis dones, te rogamus audi nos.

> Blois 1730 (*Absoute pour le mercredi des Cendres*, P169) [Litanies romaines incomplètes avec addition ci-dessus].

P1029 Ab immundis cogitationibus, libera nos Domine.

P1030 Ut remissionem peccatorum nostrorum nobis dones, te rogamus

P1031 Ut compunctionem cordis, fontemque lacrymarum nobis tribuas, te rogamus audi nos.

P1032 Ut nobis fidem, spem et charitatem largiaris, te rogamus audi nos.

P1033 Ut Antistitem nostrum, et omnes Congregationes illi commissas, in tuo sancto obsequio conservare digneris, te rogamus audi nos.

P1034 Ut regem nostrum custodire digneris, te rogamus audi nos.

> Sées 1744 (*Forma absolutionis faciendae… tempore Quadragesimae*, P395) [Litanies romaines complètes avec additions ci-dessus].

P1035 Ab immundis cogitationibus, libera nos Domine.

P1036 Ut remissionem peccatorum nostrorum nobis dones, te rogamus…

P1037 Ut compunctionem cordis fontemque lacrymarum nobis dones, te rogamus

P1038 Ut fidem, spem et charitatem nobis dones, te rogamus

P1039 Ut Antistitem nostrum, et omnes congregationes illi commissas, in tuo sancto obsequio conservare digneris, te rogamus audi nos.

P1040 Ut regem nostrum custodire digneris, te rogamus audi nos.

> Le Mans 1775 (*Ordre pour les Absolutions Quadragésimales*, P403) [Litanies romaines sans *ut nobis parcas…*, *Ut nobis indulgeas…* avec additions ci-dessus].

ABSOLUTIONS GÉNÉRALES
DURANT LE CARÊME ET LE JOUR DE PÂQUES

11. Oraisons et bénédictions

P1041   Adesto Domine supplicationibus nostris, et famulorum famularumque tuarum confessionem benignus assume, ut qui auxilium tue miserationis implorant, et sanctificationis gratiam et que pie precantur obtineant per.

Rennes c. 1510-1533.

Réf. Absent de Janini, Sac., PRG, Andrieu, Darragon, Deshusses.

P1042   Adesto Domine supplicationibus nostris, et me etiam qui tua misericordia primus indigeo, clementer exaudi : mihique quem non electione meriti, sed dono gratiae tuae operis hujus ministrum esse contulisti, et ipse in nostro ministerio, quod tuae pietatis est, munus operare. Per Christum.

Laon 1671-1782 (mer. cen.)

Réf. Cf. PRG II 61. Cf. Andrieu I, 216 ; III, 566. Absent de Deshusses.

P1043   Adesto Domine supplicationibus nostris, et me qui etiam misericordia tua primus indigeo, clementer exaudi, ut[a] quem non electione meriti[b], sed dono tue gratie, constituisti operis huius ministrum. Da fiduciam tui muneris exequendi, et ipse in nostro ministerio[c], quod tue pietatis[d] est operare. Per Christum. [aussi mer. cen.]

Le Mans c. 1505-1608. Amiens 1687. Angers 1543-1676. Arras 1600-1757. Avranches 1539. Bayeux 1577-1611. Beauvais 1544-1725. Bourges 1666-1746. La Rochelle 1689. Lisieux 1507-1524. Nantes c. 1556. Rouen 1640-1739. Sées 1744. Tours 1533. Vannes 1532-1631.

Réf. PRG II, 61. Andrieu I, 216 ; III, 566. Darragon 2553, 2568, 2605, 2643 etc. Absent de Janini, Sac., Deshusses.

Variantes. [a] ut] et Avr. Bou. Rou. Trs. – ut] *om.* Rou. 1771. Sées. – et michi An. Va. – et mihi Ar. LaR. Nan. – mihique Am. –[b] meriti] meritorum Rou. –[c] ministerio] misterio Va. –[d] pietatis] virtutis Lis.

P1044   Adesto Domine supplicationibus nostris, nec[a] sit[b] ab his famulis[c] tuis clementie tue longinqua miseratio, sana vulnera, eorumque remitte[d] peccata[e], ut nullis a te iniquitatibus separati[f], tibi Domino[g] semper[h] valeant adherere[i]. Per Christum…

Chartres 1490-1689 (mer. cen.). Angers 1543. Autun 1503-1545 (mer. cen.). Avranches 1539. Bayeux 1577-1611. Beauvais 1544. Béziers 1638. Blois 1730. Genève 1632 et 1667. Laon 1671-1782 (mer. cen.). La Rochelle 1689 (mer. cen.). Le Mans c. 1505. Limoges 1518. Poitiers 1581-1619, 1655-1766. Reims 1554-1677. Rennes c. 1510-1533. Rouen 1640-1739. Soissons 1694. Tours 1533. Vannes 1631. Romain (Lyon) 1629-1726[54].

---

54   Molin Aussedat n° 1650, 1651bis, 1653, 1656, 1658…

180 CHAPITRE III

Réf. PRG II, 19, 244, 278. Andrieu III, 555. Darragon 2551, 2562, 2576, 2601 etc. Deshusses 1381.
Variantes. [a] nec] ut non Ren. –[b] sit] desit Lim. – [c] et famulabus] *add.* Po. 1766. –[d] remitte] dimitte Bea. Lim. Rei. Ren. Rou. Soi. Va. –[e] et] *add.* Rei. –[f] nullis… separati] ab omnibus iniquitatibus expiari Va. – separentur] Rei. –[g] Domino] Domine Va. – Deo] *add.* Ren. – Deo nostro] *add.* Avr. Rou. –[h] semper] *om.* Lao. Rou. –[i] adherere] adhibere Lem.

P1045 Benedicat vos Deus Pater[a] Sanet vos Dei Filius[a]. Illuminet vos Spiritus Sanctus. R. Amen. Corpora vestra custodiat[a], animas vestras salvet[a], corda vestra irradiet[b][a], sensus vestros dirigat, et ad eternam vitam vos perducat. Qui trinus et unus vivit et regnat in secula seculorum[c]. R. Amen.

Maguelonne 1526-1533. Béziers 1638. Genève 1632. Poitiers 1581-1619, 1655-1766. Lyon (*Romanum*) 1629-1726.
Réf. Cf. Andrieu III, 486. Absent de Janini, Sac., PRG, Darragon, Deshusses.
Variantes. [a] Amen] *add.* Bé. Ge. Ly. Po. –[b] irradiet] irradiat Bé. Ge. Ly. Po. –[c] Qui… seculorum] qui in Trinitate perfecta vivit et regnat Deus. Per omnia secula seculorum Bé. Ge. Ly. Po.

P1046 Benedicat vos Deus Pater, amen. Sanet vos Dei Filius, amen. Illuminet vos Spiritus Sanctus, amen. Corpora vestra salvet, amen. Animas vestras dirigat, amen. Corda vestra irradiet, amen. Oculos vestros illuminet, amen. A potestate demonum vos eripiat, amen. Et ad beatitudinem angelorum vos perducat. Amen.

Narbonne 1545.
Réf. Andrieu III, 606. Absent de Janini, Sac., PRG, Darragon, Deshusses.

P1047 Benedictio Dei Patris omnipotentis Filii et Spiritus Sancti descendat super vos, et maneat semper. Amen.

Narbonne 1545.
Réf. PRG I, 291. Andrieu III, 606. Darragon 811, 828, 3859, 5140 etc. Absent de Janini, Sac., Deshusses.

P1048 Benedictio Domini nostri I. C. descendat super vos, et maneat semper, in nomine Patris…

Paris 1552-1601. Chartres 1680. Limoges 1596. Metz 1605. Orléans 1726. Reims 1585. Sées 1744.
Réf. Cf. PRG I, 291. Absent d'Andrieu, Deshusses.

P1049 Concede quesumus omnipotens Deus, ut intercessio nos sancte Dei genitricis Marie sanctorumque omnium celestium virtutum, angelorum, archangelorum, et beatorum patriarcharum, prophetarum, apos-

ABSOLUTIONS GÉNÉRALES
DURANT LE CARÊME ET LE JOUR DE PÂQUES

tolorum, martyrum, confessorum atque virginum, omnium electorum tuorum ubique letificet, ut dum eorum merita commemoramus, patrocinia sentiamus. Per Christum.

Narbonne 1545, 1736.

Réf. Olivar 880. Deshusses 1243, 1882. Absent de Janini, Sac., PRG, Andrieu, Darragon.

1050 Deus a quo sancta desideria, recta consilia, et iusta sunt opera, da servis tuis illam quam mundus dare non potest pacem, ut et corda nostra mandatis tuis dedita et hostium sublata formidine, tempora sint tua protectione tranquilla[a].

Rennes c. 1510-1533. Béziers 1638. Genève 1632. Poitiers 1581-1619, 1655-1766.

Réf. Darragon 1104, 7881, 7942, 8397. Deshusses 1343, 2575, 2581. Absent de Janini, Sac., PRG, Andrieu.

Variante. [a] Per Christum dominum nostrum] *add.* Po.

1051 Deus cui proprium est misereri semper et parcere, suscipe deprecationem nostram, ut[a] quos delictorum cathena constringit, miseratio tue pietatis[b] absolvat.

Saint-Brieuc 1506. Béziers 1638. Blois 1730. Genève 1632. Maguelonne 1526-1533. Narbonne 1545. Poitiers 1581-1619, 1655-1766. Rennes c. 1510-1533. Saint-Malo 1557. Tours 1533. Strasbourg c. 1490-1590 (mer. cen.).

Réf. PRG I, 320. Darragon 1310, 2505, 6961, 6976, 7940. Deshusses 851, 1327, 2686. Cf. Andrieu III, 611. Absent de Janini, Sac.

Variantes. [a] ut] et famulos tuos] Mag. – nos et omnes famulos tuos] *add.* Bl. –[b] clementer] *add.* Bl.

1052 Deus cuius indulgentia omnes indigent, memento Domine famulorum famularumque tuarum, et qui lubrica terrenaque corporis fragilitate circundantur, quesumus, ut des veniam confitentibus, parce supplicantibus, ut qui in nostris meritis accusamur tua miseratione salvemur. Per.

Vannes 1532.

Réf. Cf. PRG II, 20, 236. Darragon 2564, 7861, 8170. Cf. Deshusses 3969. Absent de Janini, Sac., Andrieu.

1053 Deus humani generis benignissime conditor, et misericordissime reformator, qui hominem invidia diaboli ab eternitate deiectum, unici filii tui sanguine redemisti, vivifica hos famulos tuos quos tibi nullatenus mori desideras, et qui non derelinquis[a] devios, assume correctos, moveant pietatem tuam quesumus Domine horum famulorum tuorum[b] lacrimosa[c] suspiria, tu eorum medere vulneribus[d]. Tu iacentibus manum porrige salutarem, nec[e] Ecclesia tua aliqua[f] sui corporis portione vastetur[g], ne grex tuus detrimentum sustineat[h], ne de fa-

182 CHAPITRE III

milie tue damno inimicus exultet, ne renatos lavacro[i] salutari mors
secunda possideat. Tibi ergo Domine supplices preces[j][k], tibi fletum
cordis effundimus. Tu parce confitentibus, ut sic in hac mortalitate
peccata sua, te adiuvante, defleant, quatinus[l] in tremenda[m] iudicii
die, sententiam damnationis eterne evadant, et nesciant quod terret in
tenebris, quod stridet in flammis, atque ab erroris via ad iter reversi[n]
iustitie, nequaquam vulneribus ultra[o] saucientur, sed integrum sit eis
atque perpetuum[p], et quod gratia tua contulit, et quod misericordia
tua[q] reformavit. Per.

Beauvais 1544-1725. Amiens 1687. Angers 1676-1735 (*In die Jovis sancta*). Arras 1600.
Laon 1671-1782. La Rochelle 1689. Sées 1744.

Réf. Cf. PRG II, 64. Cf. Andrieu III, 567.

Variantes. [a] derelinquis] dereliquisti Sée. – [b] tuorum] *om.* An. Ar. Sée. – [c] lacrymosa]
Am. An. Ar. Sée. – [d] vulneribus] languoribus Ar. – [e] nec] ne Am. An. Ar. Lao.
LaR. Sée. – [f] aliqua] aliqui Lao. – [g] vastetur] privetur Lao. – [h] sustineat] patiatur
Ar. – [i] lavacro] lavachro Ar. Sée. – [j] preces] *om.* Am. – offerrimus] *add.* Ar. – [k] et] *add.*
An. LaR. – [l] quatinus] qualiter An. – [m] tremenda] tremendi Am. – ut sic... tremenda]
et praesta, ut sic in hac mortalitate peccata sua, te adjuvante, defleant, quatenus in
tremendi] Lao. – [n] reversi] reversuri Am. An. Sée. – [o] vulneribus ultra] ultra novis
vulneribus Ar. Sée. – ultra peccatorum vulneribus] Lao. – [p] perpetuum] perfectum
Lao. – [q] tua] *om.* Am. An. Ar. LaR.

P1054 Deus humani generis benignissime conditor, et misericordissime reformator, qui hominem invidia dyaboli ab eternitate deiectum, unici
filii tui sanguine redemisti, vivifica hos famulos tuos quos tibi nullatenus mori desideras, et qui non derelinquis devios, assume correctos,
moneant [*sic*][a] quesumus Domine pietatem tuam horum famulorum
lachrymosa suspiria, tu eorum medere languoribus[b], tu iacentibus
manum porrige salutarem, ne Ecclesia tua aliqua sui corporis portione
vastetur, ne grex tuus detrimentum sustineat, ne de familie tue damno
inimicus exultet, ne renatos lavachro salutari mors secunda possideat.
Tibi ergo Domine supplices preces, tibi gemitum[c] cordis effundimus,
tu parce confitentibus, ut imminentibus penis sententiam futuri iudicii
te miserante non incidant, nesciant quod terret in tenebris, quod stridet
in flammis, atque ab erroris via ad iter reversuri iustitie, nequaquam[d]
vulneribus novis saucientur, sed integrum sit eis atque perpetuum, et
quod gratia tua contulit, et quod misericordia reformavit. Per.

Vannes 1532. Bourges 1666-1746.

Réf. Andrieu III, 567. Darragon 7838. Cf. PRG II, 64. Absent de Janini, Sac.

Variantes. [a] moneant] moveant Bou. – [b] languoribus] vulneribus Bou. – [c] gemitum]
fletum Bou. – [d] ultra] *add.* Bou.

ABSOLUTIONS GÉNÉRALES
DURANT LE CARÊME ET LE JOUR DE PÂQUES

1055 Deus infinite misericordie veritatisque immense, propiciare iniquitatibus nostris, et[a] animarum nostrarum medere languoribus, ut[b] remissione percepta, in tua semper benedictione letemur. Per.

Rennes c. 1510-1533. Arras 1600-1757. Nantes c. 1556. Vannes 1532.

Réf. PRG II, 62. Andrieu I, 216. Darragon 2566, 2681, 3039, 7813 etc. Deshusses 3958. Absent de Janini, Sac.

Variantes. [a] omnibus] *add.* Ar. –[b] miserationum tuarum] *add.* Ar. Nan.

1056 Deus misericors, Deus clemens qui secundum multitudinem miserationum tuarum peccata penitentium deles, et preteritorum criminum culpas venia remissionis evacuas. Respice[a] super huos famulos, et remissionem[b] omnium peccatorum suorum tota cordis confessione poscentes[c] exaudi. Renova in eis piissime pater, quidquid terrena fragilitate corruptum est[d], vel quidquid dyabolica fraude violatum[e], et in unitate Ecclesie tue membra corporis percepta remissione restitue[f]. Miserere Domine gemituum[g], miserere Domine lacrimarum[h], et non habentes fiduciam nisi in tua misericordia, ad sacramentum reconsiliationis [*sic*] admitte[i]. Per Christum[55].

Lisieux 1507-1524. Bourges 1666-1746. Rouen 1640-1651.

Réf. PRG II, 276. Andrieu III, 567. Darragon 2573, 2727, 2910, 2965 etc. Deshusses 1396, 3977. Absent de Janini, Sac.

Variantes. [a] propitius] *add.* Bou. –[b] sibi] *add.* Bou. Rou. –[c] deprecatus] *add.* Bou. Rou. –[d] est] *om.* Rou. –[e] est] *add.* Bou. Rou. –[f] et in... restitue] et unitatis corporis Ecclesiae membrum redemptionis annecte Bou. –[g] et in unitate... gemituum] *om.* Rou. –[h] eorum] *add.* Bou. –[i] et in unitate corporis Ecclesiae tuae membrum perfecta remissione restitue] *add.* Rou.

1057 Deus qui culpa offenderis, penitentia placaris, preces populi tui supplicantis propicius respice, et flagella tue iracundie que pro peccatis nostris meremur averte. Per Christum.

Maguelonne 1526-1533. Vannes 1618-1631.

Réf. Darragon 7909, 8690. Deshusses 158, 863, 2687. Absent de Janini, Sac., PRG, Andrieu.

1058 Deus qui humili actione flecteris et satisfactione placaris, aurem tue pietatis inclina precibus nostris, et capitibus servorum tuorum, horum cinerum aspersione attactis, effunde propicius gratiam tue benedictionis : ut eos et spiritu compunctionis repleas, et que postulaverint efficaciter concedas et concessa perpetua stabilitate manere intacta decernas.

Autun 1503-1545 (mer. cen.)

Réf. Cf. PRG II, 22.

---

[55] Oraison souvent utilisée pour l'Extrême-onction.

184 CHAPITRE III

P1059 Deus qui iustificas impium, et non vis mortem peccatorum, maiestatem tuam suppliciter deprecamur, ut famulos tuos de tua misericordia confidentes, celesti protegas benignus auxilio, et assidua protectione conserves, ut tibi iugiter famulentur, et nullis tentationibus a te separentur. Per Christum.

Narbonne 1545.
Réf. Andrieu III, 546. Darragon 2737, 6830. Deshusses 1289, 2358. Absent de Janini, Sac., PRG.

P1060 Deus qui mundum in peccati fovea iacentem erexisti, Deus qui leprosos et aliis irretitos contagiis sacerdotum iudicio mundari precepisti, Deus qui per manus impositionem animarum et corporum egritudinem effugasti, idemque opus discipulos tuos eorumque successores agere iussisti, exaudi preces nostras pro famulis et famulabus tuis morbo criminum hactenus tabescentibus et manum pietatis tue manui nostre superpone, ut per manuum nostrarum impositionem, te operante, infundatur in eis gratia Spiritus Sancti, descendat super eos celestis benedictio, tribuatur eis peccatorum remissio, cunctorumque scelerum piacula relaxentur et tuorum carismatum munera affluentius conferantur. Per Christum.

Lisieux 1507-1524.
Réf. Cf. PRG II, 63, 268. Cf. Darragon 3301, 8055, 8295. Absent de Janini, Sac., Andrieu, Deshusses.

P1061 Deus qui peccantium animas non vis perire, sed culpas: contine quam meremur iram, et quam precamur super nos effunde clementiam, ut de merore gaudium gratie tue consequi mereamur. Per Christum Dominum nostrum. Amen.

Tours 1533.
Réf. PRG I, 320. Darragon 6960. Deshusses 861. Absent de Janini, Sac., Andrieu.

P1062 Deus sub cuius oculis omne cor trepidat omnesque conscientie contremiscunt[a], propiciare[b] omnium gemitibus et cunctorum medere vulneribus[c], et[d] sicut nemo nostrum liber est a culpa, ita nemo sit alienus a venia. Per[e].

Saint-Brieuc 1506. Arras 1600-1757. Saint-Malo 1557. Vannes 1532.
Réf. PRG II, 62, 236, 275. Andrieu I, 217; II, 481. Darragon 2565, 2595, 2680, 2740 etc. Deshusses 2520, 3959. Absent de Janini, Sac.
Variantes. [a] contremescunt] Va. –[b] propitiare] Va. –[c] vulneribus] languoribus Va. – et cunctorum… vulneribus] *om.* Ar. –[d] et] ut Ar. Va. –[e] Per] Per Christum Dominum nostrum I. C. filium tuum, qui tecum vivit et regnat in unitate Spiritus Sancti Deus. Per omnia secula seculorum. Amen. SMa.

ABSOLUTIONS GÉNÉRALES
DURANT LE CARÊME ET LE JOUR DE PÂQUES

185

1063 Domine Deus noster[a], qui offensione nostra non vinceris, sed[b] satisfactione placaris, respice quesumus[c] ad[d] hos famulos[e] qui se tibi peccasse[f] graviter confitentur[g], tuum est[h] absolutionem[i] criminum dare, et veniam prestare peccantibus[j], qui dixisti penitentiam te malle peccatorum[k] quam mortem. Concede ergo Domine his[l], ut tibi penitentie excubias celebrent[m], et correctis[n] actibus suis, conferri sibi[o] ad[p] te sempiterna gaudia gratulentur[q]. Per Dominum.

Chartres 1490-1689 (mer. cen.). Amiens 1687. Angers 1543. Avranches 1539. Bayeux 1577-1611. *Béziers 1638.* Blois 1730. Genève 1632 et 1667. Laon 1671-1782 (mer. cen.). La Rochelle 1689. Lisieux 1507-1524. Le Mans c. 1505-1608. Poitiers 1581-1619, 1655-1766. Reims 1554-1585. *Romain* (Lyon) 1629-1667. Rouen 1640-1739. Saint-Brieuc 1506. Saint-Malo 1557. Soissons 1694. Tours 1533. Vannes 1618-1631.

Réf. PRG II, 244. Andrieu III, 555. Darragon 2552, 2563, 2602, 7807 etc. Deshusses 1382, 3954. Absent de Janini, Sac.

Variantes. [a] noster] *om.* Lao. –[b] sed] *om.* Lis. –[c] quesumus] propitius Po. –[d] ad] *om.* Trs. –[e] tuos] *add.* Am. LaR. Po. 1766. SBr. SMa. –[f] peccasse] deliquisse Lis. – [g] quia] *add.* Lao. –[h] Domine] *add.* Soi. – enim] *add.* An. Avr. LaR. Lem. Po. Rei. Rou. SBr. SMa. Trs. –[i] absolutionem] ablutionem An. –[j] peccantibus] precantibus Po. –[k] peccatorum] *om.* Lao. Trs. –[l] his] *om.* Lao. Rei. – hec] Lis. – hoc] SBr. SMa. – quaesumus] *add.* Rei. 1554. –[m] celebrent] concelebrent Lis. –[n] correctis] correptis Bl. Ch. 1689 –[o] sibi] *om.* Rei. 1554. –[p] ad] a Am. Cha. 1680. Lao. Lis. Po. Rei. Rou. SBr. SMa. Trs. Va. –[q] gratulentur] *om.* An.

1064 Domine Deus omnipotens rex regum et dominus dominantium respice super famulos tuos remissionem sibi omnium peccatorum suorum tota cordis confessione poscentes deprecatus exaudi, et renova in eis piissime pater quicquid terrena fragilitate corruptum vel quicquid diabolica fraude violatum est, et in unitate corporis Ecclesie tue membrorum perfecta remissione restitue, miserere illorum Domine gemituum miserere lacrimarum et non habentes fiduciam nisi in tua misericordia, ad sacramentum reconsiliationis [*sic*] admitte. Per Christum.

Rennes c. 1510-1533.

Réf. Cf. Andrieu I, 192(36). Absent de Janini, Sac., PRG, Darragon, Deshusses.

1065 Domine sancte pater omnipotens eterne Deus qui vulnera nostra curare dignatus es, te supplices rogamus ac petimus nos humiles tui sacerdotes, ut precibus nostris aures tue pietatis inclinare digneris, atque ad omnium confessionem movearis, remittasque omnia crimina et peccata universa condones, desque famulis his et famulabus tuis Domine pro suppliciis veniam, pro merore leticiam, pro morte vitam, ut qui ad tantam spem celestis apicis devoluti sunt, de tua misericordia confi-

186 CHAPITRE III

dentes, ad bona paciferi premii tui atque ad celestia dona pervenire mereantur. Per Christum.

Lisieux 1507-1524.
Réf. Darragon 2571, 8061. Absent de Janini, Sac., PRG, Andrieu, Deshusses.

P1066 Ecclesiae tuae quesumus Domine preces placatus admitte, ut destructis adversitatibus et erroribus universis, secura tibi deserviat libertate. Per Dominum.

Poitiers 1581-1619, 1655-1766. Béziers 1638. Genève 1632.
Réf. Cf. Deshusses 1357, 2651. Absent de Janini, Sac., PRG, Andrieu.

P1067 Eripiat nos quesumus Domine tuorum deprecatio sanctorum et sicut per Moysen famulum tuum peccata dimisisti, ita per intercessionem omnium sanctorum tuorum nostra omnium iubeas relaxari peccata. Qui vivis.

Strasbourg c. 1490-1590 (mer. cen.)
Réf. Deshusses 4389. Absent de PRG, Andrieu.

P1068 Exaudi Domine[a] preces nostras[b], et confitentium[c] tibi parce peccatis, ut quos conscientie reatus accusat, indulgentia[d] tue miserationis absolvat. Per Christum.

Chartres 1490-1689 (mer. cen.). Amiens 1687. Angers 1543. Avranches 1539. Bayeux 1577-1611. Beauvais 1544. Béziers 1638. Genève 1632. Laon 1671-1782. La Rochelle 1689. Le Mans c. 1505-1608. Limoges 1518. Lisieux 1507-1524. Rom. (Lyon) 1629-1726[56]. Meaux 1546. Nantes c. 1556. Poitiers 1581-1619, 1655-1766. Reims 1554-1585. Rennes c. 1510-1533. Rouen 1640-1771. Sées 1695. Soissons 1694. Tours 1533. Vannes 1631.
Réf. PRG II, 19, 62, 243, 273. Andrieu I, 216 ; III, 555. Darragon 2630, 2656, 2708, 2741, 3752 etc. Deshusses 1379, 3951. Absent de Janini, Sac.
Variantes. [a] quesumus] *add.* Am. An. Lis. Rei. Rou. Va. –[b] preces nostras] supplicum preces Am. Bea. Lem. Rei. Rou. Sé. Soi. –[c] confitentium] confitentum Ren. –[d] indulgentia] indulgentiae Po.

P1069 Exaudi quesumus[a] Domine supplicum preces, et confitentium tibi parce peccatis, ut pariter nobis[b] indulgentiam tribuas benignus et pacem. Per Christum Dominum nostrum. Amen.

Maguelonne 1526-1533. Angers 1543. Narbonne 1545.
Réf. Cf. PRG II, 273. Cf. Andrieu I, 273. Absent de Janini, Sac., Darragon, Deshusses.
Variantes. [a] quesumus] *om.* An. –[b] nobis] eis An.

P1070 Maiestatem tuam supplices Domine deprecamur[a], ut his famulis tuis longo squalore penitentie maceratis, miserationis tue veniam largiri

---

56   Molin Aussedat n° 1650, 1651bis, 1653, 1656 etc.

ABSOLUTIONS GÉNÉRALES
DURANT LE CARÊME ET LE JOUR DE PÂQUES

digneris, ut, nuptiali veste recepta, ad regalem mensam, unde eiecti fuerant, mereantur introire. Per[57].

Lisieux 1507-1524. Bourges 1666-1746.
Réf. Andrieu I, 267; II, 485. Darragon 2574, 2728, 2745, 3069 etc. Deshusses 1397, 3978.
Absent de Janini, Sac., PRG.
Variante. [a] omnipotens aeterne Deus] *add.* Bou.

1071 Miserere quesumus Domine Deus famulis tuis et continuis tribulationibus laborantes celeri propiciatione leticia[a]. Per Dominum nostrum.

Autun 1503-1545 (mer. cen.)
Réf. Absent de Janini, Sac., PRG, Andrieu, Deshusses.
Variante. [a] leticia] laetifica Aut. 1545.

1072 Misertus et propicius sit vobis omnipotens Deus. R. Amen. V. Dimittat vobis omnia peccata vestra. Amen. V. Liberet vos ab omni malo. Amen. V. Conservet et confirmet vos in omni opere bono. Amen. V. Et perducat vos pius dominus ad vitam eternam. Amen. Misericordia Dei omnipotentis per merita et suffragia sanctorum custodiat vos omni tempore : et pietas illius consequatur vos omnibus diebus vite vostre.

Limoges 1518 (mer. cen.)
Réf. Absent de PRG, Andrieu.

1073 Omnipotens et misericors[a] Deus qui peccatorum indulgentiam in confessione sceleri[b] posuisti, succurre lapsis, miserere confessis, ut quos delictorum cathena constringit, magnitudo[c] tue pietatis absolvat. Per Christum.

Chartres 1490-1689 (mer. cen.). Beauvais 1544-1725. La Rochelle 1689-1744. Sées 1744.
Réf. PRG II, 62. Andrieu I, 217. Deshusses 2722, 3967. Absent de Janini, Sac.
Variantes. [a] et misericors] sempiterne Bea. -[b] sceleri] sceleris Bea. -[c] magnitudo] miseratio Bea. LaR.

1074 Omnipotens sempiterne Deus confitentibus[a] his[b] famulis tuis pro tua[c] pietate peccata relaxa, ut non plus eis noceat conscientie reatus[d] ad penam, quam indulgentia tue pietatis prosit[e] ad veniam. Per Christum.

Chartres 1490-1689 (mer. cen.). Arras 1600-1757. Beauvais 1544-1725. Blois 1730. Laon 1671-1782. Rennes c. 1510-1533. Sées 1744.
Réf. PRG II, 20, 62, 245. Andrieu I, 65, 217. Cf. Deshusses 2719, 3966. Absent de Janini, Sac.
Variantes. [a] tibi] *add.* Bea. Ren. -[b] his] *om.* Lao. -[c] pro tua] perpetua Ren. - [d] conscientie reatus] culpa carnis Ren. -[e] prosit] valeat Ren.

---

57   Oraison souvent employée pour l'Extrême-onction.

188 CHAPITRE III

P1075 Omnipotens sempiterne Deus miserere famulis et famulabus tuis, et dirige eos secundum tuam clementiam in viam salutis eterne, ut te donante, tibi placita cupiant, et tota virtute perficiant. Per.

Narbonne 1545.
Réf. PRG II, 227. Deshusses 1293, 2381. Absent de Janini, Sac., Andrieu.

P1076 Omnipotens sempiterne Deus qui facis mirabilia magna solus, pretende super famulos tuos et super cunctas congregationes illis commissas spiritum gratie salutaris, et ut in veritate tibi placeant, perpetuum eis rorem tue benedictionis infunde. Per.

Rennes c. 1510-1533.
Réf. PRG I, 75. Andrieu III, 400. Absent de Janini, Sac., Deshusses.

Omnipotens sempiterne Deus qui peccatorum…
Voir: Omnipotens et misericors Deus qui peccatorum…

P1077 Parce confessis, ignosce nostris omissis, sit in nobis non tantum confessio oris sed et doloris, non excusatio criminum, sed lamentatio peccatorum, et quoniam me eadem quae eos catena peccati constringit, non obsit eis oratio subiugata peccatis, per me eorum offertur votum, sed per te meum in absolutione eorum et mea complaceat officium: suscipe votorum nostrorum precamina, ut quicquid in subditos correctionis verbo vel ministerio impartimur, non ad discordiam nostri, sed ad perpetuum dulcedinis gaudium et nobis et illis prefecisse laetemur. Per Christum Dominum.

Arras 1600.
Réf. Absent de PRG, Andrieu, Deshusses.

P1078 Parce Domine parce peccatis nostris, et quamvis incessabiliter delinquentibus continua pena debeatur, presta quesumus, ut quod ad perpetuum meremur exitium, transeat ad correctionis auxilium. Per Christum.

Strasbourg c. 1490-1590 (mer. cen.)
Réf. Deshusses 2485. Absent de PRG, Andrieu.

P1079 Praesta Domine fidelibus tuis: ut jejuniorum veneranda solemnia, et congrua pietate suscipiant, et secura devotione percurrant. Per Christum[58].

Chartres 1680 (mer. cen.)
Réf. Deshusses 154. Absent de PRG, Andrieu.

---

[58] Formule dite durant la procession du Mercredi des Cendres classée ici par erreur (P168).

ABSOLUTIONS GÉNÉRALES
DURANT LE CARÊME ET LE JOUR DE PÂQUES

1080 Precamur[a] Domine clementiam tue maiestatis ac nominis, ut his[b] famulis et famulabus tuis peccata et facinora sua confitentibus veniam dare et preteritorum criminum errata relaxare digneris, ut[c] qui humeris tuis ovem perditam reduxisti ad caulas, qui publicani precibus vel[d] confessione placatus es, tu etiam[e] famulis et famulabus tuis placare, tu eorum precibus benignus assiste, ut in confessione flebili permanentes, clementiam tuam celeriter exorent, et sanctis altaribus tuis restituti, spei rursus eterne et celesti glorie reformentur. Per.

Rennes c. 1510-1533. Vannes 1532.

Réf. Andrieu III, 566. Absent de Janini, Sac., PRG, Deshusses.

Variantes. [a] Precamur] Precor Va. –[b] his] hiis Va. –[c] ut] *om.* Va. –[d] et] Va. –[e] Domine hiis] *add.* Va.

1081 Preces populi tui quesumus Domine clementer exaudi, ut qui iuste pro peccatis nostris affligimur, pro tui nominis gloria misericorditer liberemur. Per.

Narbonne 1545.

Réf. Deshusses 144, 196, 2703. Absent de Janini, Sac., PRG, Andrieu.

Precor Domine clementiam... *Voir* : Precamur Domine...

1082 Precor, Domine, tuae clementiam malestatis, ut his famulis tuis peccata et facinora sua confitentibus veniam praestare et praeteritorum criminum vincula relaxare digneris, qui humeris tuis ovem perditam reduxisti, tu etiam Domine, his famulis tuis placare; tu horum precibus benignus assiste : ut in confessione flebili permanentes, clementiam tuam celeriter exorent, ac sanctis altaribus restituti, spei rursus aeternae caelestique gloriae reformentur, qui vivis et regnas cum Deo...

Bourges 1666-1746.

Réf. PRG II, 20, 237. Cf. Andrieu III, 566. Cf. Deshusses 3960.

1083 Presta quesumus Domine[a] his famulis tuis[b] dignum penitentie fructum, ut Ecclesie tue sancte[c], a cuius integritate deviarant[d] peccando[e], admissorum[f] veniam consequendo reddantur innoxii[g]. Per.

Vannes 1532-1631. Amiens 1687. Angers 1543-1735. Arras 1600. Avranches 1539. Bayeux 1577-1611. Beauvais 1544-1725. Bourges 1666-1746. La Rochelle 1689. Laon 1671-1782. Lisieux 1507-1524. Nantes c. 1556. Rouen 1640-1651. Sées 1695-1744.

Réf. PRG II, 62, 276. Deshusses 1384, 3964. Cf. Andrieu I, 65, 274 ; III, 566, 611. Absent de Janini, Sac.

190 CHAPITRE III

Variantes. [a] Domine] omnipotens Deus An. LaR. –[b] his famulis tuis] huic famulo tuo Bor. –[c] sancte] *om.* Rou. Sé. – reconciliati] *add.* Am. –[d] deviarant] deviarat Bor. – deviarunt Am. Bea. Lao. Lis. Nan. Rou. – deviaverant] Bou. –[e] peccando] peccato Sées. –[f] admissorum] amissorum Avr. – commissorum Bor. – omissorum Ar. Nan. –[g] reddantur innoxii] reddatur innoxius Bor. – veniam... innoxii] reddantur innoxii ac veniam consequantur Bea. – reddantur innoxii, veniam consequendo Lao. Rou.

P1084 Pretende Domine[a] famulis et famulabus tuis dexteram celestis auxilii, ut te toto corde perquirant, et que tibi[b] digne postulant assequantur.

Rennes c. 1510-1533. Narbonne 1545.
Réf. Deshusses 1300. Cf. Deshusses 255, 887. Absent de Janini, Sac., PRG, Andrieu.
Variantes. [a] misericordiam tuam] *add.* Nar. –[b] tibi] *om.* Nar.

P1085 Pretende Domine quesumus his famulis tuis fructum penitentie dignum ut ecclesie tue reconsiliati [*sic*] a cuius integritate deviarunt peccando admissorum veniam consequando reddantur innoxii. Per.

Rennes c. 1510-1533.
Réf. Absent de Janini, Sac. PRG, Andrieu, Deshusses.

P1086 Preveniat hos famulos tuos, quesumus Domine, misericordia tua, ut[a] omnes iniquitates eorum sceleri[b] indulgentia deleantur[c]. Per Christum Dominum.

Chartres 1490-1689 (mer. cen.). Angers 1543. Avranches 1539. Bayeux 1577-1611. Beauvais 1544. Béziers 1638. Genève 1632. Laon 1671-1782 (mer. cen.). La Rochelle 1689-1744. Le Mans c. 1505. Limoges 1518. Nantes c. 1556. Poitiers 1581-1619, 1655-1766. Reims 1554-1585. Rennes c. 1510-1533. Rouen 1640-1739. Soissons 1694. Tours 1533. Vannes 1618-1631. Romain (Lyon) 1629-1652.
Réf. Deshusses 1380, 3952. Absent de Janini, Sac., PRG, Andrieu.
Variantes. [a] ut] et Nan. Po. Rou. –[b] sceleri] celeri An. Bea. Char. 1680. Lao. LaR. Lem. Lim. Nan. Po. Rei. Ren. Rou. Trs. –[c] deleantur] consequentur Po. – celerem indulgentiam consequantur] Po. 1766.

P1087 Ure igne Sancti Spiritus renes nostros et cor nostrorum Domine, ut tibi casto corpore serviamus, et mundo corde placeamus. Per Dominum nostrum.

Poitiers 1581-1619, 1655-1766. Béziers 1638. Genève 1632 et 1667. Romain (Lyon) 1629-1652.
Réf. Absent de Janini, Sac., PRG, Andrieu, Deshusses.

ABSOLUTIONS GÉNÉRALES
DURANT LE CARÊME ET LE JOUR DE PÂQUES

12. Absolutions générales et prières d'accompagnement durant le Carême, y compris le Mercredi des Cendres, le jour de Pâques, et pour les Confessions générales[59]

Contrairement aux absolutions utilisées pour la confession privée, une bonne partie des formules d'absolutions générales ne comportent pas la formule *Ego te absolvo…*

Une même formule peut être modifiée plusieurs fois dans un même diocèse, par exemple à Paris, la formule *Dominus noster I. C. qui dixit discipulis suis…* (P1113), remaniée six fois entre 1552 et 1697.

1088 Absolutionem et remissionem omnium peccatorum vestrorum largiatur vobis omnipotens pater, pius, et misericors Dominus. Amen.

Reims 1554 (mer. cen.)
Réf. Absent de PRG, Andrieu.

1089 Absolutionem et remissionem omnium peccatorum vestrorum percipere[a] mereamini a Domino Deo hic et in eternum[b]. In nomine Patris et Filii et Spiritus sancti[c]. Amen.

Rennes c. 1510-1533. Beauvais 1544. Nantes c. 1556. Tours 1533-1570. Vannes 1532-1596.
Réf. Darragon 2718, 2770, 3213 etc. Cf. Andrieu I, 86. Absent de Janini, Sac., PRG, Deshusses.
Variantes. [a] percipere] accipere Bea. –[b] eternum] futurum Va. – hic et in eternum] *om.* Bea. –[c] In nomine… sancti] Qui vivit et regnat. Per omnia secula seculorum Bea. – In nomine…] *om.* Nan. Va.

1090 Absolutionem et remissionem omnium peccatorum vestrorum, spatium verae penitentiae, et emendationem vitae, gratiam et consolationem sancti Spiritus, tribuat vobis omnipotens et misericors Dominus. Amen.

Rouen 1640-1739 (mer. cen.).
Réf. Absent de Janini, Sac., PRG, Andrieu, Deshusses.

1091 Absolutionem et remissionem omnium peccatorum vestrorum[a], spacium vere penitentie, et emendationem vite[b], tribuat vobis omnipotens[c] Deus[d]. Amen.

Saint-Brieuc 1506. Beauvais 1637. Rouen 1640-1651 (Jeudi Saint). Saint-Malo 1557. Sées 1744.
Réf. Darragon 2546, 7818, 7847, 7872. Absent de Janini, Sac., PRG, Andrieu, Deshusses.
Variantes. [a] et] *add.* Rou. –[b] et emendationem vite] *om.* Rou. –[c] et misericors] *add.* Rou. –[d] In nomine Patris, et Filii, et Spiritus Sancti] *add.* Bea. SMa.

---

[59] Formules utilisées pour les confessions et les absolutions générales.

CHAPITRE III

P1092 Absolutionem et remissionem omnium peccatorum vestrorum tribuat vobis omnipotens[a] pius[b] et misericors Dominus amen.

Le Mans c. 1505. Avranches 1539. Bayeux 1577-1611. Beauvais 1544. Lisieux 1507-1524. Meaux 1546.

Réf. Darragon 2788, 3788. Absent de Janini, Sac., PRG, Andrieu, Deshusses.
Variantes. [a] pater] *add.* Bea. –[b] pius] *om.* Avr. Bay. Lis.

P1093 Absolvimus vos fratres et sorores vice beati Petri apostolorum principis, cui a Domino collata est potestas ligandi atque solvendi, cuius etiam et nos, licet indigni, vice fungimur, in quantum vestra expetit accusatio, et ad nos pertinet remissio, secundum quod licitum est nobis, sit vobis omnipotens Deus redemptor noster vita et salus, et omnium peccatorum vestrorum pius indultor. Qui cum Patre, etc.

Rouen 1640-1651 [Jeudi Saint].
Réf. Absent de Janini, Sac., PRG, Andrieu, Deshusses.

P1094 Absolvimus vos fratres et sorores, vice sancti Petri apostolorum principis, cui a Domino collata est potestas ligandi atque solvendi, cuius etiam nos, licet indigni, vice fungimur, quantum vestra expedit accusatio, et ad nos pertinet remissio, secundum quod nobis, ut diximus, à Domino in sancto Petro est attributum : sitquae vobis Dominus I. C. redemptor noster vita et salus, et omnium peccatorum vestrorum clementissimus indultor. Qui cum Patre, etc.

Poitiers 1581-1619, 1655-1766. Béziers 1638. Genève 1632 et 1667. Romain (Lyon) 1629-1726[60].
Réf. Absent de Janini, Sac., PRG, Andrieu, Deshusses.

P1095 Absolvimus vos fratres[a] vice beati[b] Petri apostoli, cui a Deo collata[c] est ligandi atque solvendi potestas, cuius vicem licet indigni tm[61] nomine non merito tenemus, et inquantum[d] vestra expetit[e] accusatio, et ad nos pertinet remissio, sit omnipotens Deus omnium peccatorum vestrorum pius indultor, et cunctorum criminum clementissimus absolutor[f].

Rennes c. 1510-1533. Nantes c. 1556. Vannes 1532-1596.
Réf. Cf. Andrieu II, 484. Absent de Janini, Sac., PRG, Darragon, Deshusses.
Variantes. [a] fratres] *om.* Nan. Va. –[b] sancti] Va. –[c] collata] concessa Nan. Va. –[d] inquantum] quantum Nan. Va. –[e] expetit] appetit Va. – competit Nan. –[f] Per Christum dominum] *add.* Nan. – Qui vivit et regnat in secula seculorum. Amen *add.* Va.

P1096 Absolvimus vos vice beati Petri apostolorum principis cui Dominus potestatem ligandi atque solvendi dedit ab omnibus peccatis vestris

---

60 Molin Aussedat n° 1650, 1651bis, 1653, 1656...
61 tm] tantum Nantes ; tamen Vannes ; tm Rennes.

ABSOLUTIONS GÉNÉRALES
DURANT LE CARÊME ET LE JOUR DE PÂQUES

quecumque cogitatione, locutione, aut operatione negligenter egistis, et quantum ad vos pertinet accusatio, et ad nos remissio, sit vobis Deus omnipotens vita et salus et omnium peccatorum vestrorum indultor. Qui in Trinitate perfecta vivit.

Lisieux 1507-1524.

Réf. Cf. Darragon 2557, 2743, 6971, 7718. Absent de Janini, Sac., PRG, Andrieu, Deshusses.

1097 Absolvo vos vice beati Petri apostolorum principis, cui Dominus ligandi atque solvendi potestatem dedit, et quantum ad vos pertinet accusatio, et ad nos remissio, sit vobis omnipotens Deus vita et salus, et omnium peccatorum vestrorum indultor, et qui dedit vobis compunctionem cordis, det et veniam peccatorum, longaevamque vitam atque foelicem largiatur vobis in hoc saeculo, et in futuro, cum Christo sine fine manentem. Per eumdem Christum.

Reims 1554 (mer. cen.). Soissons 1694.

Réf. Absent de Janini, Sac., PRG, Andrieu, Deshusses.

1098 Cor contritum et vere poenitens, indulgentiam, absolutionem, et remissionem omnium peccatorum vestrorum, gratiam et consolationem sancti Spiritûs tribuat vobis omnipotens et misericors Deus. R. Amen.

Orléans 1726 (conf. gen.).

1099 Deus qui beato Petro apostolo suo, ceterisque discipulis suis, licentiam dedit ligandi atque solvendi, ipse vos absolvat ab omni vinculo peccatorum, et quantum mee fragilitati permittitur, sitis absoluti ante tribunal domini nostri I. C., habeatisque vitam eternam, et vivatis cum eo per immortalia secula seculorum. Amen.

Meaux 1546.

Réf. Absent de Janini, Sac., PRG, Andrieu, Deshusses.

1100 Dominus I. C., Dei hominumque mediator, qui in cruce moriens pro omnibus, Latroni peccata condonavit, et resurgens à mortuis, mortuos ad vitam revocavit; quique non solum beato Petro, sed etiam aliis apostolis, eorumque successoribus regimen pastorale tenentibus, potestatem ligandi atque solvendi tribuere dignatus est; ut quaecumque super terram ligarent, in caelis ligarentur: et quaecumque ab eis solverentur in terris, soluta semper remanerent in caelis. Ipse suâ ineffabili piaetate, vos suo lotos sanguine dignetur absolvere ab omnium maculis peccatorum, quaecumque corde, linguâ, et opere perpetrastis: ut in hac vitâ omnium remissionem peccatorum, et in futuro vitam aeternam cum

194 CHAPITRE III

sanctis omnibus possidere valeatis. Qui vivit et regnat cum Deo Patre in unitate Spiritus sancti Deus, per omnia saecula saeculorum. R. Amen.

Amiens 1687.

Réf. Absent de PRG, Andrieu, Deshusses.

P1101 Dominus I. C. qui ad insinuandum humilitatis exemplum, hodie suorum lavit pedes discipulorum, per suam misericordiam et gratiam, lotis mentibus vestris, vos a cunctis absolvat peccatis, atque ab eorum vinculis absolutos perducere dignetur ad regna coelorum. Qui cum Patre…

Chartres 1680-1689 (Jeudi Saint). Blois 1730.

Réf. Absent de PRG, Andrieu, Deshusses.

P1102 Dominus I. C. qui ad insinuandum humilitatis exemplum, hodie suorum lavit pedes discipulorum, per suam misericordiam et gratiam, lotis mentibus vestris, vos a cunctis absolvat peccatis. Et ego licet indignus ministerium eius gerens$^{(a)}$ inquantum possum et debeo$^{(b)}$, vos absolvo. In nomine Patris… (Jeudi Saint)

Chartres 1490-1553, 1604-1640. Reims c. 1495-1554 (conf. gen.). Beauvais 1544. Soissons 1576.

Réf. Absent de Janini, Sac., PRG, Andrieu, Darragon, Deshusses.

Variantes. $^{(a)}$ Et ego… gerens] Et ego eius minister indignus Rei. 1554. So. –$^{(b)}$ debeo] valeo So.

P1103 Dominus I. C. qui beato Petro principi apostolorum et ceteris discipulis dedit potestatem ligandi atque solvendi, ipse vos absolvat$^{(a)}$ ab omni vinculo peccatorum vestrorum$^{(b)}$, et quantum mee fragilitati permittitur, sitis absoluti ante tribunal$^{(c)}$ Christi, habeatisque vitam eternam, et vivatis cum eo in secula seculorum amen.

Rennes c. 1510-1533. Nantes c. 1556. Vannes 1532-1596.

Réf. Darragon 7698. Absent de Janini, Sac., PRG, Andrieu, Deshusses.

Variantes. $^{(a)}$ per ministerium nostrum] *add.* Nan. –$^{(b)}$ vestrorum] *om.* Nan. –$^{(c)}$ Domini nostri Iesu] *add.* Va.

P1104 Dominus I. C. qui dixit discipulis suis : quecunque ligaveritis super terram erunt ligata et in celis, et quecunque solveritis super terram erunt soluta et in celis, de quorum numero me, quamvis me et indignum$^{(a)}$ peccatorem, ministrum tamen$^{(b)}$ esse voluit$^{(c)}$, intercedente beata$^{(d)}$ Dei genitrice Maria$^{(e)}$, et beato Michaele archangelo, et sancto$^{(f)}$ Petro apostolo cui data est potestas ligandi atque solvendi, egregioque martyre Mauricio, Gaciano patrono nostro$^{(g)}$, et omnibus Sanctis, ipse vos absolvat per ministerium nostrum ab omnibus peccatis vestris, quecunque aut cogitatione, aut locutione, aut operatione$^{(h)}$ negligenter

ABSOLUTIONS GÉNÉRALES
DURANT LE CARÊME ET LE JOUR DE PÂQUES

195

egistis, atque a nexibus peccatorum[i] absolutos, perducere dignetur ad regna caelorum. Qui vivit et regnat cum Deo Patre...

Tours 1533. Beauvais 1637. Bourges 1666. Orléans 1726. Rouen 1640. Sées 1744. *Réf.* Cf. Andrieu II, 493. Absent de PRG, Deshusses.

Variantes. [a] quamvis indignum et] Bea. Bou. Or. Rou. Sé. –[b] tamen] *om.* Bou. Or. – [c] voluit] voluerit Bou. –[d] beata] *om.* Bea. Bou. Or. Rou. Sé. –[e] Dei... Maria] gloriosissima semper virgine Maria Bou. – gloriosissima semper Virgine Dei genitrice Mariâ Or. –[f] sancto] beato Bea. Bou. Or. Sées –[g] egregioque... nostro] egregioque Ioanne Evangelista, venerandoque Stephano protomartyre Rou. –[h] seu omissione] *add.* Bou. Or. –[i] a nexibus peccatorum] a vinculis peccatorum vestrorum Bea. Rou. Sé. – a vinculis peccatorum eorum Bou. Or.

P1105 Dominus[a] I. C. qui dixit discipulis suis, quecumque ligaveritis super terram erunt ligata et in celis[b] et quecunque solveritis super terram erunt soluta et in celis, de quorum numero quamvis[c] indignos nos[d] esse voluit[e], ipse vos absolvat per ministerium[f] nostrum ab omnibus criminibus[g] vestris, quecunque[h] cogitatione, locutione, operatione[i], negligentia[j] egistis, atque[k] a nexibus peccatorum[l] absolutos[m] perducere dignetur ad regna[n] celorum. Qui vivit et regnat cum Deo Patre in unitate Spiritus sancti[o] Deus, per omnia secula seculorum[p]. Amen.

Chartres 1490-1553; 1604-1689. Angers 1543. Avranches 1539. *Bayeux 1577-1611.* Béziers 1638. Blois 1730. Bourges 1666. Chartres 1680. Genève 1632 et 1667. Le Mans c. 1505. Limoges 1596. Lisieux 1507. La Rochelle 1689. Limoges 1596. Maguelonne 1526-1533. Meaux 1546. Nantes c. 1556. Poitiers 1581-1619, 1655-1766. Rennes c. 1510-1533. Romain (Lyon) 1629-1652. Rouen 1739. Sées 1695. Soissons 1694. Tours 1533 (*in die mercurii cinerum*). Vannes 1532-1596. Verdun 1691.

Réf. Darragon 2717, 8040, 8256. Absent de Janini, Sac., PRG, Andrieu, Deshusses.

Variantes. [a] noster] *add.* An. Bou. Char. LaR. Lim. Mag. Po. Trs. Ver. –[b] celis] celo Nan. Ren. Va. –[c] quamvis] licet Avr. Lis. – quemvis] Trs. –[d] indignos nos] me quamvis indignum et peccatorem ministrum Bou. Lim. Sé. Ver. – me et indignum peccatorem ministrum tamen Trs. –[e] voluit] voluerit Bou. – intercedente beata Dei genitrice Maria, beato Michaele archangelo et beato apostolo suo Petro cui data est potestas ligandi atque solvendi] *add.* Lis. – intercedente beata Dei genitrice Maria, et beato Michaele archangelo, et sancto Petro apostolo cui data est potestas ligandi atque solvendi, egregioque martyre Mauricio, Gaciano patrono nostro et omnibus sanctis] *add.* Trs. – intercedente gloriosissima semperque virgine Dei genitrice Maria, beato Michaële archangelo, et beato Petro apostolo, cui data est potestas ligandi et absolvendi, et omnibus sanctis] *add.* Bou. Lim. Sé. Ver. –[f] ministerium] mysterium Po. –[g] criminibus] peccatis An. Bl. Bou. Char. LaR. Lem. Lim. Mag. Mea. Nan. Po. Ren. Rou. Sé. Trs. Va. Ver. –[h] quecunque] *om.* Po. – atque] *add.* Mag. Mea. – aut] *add.* Bou. Lim. Trs. Ver. –[i] operatione] atque opere Nan. Ren. Va. – atque omissione] *add.* Lis. – seu omissione] *add.* Bou. Lim. Sé. Ver. – per suam sanctam misericordiam et] *add.* Rou. –[(j)] negligentia] negligenter An. Avr. Bl. Bou. Char. LaR. Lim. Lis. Mag. Mea. Nan. Po. Ren. Rou. Sé. Trs. Va. Ver. –[(k)] atque] et Ren. –[(l)] a nexibus peccatorum] a peccatorum vestrorum nexibus Ren. – ab eorum vinculis Bou. Sé. – a quorum vinculis Lim. Ver. –[(m)] vos] *add.* Mag. –[(n)] regna] regnum Avr. Lis. –[(o)] cum Deo… Spiritus sancti] *om.* Mag. –[(p)] Qui vivit… seculorum] *om.* Avr. Lis. – Per Nan.

P1106 Dominus I. C. qui dixit discipulis suis, quecumque ligaveritis super terram erunt ligata et in celis et quecumque solveritis super terram erunt soluta et in celis: de quorum numero quamvis indignum et peccatorem, ministrum me tamen esse voluit: Intercedente beata Dei genitrice Maria, et beato Petro apostolo cui data est potestas ligandi atque solvendi et omnibus sanctis, ipse vos absolvat per ministerium nostrum ab omnibus peccatis vestris, quecunque aut cogitatione, aut locutione, aut operatione, negligenter egistis, atque a vinculis peccatorum vestrorum absolutos perducere dignetur ad regnum caelorum. Qui cum Patre et Spiritu sancto vivit et regnat Deus. Per omnia secula seculorum. Amen. (absol. gen.)

Saint-Brieuc [1506]. Saint-Malo 1557.

Dominus I. C. qui dixit… *Voir aussi*: Dominus noster I. C. qui dixit…

Dominus I. C. qui in cruce… *Voir*: Dominus noster I. C. …

P1106bis Dominus I.-C., qui in cruce moriens pro omnibus, Latroni peccata condonavit, quique in hac sacratissima die resurgens à mortuis, mortuos ad vitam reparavit, suo lotos sanguine vos absolvere dignetur. R. Amen.

Périgueux 1763.

P1107 Dominus I. C., qui totius mundi peccata sui traditione, atque immaculati sanguinis effusione, dignatus est expurgare, quique discipulis suis dixit quaecumque ligaveritis super terram, erunt ligata et in coelis, et quaecumque solveritis super terram, erunt soluta et in coelis; de quorum numero me quamvis indignum et peccatorem, ministrum esse voluit, ipse vos absolvat sancti sui sanguinis interventione, qui in remissionem peccatorum effusus est, per ministerium meum ab omnibus peccatis vestris quaecumque aut cogitatione, aut locutione, vel operatione negligenter egistis, atque à vinculis peccatorum absolutos perducere dignetur ad regna coelorum. Qui cum Deo…

Bourges 1746 (Mercredi Saint)
Réf. Cf. Andrieu III, 568. Absent de PRG, Deshusses.

ABSOLUTIONS GÉNÉRALES
DURANT LE CARÊME ET LE JOUR DE PÂQUES

P1108 Dominus I. C., qui totius mundi peccata sui traditione, atque immaculati sanguinis effusione, dignatus est expurgare, quique discipulis suis dixit quaecunque ligaveritis super terram, erunt ligata et in coelis et quaecunque solveritis super terram, erunt soluta et in coelis; de quorum numero me quamvis indignum, ministrum esse voluit: intercedente Dei genitrice Maria, et b. Michaele archangelo, et sancto Petro apostolo, cui data est potestas solvendi ac ligandi et omnibus sanctis, ipse per ministerium meum ab omnibus peccatis vestris quaecumque aut cogitatione, aut locutione, vel operatione negligenter egistis, vos absolvat, sancti sui sanguinis interventione, qui in remissionem peccatorum effusus est; atque à vinculis peccatorum absolutos perducere dignetur ad regna coelorum. Qui cum Deo...

Bourges 1666 (Mercredi Saint).
Réf. Cf. Andrieu III, 568. Absent de PRG, Deshusses.

P1109 Dominus noster I. C. per suam sanctam misericordiam vos absolvat, et infundat vobis gratiam suam. Et nos auctoritate Domini nostri I. C., et beatorum apostolorum eius Petri et Pauli, ac beatissimi prothomartiris Stephani patroni nostri, nobis in hac parte commissa, absolvimus vos a vinculo excommunicationis ratione participationis excommunicatorum, et ab omnibus aliis sententiis generalibus, a iure vel ab homine, seu etiam a canone latis: nisi tales sententiae forent ex dependentia processus, aut in scriptis, vel propter perturbationem iurisdictionis ecclesiasticae, directè vel indirectè dantes consilium vel favorem, et ab omni defectu etiam et negligentia per ignorantiam in administratione sacramentorum vel perceptione eorumdem, aut etiam in executione mandatorum nostrorum, et ab omnibus transgressionibus statutorum nostrorum, et ab omnibus aliis peccatis vestris de quibus vere contriti et confessi estis, et restituimus vos communioni fidelium et sanctae matris Ecclesiae, in quantum possumus et de iure debemus, in nomine Patris et Filii et Spiritus Sancti Amen.

Cahors 1593-1619 [Absolution solennelle de l'évêque de Cahors].
Réf. Absent de Janini, Sac., PRG, Andrieu, Deshusses.

P1110 Dominus noster I. C. qui dixit discipulis suis: quecunque ligaveris[a] super terram erunt ligata et in celis, et[b] quecunque solveris[c] super terram erunt soluta et in celis, de quorum numero me licet indignum et[d] peccatorem ministrum esse voluit, intercedente beata Dei genitrice Maria, beato Michaele archangelo, et beato Petro apostolo cui data est potestas ligandi atque solvendi[e], vos absolvat. Et ego auctoritate michi a Deo[f] commissa, vos absolvo[g] ab omnibus peccatis vestris quibuscunque[h]

198 CHAPITRE III

cogitatione[i], locutione, aut opere[j] commissis[k], a quorum vinculis absolutos, vos perducere dignetur ad regna polorum[l]. Qui cum Patre ...

Paris 1497-c. 1505. Agen 1564. Lisieux 1507-1524. Meaux 1546. Rouen 1559. Soissons 1694. Tours 1533 (*in die Pasche*).

Réf. Absent de Janini, Sac., PRG, Andrieu, Deshusses.

Variantes. [a] ligaveris] ligaveritis Pa. c. 1505. Rou. –[b] quecunque ligaveris... in celis et] *om.* Ag. –[c] solveris] solveritis Ag. Rou. –[d] et] *om.* Soi. –[e] solvendi] absolvendi, ipse Mea. –[f] michi a Deo] Dei et ecclesiae mihi Ag. –[g] à sententia excommunicationis vel interdicti, seu à participatione cum excommunicatis, et] *add.* Ag. –[h] quibuscunque] quaecunque Soi. –[i] delectatione] *add.* Rou. –[j] opere] operatione Ag. Rou. Soi. – negligenter] *add.* Ag. Rou. –[k] commissis] negligenter egistis Ag. – negligenter commisistis Soi. –[l] polorum] coelorum Soi.

P1111 Dominus noster I. C., qui dixit discipulis suis: quaecumque ligaveritis super terram, erunt ligata et in coelis; et quaecumque solveritis super terram, erunt soluta et in coelis; cujus potestatis me, quamvis indignum, participem, tamen esse voluit; intercedente gloriosa Dei genitrice Maria, et beato Michaele Archangelo, et beato Petro Apostolo, cui data est potestas ligandi atque solvendi, et omnibus Sanctis, ipse vos absolvat per ministerium meum ab omnibus peccatis vestris, quaecumque aut cogitatione, aut locutione, aut operatione negligenter egistis: atque à vinculis peccatorum vestrorum absolutos perducere dignetur ad regna coelorum. Qui cum Patre et Spiritu sancto vivit et regnat Deus. Per omnia...

Paris 1786.
Réf. Absent de PRG.

P1112 Dominus noster I. C. qui dixit discipulis suis: quecumque ligaveritis super terram erunt ligata et in celis, et quecunque solveritis super terram, erunt soluta et in celis, de quorum numero me licet indignum et[a] peccatorem, ministrum tamen[b] esse voluit, intercedente beata[c] Dei genitrice Maria, beato Michaele archangelo, et beato Petro apostolo[d], cui data est potestas ligandi atque solvendi, vos absolvat. Et ego auctoritate michi commissa vos absolvo ab omnibus peccatis vestris, quibuscumque, cogitatione[e], locutione, aut operatione negligenter commissis[f]: a quorum vinculis absolutos vos perducere dignetur ad regna polorum[g]. Qui cum patre et spiritu sancto vivit et regnat Deus. Per omnia secula seculorum. Amen.

Saint-Brieuc [1506] [*Confessio generalis*]. Soissons 1694 [Bén. cendres]. Tours 1533 [*Confessio generalis*].

Variantes [a] et] *om.* So. Trs. –[b] tamen] *om.* So. Trs. –[c] Virgine] *add.* So. –[d]apostolo tuo Petro] Trs. –[e] delectatione] *add.* Trs. – [f] commisistis] So. –[g] polorum] caelorum So.

ABSOLUTIONS GÉNÉRALES
DURANT LE CARÊME ET LE JOUR DE PÂQUES

P1113 Dominus noster[a] I. C. qui dixit discipulis suis: quecunque ligaveritis super terram erunt ligata et in celis, et quecunque solveritis super terram, erunt soluta et in celis, de quorum numero me, quamvis indignum et peccatorem, ministrum[b] esse voluisti[c], intercedente gloriosissima semperque[d] virgine Dei genitrice Maria, beato Michaele archangelo[e], et beato Petro apostolo. Cui data est potestas ligandi et absolvendi[f], et omnibus sanctis, ipse vos per ministerium nostrum absolvat ab omnibus peccatis vestris, quecunque aut cogitatione, aut locutione, aut operatione seu omissione[g] negligenter egistis, a quorum[h] vinculis absolutos, perducere vos[i] dignetur ad regna celorum. Qui cum patre et spiritu sancto vivit et regnat Deus. Per omnia secula seculorum. Amen. [*Confession generale*]

Paris 1552-1777 (conf. gen.). Auxerre 1730 (= Paris 1697). Bourges 1588. Châlons/Marne 1649. Chartres 1581. Limoges 1596. Nevers 1582. Orléans 1642-1726. Rodez 1671 [= Paris 1646]. Troyes 1660-1768. Verdun 1554-1691.

Variantes. [a] noster] *om.* Pa. 1697-1777. –[b] tamen] *add.* Pa. 1697-1777. –[c] voluit] Bou. ChM. Cha. Ne. Or. 1726. Pa. 1574-1777. Tro. –[d] semper] Pa. 1630. Or. 1726. Ver. 1691. – [e] gloriosissima semperque virgine ipsius genitrice Maria] ChM. Or. Pa. 1615, 1646. Tro. – gloriosa Dei genitrice Maria] Pa. 1697-1777. –[f] et absolvendi] atque solvendi Pa. 1697-1777. – et solvendi] Or. 1726. – beato N.] *add.* Or. 1726. –[g] seu omissione] *om.* Pa. 1697-1777. –[h] atque ab eorum] ChM. Or. Pa. 1615-1646. Tro. – atque a] Pa. 1697-1777. –[i] vos] *om.* ChM. Or. 1726. Pa. 1615-1777. Tro.

113bis Dominus noster I. C., qui dixit discipulis suis, quaecumque ligaveritis super terram, erunt ligata et in caelis, et quaecumque solveritis super terram, erunt soluta et in caelis, de quorum numero quamvis indignos nos esse voluit, ipse vos absolvat[a] per ministerium nostrum ab omnibus peccatis vestris, quaecumque cogitatione, locutione, et operatione neglenter egistis; atque à peccatorum nexibus absolutos perducere dignetur ad regna coelorum; Qui cum Patre et Spiritu sancto vivit et regnat Deus par omnia saecula saeculorum. Amen. [Mercredi des cendres].

Chartres 1680. 1689. Bayeux 1744. Blois 1730. Coutances 1744. Lisieux 1744. La Rochelle 1689-1744. Rouen 1739.

Variante. [a] per suam sanctam misericordiam et] *add.* Bay. Cou. Lis. Rou.

P1114 Dominus noster I. C. qui dixit discipulis suis: quecunque ligaveritis super terram erunt ligata et in celis, et quecunque solveritis super terram, erunt soluta et in celis, de quorum numero quemvis [*sic*] me et indignum peccatorem ministrum tamen esse voluit, intercedente beata Dei genitrice Maria, et beato Michaele archangelo, et sancto Pe-

200 CHAPITRE III

tro apostolo, cui data est potestas ligandi atque solvendi : egregioque martyre Mauricio, Gaciano patrono nostro, et omnibus sanctis : ipse vos absolvat per ministerium nostrum ab omnibus peccatis vestris, quecunque aut cogitatione, aut locutione, aut operatione negligenter egistis : atque a nexibus peccatorum absolutos perducere dignetur ad regna celorum. Qui vivit et regnat cum Deo patre in unitate spiritus sancti Deus. Per omnia secula seculorum. Amen.

Tours 1533, 1570 (*absolutio super penitentes in capite ieiunii*). Chartres 1581.

P1115   Dominus noster I. C. qui dixit discipulis suis quecumque ligaveritis super terram, erunt ligata et in celis. Et quecunque solveritis super terram, erunt soluta et in celis, et in ministrorum suorum numero me licet indignum peccatorem esse permisit, vos absolvat. Et ego authoritate michi commissa, vos absolvo ab omnibus peccatis vestris. In nomine Patris...

Besançon 1561-1581 (conf. gen.)
Réf. Absent de Janini, Sac., PRG, Andrieu, Deshusses.

P1116   Dominus noster I. C. qui dixit discipulis suis : quecunque solveritis super terram erunt soluta et in celis, de quorum numero me licet indignum et peccatorem, ministrum esse voluit, intercedente beata Dei genitrice Maria, beato Michaele archangelo, et beato Petro[a] apostolo, cui data est potestas ligandi atque absolvendi[b], ipse[c] vos absolvat. Et[d] auctoritate Dei et Ecclesie michi commissa, vos absolvo a sententia excommunicationis vel interdicti seu a participatione cum excommunicatis, et ab omnibus peccatis vestris quibuscunque[e] cogitatione, locutione, aut operatione negligenter egistis, a quorum vinculis absolutos perducere vos dignetur ad regna polorum[f]. Qui cum Patre...

Chartres 1490. *Autun 1503. Cambrai 1503.* Clermont 1733. Meaux 1546. Orléans c. 1548.
Réf. Absent de Janini, Sac., PRG, Andrieu, Deshusses.
Variantes. [a] Petro] Paulo Cl. – [b] absolvendi] solvendi Cl. – [c] ipse] *om.* Cl. – [d] ego] *add.* Cl. – [e] quibuscunque] quecunque Mea. – quaecumque] Cl. – [f] polorum] coelorum Cl.

P1116bis   Dominus noster I.-C., qui dixit discipulis suis : Quaecumque solveritis super terram, erunt soluta et in coelis ; de quorum numero me quamvis indignum et peccatorem, ministrum tamen esse voluit, intercedente gloriosa Dei Genitrice Maria et beato Michaele Archangelo, et beato Petro Apostolo, cui data est potestas ligandi atque solvendi, et omnibus Sanctis : ipse vos absolvat per ministerium nostrum ab omnibus peccatis vestris, quaecumque aut cogitatione, aut locutione, aut

ABSOLUTIONS GÉNÉRALES
DURANT LE CARÊME ET LE JOUR DE PÂQUES

operatione negligenter egistis ; atque à vinculis peccatorum vestrorum absolutos perducere dignetur ad regnum coelorum, qui cum Patre et Spiritu sancto vivit et regnat Deus, per omnia secula seculorum. R. Amen.

Périgueux 1763

Dominus noster I. C. qui dixit... *Voir aussi*: Dominus I. C. qui dixit...

P1117 Dominus noster I. C., qui est summus pontifex, ipse vos absolvat, in cuius auctoritate ego absolvo vos a peccatis vestris. In nomine Patris, et Filli, et Spiritus sancti.

Autun 1545 (conf. gen.)

P1118 Dominus noster[a] I. C. qui in cruce moriens pro omnibus, latroni peccata condonavit, quique in[b] hac sacratissima die resurgens a mortuis, mortuos ad vitam reparavit, dignetur vos absolvere lotos[c] suo sanguine. Et ego licet indignus ministerium[d] eius gerens, in quantum possum et debeo, vos absolvo[e]. In nomine Patris.

Chartres 1490-1553 ; 1604-1689. Agen 1564. *Autun 1503.* Beauvais 1544. Blois 1730. *Cambrai 1503.* Clermont 1733. Meaux 1546. Orléans c. 1548. Reims c. 1495-1677. Soissons 1576 (*Absolutio in die Pasche*).
Variantes. [a] noster] *om.* Bea. Rei. So. –[b] in] *om.* Rei. 1585-1677. –[c] in] *add.* Cl. – [d] misterium] Bea. –[e] Et ego... absolvo] *om.* Bl. Char. 1680-1689. – Et ego indignus minister ejus, in quantum possum et debeo, vos absolvo. In nomine Patris... Rei. 1585-1677.
Réf. Absent de Janini, Sac., PRG, Andrieu, Darragon, Deshusses.

P1119 Dominus sit vobis adiutor atque omnium peccatorum vestrorum pius indultor et Deus misericordie ac pietatis det vobis correctionem peccaminum, et cum Deus locum penitentie tribuat vobis digne mala acta deflere gaudiaque vite perennis feliciter obtinere. Per.

Rennes c. 1510-1533.
Réf. Cf. PRG II, 269. Absent de Janini, Sac., Andrieu, Darragon, Deshusses.

P1120 Et si in ista quadragesima mors vobis advenerit, absolvat vos Pater et Filius et Spiritus Sanctus, amen. Et sancta Maria cum choro virginum, amen. Et sanctus Michael qui est prepositus paradisi, amen. Et sanctus Petrus cum aliis apostolis, quibus Dominus dedit potestatem dimittendi peccata, amen.

Narbonne 1545.
Réf. Absent de Janini, Sac., PRG, Andrieu, Darragon, Deshusses.

202   CHAPITRE III

P1121   In ea auctoritate et potestate confidentes: quam omnipotens Deus nobis in beato Petro apostolorum principe tribuit dicens: quecumque ligaveritis super terram erunt ligata et in celis: et quecumque solveritis super terram erunt soluta et in celis: et quorum remiseritis peccata: remittuntur eis: et quorum retinueritis retenta sunt: quantum nobis promissum est ab omni vos vinculo absolvimus peccatorum et quicquid in hoc seculo contra voluntatem Dei suadente diabolo contrarium commisistis: quantum possumus totum vobis indulgemus: et ut confracta de collis vestris omnium delictorum cathena liberi et absoluti ante tribunal eterni iudicis veniatis percepturi ab ipso hereditatem in celestibus regnis: in quibus gaudeatis sine fine exultantes in gloria cum omnibus sanctis. Amen.

Limoges 1518 (mer. cen.)
Réf. Absent de PRG.

P1122   Indulgentiam, absolutionem, et remissionem omnium peccatorum vestrorum, cor contritum et vere penitens, gratiam et consolationem Sancti Spiritus, tribuat vobis omnipotens[a] Deus[b]. Amen.

Paris 1552-1786 (conf. gen.). Amiens 1687. Auxerre 1730. Bourges 1588-1746 (conf.gen.). Chartres 1581. Limoges 1596. Metz 1605-1713. Nevers 1582. Noyon 1631. Orléans 1642. Reims 1585-1677 (conf. gen.). Sées 1695. Troyes 1768. Verdun 1554-1691.
Réf. Absent de Janini, Sac., PRG, Andrieu, Deshusses.
Variantes. [a] pius et misericors] *add.* Am. Met. Rei. –[b] Deus] Dominus Bou. Li. Met. No. Pa. Rei.

P1123   Indulgentiam, absolutionem et remissionem omnium peccatorum vestrorum, spacium vere penitencie[a], emendationem morum et[b] vite, gratiam[c] et consolationem Sancti Spiritus, tribuat vobis[d] omnipotens pater, pius[e] et misericors Dominus. Amen.

Chartres 1490-1689. Agen 1564. Autun 1503-1545. Besançon 1561 (conf. gen.). Blois 1730 (à Pâques). Cambrai 1503-1562. Châlons/Marne 1569. Clermont 1733 (à Pâques). Laon 1538. Lisieux 1507-1524. Meaux 1546. Noyon 1546. Orléans c. 1548. Paris 1497-c. 1505. Périgueux 1763. Tours 1533 (conf. gen.).
Réf. Absent de Janini, Sac., PRG., Andrieu, Deshusses.
Variantes. [a] et] *add.* Bes. Lao. Pa. Trs. –[b] morum et] *om.* Bes. No. –[c] gratiam] *om.* Lao. Lis. Pa. Trs –[d] nobis] Trs. –[e] pater, pius] *om.* Pé.

P1124   Indulgentiam, absolutionem et remissionem omnium peccatorum[a] vestrorum, spacium vere penitentie, emendationem vite, gratiam et consolationem Sancti Spiritus, et perseverantiam in bonis operibus lar-

ABSOLUTIONS GÉNÉRALES
DURANT LE CARÊME ET LE JOUR DE PÂQUES

giatur[b] vobis omnipotens pater, pius et misericors Dominus. [Jeudi Saint]

Reims c. 1495-1554. Beauvais 1544. Soissons 1576.

Réf. Absent de Janini, Sac., PRG, Andrieu, Darragon, Deshusses.

Variantes Soissons. [a] tuorum vel] *add.* –[b] tibi vel] *add.* –[c] Et ego auctoritate ab eo mihi concessa, absolvo te (vel vos) ab omnibus peccatis tuis (vel vestris). In nomine Patris…] *add.*

P1125 Indulgentiam, absolutionem et remissionem omnium peccatorum vestrorum[a] tribuat vobis[b] omnipotens pater, pius[c] et misericors Dominus. Amen.

Chartres 1490-1689 (mer. cen.). Angers 1543. Blois 1730 (mer. cen.). Bourges 1666-1746. Laon 1671. Metz 1543. Reims 1585. Tours 1533.

Réf. Darragon 2186, 2478, 2512, 8645. Absent de Janini, Sac., PRG, Andrieu, Deshusses.

Variantes. [a] spacium vere penitentie et emendationem vite] *add.* Met. Trs. –[b] vobis] *om.* Bou. –[c] pater, pius] *om.* Lao. – pius] *om.* Bou.

P1126 Indulgentiam, absolutionem et remissionem omnium peccatorum vestrorum tribuat vobis omnipotens pater, pius et misericors Dominus. Amen.Et gratia Sancti Spiritus mundet vos à delictis et viciis omnibus, Amen. Et benedictio Dei Patris omnipotentis, et Filii, et Spiritus Sancti, descendat et veniat super vos et maneat semper. Amen.

Poitiers 1581-1619, 1655-1766. Béziers 1638. Genève 1632 et 1667. La Rochelle 1689, 1744. Romain (Lyon) 1629-1652.

Réf. Absent de Janini, Sac., PRG, Andrieu, Deshusses.

P1127 Ipse Dominus omnipotens I. C. equalis Patri Sanctoque Spiritui a quo veniam queritis, qui habet potestatem ligandi atque solvendi, perdendi et liberandi, mortificandi et vivificandi, suscipiat confessiones vestras et absolvat vos ab omni vinculo peccatorum, qui claudos erexit, qui leprosos mundavit, qui paraliticos curavit, qui cecos illuminavit, qui demones imperavit, qui mortuos suscitavit, resuscitet vos a morte anime, et liberet vos ab omni malo, conservet vos in omni opere bono, et perducat vos ad vitam eternam. Amen.

Vannes 1532-1596.

Réf. Absent de Janini, Sac., PRG, Andrieu, Darragon, Deshusses.

P1128 Misereatur vestri, etc.

Le Mans c. 1505. Limoges 1518. Nantes c. 1556. Rennes c. 1510.

204 CHAPITRE III

P1129 Misereatur vestri omnipotens Deus[a], et dimissis omnibus[b] peccatis vestris[c], perducat vos I. C. filius Dei[d] ad vitam eternam. Amen.

Chartres 1490-1689 (mer. cen.). Angers 1543. Blois 1730. Châlons/Marne 1569. La Rochelle 1689-1744. Metz 1543. Noyon 1546. Reims 1554-1585. 1585. Soissons 1576. Tours 1533.
Réf. Cf. PRG II, 230. Absent de Janini, Sac., Andrieu, Darragon, Deshusses.
Variantes. [a] omnipotens Deus] *om.* Trs. –[b] omnibus] *om.* Bl. LaR. –[c] dimissis... vestris] dimittat vobis omnia peccata vestra Trs. –[d] I. C.... Dei] *om.* Bl. Char. 1689. LaR. Met. – Dominus noster I. C.] An.

P1130 Misereatur vestri omnipotens Deus, et dimissis omnibus peccatis vestris, perducat vos I. C. filius Dei sine macula et sine culpa ad vitam eternam. Amen. (Jeudi Saint).

Reims c. 1495-1540. Beauvais 1544.
Réf. Cf. PRG II, 230.

P1131 Misereatur vestri omnipotens Deus, et dimittat vobis omnia peccata vestra, liberet vos ab omni malo, conservet[a] et confirmet vos in omni opere bono, et perducat vos ad vitam eternam. Amen.

Narbonne 1545. Cahors 1593-1619 (absolution pontificale et solennelle de l'évêque de Cahors).
Réf. Darragon 2477, 2735. Absent de Janini, Sac., PRG, Andrieu, Deshusses.
Variante. [a] conservet] salvet Cah.

P1132 Omnipotens Deus[a] qui beato Petro apostolo ceterisque discipulis suis licentiam dedit ligandi, atque solvendi. Ipse vos absolvat ab omni vinculo delictorum[b], et quantum nostre fragilitati permittitur, sitis absoluti ante tribunal domini nostri I. C., habeatisque vitam eternam et vivatis in secula seculorum. Intercedente beata Dei genitrice Maria cum omnibus sanctis[c]. Amen. In nomine Patris...

Chartres 1490. Arras 1600-1757. Beauvais 1544.
Réf. Andrieu I, 274, 285. Darragon 2762, 7859, 7914, 7925. Absent de Janini, Sac., PRG, Deshusses.
Variantes. [a] Deus] Dominus Ar. –[b] delictorum] peccatorum Bea. – peccatis vestris Ar. – quaecunque cogitando, consentiendo, loquendo, operando, negligendo egistis] *add.* Ar. –[c] Intercedente...] *om.* Ar. Bea.

P1133 Per intercessionem beatae et gloriosae semper virginis Mariae, et per merita beatorum apostolorum Petri et Pauli, et omnium sanctorum et sanctarum, misereatur vestri omnipotens Deus, et dimittat vobis omnia peccata vestra, et perducat vos Dominus noster I. C. filius Dei, ad vitam eternam. Amen.

Poitiers 1581-1619, 1655-1766. Béziers 1638. Genève 1632 et 1667. Romain (Lyon) 1629-1652.
Réf. Absent de Janini, Sac., PRG, Andrieu, Deshusses.

ABSOLUTIONS GÉNÉRALES
DURANT LE CARÊME ET LE JOUR DE PÂQUES

P1134 Per meritum passionis et[a] resurrectionis, per gratiam[b] Domini nostri I. C., per intercessionem beate Marie semper virginis, et omnium sanctorum et sanctarum[c], misereatur vestri omnipotens Deus, et dimittat vobis omnia peccata vestra, et perducat vos ad vitam eternam. Amen.

Paris 1552-1786. Amiens 1687. Auxerre 1730. Bourges 1588-1746. Chartres 1581. Limoges 1596. Metz 1713. Nevers 1582. Noyon 1631. Orléans 1642-1726. Reims 1585-1677. Sées 1695. Troyes 1768. Verdun 1554-1691.
Réf. Absent de Janini, Sac., PRG, Andrieu, Deshusses.
Variantes. [a] virtutem] *add.* Pa. 1697-1777. Aux. 1730. –[b] per gratiam] *om.* Am. Aux. Bou. Cha. Li. Met. Ne. No. Or. Rei. Sées. Tro. –[c] et sanctarum] *om.* Am. Cha. Ve.

1134bis Per meritum passionis et virtutem resurrectionis Domini nostri J. C., per intercessionem beatae Mariae semper Virginis, beatorum Apostolorum Petri et Pauli, beati Proto-Martyris Stephani, beati Frontonis fidei nostrae Patris, et omnium Sanctorum, misereatur vestri omnipotens Deus, et dimissis omnibus peccatis vestris perducat vos ad vitam aeternam. R. Amen.

Périgueux 1763.

P1135 Per mortem et gloriosam resurrectionem Domini nostri I. C. misereatur vestri omnipotens Deus, et dimittat vobis omnia peccata vestra, et perducat vos I. C. filius Dei ad vitam aeternam. Amen.

Autun 1545 (conf. gen.)

P1136 Per passionem et resurrectionem Domini nostri I. C. et intercessionem beate Marie virginis cum omnibus sanctis. Misereatur vestri omnipotens Deus et dimittat vobis omnia peccata vestra et perducat vos Dominus noster I. C. filius Dei ad vitam eternam. Amen.

Besançon 1561-1581 (conf. gen.)
Réf. Absent de Janini, Sac., PRG, Andrieu, Deshusses.

P1137 Per resurrectionem domini nostri I. C., et per intercessionem beatissime[a] virginis Marie[b], et per merita beatorum[c] Petri et Pauli, et omnium sanctorum et sanctarum[d], misereatur vestri omnipotens Deus, et dimittat vobis omnia peccata vestra[e], et perducat vos I. C.[f] ad vitam eternam. Amen.

Chartres 1490-1689. Agen 1564. *Autun 1503.* Blois 1730. Cambrai 1503-1562. Clermont 1733. Lisieux 1507-1524. *Meaux 1546.* Orléans c. 1548. Paris 1497-c. 1505. Tours 1533.
Réf. Absent de Janini, Sac., PRG, Andrieu, Deshusses.
Variantes. [a] beatissime] beate Cam. Cha. 1689. Or. –[b] Marie] *om.* Or. –[c] apostolorum] *add.* Bl. –[d] et sanctarum] *om.* Ag. Bl. Cam. Cha. 1627-1689. Or. –[e] dimissis peccatis vestris] Bl. Cha. 1627-1689. –[f] I. C.] *om.* Bl. Cha. 1689.

206 CHAPITRE III

P1138 Precibus et meritis beatae Mariae semper virginis, beati Michaelis Archangeli, beati Ioannis Baptistae, sanctorum apostolorum Petri et Pauli et omnium sanctorum, misereatur vestri omnipotens Deus, et dimissis omnibus peccatis vestris, perducat vos ad vitam aeternam. R. Amen.

Bourges 1666-1746.
Réf. Cf. Andrieu III, 569, 639. Absent de PRG, Deshusses.

P1139 Quoniam Dominus noster I. C. dixit discipulis suis: Quaecunque solveritis super terram, erunt soluta et in caelis, et quorum remiseritis peccata, remittuntur eis. Et me in suorum ministrorum numero, licet indignus esse voluit, ipsius et Ecclesiae authoritate absolvo vos ab omnibus peccatis vestris. In nomine Patris...

Châlons/Marne 1569 [Confession générale de Pâques].
Réf. Absent de Janini, Sac., PRG, Andrieu, Deshusses.

P1140 Veram indulgentiam absolutionem et remissionem omnium peccatorum vestrorum tribuat vobis omnipotens Pater, pius et misericors Dominus: Et gratia Sancti Spiritus mundet vos a peccatis omnibus.

Cahors 1593-1619 [absolution solennelle de l'évêque de Cahors].
Réf. Absent de PRG, Andrieu, Deshusses.

P1141 Vice beati Petri apostolorum principis cui a Domino collata est potestas ligandi atque solvendi, cuius etiam et ab[a] nos licet indigni vice fungimur, absolvimus vos fratres inquantum vestra expetit accusatio et ad nos pertinet remissio secundum quod nobis ut diximus[b] in sancto Petro est attributum ab omnibus criminibus vestris, sitque vobis omnipotens Deus redemptor noster vita et salus, et remissio omnium peccatorum vestrorum[c]. Qui cum Patre et Spiritu sancto vivit et regnat Deus per omnia secula seculorum. Amen[d].

Rennes c. 1510-1533. Limoges 1518 (mer. cen.)
Réf. Absent de Janini, Sac., PRG, Andrieu, Deshusses.
Variantes. [a] ab] *om.* Lim. –[b] diximus] dictum a domino Lim. –[c] et corona glorie] *add.* Lim. –[d] Qui cum Patre... Amen] *om.* Lim.

13. BÉNÉDICTION DU PAIN

P1142 Largitor bonorum benedicat panem istum: qui est Rex angelorum. In nomine Patris.

Chartres 1627-1640 [Jeudi Saint].
Absent de PRG, Andrieu, Deshusses.

ABSOLUTIONS GÉNÉRALES
DURANT LE CARÊME ET LE JOUR DE PÂQUES

14. Formules finales

P1143 Accedant illi qui volunt recipere corpus Christi. Mutet ergo vitam, qui vult accipere vitam.

Châlons/Marne 1569 (confession générale de Pâques).
Absent de PRG.

143bis Benedicat vos omnipotens Deus, Pater et Filius et Spiritus sanctus. R. Amen.

Bourges 1666 (mercredi saint)

P1144 Et[a] benedictio Dei Patris omnipotentis[b] et Filii et Spiritus Sancti descendat super vos et maneat semper. In nomine Patris...

Chartres 1490-1689. Agen 1564. Angers 1543-1626. Autun 1503-1545. Blois 1730. Cambrai 1503-1562. Châlons/Marne 1569. Chartres 1581. Meaux 1546. Narbonne 1545. Orléans c. 1548. Reims 1585. Verdun 1691.
Réf. Andrieu III, 639, 655. Cf. PRG I, 291. Absent de Deshusses.
Variantes. [a] Et] *om.* Nar. Or. Rei. –[b] omnipotentis Patris] Bl.

P1145 Benedictio Domini nostri J. C. descendat super vos, et maneat semper. In nomine Patris...

Paris 1552-1786. Metz 1713. Orléans 1726. Troyes 1768. Verdun 1691.
Cf. PRG I, 291.

15. Messe

P1146 Misereris omnium.

Chartres 1492-1689.
Réf. Absent de PRG.

CHAPITRE IV

ABSOLUTIONS GÉNÉRALES À LA FIN DU PRÔNE DOMINICAL OU DE L'EXHORTATION PASCALE

De nombreux rituels diocésains des XVIᵉ et XVIIᵉ siècles, et jusqu'en 1736 à Narbonne, présentent des formules d'absolution à la fin du prône dominical[1], souvent après la récitation du *Confiteor*.
Ces formules se trouvent plus rarement à la fin de l'exhortation pascale : Reims c. 1495-1554, Limoges 1596, Metz 1605.
Dans certains diocèses, les formules de pardon sont en français :

- Reims c. 1495-1554. Éd. 1495 f. i8v-k1v : *Misereatur... Indulgentiam... Dominus I. C. qui in cruce moriens...*
- Saint-Brieuc [1506], Rennes c. 1510-1533 : *Le pardon que Dieu nostre seigneur...*
- Elne 1509 : *Misereatur... Absolutionem et remissionem...*
- Auxerre 1536 f. 75 : *Le pardon que Dieu fist...*
- Laon 1538 p. 22 : *Ceulx et celles qui de la loy de Dieu...*
- Toulouse 1538, Rodez-Vabres c. 1542 : *Confiteor. Misereatur..., Indulgentiam..., Dominus noster I. C. per meritum passionis...*
- Beauvais 1544 f. 41v-42 : reprend Reims c. 1495.
- Grenoble 1549 : *Dieu vous eslargisse sa misericorde...*
- Cambrai 1562 : *Misereatur... Indulgentiam...*
- Aix-en-Provence 1577 : *Misereatur... Indulgentiam... Et Dominus noster qui vos suo...*
- Vienne 1578-1587 : *Misereatur... Indulgentiam*
- Bazas 1585 : *Misereatur... Indulgentiam...*
- Limoges 1596 p. 32-37. Exhortation « *in diebus solemnibus Paschae* » : *Misereatur... Indulgentiam...*

---

[1] Exceptions à Genève 1612 où l'absolution a lieu au début du prône, et à Auch, Besançon et Poitiers 1705 et 1719 (*Formulaire du Prosne...*) où elle a lieu au cours de celui-ci.

210   CHAPITRE IV

- Toulouse [1602?]-1736, Auxerre 1631, Saintes 1639 : *Misereatur... Indulgentiam...*
- Rodez 1603 : *Misereatur... Indulgentiam...*
- Cahors 1604-1642 : *Misereatur... Indulgentiam...*
- Metz 1605-1662. Éd. 1605 p. 54-63. [Prône pascal] *Confiteor... Per meritum passionis... Indulgentiam...*
- Saint-Omer 1606 : *Misereatur... Indulgentiam...*
- Genève 1612-1643, Béziers 1638: *Misereatur... Indulgentiam...*
- Auxerre 1631 : *Misereatur... Indulgentiam...*
- Poitiers 1619-1719 : *Misereatur... Indulgentiam...*
- Saintes 1639 : *Misereatur... Indulgentiam...*
- Auch 1642 (et province d'Auch) : *Confiteor, Misereatur... Indulgentiam...*
- Cahors 1642 : *Confiteor/Je me confesse à Dieu... Misereatur... Indulgentiam...*
- Albi 1647 : Absolution non précisée.
- Chalon-sur-Saône 1653 : *Misereatur... Indulgentiam...* (Prosne) *Indulgence, absolution, et benediction...* (Prosne commun)[2]
- Besançon 1674-1705 : *Confiteor, Misereatur... Indulgentiam...*
- Cahors 1674-1722 : *Confiteor, Misereatur... Indulgentiam...*
- Limoges 1678-1698 : *Confiteor, Misereatur... Indulgentiam...*
- Saint-Flour 1710 : *Confiteor... Misereatur...*
- Narbonne 1736 : *Misereatur... Indulgentiam...*
  Etc.

1. Formules d'absolution en latin

Les formules latines sont courantes : *Misereatur, Indulgentiam...* excepté dans quelques rituels :

P1147 Dominus I. C. qui in cruce moriens pro omnibus, latroni peccata condonavit, quique hac sacratissima die resurgens a mortuis mortuos ad vitam reparavit, dignetur vos absolvere lotos suo sanguine. Et ego licet indignus ministerium eius gerens in quantum possum et debeo, vos absolvo. In nomine Patris[3]...

Reims c. 1495-1554.

Réf. Absent de Janini, Sac., PRG, Andrieu, Darragon, Deshusses.

---

[2]   Plusieurs formulaires de prône à Chalon.
[3]   *Voir* Formules d'absolutions générales (Carême et Pâques) : *Dominus noster I. C. qui in cruce moriens...*

ABSOLUTIONS GÉNÉRALESÀ LA FIN
DU PRÔNE DOMINICAL

P1148 Dominus noster I. C. per meritum passionis vos absolvat, infundat vobis gratiam, remittat vobis culpam. In nomine Patris...

Toulouse 1538. Rodez-Vabres c. 1542.
Réf. Absent de PRG, Andrieu, Deshusses.

P1149 Et dominus noster I. C., qui vos suo preciosissimo sanguine redemit, per suam sanctam pissimam misericordiam, vos absolvat. Amen.

Aix-en-Provence 1577.
Réf. Absent de PRG, Andrieu, Deshusses.

P1150 Per meritum passionis, et resurrectionis Domini nostri I. C., per intercessionem beatae Mariae semper Virginis, et omnium sanctorum et sanctarum, misereatur vestri omnipotens Deus, et dimittat vobis omnia peccata vestra, et perducat vos ad vitam aeternam. Amen[4].

Metz 1605.
Réf. Absent de Janini, Sac., PRG, Andrieu, Darragon, Deshusses.

2. FORMULES DE PARDON EN FRANÇAIS

P1151 Le pardon que Dieu nostre seigneur Jesuchrist donna a saint Pierre et saint Paul, et a Marie Magdalene, vous soit donné et ottroié.

Saint-Brieuc [1506]. Rennes c. 1510-1533.

P1152 Le pardon que Dieu fist a la glorieuse Marie Magdalene, a sainct Pierre et sainct Paul, au bon larron en l'arbre de la croix, et a nostre bon patron sainct Estienne premier martyr qui pria Dieu pour ses ennemys, face a moy et a vous tous.

Auxerre 1536.

P1153 Ceulx et celles qui de la loy de Dieu tiennent et gardent, soient benoistz et absoulz du Pere, du Filz et du benoist Sainct Esperit. Amen.

Laon 1538.

P1154 Dieu vous eslargisse sa misericorde, et vous remette voz pechez, par le merite de sa mort et passion, et par l'intercession de la glorieuse vierge, et de touts les sainctz. Au nom du Pere, du Filz, et du sainct Esperit. Amen.

Grenoble 1549.

---

4 *Voir* Formules d'absolutions générales (Carême et Pâques): *Per meritum passionis...*

CHAPITRE IV

P1155 Indulgence, absolution, et benediction, demeure à jamais sur ceux qui se sont icy assemblez pour rendre leurs devoirs à Dieu, pour entendre sa parole, pratiquer les actes de foy, d'esperance, et de charité, participer enfin au saint sacrifice de la messe.

Chalon/Saône 1653 (*Prosne commun*)

CHAPITRE V

CONFESSIONS GÉNÉRALES
LE JOUR DE PÂQUES

1. Présentation des formulaires

Au XVIᵉ siècle, et dans une bien moindre mesure au XVIIᵉ siècle, le prône du jour de Pâques est consacré à exhorter l'assistance à communier. Cette exhortation est suivie du *Je me confesse à Dieu* suivi d'une confession générale détaillée des péchés ; la demande de pardon et les absolutions viennent ensuite, ces dernières généralement identiques aux absolutions générales durant le Carême et le jour de Pâques[1]. À cette époque, la communion est en effet exceptionnelle, et demande une longue préparation. En 1215, le Concile Latran IV, canon 21 oblige à se confesser une fois par an et à communier à Pâques.

> Tout fidèle de l'un et l'autre sexe, après avoir atteint l'âge de raison, confessera personnellement et fidèlement tous ses péchés au moins une fois par an à son curé, s'appliquera, dans la mesure de ses forces, d'accomplir la pénitence qui lui sera imposée, recevant avec respect au moins à Pâques le sacrement de l'Eucharistie, à moins que, sur le conseil de son curé et pour quelque raison valable, il juge qu'il lui faut s'en abstenir pour un temps : sinon, il sera empêché d'entrer dans l'église de son vivant et sera privé de sépulture chrétienne à sa mort[2].

Dans certains rituels, la confession générale suivie de l'absolution est aussi prévue d'autres jours :

– Le Mercredi des Cendres à Chartres 1490-1553 et Meaux 1546.
– Le Jeudi Saint à Chartres 1490-1553, Reims c. 1495-1585, Beauvais 1544, et Verdun 1554.
– Durant le Carême et aux fêtes solennelles à Maguelonne 1533.

---

[1] *Voir supra* les formules d'absolution au chapitre III : *Absolutions générales durant le Carême et le jour de Pâques.*

[2] Cf. *Les Conciles oecuméniques*, t. II-1. *Les Décrets. Nicée I à Latran V*, p. 524-525.

214 CHAPITRE V

– Le Jeudi Saint et le Samedi Saint à Nevers 1582.
– Les «jours solennels» à Metz 1543.

Plus d'une trentaine de diocèses proposent des confessions générales, surtout dans la moitié nord du pays :

– Région parisienne : Paris, Chartres, Sens, Auxerre, Meaux, Orléans.
– Nord-Nord-Est : Amiens, Beauvais, Cambrai, Laon, Noyon, Soissons, Châlons-sur-Marne, Reims, Verdun.
– Normandie : Rouen et Lisieux.
– Bretagne : Rennes, Saint-Brieuc, Saint-Malo.
– Est : Metz, Besançon.
– Centre : Autun, Bourges, Nevers, Tours.

Huit diocèses de la moitié sud sont concernés : Agen, Bordeaux, Clermont, Limoges, Maguelonne, Périgueux, La Rochelle, Saint-Flour[3].

La plupart des formulaires insistent sur le fait que l'absolution faisant suite à la confession n'absout que les péchés véniels, mais en aucune façon les péchés mortels qui doivent être confessés en particulier à un prêtre. La confession générale permet aussi de remettre en mémoire les péchés mortels qui auraient été oubliés dans la confession sacramentelle (Paris 1615-1630…).

Cette confession, absente du rituel de Paul V, disparait peu-à-peu au cours du XVIIe siècle ; quelques nouveaux diocèses l'adoptent pourtant à cette époque : Bourges (1616 et 1666), Rodez (1671), La Rochelle (1689),Verdun (1691).

Les évêques commencent alors à demander aux curés d'encourager leurs paroissiens à se confesser et à communier pour chaque grande fête.

> Chaque dimanche devant les bonnes festes, comme Pasques, Pentecoste, l'Assomption Nostre Dame, la Toussaints, Noël, le Curé exposera briefvement et facilement ce que c'est de la feste, et exhortera un chacun de faire son devoir à se confesser et à communier[4].

Au XVIIIe siècle, les rituels d'Orléans 1726, Auxerre 1730, Clermont 1733, La Rochelle 1744, Troyes 1768, et Paris 1777 et 1786 sont les derniers à conserver une confession générale développée le jour de Pâques, suivie d'une absolution. Ces formulaires disparaissent complètement des éditions du XIXe siècle.

---

[3] Mais de nombreux rituels publiés au XVIe siècle pour les diocèses du midi ont disparu, en partie sans doute à cause des guerres de religion.
[4] *Rituale Parisiense*, 1654, p. 479.

CONFESSIONS GÉNÉRALES LE JOUR DE PÂQUES

Ces confessions peuvent être utilisées comme examens de conscience : l'évêque de Châlons le signale dans son rituel de 1649 (p. 74) ; de même l'évêque de Rodez en 1671 et Massillon, évêque de Clermont, en 1733. Beauvais 1725 reprend d'ailleurs comme examen de conscience la confession générale des rituels parisiens de 1697-1777.

2. PÉCHÉS CONFESSÉS DANS LES CONFESSIONS GÉNÉRALES

Dès la fin du xvᵉ siècle :

En premier lieu, péchés mortels et leurs nombreuses « branches et dependances ».

Puis, manquements aux sept vertus contraires aux péchés mortels : humilité, charité, patience, diligence, largesse ou liberalité, abstinence ou sobriété, chasteté.

Manquements aux commandements de Dieu.
Manquements aux dons du Saint-Esprit.
Manquements aux sacrements.
Manquements aux douze articles du *Credo*.
Péchés des cinq sens.
Manquements aux oeuvres de miséricorde corporelles et spirituelles.
Manquements aux vertus théologales et cardinales (Périgueux 1536)
Croyances aux sortilèges, aux divinations…
Péchés d'ingratitude, d'hypocrisie, de médisance…

Laon, Noyon, Soissons (comme Reims, Beauvais et Verdun le Jeudi Saint) mettent les péchés des cinq sens en tête de l'accusation, immédiatement après le *Je me confesse à Dieu*.

À partir de 1550, dans quelques rituels :

Entrave à la conception d'un enfant et avortement : Paris 1552 et suivants.

Péchés contre les commandements de l'Eglise : Beauvais 1557, Agen 1564, Soissons 1576…

Manquement à la prière sept fois par jour : Limoges 1596.

Manquement au devoir d'implorer les dons et grâces du Saint-Esprit : Châlons-sur-Marne 1569.

Manque de révérence envers les ordonnances et traditions de l'Eglise et manque de disposition à recevoir les dons du Saint-Esprit : Chartres 1581 et Limoges 1596.

216 CHAPITRE V

En 1562, Cambrai place en tête de l'accusation le péché de concupiscence.

À partir du xviie siècle, les confessions générales, beaucoup plus rares, se concentrent surtout sur les commandements de Dieu et de l'Eglise et les péchés mortels. Les conditions pour communier apparaissent rarement.

3. Titres des formulaires comportant une confession générale[5]

P1156   *Chartres 1490-1553 et 1604. Éd. 1490 f. 85v-91. *In die Pasche.* P1207

P1157   Reims c. 1495, 1506, c. 1540. Éd. c. 1495 f. e2v-f4v. *Modus faciendi servitium in die iovis sancta. Absolutio generalis in die cene Domini facienda in ecclesiis parrochialibus. Initium confessionis generalis.* P1225

P1158   *Paris 1497 f. m7v-n6v. *Amiens 1509-1554. Éd. 1509 f. 96-103. *Laon 1538 f. 83v-89v. *Noyon 1546 f. 30v-37. *Confession et absolution generale composée par maistre Jehan Gerson[6] en son vivant chancelier de Paris. Et de son temps fut ordonné que chascun curé ou son vicare la liroit ainsi qu'elle est escripte au peuple en son eglise le jour de Pasques avant la communion. Aussi avant la dicte confession liroit aucuns bons enseignemens et monitions qui s'ensuivent.* P1207

P1159   *Sens 1500-c. 1580. Éd. 1500 f. 33v-40v. *Cambrai 1503 f. 75v-80v. *Clermont-Saint-Flour 1506 n.st.-1608. Éd. 1506 n.st. f. 22v-29v. *Limoges 1518 f. 21-27v. *Orléans c. 1548, 1581. Éd. 1548 f. N5v-04. *Châlons-sur-Marne 1569 f. 29v-34. *Instructiones fiende in die Pasche.* P1207

P1160   *Autun 1503, *1523. Éd. 1503 f. 72v-77. *In die Pasche* [titre courant]. Identique à Chartres 1490. P1207

P1161   *Paris c. 1505, 1542. Éd. 1505 f. C2-C6v. *Rouen 1530-1573. Éd. 1530 f. A2v-A5v. *Cy sensuyt une commendace que on faict communement le jour de Pasques aux eglises parrochiales[7].* P1207

P1162   *Saint-Brieuc [1506] f. 133-143[8]. *Rennes c. 1510, 1533. Éd. 1510 f. 87-96v. *Saint-Malo 1557. *Exhortation salutaire qui se doibt faire commune-

---

5   Figurent, précédés d'un astérique, les rituels des vingt-quatre diocèses dont la confession générale, très développée – se rattachant à Chartres 1490-1553, Paris 1497-1552, et Laon 1538 – est analysée (P1207).

6   Texte non recensé dans Jean Gerson, *Œuvres complètes*, éd. P. Glorieux.

7   Texte faisant partie du supplément relié à la suite de ces rituels, intitulé : *Sequuntur recommendationes fiende diebus dominicis in ecclesiis parrochialibus...*

8   Saint-Brieuc [1506] et Lyon 1542 présentent également (sous pagination séparée à Saint-Brieuc) la *Confessio generalis* du portugais André de Escobar. *Voir infra* Examens de conscience (P1378, P1381).

CONFESSIONS GÉNÉRALES LE JOUR DE PÂQUES

ment par les parroisses a chacun jour de Pasques et par les recteurs ou curez d'icelles: proches de Paris 1497 et c. 1505. P1207

P1163 **Lisieux 1507, 1524.* Éd. 1507 f. 113-119. **Tours 1533, 1570. Confession generale qui se lit communement le jour de Pasques es eglises parrochiales*: proches de Paris c. 1505, 1542. P1207

P1164 **Maguelonne 1533* f. 47-49v. *Instructiones fiende presbyteris curam animarum habentibus in quadragesima et in festivitatibus solemnibus. Confession generale, avec absolution*: proche de Chartres 1490. P1207

P1165 **Périgueux 1536* f. 24v-31. *Institutiones [sic] fiende in die sancto Pasche.* P1207

P1166 **Bourges 1541 Cy s'ensuyt une confession generalle qui se lit communement le jour de pasques es eglises parochialles*[9]: identique à Paris c. 1505-1542. P1207

P1167 *Metz 1543* f. 33v-34v. *Confessio generalis diebus solennibus in ambone facienda.* P1243

P1168 *Beauvais 1544* f. 33-41v. *Absolutio generalis in die cene Domini…*: identique à Reims c. 1495-1540. P1225

P1169 *Autun 1545* p. 43-52. *Preparatoire exhortation pour recevoir le sainct sacrement de l'Eucharistie*[10] P1246; p. 58-61. *Confessio generalis.* P1249

P1170 **Meaux 1546* f. 77v-82v. Sans titre [Confession générale de Pâques]: identique à Chartres 1490. P1207

P1171 *Paris [1552], [1559]* f. C2-C6v. *Preparatoire exhortation pour recepvoir le sainct sacrement de l'autel.* P1213

P1172 *Reims 1554* f. 31-34v. *In die Iovis sancta. Confessio generalis* [titre courant]: abrège Reims c. 1495-1540. P1234

P1173 *Verdun 1554* f. 49-54v. *Officium in die Iovis sancta cum modo faciendi absolutionem et abluendi altaria*: identique à Reims c. 1495-1540. P1225

P1174 *Verdun 1554* f. 69v-75. *Die sancto Pasche… exhortatio facienda ad populum ante absolutionem*: très proche de Paris 1552. P1213, P1252

P1175 *Beauvais 1557* p. 16-24. *Exhortation pour le jour de Pasques au matin devant que le peuple communie.* P1253

P1176 *Toul 1559* f. 52-56. *Preparatoire exhortation pour recepvoir le sainct sacrement de l'autel*: identique à Paris 1552, 1559. P1213

---

9   Cf. Molin Aussedat n°305.

10   Exhortation avant la communion, sans confession générale; indiquée ici car reprise en partie par le formulaire de Paris 1552.

CHAPITRE V

P1177 **Besançon 1561, 1581** f. A1-A6 reliés à la suite du rituel. *Sequuntur commendationes quedam cum confessione generali, que fieri poterunt in die sancto Pasche in ecclesiis ruralibus mane, antequam populus veniat ad communionem. Instructio ad digne suscipiendum Eucharistiam.* P1254, P1255

P1178 **Cambrai 1562** f. 194-198. *Admonitiones faciende circa festum Paschae.* P1258

P1179 **Agen 1564** f. 21v-26v. *Instructiones fiendae in die Paschae.* P1261

P1180 **Paris 1574, 1581.** Éd. 1574 f. C2-C6v. *Preparatoire exhortation pour recepvoir le sainct sacrement de l'autel :* formulaire légèrement abrégé et remanié par rapport à Paris 1552. P1213

P1181 **Soissons 1576** 2e partie f. 12-19v. *S'ensuit l'exhortation, que l'on fait communement le jour de Pasques aux Eglises parrochiales :* début proche de Paris c. 1505-1542 ; confession proche de Laon 1538 et Noyon 1546.

P1182 **Chartres 1581** f. 30-31. *De publica et generali peccatorum confessione, que fit à populo ante sacram communionem.* P1263

P1183 **Nevers 1582** f. 67-71v. Sans titre. Très proche de Paris 1574, 1581. P1213, P1266

P1184 **Reims 1585, 1621.** Éd. 1585 f. 37-43v. *Modus administrandi augustissimum Eucharistiae sacramentum... in die Paschae.* P1237

P1185 **Laon c. 1585, 1621. Senlis 1585. Amiens 1586, 1607. Châlons-sur-Marne 1606 :** identiques à Reims 1585, 1621. P1237

P1186 **Bourges 1588, 1593** f. X-XVII du supplément. *Exhortation sommaire à la Penitence.* Confession generale identique à Paris 1574-1581 avec addition d'une *Exhortation brieve aux chrestiens avant que d'administrer le sainct sacrement de l'autel* donnant une explication de l'eucharistie. P1213, P1267

P1187 **Bâle 1595** p. 21. *Briefves exhortations. Forme de confession generale.* P1268

P1188 **Limoges 1596** p. 28-30. *Publica et generalis peccatorum confessio quotamvis à populo ante sacram communionem in die festo Paschae fieri consueta.* Formulaire de Chartres 1581. P1263

P1189 **Paris 1601, 1615.** Éd. 1601 f. 176v-180 *Preparatoire exhortation pour recevoir le sainct Sacrement de l'Autel.* Formulaire à peine remanié par rapport à Paris 1574-1581. P1213

P1190 **Paris 1630** f. 114v-118. *Exhortation preparatoire qui se faict au peuple le jour de Pasques pour dignement recevoir le sainct Sacrement de l'Autel. Confession generale vulgairement dicte Absoulte. Generalis absolutio :* très proche de Paris 1574-1615. P1213

CONFESSIONS GÉNÉRALES LE JOUR DE PÂQUES

1191 **Noyon 1631** 2e partie p. 38-44. *Confession generalle*: identique à Paris 1630. P1213

1192 **Orléans 1642** p. 146-157. *De Communione Paschali*: très proche de Paris 1630. P1213, P1269

1193 **Paris 1646, 1654.** Éd. 1646 p. 484-497. *Le jour de Pasques. Confession generale vulgairement dicte Absoute. Generalis absolutio.* Formulaire remanié par rapport à Paris 1630. P1216

1194 **Châlons-sur-Marne 1649** Pars secunda, p. 210-226. *Le jour de Pasques.* Formulaire de Paris 1646. P1216

1195 **Troyes 1660** Pars secunda, p. 259-275. *Confession generale vulgairement dite Absoute.* Formulaire de Paris 1646. P1216

1196 **Bourges 1666** tome II, p. 55-64. *Le jour de Pâques. Confession generale.* Formulaire de Paris 1646-1654 sans les absolutions. P1216

1197 **Rodez 1671** p. 622-634. *De la Confession generalle vulgairement dite absoûte, pour les Dimanches de la Passion, des Rameaux, et pour le jour de Pasques*: formulaire de Paris 1646-1654. P1216

1198 **Reims 1677** p. 108-116. *Maniere de faire la Confession generale le jour de Pasque* [*sic*], *et de donner l'absolution au peuple qui est présent à cette cérémonie*: formulaire de Reims 1585 légèrement modernisé. P1240

1199 **La Rochelle 1689, 1744.** Éd. 1689 p. 180-188. *Maniere de faire la confession generale le jour de Pâque, et de donner l'absolution au peuple...*: formulaire de Reims 1677. P1240

1200 **Verdun 1691** p. 313-328. *Pour le saint jour de Pâques.* P1270

1201 **Paris 1697, 1701, 1777.** Éd. 1697 p. 532-564. *Le saint Jour de Pâques.* Nouveau formulaire très développé. P1219

1202 **Orléans 1726** p. 137-146. *De Communione Paschali. Confession generale.* P1273

1203 **Auxerre 1730** Pars quarta, p. 35-57. *Jeudi Saint*: identique à Paris 1697. P1219

1204 **Clermont 1733** p. 146-168. *Formule de Prosne pour le saint jour de Pasques, avec l'Absoûte generale qui se fait en ce saint jour.* P1219, P1276

1205 **Troyes 1768** p. 532-539. *Le saint Jour de Paques. Confession générale, vulgairement dite Absoute. Absolution générale.* P1277

1206 **Paris 1786** tome III, p. 1-4 (reliées entre p. 528-529) *In die sancto Paschae.* P1222

CHAPITRE VI

CONFESSIONS GÉNÉRALES DE CHARTRES 1490-1553, PARIS 1497, PARIS c. 1505-1542, LAON 1538 ET FORMULAIRES S'Y RATTACHANT

1. Présentation

1207 Au xvie siècle, des formulaires très proches sont utilisés le jour de Pâques dans vingt-quatre diocèses:

Dix-neuf diocèses de la moitié nord du pays: Amiens 1509-1554. Autun 1503, 1523. Bourges 1541. Cambrai 1503. Châlons-sur-Marne 1569. Chartres 1490-1553. Laon 1538. Lisieux 1507, 1524. Meaux 1546. Noyon 1546. Orléans c. 1548, 1581. Paris 1497-1542. Rennes c. 1510, 1533. Rouen 1530-1573. Saint-Brieuc [1506]. Saint-Malo 1557. Sens 1500-c. 1580. Soissons 1576. Tours 1533, 1570.

Cinq diocèses de la moitié sud: Clermont-Saint-Flour 1506-1608. Limoges 1518. Maguelonne 1533. Périgueux 1536.

Quatre grandes familles se dégagent: les rituels de Chartres 1490, Paris 1497, Paris c. 1505 et Laon 1538 étant les premiers connus de chacune d'entre elles:

1. **Chartres 1490-1553, 1604. Autun 1503, 1523. Cambrai 1503. Châlons-sur-Marne 1569. Clermont-Saint Flour 1506-1608. Limoges 1518. Maguelonne 1533** (quelques remaniements). **Meaux 1546. Orléans 1548, 1581. Périgueux 1536** (en langue d'oc et avec quelques remaniements). **Sens 1500-c. 1580.**

2. **Paris 1497, Amiens 1509-1554.**

3. **Paris c. 1505[1], 1542. Bourges 1541. Lisieux 1507, 1524. Rennes c. 1510, 1533** (identiques à Saint-Brieuc 1506). **Rouen 1530-1573. Saint-Brieuc [1506]. Saint-Malo 1557. Soissons 1576. Tours 1533, 1570.**

---

[1]   Molin Aussedat n° 852.

222 CHAPITRE VI

4. **Laon 1538. Noyon 1546**: très proches de Paris 1497 et Amiens; la confession générale diffère en partie: *Je me confesse à Dieu*, péchés des cinq sens, péchés mortels, péchés sur les dix commandements. Laon présente une orthographe plus ancienne que Paris 1497.

Il peut exister des interférences entre ces familles: Rennes, Saint-Brieuc et Saint-Malo se rapprochent parfois de Paris 1497, et Tours de Sens. L'exhortation préparatoire de Soissons 1576 reprend Paris c. 1505, tandis que sa confession générale est proche de Laon-Noyon etc.

2. ANALYSE

Première partie: obligation de communier

La plupart des formulaires commencent par développer de façon très détaillée les raisons obligeant à communier le jour de Pâques, et les conditions à remplir pour pouvoir communier dignement:

... Car sachiés pour verité que celuy qui le recepvera (le sainct sacrement de l'autel) dignement et devotement, il recepvera son sauvement. Et qui indignement le recepvera, pour certain il recevera sa damnation et son jugement[2].

Raisons de communier. Conditions pour communier. Mauvaises excuses pour ne pas communier

Certains formulaires[3] donnent deux raisons de communier le jour de Pâques: la réponse à l'invitation du Christ, et l'obligation faite par l'Eglise de se confesser et communier au moins une fois l'an.

D'autres[4] – parfois les mêmes (Paris c. 1505-1542) – énumèrent juste avant la confession générale, quatre raisons de communier à Pâques «de l'ordonnance de l'Eglise»: la préparation du carême grâce aux jeûnes, aumônes, oraisons et pénitences; la solennité de Pâques qui excite à la dévotion; la résurrection spirituelle qu'est la communion; la proximité du jeudi saint, où a été institué le «sacrement de l'autel».

Les conditions à remplir pour communier varient selon les formulaires; au total, elles sont au nombre de dix: il faut avoir l'âge «de discretion», savoir discerner le bien et le mal, avoir la foi en l'eucha-

---

[2] Chartres 1490 etc.
[3] Paris c. 1505-1542, Lisieux, Rennes, Saint-Brieuc, Soissons, Tours.
[4] Chartres, Paris 1497, Amiens, Autun, Cambrai, Clermont...

CONFESSIONS GÉNÉRALES (1490-1538)

ristie, avoir une vraie contrition, avoir confessé ses péchés mortels, ne pas haïr ou avoir de rancune contre son prochain, avoir pardonné, être humble, avoir un ardent désir de communier dignement; enfin, avoir une grande dévotion et faire de «bonnes oeuvres» (Paris c. 1505-1542, Bourges 1541, Lisieux 1507, Rennes c. 1510-1533, Saint-Brieuc 1506, Rouen 1559-1573, Soissons 1576, Tours 1533).

À noter que dans le formulaire indépendant de Nevers 1582, l'interdiction de communier est étendue aux usuriers et usurières, sorciers et sorcières, et à quiconque *aura retenu les droicts de saincte Eglise, et qui empesche la jurisdiction et franchise d'icelle, et qui n'aura payé loyaument ses dismes et ses droictures, et qui aura destourbé autruy de faire oblation...*

Quelques formulaires (Paris c. 1505-1542, Bourges, Lisieux, Rennes, Saint-Brieuc, Tours) énumèrent les mauvaises excuses de ceux qui ne veulent pas communier.

Fruits d'une bonne communion et dommages causés par une communion indigne

Certains prônes dénombrent ensuite les sept fruits d'une bonne communion appliqués aux sept dons du Saint Esprit, et les sept dommages causés par une communion indigne.

Interdictions de communier

Interdiction de communier et de se confesser hors de sa paroisse.

Plusieurs formulaires insistent sur le fait que, pour pouvoir communier, il ne faut avoir aucun sentiment de haine contre son prochain, ne pas être en état de péché mortel, et avoir entendu entièrement la messe.

Quelques textes[5] interdisent la communion à diverses catégories de personnes: excommuniés, interdits, usuriers, sorciers, étrangers à la paroisse, voleurs, opposants aux droits de l'Eglise.

Beaucoup demandent que ceux qui ont communié aient une attitude sainte, digne et pieuse[6].

Châlons 1569 présente des interdictions de communier très réduites.

On explique aussi qu'il faut enseigner aux enfants et aux familiers de se garder du péché, et que l'absolution générale n'absout pas les péchés mortels qui doivent être confessés individuellement[7].

---

[5]   Chartres, Meaux, Orléans…
[6]   Chartres, Autun, Cambrai, Clermont, Paris 1497, Amiens…
[7]   Chartres, Autun, Cambrai, Paris, etc.

224 CHAPITRE VI

Seconde partie: confession générale: *Je me confesse à Dieu*

La confession générale débute par *Je me confesse à Dieu* en français. Sont invoqués Dieu, la *glorieuse* ou la *benoiste Vierge Marie, monseigneur* ou *monsieur saint Michel*, les saints Pierre et Paul, et tous les apôtres. Suivent les martyrs, les confesseurs, et les vierges. Les saints et saintes les plus cités paraissent être *Denis, Etienne, Laurent, Martin, Nicolas,* et *Vincent,* ainsi que *Catherine* et *Marguerite*[8]. Certains noms apparaissent dans un seul diocèse: *Gacien* et *Lydoire* à Tours, *Piat, Lubin,* et *Cheron* à Chartres, *Remy* et *Barbe* à Soissons.

À la fin, le pénitent se confesse au curé de tous les péchés qu'il a faits depuis sa naissance ou son baptême, dont il se souvient ou dont il ne se souvient pas, jusqu'à l'heure présente.

Les textes sont très proches les uns des autres; seuls diffèrent les saints cités.

Accusation des péchés

L'accusation débute généralement par les péchés mortels, et leurs nombreuses «*branches et dependances*», puis les manquements aux sept vertus contraires aux péchés mortels: humilité, charité, patience, diligence, largesse ou liberalité, abstinence ou sobriété, chasteté.

Viennent ensuite les manquements aux dix commandements, aux dons du Saint-Esprit, aux oeuvres de miséricorde corporelles et spirituelles, aux sacrements, aux péchés des cinq sens; à Laon, Noyon, et Soissons, les péchés des cinq sens viennent en tête de l'accusation, suivis par les péchés mortels, les manquements aux sept vertus contraires, et les péchés contre les dix commandements.

Les accusations sont plus ou moins développées selon les formulaires; Laon, Noyon et Soissons détaillent beaucoup les péchés contre les cinq sens et contre les dix commandements, et par contre ne citent pas les péchés contre les dons du Saint Esprit, les sacrements, ou les oeuvres de miséricorde. Paris 1497 ne connaît pas les péchés contre les sacrements. Etc.

Demande de pardon. Satisfaction. Absolution.

La confession se termine par l'aveu de ses fautes, la demande de pardon (P1208-P1212), la promesse de ne pas recommencer, et la demande d'absolution.

La satisfaction est réduite à la récitation du *Confiteor* pour ceux qui le savent, au *Pater* et à l'*Ave* pour les autres.

---

[8] Faut-il faire un rapprochement avec ces deux saintes qui apparurent avec saint Michel à Jeanne d'Arc?

CONFESSIONS GÉNÉRALES (1490-1538)

Les prières d'absolution – le plus souvent identiques à celles utilisées pour les cérémonies pénitentielles du carême – comportent généralement trois ou quatre formules.

Les absolutions et prières d'accompagnement sont classées avec les absolutions générales, au chapitre III.

Communion

Après les formules d'absolution et la bénédiction finale, seuls les formulaires se rattachant à Chartres invitent ceux qui le désirent à communier avec une invitation à changer de vie : *Mutet ergo vitam qui vult accipere vitam.*

3. FORMULAIRES

Chartres 1490, Paris 1497, Paris c. 1505[9], Laon 1538, et formulaires s'y rattachant

[Chartres 1490 : Miles d'Iliers. Paris 1497 : Jean Simon. Paris c. 1505 : Étienne de Poncher. Laon 1538 : Louis de Bourbon-Vendôme[10]]

P1207   **a. Titres et introductions**

S'ensuit une confession et absolution generale composée par maistre Jehan Gerson, en son vivant chancelier de Paris.

Et de son temps fut ordonné que chascun curé ou son vicare la liroit ainsi qu'elle est escripte au peuple en son eglise le jour de Pasques avant la communion. Aussi avant la dicte confession liroit aucuns bons enseignemens et monitions qui s'ensuivent.

Paris 1497. Laon 1538. *Noyon 1546.*

Instructiones fiende in die Pasche[(a)].

Notandum est quod hodie[(b)] quilibet fidelis christianus tenetur omnia sua peccata proprio sacerdoti confiteri, et corpus Christi recipere per capitulum *Omnis utriusque* de penitentia et remissione. Tamen ante receptionem debent audire missam integram in sua propria parrochia[(c)], et genibus flexis audire plebanum[(d)] in gallico dicentem confes-

---

9   Molin Aussedat n° 852.
10   Les rituels *indiqués en italiques* sont ceux dont les variantes ne sont pas indiquées.

226 CHAPITRE VI

sionem, et post eum verba proferre cum contrictionem[e] dicendo sic
ante altare et exortando[f].

Chartres 1490. Autun 1503. Cambrai 1503. Châlons/Marne 1569. *Meaux 1546. Orléans*
c. 1548. Sens 1500.

Variantes. [a] *In die Pasche*] Aut. Cam. –[b] hodie] die Pasche Aut. Cam. –[c] parochia]
Sen. –[d] plebanum] curatum vel vicarium ChM. Or. Sen. –[e] contritione] Aut. Cam.
ChM. Or. Sen. –[f] exhortando] Aut. Cam. Sen.

Recommendationes fiende in die Pasche (titre courant). *Cy s'ensuyt*
une commendace que on fait communement le jour de Pasques aux
eglises parrochiales.

Paris c. 1505.

La confession generalle du jour de pasques par les paroisses. Cy en-
suit[a] *une confession generale qui se lit communement le jour de Pasques*
es eglises parrochiales.

Lisieux 1507. Bourges 1541. Tours 1533.
Variante. [a] Cy s'ensuyt] Bou. Trs.

S'ensuyt une Commendace que on faict communement le jour de
Pasques aux eglises parrochiales.

Rouen 1530, 1573.

b. Première partie : obligation de communier le jour de Pâques

Bonnes gens vous devez scavoir et estes[a] tenus au jourduy de recevoir
en saincte eglise le sacrement de l'autel. Le tres precieux et glorieux corps
de nostre seigneur Jesuchrist, cellui qui nasquist du ventre de la benoiste[b]
vierge Marie le jour de Noel, qui souffrit mort et passion en l'arbre de la
croix pour nous pecheurs racheter des peines d'enfer a tel jour comme
fut vendredi, et qui resuscita de mort a vie a tel jour comme[c] est huy, et
monta es saintz cieulx le jour de l'ascension, et qui envoya son sainct esperit a ses apostres le jour de la Penthecouste, et qui vendra juger les mors
et les vifz, bons et mauvais, au jour du jugement. Si vous prie, amonneste,
et requier que en ceste foy et creance vous le veulliez recevoir. Et ceulx
qui mettront peine et diligence de le recevoir dignement, sainctement, et
devotement, ilz recevront leur sauvement. Et ceulx qui indignement le
recevront pour certain ilz recevront leur jugement et damnement.

Paris 1497. *Laon 1538.* Noyon 1546.
Variantes Noyon. [a] Bonnes gens… estes] Vous debvez scavoir que tous chrestiens et
chrestiennes qui sont en aage (et ont discretion) sont. –[b] glorieuse] *add.* –[c] il] *add.*

CONFESSIONS GÉNÉRALES (1490-1538) 227

Bonnes gens vous devés[a] et estes tenus[b] au jourd'uy[c] de recepvoir[d] en saincte eglise le sainct[e] sacrement de l'aultel[f], le tres precieulx et tres glorieulx[g] corpz[h] de nostre seigneur[i] Jesu Crist[j]. Celui qui nasquist de la benoiste vierge Marie, le jour de Noel. Qui souffrit mort et passion en l'abre [sic] de la croix, pour nous pecheurs racheter des peines d'enfer, a tel jour comme fut[k] vendredi. Qui resucita[l] de mort a vie a[m] tel jour comme il est huy[n]. Et monta es cieulx[o] le jour de l'ascention[p]. Et qui vendra[q] juger lez vi[f]s[r] et les mors, les bons et lez[s] mauvais, au jour du jugement. Et je vous prie, amoneste, et requier[t], que en ceste foy[u] et creance vous le veilliés[v] recepvoir sainctement et dignement. Car sachiés[w] pour verité que celuy qui le recepvera[x] dignement et devotement, il recepvera[x] son sauvement. Et qui indignement le recepvera[x] pour certain il recevera sa damnation et son jugement.

Chartres 1490. Autun 1503. Cambrai 1503. Châlons/Marne 1569. Meaux 1546. Orléans c. 1548. Sens 1500.

Variantes Sens 1500. [a] devez. –[b] tenuz. –[c] aujourd'huy. –[d] recevoir. –[e] saint. –[f] autel. –[g] glorieux. –[h] corps. –[i] seigneur. –[j] Christ. –[k] fust. –[l] resuscita. –[m] en. –[n] aujourd'uy. –[o] cieux. –[p] ascension. –[q] viendra. –[r] les vifz. –[s] les. –[t] amoneste et requier] et amoneste. –[u] foi. –[v] veuillés. –[w] sachés. –[x] recevra.

Bonnes gens vous devez et estez tenuz au jourd'huy recevoir le sainct sacrement de[a] saincte Eglise[b], le precieux corps de nostre seigneur Jesuchrist, celuy qui naquist de la glorieuse vierge Marie le jour de Noel. Qui souffrit mort et passion en l'arbre de la croix pour nous pecheurs racheter[c] des peines d'enfer a tel jour qui[d] fut vendredi. ... Et vous admoneste que a ceste foy et creance vous le vueilez[e] recevoir. Et que vous mettez peine et diligence de le recevoir sainctement et dignement.

Paris c. 1505. Bourges 1541. Lisieux 1507. Rouen 1573. Saint-Brieuc [1506]. Soissons 1576. Tours 1533.

Variantes. [a] nostre mere] *add.* SBr. –[b] cest assavoir] *add.* SBr. –[c] rachapter] Bou. – [d] qui] comme Bou. –[e] vueillez] Bou.

1. Raisons de communier : 1° Répondre à l'invitation du Christ

Paris c. 1505. Bourges 1541. *Lisieux 1507. Saint-Brieuc [1506].* Rouen 1530. *Soissons 1576.*
(Absent de Chartres 1490 etc., Paris 1497, Orléans c. 1548, Laon 1538 etc.)

Car a ce vous estes contrains pour deux causes. L'une est, car nostre sire seigneur Jesuchrist nostre redempteur[a] qui au jourd'huy par sa divine puissance a eu et obtenu victoire de la mort en resuscitant, vous

228 CHAPITRE VI

a invitez a disner avec luy en sa propre table, et vous a promis donner et administrer son precieux corps pour viande et son precieux sang pour boire. Pour quoy vous devez estre moult esjouys en luy rendant tres humblement graces et mercis, et vestir robes de vertus et despouilier les robes de peché, et vous haster d'y venir affin que par vostre demeure ne luy facez desplaisir.

Variante. [a] nostre… redempteur] nostre seigneur et redempteur Bou.

2. Raisons de communier : 2° Obligation faite par l'Église de se confesser et communier au moins une fois l'an

Paris c. 1505. Bourges 1541. *Lisieux 1507.* **Rouen 1530-1573.** *Saint-Brieuc [1506].* *Soissons 1576. Tours 1533.*
(Absent de Chartres 1490 etc. et Orléans c. 1548, Paris 1497, Laon 1538 etc.)

L'autre cause est car l'Eglise a ordonné que ung chacun catholique qui est en aage et[a] discretion et qui scet discerner le mal du bien, a tout le moins se confesse a son propre curé une foys l'an, et receuve devotement le corps de nostre seigneur Jesucrist a Pasques. Si non que par le conseil de son curé pour aucune chose raisonnable s'en abstienne a certain temps, autrement l'entrée de l'eglise luy est defendue tant qu'il vivera, et s'il meurt, il n'ara point de sepulture[b] avec les Crestiens[c].

Variantes. [a] et] de Bou. –[b] sepulture] sepulcre Bou. –[c] Si non que… Crestiens] *om.* Rou. 1573.

3. Mauvaises excuses pour ne pas communier

Paris c. 1505. Bourges 1541. *Lisieux 1507.* **Rouen 1530.** *Saint-Brieuc [1506].* *Soissons 1576. Tours 1533.*
(Absent de Chartres 1490 etc., Orléans c. 1548, Paris 1497, Laon 1538 etc.)

Mais plusieurs sont qui, nonobstant les deux causes dessusdictes, de eulx disposer et mettre en estat deu, sont negligens et desloyaux[a] en querant excusations. Et[b] non par paroles toutesfoys[c] de fait et volenté, comme sont jeunes gens qui veulent user leur jeunesse en pechez et desirs charnelz, disant que quant ilz seront vielz ils amenderont[d] leur vie.

Les autres dient qu'ilz ne pevent jeuner ne prier, ne faire aucune bonne oeuvre. Les autres sont tant occupez en leurs besognes familieres qui[e] ne pevent vaquer es choses espirituelles.

Les autres dient que en la fin de leurs jours ils feront penitence de leurs pechez.

CONFESSIONS GÉNÉRALES (1490-1538)

Les orgueilleux qui[e] veulent dominer sur les autres ne daignent venir a la table de Dieu avecques les poures[f]. Les avaricieux qui retiennent les biens d'autrui ou peril et domage de leurs ames, se excusant en non voulant restituer l'autrui.

Les luxurieux qui par longue accoustumance sont venus au parfont [au fond] des vices se excusent, non voulant cesser a pecher. Et telles gens contempnent le mandement de Jesuchrist et l'ordonnance de l'Eglise ou[g] peril et damnement de leurs ames, non considerant que quiconques recevra ce precieux et benoist sacrement dignement et devotement, il recevra son sauvement. Et qui indignement et sans devotion le recevra, son jugement et damnement recevra.

Variantes Bourges 1541. [a] desloyaux] dilayans. –[b] si] *add.* –[c] toutesfoys] toutesvoyes – [d] emenderont. [e] qui] qu'ilz. –[f] ses pouvres. –[g] ou] au.

4. Conditions pour communier : discernement du bien et du mal, contrition, confession des péchés mortels, absence de haine, pardon

Chartres 1490. Laon 1538. Orléans c. 1548. etc. Paris 1497 etc.
(Absent de Paris c. 1505, Lisieux 1507. Saint-Brieuc [1506], Tours 1533).

Et est entendu ce commandement de recevoir huy son sauveur pour ceulx qui ont aage et ans de discretion, et qui ont souffisante cognoissance pour congnoistre et discerner le bien du mal, et le mal du bien. Et aussi qu'ilz soient vrais repentans et confes de leurs pechez mortelz et autres a leur povoir, et si ne doivent estre en haine de creature quelconque[a]. Doivent aussi avoir pardonné et remises[b] toutes injures qui au temps passé leur ont este faictes ou dictes. Et avoir crié mercy a toutes autres personnes a qui ilz pevent avoir meffait au temps passé[c] se ilz ont bonnement peu[d], ou avoir esperance et ferme propos que ilz leur crieront mercy au temps advenir se ilz les pevent trouver.

Paris 1497. *Laon 1538.* Noyon 1546.
Variantes. [a] de creature quelconque] contre leurs prochains No. –[b] remis] Lao. No. – [c] au temps passé] *om.* No. –[d] faire] *add.* No.

Et est entendu ce commandement de recepvoir au jourduy son sauveur pour ceulx qui ont ans de discretion, et sont en aage souffisant, a congnoistre et discerner le bien du mal, et le mal du bien, et qu'ilz soient vrais repentens et confes de tous leurs pechiés mortelz a leur povoir. Ne ne doivent estre en hayne de creature quelcunque[a], doivent avoir pardonné, et remises[b] toutes injures qui au temps passé leur

230   CHAPITRE VI

auroient[c] esté faictes. Et avoir crié mercy a toutes aultres personnes, ausquelles pevent avoir mesfait au temps passé, se ilz[d] ont peu bonnement ou avoir bonne esperance et ferme propos qu'ilz leur criront mercy au tems advenir s'ilz les pevent[e] trouver.

Chartres 1490. *Autun 1503. Cambrai 1503. Châlons/Marne 1569. Meaux 1546. Orléans c. 1548.*
Variantes. [a] personnes quelconques] ChM. –[b] remis] ChM. Mea. –[c] avoient] ChM. –
[d] si] Mea. – s'ils] ChM. –[e] peuvent] ChM. Mea.

5. Sept conditions pour communier : foi, contrition, persévérance, absence de haine et pardon, humilité, désir de communier, dévotion

Paris c. 1505. Bourges 1541. *Lisieux 1507.* **Rouen 1530. Saint-Brieuc [1506]. Soissons 1576. Tours 1533.**
(Absent de Chartres 1490 etc., Orléans c. 1548, Paris 1497, Laon 1538 etc.)

Car vous devez scavoir que, avant que la creature puisse dignement et devotement recevoir son createur, plusieurs choses sont requises.

La premiere qu'elle ait ferme foy et creance audit sacrement, par quoy s'ensuyt que ceulx qui n'ont pas aage souffisant ne discretion de discerner le bien du mal ne sont pas habiles a ce.

La seconde, que la creature ait grand contrition et repentance de ses pechez, et qu'elle ait nette conscience.

La tierce, qu'elle soit vestue de vestemens vertueux, affin que nostre Seigneur ne luy die : « Amy, comme es tu entré cy sans avoir l'abit des nopces ? » Car il ne souffit pas estre purgé de peché, qui n'a bon et ferme propos de perseverer en bonnes oeuvres.

La quarte, qu'elle n'ait point de hayne ne[a] rancune a personne quelconque, mais doibt avoir remises et pardonnées toutes les injures qui au temps pasé luy ont esté faictes, et avoir cryé mercy a toutes aultres[b] personnes ausquelles elle peut avoir mefait au temps passé, se elle peut bonnement ou avoir bonne volenté et ferme propos qu'elle leur criroit mercy au temps advenir se elle les povoit trouver.

La quinte est humilité, car se la creature consideroit bien la vilité [ce qui est vil] et le petit bien qui est en elle, et la excellence et haultesse de la majesté divine, jamais il n'oseroit approcher a si hault et digne sacrement, sinon qu'il esperast de la misericorde de Dieu.

La siziesme, qu'elle ait ardant desir de recevoir dignement ce benoist sacrement. Car comme la viande materielle prinse par ennuy et sans appetit ne porte point de profit a celuy qui la prent, aussy ne fait ceste viande espirituelle qui est prinse sans appetit et desir spirituel.

CONFESSIONS GÉNÉRALES (1490-1538)

La septieme est grand devotion, a laquelle la creature peut estre esmue pour faire bonnes oeuvres et souvent penser a la passion Jesuchrist, laquelle chose l'esmeut[c] a rendre graces a Dieu, et a pleurs et larmes, et aultres signes de devotion par quoy elle est disposée a dignement recevoir ce precieux sacrement.

Variantes. [a] de] *add.* Bou. –[b] aultres] *om.* Bou. –[c] l'esmeut] l'amene Bou. – l'ame meut Trs.

6. Les sept fruits d'une bonne communion appliqués aux sept dons du Saint-Esprit

Paris c. 1505. Bourges 1541. *Lisieux 1507.* Rouen 1530. Saint-Brieuc [1506]. Soissons 1576. Tours 1533.
(Absent de Chartres 1490 etc., Orléans c. 1548, Paris 1497, Laon 1538 etc.)

Et devés scavoir que quiconques le recoit dignement, il acquiert sept grans profis[a] qui pevent estre appliquez aux sept dons du Sainct Esperit.

Le premier est remission de ses pechez venielz. Car combien que la creature soit purgée de peché avant qu'elle recoive, toutesfoys demeure il aucune relique de peché ou par mal acoustumance, ou par faulte[b] de contrition ou de confession, et a ce peult estre appliqué le don de paour[c]. Car la crainte de nostre Seigneur boute dehors le peché.

Le second est mitigation [apaisement] du nourrissement, et inclination de peché, qui par la digne reception de ce benoist sacrement est estainte et diminuée. Et a ce peut estre appliqué le don de force, par lequel l'ame est efforcée[d], et chair affoiblie, affin qu'elle ne[e] domine sur l'ame.

Le tiers est revivification des bonnes oeuvres faictes en estat de grace, qui par peché ensuivant ont esté mortifiez. Et a cestui est apliqué le don de conseil, par lequel le bien est eslu, et le mal debouté.

Le quart est fructification de vertus et de bonnes oeuvres, et a cestuy est appliqué le don de pitié, par lequel la creature est menée aux oeuvres de pitié, et aux fais de vertus[f].

Le quint est accroissement de devotion et de grace, et a cestuy est appliqué le don de science. Par quoy la creature est menée a la congnoissance des choses espirituelles.

Le siziesme est incorporation mistique de Jesu Christ qui[g] dit: « Qui mengeue [*sic*] ma chair, et boit mon sang, il demeure en moy, et moy en luy ». Et a cestuy est appliqué le don d'entendement, par lequel la creature est introduite a garder les commandemens de Dieu.

Le septieme est acquisition de vie perdurable. Car Jesuchrist dit: « Qui mengue [*sic*][h] ma chair et boit mon sang, il a vie perdurable ».

Et a cestuy est appliqué le don de sapience, par lequel la creature contemple en sa pensée les choses eternelles et celestielles.

Variantes. [a] prouffitz] Bou. –[b] deffaulte] Bou. –[c] le don de paour] le don de pouvoir Trs. –[d] enforcée] Bou. –[e] ne] *om.* Bou. –[f] et aux fais de vertus] *om.* Rou. –[g] a] *add.* Bou. –[h] mengeue] Bou.

7. Les sept dommages causés par une communion indigne

Paris c. 1505. Bourges 1541. *Lisieux 1507.* Rouen 1530. Saint-Brieuc [1506]. Soissons 1576. Tours 1533.
(Absent de Chartres 1490 etc., Orléans c. 1548, Paris 1497, Laon 1538 etc.)

Et aussy quiconques le recoit indignement, il acquiert sept grans domages.

Le premier. Car il est plus longuement malade et plus griesvement.

Le second, car il meurt en grant peine.

Le tiers, car il encourt grant peché et nouvel, en soy ingerant a si grant sacrement sans disposition deue.

Le quart, car sa conscience en est plus aggravée de douleur et plus amere.

Le quint, car le dyable prent en luy greigneur [plus grande] puissance, comme a Judas auquel le dyable entra aussy tost qu'il eut receu le corps de Jesuchrist.

Le sixieme, car il en est plus obstiné et endurcy en mal, comme Judas qui se desespera et puys se pendit.

Le septiesme, car il en est damné perpetuellement et plus griesvement en est puny ainsy comme (s') il avoit occis Jesuchrist, et pource qu'il y a si grant peril a indignement recevoir ce benoist et precieux sacrement, pour l'amour de Dieu prengne[a] ung chacun endroit soy gardé a sa conscience, et se dispose le mieulx qu'il pourra.

Variante. [a] prengne] preigne Bou. Trs.

8. Interdiction aux excommuniés et aux interdits de communier

Chartres 1490 etc. Laon 1538. *Lisieux 1507.* Orléans c. 1548. Paris 1497, Paris c. 1505 etc.

Et s'ilz est aucune creature[a] qui soit en sentence de excommuniement[b] ou interdit, ne viengne point a la table de nostre seigneur. Car elle n'est point en estat de grace de le recevoir, pour la desobeyssance qu'elle a fait a son prelat jusques a ce qu'elle soit absolue[c]. Et pour ce je lui defens la table de nostre Seigneur.

Paris 1497. Laon 1538. Noyon 1546.
Variantes. [a] Et se il est aulcune personne] Lao. – Et s'il y a aucune personne] No. – [b] suspension] *add.* No. – absoulte] Lao. No.

Et s'il est aucun ou aucunne personne qui soit en sentence d'excommuniement ou entredit[a]. Ils ne doivent point recepvoir leur sauveur, car ilz ne sont point en estat de grace, pour la desobeissance qu'il[b] ont fait a leur prelat jusquez a ce qu'ilz soient absous. Et pour ce leur deffens la table de nostre Seignieur.

Chartres 1490. *Autun 1503. Cambrai 1503.* Meaux 1546. *Orléans c. 1548.*
Variantes Meaux. [a] entredit] interdit. –[b] il] ilz.

Et pource s'il y a aucun ou aucune qui soit en sentence d'excommuniment ou interdit, je luy defens qu'il ne viengne point recevoir ce precieux sacrement, car il n'est pas en estat de grace tant qu'il soit absoubz.

Paris c. 1505. Bourges 1541. *Lisieux 1507.* Rouen 1573. *Saint-Brieuc [1506]. Soissons 1576. Tours 1533.*

9. Interdiction de communier hors de sa paroisse

Chartres 1490 etc. Laon 1538. Orléans c. 1548. Paris 1497, Paris c. 1505. Rouen 1530. Saint-Brieuc [1506]. Soissons 1576 etc.

Item je defens aussi sur peine d'excommuniement que nulz ne nulles de quelque etat qu'ilz soient, se ilz ne sont mes parroissiens[a] ou parroissiennes[b], ne prennent[c] le corps de[d] nostre Seigneur en ceste parroisse ne en ceste eglise[e], se il ne m'est apparu de la licence de leurs curez ou souverains par lettres ou autrement.

Item je defens a tous mes parroissiens[f] sur peine d'excommuniement[g] que nulz ne nulles[h] ne voise recevoir son sauveur hors de ceste parroisse sans avoir licence de son curé[i]. Car chascun doit savoir le commendement de l'eglise qui est tel. C'est assavoir que chascun bon crestien se doit confesser a son curé[j] : et recevoir son sauveur a Pasques[k]. Et plus vault obeyssance[l] que sacrifice. Et aussi que c'est grant peril d'aler recevoir son sauveur hors de sa parroisse[m]. Car qui le recevroit d'un religieux sans avoir congié, le religieux[n] seroit excommunié selon les sainctes ordonnances. Et aussi seroit cellui qui recevroit le corps de nostre Seigneur pour[o] la participation qu'il auroit avec le religieux excommunié. Et ainsi[p] ne recevroit point dignement son sauveur[q].

Paris 1497. Paris c. 1505. *Bourges 1541.* Laon 1538. *Lisieux 1507.* Noyon 1546. Orléans c. 1548. Rouen 1530. *Saint-Brieuc [1506]. Soissons 1576. Tours 1533.*

Variantes. [a] parrochiens] Pa. 1505. [b] ou parroissiennes] *om.* Rou. –[c] ne prennent] de prendre Rou. –[d] de] *om.* Lao. Pa. 1505. Rou. [e] ou paroisse] *add.* Pa. 1505. Rou. – [f] et parroissiennes] *add.* Lao. – ou parroissiennes] *add.* Rou. – mes parrochiens ou parrochiennes] Pa. 1505. –[g] sur peine d'excommuniement] *om.* Lao. No. –[h] nulz ne nulles] nul Lao. – aucun No. –[i] son curé] moy Pa. 1505. Rou. –[i] ou a ses commis] *add.*

Lao. No. –[k] Car chascun… Pasques] *om.* Rou. –[l] obeyssance] obedience Pa. 1505. Rou. –[m] Et aussi… parroisse] Et aussi peult avoir grant peril de le recevoir ailleurs Pa. 1505. Rou. –[n] sans avoir congié, le religieux] *om.* No. –[o] pour] par No. –[p] ainsi] aussi No. – aussy Lao. –[q] mais recepveroit son damnement] *add.* Or. – Et aussi que c'est grand peril… sauveur] *om.* So. – Car qui… sauveur] Car qui le reçoit d'un Religieux sans en avoir congié, tous deux sont excommuniez. Et le religieux, et celuy qui le reçoit aussi Pa. 1505. Rou.

Je deffens aussy sur peine d'excommuniement que nulz ne nulle de quelque estat qu'il soient, se il[a] ne sont parrochiens ou parrochiennes[b] de ceste parroiche[c] ne preinne le corps de nostre Seigneur en ceste eglise s'il ne m'est apparu de la licence de leur curé et souverain ou aultrement.

Item je deffens a tous parrochiens ou parrochiennes[d] de ceste parroiche sur peine d'excommuniement que nulz ne voisent recepvoir son sauveur hors de ceste eglise sans avoir licence de moy curé, car chascun doit scavoir le commendement de l'Eglise qui est tel : chascun christien se doit confesser a son curé et recepvoir son sauveur a Pasques, et plus vault obedience que sacrifice. Et aussy c'est grant peril d'aler recepvoir son sauveur hors de sa parroisse, car qui le recoipt d'un religieulx sans avoir congié, le religieulx seroit excommunié selon les saincts canons. Et aussy seroit celuy qui recepveroit le corps nostre Seignieur, pour la participation qu'il aroit[e] avecquez le religieulx excommunié, et ainssy ne recepveroit[f] point dignement son sauveur mais recepveroit son dannement.

Chartres 1490. *Autun 1503. Cambrai 1503.* Meaux 1546.

Variantes Meaux. [a] il] ilz. –[b] parrochiens ou parrochiennes] paroissiens ou paroissiennes. –[c] parroiche] paroisse. –[d] aroit] auroit. –[e] a] *add.*

10. Obligation de se confesser dans sa paroisse

Chartres 1490 etc. Laon 1538. Orléans c. 1548. Paris 1497, Paris c. 1505 etc. Rouen 1530. (Absent de Limoges 1518).

Item je defens sur peine d'excommuniement que nulz ne nulles[a] ne recoive le corps nostre Seigneur en ceste eglise ne en ceste parroisse[b] se il ne s'est confessé[c] a moy ou a mes commis, ou autres qui aient bonne auctorité et puissance, de laquelle il me soit apparu par lettres ou autrement deuement[d].

Paris 1497. Paris c. 1505. Laon 1538. *Lisieux 1507.* Noyon 1546. *Saint-Brieuc* [*1506*]. *Soissons 1576. Tours 1533.*

Variantes. [a] nulz ne nulles] aucuns No. – ne nulles] *om.* Lao. –[b] en ceste eglise… parroisse] *om.* Lao. No. –[c] il ne s'est confessé] ilz ne se sont confessez Lao. No. –[d] et puissance… deuement] de ce faire Pa. 1505. So. Trs. – ou autres… deuement] *om.* Rou.

CONFESSIONS GÉNÉRALES (1490-1538)

Item je deffens sur peine d'excommuniement que nulz ne recepvent[a] le corps de nostre Seigneur en ceste eglise s'il n'est confessez a moy ou a mez commis[b] ou aultre qui ait bonne autorité et puissance de laquelle il me soit aparu par lettres ou aultrement duement.

Chartres 1490. Meaux 1546. *Orléans c. 1548.*

Variantes. [a] nulz ne recepvent] nul ne recoipve Mea. –[b] a mez] a moymesmes Mea.

11. Interdiction à celui qui hait son prochain ou qui est en état de péché mortel de communier

Chartres 1490 etc. Orléans c. 1548. Paris 1497, Paris c. 1505 etc. Rouen 1530. (Absent de Limoges 1518).

Item je defens sur peine d'excommuniement que nul ne nulle[a] de quelque estat qu'il soit ne viengne a la table de nostre Seigneur se il est en haine de[b] son prochain, c'est a dire en haine[c] de quelque creature[d] que ce soit[e], ou se il se sent en[f] quelque autre peché mortel, secret, ou notoire. Car en verité il feroit tres[g] grant folie et encourroit tres[h] grant indignation de Dieu nostre seigneur[i].

Paris 1497. Paris c. 1505. Laon 1538. *Lisieux 1507.* Noyon 1546. *Soissons 1576.* Tours 1533.

Variantes. [a] ne nulle] *om.* Lao. No. Pa. 1505. –[b] en haine de] contre No. –[c] en haine] *om.* Lao. No. –[d] de quelque creature] contre quelqu'un qui No. –[e] c'est a dire... ce soit] *om.* Pa. c. 1505. Trs. –[f] en] avoir Trs. –[g] tres] trop No. –[h] tres] *om.* Lao. – moult la Pa. 1505. Trs. –[i] nostre seigneur] *om.* Pa. 1505.

Item je deffens sur peine d'excommuniement que nul de quelque estat qu'il soit ne viengne a la table nostre Seigneur s'il est en hayne de son prochain c'est a dire en hayne de quelque creature christienne[a], ou s'il se[b] sent en[c] quelque aultre pechié mortel secret ou notoire, car veritablement il feroit tres grant folie et encoureroit tres grant[d] indignation de Dieu.

Chartres 1490. *Meaux 1546. Orléans c. 1548.* Rouen 1573. *Saint-Brieuc [1506].*

Variantes. [a] c'est a dire... christienne] *om.* Rou. –[b] se] *om.* Mea. –[c] en] avoir Rou. Trs. –[d] encoureroit... grant] encourroit moult la Rou.

12. Interdiction à celui qui n'a pas entendu la messe entièrement de communier

Paris 1497, Paris c. 1505 etc. Chartres 1490. Laon 1538. Orléans c. 1548. Rouen 1530. Tours 1533 etc.

Item je defens que nul ne viengne a la table de nostre Seigneur se il n'a ouy[a] messe entiere. Et ne se doit nul[b] haster de recevoir son sauveur pour plus tost boire ou menger viendes nouvelles, car ce seroit gloutonnie[c] se il n'y avoit autres choses necessaires et deues[d].

Paris 1497. Paris c. 1505. Laon 1538. *Lisieux 1507.* Noyon 1546. *Rouen 1530. Saint-Brieuc [1506]. Soissons 1576.*

Variantes. [a] ouy] oy No. Pa. 1505. Rou. –[b] nul] aucun No. –[c] car ce seroit gloutonnie…] *om.* No. Pa. 1505. Rou. So. –[d] se il… deues] s'il n'y a autre cause (plus) necessaire Pa. 1505. Rou.

Item je deffens que nul ne viengne a la table nostre Seignieur se il n'a oy[a] messe entiere, et ne se doit nul haster de recepvoir son sauveur pour plus tost boire ou mengier[b] viandes nouvelles[c], car se [*sic*] seroit gloutonnie se il n'y avoit aultre cause necessaire.

Chartres 1490. Clermont 1505. *Meaux 1546. Orléans c. 1548.*

Variantes. [a] oy] ouy Mea. –[b] mengier] menger Mea. – gromander tant] *add.* Cl. – [c] que aultres] *add.* Cl.

13. Interdiction aux usuriers et aux sorciers de communier

Chartres 1490. Meaux 1546. Orléans c. 1548 etc.
(Absent de Paris 1497 etc., Paris c. 1505, Bourges 1541, Laon 1538, Limoges 1518, Lisieux 1507, Rouen, Saint-Brieuc 1505. Soissons 1576).

Item je deffens que nul usurier et usuriere occultement ne manifestement jusquez a plaine satisfaction faicte viengne[a] a la table nostre Seignieur[b].

Item je deffens que nul sorcier ou sorciere ne personne qui y croie jusquez a ce qu'ilz soient vraies [*sic*] confes et repentens viengne[a] a la table de nostre Seignieur[b].

Chartres 1490. Meaux 1546. *Orléans c. 1548.*

Variantes. [a] viengne] vienne Mea. –[b] Seigneur] Mea.

14. Interdiction aux excommuniés, aux étrangers à la paroisse, aux sorciers… de communier

Châlons/Marne 1569.

Il est defendu à tous excommuniez, et qui ne sont de ceste paroisse, s'ils n'ont licence de leur pasteur, item qui ne sont point confessez et absouz, et qui ont haine contre leur prochain, qui sont sorciers ou croyeux a iceux, et qui n'ont satisfait, ou n'ont volonté de satisfaire, de venir à ceste sainte table pour communier au corps de nostre Seigneur, car ils le receveroient indignement et à leur damnation, et exhortons un chacun de bien et devotement ouir la messe devant que communier.

CONFESSIONS GÉNÉRALES (1490-1538)   237

15. Interdiction à ceux qui s'opposent aux droits de l'Église de communier

Chartres 1490. Meaux 1546. Orléans c. 1548. etc.
(Absent de Paris 1497 etc., Paris c. 1505, Bourges 1541, Laon 1538, Limoges 1518, Lisieux 1507, Rouen 1530, Saint-Brieuc 1505. Soissons 1576).

Item je deffens que nul ne nulle qui ara[a] retenu les droiz[b] de saincte eglise, et qui empesche la juridition et franchise d'icelle, et qui n'aura paié loiaument ses dixmes et ses droitturez, et qui ara[c] detourbé a aultruy de faire oblations ou aultres biens jusques a plaine satisfation faicte viengne a la table de nostre Seigneur.

Chartres 1490. Meaux 1546. *Orléans c. 1548.*
Variantes Meaux. [a] aura. –[b] droictz. –[c] dixmes... ara] dismes et ses droictures, et qui aura.

16. Interdiction à ceux qui ont manqué la messe paroissialle le dimanche de communier

Chartres 1490. Meaux 1546. Orléans c. 1548 etc.
(Absent de Paris 1497 etc. Paris c. 1505, Bourges 1541, Laon 1538, Limoges 1518, Lisieux 1507. Rouen 1530, Saint-Brieuc [1506]. Soissons 1576).

Item je deffens que nul ne nulle qui n'aura esté de trois dimenchez l'ung a sa parroisse s'il n'a eu excusation raisonnable viengne a la table nostre Seignieur avant confession.

Chartres 1490. Meaux 1546. *Orléans c. 1548.*

17. Interdiction aux voleurs de communier

Chartres 1490. Meaux 1546. Orléans c. 1548 etc.
(Absent de Paris 1497 etc., Paris c. 1505, Bourges 1541, Laon 1538, Limoges 1518, Lisieux 1507, Rouen 1530, Saint-Brieuc [1506]. Soissons 1576).

Item je deffens que nul ne nulle qui ait riens de l'aultruy s'il n'a tres bonne volenté de le rendre de brief viengne a la table nostre Seigneur.

Chartres 1490. Meaux 1546. Orléans c. 1548.

18. Conseils : après la communion, avoir une attitude sainte, digne et pieuse

Chartres 1490 etc. Laon 1538. Lisieux 1507. Orléans c. 1548. Paris 1497, Paris c. 1505 etc.

Bonnes gens apres ce que vous aurez[a] receu vostre sauveur, vous vous devez garder sainctement, dignement, et devotement, pour l'hon-

238 CHAPITRE VI

neur et reverence de Dieu principallement qui veult aujour duy[b] estre hebergié et logié en vostre hostel et domicile et pour le sauvement de voz ames, lequel sauvement vous ne pouvez avoir sans la grace de ce tres benoist hoste nostre seigneur[c] Jesucrist.

Or luy devez dont faire bonne chere, et joyeuse et grant joye mener[d] en esperance de vostre sauvement. Et ne devez se[e] tres benoist hoste par peché hors de vostre compaignie bouter.

Paris 1497. Laon 1538. Noyon 1546.

Variantes. [a] aurez] avez No. –[b] aujour duy] *om.* No. –[c] nostre seigneur] *om.* No. – [d] Or... mener] Or luy debvez vous doncques grant honneur et reverence, et mener grant joye Lao. – Ou luy devez vous doncques grand honneur et reverence, et mener grande joye No. –[e] se] ce No.

Et devés bonnes gens apres ce que aurés[a] receu vostre saulveur vous garder sainctement, dignement, et devotement, pour l'onneur et reverence de Dieu principalment qui veult au jourd'uy estre hebergiés et logiés[b] en vostre hostel et domicile, et pour[c] le saulvement de vos ames. Lequel sauvement vous ne povés avoir sans la grace de ce benoist hoste nostre doubz[d] sauveur Jesu Crist.

Or luy devés donc faire bonne chiere et lye[sse], et grant joie mener en esperance de vostre sauvement[e], et ne devés se [*sic*] tres benoist hoste par pechié[f] bouter hors d'avec vous.

Chartres 1490. *Châlons/Marne 1569. Lisieux 1507. Meaux 1546. Orléans c. 1548.* Paris c. 1505. *Saint-Brieuc [1506]. Soissons 1576. Tours 1533.*

Variantes Paris c. 1505. [a] ce que aurés] que avez. –[b] hebergié et logé. –[c] avoir] *add.* – [d] doubz] *om.* –[e] et grant... sauvement] *om.* –[f] et ne devés... par pechié] et ne le devés pas par paresse.

Et devez bonnes gens apres que avez receu vostre Sauveur vous garder devotement pour l'honneur de Dieu. Principalement qui veult estre aujourd'huy hebergé en vostre domicile. Et pour avoir sauvement vous ne le povez avoir sans la grace de ce benoist hoste nostre Sauveur J. C.

Rouen 1573.

19. Enseigner aux enfants et aux familiers à se garder du péché. L'absolution générale n'absout pas les péchés mortels qui doivent être confessés individuellement

Chartres 1490 etc. Laon 1538. Lisieux 1507. Orléans c. 1548. Paris 1497, Paris c. 1505 etc.

Et aussi bonnes gens[a] qui avez vous[b] enfans et voz familles[c] et autres jeunes gens[d] a gouverner, qui sont disposez a recevoir leur sau-

CONFESSIONS GÉNÉRALES (1490-1538)   239

veur, vous les devez enseigner et introduire comment ilz se doivent maintenir et garder de pecher a leur pouvoir.

Et aussi bonnes gens[a] vous devez scavoir que affin d'esmouvoir les cueurs des creatures[e] a plus grant devotion pour desplaisance des pechez venielz, et[f] pour amendrir les peines qui nous sont deuez[g] pour nos pechez, et pour grace impetrer, il est acoustumé de faire au jour duy une forme et maniere de absolution generale en saincte eglise, mais nul ne se doit fier ne croyre qu'elle lui vaille pour absolution de[h] quelque peché mortel dont il ait memoire, se il n'est confessé secretement ou particulierement de sa bouche a prestre, bien repentent, ou ait fait satiffation, ou promis a[i] faire tout au[j] plustost que faire se pourra, et qu'il le face.

Paris 1497 etc. Laon 1538. *Lisieux 1507.* Noyon 1546. *Saint-Brieuc* [1506] [placé avant le *Confiteor* à Saint-Brieuc]. *Soissons 1576. Tours 1533.*

Variantes. [a] bonnes gens] *om.* No. –[b] vous] voz Lao. No. –[c] familles] familiers Lao. No. – [d] jeunes gens] personnes Lis. –[e] des creatures] d'ung chascun No. –[f] et] aussi No. – [g] deuez] deues Lao. No. –[h] pour absolution de] *om.* No. –[i] a] la No. –[j] tout au] Le No.

Et aussy bonnes gens qui avez enfans ou famille, ou aultres jeunes personnes en gouvernement qui sont disposez a recevoir ce precieux sacrement, enseignés les et instruez comme ilz se doivent maintenir et garder de peché.

Et aussy bonnes gens affin d'esmouvoir les cueurs des creatures a plus grant devotion pour remission aucune des pechez venielz, et pour amendrir les peines qui vous sont deues pour voz pechez, et grace impetrer, il est acoustumé de faire au jourdhuy une absolution generale aux eglises, mais nul ne se doit fier que elle luy vaille a absolution d'aucun peché mortel, dont il ayt memoire, s'il n'en est confessé secretement ou particulierement de sa bouche et bien repentant, et ait fait satisfaction, ou promis ce faire le plus tost que faire se pourra.

Paris c. 1505.

Aussy bonnes gens[a] qui avés enfans et familiers et aultres jeunes gens en gouvernement qui sont disposez de recepvoir leur saulveur, vos les debvés enseignier et introduire comment ilz se doibvent maintenir et garder de pechié, et aussy bonnes gens[b] vous debvés scavoir que affin de esmouvoir les cueurs des creatures a plus grant devotion pour aucune remission des pechiés venielz, et pour amendrir lez peines qui nous sont deues pour nos pechiés, et grace impetrer[c]. Il est acoustumé de faire au jourd'uy une forme et maniere d'absolution generale en saincte eglise, mais nulz ne se doit fier ne croire que elle luy vaille pour absolution de quelque pechié mortel[d] dont il ait memoire, s'il n'en est confessé secretement et particulierement de sa bouche a prestre,

CHAPITRE VI

bien repentant, et ait fait satisfaction, ou promis a faire le plus tost que bonnement pourra et qu'il le face sans fraude.

Chartres 1490. Châlons/Marne 1569. *Meaux 1546. Orléans c. 1548.*

Variantes. [a] bonnes gens] mes freres chrestiens ChM. –[b] bonnes gens] mes freres ChM. – [c] affin de esmouvoir… impetrer] *om.* ChM. –[d] quelque pechié mortel] peché ChM.

Et aussi, vous qui avez enfans ou famille, ou autres jeunes personnes en gouvernement qui sont disposez à recevoir ce precieux Sacrement, enseignez les, et instruisez, comme ilz se doibvent maintenir et garder de peché. Et aussi bonnes gens, afin d'esmouvoir les coeurs des creatures à plus grande devotion, pour remission aucune des pechez venielz, pour amoindrir les peines qui vous sont deues pour voz pechez, et grace impetrer.

Il est accoustumé de faire aujourd'huy une Absolution generalle aux Eglises, mais nul ne se doibt fier qu'elle luy vaille, pour absolution d'aucun peché mortel, dont il ait memoire, s'il n'en est confessé secrettement ou particulierement de sa bouche et bien repentant, et ait faict satisfaction, ou promis ce faire, le plus tost que faire pourra.

Rouen 1573.

20. Les quatre raisons de communier le jour de Pâques

Chartres 1490 etc. Laon 1538. Orléans c. 1548. Paris 1497, Paris c. 1505 etc. Rouen 1530.

Et devez au jour dui[a] recevoir vostre sauveur pour iiii[b] causes.

Paris 1497. Laon 1538. Noyon 1546. etc.

Variantes. [a] au jour dui] *om.* No. –[b] iiii] quatre No.

Et devés au jourd'uy recepvoir vostre saulveur pour quatre causes.

Chartres 1490. Châlons/Marne 1569. Meaux 1546. Orléans c. 1548.

Et devez au jourd'huy par l'ordonnance de l'Eglise recevoir vostre saulveur pour quatre causes.

Paris c. 1505. Lisieux 1507. Bourges 1541. Rouen 1573. Saint-Brieuc [1506]. Soissons 1576. Tours 1533.

21. Première raison : préparation due au Carême

Chartres 1490 etc. Laon 1538. Paris 1497, Paris c. 1505 etc. Rouen 1530 etc.

La premiere est, pource que vous devez plus estre disposez pour le sainct temps de karesme, lequel devez avoir bien emploié en jeunes, en aumosnes, en oraisons, et en penitences.

Paris 1497. Laon 1538. Noyon 1546.

CONFESSIONS GÉNÉRALES (1490-1538)

La premiere est pour ce que vous devés estre plus disposé pour le sainct temps de karesme, lequel devés avoir bien emploié en jeunes, en aumosnez, en oroisons, et penitances.

Chartres 1490. *Châlons/Marne 1569. Meaux 1546. Orléans c. 1548.*

La premiere cause est: car vous y devés estre plus disposez pour le saincts temps de jeune et de penitence que vous devés avoir bien employé en cest caresme[a].

Paris c. 1505. Bourges 1541. *Lisieux 1507. Saint-Brieuc [1506]. Rouen 1530. Soissons 1576. Tours 1533.*
Variante. [a] cest caresme] ce quaresme Bou. – ce Karesme Rou.

22. Deuxième raison: Pâques est la fête de notre rédemption

Chartres 1490 etc. Laon 1538. Paris 1497, Paris c. 1505 etc. Rouen 1530 etc.

La seconde est pour la passion de nostre Seigneur et pour nostre redemption, desquelles nostre mere saincte Eglise fait huy[a] feste et solennité, laquelle cause vous doit esmouvoir a devotion.

Paris 1497. Laon 1538. Noyon 1546.
Variante. [a] huy] ces jours No.

La secunde cause est pour la passion nostre Seignieur et pour nostre redemption, desquellez saincte Eglise fait au jourd'uy feste et[a] solennité, laquelle cause vous doit bien[b] mouvoir a devotion.

Chartres 1490. Bourges 1541. *Châlons/Marne 1569. Lisieux 1507. Meaux 1546. Orléans c. 1548.* Paris c. 1505. Rouen 1530. *Saint-Brieuc [1506].*
Variante. [a] feste et] *om.* Bou. Pa. 1505. –[b] bien] *om.* Bou. Pa. 1505.

La seconde est en memoire et recordation de la douloureuse mort et passion que nostre Seigneur a soufferte pour nous le jour du vendredy saint.

Soissons 1576.

23. Troisième raison: la communion est une résurrection spirituelle

Chartres 1490 etc. Laon 1538. Paris 1497, Paris c. 1505 etc. Rouen 1530 etc.

La tierce cause est, que ainsi que nostre Seigneur resuscita huy[a] corporellement de mort a vie. Par recevoir huy[a] son precieulx corps et digne sacrement vous puissez huy[a] avecques nostre seigneur[b] Jesucrist resusciter espirituellement de peché a grace, digne de obtenir sauvement.

Paris 1497. Laon 1538. Noyon 1546.

Variantes. [a] huy] *om.* No. –[b] nostre seigneur] *om.* Lao. No.

La tierce cause est affin que ainssy que nostre Seignieur resuscita aujourd'uy corporellement de mort a vie, par recepvoir son precieulx corps et digne sacrement, vous puissiez au jourd'uy avec luy resusciter spirituellement de pechié a grace digne de obtenir saulvement.

Chartres 1490. *Meaux 1546. Orléans c. 1548.*

La tierce cause est car Jesuchrist nostre redempteur resuscita huy corporelement, affin que par recevoir son precieux corps et digne sacrement vous puissés [*sic*] avec luy resusciter espirituellement.

Paris c. 1505. Bourges 1541. *Lisieux 1507.* Rouen 1530. *Saint-Brieuc* [1506]. *Soissons 1576. Tours 1533.*

24. Quatrième raison : proximité du Jeudi Saint, où a été institué le « sacrement de l'autel »

Chartres 1490 etc. Laon 1538. Paris 1497, Paris c. 1505 etc. Rouen 1530 etc.

La quarte cause si est, pour ce que a[a] pres de[b] ce jour le sacrement de l'autel fut institué et ordonné de Jesu Crist nostre seigneur. C'est assavoir jeudi a la cene quant il consacra son propre corps, et communia ses benoitz apostres, en signifiant que ainsi devons nous faire.

Paris 1497. Laon 1538. Noyon 1546.

Variantes. [a] pour ce que a] que Lao. No. –[b] pres de] *om.* No.

La quarte cause qui est pour ce que pres de ce jour le sacrement de l'autel fut institué de Jesu Crist nostre Seignieur. C'est assavoir Jeudi a la cene, quant il consacra son propre corps et le communica a ses benoictz apotres en signifiant que ainssy debvons nous faire.

Chartres 1490. *Meaux 1546. Orléans c. 1548. Saint-Brieuc* [1506].

La quarte cause est pour ce que pres de ce jour le sacrement de l'autel fut institué de nostre sauveur.

Paris c. 1505. Bourges 1541. Lisieux 1507. Rouen 1530. *Soissons 1576.* Tours 1533.

CONFESSIONS GÉNÉRALES (1490-1538)

c. Seconde partie : confession générale

25. *Je me confesse à Dieu*

Chartres 1490. Paris 1497. Paris c. 1505. Laon 1538.

Et pour ce ainssy commencerons ceste confession generale, et tous et toutes dirés apres moy.

Je me confesse a Dieu le pere tout puissant, a la benoiste vierge Marie, a mon seignieur sainct Michiel l'ange et archange...

Chartres 1490. Meaux 1546. Orléans c. 1548. Sens 1500. *Voir* P441.

Et ainsi commencerons nous ceste confession generale, et dictes tous et toutes apres moy.

Et premierement. Je me confesse a Dieu tout puissant, a la benoiste vierge Marie, a monseigneur saint Michel...

Paris 1497. Saint-Brieuc 1506. *Voir* P442.

Et ainsy commenceray ceste confession generale, et dictes tous apres moy :

Je me confesse a Dieu le pere tout puissant, a la benoiste vierge Marie et a monseigneur sainct Michel l'ange...

Paris c. 1505. Lisieux 1507. Rouen 1539. Tours 1533. *Voir* P443.

Et ainsi commencerons nous ceste confession generale, et dictes tous et toutes apres moy.

Je me confesse a Dieu mon tres glorieux pere et createur, a la glorieuse vierge Marie sa mere, a monseigneur sainct Michel ange et archange...

Laon 1538. Noyon 1546. *Voir* P445.

... Je me confesse a Dieu mon createur, a la glorieuse vierge Marie, a monsieur saint Michel ange, a monsieur saint Jean Baptiste...

Soissons 1576. *Voir* P447.

26. Les péchés mortels. Orgueil

Chartres 1490. Lisieux 1507. Orléans c. 1548. Paris 1497. Paris c. 1505. Rouen 1530, etc.

Car j'ay peché es sept pechez mortelz, es branches et dependences d'iceulx.

Premierement en orgueil, en desloyaulté, en ingratitude, en despit, en boubans [*sic* pour bonbans, dépenses superflues], en desdaing, en inobedience, en arrogance, en oultre cuidance, en presumption, en

244 CHAPITRE VI

honte perdue, en ventance, en derrision, en rebellion, en elation [arrogance] en mon cueur, en ambition, en simulation, en vaine gloire, en desirant honneurs, en acquerant richesses induement, en usant de delices mondaines, en grandes curiositez, en moy priser pour ma beaulté, pour ma force, pour mes amys, pour loenge avoir, ay esté dur et rebelle a bon conseil croire et querir, et au commandement de Dieu faire et obeir. En quelque maniere que j'aye mespris au peché d'orgueil en toutes les branches ou racines ou circunstances qui en pevent yssir, je m'en confesse a Dieu et a vous : et en dis ma coulpe.

Paris 1497. Rouen 1530. Saint-Brieuc [1506].

Car j'ay pichié[a] es sept pechiez mortelz es branches et dependancez d'iceulx. Premierement, en orgueil, en desloiauté, en ingratitude, en despit, en bonbant [dépenses superflues][b], en desdain[c], en inobedience, en arogance, en oultrecuidance, en presumption, en honte perdue[d], en ventance [vanterie][e], en derision, en rebellion, en elation [présomption] de mon cueur, en ambition, en simulation[f], en vaine gloire[g], en desirant honneurs, en acquerant richessez induement[h], en usant des delicez mondainez[i], en ypocrisie, en fauce faintise [simulation][j], en vanités mondainez, en grandes curiosités[k], en moy tropt [sic] priser pour ma beauté, pour ma force, pour mes amis, pour ma louange, j'ay esté[l] rebelle a bon conseil querir, et croire, et au commandement de Dieu faire et obeir.

Chartres 1490. Lisieux 1507. Meaux 1546 [un peu abrégé]. Orléans c. 1548. Paris c. 1505. Rouen 1573. Sens 1500. Tours 1533.
Variantes. [a] peché] Pa. –[b] en bonbant] om. Lis. Mea. Or. Pa. Rou. Sen. Trs. –[c] en desdain] om. Mea. –[d] en honte perdue] om. Mea. –[e] ventance] vengence Or. –[f] en simulation] om. Or. –[g] en vaine gloire] om. Lis. Pa. Rou. Trs. –[h] en acquerant… induement] om. Lis. Mea. Or. Pa. Rou. Trs. –[i] en usant… mondainez] om. Or. –[j] en fauce faintise] om. Or. –[k] en grandes curiosités] om. Or. Sen. –[l] dur et despiteux, fel [irascible] add. Pa. Rou. Trs.

Je me confesse aussi des sept pechez mortels. J'ay peché au peché d'orgueil, en oultrecuidance, en presumption, en ambicion, en desobeissance, en rebellion, en desprisant aultruy, en me prisant trop pour mon sens, pour ma richesse, pour ma force, pour ma beaulté, pour ma jeunesse, pour mon lignaige, en parolles haultaines, mauvaises, despiteuses, en ventances, en menasses, en desdaing, en ypocrisie, en faintise, en vaine gloire, en beles robes, en chansonnettes, en joyaulx, en paremens, en vanitez mondaines, si m'en confesse et m'en repens.

Laon 1538. Noyon 1546.

CONFESSIONS GÉNÉRALES (1490-1538)

Je me confesse de sept pechez mortelz, dont j'ay souvent offensé mon createur. De Superbia. J'ay peché au peché d'orgueil, en oultrecuidance, en presomption...

Soissons 1576.

27. Envie

Chartres 1490. Lisieux 1507. Orléans c. 1548. Paris 1497. Paris c. 1505. Rouen 1530 etc.

Apres j'ay peché au peché d'envie, en avoir desplaisance du bien d'autrui, en detraction du bien d'autrui, et de plusieurs personnes, en faulz jugemens, en faulses suspirations, en mescroire, en mal escouter, en mal raporter, en bien refuser, en autrui decevoir, en desirant par envye promesses, puissances, haultesses, franchises [privilèges], noblesse, et plusieurs autres prosperitez mondaines.

Paris 1497.

J'ay pechié au pechié d'envie[a] : en avoir deplaisance du bien d'aultruy, en estre joieulx du mal d'aultruy[b], en detraction de plusieurs personnes, en faulx jugemens, en faulces suspicions, en mescroire[c], en mal escouter[d], en mal raporter, en bien refuser, en autruy decepvoir[e], en desirant par envie, puissances, prouessez, haultessez, franchises[f], noblessez et plusieurs autres prosperités mondaines.

Chartres 1490. *Lisieux 1507. Meaux 1546.* Orléans c. 1548. Paris c. 1505. *Rouen 1530. Saint-Brieuc [1506]. Tours 1533.*
Variantes. [a] d'envie] en envie Rou. – [b] du mal d'aultruy] de son mal Pa. – [c] mescroire] mal croire Pa. Rou. – [d] en mescroire... escouter] *om.* Or. – [e] en bien... decepvoir] *om.* Or. – [f] franchises] *om.* Trs.

Du peché d'envie[a], en desplaisance du bien et de la prosperité d'aultruy, en plaisance de son mal, dommaige et adversité, en faulx et mauvais jugemens, en accusant et diffamant, et prenant plaisir a ouyr blasmer aultruy, en desirant estatz, richesses et haultesses qui ne m'estoient pas deues, si m'en confesse[b].

Laon 1538. Noyon 1546.
Variantes Noyon. [a] J'ay peché] *add.* – [b] et repens] *add.*

De Invidia. J'ay peche par envie, en desplaisance du bien et prosperité d'autruy...

Soissons 1576.

246   CHAPITRE VI

28. Colère

Chartres 1490. Lisieux 1507. Paris 1497. Paris c. 1505. Rouen 1530 etc.

Apres j'ay peché en ire, en felonie, en mal talent, en renier, en maul-greer, en despiter, en contens, en discors, en rancunes, en haynes, en tencon [querelle], en courroux, en murmure, en durté, en diversité, en nommant, et appellant l'ennemy d'enfer, en souhaytant la mort d'autrui et la mienne, en impacience de pertes, de paroles, de maladies, de paour d'avoir peu, et plusieurs autres adversitez. Et me suis iré et courroucé de pou de chose et sans cause, et sans raison aucuneffois quant mes besongnes ne venoient a mon gré : j'ay maulgreé Dieu et ses saintz par mon ire et par mon orgueil, et juroye et me perjuroye et m'y tenoye trop et plus que je ne deusse.

Paris 1497. *Saint-Brieuc [1506]*.

J'ay pechié en ire, en felonnie, en mautalent [malveillance], en for-cerie [violence][a], en revoirie [signification non trouvée][b], en conten-nez [dénigrements][c], en discors, en rancune, en hayne[d], en tancons [querelles][e], en courous, en murmur, en duresce [dureté][f], en diver-sité [méchanceté], en nommant l'ennemy, en souhaitant la mort[g], en inpacience de pertes de paroles, de maladies, de paour d'avoir peu, et plusieurs aultres adversités.

Chartres 1490. *Lisieux 1507.* Meaux 1546. Orléans c. 1548. Paris c. 1505. Rouen 1573. *Tours 1533.*
Variantes. [a] en forcerie] *om.* Or. – forcerie] forcenerie Lis. Mea. Pa. Rou. – en renyant ou blasphemant le nom de Dieu ou de ses sainctz] *add.* Mea. –[b] en revoirie] *om.* Mea. Or. Rou. – revoyrie] Lis. – renoyrie] Pa. –[c] en contennez] *om.* Mea. Rou. – contennez] contens Lis. Pa. – contenant] Or. –[d] harne] Pa. –[e] tancons] tenson Lis. Pa. Rou. – tensons Mea. – tansons Or. –[f] en duresce] *om.* Rou. – duresce] durté Lis. Pa. – dureté Mea. –[g] d'aultruy] *add.* Lis. Pa. Rou.

Du peché de ire : en courroux, en felonnie, en murmure, en hayne, en maltalent, en rancune, en contend [querelle][a], en discord, en jurer et renier, en faulx semblant, en maudissons[b], en nommant l'ennemy, en impacience de maladies, de pertes et adversitez mondaines qui[c] de la voulenté et plaisance[d] de Dieu pour moy amender peut estre aucunes fois me sont venues, dont je ne l'ay pas mercié et prins en gré comme je deusse[e].

Laon 1538. Noyon 1546. *Soissons 1576.*
Variantes Noyon. [a] contend] contention. –[b] mauldisons. –[c] qui] lesquelles –[d] plai-sir. –[e] si m'en confesse.] *add.*

CONFESSIONS GÉNÉRALES (1490-1538)

29. Avarice

Chartres 1490. Lisieux 1507. Paris 1497. Paris c. 1505. Saint-Brieuc [1506]. Rouen 1530 etc.

Apres j'ay peché au peché d'avarice, en rapine, en convoitise, en estre trop tenant, et trop couvoiteux des biens d'autrui et des biens de ce monde, et en estre pou piteux et pou misericors, en mesconter [tricher], en acquerir trop ardemment richesses et faulses marchandises, en faulx poiz, en faulses mesures. Par faulses subtillitez, par desloyaulté, en disant mensonges, en faisant sermens et parjuremens pour plus cher vendre mes denrées, et moins acheter celles d'autrui.

Paris 1497. Saint-Brieuc [1506].

J'ay pechié en avarice, en rapine[(a)], en convoitise, en estre trop tenant et convoiteulx du bien d'autruy, et des biens de ce monde, en estre pou[(b)] piteulx et pou[(c)] misericors, en mesconter [tricher][(d)], en acquerir trop ardemment richesses par faulces marchandises, par baras [tromperies], par fallaces [mensonges][(e)], par subtilités, par desloiautés, en disant mensonges, en faisant sermens, parjuremens pour plus chier vendre mes denrés et plus grant marchié prendre et avoir.

Chartres 1490. Lisieux 1507. Meaux 1546. Orléans c. 1548. Paris c. 1505. Rouen 1530. Tours 1533.
Variantes. [(a)] en rapine] om. Or. –[(b)] pou] peu Pa. –[(c)] en mesconter] et mesconte Lis. –[(d)] fallaces] faulsetez Lis. Pa. Rou.

Du peché d'avarice, en couvoitise de biens[(a)] d'autruy et de ce monde par y avoir trop le cueur et l'entente, en faulse marchandise, en fraude, en barat [tromperie], en tricherie, en mensonge, en jurer et parjurer, mentir et donner faulx a entendre pour chier vendre et pour meilleur marché avoir[(b)].

Laon 1538. Noyon 1546. Soissons 1576.
Variantes. [(a)] J'ay peché en convoitise du bien] No. –[(b)] si m'en confesse] add. No.

30. Gourmandise

Chartres 1490. Lisieux 1507. Paris 1497. Paris c. 1505. Rouen 1530. Saint-Brieuc [1506] etc.

Apres j'ay peché en gloutonnie, en trop menger, en trop boire et trop souvent, trop ardemment, trop curieusement et[(a)] par faulz desirs, par grant delit, par mauvaise acoustumance, en follement donner et follement despendre[(b)], sans fain, sans soif, et sans necessité. En gloutonnie

248 CHAPITRE VI

de langue, en trop parler, en detraction [médisance], en flaterie, en
malediction, en dire vilennie d'autruy, en parolles oyseuses, en van-
tences[c], en blasphemes, en rebellion, en regnier et maugreer Dieu et
les sainctz et sainctes de paradis[d], en despiter [mépriser], en mentir,
en recorder bourdes [contes inventés], en tencons [querelles], en mocqueries[e], en jurer, en parjurer legierement, follement, apenséement
[délibérément], villainement, faulsement[f], apertement, et couverte-
ment, en tencer [se disputer] et mentir[g], en estriver [quereller], en
laidanger [injurier][h], en murmurer, en accusant le peché d'autrui, en
excusant mon peché, en mauvais conseil donner, en semer discort, en
porter mauvaises nouvelles, en controuver [inventer] bourdes, mauvaises[i] parolles, en reveller le conseil d'autruy, en moy taire quant
temps est de parler, et parler quant temps estoit de soy taire.

Paris 1497. Paris c. 1505. *Lisieux 1507. Saint-Brieuc [1506]. Tours 1533.*

Variantes. [a] trop plantureusement] *add.* Lis. Pa. 1505. Rou. –[b] despendre] despenser
Lis. Pa. 1505. Rou. [déplacé après « sans necessité »] –[c] en vantences] *om.* Pa. 1505. –
[d] et sainctes de paradis] *om.* Lis. Pa. 1505. Rou. –[e] en tencons, en mocqueries] truffes
et mocqueries Lis. Pa. 1505. *om.* Rou. –[f] faulsement] *om.* Pa. 1505. –[g] mentir] mena-
cer Lis. Pa. 1505. Rou. –[h] laidanger] ledenger Lis. – lendanger Pa. 1505. –[i] bourdes,
mauvaises] *om.* Lis. Pa. 1505.

J'ay pechié en gloutonnie en trop mengier, en trop boire et trop
souvent, trop ardemment, trop curieusement, et plantureusement, par
faulx desirs, par grant delict, par mauvaise acoustumance, en folement
donner, et en folement depenser, sans fain, sans soif, et sans necessité,
en gloutonnie de langue, de trop parler, en detraction, en flaterie, en
menterie, en dire vilanie d'autruy, en paroles oyseuses, en vantance,
en blaspheme, en rebellion, en maugroier Dieu et les sainctz, en despiter [mépriser], en mentir, en recorder bourdez, truffez [railleries] et
mocqueriez, en jurer et parjurer legierement, folement, apensement
[avec intention], vilainement, et faulcement, appertement, et couver-
tement, en tencer et menasser, en estriver [quereller], en langagier
[bavarder], en murmurer, en accusant pechié d'autruy, en excusant le
mien pechié, en mauvais conseil donner, en semer discort, en porter
nouvellez, en controuver [inventer] parolles, en reveler conseil d'autruy, en moy taire quant temps est de parler, en parler[a] quant temps
est de moy taire[b].

Chartres 1490. Meaux 1546 [très abrégé]. Orléans c. 1548. *Rouen 1530.*

Variantes. [a] quant temps… parler] *om.* Or. –[b] en gloutonnie de langue… moy taire]
om. Mea.

CONFESSIONS GÉNÉRALES (1490-1538)

[a] De gloutonnie[b], en boire, en menger oultrageusement sans fain, sans soif, et a l'heure indeue, en brisant les jeunes commandées, en desirant bonnes viandes et trop grant plaisance[c] y prendre, en parlant oultrageusement, en mesdisant d'aultruy, en disant parolles deshonnestes, oyseuses, goliarderies [grossieretés?][d], et mocquemens.

Laon 1538. *Noyon 1546. Soissons 1576.*
Variantes. [a] Du peché] *add.* No. –[b] J'ay peché] *add.* No. –[c] plaisance] plaisir No. – [d] goliarderies] *om.* No. –[e] mocqueries] No.

31. Luxure

Chartres 1490. Lisieux 1507. Paris 1497. Paris c. 1505. Rouen 1530 etc.

Apres j'ay peche en luxure: par temptation, par illusion, par delectation, par superfluitez de vivres, par mauvais rapors, ou mauvais recors, par mauvaises suspecons, par considerations desordonnées, par faulx et mauvais desirs en desirant habitz trop curieux, comme robes, joyaulx, chapeaulx, joyes, lyesses, desduitz [réjouissances], soulas [amusements], esbatemens et plusieurs autres choses. C'est assavoir beaultez, delices, et autres esmouvemens a icellui peché de luxure en plusieurs et diverses manieres.

Paris 1497. *Saint-Brieuc [1506].*

J'ay pechié[a] au pechié[a] de luxure par tempation, par illusion, par delectation, par superfluités, par mauvais rapors, par mauvais recors [souvenirs], par faulces suspicions, par consideration desordonnée, par faulx desirs, par mauvais plaisirs, en desirant habis trop curieux, comme robes, joiaulx, chapeau[b], joiez, liessez, dances, corolles[c], fleurs, odeurs, festes, deduis [plaisirs], soulas, esbatement, et plusieurs autres beautés et delices attraians et esmouvans a iceluy pechié de luxure en plusieurs manieres.

Chartres 1490. Meaux 1546. Orléans c. 1548. Paris c. 1505. *Rouen 1530. Tours 1533.*
Variantes. [a] peché] Pa. –[b] chapeaulx] Pa. –[c] corolles] *om.* Lis. Or. Pa. Rou. – couleurs] Mea.

Du peché de luxure[a], en mauvaises et deshonnestes ymaginacions et pensées, en mauvais desirs, en mauvaises voluntez, en mauvais regars et decevans parlers, en dons, en promesses pour decevoir aultruy, en mauvais attouchemens et desordonnances, en alées, en venues pour veoir et pour estre veu, en maulvais semblans, en moy parer, mirer et agenser pour mieulx plaire et attraire aultruy a peché[b].

Laon 1538. Noyon 1546.
Variantes. [a] J'ay peché] *add.* No. –[b] si m'en confesse] *add.* No.

250   CHAPITRE VI

32. Paresse

Chartres 1490. Laon 1538. Noyon 1546. Lisieux 1507. Paris 1497. Paris c. 1505. Rouen 1530. Saint-Brieuc [1506] etc.

Apres j'ay peché au peché de paresse, en foiblesse, en moleste [*sic*], en dormir, en gesir trop longuement, en trop querir les aises du corps, en nonchallance, en obliance, en ignorance, en negligence commise de certaine science, en faulse acoustumance, en esperance de moy amender, en deffaulte de Dieu louer et honnorer et doubter. J'ay este paresseulx de bien faire, de bien dire, de acquerir le sauvement de mon ame, de Dieu aymer et servir, de moy mettre hors de peché, j'ay esté paresceux de donner bonne doctrine a ceulx qui estoient mendres de [plus petits que] moy, et ay esté paresceux de prier Dieu pour les trespassez, et n'en ay pas fait mon devoir sicomme je deusse et par especial pour mon pere et pour ma mere et pour mes autres parens et bienfaicteurs. Et par le contraire j'ay este prest et ysnel [prompt] a folie et hardi a pecher, et en quelconque maniere que j'aye mespris es sept pechez mortelz en toutes les branches et racines et circonstances qui en pevent yssir et descendre, je m'en confesse a Dieu et a vous et en prometz a Dieu bon amendement.

Paris 1497. Saint-Brieuc 1506.

J'ay pechié au pechié de paresce, en feblesse[a], en molesse, en dormir, en gesir, en trop querir les aises du corps, en nonchalence, en obliance, en ignorance, en negligence commise[b] de certaine science, en[c] faulce acoustumance, en esperance de moy amender, en defaillance de Dieu louer, honorer et doubter. Et par le contraire j'ay esté enclin a mal faire, prest et legier[d] a folie et hardy a pechié.

Chartres 1490. *Lisieux 1507. Meaux 1546. Orléans c. 1548.* Paris c. 1505. *Rouen 1530. Tours 1533.*

Variantes. [a] contre vertus] *add.* Pa. –[b] commise] et Pa. –[c] en] et Pa. –[d] prest et legier] ignel [prompt] Lis. Pa.

Du peché de paresse[a], en negligence, en oysiveté, en nonchalance, en gesir, en trop grant repos prendre, en non suivir[b] Dieu, non aller a l'eglise pour estre au service, aux sermons, en devocion, en venir trop tart a confesse et non pensant a mes pechez, en non priant pour mes parens, bienfaicteurs, et amis trespassez, en non faisant le bien a quoy je estoie tenu et pouvoye faire.

Laon 1538. Noyon 1546.

Variantes. [a] J'ay peché] *add.* No. –[b] servir] No.

CONFESSIONS GÉNÉRALES (1490-1538)

33. Manquements aux sept vertus

Chartres 1490. Autun 1503. Cambrai 1503-1562. Laon 1538. Lisieux 1507. Noyon 1546.
Orléans c. 1548. Paris 1497. Paris c. 1505. Rouen 1530. Saint-Brieuc [1506] etc.
(Absent de Soissons 1576).

Apres[a] je n'ay pas eu les sept vertus contraires aux VII pechez mortelz. C'est assavoir[b] humilité contre orgueil, charité contre envie, pacience contre ire, diligence contre paresse, liberalité contre avarice, abstinence contre gloutonnie, chasteté contre luxure, dont je en dis[c] sire Dieu ma coulpe[d].

Paris 1497. Paris c. 1505. Lisieux 1507. *Saint-Brieuc [1506]. Tours 1533.*
Variantes. [a] Apres] *om.* Lis. Pa. –[b] assavoir] comme Lis. Pa. –[c] dont je en dis] *om.*
Lis. Pa. – ma coulpe] c'est ma coulpe Lis. Pa.

Je n'ay pas eu les sept vertus contraires aulx sept pechiés mortels, comme humilité contre orgueil, charité contre envie, pacience contre ire, diligence contre paresse, largesse contre avarice, abstinence contre gloutonnie, chasteté contre luxure[a], sire Dieu mal c'est ma coulpe. C'est ma coulpe.

Chartres 1490. Meaux 1546. Orléans c. 1548. Rouen 1530.
Variante. [a] sire Dieu… coulpe] *om.* Mea.

Je n'ay pas eu les sept vertus contraires aux sept pechez mortelz : c'est assavoir humilité contre orgueil, charité contre envie, patience contre ire, liberalité contre avarice, sobrieté contre gloutonnie, chasteté contre luxure, diligence contre paresse, qui est ma tres grant faulte et ma coulpe : si m'en confesse et en crye a Dieu mercy.

Autun 1503. Cambrai 1503-1562. Laon 1538. Noyon 1546.

34. Manquements aux dix commandements

Chartres 1490. Autun 1503. Cambrai 1503-1562. Orléans c. 1548. Paris 1497. Paris
c. 1505. Rouen 1530. Saint-Brieuc [1506]. etc.
[Laon 1538, Noyon 1546, Soissons 1576 sont beaucoup plus développés].

J'ay trespassé les dix commandemens de la loy. Car je n'ay pas aymé Dieu de tout mon cueur, de toute ma force, et de toute ma puissance, ne mon prochain comme moy mesmes. Ne n'ay pas fait a Dieu telle reverance comme je deusse. J'ay juré en vain le nom de Dieu, de sa benoiste mere la vierge Marie, et de ses benoitz saintz et sainctes, j'ay mal gardé les festes, je n'ay pas aymé ne honnoré pere et mere tant espirituel comme temporel, j'ay aucunefoys voulu et souhaitié la mort d'autrui et la mienne

CHAPITRE VI

aussi, et ay murdri mon ame par peché, je n'ay pas eu purté de vie et chasteté en mariage[a], je n'ay pas porté bon tesmoingnage du bien d'autrui[b], j'ay couvoitié aussi le bien d'autrui et ses choses induement et sans cause.

Paris 1497. Saint-Brieuc [1506].

Variantes. [a] J'ay prins et ravi ce qui n'estoit pas mien, et en ay esté eschars [avare] vers les poures, et ne leur ay pas departi du bien que Dieu m'avoit presté come je deusse] *add.* SBr. –[b] J'ay desiré la femme et fille de mon voysin, et lui ay soustrait ses serviteurs que je n'eusse pas voulu m'avoir esté fait] *add.* SBr.

J'ay trespassé lez commandemens de la loy. Je n'ay pas aimé Dieu de tout mon cueur, de toute ma force, et de toute mon ame. Ne mon prochain comme moy mesmes. Ne fait a Dieu telle reverence que je deusse. J'ay juré en vain le non [*sic*] de Dieu, et de sa benoiste mere vierge glorieuse et de ses benois sainctz et sainctes. J'ay mal gardé lez festes. Je n'ay pas honoré pere et mere tant espirituelz come corporelz[a]. J'ay aucune fois volu [*sic*] et soubzhaité [*sic*] la mort d'autrui, et murdry mon ame par pechié. Je n'ay pas eu purté de vie ne chasteté en mariage. Je n'ay pas porté bon tesmoniage du bien d'autruy. J'ay convoitié autruy bien et chose induement et sans cause.

Chartres 1490. Autun 1503. Cambrai 1503-1562. Meaux 1546. Orléans c. 1548.

Variante. [a] corporelz] temporelz Or.

J'ay trespassé les dix commandemens de la loy. Je n'ay pas aymé Dieu de tout mon cueur, et de toute ma force, et de toute ma puissance, et de toute mon ame ne lui ay fait reverence : ne aymé mon prochain comme moy mesmes. J'ay juré son nom en vain, et de la vierge Marie, et de ses sainctz et sainctes. J'ay mal gardé les festes, je n'ay pas honoré pere et mere tant spirituelz comme temporelz. J'ay aucunefoys voulu et souhaibté la mort d'autrui et murdri mon ame par peché, je n'ay pas eu pureté de vie ne chasteté en mariage. Je n'ay pas porté bon tesmognage du bien d'autrui, j'ay couvoité chose d'autrui indignement et sans cause.

Paris c. 1505. Lisieux 1507. Rouen 1530. Tours 1533.

Des dix commandemens. J'ay peché et transgressé les dix commandemens de la loy.

Du premier. Car je n'ay pas aymé mon Dieu de tout mon cueur, de toute ma force, et de toute mon ame, ne mon prochain comme moymesmes.

J'ay prins le nom de Dieu en vain, juré, parjuré, despité [méprisé], malgrée [maudit], et renié la benoiste vierge Marie, les saintz et sainctes de paradis par mon oultraige, folie, et mauvaistié [méchanceté][a].

CONFESSIONS GÉNÉRALES (1490-1538)

J'ay plus eu le cueur et la pensée a avarice, aux choses de ce monde, a ma compagnie[(b)], a mes enfans, a nourrir mon corps en trop grant aise et delices, a ensuivir ma volunté et plaisir mondain, que je n'ay eu a Dieu, et l'en ay souvent oublyé. Ha pere, si j'eusse autant souffert de peine de mal et de travail pour Dieu que j'ay pour le monde, je feusse de bonne heure né.

Du second[(c)] commandement. Je n'ay pas gardé les festes, je ne suis pas venu a l'eglise aux festes et aux dimenches le service ouyr la grant messe, les commandemens de l'eglise, que on y a annoncé pour les scavoir et garder, mais suis plustost allé à la taverne, jouer, faire aulcune bonne besoigne, ou me tenir oyseux.

Du tiers[(d)]. Je n'ay pas honoré mon pere et ma mere, ne obey a leurs commandemens, je les ay plusieurs fois courroucez et leur ay respondu rudement et durement parlé à eulx, je ne leur ay pas aidé ne secouru en leur necessité comme je deusse, et aussi j'ay mal recongneu le bien que premierement ilz m'ont faict.

Du quart[(e)]. J'ay occis et mis a mort mon ame : car l'Escripture tesmoigne que qui ment occist l'ame. Helas[(f)] maintes fois j'ay menti, blasmé, detracté et parlé d'aultruy, et diffamé mauvaisement a tort et sans cause, et que je n'eusse pas voulu que ainsi on eust faict de moy.

Du v[(g)]. J'ay faict adultere[(h)] en plusieurs manieres, en plusieurs ymaginacions, pensées, voluntez, et desirs, dont j'ay esté tempté[(i)].

Du vi[(j)]. J'ay prins, ravi, et detenu ce qui n'estoit pas mien, et ay esté eschars [avare][(k)] envers les poures, et ne leur ay pas departi des biens que Dieu m'avoit prestez, comme je deusse avoir faict.

Du vii[(l)] commandement. J'ay accusé mon prochain, dit parolles, et porté faulx tesmoignage contre luy, et contre sa bonne renommée, que je n'eusse pas voulu qu'il eust fait de moy.

Du viii[(m)] commandement. J'ay desiré et couvoitié choses d'aultruy contre le commandement et la volunté de Dieu, que je ne devoye pas faire.

Du ix et x commandemens[(n)]. J'ay eu desirs et voluntez desordonnées des choses et des biens d'aultruy, en desirant la femme de mon prochain, et luy ay soustrait ses serviteurs.

Laquelle chose je n'eusse pas voulu qu'on me l'eust faict, si m'en repens et de toutes les faultes que j'ay faictes en trespassant les dix commandemens de Dieu, si luy en requiers mercy[(o)].

Laon 1538. Noyon 1546.

Variantes Noyon. [(a)] J'ay prins le nom… mauvaistié] déplacé, sous le titre *Du second commandement* après : J'ay plus eu le cueur et la pensée… de bonne heure né. –[(b)] compagnie] compaigne –[(c)] second] tiers –[(d)] Du tiers] Du quart commandement –[(e)] Du quart] Du cinquiesme commandement. – J'ay esté homicide, en desirant ou moy esiouyssant de la mort d'autruy] *add.* –[f] Helas] Et. –[g] Du v] Du sixiesme commandement. –[h] et commis le peché de luxure] *add.* –[i] Et n'y ay point resisté en fuyant les lieux, les personnes, et les occasions comme je deusse] *add.* –[j] Du vi] Du septiesme commandement. – [k] eschars] escars. –[l] Du vii] Du huitiesme. –[m] viii] neufiesme. –[n] Du dixiesme commandement. –[o] si luy... mercy] je luy en demande et requiers grace et mercy.

De Primo. J'ay transgressé les dix commandemens de Dieu. Car je ne l'ay point aimé de tout mon cueur, de toute ma force, de toute mon ame, et ne l'ay servy comme je devois, et n'ay redouté a l'offencer.

De Secundo. J'ay pris le nom de Dieu en vain, juré, parjuré, et blasphemé le nom de Dieu, despité, renié et maugreé, et sans cause juré les saintz de Paradis.

De Tertio. Je n'ay sanctifié les dimanches et festes... Mais j'ay eu plus mon cueur a l'avarice, aux choses mondaines, a ma femme, a mes enfans, a nourrir mon corps en trop grandes delices, a ensuivre ma volonté, et servir a mes plaisirs que je n'ay eu a Dieu. ...

De Quarto. Je n'ay point honnoré mon pere et ma mere, ny obey a leurs commandemens. Je les ay plusieurs fois couroucez, respondu durement, et fierement parlé a eux. ... Je n'ay point reveré mes peres spirituels, gens d'Eglise, soulagé et honnoré comme je devois.

De Quinto. J'ay esté homicide, et occis mon prochain par mauvaise volonté et desirs, en desirant la mort d'autruy... J'ay occis mon ame par peché, et en mentant fausement...

De Sexto. J'ay esté luxurieux en plusieurs manieres, en mauvaises imaginations, pensées, volontez...

De Septimo. J'ay pris, ravy, et detenu ce qui n'estoit point mien : et ay esté tenant contre les pauvres, et ne leur ay departy de mes biens...

De Octavo. J'ay tesmoigné faulsement contre mon prochain et detracté de son honneur...

De Nono. J'ay desiré la femme de mon prochain, ne me contentant de mon estat.

De Decimo. J'ay desiré les biens de mon prochain, je luy ay soubtrait ses serviteurs, ce que je n'eusse voulu qu'on m'eust fait.

Soissons 1576.

35. Manquements aux commandements de l'Église

Soissons 1576.

Je n'ay accomply les commandemens de nostre mere sainte Eglise. Je n'ay ouy la messe parroissiale les dimanches et festes. Je n'ay esté diligent a confesser mes pechez, ne receu mon sauveur avec telle purité,

CONFESSIONS GÉNÉRALES (1490-1538)

reverence et devotion, comme je deusse. Je n'ay sanctifié les festes, ny jeusné les jeusnes commandées : dont je suis coulpable devant Dieu.

36. Manquements aux sept dons du Saint-Esprit

Chartres 1490. Lisieux 1507. Orléans c. 1548. Paris 1497. Paris c. 1505. Saint-Brieuc [1506] etc.
[Très bref à Paris c. 1505, Rouen 1530 etc.].
(Absent de Laon 1538, Noyon 1546, Soissons 1576).

Je ne me suis point disposé a recevoir et mettre a euvre les sept dons du Saint Esperit. C'est assavoir doubter de mesprendre [commettre une faute (?) ; se mesprendre : se tromper], estre debonnaire et piteux [ayant pitié] du mal d'autrui, sachant pour moy mesmes, et autrui enseigner et conseiller, estre fort pour resister aux vices, avoir vray entendement par especial qui est necessaire au salut de l'ame, et avoir sapience nom [*sic*] pas de ce monde, mais de bonnaireté [bonté] celeste qui est a Dieu nostre seigneur.

Paris 1497. Saint-Brieuc 1506.

Je ne me suis point disposé a recepvoir, et mettre en oeuvre les sept dons du Sainct Esperit, c'est assavoir : doubter de mesprendre, estre debonaire et piteulx d'aultruy, mal savant pour moy mesmes enseignier, conseiller aultruy, estre fort a resister aulx vices, a avoir vray entendement par aspecial qui est necessaire a salut. Et avoir sapience non mie de ce monde, qui est folie a Dieu, mais de bonnaireté celeste.

Chartres 1490. *Meaux 1546. Orléans c. 1548.*

Je ne me suis pas disposé a mettre en oeuvre les sept dons du Sainct Esperit.

Paris c. 1505. Lisieux 1507. Rouen 1530. Tours 1533.

37. Manquements aux sept sacrements

Chartres 1490. Lisieux 1507. Orléans c. 1548. Paris c. 1505. Saint-Brieuc [1506] etc.
(Absent de Laon 1538, Noyon 1546, Paris 1497, Soissons 1576).

Je n'ay pas porté ne fait honneur aux VII sacremens de saincte Eglise, come je deusse[a], c'est assavoir, au sainct sacrement de baptesme, par lequel je suis christien, au sacrement de confession, par lequel je suis reconsilié a Dieu mon createur, au sacrement de mariage, lequel est ordonné[b] pour avoir lignié, au sacrement d'ordres de prestres[c], ne consideré comme ilz sont vicaires de Dieu pour moy administrer les

256 CHAPITRE VI

sainctz sacremens. Au sacrement de l'autel, qui est vraiment[d] nostre Seignieur Jesu Crist. Au sacrement de confirmation, qui est pour supplier [suppléer] et parfaire lez negligences de baptesme[e], ne au sacrement de ennuliement [onction d'huile][f] qui est le derrain[g] sacrement des christiens qui se partent de ceste vie mortelle.

Chartres 1490. Châlons/Marne 1569. Lisieux 1507. Meaux 1546. Orléans c. 1548. Paris c. 1505. Rouen 1530. Tours 1533.

Variantes. [a] (Je n'ay pas) porté honneur qui est deu aux sept sacremens de saincte eglise] Pa. –[b] est ordonné] j'ay receu Pa. 1505. –[c] prestres] prestrise Mea. Pa. –[d] le corps de] *add.* Mea. –[e] les negligences de baptesme] ma foy Mea. –[f] ennuliement] ennhuilement Mea. – unction Or. –[g] derrain] dernier.

38. Manquements aux sept oeuvres de miséricorde corporelle

Chartres 1490. Autun 1503. Cambrai 1503-1562. Lisieux 1507. Orléans c. 1548. Paris 1497. Paris c. 1505. Saint-Brieuc [1506]. Soissons 1576. etc.
(Absent de Laon 1538 et Noyon 1546).

Je n'ay pas acomply les sept oeuvres de misericorde. Premierement les temporelles. Je n'ay pas eu pitié des poures, ne repeu quant ilz avoient fain, ne donné a boire quant ilz avoient soif, ne vestu les nudz, ne hebergé les poures trespassans, ne visitez ne confortez les malades ne les prisonniers, ne ensevelir les mors.

Paris 1497. Saint-Brieuc 1506.

Je n'ay pas loué Dieu es VII heures du jour, ne acompli les sept oeuvres de misericorde. Je n'ay pas eu pitié des poures nostre Seignieur, ne repeu quant ilz avoient fain, ne donné a boire quant ilz avoient soif, ne vestu quant ilz estoient nus, ne hebergiés en leurs nécessités, ne conforté, ne visité les malades ne lez prisonniers, ne enseveli les mors.

Chartres 1490. Autun 1503. Cambrai 1503-1562. Meaux 1546. Orléans c. 1548.

Je n'ay pas loué Dieu es sept heures du jour, ne acompli les sept oeuvres de misericorde.

Je n'ay pas eu pitié des pouvres de nostre Seigneur, ne les ay repeuz quant ilz avoint fain, ne donné a boire quant ilz avoint soif, ne vestu quant ilz estoient nudz, ne hebergez en leurs necessitez, ne conforté les prisonniers, ne visité les malades, ne enseveli les mors, ne prié diligemment pour eulx.

Paris c. 1505. Lisieux 1507. Rouen 1530. Tours 1533.

CONFESSIONS GÉNÉRALES (1490-1538)

Je n'ay accomply les sept oeuvres de misericorde corporelles. Car je n'ay point donné a manger et a boire aux pauvres indigens, ne revestu les desnuez [dénudés], ne logé les pauvres…

Soissons 1576.

39. Manquements aux sept oeuvres de miséricorde spirituelle

Chartres 1490. Autun 1503. Cambrai 1503-1562. Lisieux 1507. Orléans c. 1548. Paris 1497. Paris c. 1505. Saint-Brieuc 1506. etc.

(Absent de Laon 1538 et Noyon 1546).

Je n'ay pas acompli les sept oeuvres de misericorde espirituellement, je n'ay pas enseigné les ignorans, ne conseillé les desconseillez, ne retrait les pecheurs de peché, ne conforté les desconfortez, ne pardonné a ceulx qui m'ont mal fait[a], ne prié pour l'amendement des mesdisans, ne deporté[b] les non saichans.

Paris 1497. Paris c. 1505. *Lisieux 1507. Rouen 1530. Saint-Brieuc 1506. Tours 1533.*
Variantes. [a] mal fait] meffait Pa. c. 1505. –[b] deporté] porté Pa. c. 1505.

Je n'ay pas acompli lez sept oeuvrez de misericorde espi[ri]tuelez[a], je n'ay pas enseignié les ignorans, ne conseillé les desconseillés, ne refraict [refreiné?][b] les pechieurs de pechié, ne conforté les desconfortés, ne pardonné a ceulx qui m'ont meffait, ne prié pour l'amandement des medisans, ne deporté[c] lez non saichans[d].

Chartres 1490. *Autun 1503, Cambrai 1503-1562. Meaux 1546. Orléans c. 1548.*
Variantes. [a] espi[ri]tuelez] spirituelles Mea. –[b] refraict] refrainct Mea. –[c] deporté] supporté Mea. – reduiz Cam. 1562. – [d] non saichans] fourvoyés Cam. 1562.

Je n'ay fait mon devoir des sept oeuvres de misericorde spirituelles. Parce que je n'ay enseigné les ignorantz, ne corrigé les defaillans, ny consolé les desolez…

Soissons 1576.

40. Péchés des cinq sens[11]

Chartres 1490. Lisieux 1507. Orléans c. 1548. Paris 1497. Paris c. 1505. Saint-Brieuc 1506. Soissons 1576.
[Laon 1538 et Noyon 1546 sont beaucoup plus développés].

---

[11] Les péchés des cinq sens viennent immédiatement après le *Je confesse à Dieu* à Laon, Noyon et Soissons.

CHAPITRE VI

J'ay commis les pechez dessus ditz ou grant partie d'iceulx par deffaulte de bien gouverner mes cinq sens de nature lesquelz Dieu m'a prestez. Premierement le sens de la veue auquel j'ay peché en mal veoir et par
delectation et plaisance et regardé plusieurs choses terriennes. J'ay peché
par mal ouyr et escouter et le retenir voulentiers, ou sens de l'odorement auquel j'ay peché par mal sentir, flairer, ou odorer. Ou sens de la
bouche auquel j'ay peché par mal parler, gouster et savourer. Ou sens de
l'atouchement auquel j'ay peché par mal toucher sur moy ou sur autrui.
Ou sens des piedz par mal aller, et mal venir et de mon cueur follement
penser.

Paris 1497. *Saint-Brieuc 1506.*

J'ay commis les pechiez dessusdis ou grant partie d'iceulx par faulte
de bien gouverner mez cinq sens de nature, lesquelz Dieu m'a presté.
Premierement de l'ouye, auquel j'ay pechié par mal ouir et escouter volentiers et retenir. Le sens de la veue auquel j'ay pechié par mauvais regars,
par delectation. Le sens de l'odorement auquel j'ay pechié par mal sentir,
fleurier [*sic*] et odorer. Le sens de la bouche, auquel j'ay pechié par mal
parler, gouster et savourer. Le sens de l'atouchement, auquel j'ay pechié
par mal touchier et mal venir et mal aler, et en mon cueur folement penser.

Chartres 1490. *Meaux 1546. Orléans c. 1548.*

J'ay commis les pechez dessusditz par mes cinq sens naturels, j'ay
peché de mes yeulx en mal veoir et regarder, de mes orailles [*sic*] en mal
ouyr et escouter, de mon nez en mal sentir, florer et odorer, de ma bouche
en mal parler, gouter, savourer, de mes mains en mal toucher et user, de
mes piez en mal venir et mal aller, de mon cueur en faulsement penser.

Paris c. 1505. Lisieux 1507. Rouen 1573. Tours 1533.

Premierement je me confesse des cinq cens[a] de nature que mon
tres doulx createur m'a donné et baillé pour me conduyre et mener par
ceste mortelle vie, et pour acquerir et gaigner la vie pardurable, laquelle
j'ay mal usé comme je diray cy apres[b].
De mes yeulx j'ay regardé les vanitez de ce monde, hommes et
femmes, les ungs par hayne, mal talent, despit, desplaisance, desdaing,
et de travers. Les aultres par plaisance, desir, et volunté et delectation[c]
desordonnée, et faict plusieurs autres maulvais regars dont j'ay donné
a aultruy occasion de peché, et les poures et miserables personnes n'ay
pas regardé en pitié, ou je n'ay plouré ne getté larme de mes yeulx pour
mes pechez et deffaultes comme je deusse, si m'en repens et confesse
et en crie a Dieu mercy.

CONFESSIONS GÉNÉRALES (1490-1538)

De mes oreilles, j'ay voulentiers ouy parler et mesdire d'aultruy, gengleries[d], tensons [querelles], riottes, parolles oyseuses, esbatemens, chansons, menestries [instruments de musique] ou j'ay prins trop grant playsance, et ay enuys[e] ouy[f] les messes, sermons, le service et parolle de Dieu, bons enseignemens, chastiemens, et les poures quant ils me demandoient l'aumosne, sy m'en confesse.

De l'odorement de mon nez j'ay odoré fruitz, fleurs et choses odorans souef a delectation et plaisance trop grande de mon corps, et n'en ay pas donné honneur a Dieu qui telle vertu leur a donné, et me suis estoupé [fermé?] contre le poure et le malade, non considerant que j'estoye d'icelle mesme matiere creé. Et comme discrecion soit signifié par le sens de l'odorement je me suis indiscretement gouverné: car de moy comme de fleurs yst [sort] bonne odeur: deust estre yssu odeur de bonne vertu et de bonne renommée, et il est yssu puantise de peché et vie desordonnée: sy m'en confesse[g].

De ma bouche. J'ay prins trop grant delectation et plaisance es vins et viandes bien appareilléez et desplaisance quant elles n'estoient point assaisonnées[h] et agoustées a mon apetit et a mon gré. Helas Pere[i], ce qui m'a esté maintesfoys mal savoureux et amer, eust esté a maint poure indigent savoureux et souffisant pour sa refection et souffisance.

De ma langue j'ay maintes fois parlé et mesdit d'aultruy. Helas Pere[i], quantes blasmes et detractions, faulx jugemens, derisions, mocqueries, parolles deshonnestes et oyseuses ay je dictes sottement de ma bouche dont il me conviendra rendre compte au jour du jugement, si m'en confesse.

De mes mains j'ay faict mainctes et maulvaises oeuvres, maulvais attouchemens, je les ay eues prestes et ouvertes a prendre ce qui n'estoit pas mien, et non pas a faire deuement et loyallement mon labeur, oeuvres, aulmosnes, ne je ne les ay tendues a nostre Seigneur pour louer, honnorer et crier mercy pour mes pechez[j].

De mes pieds je suis maintes fois allé en lieux deshonnestes et dissolus, en la taverne, aux jeux, aux danses, aux esbatemens, et non pas a l'eglise, aux sermons, et aultres bons lieux et honnestes ou je eusse peu apprendre le bien et estre introduict du [sic] saulvement de mon ame. Et ainsi Pere[k], me suis mal gouverné en plusieurs et diverses manieres de mes cinq sens naturelz, pour quoy j'en suis encheu en tres grans pechez, si m'en confesse et m'en repens.

Laon 1538. Noyon 1546.

Variantes Noyon. [a] cens] sens. –[b] comme je... apres] *om.* –[c] delectation] dilection. – [d] gengleries] *om.* –[e] enuys] eu ennuy. –[f] ouy] oyr. –[g] et repens] *add.* –[h] assavourées. –[i] Helas Pere] Et. –[j] si m'en confesse] *add.* –[k] ainsi Pere] parainsi.

260 CHAPITRE VI

Premierement je me confesse de mes cinq sens naturelz, que Dieu m'a presté pour le servir et honnorer...

De Visu. Je me confesse de mes yeulx, desquelz j'ay regardé les vanitez de ce monde...

De Auditu. De mes aureilles, j'ay volontiers ouy parler d'autruy, tensons [querelles], riotes, paroles oyseuses, esbatemens, chansons, menestriers et jongleurs...

De Odoratu. De l'odorement de mon nez, j'ay odoré fruits, fleurs et choses odorantes...

De Gustu... De Tactu...

De incessu pedum. De mes pieds je suis maintefois allé en lieu [sic] deshonnestes et dissoluz, en la taverne, aux jeux, aux danses et esbattemens...

De Cogitatu. Je me confesse que de mon coeur j'ay plustost continué mauvaises pensées, que rememoré devotement les mysteres de nostre redemption.

Soissons 1576.

41. Manquement aux vertus théologales et cardinales. Péchés d'ingratitude, d'hypocrisie...

Aussi me confesse de toutas las vertutz : tant theologales que cardinales : que non me soy excersit alaz recebre et guardat dignament ni sainctament comme hiou devia. Ny non ay cresut tant perfaitament aulx articles de la fe comme hiou devia : car qui ben cre ben fay las hobras et per ainsi non men saubria accusar a soufisensa. Ni pareillament aussi del pechat de ingratitude car non ay pas cognegudas las gratias que Diou me avia fachas tant delx bens de nature comme delx bens de fortune : ou envers mon proeme [prochain] que non ay reddut a ung chascun que m'a fach service comme hiou devia dont soy estat ingrat et ma consciensa nes grandament chargada. An lou pechat de ypocrisia, car me soy melior monstrat defora que non era dedins : dont al-jour-deu de aysso [de cela] hiou en bate ma colpa.

Périgueux 1536 (f. 30)[12]

42. Manquement à la louange sept fois par jour. Manquement au devoir d'implorer les dons et grâces du Saint-Esprit

Je n'ay pas loué Dieu es VII heures du jour, ne acompli les sept oeuvres de misericorde...

Chartres 1490. Meaux 1546. Orléans c. 1548.

---

[12] Périgueux 1536 est le seul rituel à présenter les manquements aux vertus théologales et cardinales [en occitan périgourdin comme tout le formulaire de Périgueux]

CONFESSIONS GÉNÉRALES (1490-1538)

... je n'ay pas fait devoir d'implorer les dons et graces du Saint-Esprit, afin de bien et deuement conduire ma vie selon la loy de Dieu.
... Je n'ay pas loué Dieu es sept heures du jour, ...

Châlons/Marne 1569.

43. Demande de pardon[13]

Chartres 1490. Laon 1538. Orléans c. 1548. Paris 1497. Paris c. 1505 etc.

1208 Si confesse toutes mes faultes et tous les pechez desquelz je suis coulpable a l'honneur de Dieu et de la benoiste vierge Marie, au salut de mon ame et a la confusion de l'ennemy d'enfer, et en prometz amendement.

Et si ay bonne voulenté et ferme propos de moy tenir et garder de peché. Et pour toutes offenses de mon temps mal employé au temps passé je dis ma coulpe, ma griefve coulpe, ma tres griefve coulpe. Et devotement cry mercy a nostre Seigneur Jesuchrist. Et tres humblement je requiers absolution selon la tres grant misericorde de nostre benoist sauveur et redempteur Jesuchrist. Et me recommande a la benoiste glorieuse vierge Marie, a monseigneur saint [ ] mon patron. Et a tous les benoistz saintz et sainctes de paradis, que ilz vueillent Dieu prier pour moy que il me donne sa grace en moy pardonnant tous mes pechez, et vous mon pere espirituel, mon curé, vicaire, et ministre de Dieu nostre benoit sauveur, me vueillez absouldre soubz la tres grant misericorde de nostre seigneur Jesuchrist, a la quelle je me soubzmetz.

Paris 1497.

1209 Si confesse tous les pechiés desquelz je suis coulpable a l'onneur de Dieu, de la benoiste vierge Marie, au salut de mon ame, a la confusion de tous les ennemis d'enfer, et promet amandement, et ay bonne voulenté et ferme propos de moy tenir et garder de pechié.

Et pour ce pour toute offence de tout mon temps mal emploié au temps passé, je dis ma coulpe, ma grief coulpe, ma tres grifve [*sic*] coulpe. Et devotement prie[(a)] mercy a nostre Seignieur, et tres humblement requiers absolution selon la grant misericorde nostre Seignieur. Et me recommande a la benoiste vierge Marie et a mon seignieur sainct N. mon patron, a tous sainctz et a toutes sainctez qui[(b)] veillent Dieu prier pour moy qu'il me doint sa grace en me pardonnant tous mes pechiez.

Et vous mon pere espirituel, mon curé, vicaire et ministre de Dieu, me veillés absoudre soubz la tres grande misericorde de nostre Seignieur, a laquelle je me submès.

---

[13] Deuxième partie de *Je me confesse à Dieu*. Voir *supra* P441-P443, P445, P447.

262   CHAPITRE VI

Chartres 1490. *Autun 1503. Cambrai 1503-1562. Meaux 1546. Orléans c. 1548.*
Variantes. [a] prie] crie Mea. Or. –[b] qui] qu'ilz Or.

P1210   Si confesse tous mes pechés dessusditz en l'honneur de Dieu, de la benoiste vierge Marie, au salut de mon ame, a la confusion de l'ennemy d'enfer, et en promettant amendement, et ay bonne volenté et ferme propos de moy tenir de peché. Et pour toutes offence de tout mon temps mal employé, je ditz ma coulpe, ma griefve coulpe, ma tres griefve coulpe, et devotement crie mercy a Dieu. Et tres humblement requiers absolution selon la tres grant misericorde de Dieu en me recommandant a la benoiste vierge Marie, et a tous sainctz et sainctes, qu'ilz vueillent Dieu prier pour moy qu'il me doint grace en pardonnant mes pechez. Et vous mon pere espirituel, mon curé et vicaire de Dieu, me vueillez absouldre selon la misericorde de nostre seigneur Jesuchrist, a la quelle je me subzmetz.

Paris c. 1505. *Cambrai 1503.* Lisieux 1507. Rouen 1530. *Tours 1533.*

P1211   J'ay commis les pechez dessusditz, ou grant partie d'iceulx, par defaulte de bien gouverner mes cinq sens de nature, lesquelz Dieu m'a prestez. Et pourtant je me confesse de tous les pechez, desquelz je suis coulpable, a l'honneur de Dieu, et de la benoiste vierge Marie, au salut de mon ame, et a la confusion de l'ennemy d'enfer, et en prometz amendement. Et ay bonne volunté, et ferme propos de moy tenir et garder de pecher. Et pour toutes offenses de mon temps mal employé, au temps passé, je dy ma coulpe, ma griefve coulpe, ma tresgriefve coulpe : Et devotement crie mercy a nostre seigneur J. C. Et tres humblement je requiers absolution… Et vous mon pere spirituel, mon curé, vicaire et ministre de Dieu, me vueillez absouldre soubz la tres grant misericorde de nostre seigneur Jesucrist a laquelle je me soubmetz.

Laon 1538. Noyon 1546.

P1212 … Si me confesse et repens de tous les dessusdits pechez, a l'honneur de Dieu et de la benoiste vierge Marie, au salut de mon ame, a la confusion de l'ennemy d'enfer : en promettant amendement, ayant bonne volonté, et ferme propos de moy abstenir de peché, avec la grace de Dieu et son ayde. Et pour toutes mes offenses et mon temps mal employé je dis ma coulpe…

Soissons 1576.

CONFESSIONS GÉNÉRALES (1490-1538)

44. Satisfaction : *Confiteor, Pater, Ave*

Chartres 1490. Laon 1538. Lisieux 1507. Meaux 1546. Orléans c. 1548. Paris 1497, c. 1505 etc.

Ceulx qui scauront leur *Confiteor* si le dient. Et les autres qui ne le sauront pas dient leur[a] *Pater noster* et *Ave Maria.*

Paris 1497, Paris c. 1505. Lisieux 1507. Rouen 1530.

Variante. [a] Et les autres… leur] et ceulx qui ne le scavent si dient Pa. 1505. Rou.

Ceulx qui sevent *Confiteor* le dient, et les aultres[a] *Pater noster, Ave Maria.* Presbyter. *Amen.*

Chartres 1490. *Autun 1503. Cambrai 1503.* Meaux 1546. Orléans c. 1548. [absent de Châlons/Marne].

Variante. [a] qui ne le scavent dissent] *add.* Or.

Ceux qui scaront [*sic*] leur *Confiteor,* si le dient. Et les aultres leur *Pater noster,* et *Ave Maria.* Amen.

Laon 1538. *Noyon 1546.*

Ceux et celles qui scavent *Confiteor,* si le dient devotement. Et ceux qui ne le scavent point, dient *Pater noster,* etc. et *Ave Maria.*

Soissons 1576.

45. Absolutions générales[14]

Dominus I. C. qui ad insinuandum humilitatis exemplum…

Chartres 1490-1553, etc.

Dominus noster I. C. qui dixit discipulis suis : quecunque ligaveris super terram…

Paris 1497, c. 1505, etc.

Dominus noster I. C. qui dixit discipulis suis, quecunque solveritis super terram…

Chartres 1490-1553, etc.

Dominus noster I. C. qui in cruce moriens pro omnibus latroni peccata condonavit…

Chartres 1490-1553, etc.

---

[14] Seules quelques formules d'absolution sont présentées ici. Elles sont toutes recensées au chapitre III : *Formules d'absolutions générales.*

264 CHAPITRE VI

Indulgentiam, absolutionem et remissionem omnium peccatorum vestrorum, spacium vere penitentie...

Chartres 1490-1689, etc.

Misereatur vestri omnipotens Deus, et dimissis omnibus peccatis vestris...

Chartres 1490-1689, etc.

Per resurrectionem domini nostri I. C., et per intercessionem beate Marie virginis...

Chartres 1490-1689, etc.

46. Bénédiction finale

Chartres 1490 etc.
(Absent de Lisieux 1507, Paris 1497, c. 1505).

Et benedictio Dei Patris omnipotentis et Filii et Spiritus sancti descendat super vos et maneat semper. In nomine Patris et Filii et Spiritus sancti. Amen.

47. Communion

Chartres 1490 etc.
(Absent de Laon 1538, Lisieux 1507, Paris 1497, c. 1505, Rouen 1573).

Accedent illi qui volunt recipere corpus Christi. *Mutet ergo vitam qui vult accipere vitam.* Explicit.

Chartres 1490. Châlons/Marne 1560. Autun 1503. Cambrai 1503. Meaux 1546. Orléans c. 1548.
Variante. [a] Accedant] ChM. Mea.

48. Recommandations

Paris 1497. Paris c. 1505. etc.
(Absent de Châlons/Marne 1569, Chartres 1490, Laon 1538, Orléans, Soissons etc.)

Bonnes gens payez voz droictures. Et vous recommande le pardon du Hault Pas, le cierge benoist et l'oeuvre de l'eglise de et le clerc de ceans.

Paris 1497.

Bonnes gens je vous recommande l'oeuvre de ceste eglise qui a peu de rentes et moult grant charges a soustenir les edifices d'icelle, de payer les rentes et messes assignées sur ladicte oeuvre[a].

CONFESSIONS GÉNÉRALES (1490-1538)

Item je vous recommande vostre clerc qui vous sert en l'administration des sacremens de jour et de nuyt comme vous scavez[b].

Finablement je vous recommande toutes autres oeuvres de charité qui sont a recommander. Priés Dieu pour moy et je prieray Dieu pour vous.

Paris c. 1505. *Lisieux 1507.* Rouen 1530. Tours 1533.

Variantes. [a] Bonnes gens… oeuvre] *om.* Trs. –[b] Item… scavez] *om.* Rou. 1559. Trs.

CHAPITRE VII

CONFESSIONS GÉNÉRALES DE PARIS À PARTIR DE 1552

1. Paris [1552], [1559], 1574, 1581, 1601, 1615, 1630
et formulaires s'y rattachant :
Bourges 1588, 1593. Nevers 1582. Noyon 1631
Orléans 1642. Saint-Malo 1617. Toul 1559. Verdun 1554

[Paris c. 1552 : Eustache du Bellay]

P1213 Le formulaire de Paris c. 1552 est repris avec quelques remaniements jusqu'en 1630 à Paris, ainsi que dans six autres diocèses, le dernier étant Orléans en 1642. Les principales variantes de ces éditions sont indiquées dans le formulaire de 1552.

Titres

Paris [1552], [1559]. *Preparatoire exhortation pour recepvoir le sainct sacrement de l'autel.* Éd. 1552 f. C2-C6v, repris par **Verdun 1554**[1] et **Toul 1559** f. 52-56.

Paris 1574 f. C2-C6v, Paris 1581 f. C2-D1v, Paris 1601 f. 176v-180. *Preparatoire exhortation pour recepvoir le sainct sacrement de l'autel,* repris par **Nevers 1582**[2], **Bourges 1588, 1593**[3] et **Saint-Malo 1617** [très abrégé][4]. Formulaires légèrement remaniés, adressés au « Peuple chrestien », et non plus aux « Seigneurs et dames ». Le *Je me confesse à Dieu* est abrégé ; les manquements aux vertus cardinales et théologales et les « douze articles de la foy » sont supprimés[5].

---

[1] Verdun 1554 f. 69v-75. Voir aussi *infra* Verdun 1554 (P1252).
[2] Nevers 1582 f. 67. Voir aussi *infra* Nevers 1582 (P1266)
[3] Bourges 1588, 1593. Voir aussi *infra* Bourges 1588, 1593 (P1267)
[4] Saint-Malo 1617, prône p. 22-23 : le formulaires s'arrête avant *Je me confesse à Dieu…*
[5] Les principales variantes des édition 1574-1630 sont indiquées dans le formulaire de 1552. Le prône dominical et le prône pascal de Paris [1574-1581] sont édités par S. Millanges, *Manuel ou guide brefve…*, 1602, p. 1-30 (Molin Aussedat n° 1305).

268   CHAPITRE VII

Paris 1615 f. 215-218v. *Preparatoire exhortation qui se faict au peuple le jour de Pasques pour dignement recevoir le sainct Sacrement de l'Autel. Confession generale vulgairement dicte Absoulte. Generalis absolutio.* Addition d'un § sur l'utilité de la confession générale pour apprendre « l'ordre et la methode » à suivre dans la confession « sacramentale... à l'oreille du Prestre », particulièrement pour se remémorer les péchés mortels. Si la confession générale n'a pas la vertu d'effacer ceux-ci, « elle peut beaucoup pour effacer les pechez venielz. »

Paris 1630 Pars secunda, f. 114v-118. *Exhortation preparatoire qui se faict au peuple le jour de Pasques pour dignement recevoir le sainct Sacrement de l'Autel. Confession generale vulgairement dicte Absoulte. Generalis absolutio.* Repris par **Noyon 1631** et **Orléans 1642**[6].

Le début de l'*exhortation* (f. 114v-115) – toujours précédée d'une *Exposition des Commandemens de Dieu*[7] – donne les raisons de communier le jour de Pâques, reprenant presque textuellement la *Preparatoire exhortation pour recevoir le sainct sacrement de l'Eucharistie* d'Autun 1545[8].

Les raisons et interdictions de communier sont proches de Paris 1497-1542, mais la confession est en partie remaniée, comme en 1615.

P1213 **Paris c. 1552**

[Raisons de communier le jour de Pâques]

f. C2 Seigneurs et dames[9], la saincte journée du jourd'huy, qui est la solennité de Pasques, nous invite a nous preparer pour la solenniser religieusement et chrestiennement[10]. Pasques signifie passage... [comme Autun 1545, P1246]

[Interdictions de communier]

f. C2v-C3 ... Donc qui viendra a ceste saincte communion, qu'il se prepare, et cherche diligemment en sa conscience les offenses, par lesquelles il a offensé Dieu, et devotement se confesse. ... Avec ce est requis non avoir rancune a[11] son prochain. Et si aucuns en y a d'entre

---

[6]   Orléans 1642 (P1269).
[7]   *Exposition doctrinale des commandemens de Dieu. Voir infra* Examens de conscience, Paris 1552-1630 (P1382). Orléans 1642 diffère (P1401).
[8]   *Voir infra* Autres formulaires, Autun 1545 p. 43-45 (P1246)
[9]   Seigneurs et dames] Peuple Chrestien Paris 1574-1630.
[10] religieusement et chrestiennement] sainctement et devotement Paris 1574-1630.
[11] non avoir rancune a] de despouiller toute rancune contre Paris 1574-1630.

CONFESSIONS GÉNÉRALES DE PARIS (1552-1630)

vous qui soyent excommuniez, ou interdictz, ne se doibvent presenter a recevoir ce precieulx sacrement, jusques a tant qu'ilz soient absoulz...

Je deffens[12] aussi a tous ceulx, et celles, qui ne sont de ceste paroisse, de se venir presenter a la table, s'ilz n'ont parlé a monsieur le curé de ceans, ou a son vicaire...

Je deffens aussi a tous les parroissiens de ceste parroisse, sur peine de excommuniment qu'ilz ne voisent[13] recevoir le corps de J. C. hors de ceste parroisse sans congé expres de monsieur le curé de ceans[14] ou de son vicaire. Et debvez scavoir que c'est ung tres grand danger d'aller recevoir le corps de J. C. hors de sa parroisse. Car le recevoir d'une religieulx sans congé special et expres de son curé ... le religieulx est excommunié[15]...

Item je deffens que nul homme ou femme recoipve le sacrement de l'aultel en ceste eglise s'il n'est confessé a son curé, vicaire ou commis.

Je deffens consequemment que nulle personne vienne a la table nostre seigneur s'il n'a ouy messe entiere et qu'il soit (à) jeun s'il n'avoit empeschement par malladie.

[Devoir des parents de préparer leurs enfants ou leurs jeunes « servans » et servantes à communier]

Aussi vous aultres seigneurs, et dames[16] qui avez enfans filz ou filles, servans ou servantes ou aultres jeunes gens a gouverner qui soient disposez et[17] en aage de recepvoir le corps de J. C., vous les debvez et estes tenuz a aprendre et instruire comment ilz se doibvent gouverner, maintenir, garder et abstenir[18] de peché mortel principallement. Et debvez apres que aurez prins ce noble[19] sacrement vous garder sainctement pour l'honneur et reverence de Dieu principallement qui veult demourer par grace en voz ames et consciences a vostre utilité et profit et[20] salut.

---

[12] Je deffens] Nous deffendons Paris 1601-1630. *Idem* aux § suivants.

[13] ne voisent] n'aillent Paris 1574-1630.

[14] monsieur le curé de ceans] nous Paris 1601-1630.

[15] Et debvez scavoir... excommunié...] *om.* Paris 1574-1630. Mais présent à Nevers 1582.

[16] seigneurs et dames] paroissiens et paroissiennes Paris 1574-1630.

[17] disposez et] *om.* Paris 1574-1630.

[18] gouverner... abstenir] preparer et disposer pour plus dignement se presenter a la table de nostre Seigneur. Et specialement s'abstenir Paris 1574-1601. ... Et specialement se nettoyer et s'abstenir Paris 1615-1630.

[19] noble] precieux Paris 1574-1630.

[20] utilité et profit et] *om.* Paris 1574-1630.

270   CHAPITRE VII

[Confession générale]

On a de coustume de faire aujourdhuy une forme et maniere de confession et absoulte[21] generalle. Mais nul de vous ne se doibt fier[22] qu'elle luy vaille pour absolution de quelque peché mortel, dont il ait memoire[23]. Car il convient secretement et particulierement[24] se confesser a son propre prebstre. C'est a dire a son curé, vicaire ou commis, qui ayent auctorité de luy. Partant il vous plaira seigneurs et dames[25] estre attentifz a ouyr ce que dirons. Et le direz apres nous en ceste forme et maniere[26].

P1214   *Je me confesse a Dieu[27], a la benoiste[28] vierge Marie, et a monseigneur sainct Michel l'ange, et a monseigneur sainct Pierre, et monseigneur sainct Pol, et a tous apostres, a monseigneur sainct Estienne, et a tous martyrs, et a monseigneur sainct Martin, et a tous confesseurs, a madame saincte Katherine, et a toutes vierges[29]. Et a tous sainctz et sainctes de paradis et a vous mon pere spirituel vicaire et lieutenant de Dieu, de tous les pechez que je feis oncques[30] depuys l'aage de congnoissance[31], jusques a l'heure de maintenant. Desquelz il me souvient, et desquelz je n'ay memoire[32].*

Car j'ay peché es **sept pechez mortelz** et branches despendantes d'iceulx.

Premierement. J'ay peché en **orgueil**, par ambition et eslation de mon cueur, par moy trop priser pour mes biens de grace, de nature et

---

[21]   absoulte] absolution Paris 1601-1630.

[22]   ne se doibt fier] ne doit penser Paris 1615-1630.

[23]   dont il ait memoire] *om.* Paris 1615-1630.

[24]   il convient … particulierement] il faut en ce cas secrettement et exactement Paris 1615-1630.

[25]   seigneurs et dames] paroissiens et paroissiennes Paris 1574-1630.

[26]   Partant … maniere] Partant vous noterez que ceste confession generale a esté sainctement ordonnée par nos anciens Prelats et Pasteurs de l'Eglise, affin que les Curez ou leur Commis la prononçant publiquement à pareil jour qu'aujourd'huy, le simple peuple apprist l'ordre et la methode qu'il doit tenir en se confessant à l'oreille du Prestre. Affin aussi que quelques-uns oyans reciter ceste Confession generale, se peussent plus facilement remettre en memoire les pechez mortels qu'ils auroient, peut estre, oubliez en leur Confession sacramentale: à laquelle ils doivent, cela arrivant, retourner le plustost que commodement faire se pourra, pour s'en confesser: Et bien que ceste Confession generale n'ait la vertu d'effacer aucun peché mortel, comme dit est; si est-ce qu'elle peust beaucoup pour effacer les pechez veniels, pourveu que l'on y assiste devotement, et que l'on reçoive avec reverence la benediction generale que nous donnerons sur la fin. Soyez donc attentifs à escouter ceste forme de Confession, et secrettement à part vous en vostre ame, sans le declarer, considerez s'il y a quelque chose qui vous touche, et qui vous regarde. Paris 1615-1630.

[27]   le Createur Tout-puissant] *add.* Paris 1601-1630. Or.

[28]   benoiste] bien-heureuse Or.

[29]   et a monseigneur sainct Michel l'ange … vierges] *om.* Paris 1574-1630. Or.

[30]   oncques] jamais Or.

[31]   congnoissance] discretion Or.

[32]   Desquelz … memoire] *om.* Paris 1601-1630. Or.

CONFESSIONS GÉNÉRALES DE PARIS (1552-1630)

de fortune, pour mes parens et amys. Pour ma force, beaulté, jeunesse, et richesses. J'ay peché en ypocrisie, jactance et vaine gloire. J'ay esté fier pompeulx depiteulx et rebelle a bon conseils querir et croire, et desobeyssant aux commandemens de Dieu, de l'Eglise, et de mes superieurs tant spirituelz que temporelz.[33]

J'ay peché en **avarice**. Pour vouloir et desirer science en mauvaise fin[34]. Convoyter et appeter desordonnement a avoir des biens mondains, pour mal en user. J'ay esté fort tenant tant pour moymesme que pour aultruy. Et trop ardant pour acquerir richesses et biens temporelz par subtilitez, cautelles [ruses] et tromperiez. Par rapine, usure et larcins. Dont j'ay eu plusieurs turbations [troubles] et[35] mauvaises voluntez, endurcy mon cueur, oublié Dieu et le salut de mon ame. Par avarice j'ay faict plusieurs mensonges, juremens et parjuremens pour plus cher vendre et meilleur marché avoir.

J'ay peché en **luxure**[36]. Par mauvais et deshonnestes regardz. Par attouchemens impudicques sur moy et sur aultruy. Par plusieurs delectations, consentemens deliberez a peché. Par maintiens lubricques, danses et chansons dissolues. Par parolles, dictz, ballades, rondeaulx, et aultres diffamatoires et dictz luxurieulx[37], par superfluitez et nouveaultez d'habitz, par trop delicatement nourrir mon corps et le parer et vouloir vivre à ma plaisance[38].

J'ay peché par **envye**. En ayant plaisir en moy rejouissans du mal, et adversité d'aultruy, et si ay esté[39] desplaisant du bien, honneur et profict de mon prochain. J'ay eu haine couverte. J'ay mauldict secretement et publicquement aultruy. J'ay[40] publié et manifesté par detestations les vices latentz et secretz[41] de mon prochain pour le diffamer, et oster sa bonne renommée.

J'ay peché en **gloutonnie** par trop boire, par trop menger, trop souvent, trop ardemment, trop curieusement et trop plantureusement. Par

---

[33] Premierement ... temporelz] Premierement. J'ay peché en orgueil, par ingratitude envers Dieu et envers les hommes; et par cupidité de vaine gloire; par presomption et arrogance; par ambition, par jactance, par ypocrisie, par despit et par rebellion contre les commandementz de Dieu et de mes Superieurs et par contennement [mépris] du bon conseil Paris 1574-1630. Or.

[34] Vouloir ... fin] *om.* Pa. 1615-1630. Or.

[35] turbations et] *om.* Paris 1574-1630. Or.

[36] à scavoir par fornication et (ou) adultere] *add.* Paris 1574-1630. Or.

[37] Dictz ... luxurieulx] impudiques Paris 1574-1630. – impures] Or.

[38] à ma plaisance] à mon plaisir Paris 1601-1630. Or. – par tableaux impudiques, et livres lascifs] *add.* Or.

[39] En ayant ... esté] Prenant plaisir en moy et rejouissance du mal d'aultruy, et estant mary et Paris 1574-1581. – ... et me resjouissant... Paris 1615-1630. Or.

[40] Publiquement ... jay] autruy, j'ay publiquement Paris 1615-1630.

[41] Detestations ... secretz] mauvaise intention les vices secretz Paris 1574-1630. Or.

272 CHAPITRE VII

faulx desirs et grand delit par mauvaise accoustumance[42]. Sans faim, sans soif, sans necessité. Et en follement donner et follement despencer. En parolles oyseuses. En ayant[43] transgressé et rompu les jeusnes commandées de l'Eglise, comme la quarantaine, les quatre temps, les vigilles de festes. Ou si je les ay jeusnées, ce n'a pas esté par devotion mais plustost par maniere d'acquit et de peur de scandalle. J'ay beu et mengé aux heures indues comme devant ou apres disner sans necessité, en me transportant par plusieurs foys en tavernes et cabaretz et aultres lieux, et principallement aux jours des festes, durant le service divin au grand scandale de mon prochain[44].

J'ay peché en **ire**. En me troublant et courroussant tost pour neant et legierement. Par longuement me tenir et demourer en mon courroux, et mal talent[45]. En soubhaictant la mort, dommage et desplaisir de[46] mon prochain. En ayant appetit de me venger et propos de ce faire. En reniant et blasphemant le nom de Dieu et des sainctz. En nommant et invocquant les diables. En disant le diable, y ait part. Le diable s'enpend [se lève ?]. Et de par tous les diables[47], et plusieurs aultres semblables parolles et execrations. En soubhaictant et desirant ma mort par ung desespoir et desconfort.

J'ay peché en **paresse**. En me tenant oyseux[48] et ne tenant compte de bien employer le temps, ou de servir et de rendre graces a Dieu. De faire et accomplir mes penitences. Mais me suis par une nonchalance et indevotion trouvé tout remys [négligent] et aneanty a quelque[49] bien faire et penser. Tellement que ma pauvre ame a esté toute sterile et aride par faulte de l'avoir arrousée de l'eaue de bonnes oeuvres, et de la grace du sainct esperit[50].

Je me confesse. Que je n'ay pas mis peine d'acquerir les **vertus moralles**, contraires aux pechez mortelz. Comme humilité contre orgueil. Liberalité contre avarice. Chasteté contre luxure. Amour a mon prochain contre envye. Sobrieté contre gourmandise et gloutonnye. Patience contre ire. Et diligence contre paresse.

---

[42] plantureusement … accoustumance] sumptueusement. Paris 1574-1630. Or.
[43] oyseuses … ayant] oysives j'ay Paris 1574-1630. Or.
[44] et prejudice de ma famille] *add.* Paris 1601-1630. Or.
[45] et mal talent] *om.* Paris 1574-1630. – courroux … talent] en ma colere Or.
[46] de] à Or.
[47] En disant … diables] *om.* Pa. 1574-1630. Or.
[48] oyseux] oysif Paris 1574-1630. Or.
[49] remys … quelque] aneanty Paris 1601-1630. Or.
[50] Tellement … esperit] Et ay perdu beaucoup de temps en oysiveté lequel je debvois employer en ma vacation [profession] Paris 1574-1630. Or.

CONFESSIONS GÉNÉRALES DE PARIS (1552-1630)

Je n'ay pas aussi acquis les **quatre vertus cardinales**, qui sont Justice, Prudence, Force, et Temperance.

Je n'ay pas aussi labouré pour avoir les **trois vertus theologalles**, Foy. Esperance, et Charité. Pour me scavoir myeulx conduyre et eviter les grandz perilz et dangiers de ceste mer mondaine[51].

J'ay trespassé[52] les **commandemens de la loy**[53]. Car je n'ay pas creu fermement avec l'Eglise tout ce que je suis tenu croire. Mais j'ay plusieurs foys aulcunement doubté. Et aulcunesfoys contredict.

Je n'ay pas aymé Dieu. De tout mon cueur, de toute ma force, et de toute mon ame. Et mon prochain comme moymesmes.

J'ay juré[54] le nom de Dieu en vain. Et de la vierge Marie, et des benoistz[55] sainctz et sainctes de paradis.

J'ay mal gardé les festes commandées de l'Eglise, esquelles ay faict oeuvres seculieres et terriennes[56]. Et ne me suis pas gardé de y commettre peché mortel[57]. Et n'ay pas esté songneux de assister à ouyr le service divin et[58] la parolle de Dieu a telz jours commandés comme je suis tenu.

Je n'ay pas porté honneur et reverence a mes peres, meres spirituelz, et temporelz ausquelz souvent ay contredict et irreveremment parlé[59].

J'ay prins et retenu l'autruy induement[60].

J'ay battu et tué mon prochain, desirant sa mort et aulcunefoys l'ay meurdry, et ay meurdrye mon ame par peché[61].

J'ay [sic] n'ay pas eu pureté de vie et chasteté honneste en mariage[62].

Je n'ay pas porté tousjours bon et loyal tesmoignage ne vertueux[63] pour garder et soustenir verité.

J'ay convoité la femme et biens de mon prochain.

---

[51] Je n'ay pas aussi acquis ... mer mondaine] *om.* Paris 1574-1630. Or.
[52] trespassé] transgressé Paris 1574-1630. Or.
[53] les commandemens de la loy] les dix commandemens de Dieu, et les commandemens de nostre mere saincte Eglise Paris 1615-1630. Or.
[54] juré] pris Or.
[55] benoistz] *om.* Or.
[56] seculieres et terriennes] manuelles et serviles Or.
[57] et ne me suis pas ... mortel] *om.* Paris 1615-1630. Or.
[58] le service divin et] *om.* Paris 1615-1630. – d'assister au service divin et d'oüyr Or.
[59] irreveremment parlé] porté irreverence Paris 1574-1630. – rendu trop peu de respect Or.
[60] l'autruy induement] injustement le bien d'aultruy Paris 1574-1630. Or.
[61] et aulcunes foys ... peché] *om.* Paris 1574-1630. Or.
[62] J'ay ... mariage] Je n'ay pas gardé continence et chasteté Paris 1574-1630. Or.
[63] ne vertueux] *om.* Paris 1574-1630. Or.

CHAPITRE VII

Je n'ay pas porté honneur aux sainctz **sacremens** de l'Eglise, ne aux membres d'iceulx[64]. C'est assavoir au sacrement de baptesme. Au sacrement de penitence. Au sacrement de mariage. Au sacrement d'ordre ny aux prebstres. Au sainct sacrement de l'autel. Au sacrement de confirmation. Et au sacrement d'extreme unction[65].

J'ay peché contre les **douze articles de la foy** lesquelz je n'ay pas creuz et tenuz fermement, mais en ay aulcunesfoys doubté, erré, et contredict a iceulx[66].

Je n'ay pas accomply les sept **oeuvres de misericorde** spirituelles et corporelles.

Je n'ay pas esté curieulx garder mes **cinq sens** de nature. Comme le sens de la veue qui est aux yeulx. Les sens de l'ouye qui est aux oreilles. Le sens de odorer que nous disons vulgairement sentir et florer qui est au nez. Le sens de gouster que nous disons communement savourer et taster qui est au palais de la bouche. Le sens d'atoucher qui appartient aux mains principallement. Et aussi a toutes les aultres parties du corps[67].

P1215 *Si me confesse et accuse de tous ou aulcuns[68] les pechez dessusdictz en tout ce que je puis ou pourroys estre coulpable[69]. Et m'accuse aussi de tout le temps passé entierement, duquel ay perdu la plus grande partye en oysiveté et paresse, et mal applicqué a maulvaises oeuvres et operations qui estoient contre la volunté de Dieu mon createur.*

Et en signe de penitence, contrition, et desplaisance[70] que j'ay d'avoir ainsi griefvement offensé mon Dieu. Je ditz ma coulpe. Ma griefve coulpe. Et ma tres griefve coulpe. Et devotement et humblement luy en requiers pardon et mercy[71]. Et a vous mon pere penitence et absolution.

Ceulx qui scavent leur *Confiteor* qu'ilz le disent. Et si en y a qui ne le scavent qu'ilz disent *Pater noster* et *Ave Maria*.

---

[64] membres d'iceux] ceremonies instituées d'icelle Paris 1615-1630. – ceremonies par elle instituées, ny à ceux qui les administrent Or.

[65] C'est assavoir ... unction] *om.* Or.

[66] J'ay peché contre les douze articles ... iceulx] *om.* Paris 1574-1630. Or.

[67] Je n'ay pas esté curieulx ... corps] Je n'ay point esté soigneux de garder mes yeux de mal regarder, mes aureilles de mal escoutter, ma langue de mal parler, mes mains de mal toucher, et mes piedz de mal aller] Paris 1601-1630. Or.

[68] Si me confesse ... aulcuns] Je me confesse et accuse de tous Par. 1574-1630. Or.

[69] je puis ... coulpable] en tout ce que je suis coulpable Paris 1574-1630. Or.

[70] contrition et desplaisance] et desplaisir Paris 1615-1630. Or.

[71] par le merite de la mort et passion de J. C. nostre saulveur] *add.* Paris 1574-1630. – par les merites...] *add.* Or.

CONFESSIONS GÉNÉRALES DE PARIS (1646-1654)

Generalis absolutio

Per meritum passionis et resurrectionis, per gratiam Domini nostri I. C. … P1134
Indulgentiam, absolutionem et remissionem… P1122
Oremus[72]. *Dominus noster I. C. qui dixit discipulis suis… P1113*
Benedictio Domini nostri I. C. descendat super vos… P1145

Seigneurs et dames je vous recommande à ce bon jour la paix et union de nostre mere saincte Eglise. Je vous recommande la personne du roy, de la royne et de monsieur le daulphin. La paix et union de ce royaulme et de ce diocese de Paris, qu'il plaise à Dieu nous preserver et garder de peste et de toutes aultres adversitez[73].

Je vous recommande les oeuvres de misericorde. L'euvre et fabricque de ceans en toutes ses affaires et necessitez. L'Hostel Dieu de Paris, voz droictures et offrendes, et cierge beneist. Aussi je vous recommande les clercz de ceans qui vous servent nuict et jour en grande peine et labeur. Aussi le clerc des sermons. Et ceulx qui jectent l'eau beneiste. Je vous recommande aussi toutes les personnes qui sont en necessité, soit du corps ou de l'ame. Speciallement les pauvres de ceste paroisse qui attendent voz aulmosnes[74].

2. Paris 1646, 1654 et formulaires s'y rattachant: Bourges 1666. Châlons-sur-Marne 1649. Rodez 1671. Troyes 1660

[Paris 1646, 1654: Jean-François de Gondi]

▶1216 **Paris 1646** p. 486-497. *Confession generale vulgairement dite Absoute.*
Confession entièrement remaniée par rapport au formulaire de Paris c. 1552-1630.

Paris 1654: une seule variante par rapport à Paris 1646: il faut aussi avoir «un coeur contrit» pour que la confession générale efface les péchés véniels.

---

[72] Tunc extensa dextra super populum dicat] *add.* Paris 1615-1630. Or.

[73] Seigneurs et dames … adversitez] Je vous admoneste à ce sainct jour de Pasques de faire prieres pour la paix et union de l'Eglise catholique, pour le Roy nostre sire, pour la Royne, pour tout le noble sang royal, pour la paix de ce Royaulme. Pa. 1574-1630.

[74] Je vous recommande … aulmosnes] Je vous recommande les oeuvres de pieté et de misericorde, par expres L'Hostel Dieu, L'oeuvre et fabricque de ceans, voz offrandes et droictz parochiaulx ausquelz vous estes tenuz et obligez Paris 1574-1630. Or. (Paris 1630 et Or.: *om.* «vos offrandes…»)

276 CHAPITRE VII

Châlons-sur-Marne 1649 pars II, p. 213-226. Formulaire de Paris sauf préambule différent[75] et quelques variantes.

Troyes 1660 pars II, p. 262-275 : Formulaire de Paris avec préambule de Châlons et quelques variantes.

Bourges 1666 tome 2, p. 57-64 : Formulaire de Paris sans le préambule « On a de coustume... » et sans les absolutions. Quelques variantes.

Rodez 1671 p. 622-634. *De la Confession generalle vulgairement dite absoûte, pour les Dimanches de la Passion, des Rameaux, et pour le jour de Pasques.* Quelques variantes de texte, en particulier addition de sous-titres explicatifs.

P1216 **Paris 1646**

p. 486 On a de coustume de faire ce jour-d'huy une forme et maniere de Confession et absolution generale; mais nul de vous ne doit penser[76] qu'elle efface aucun peché mortel : car ce n'est qu'au Sacrement de Penitence qu'on reçoit l'absolution de ses pechez[77]. Et pour ce vous serez advertis que cette Confession generale a esté saintement ordonnée par nos[78] anciens Prelats et Pasteurs de l'Eglise, afin que les Curez, ou autres Prestres commis par eux la prononçans publiquement en ce jour, les fidelles apprissent l'ordre et la methode qu'ils doivent tenir[79] en se confessant à l'oreille du Prestre, et qu'entendant aussi reciter cette Confession generale, ils puissent plus facilement se remettre en memoire les pechez mortels qu'ils auroient peut-estre oublié en leur confession sacramentale : car en ce cas ils doivent s'en confesser sacramentalement auparavant que de communier. Et bien que cette Confession generale n'ait vertu d'effacer aucun peché mortel, si est-ce qu'elle peut[80] beaucoup pour effacer les pechez veniels, pourveu que l'on y assiste devotement[81], et que l'on reçoive avec reverence la benediction generale que nous donnerons sur la fin. Soyez donc attentifs, et secretement en vous-mesmes, considerez s'il y a quelque chose qui vous touche, et qui vous regarde, sans repeter apres moy ce que je vay vous lire.

---

[75] On a de coustume...] C'est une ancienne et loüable coustume de l'Eglise de faire ce jourd'huy une forme et maniere de Confession et Absolution generale, afin qu'après les penibles exercices du Caresme, qui sont une penitence generale de toute l'Eglise... Châlons 1649 p. 213-215 ; Troyes 1660 p. 262-264. *Voir* volume II/6 : *Prônes dominicaux*, Châlons 1649.

[76] ne doit penser] doit estre persuadé Rodez.

[77] ce n'est ... pechez] le seul sacrement de Penitence a la vertu d'effacer ses pechez Rodez.

[78] nos] plusieurs Rodez.

[79] tenir] garder Rodez.

[80] si est-ce qu'elle peut] elle peut neantmoins Rodez.

[81] avec un coeur contrit] *add.* Pa. 1654. *om.* Rodez.

CONFESSIONS GÉNÉRALES DE PARIS (1646-1654)

Confession Generale.

1217 *Je me confesse à Dieu le createur tout-puissant, à la bien-heureuse Vierge Marie, à tous les saints et saintes de Paradis, et à vous mon Pere spirituel, vicaire de Dieu, de tous les pechez que j'ay faits depuis l'âge de connoissance, jusques à cette heure. Car j'ay transgressé les dix Commandemens de Dieu, les Commandemens de nostre mere Sainte Eglise, et de plus j'ay peché és sept pechez capitaux, et branches dependantes[82] d'iceux.*

[Péchés contre les Commandements de Dieu]

[Premier commandement]

Premierement[83] Je n'ay creu tout ce que la Sainte Eglise Romaine croit. J'ay acquiescé à quelque heresie ou infidelité.

J'ay esté trop curieux à discuter les Mysteres de la foy : et quelquefois j'en ay doubté.

J'ay eu trop de communication avec les huguenots[84] sur les points de la Religion, disputé avec eux, assisté à leurs presches, j'ay leu de leurs livres, et autres defendus par l'Eglise.

Je ne me suis mis en devoir d'apprendre et retenir le *Credo*, le *Pater*, l'*Ave*, les Commandemens, les Mysteres de la foy, les Sacremens, et ce qui regarde mon exercice, et mon estat.

Je n'ay pas assisté aux instructions de la Paroisse.

Je me suis servy de superstition, enchantement, divination et malefice, et y ai induit les autres.

J'ay adjousté foy aux songes, augures, sorts illicites, jours heureux, et malheureux, et semblables vaines observances.

J'ay tourné les paroles de l'Escriture sainte, et ceremonies de l'Eglise en railleries, et choses prophanes.

[85]Presumant de la misericorde divine, j'ay peché plus librement, et differé de m'amander. D'autre part me defiant de la divine miseriorde, j'ay desesperé de l'amandement de ma vie et de la remission de mes pechez.

[86]J'ay murmuré contre Dieu, me plaignant de luy comme s'il n'estoit juste[87], et trouvant à redire à sa divine providence. J'ay eu de la haine contre quelqu'un. Je n'ay donné l'aumosne : et n'ay fait la correction

---

[82]   dependantes] spirituelles Rodez.
[83]   Premierement] *1. Commandement*. FOY. I Rodez.
[84]   huguenots] Heretiques Bou. Ch/M. Tro.
[85]   ESPERANCE] *add*. Rodez.
[86]   CHARITÉ] *add*. Rodez.
[87]   s'il n'estoit juste] s'il estoit injuste Rodez.

278 CHAPITRE VII

fraternelle quand je l'ay deu faire. J'ay peché par paresse, envie, discorde, contention [querelle], debat, sedition [dissension][88], et scandale. J'ay mal parlé et calomnié des personnes vertueuses; j'ay detracté de leurs bonnes oeuvres, et les ay diverty de les faire. J'ay destourné[89] d'entrer en Religion sans cause raisonnable. J'ay peché en orgueil par ingratitude envers Dieu et les hommes, par cupidité de vaine gloire[90], presomption, arrogance, jactance, hypocrisie, dépit, et mespris de bon conseil; j'ay presumé que les biens que j'avois du corps, de l'esprit, et autres exterieurs venoient de moy et non de Dieu, ou que je les avois de Dieu par mes propres merites sans la grace divine.

[Deuxième commandement]

[91]J'ay juré en vain; jurant d'une chose que je sçavois ou doutois estre fausse; jurant vray sans necessité; jurant de commettre quelque peché, ou de ne faire quelque bien; j'ay promis avec serment ce que je n'ay voulu accomplir, j'ay esté cause qu'un autre ait juré en vain; je me suis accoustumé à jurer.

Estant interrogé juridiquement je n'ay respondu selon l'intention du Juge, et ay conseillé de le faire. J'ay malheureusement blasphemé. J'ay invoqué le diable, et lui ay donné mon corps, mon ame, mes enfans, serviteurs, ou autre chose. Ayant fait voeu je n'ay eu soin de l'accomplir; j'ay voüé temerairement et superstitieusement.

[Troisième commandement]

[92]J'ay transgressé les festes faisant des oeuvres defenduës de l'Eglise, et manquant d'ouïr la sainte Messe[93]. Par mespris ou negligence j'ay manqué d'assister à la messe de paroisse et à vespres, et d'y faire assister mes gens. Je suis venu en l'Eglise à mauvaise intention, avec esprit et action de vanité, et y ay commis d'autres pechez. J'ay vaqué aux danses, jeux, promenades, et voyages inutiles, occupations non necessaires, et par fois avec peril de perdre la messe, ou le divin service.

Je n'ay eu soin de me confesser une fois l'an, et ce à mon curé, ou à quelqu'un des prestres commis de sa part[94]; et[95] de faire aussi confes-

---

[88] sedition] *om.* Ch/M. Tro.
[89] des personnes] *add.* Bou. Ch/M. Tro.
[90] et les hommes … gloire] et envers les hommes par vaine gloire Bou. Ch/M. Tro.
[91] *2. Commandement.*] *add.* Rodez.
[92] *3. Commandement.*] *add.* Rodez.
[93] J'ay empesché les autres de l'entendre.] *add.* Ch/M. Tro.
[94] ou du Seigneur Evéque] *add.* Rodez.
[95] et] ny Bou. Ch/M. Tro.

CONFESSIONS GÉNÉRALES DE PARIS (1646-1654)

ser mes gens. Je me suis confessé sans avoir examiné ma conscience, sans propos de quitter le peché, et faute d'examen suffisant je n'ay pas entierement declaré tous mes pechez mortels. Je n'ay jeusné Caresme, Vigiles, et Quatre-temps. J'ay beu et mangé par intemperance, avec un dommage notable de ma santé. J'ay frequenté les cabarets les dimanches et festes durant le divin service, avec grande despense et ruine de mon mesnage[96]. Je me suis enyvré, et y ay induit quelque autre. J'ay traicté avec irreverence les reliques des Saints, leurs images, les sacremens, et ceremonies de l'Eglise. Par degoust des choses spirituelles je n'ay fait quelque bonne oeuvre que[97] j'estois obligé.

[Quatrième commandement]

[98]J'ay offensé mes parens par haine, inimitié, rancune, contumelie [insulte][99], detraction [calomnie], moquerie, malediction, jugement temeraire, mespris, deshonneur, execration [imprécation]; je les ay contristés et mis en colere. Je ne leur ay obey; et ne les ay secouru dans leur besoin. Je leur ay souhaité du mal, et mesme la mort pour avoir leur succession. Je n'ay executé leur testament et dernieres volontez. Je n'ay observé les ordonnances de mes superieurs; j'en ay [100] detracté. J'ay maudit mes enfans; je ne les ay instruit de prier Dieu et des devoirs du Chrestien[101]; je les ay mis en Religion contre leur consentement ou pour des fins temporelles; je ne les ay corrigé, ny occupé en quelque honeste exercice pour les retirer de l'oysiveté et des occasions de desbauches. Par un amour desordonné vers eux ou les miens, je me suis porté à offenser Dieu. Pareillement je n'ay pas eu soin que mes serviteurs et domestiques, ayent sçeu les choses necessaires à salut, qu'ils ayent observé les commandemens de Dieu et de l'Eglise, et ne les ay fait assister estans malades, tant pour les choses spirituelles, que corporelles.

[Cinquième commandement]

[102]J'ay souhaitté du mal à mon prochain, en son corps, en son honneur, en sa renommée, en ses biens spirituels et temporels, jusques à luy desirer la mort. J'ay frappé, blessé, tué, et donné commission ou conseil de le faire. J'ay procuré directement ou indirectement de faire

---

[96]   et la ruine de ma famille] Bou. Ch/M. Tro.
[97]   que] à quoy Bou.Ch/M. Tro.
[98]   *4. Commandement.*] *add.* Rodez.
[99]   contumelie] *om.* Bou. Ch/M. Tro.
[100]   j'en ay] j'ay Bou.
[101]   à prier Dieu et à faire les devoirs d'un bon Chrestien] Rodez.
[102]   *5. Commandement.*] *add.* Rodez.

280 CHAPITRE VII

l'avortement d'un enfant, ou qu'il ait esté estouffé. Je n'ay demandé pardon ny fait satisfaction, et n'ay voulu pardonner, parler[103], ny salüer mon prochain avec lequel j'ay eu querelle ou differend. Par fureur et colere j'ay desiré ma mort; je me suis frappé, maudit, et injurié. J'ay semé des debats, procez, discordes et inimitiez. Je me suis attristé de la prosperité des autres; et me suis resjoüy de leur mal.

[Sixième et neuvième commandements]

[104]J'ay eu des pensées deshonnestes ausquelles je me suis volontairement arresté et delecté; de mesme j'ay peché en desirs, en paroles lascives, à lire des livres impudiques. J'ay retenu en la maison des nuditez, des peintures et images impudiques, que d'autres et moy[105] ont peu regarder luxurieusement. J'ay peché par attouchemens[106] sur moy ou sur autruy, et par des baisers impudiques. A dessein de pecher[107] j'ay envoyé messages, lettres, et presens. J'ay donné mauvais conseil ou secours, et me suis servy d'entremetteur pour pecher. J'ay eu de l'amour deshonneste envers une personne, la poursuivant à dessein de pécher; j'y ay perseveré, et à cause de moy cette personne a esté notée d'infamie. Je me suis servy de fard, parfums, musiques[108], danses, nudité du corps, et semblables pour inciter au peché de luxure.

J'ay peché par effect avec une vierge, mariée, parente, alliée, consacrée à Dieu. Par violence, menasses, dol [ruse], sous promesse de mariage, par prieres et mignardises; j'ay instruit[109] une personne au peché. Je m'en suis vanté, et ay nommé les personnes[110]. J'ay commis le detestable peché contre nature, qui se nomme Sodomie. J'ay touché deshonnestement quelques bestes, ou commis quelque autre peché avec elles. J'ay negligé d'eviter les occasions prochaines du peché, et y trempe encore.

Je n'ay pas vescu dans le mariage avec la retenuë et la chasteté à laquelle la sainteté de ce Sacrement m'oblige.

J'ay manqué de rendre le devoir y estant obligé, et pratiqué les choses que j'ay creu pouvoir[111] m'empescher d'avoir lignée.

---

[103] Je n'ay demandé… parler] Je n'ay voulu pardonner, n'ay demandé pardon ny fait satisfaction, et n'ay voulu voir ny parler Bou.
[104] 6. et 9. Commandement.] add. Rodez.
[105] d'autres et moy] moy et d'autres Bou.
[106] des-honnestes] add. Rodez.
[107] impudiques, à dessein de pecher;] Rodez. A mauvaise fin] Bou.
[108] parfums, musiques] om. Ch/M. Tro.
[109] instruit] induit Bou. Ch/M. Tro.
[110] les personnes] la personne Bou.
[111] que j'ay creu pouvoir] qui pouvoient Bou.

CONFESSIONS GÉNÉRALES DE PARIS (1646-1654)

[Septième et dixième commandements]

[112]J'ay pris une chose sacrée, ou dans un lieu sacré.

J'ay fait dommage à mon prochain, et n'ay esté diligent à le reparer. Par des voyes induës[113] j'ay empesché le droit de quelques-uns. Par ma faute je suis[114] insolvable à mes creanciers, et par là ils[115] souffrent du dommage. Ayant trouvé quelque chose je l'ay prise à dessein de la retenir. Par ma faute j'ay perdu des choses que je tenois en depost.

J'ay endommagé ce qui m'a esté presté ou loüé.

En vendant et acheptant j'ay fait de la fraude en[116] la marchandise, au prix, au poids et en la mesure.

J'ay achepté de ceux qui n'ont le pouvoir de vendre, comme des serviteurs et enfans de famille.

J'ay vendu plus cher que la chose ne valoit.

J'ay achepté à non[117] prix, et en ay eu la volonté.

J'ay vendu une chose pour une autre meilleure; et une defectueuse pour une entiere.

La chose que je vendois ayant un defaut occulte[118], je ne l'ay declaré.

J'ay achepté des choses que je sçavois ou doubtois estre desrobées.

J'ay eu volonté de prendre, ou retenir le bien d'autruy : J'ay eu dessein d'acquerir de toutes mains en bien et mal[119].

J'ay commis usure, j'ay faict un contract usuraire, et une société injuste en marchandise.

Ayant receu payement ou salaire pour faire quelque chose, je ne m'en suis pas fidelement aquitté.

J'ay retenu le salaire de mes officiers ou ouvriers, differé de les payer avec leur dommage.

J'ay suscité un procez contre la Justice : en une cause juste j'ay usé de tromperie pour gagner.

J'ay joué à des jeux defendus, et par fraude j'ay gagné au jeu.

J'ay commis simonie, vendant ou acheptant une chose spirituelle, ou jointe à une spirituelle.

---

[112]   *7. et 10. Commandement.* J'ay pris quelque chose d'autruy, par larcin ou rapine] *add.* Bou. Ch/M. Rodez. Tro.

[113]   à le reparer, par des voyes induës ;] Rodez.

[114]   devenu] *add.* Bou

[115]   et par là ils] qui en Bou.

[116]   en] dans Bou.

[117]   non] trop bas Bou. Ch/M. Tro.

[118]   occulte] caché Bou. Ch/M. Tro.

[119]   à bien et à mal Bou.

CHAPITRE VII

J'ay privé l'Eglise des dismes, et autres droicts que je devois.

Par des moyens illicites et mauvaises informations[120] j'ay obtenu quelque chose qui ne m'appartenoit point : j'ay empesché injustement les autres de faire quelque gain honeste : j'ay aussi empesché quelque autre d'avoir un benefice ecclesiastique.

J'ay participé au larcin en le commandant, conseillant, consentant, le loüant et favorisant, recelant, ne l'empeschant et manifestant quand je l'ay peu et deu.

[121]J'ay porté faux tesmoignage.

J'ay accusé et denoncé injustement.

Estant juge ou arbitre, j'ay prononcé une sentence injuste.

J'ay dit des mensonges : et par fois avec prejudice et dommage notable du prochain.

En chose d'importance[122] j'ay murmuré de la vie des autres, et particulierement des personnes qualifiées, comme sont les Prelats, les Prestres, les Religieux, et les femmes d'honneur.

J'ay descouvert un secret qui m'estoit commis[123].

J'ay revelé ce que j'avois veu ou entendu en secret.

J'ay ouvert quelque lettre missive, et à mauvais dessein.

J'ay peché par jugement temeraire.

J'ay detracté, maudit, et injurié. Je me suis mocqué. Je n'ay tenu compte d'accomplir mes promesses.

J'ay dit des paroles pour rompre l'amitié d'entre des amis.

J'ay usé de flatterie, loüant ou defendant quelqu'un en chose qui estoit peché.

P1218   *Je me confesse et accuse[124] de tous les pechez susdits[125] en tout ce que je suis coupable. Et en signe de regret, et desplaisir que j'ay d'avoir ainsi griefvement offensé mon Dieu[126] : je dis ma coulpe, ma griefve coulpe, et ma tres-griefve coulpe ; et devotement et humblement luy en requiers pardon et mercy, par le merite de la mort et Passion de J. C. nostre Sauveur, et à vous mon Pere penitence et absolution.*

---

[120]   J'ay privé… que je devois, par des moyens illicites et mauvaises informations. J'ay obtenu… Bou.

[121]   8. *Commandement.*] *add.* Rodez.

[122]   J'ay dit des mensonges… du prochain, en chose d'importance. J'ay murmuré… Bou.

[123]   commis] confié Bou. Ch/M. Rodez. Tro.

[124]   et accuse] *om.* Rod.

[125]   et de plusieurs autres qui me sont cachez] *add.* Ch/M. Tro.

[126]   susdits… Dieu] susdits, et de plusieurs autres qui me sont cachez : generalement de tout ce que je peux être coupable devant Dieu : et en signe de regret et de déplaisir que j'ay de l'avoir tant grièvement offencé Bou.

CONFESSIONS GÉNÉRALES DE PARIS (1697-1777)

Ceux qui sçavent leur *Confiteor*, qu'ils le disent : Et s'il y en a qui ne le sçavent, qu'ils disent *Pater noster* et *Ave Maria*.

Generalis absolutio[127].
Per meritum passionis, et resurrectionis... P1134
Indulgentiam, absolutionem... P1122
Tunc extensâ dextrâ super populum dicat.
Oremus. Dominus noster I. C. qui dixit discipulis suis... P1113
Benedictio Domini nostri J. C. descendat super vos, et maneat semper.
In nomine Patris... P1145
Je vous admoneste à ce saint jour de Pasques, de faire prieres pour la paix et union de l'Eglise catholique, pour le Roy nostre Sire, pour la Reine, pour tout le noble sang royal, et pour la paix de ce Royaume.
Je vous recommande les oeuvres de piété et misericorde, specialement l'Hostel-Dieu, l'oeuvre et fabrique de ceans[128].

3. Paris 1697, 1701, 1777 et formulaires s'y rattachant : Auxerre 1730[129]. Beauvais 1725[130]. Clermont 1733[131]

[Paris 1697 : Louis-Antoine de Noailles]

Paris 1697 p. 532-564. *Le saint jour de Pâques*
Les interdictions de communier sont proches des éditions parisiennes précédentes. La confession des péchés, totalement renouvelée et très développée, suit les commandements de Dieu et de l'Eglise, et comprend notamment les péchés des enfants envers leurs parents, des pères et mères, des époux, des serviteurs, des maîtres, des riches, des pauvres...
Le commandement de Dieu le plus longuement traité est le premier (5½ p.) ; viennent ensuite par ordre décroissant le quatrième et le septième (4 p.) ; le sixième et le huitième (*Faux témoignage...*) (2 p.) ; le deuxième (*Dieu en vain ne jureras...*) (1¼ p.) ; le troisième (*Les dimanches tu garderas...*) et le dixième (*Biens d'autruy...*) (½ p.), le neuvième venant en dernier (*L'oeuvre de chair...*) (1/3 p.).

---

[127]   Toute la fin est absente de Bourges.
[128]   Je vous admoneste ... ceans] Je vous avertis en ce saint temps de faire des prieres pour la paix et union de l'Eglise catholique, pour le Roy nostre Sire, pour la Reyne, pour tout le noble sang royal, et pour la paix de ce Royaume. Je vous recommande les oeuvres de pieté et misericorde. Specialement les Hospitaux.] Rodez.
[129]   Auxerre 1730 *Pars quarta*, p. 35-57 [Confession générale le Jeudi saint], reprend Paris 1697 p. 536-563.
[130]   Beauvais 1725 p. 86-107 donne comme examen de conscience les p. 538-563 de la confession générale de Paris 1697, avec des additions. *Voir infra* Pénitence privée, examens de conscience, Beauvais 1725.
[131]   Clermont 1733 : voir *infra* Clermont 1733 les quelques différences avec Paris 1697.

CHAPITRE VII

P1219 **Paris 1697**

p. 532 La Feste de Pâques est la plus grande et la plus solennelle de toutes les festes: c'est le jour par excellence que le Seigneur a fait. Comme Dieu après avoir créé toutes choses en six jours se reposa le septiéme, et le santifia... de même J. C. ... étant ressuscité le premier jour de la semaine... a santifié ce jour, et en a fait la Pâque des Chrétiens...

Le Carême aïant été institué pour disposer les fidéles par les jeûnes et par les autres oeuvres de pénitence à célébrer dignement cette grande feste: l'Eglise a voulu que chacun d'eux reçut en ce saint temps le ... Sacrement de l'Autel...

Elle nous en a fait le commandement au Canon *Omnis utriusque sexus*... du Concile de Latran IV... en 1215...

[Interdiction de communier à certaines catégories de personnes]

p. 534 ... de la part de Dieu tout puissant et de l'autorité de sa sainte Eglise, nous défendons à tous excommuniez et à toutes personnes qui sont en état de péché mortel, d'approcher de la sainte table jusqu'à ce qu'ils aïent reçu l'absolution sacramentelle.

Nous défendons à tous ceux de cette paroisse de recevoir le s. sacrement de l'autel pour satisfaire au commandement de l'Eglise touchant la communion pascale, s'ils ne se sont confessez à nous, ou à quelqu'autre prêtre qui ait été commis par nous.

Nous défendons à tous ceux de cette paroisse sur peine d'excommunication d'aller recevoir le précieux corps de J. C. hors de cette église pour la communion pascale sans notre permission.

Nous défendons aussi à tous ceux qui ne sont pas de cette paroisse de se venir présenter à la communion pour le devoir pascal s'ils ne nous font connoître la permission de leur curé.

Nous défendons à toutes personnes de recevoir le très-saint sacrement s'ils n'ont entendu la messe et s'ils ne sont à jeun.

[Obligations des parents et maîtres d'école d'envoyer leurs enfants, serviteurs et apprentis à la paroisse pour une préparation à la communion pascale]

Nous défendons aussi à tous peres et meres, maîtres et maîtresses de permettre que leurs enfans, serviteur ou apprentis, qui sont obligés de communier pour la fête de Pâques, se présentent à cette table sacrée s'ils ne sont suffisamment instruits des mysteres de la Foi, et particulié-

CONFESSIONS GÉNÉRALES DE PARIS (1697-1777)

rement de celui de l'Eucharistie : et nous leur enjoignons de les amener ou envoyer plutôt en cette paroisse pour y recevoir les instructions nécessaires. ...

[Confession générale]

p. 536 ... La cérémonie de l'Absoute que nous faisons aujourd'huy est un reste et une image de la réconciliation publique des Pénitens qui se faisoit dans les premiers siécles le Jeudy saint... C'est pour conserver la mémoire de cette ancienne discipline, que dans ce saint temps, les fidéles après s'être accusez en pleine assemblée par la bouche du prêtre de tous les crimes que l'on peut commettre reçoivent de luy une espece d'absolution par une priére solennelle qu'il fait à Dieu.

L'Eglise vous avertit qu'elle ne considere pas cette espece d'Absolution comme fesant partie d'un Sacrement et comme un acte juridique qu'elle exerce avec autorité. Il faudroit que pour prononcer un jugement elle prît connoissance de l'état des consciences par des confessions particulieres, afin qu'elle pût discerner les personnes à qui elle devroit remettre ou dont elle devroit retenir les péchés...

Si elle fait faire à tous les fidéles la confession de toutes les especes différentes des crimes dont chacun n'est pas coupable en sa personne, c'est qu'elle regarde tous les Chrétiens dans l'union d'un même corps qui engage chaque membre de prendre part aux foiblesses de tous les autres et de s'en humilier avec eux, et qui a obligé J. C. qui est le chef de ce corps, d'en porter les peines et les malédictions. ...

220 *Je confesse à Dieu tout-puissant, à la bienheureuse Marie toujours Vierge, et à tous les Saints que j'ay péché depuis l'âge de connoissance jusqu'à présent contre les Commandemens de Dieu et de l'Eglise.*

[Commandements de Dieu]

p. 538 **Premier Commandement**
Un seul Dieu tu adoreras et aimeras parfaitement.
Ce Commandement nous oblige à quatre choses, à croire en Dieu, à esperer en luy, à l'aimer parfaitement et à l'adorer luy seul.

Péchez contre la foy.
J'ay esté infidéle, ne croyant pas l'existence de Dieu, l'immortalité de l'ame, ni la vérité de la Religion chrétienne.

J'ay été hérétique, ne croyant pas quelqu'un des articles de foy que l'Eglise nous propose, comme la divinité de J. C., sa présence réelle dans la très-sainte Eucaristie [*sic*], le Purgatoire et autres.

J'ay eu des doutes volontaires sur la foy.

J'ay eu trop de curiosité à l'examiner.

J'ay déclaré l'infidélité et l'hérésie que j'avois dans le coeur par des paroles, écrits, ou autres signes extérieurs.

J'ay tâché de l'inspirer à d'autres et j'en ay perverty quelques-uns.

J'ay renoncé la foy [sic], je ne l'ay pas confessée lorsque j'y étois obligé.

J'ay eu honte de professer les maximes de l'Evangile et de faire quelque action de piété.

J'ay eu trop de communication avec les hérétiques.

J'ay lu leurs livres et autres livres défendus sans permission.

J'ay disputé avec eux n'y étant point engagé par mon ministere et n'en ayant pas la capacité.

J'ay fait schisme en me séparant de l'unité du corps de l'Eglise et de la communion avec son chef.

Je n'ay pas eu soin de m'instruire des mysteres dont la connoissance est nécessaire au salut.

J'ay négligé d'apprendre le Symbole des Apôtres, l'Oraison dominicale, la Salutation angelique, et les Commandemens de Dieu et de l'Eglise.

Péchez contre l'Esperance.

J'ay péché avec plus de liberté et j'ay différé de me corriger, présumant que Dieu me feroit toujours miséricorde, et qu'il me donneroit assez de temps pour me convertir et pour faire pénitence.

J'ay desesperé de la rémission de mes péchez et de mon salut par défiance de la miséricorde de Dieu.

J'ay manqué de soumission à Dieu et je n'ay pas eu de confiance en luy dans les afflictions ; j'ay négligé de le prier et de le servir dans cet état.

Je n'ay attendu le succès de mes affaires que de mon industrie et de mon crédit.

J'ay cru que la providence de Dieu n'y avoit aucune part.

Péchez contre la Charité.

J'ay eu de l'aversion de Dieu.

J'ay péché dans le dessein de luy faire injure.

Je ne l'ay pas aimé de tout mon coeur, de tout mon esprit et de toutes mes forces, ny mon prochain comme moy-même.

Je n'ay pas préferé la volonté de Dieu à mes propres intérests.

Je n'ay pas desiré pardessus toutes choses de le posséder comme mon souverain bien.

CONFESSIONS GÉNÉRALES DE PARIS (1697-1777)

Je n'ay pas rapporté à sa gloire et à mon salut tous mes desseins et mes emplois.

Je n'ay étably mon bonheur que dans les richesses, les honneurs et les plaisirs de cette vie, au lieu de les établir en Dieu.

On peut rapporter aux pechez contre la Charité.

1. L'Orgueil.

J'ay eu de la complaisance en moy-même de quelques avantages que j'ay reçus de la nature, de la fortune, ou de la grace.

Je n'ay pas reconnu les avoir reçus de Dieu et je ne l'en ay pas remercié.

Je m'en suis élevé au dessus des autres.

Je m'en suis vanté.

J'ay pris plaisir dans les louanges qu'on m'en a données.

Je les ay recherchées.

Je n'ay pu souffrir qu'on en donnât à d'autres.

J'ay traité mon prochain avec fierté et avec mépris.

J'ay fait paroître ma vanité dans le luxe des habits, des ameublemens, des équipages, des festins, des batimens et autres choses.

Je n'ay travaillé que pour acquerir la gloire et l'estime du monde.

J'ay fait gloire d'avoir commis quelques crimes.

Je me suis même vanté de ceux que je n'avois pas commis.

2. La Paresse.

J'ay eu du dégoust et de la tiédeur pour tout ce qui regarde Dieu, comme pour sa parole, ses Sacremens, ses graces, ses biens éternels : et je n'ay eu du goust et de l'ardeur que pour les biens temporels.

Je n'ay fait mes exercices de piété qu'avec lâcheté et négligence, et par maniere d'acquit.

Contre le respect dû à Dieu.

1. Par irrévérence.

Je n'ay pas adoré et servy Dieu tous les jours, et j'en ay passé plusieurs sans penser à luy et sans luy rendre le culte que je luy dois.

Je l'ay renié et blasphémé.

J'ay prononcé des paroles de blasphême contre notre Seigneur J.-C.

J'ay dit des paroles de mépris et d'impiété contre la Vierge et les Saints.

J'ay traité la très-sainte Eucaristie avec irrévérence et avec profanation.

Je l'ay reçue indignement.

J'ay passé le jour que je l'ay reçue, au jeu, à la danse, à la comédie et à la débauche.

288 CHAPITRE VII

J'ay aussi manqué de respect pour les autres Sacremens.

Je ne m'en suis pas approché avec les dispositions nécessaires.

Je me suis raillé des paroles de la sainte Ecriture et des cérémonies de l'Eglise.

Je les ay employées dans des entretiens et dans des chansons deshonnestes.

J'ay causé dans l'Eglise.

Je n'y ay pas gardé le respect et la modestie que je devois.

J'y suis venu avec intention criminelle.

Je l'ay fait servir à des rendez-vous, à des commerces et à des actions infames.

J'y ay fait des violences et des larcins.

Je me suis mocqué des reliques et des images, et les ay traitées avec indignité.

Je me suis servi des vases et des ornemens sacrez à des usages profanes.

J'ay dit des injures aux personnes consacrées à Dieu.

J'en ay mal parlé et je leur ay fait outrage.

Par superstition.

J'ay rendu à Dieu un culte superstitieux en y mêlant des choses fausses, ou en fesant consister le mérite et la vertu de ce culte dans des prieres et dans des cérémonies vaines et superflues.

Par idolatrie.

J'ay rendu à des créatures des honneurs qui n'appartiennent qu'à Dieu seul ; j'ay souffert aussi qu'on m'en ait rendu.

J'ay sacrifié au démon.

Je me suis dévoué à luy.

Je l'ay invoqué.

J'ay fait pacte exprès avec luy pour avoir connoissance de l'avenir, pour découvrir des choses perdues et des trésors cachez et pour obtenir la santé ou quelques autres biens.

Je me suis servy de moyens superstitieux, vains et inutiles qui n'avoient aucun rapport naturel avec les effets que j'en attendois, et qui n'en pouvoient avoir que par un pact fait avec le démon.

J'ay mêlé avec ces moyens vains et inutiles des paroles de l'Ecriture, de l'eau benîte, du chréme, et d'autres choses saintes.

J'ay ajoûté foy aux songes, aux augures, aux jours heureux ou malheureux et à d'autres observations vaines et superstitieuses.

J'ay consulté les devins.

J'ay fait profession de deviner.

Second Commandement.
Dieu en vain tu ne jureras, n'autres choses pareillement.
Ce Commandement nous défend de jurer faux, ou même de jurer avec vérité mais sans nécessité.

J'ay juré sans nécessité pour assurer une chose véritable.
J'ay juré pour assurer une chose douteuse ou fausse en matiere importante.
J'ay juré faux en matiere légere.
J'ay juré sans me mettre en peine si ce que je jurois étoit vrai ou faux; et j'en ay fait une habitude.
J'ay juré pour affirmer une chose dont je doutois.
J'ay violé sans raison légitime la promesse que j'avois faite avec serment; et je n'ay pas même eu dessein de l'exécuter lorsque je l'ay faite.
J'ay accomply le serment par lequel je m'étois engagé de ne pas faire quelque bien, ou de faire quelque action mauvaise.
J'ay juré et blasphémé le saint Nom de Dieu: j'ay juré par la mort de J.-C., par les Sacremens et par d'autres choses saintes.
J'ay juré avec imprécation en me donnant au démon, moy, mes enfans et mon prochain; et en me souhaitant à moy et à eux la mort, la damnation et autres grands maux.

On peut rapporter à ce Commandement les péchez contre les voeux.
J'ay fait des voeux témeraires, en promettant à Dieu de luy rendre un culte qui étoit superstitieux, de pratiquer ce qui n'étoit pas d'une plus grande perfection, ou de faire ce qui n'étoit pas dans mon pouvoir.
J'ay négligé d'accomplir les voeux que j'ay faits.
J'en ay fait extérieurement sans avoir intention des les accomplir.

Troisieme Commandement.
Les dimanches tu garderas, en servant Dieu dévotement.
Ce Commandement nous ordonne de santifier le saint jour de Dimanche, lequel dans la nouvelle Loy est le jour auquel notre Seigneur est entré dans le repos de sa gloire.

Je n'ay pas assisté au service divin le dimanche.
Je l'ay passé en débauches, jeux, danses et promenades inutiles.
J'y ai travaillé et fait travailler à des oeuvres défendues.

Quatrieme Commandement.
Tes Pere et Mere honoreras afin que vives longuement.

Ce Commandement regarde les devoirs des enfans envers leurs pere et mere.

Contre ce devoir.
J'ay eu de la haine contre mes pere et mere.
Je leur ay desiré la mort.
J'ay osé mettre la main sur eux.
J'ay attenté à leur vie.
Je les ay méprisez.
J'ay eu honte de les voir.
Je leur ay parlé avec insolence, avec dureté et avec aigreur.
Je leur ay dit des injures et donné des malédictions.
Je leur ay desobéy.
Je me suis mocqué de leurs bons avis.
Je leur ay donné sujet de s'affliger et de se mettre en colere.
Je me suis marié à leur insu, et contre leur volonté.
Je ne les ay pas assistez dans leurs besoins.
J'ay manqué d'exécuter leur derniére volonté et leur testament.

On peut rapporter à ce commandement les obligations des peres et meres envers leurs enfans.
Contre ces obligations.
J'ay haï mes enfans.
J'en ay aimé et avantagé contre raison les uns plus que les autres.
J'ay causé entr'eux de la haine, de la jalousie, des querelles et des procès par cette préférence.
Je ne les ay pas élevez dans la crainte de Dieu.
Je ne les ay pas instruits ny fait instruire des choses nécessaires à leur salut.
Je les ay nourris dans la vanité et dans le luxe.
Je les ay laissez vivre dans l'oisiveté.
J'ay manqué de les corriger; et quand je les ay corrigez, ç'a été avec violence et avec emportement.
J'ay eu pour eux de la complaisance dans leurs libertinages.
Je leur ay inspiré de mauvaises maximes.
Je leur ay donné de méchans exemples par mes actions et par mes paroles.
Je n'ay pas pourvu à leur établissement.
Je me suis mis hors d'état de le faire par mon mauvais ménage, par ma fenéantise, par le jeu, par le luxe et par la débauche.

CONFESSIONS GÉNÉRALES DE PARIS (1697-1777)

J'ay eu de l'ambition de les établir au delà de ma condition et de mon pouvoir.

J'en ay engagé quelques-uns d'entrer dans un établissement séculier, ecclésiastique ou religieux contre leur inclination et sans qu'ils eussent les dispositions nécessaires.

Les devoirs des maris envers leurs femmes.
J'ai eu de la haine contre ma femme.
Je luy ay desiré la mort et j'y ay contribué.
Je me suis mis en colere contre elle et je l'ay maltraitée.
Je l'ay méprisée, je lui ay fait des reproches et lui ay dit des injures.
Je ne lui ay pas rendu les secours nécessaires dans ses besoins.
Je me suis séparé d'elle, sans cause légitime.
Je n'ay pas supporté ses infirmités.
J'ay eu de la jalousie contre elle sans fondement.
Je ne luy ay pas gardé fidélité.

Devoirs des femmes envers leurs maris.
Contre ces devoirs.
Je n'ay pas obéy à mon mari dans les choses justes.
Je ne luy ay pas rendu le respect que je lui devois.
Les autres devoirs des femmes envers leurs maris étant les mêmes que ceux des maris envers les femmes, la confession qui est marquée ci-dessus pour les maris servira de regle aux femmes dans tous ces articles[132].

Devoirs des Serviteurs envers leurs Maîtres.
Contre ces obligations.
Je n'ay pas été affectionné pour les interests de mon maître.
Je lui ay fait tort dans ses biens.
Je ne lui ay pas rendu l'obéïssance, et les services que je luy devois.
Je lui ay donné occasion de se fâcher.
Je l'ay méprisé.
J'ay mal parlé de luy.
Je n'ay pas gardé le secret de sa famille.
Je l'ay servi en des occasions[133] criminelles.

---

[132] Les devoirs des époux sont identiques, sauf en plus pour les femmes : *Je n'ay pas obéy à mon mari dans les choses justes. Je ne luy ay pas rendu le respect que je luy devois.*
[133] occasions] actions Beauvais 1725.

On peut rapporter à ce Commandement les devoirs d'obéïssance, de respect et de fidélité de tous les inférieurs pour leurs supérieurs séculiers ou ecclésiastiques, et les obligations de charité et de justice de tous les supérieurs envers leurs inférieurs.

Obligations des maîtres envers leurs serviteurs.
Contre ces obligations.
Je n'ay pas eu soin de les faire instruire des choses nécessaires à leur salut, et de leur faire pratiquer les devoirs de la Religion.
Je ne les ay pas corrigez dans leurs desordres.
Je leur ay commandé de faire quelque mauvaise action.
Je les ay traitez avec violence et avec emportement.
Je ne leur ay pas payé leurs gages.
Je les ai scandalizez par mes mauvais exemples.

Cinquieme commandement.
Homicide point ne seras de fait ny volontairement.
Ce Commandement défend d'ôter la vie à son prochain, et généralement de lui [sic] vouloir ou de luy faire aucun mal.

Je me suis desiré la mort, et j'ay tâché de me la procurer.
J'ay eu de la haine contre mon prochain.
Je luy ay souhauté la perte de ses biens, de son honneur et de sa vie.
Je luy ay dit des injures.
Je ne luy ay pas demandé pardon de l'offense que je luy avois faite; et en aïant été offensé, je ne luy ay pas voulu pardonner.
J'ay conservé des inimitiez contre luy.
Je ne l'ay pas salué, et je luy ay refusé les marques de l'amitié commune.
J'ay cherché les occasions de m'en vanger.
J'ay commis un homicide en me défendant, ou en attaquant.
J'ay assassiné.
J'ay empoisonné.
J'ay procuré des avortemens.
J'ay conseillé, donné ou pris des remedes pour en procurer.
J'ay appelé en duel.
J'ay accepté l'appel quand on me l'a fait.
J'y ay servy de second.

On peut rapporter à ce Commandement, l'envie, la colere, le scandale, et ce qui regarde la correction.
J'ay eu de l'envie contre mon prochain, en me réjouïssant de sa disgrace et en m'attristant de sa prospérité.

Je me suis mis en colere contre luy.

Je l'ay scandalizé en l'empêchant de faire un bien, et en le portant au mal par mes conseils, par mes exemples, ou par mon autorité.

Je l'ay flatté dans ses passions.

Je ne l'ay pas repris lorsque j'y étois obligé.

Je l'ay repris avec aigreur, et je n'ay pas gardé dans la correction que je lui ay faite les mesures de la prudence chrétienne et de la charité.

Je n'ay pas souffert la correction qu'on m'a faite.

Sixieme commandement.
Luxurieux point ne seras de fait ne volontairement.
Ce Commandement défend toute sorte d'impureté dans les actions et dans les paroles.

Je suis tombé dans l'impureté.

Nous sommes obligez d'interrompre icy la suite de ce discours pour vous avertir que chacun s'examine en particulier.

S'il a commis ce péché sur soy-même ou sur autruy :

Si ç'a été entre personnes libres.

Si une seule ou tous les deux étoient engagées dans le mariage.

Si ç'a été entre parens.

Si une seule ou tous les deux étoient consacrées à Dieu par leur caractere ou par leurs voeux.

Si ç'a été par viol ou par rapt.

Si ç'a été entre personnes de même sexe ou de différent par des voies indues.

Si ç'a été entre espéces différentes.

On peut rapporter à ce commandement.
1. La vie oisive.

J'ay mené une vie molle et oisive, ne cherchant qu'à me divertir au jeu, à la danse, à la comédie et à tout ce qui peut flater les sens.

Je me suis servy de fard, de mouches et autres sortes d'ajustemens pour nourrir la vanité et la sensualité, et pour exciter la cupidité des autres.

Je n'ay pas gardé la modestie dans la maniere de m'habiller.

J'ay lu et gardé de méchans livres.

J'ay retenu chez moi des figures et des peintures deshonnêtes.

J'ay jeté des regards lascifs.

J'ay dit des paroles et des chansons lascives, et j'ay pris plaisir à les entendre.

J'ay fait ou fait faire des messages et envoyé des lettres à mauvais dessein.

J'ay servy à procurer et à entretenir des commerces deshonnestes.

J'ay eu fréquentations criminelles et scandaleuses.

Je me suis marié hors de ma Paroisse sans la permission du supérieur légitime.

Je n'ay pas vécu dans le mariage avec la chasteté et la retenue nécessaire.

Je n'ay pas rendu le devoir y étant obligé.

Je l'ay exigé dans le temps que je ne le devois pas.

J'ay pratiqué des choses par lesquelles j'ay empêché ou voulu empêcher la fécondité du mariage.

2. La gourmandise.

J'ay eu trop de sensualité dans le boire et dans le manger; et par l'excès que j'y ai fait, je me suis altéré la santé.

J'ay fréquenté les cabarets.

Je me suis enyvré; et en pressant les autres de boire, j'ay été cause qu'ils se sont enyvrez.

J'ay fait dans cet état des juremens et des querelles.

Septieme commandement. *Le bien d'autrui tu ne prendras ny retiendras à ton escient.*

Ce Commandement défend de prendre le bien d'autruy.

J'ay pris le bien d'autruy par fraude ou par violence.

J'ay contribué au larcin pour l'avoir conseillé, pour y avoir aidé, ou pour l'avoir recelé.

J'y ai participé.

J'ay pris le bien d'autruy dans les Eglises, et j'y ay pris même ce qui étoit consacré au service divin.

J'ay privé l'Eglise des dîmes et des autres droits qui luy appartiennent, et j'en ay soustrait les titres.

J'ay fait des concussions en me servant de mon autorité pour exiger au-delà des droits légitimes.

J'ay employé la force et l'autorité pour contraindre mon prochain de vendre son bien.

On peut rapporter à ce Commandement toutes les injustices, que l'on peut commettre.

1. Dans le commerce.

J'ay acheté des choses que je savois ou que je doutois avoir été dérobées.

J'ay fait crédit aux enfans de famille contre la volonté de leurs parens.

CONFESSIONS GÉNÉRALES DE PARIS (1697-1777)

J'ay acheté d'eux et des serviteurs qui n'ont pas le pouvoir de vendre.

Je me suis servy de la nécessité d'autruy pour acheter beaucoup moins que le juste prix.

J'ay vendu à faux poids et à fausses mesures.

J'ay vendu à un prix excessif.

J'ay vendu une marchandise d'une qualité pour une autre.

J'ay caché des défauts importans qui eûssent empêché de l'acheter.

2. Dans les Bénéfices.

J'ay commis le péché de simonie, aïant reçu ou donné de l'argent ou quelque autre chose de temporel pour un bénéfice.

J'ay donné ou reçu un bénéfice à condition de le remettre entre les mains d'un autre.

3. Dans le jeu.

J'ay joué à des jeux défendus et j'y ai gagné par fraude.

J'ay joué des sommes dont la perte a causé un dommage notable à ma famille et à mes créanciers.

J'ay joué gros jeu avec des personnes qui ne pouvoient pas disposer de leur bien.

4. Dans le prest.

J'ay prêté à usure, tirant un intérest de l'argent que j'ay prêté sur gage ou sur une simple obligation sans aliéner le fonds.

J'ay tiré intérest d'un fonds que j'aliénois seulement pour un temps.

Je suis entré dans des sociétez injustes où le profit et la perte ne se partageoient pas entre les associez et moy.

5. Dans les procès.

J'ay intenté un procès injustement.

J'ay tâché de gagner les Juges par argent, par crédit ou autrement.

J'ay supposé des assignations sans les avoir signifiées aux parties.

J'ay négligé et trahy les intérests des parties dont j'étois chargé.

J'ay multiplié les procédures sans nécessité.

J'ay pris pour mes salaires et vacations plus qu'il ne m'étoit dû légitimement.

Je me suis chargé de soutenir une cause que je croyois injuste.

J'ay avancé en plaidant des faits faux et calomnieux contre mes parties averses [*sic*].

J'ay rendu un jugement injuste.

CHAPITRE VII

Je suis entré et j'ay demeuré dans une charge, dans un employ séculier, *ou* ecclésiastique, sans en connoistre les obligations et les devoirs, et sans me mettre en peine de m'en instruire.

Contre la défense de retenir le bien d'autruy.

Je n'ay pas restitué le bien d'autruy que j'ay pris par fraude *ou* par violence, et que j'ay acquis par usure ou par d'autres voies injustes.

Je n'ay pas payé le salaire aux ouvriers ; et je leur ay causé du tort en différant de les payer.

Je ne me suis pas acquité fidèlement du travail pour lequel j'ay été payé.

Je n'ay pas rendu le dépost qui m'a été confié.

Je ne l'ay pas gardé avec le soin et la fidélité que je devois.

Je n'ay pas rendu un compte fidéle des biens ecclésiastiques ou séculiers dont j'ay eu l'administration.

J'en ay détourné et supprimé ou falsifié les titres.

J'ay négligé des les retirer des mains de ceux qui les avoient usurpez ou qui les avoient en dépost.

Je n'ay pas fait mes diligences aïant trouvé quelque chose, pour savoir à qui elle appartenoit.

Je ne l'ay pas rendue lorsque je l'ay su.

Je ne me suis pas mis en état de travailler pour acquiter mes dettes.

Je ne les ay pas acquitées le pouvant faire.

J'ay contraint mes débiteurs par vente de leurs biens, emprisonnement de leurs personnes et autres vexations, lorsque je pouvois leur donner du temps sans m'incommoder et sans courir aucun risque de ma dette.

J'ay emprunté sachant que je ne pourrois rendre.

On peut rapporter à ce commandement.

1. Les péchez des riches qui ne font pas l'aumône.

Je n'ay pas assisté les pauvres dans leurs besoins selon mes facultez.

Je ne me suis pas retranché les dépenses vaines et inutiles pour être en état de les assister.

Je les ay traitez avec dureté et avec mépris.

2. Les péchez des pauvres.

J'ay demandé l'aumône avec insolence, et sans nécessité.

J'ay vécu dans la faynéantise, et dans l'ignorance ; et j'y ai élevé mes enfans.

Je n'ay pas eu de respect pour l'Eglise ; et j'ay troublé l'office divin par mes murmures et par mes importunitez.

CONFESSIONS GÉNÉRALES DE PARIS (1697-1777)

Huitiéme Commandement. *Faux témoignage ne diras, ny mentiras aucunement.*
Ce Commandement défend le faux témoignage et le mensonge.
J'ay rendu faux témoignage devant le juge.
Je n'ay pas répondu selon son intention étant interrogé juridiquement.
J'ay fabriqué et produit de faux contrats et de faux titres.
J'ay attesté faux devant mon curé sur la qualité, le domicile et la parenté des personnes qui se présentoient pour être mariez.
J'ay supposé pour y donner créance, de faux certificats et de faux témoins.
Je n'ay pas déclaré les empêchemens de mariage, que j'ay connus.
Je n'ay pas révélé ce que l'église m'ordonnoit par ses monitoires.
J'ay fait des mensonges en choses légeres.
J'en ay fait en choses d'importance et au préjudice de mon prochain.

On peut rapporter à ce Commandement.
1. La Calomnie.
J'ay calomnié mon prochain, en lui imputant des choses fausses.
Je luy ay fait tort par cette calomnie, dans sa vie, dans son honneur, ou dans ses biens.
2. La médisance.
J'ay médit de mon prochain.
Je luy ay fait par cette médisance un tort notable.
J'ay jugé témerairement de sa conduite, et j'ay déclaré le jugement que j'en ay fait.
J'en ay fait des railleries.
J'ay pris plaisir d'entendre médire de luy, et même j'y ay donné occasion.
J'ay tâché de diminuer le bien qu'on en disoit.
J'ay fait connoître ses défauts secrets.
J'ay été curieux d'apprendre ce qui pouvoit l'humilier.
J'ay chanté des chansons injurieuses et diffamatoires ; je les ay fait chanter à d'autres ; j'en ay composé moy-même.
J'ay lu avec plaisir des écrits ou libelles médisans ou calomnieux ; je les ay fait lire à d'autres, j'en ay composé moi-même.
J'ay semé des inimitiez et des querelles par des rapports faux ou véritables.
Ce qui peut être contre l'obligation du secret.
Je n'ay pas gardé le secret auquel j'étois obligé.
J'ay surpris les lettres des autres, et je les ay lues.

Neuvieme commandement. *L'oeuvre de chair ne désireras qu'en mariage seulement.*

Dieu après avoir défendu par le sixieme Commandement les actions extérieures d'impureté, en défend par celuy-ci les desirs et les pensées.

J'ay eu des pensées deshonnestes dans lesquelles j'ay pris plaisir. Je m'y suis entretenu volontairement.

J'ay eu des desirs de commettre adultere et autres espéces d'impureté ; et j'en ay cherché l'occasion.

Dixieme Commandement. *Biens d'autruy ne convoiteras pour les avoir injustement.*

Dieu après avoir défendu par le septiéme Commandement de prendre ou de retenir le bien d'autruy, défend par celui-cy de le desirer à son préjudice.

J'ay desiré d'avoir le bien d'autruy par des voies injustes ; et j'en ay cherché les moyens.

On peut rapporter à ce Commandement l'avarice et le mauvais employ des richesses.

J'ay desiré avec empressement de devenir riche. J'ay mis ma confiance et mon repos dans la possession des richesses.

J'ay eu trop d'inquiétude et de crainte de les perdre, et de chagrin quand je les ay perdues.

Je me suis épargné le nécessaire par trop d'attache que j'ay eu pour elles. Je m'en suis servy à des dépenses superflues et criminelles.

Les Commandemens de l'Eglise.

Premier Commandement. *Les Fêtes tu santifiras [sic], qui te sont de commandement.*

Je n'ay pas employé les jours de festes au service divin.

J'ay travaillé en ces jours et fait travailler contre la défense de l'Eglise.

Seconde Commandement. *Les Dimanches messes entendras et les Festes pareillement.*

J'ay manqué d'entendre la Messe les dimanches et les festes.

Je ne l'ay pas entendue les jours d'obligation qu'avec un esprit volontairement occupé de pensées inutiles ou criminelles.

Je me suis exposé par ma faute au peril ne ne la pas entendre.

J'y ay assisté sans respect et sans dévotion les jours où il n'y a pas obligation de l'entendre.

J'ay manqué par négligence ou par mépris d'assister à la Messe de Paroisse et d'y faire assister les personnes dont je suis chargé.

CONFESSIONS GÉNÉRALES DE PARIS (1697-1777)

Troisieme Commandement. *Tous tes pechez confesseras, à tout le moins une fois l'an.*

Je n'ay pas eu soin de me confesser au moins une fois l'an à mon Curé ou à quelqu'un des Prêtres qui confessent avec sa permissions.

Je n'ay pas satisfait à ce commandement par ce que la confession que j'ay faite étoit nulle, ou pour avoir retenu volontairement quelques péchez mortels.

Ou pour n'avoir pas apporté la diligence nécessaire à examiner ma conscience.

Ou pour n'avoir pas eu une véritable douleur de mes fautes.

Ou pour n'avoir pas voulu quiter l'occasion prochaine du péché.

Ou pour n'avoir pas eu un ferme propos de me corriger.

Ou pour n'avoir pas restitué le bien de mon prochain, ou réparé son honneur, lorsque je pouvois le faire.

Quatrieme Commandement. *Ton Créateur tu recevras au moins à Pâques humblement.*

Je n'ay pas reçu la sainte communion dans la quinzaine de Pâques dans ma paroisse.

Je n'ay pas satisfait à ce Commandement parce que je l'ay reçue en péché mortel.

Cinquieme Commandement. *Quatre-Temps, Vigiles jeûneras, et le Carême entiérement.*

Je n'ay pas jeûné le Carême, les Quatre-Temps et Vigiles ordonnées par l'Eglise.

J'ay allégué de faux prétextes de nécessité pour obtenir de l'Eglise la dispense du jeûne ou de l'abstinence.

Je ne me suis pas contenté après avoir été dispensé pour de justes causes, de manger de la viande en particulier et pour la nécessité seulement, mais j'en ay mangé en compagnie avec scandale, et j'y ay cherché de la sensualité et de la délicatesse.

J'ay servy de la viande les jours défendus aux personnes qui n'avoient pas la permission d'en manger.

Sixieme Commandement. *Vendredy chair ne mangeras ny le Samedy mêmement.*

Je n'ay pas gardé l'abstinence de viande les vendredis et les samedis.

P1221 *Je reconnois que c'est par ma faute que j'ay péché, j'en demande très-humblement pardon à Dieu par les mérites de la mort et passion de*

300 CHAPITRE VII

J.-C. notre sauveur et je supplie la sainte Vierge et tous les Saints de prier pour moy le Seigneur notre Dieu.

Generalis absolutio

Per meritum Passionis et virtutem resurrectionis Domini nostri J. C. ... P1134
Indulgentiam, absolutionem et remissionem omnium peccatorum vestrorum. P1122
Tunc extensâ dextra super populum dicat.
Oremus. Dominus J. C. qui dixit discipulis suis « Quecunque ligaveritis... » de quorum numero me quamvis indignum et peccatorem ministrum tamen esse voluit, intercedente gloriosa Dei genitrice Maria, et beato Michaele Archangelo, et beato Petro apostolo... P1113
Et benedictio Dei omnipotentis... descendat... P1145

Le jour de Pâques seulement on ajoute.
Je vous avertis en ce saint jour de prier Dieu pour la paix et l'union de l'Eglise catholique, pour le Roy, pour la Reine, pour toute la Famille royale, et pour la paix de ce Royaume.
Je vous recommande les oeuvres de piété...

4. Paris 1786[134]

[Antoine-Eléonor Le Clerc de Juigné]

P1222 **Paris 1786** tome III, p. 1-4 reliées entre les p. 528-529. *In die sancto Paschae*

Pour conserver un reste et une image de la réconciliation publique des Pénitens, qui ne se faisoit anciennement que le Jeudi-Saint, jour de la cène du Seigneur, nous allons réciter une formule de Confession générale, et ensuite prononcer l'absoute.

L'Eglise vous avertit, M.F., qu'elle ne regarde pas cette espece d'Absolution comme faisant partie d'un sacrement, et comme un acte juridique qu'elle exerce avec autorité. ...

Mais on ne peut douter que cette Priere solemnelle qu'elle fait à Dieu par la bouche du Pasteur ... ne soit très-puissante pour obtenir à ceux qui sont en état de péché, la grace et le tems de faire une véritable pénitence ; et à ceux qui ont reçu l'absolution sacramentelle, les secours

---

[134] Le rituel de Paris 1786, trop original et différent des éditions précédentes, fut l'objet de telles critiques, qu'il ne fut apparemment jamais utilisé.

CONFESSIONS GÉNÉRALE DE PARIS 1786   301

surnaturels dont ils ont besoin pour conserver le don précieux de la justification. …

Que chacun en particulier s'accuse intérieurement devant Dieu…

Formula Confessionis generalis

P1223 *Je confesse à Dieu tout-puissant, à la bienheureuse Marie toujours Vierge, à S. Michel Archange, à S. Jean-Baptiste, aux apôtres S. Pierre et S. Paul, et à tous les Saints, que j'ai beaucoup péché depuis l'âge de raison jusqu'à présent, contre les Commandemens de Dieu et de l'Eglise, par pensées, paroles, actions et omissions.*

J'ai péché contre l'obéissance que je devois à Dieu, contre la charité que je devois à mon prochain, contre les obligations de mon état.

J'ai violé les voeux sacrés de mon Baptême, et profané le caractere auguste de Chrétien. J'étois devenu, par l'eau de la régénération, le temple de l'Esprit-Saint, le membre vivant de J. C.; j'ai perdu ces précieux avantages en me livrant aux penchans déréglés du *viel homme, qui se corrompt en suivant l'illusion de ses desirs.* Après avoir solennellement renoncé à Satan, à ses pompes, et à ses oeuvres, je suis rentré volontairement dans l'esclavage de l'ennemi de mon salut, j'ai préféré les maximes du monde à la Loi de J. C., et j'ai éprouvé le malheur d'une ame qui s'éloigne de son Dieu pour s'égarer dans les voies de l'iniquité.

J'ai non seulement commis les actions criminelles qui m'étoient défendues, mais encore j'ai négligé de pratiquer le bien qui m'étoit prescrit : j'ai souffert le mal que je devois empêcher : j'ai scandalisé mes enfans, mes domestiques, mes voisins, et je les ai portés au péché par mes mauvais exemples. Et je m'accuse en général de tous les péchés de ma vie passée.

P1224 *C'est par ma faute que je me suis rendu coupable de tant de prévarications, je le reconnois dans l'amertume de mon ame : oui, c'est par ma faute, et par ma très-grande faute, que j'ai perdu la vie spirituelle de la grace, et que je me suis rendu digne des supplices éternels que je ne pourrois éviter, si j'étois assez malheureux pour mourir dans l'impénitence. Je demande très-humblement pardon à Dieu que j'ai outragé par mes infidélités et par mon ingretitude [sic] : j'implore son infinie miséricorde par les mérites de la mort et passion de J. C. notre sauveur ; et je supplie la bienheureuse Marie toujours Vierge, S. Michel Archange, S. Jean-Baptiste, les apôtres S. Pierre et S. Paul, et tous les Saints, de prier pour moi le Seigneur notre Dieu ; afin que, par le secours de sa grace, je puisse mourir au péché, ressusciter avec J. C., et conserver inviolablement le bienfait inestimable de cette résurrection.*

Forma Absolutionis generalis

Per meritum Passionis et virtutem… P1134
Indulgentiam, absolutionem… P1122
Tum Parochus, dextrâ super populum extensâ, dicet absolute:
*Dominus noster J. C., qui dixit discipulis suis … cujus potestatis me,
quamvis indignum, participem…* [rare]. P1111.

*Et benedictio Dei omnipotentis, Patris… descendat super vos, et
maneat semper. R. Amen.* P1145

CHAPITRE VIII

CONFESSIONS GÉNÉRALES DE REIMS
c. 1495-1677

1. Reims c. 1495, 1505 [1506 n.st.], c. 1540[1] et formulaires s'y rattachant : Beauvais 1544. Verdun 1554

[Reims c. 1495 : Robert Briçonnet]

Au XVIe siècle, une même confession générale a lieu à Reims, Beauvais et Verdun le Jeudi Saint. L'accusation débute par les péchés des cinq sens et les péchés mortels ; suivent les péchés contre les œuvres de misericorde corporelles et spirituelles, contre les dix commandements, contre les douze articles du *Credo*, et les sept sacrements, enfin la croyance aux sortilèges et aux divinations, l'ingratitude, l'hypocrisie, et la médisance (murmuratio et detractio).

P1225 **Reims c. 1495**

f. e1v-e2v. *Modus faciendi servitium in die iovis sancta.*
Beauvais f. 33v. *Absolutio generalis in die cene Domini facienda…*
Verdun f. 49. *Officium in die Jovis sancta…*
Et primo Presbyter indutus alba et stola cum fanone post ultimam pulsationem misse parrochialis, genibus flexis ante maius altare ut in die cinerum supradicta, dicat cum clericis et parrochianis septem psalmos penitentiales cum letania, precibus et orationibus sequentibus. Et his finitis presbyter indutus casula procedat ad missam celebrandam, et post offertorium misse, ascendat pronum ecclesie facturus absolutionem generalem.

Absolutio generalis in die cene Domini facienda in ecclesiis parrochialibus.
Primo fiant exhortationes ad instrudendum populum sic dicendo.
Bonnes gens[2]. Selon les sainctes ordonnances de nostre mere saincte Eglise, aujourduy on fait absolution generale. En representant par mys-

---

[1]   Quelques variantes dans l'édition c. 1540.
[2]   Bonnes gens] Peuple devot Verdun.

tere signifie comment nostre seigneur Jesu Christ de sa tres grant humilité daigna laver et torchier les piés de ses apostres. En commandent a eulx que ainsi comme il leur avoit lavé les piés, ilz les lavassent aux autres. Pour quoy en ensuivant son commandement, au jourduy les plus grans des eglises representans la personne de Jesu Crist en collegez, lavent les piés de ceulx qui sont menres [moindres] en estat. Et la ce [*sic*] fait l'ablution des piés formelement et espirituelment, visiblement et invisiblement. Sans laquelle ablution espirituelle, et invisible, profite pou [peu] l'ablution formelle et visible. Comme il appert par Judas duquel Jesuchrist lava les piés formelement et visiblement, comme il fist aux autres apostres qui furent lavez dehors et dedens, et en corps et en ame formelement et espirituelement, visiblement et invisiblement.

Et je et les autres curez es eglises parrochiales usons tant seulement de l'ablution espirituelle, et en faisant l'absolution, nous lavons non pas les piés mais les affections et les consciences des peuples qui nous sont commis, voire de ceulx qui tous courroux et toutes haynes mises arriere se pardonnent l'un a l'autre, et prient l'un pour l'autre.

Ne vueillez mie toutesvoies cuider, vous qui n'estes mie confessez, et vous aussi qui l'avez esté de nouvel. Et qui povez et devez doubter d'estre rencheuz [retombés]en peché mortel, que par ceste absolution vous soiez confessez. Car vous ne l'estes mie suffisamment. Ains convient que particulierement chascun se confesse. Car ceste absolution, posé que aux contritz et humiliez peut impetrer grant chose de nostre Seigneur, toutesvoies selon le commun jugement de l'Eglise elle n'efface que pechiez venielz, en advisant et introduisant a confesser pechiez mortelz et venielz.

Doncques a l'exemple de nostre Seigneur Jesucrist qui se voult humilier jusques a laver les piés de ses apostres vous vous humilirez, et pour laver mieulx voz consciences vous direz devotement apres moy.

f. e2v **Initium confessionis generalis.**

P1226   *Sire je me confesse a Dieu mon createur. A la glorieuse vierge Marie, a tous anges et archanges. A tous sains et sainctes de paradis. Et a vous qui estes vicaire de nostre seigneur Jesu Christ, de tous les pechez que je feiz oncques depuis l'eure que je receuz baptesme jusques a l'eure de maintenant[3].*

De quinque sensibus naturalibus.

Je me confesse de mes cinq sens naturelz que Dieu m'a prestez pour luy servir et honorer desquelx je n'ay mie usé raisonnablement comme je deusse au plaisir de Dieu et au salut de mon ame.

---

3   *Sire je me confesse…maintenant] om.* Bea. Ve.

CONFESSIONS GÉNÉRALES DE REIMS

Primo de visu. Je me confesse de mes yeulx : dont j'ay regardé aucune personne par orgueil : par despit : et par hayne : et les eusse voulentiers grevé par mon regart. Et si ay regardé aucunesfois les creatures et les vanitez du monde : par plaisance desordonnée : et les ay folement couvoitié [*sic*] par mon regart : je n'ay mie appliqué ma veue a regarder devotement mon createur quant je l'ay veu a la messe au saint sacrement de l'autel, en le aorant[4] et priant comme je deusse. Et si n'ay mie regardé charitablement les poures membres de Dieu en aiant pitié et compassion d'eulx. Et pource que j'ay mespris en plusieurs manieres par mon regart, *je m'en repens et en requier a Dieu pardon.*

De auditu. Apres je me confesse de mes oreilles : dont j'ay oy parler d'aultrui en mal. Et plustost escouté parolles oiseuses : et de detraction, bourdes, mensonges : et moqueries : que la parolle de Dieu : ne que les bons amonnestemens que j'ay oy en confessions : en predications et autre part. Je n'ay mie oy diligemment la messe et le service divin comme je deusse. Je n'ay mie ouvertes les oreilles de mon cueur pour entendre et retenir comment J. C. mon createur a souffert doloreusement la mort et passion tres amere en la croix pour moy racheter. Et si n'ay mie escouté devotement la vie et le martyre des sains de paradis, affin que je y prinse bon exemple pour amender ma vie. Et pource que par mal user du sens de mon oye j'ay peché en plusieurs manieres, *je m'en repens et en requiers a Dieu pardon.*

De gustu. Apres je me confesse du sens de gouster : car par ma bouche j'ay prins des biens de nostre seigneur plusieurs fois par trop grant plaisance en beuvant et mengant [*sic*] plus que mestier ne m'estoit pour ma soutenance : sans en departir aux poures necessiteux : et sans en rendre grace a Dieu souffisamment comme je deusse. J'ay aussi parlé de ma bouche outrageusement contre Dieu et contre mon proesme [prochain], en jurant et parjurant le nom de Dieu, de la vierge Marie et des sains et sainctes, et en parlant sur autrui contre son bien et son honneur autrement que je ne vouldroie que on parlast sur moy, en parlant aussi en l'eglise de parolles oiseuses en empeschant autrui a bien faire et a bien dire. Et n'ay mie loé nostre Seigneur ne dit devotement et songneusement les biens que je savoie comme je deusse. *Et de tous les pechez que j'en ay fais, je m'en repens et en requier a Dieu pardon.*

f. e4 **De odoratu.** Apres je me confesse de odorer : car plusieurs fois j'ay fleuré delicieusement : vins et viandes : et les ay convoitié gloutement. Et aussi j'ay fleuré roses et autres fleurs et choses delectables par grant plaisance ou je me suis trop habandonné. Et si ay eu desplaisir

---

4 adorant] Reims c. 1540

aucunesfois de sentir les necessitez des poures malades : en les abomi-
nant et resoignant contre la vertu de charité. Et en ce ay je mesprins
grandement. *Si m'en repens et en requier a Dieu pardon.*
De tactu. Apres je me confesse de mes mains dont j'ay fait plusieurs
atouchemens : en moy vestant et chaussant joliement pour plaire au
monde plus que a Dieu : en touchant desordonnement sur moy et sur
autrui aucunesfois contre ma conscience. Et n'ay mie jointes mes mains
envers le ciel ne devant Dieu en lui priant merci pour mes deffaultes :
et si n'ay mie ouvré ne labouré pour gaigner ma vie honestement en
temps et en lieu. Aincois [Auparavant] ay ouvré aucunesfois au [*sic*]
dimenches et festes commandées par mauvaise ardeur de couvoitise
dont je me repens et en requier a Dieu pardon.
De incessu pedum. Apres je me confesse de mes piés, car j'ay alé
plusieurs fois aux festes et aux esbatemens : par plaisance mondaine et
en plusieurs lieux : ou j'ay peché et fait pecher autrui. Et n'ay mie alé a
l'eglise diligemment oyr le service divin ne aux sermons, ne aux pardons
ne aultres lieux ou j'eusse peu profiter et aprendre aucun bien pour mon
sauvement.
De cogitatu. Je me confesse apres de mon cueur, dont j'ay pensé mauvaises pensées contre le bien de mon proesme [prochain] en le jugant
aucunesfois pieur que je ne me jugoie. Et n'ay mie pensé devotement a la
passion et mort amere et doloreuse que J. C. a souffert debonnairement
pour moy. Et si n'ay mie pensé aussi ne consideré ma poureté ne ma fragilité : ne aux graces que Dieu m'a faict, et fait chascun jour, ne aux biens
pardurables de paradis, ne aux peines et tourmens d'enfer tres horribles,
ainsi comme je deusse. *Si m'en repens et en requier a Dieu pardon.*
   f. e5 **Generalitas.**

P1227 *Et pour ce que j'ay peché en plusieurs manieres par mal user des sens*
naturelz que Dieu m'a presté contre mon sauvement et contre le plaisir
de mon createur. Je m'en repens et m'en soubmes a sa misericorde en
lui requerant pardon, et en dis ma coulpe. Pectus percutiendo semel.
Secondement ma coulpe. Etiam pectus semel percutiendo. *Et tiercement*
ma tres griefve coulpe. Iterum semel percutiendo pectus.

   De septem peccatis mortalibus.

   Apres je me confesse des sept pechez mortelz par lesquelx j'ay cou-
roucé plusieurs fois mon createur.
   De superbia. Premierement je me confesse du peché d'orgueil car j'ay
esté orgueilleux : fier et despiteux contre Dieu et contre mon proesme. Et

si ay moins honoré autrui et voulu estre plus honoré que je ne deusse, et n'ay mie obey a mes souverains. Je me suis glorifié en mes fais, et en mes dis. Et me suis orguilli pour ma beaulté, pour mon sens, pour ma force, pour ma richesse, pour mes amis, pour robes et autres joyaulx. Et n'ay mie eu en moy la vertu de humilité. *Si m'en repens, et en requier a Dieu pardon.*

De invidia. Apres je me confesse du peché d'envie. Car j'ay esté envieux sur mon proesme : et n'ay mie esté joieux de son bien et de son avancement. Ainsois en ay esté dolent par mauvaise envie contraire a la vertu de charité. *Si m'en repens et en requier a Dieu pardon.*

De ira. Apres je me confesse du peché de ire. Car j'ay eu grant ire et grant indignation en mon cueur quant mes besoignes ne venoient a mon plaisir. Et me suis courroucié aucunesfois contre telz qui ne m'avoient riens mesfaict et aucunesfois contre telz qui avoient fait ou dit contre mon honneur, ou contre ma volonté ausquelz je n'ay mie pardonné legierement pour l'amour de Dieu comme je deusse. J'ay juré par ire le nom de Dieu, de la virge Marie, des sains et sainctes folement et oultrageusement, et par grant fureur j'ay invoqué et nommé les auvais ennemis en mes parolles et en mes oeuvres. Et n'ay mie eu en moy la noble vertu de pacience. *Si m'en repens et en requier a Dieu pardon.*

De avaricia. Je me confesse apres du peché d'avarice. Car j'ay couvoitié en mon cueur desordonnéement les biens temporels : les honneurs : les beaux joiaulx, les belles robes : et les grans estas du monde : et les ay souhaitiez et desiré pour mon plaisir mondain. Et n'ay mie eu souffisance des biens que Dieu m'a presté combien que je aye plus que n'aye deservi. Et si n'en ay mie rendu grace a nostre Seigneur comme je deusse. Et aucunesfois j'ay joué a jeux defenduz par couvoitise et n'ay mie restitué ne donné pour Dieu ce que j'ay gaigné. *Si m'en repens et en requier a Dieu pardon.*

f. e6 **De accidia.** Apres je me confesse du peché de paresse : car j'ay esté paresseux de Dieu servir et honnorer et de le loer en disant les biens que je savoie : et en faisant diligemment ce a quoy j'estoie obligié : et si ay esté negligent de labourer et ouvrer en temps et en lieu. Et n'ay mie esté songneusement aux messes parrochiaulx chascun dimenche, et chascun jour de festes commandées comme je deusse. Et si ay esté paresseux et negligent de prier pour mes bienfaicteurs vivans et trespassez, et pour toutes les choses pour lesquelles j'estoie tenu de prier. Et n'ay mie eu diligence en moy pour acquerir mon sauvement. *Si m'en repens et en requier a Dieu pardon.*

De gula. Apres je me confesse du peché de gloutonnie car j'ay mengié sans fain et beu sans soif devant heure et apres. Et prins des biens de nostre seigneur plus largement qu'il ne m'estoit de besoing pour ma soubtenance : sans en rendre graces a nostre seigneur souffisament. Et aucunesfois j'ay desiré meilleurs et plus delectables vins et viandes que je n'avoie. Et par gloutonnie j'ay trespassé aucunesfois les jeunes commandées, et n'ay mie eu la vertu de sobrieté. *Si m'en repens et en requier a Dieu pardon.*

De luxuria. Je me confesse aussi du peché de luxure : car aucunesfois quant les esmouvemens et tentations de la chair me sont survenus je ny ay mie resisté si fort ne si constamment comme je deusse : ne recouru a nostre seigneur diligemment affin qu'il me confortast : et m'y suis delité folement aucunesfois en veillant ou en dormant et plus longuement arresté que je ne deusse. Et me suis aucunesfois consenti secretement en ma pensée a foles et ordes [mauvaises] plaisances contraires au salut de mon ame. Et n'ay mie vescu chastement de cueur et de pensée comme je deusse. *Si m'en repens et en requier a Dieu pardon.*

Generalitas.

P1228 *Et pour ce que j'ay courroucé nostre seigneur en plusieurs manieres et plusieurs fois : par moy esbatre es sept pechez mortelz dessusdiz en branches, en racines, en circunstances : et dependences d'iceuls. Je m'en repens et m'en soubmes a la misericorde de nostre Seigneur en luy requerant pardon. Et en dis ma coulpe.* Pectus percutiendo semel. *Secondement ma coulpe.* Etiam semel percutiendo pectus. *Et tiercement ma tres griefve coulpe.* Iterum semel percutiendo pectus.

f. e7 **Septem sunt opera misericordie secundum corpus.**

Je me confesse des sept oeuvres de misericorde corporelles et espirituelles lesquelles je n'ay mie acomplies selon ce que j'en ay eu la congnoissance.

Primum. *Ciba esurientes* Quant j'ay veu les poures de nostre seigneur qui ont eu fain je ne leur ay mie donné a mengier.

Secundum. *Pota sitientes.* Quant ilz ont eu soif je ne leur ay mie donné a boire.

Tertium. *Vesti nudos.* Quant ilz ont esté nudz ; je ne leur ay mie revestus : ne les rechauffez.

Quartum. *Collige hospites.* Je n'ay mie hebergié ne hostelé les poures trespassans.

Quintum. *Visita infirmos.* Je n'ay mie visité les poures malades ne les reconforté.

CONFESSIONS GÉNÉRALES DE REIMS

Sextum. *Redime captivos.* Je n'ay mie visité ne consolé les poures prisonniers : ne les racheté.

Septimum. *Sepeli mortuos.* Et si n'ay mie enseveli les corps des poures trespassez.

Alia sunt opera misericordie secundum animam.

Et espiritulement. Primum. *Consule ignorantes.* Je n'ay mie enseignié les ignorans.

Secundum. *Castiga delinquentes.* Je n'ay mie chastié ne corrigié les defaillans : ne adrecié ceulx qui estoient en erreur.

Tertium. *Consolare tristes.* Je n'ay mie consolé les tristes et desolez et qui estoient en tribulations et tentations.

Quartum. *Remitte delinquentibus in te.* Je n'ay mie pardonné les injures qu'on m'a dit et fait.

Quintum. *Fer gravamina aliorum.* Je n'ay mie supporté les maulx et griefz d'autrui.

Sextum. *Cela crimen proximi.* Je n'ay mie celé le mal et le blasme de mon proisme.

Septimum. *Ora pro peccatoribus.* Et si n'ay mie prié pour les poures pecheurs.

1229 *Et pour ce que j'ay peché plusieurs fois par default d'avoir acompli les oeuvres desusdictes charitablement je me rens coupable a Dieu et m'en soubmetz a sa misericorde. Et en dis ma coulpe.* Pectus percutiendo semel. *Secondement ma coulpe.* Etiam pectus semel percutiendo. *Et tiercement ma tres griefve coulpe.* Iterum semel percutiendo pectus.

Decem precepta legis.

Je me confesse apres des dix commandemens de la loy. Car je ne les ay mie acomplis en la maniere que je deusse.

Primum. Unum crede Deum. Je n'ay mie creu fermement ung seul Dieu en trois personnes ne l'ay aymé et de tout mon cueur, de toute mon ame, de tout mon entendement ne le servi devotement ne le doubte a courroucier par peché.

Secundum. Ne iures vana per ipsum. J'ay prins en vain le nom de Dieu : et l'ay juré pour neant. Et aussi le nom de la vierge Marie, des sains et des sainctes par mauvaise acoustumance, et ne m'en suis mie gardé combien qu'il me soit defendu en la loy.

Tertium. Sabbata sanctifices. Je n'ay mie honnoré ne sanctifié les dimenches et festes commandées en oyant les messes parrochialles, en moy abstenant d'ouvrages et de marchandises et en moy occupant a servir et prier nostre Seigneur et ses glorieux sains, et en pensant a mes pechez plus que en autre jour et en requerant mercy a nostre Seigneur.

Quartum. Honora patrem et matrem. Je n'ay mie honnoré mon pere et ma mere charnelz ne mes amis. Et aucunesfois j'ay desiré leur mort pour avoir leurs biens. Ei si n'ay mie honoré mes peres espirituelz comme mon prelat, mon curé et leurs commis.

Quintum. Non occides. J'ay desiré aucunes fois plus grant rigueur a mon proesme [prochain] que je ne vouldroie qu'on me fist, et desiré la mort d'autrui seulement pour vengence non mie pour le bien de justice, par quoy j'ay obligié mon ame a peine perpetuelle de la mort d'enfer.

Sextum. Non mechaberis. Je n'ay mie vescu chastement de cueur et de pensée. J'ay esté luxurieux par mauvaise et deshonneste plaisance, par mauvais regars : ou par mauvais desirs : et par mauvais consentemens.

Septimum. Non furtum facies. J'ay commis larrecin par vouloir vendre trop chierement et escharsement [avec parcimonie] livrer ou mesurer ce que je vendoie, et par non rendre ou paier legierement a autruy ce que je luy devoie. Et aussi par non departir aux poures necessiteux des biens de nostre Seigneur selon mon aisement.

Octavum. Non loqueris contra proximum falsum testimonium. J'ay porté faulx tesmoignage contre mon proisme : en le blasmant et reprenant ce que j'ay oy dire de mal contre luy, et aucunesfoiz par serment. Et me suis teu quant je deusse avoir parlé. Et si ay parlé quant je me deusse estre teu. Et si ay menti aucunefois sciemment et aucunesfois ignoramment.

Nonum. Non desiderabis uxorem proximi tui. J'ay desiré folement la femme de mon prochain et tendu a la decevoir [tromper] par divers moiens : par dons : ou par promesses : ou par contenances desordonnées en luy voulant perdre son honneur et parjurer sa foy, pour acomplir ma mauvaise voulenté.

Decimum. Non concupisces rem proximi tui. J'ay couvoitié la maison de mon proesme, son beuf, son asne, ou autres de ses choses, et ay jugié que mieulx les avoie desservi que luy, et j'en estoie mieulx digne. Et n'ay mie eu souffisance des biens que nostre Seigneur m'a prestez, ny secouru et aydié a mes poures amys en leurs necessitez.

P1230   *Et pour ce que par default d'avoir acompli les dix commandemens de la loy. J'ay peché en plusieurs manieres contre mon sauvement. Je m'en repens et en requiers a Dieu pardon. Et en dis ma coulpe. Secondement ma coulpe. Et tiercement ma tres griefve coulpe.*

f. fı **Duodecim sunt articuli fidei.**

Je me confesse apres des xıı articles de la foy que je n'ay mie creu si fermement et si loyaulment comme je deusse dont le premier est tel.

Credo in Deum... Croire en Dieu le pere tout puissant createur du ciel et de la terre.

Le second. *Et in I. C. filium eius unicum dominum nostrum.* Croire en J. C. son seul filz nostre Seigneur qui est la seconde personne de la Trinité.

Le tiers article est. *Qui conceptus est de Spiritu sancto...* Croire que J. C. fust conceu du saint Esperit, et nez de la glorieuse vierge Marie.

Le quart article est. *Passus sub Pontio Pilato...* Croire que J. C. souffrit passion tres amere dessoubz Ponce Pilate, et qu'il fut crucifié, mort et enseveli.

Le cinquiesme article. *Descendit ad inferna...* Croire que J. C. descendit aux enfers. Et au tiers jour rescucita de mort a vie.

Le sixiesme article. *Ascendit ad celos...* Croire que J. C. apres sa resurrection monta es cieulx, et qu'il siet a la dextre de Dieu le pere tout puissant.

Le septiesme article est. *Inde venturus est iudicare vivos et mortuos.* Croire que J. C. ainsi qu'il monta es cieulx, dilec[5] venra juger les vifz et les mors.

Le huitiesme article est. *Credo in Spiritum sanctum.* Croire au saint Esperit qui est la tierce personne de la Trinité.

Le neufviesme article est. *Sanctam ecclesiam catholicam.* Croire la saincgte eglise catholique.

Le dixiesme article est. *Sanctorum communionem, remissionem peccatorum.* Croire la communion des choses sainctes, et la remission des pechez.

Le xı article est. *Carnis resurrectionem.* Croire la resurrection de la chair. C'est assavoir de creature humaine.

Le xıı article est. *Vitam eternam amen.* Croire la vie pardurable. C'est à dire apres la resurrection vivre pardurablement tant les saulvez comme les damnez, les saulvez en gloire, et les damnez en tourmens perpetuelz.

---

[5] dilec: signification non trouvée.

P1231 *Et pource que je n'ay mie creu si fermement lesdictz articles comme je deusse ainsi que nostre mere saincte Eglise le commande et qu'il est contenu au Credo que firent les douze apostres de nostre Seigneur, et aussi que aulcunesfois j'ay creu trop simplement, et trop legierement : sortileges, divinations, enchantemens, charmes ou escriptures qui n'estoient point approuvées de saincte Eglise mais reprouvées. Je m'en repens en requerant a Dieu pardon. Et en dis ma coulpe. Secondement ma coulpe. Et tiercement ma tresgriefve coulpe.*

f. f2 **Septem sunt ecclesie sacramenta.**
Je me confesse des sept sacremens de saincte Eglise.

Premierement. **Baptismus.** Je n'ay mye gardé en moy purement la vertu du sainct sacrement de Baptesme depuis que je le receuz et que je renoncay a l'ennemy et a ses oeuvres. Et si n'ay mie honnoré ce saint sacrement quant je l'ay veu administrer aux autres.

Secondement. **Confirmatio.** Je n'ay mie gardé dignement le saint Esperit que j'ay receu par l'imposition des mains de mon prelat quant il me signa du saint cresme en baillant le saint sacrement de confirmation. Et n'ay mie esté ferme ne constant a resister aux tentations de l'ennemi comme je deusse.

Tiercement. **Eucharistia.** Je n'ay mis prins ne receu le saint sacrement de l'autel qui est la viande espirituelle de l'ame : en si grant foy et si grant reverence ne si grant humilité comme je deusse. Et si ne l'ay mie honnoré ne prié devotement a la messe. Et quant je l'ay veu porter aux poures malades.

Quartement. **Penitentia.** Je n'ay mie eu vraye repentence de mes pechés, ny m'en accusé nuement et suffisamment en temps et en lieu par confession vraie entiere et voluntaire : ne me gardé de recheoir. Et si n'ay mie dit ne fait diligemment ce qu'on m'avoit chargé en penitence, et que j'avoie entrepris pour faire satisfaction.

Quintement. **Sacer ordo** [*sic*]. Je n'ay mie porté reverence au saint sacrement de prestrise : en honorant mon prelat, mon curé et leurs commis au gouvernement de mon ame et generalement toutes gens d'Eglise pour la reverence de Dieu et des sainctes ordres, ne creu leur bonne doctrine et enseignemens.

Sixtement. **Matrimonium.** Je n'ay mie honnoré le saint sacrement de mariage en le gardant et conseillant autrui à le garder deuement selon l'ordonnance de nostre Seigneur et la solemnité de nostre mere saincte Eglise.

CONFESSIONS GÉNÉRALES DE REIMS

Septiesmement. **Extrema unctio.** Je n'ay mie honnoré le sainct sacrement de la saincte et derniere unction quant on l'a administré a moy ou a autres. Et n'ay mie prié pour ceulx et celles ausquelx on la administré comme je deusse.

1232 *Et pour ce que je n'ay mie eu telle reverence es saintz sacremens de saincte Eglise comme je deusse, ne creu qu'ilz fussent si necessaires et si proufitables pour le salut des creatures comme ilz sont, je m'en repens et en requiers a Dieu pardon. Et en dis ma coulpe. Secondement ma coulpe. Et tiercement ma tres grief coulpe.*

f. f3 **De peccato ingratitudinis**

Apres je me confesse du pechié d'ingratitude : je n'ay mie recogneu les biens et les graces que Dieu m'a fait et qu'il me fait chascun jour : j'ay tenu folement qu'ilz me venissent par mes merites et que je les eusse bien gaigniés, et que j'en fusse digne. Et en ce me suys deceu. *Si m'en repens et en requier a Dieu pardon.*

De ypocrisi et inani gloria

Je me confesse du pechié d'ypocrisie et de vaine gloire. Quant j'ay fait aucun bien, j'ay voulu que les creatures le sceussent, pour en avoir loenge sans la voloir attribuer a nostre Seigneur comme raison le veult. Et me suis monstré par dehors meilleur que je n'estoie, par ipocrisie et fainte simulation. Et aucunefois j'ay donné cause a autrui de pechier par moy et par mes oeuvres *dont je m'en repens et en requier a Dieu pardon.*

De murmuratione et detractione

Je me confesse aussi du pechié de murmure et de detraction. J'ay aucunesfois parlé legierement et indiscretement d'aultrui, et en especial de l'estat et du gouvernement de mes souverains, en les blasmant par derriere, et si ne scavoie pour quoy et ne m'en appartenoit en riens. Et aussi j'ay dit plusieurs parolles vaines et oyseuses en detraiant mon proisme en son absence combien que par devant je lui monstroie beau semblant. *Dont je m'en repens et en requier a Dieu pardon.*

Conclusio generalis

1233 *Et pour conclusion. Car les choses dessus dictes et en aultres manieres plusieurs dont je ne me scauroie ne pourroie souffisamment accuser de tous les pechiés mortelz et venielz que j'ay fais, dis, pensez, desirez, ou consentis. Et de tous pechiés oubliés et aussi d'avoir participé avec les excommuniez sciemment ou ignoramment dont l'ennemi m'en pourroit accuser au jugement de nostre Seigneur Ihesuchrist ou [sic] prejudice de mon sauvement. Je m'en repens et m'en soubzmes à la misericorde de*

314 CHAPITRE VIII

nostre Seigneur. Et en dis ma coulpe. Secondement ma coupe. Et tierce-ment ma tres grief coulpe.

Tunc dicat presbyter. *Dieu par sa grace le vous vueille ottroier. Amen.* Postmodum presbiter dicat sic populo. Ceulx et celles qui scevent le *Confiteor,* si le dient devotement. *Confiteor Deo* etc. et ceulx qui ne le scevent point, dient *Pater noster* et *Ave Maria.*

[Absolutions]

(f4) *Misereatur vestri omnipotens Deus … perducat vos I. C. filius Dei sine macula et sine culpa…* P1129
Indulgentiam, absolutionem… P1124
Absolutio[6]. *Dominus I. C. qui ad insinuandum humilitatis exemplum hodie suorum lavit pedes discipulorum per suam misericordiam et gratiam, lotis mentibus vestris vos a cunctis absolvat peccatis. Et ego licet indignus ministerium eius gerens inquantum possum et debeo, vos absolvo. In nomine Patris…* P1102
Tunc dicat presbyter populo sic absoluto. *Chascun de vous pour impetrer la grace de nostre Seigneur et par maniere de penitence die devotement trois fois Pater noster, et Ave Maria. Et priez pour moy s'il vous plaist et je priray pour vous.*
Postea revertatur presbyter ad altare missam parrochialem prosecuturus. …

2. Reims 1554

[Charles de Guise, cardinal de Lorraine]
Feria quinta in Coena domini
[Titre courant:] *In die Iovis Sancta. Confessio generalis*

[Formulaire très différent de Reims c. 1495-c. 1540, débutant par les psaumes pénitentiaux suivis de V. et d'oraison précédant la messe[7]. La confession générale – très abrégée par rapport à Reims c. 1495-c. 1540 – et suivie des absolutions, intervient après l'offertoire.]

P1234 **Reims 1554**
f. 31-31v [Prières avant la messe]
Feria quinta in Coena domini, congregato populo manè hora debita, signis pulsatis, presbyter indutus sacris vestibus, alba, manipulo,

---

6   « Absolutio in die Iovis » en 1505-c. 1540.
7   Ces versets et oraisons sont utilisés dans de nombreux diocèses pour les absolutions générales.

CONFESSIONS GÉNÉRALES DE REIMS

et stola, facit absolutionem, dicendo primus septem ps. poenitentiales, cum *Gloria Patri*, in fine cuiuslibet psalmi.

Quibus dictis sequitur *Kyrie... Pater noster... Ego dixi Domine miserere mei, sana animam meam... P471 Convertere Domine usquequo... P458 Oculi Domini super iustos... P492 Confiterantur tibi Domine omnia opera... P456 Salvos fac servos tuos... Mitte eis Domine auxilium de sancto... Nihil proficiat inimicus in eis... Esto eis Domine turris fortitudinis... Domine exaudi... Dominus vobiscum...*

Oremus. Exaudi (quaesumus) Domine supplicum preces, et confitentium tibi parce peccatis: ut quos conscientiae reatus accusat... P1068

Oratio. Praeveniat hos famulos tuos et famulas tuas (quaesumus) Domine... P1086

Oratio. Adesto Domine supplicationibus nostris, nec sit ab his famulis tuis... P1044

Oratio. Domine Deus noster, qui offensione nostra... P1063

Et his finitis presbyter indutus casula procedat ad Missam celebrandam, et post offertorium Missae ascendat pronum Ecclesiae facturus absolutionem generalem.

f. 31v *Primo fiant exhortationes ad instruendum populum, sic dicendo.* Bonnes gens, selon les sainctes ordonnances... [comme Reims c. 1495 avec variantes d'orthographe]

f. 32 *Initium confessionis generalis.*

1235 *Sire, je me confesse à Dieu mon createur, à la glorieuse vierge Marie, à tous Anges et archanges, à tous sainctz et sainctes de Paradis. Et à vous qui estes vicaire de nostre Seigneur Jesuchrist, de tous les pechez que je feiz oncques, depuis l'heure que j'ay receu baptesme, jusques à l'heure de maintenant.*

De quinque sensibus naturalibus

Je me confesse de mes cinq sens naturelz que Dieu m'a presté, pour le servir et honnorer, desquelz je n'ay pas usé raisonnablement comme je deusse au plaisir de Dieu, et au salut de mon ame.

Primo de Visu

Je me confesse, que de mes yeulx, j'ay faict aulcuns maulvais regars, tant en despit ou haine, que par concupiscence desordonnée: et ne les ay applicqué à regarder si devotement que debvoye, nostre Seigneur en la saincte Messe, ne les paouvres par compassion.

De Auditu

Je me confesse, que de mes oreilles j'ay abusé en escoutant detractions et aultres mauvaises parolles, plustost que le service divin, et que les misteres de nostre Redemption, et bons enseignemens, et admonitions.

De Gustu

Je me confesse, que de ma bouche j'ay pris vin et viande oultre mesure, et sans en rendre grace à Dieu : et d'icelles faict jurements defendus, et ay detracté mon prochain, et dy plusieurs parolles deshonnestes et vitieuses, et n'en ay point loué Dieu, et les Saincts comme je debvoie.

De Odoratu

Je me confesse d'avoir pris trop grande volupté en sentant choses odoriferantes, donc me mettoie en peril de consentir es delices desordonnéz.

De Tactu

Je me confesse, que de mes mains j'ay faict atouchements charnelz et deshonnestes sur moy et aultruy : et pris choses appartenantes à mon prochain : bastu injustement : mis en oeuvres serviles es jours de feste, et ne les ay point joinct et elevé en priant et remerciant Dieu, et demandant pardon de mes faultes.

De Incessu pedum

Je me confesse, que de mes piedz me suis transporté aux esbatemens mondains, et lieux suspects et dangereux au salut de mon ame, et non point à l'Eglise au service divin, ou predication.

De Cogitatu

Je me confesse, que de mon cueur j'ay plustot continué maulvaises pensées, que rememoré devotement les misteres de nostre Redemption, et graces que Dieu nous a faict, en mettant en oublie les biens de Paradis, et les peines d'enfer.

De septem peccatis mortalibus

Je me confesse des sept pechés mortelz, dont j'ay souvent offensé nostre createur.

De superbia

Premierement, je me confesse du peché d'Orgueil : car j'ay esté orgueilleux, sumptueux, et trop haultain en contemnant [méprisant] mes superieurs et aultres : et n'ay recogneu les biens et graces que Dieu m'a faict, et en ay esté ingrat. Et par hypocrisie j'ay simulé bien faire et ay appeté la louenge du monde de mes oeuvres, en desirant estre plus honnoré, me glorifiant en faictz, dictz, sens, beauté, force, richesses, amis, vestementz et aultres choses, contre la vertu d'humilité.

De invidia

J'ay esté marry du bien et prosperité de mon prochain, et joyeux de son mal, et contre la vertu de charité.

De Ira

Je me suis courroucé sans raison, en mauldissant aultruy et jurant le nom de Dieu et de ses sainctz, et par fureur blasphemant et invocant les diables, et ay tenu rancune contre mon prochain : contre la vertu de patience.

De Avaricia

Je ne me suis point contenté de ce que Dieu m'a donné, mais ay desiré et prins le bien d'aultruy injustement, et ay frequenté jeux defendus, et deceu les aultres, et n'ay point faictz aulmosnes comme j'estois obligé.

De acedia

J'ay esté nonchalant et paresseux de servir à Dieu, et aux Saincts, de venir au service divin es jours de feste, de prier pour mes biensfacteurs [*sic*] vivantz et trepassez, et n'ay eu telle affection de bien vivre, et par oysiveté n'ay fais mon ouvraige en temps et lieu comme je debvoye.

De Gula

J'ay excedé en boire et manger, et rompu les jeunes commandées, sans rendre grace à Dieu de ses biens, dont il me nourrissoit, et n'ay point eu la vertu de sobrieté.

De Luxuria

Je n'ay point surmonté les tentations de la chair, mais m'y suis trop arresté, en pensées lubricques, en disant parolles lascives et deshonnestes, et prenant plaisir aux semblables, et ay aucunesfos [*sic*] consenty à luxure, et fais attouchemens deshonnestes sur moy et aultruy, contre la vertu de chasteté.

Septem opera misericordiae, secundum corpus

Je me confesse, de non avoir accomplis les sept oeuvres de misericorde corporelle : car je n'ay point donné à manger et à boire aux paoures indigents, ne revestu les denuez, ne receu les deslogez, ne visité les malades, ne rachepté les captifz, ne ensepvely les morts.

Septem opera misericordiae, secundum animam

Je n'ay faict mon debvoir des sept oeuvres de misericorde spirituelle, parce que je n'ay enseigné les ignorans, ne corrigé les deffaillans, ne consolé les desolez, ne pardonné à ceulx qui m'ont injuriez, ne supporté le mal et travail d'aultruy, ne celé l'imperfection de mon prochain, ne prié pour les paoures pecheurs.

De decem praeceptis Legis
Je me confesse d'avoir transgressé les dix commandemens de la Loy. Primum. *Unum crede Deum.* Je n'ay point creu, ne esperé en Dieu fermement, ne l'aymé et servy, comme je debvois, et n'ay redoubté à l'offenser.

Secundum. *Ne iures vana per ipsum.* J'ay sans cause juré, parjuré, et blasphemé le nom de Dieu, et des Saincts.

Tertium. *Sabbatha sanctifices.* Je n'ay sanctifié les festes, par ce que je n'ay assisté au service divin, et ay faict marchandise, et oeuvres corporelles defendues.

Quartum. *Honora patrem et matrem.* Je n'ay porté honneur à mes pere, mere, superieurs et anciens tant charnelz que spirituelz : par ce que ne les ay aymé, soulagé, et reveré deuement.

Quintum. *Non occides.* J'ay occis mon prochain de faict, ou de volonté.

Sextum. *Non moechaberis.* J'ay commis oeuvre charnelle defendue.

Septimum. *Non furtum facies.* J'ay pris le bien d'aultruy injustement par deception, rapine, usure, ou aultre maniere illicite.

Octavum. *Non loqueris contra proximum falsum testimonium.* J'ay tesmoigné faulsement contre mon prochain, et detracté de son honneur, et imposé faulx crime.

Nonum. *Non desiderabis uxorem proximi tui.* J'ay desiré abuser de la femme d'aultruy.

Decimum. *Non concupisces rem proximi tui.* J'ay volu faire tort à mon prochain, en desirant avoir son bien iniquement.

Duodecim Articuli fidei
Je me confesse, que je n'ay point sceu ni creu les douze articles de la foy, comme doibvent tous bons Chrestiens.

Septem sacramenta Ecclesiae
Je me confesse, que je n'ay point reveré dignement les sept sacremens de nostre Seigneur.

Confessio generalis

P1236 *Je me confesse en general, des pechez que j'ay commis mortellement, ou veniellement par pensées, consentemens, faicts, parolles, regars, ignorances, conversations, et toutes aultres manieres contre la saincte*

CONFESSIONS GÉNÉRALES DE REIMS

volonté de nostre Seigneur, et en dy ma coulpe, en requerant pardon de tous.

Ceulx et celles qui sçavent le *Confiteor* si le dient devotement. *Confiteor Deo omnipotenti,* etc. ... et ceulx qui ne le scavent point... [comme Reims 1495]

[**Absolutions**]
Misereatur vestri omnipotens Deus... P1129
Indulgentiam, absolutionem... P1124
Absolutio in die Iovis sancta.
Dominus I. C. qui ad insinuandum humilitatis exemplum... P1102
Absolutio in die Paschae.
Dominus I. C. qui in cruce moriens... P1118
Tunc dicat presbyter populo sic absoluto. *Chascun de vous pour impetrer la grace de nostre Seigneur...* [comme Reims 1495]

3. Reims 1585, 1621 et formulaires s'y rattachant : Amiens 1586, 1607. Châlons-sur-Marne 1606 Laon c. 1585, 1621. Saint-Brieuc 1605[8]. Senlis 1585

[Reims 1585 : Louis III de Lorraine, cardinal de Guise]

Modus administrandi augustissimum Eucharistiae sacramentum. Et primum sanis publicè et solenniter in die Paschae.

1237 **Reims 1585 f. 37-43v**

... Ce que les curez doivent dire le jour de Pasques par forme de prone, avant qu'admettre aucune personne à la sainte communion, où telle coutume est en usage.

Peuple chrestien, en ce tres saint jour de Pasques, lequel nous celebrons en memoire de la glorieuse et triomphante resurrection de nostre sauveur J. C., vous sçavez qu'il est enjoint à tous fideles de l'un et de l'autre sexe ayant atteint l'aage de discretion, de se presenter à la sainte et sacrée table de Dieu, voire sur peine d'excommunication à celuy et celle qui sans legitime empeschement presumeroient contrevenir au commandement de nostre mere sainte Eglise. ... toutefois je vous veux bien advertir, que la qualité de la viande que Dieu vous veut aujourd'huy donner est telle, que quelque diligence que nous puissions apporter pour

---

[8] Rituel de Saint-Brieuc 1605 : édition du *Sacerdotale* de Reims 1585 avec substitution de quelques nouveaux cahiers pour les adaptations indispensables à Saint-Brieuc.

CHAPITRE VIII

nous y disposer, nous ne la pourrions recevoir avec une si grande pureté et netteté de conscience, que son excellence et sa sainteté le merite. ...

Vous n'y mangerez point un pain materiel... mais le vray pain de vie descendu du ciel...

Advisez donc, je vous prie, de ne laisser rien en vos consciences qui puisse desplaire à ce grand Seigneur...

Surtout prenez peine de vous y presenter avec la plus grande humilité, reverence et devotion qu'il vous sera possible, requerant à Dieu pardon de toutes voz fautes, et pour l'amour de luy pardonnant de bon coeur à tous ceux et celles qui vous pourroient avoir offensé...

Car s'il y a icy aucuns entre vous (que Dieu ne vueille) qui portent haine mortelle à leur frere chrestien, ou qui soient interdits et excommuniez, tels que sont tous heretiques, simoniaques, larrons, larronnesses, usuriers, usurieres, sorciers, sorcieres, et tous ceux et celles qui refusent payer la dixme à Dieu selon les uz et coustumes d'ancienneté, mesmement s'il y en a qui ne soient de ma paroiçe... ou bien qui soient de ma paroiçe [*sic*], mais n'ayent encores fait le devoir de se confesser... je leur enjoins à tous de se retirer d'icy, et leur defend l'entrée de ce saint lieu...

Et quant à vous autres, afin qu'avec plus grande asseurance de voz consciences, et plus grand fruict spirituel vous vous puissiez approcher de la sacrée table de nostre Seigneur, vous ferez presentement une confession generale, et de tout vostre coeur vous humilierez devant Dieu, disans tous apres moy ainsi que s'ensuit.

Confessio generalis.

P1238 *Je me confesse à Dieu le createur tout-puissant, et à la glorieuse vierge Marie, et à tous saints et saintes de paradis, et à vous mon pere spirituel, vicaire et lieutenant de Dieu, de tous les pechez que je commis oncques depuis l'heure que je receu le saint sacrement de baptesme jusques à l'heure presente.*

[Péchés mortels]

Premierement j'ai peché en **orgueil** par ingratitude envers Dieu, et envers les hommes, par convoitise, presumption et arrogance, par jactance [vantardise] et ambition, par opinion de mieux valoir, et de plus sçavoir que les autres, par hypocrisie, simulation, et dissimulation, par despit et rebellion contre les commandemens de Dieu et de mes Superieurs, et par contemnement [mépris] du bon conseil.

CONFESSIONS GÉNÉRALES DE REIMS

J'ay peché en **avarice**, pour vouloir et desirer science à mauvaise fin, convoiter et appeter desordonnément les biens du monde pour en mal user. J'ay esté fort tenant tant pour moy-mesme, que pour autruy, et trop ardent pour acquerir richesses par subtilitez, cauteles [ruses] et tromperies, par rapine, usure et larcin : dont j'ay eu plusieurs mauvaises volontez, endurcy mon coeur, oublié Dieu, et le salut de mon ame. Par avarice j'ay commis plusieurs mensonges et parjuremens pour plus cher vendre et meilleur marché avoir.

J'ay peché en **luxure**, en plusieurs sortes et manieres, par mauvais et deshonnestes regards, par attouchemens illicites sur moy et sur autruy ; par plusieurs delectations et consentemens deliberez à peché : par maintiens lubriques, danses et chansons dissolues : par paroles deshonnestes : par superfluitez, et nouveautez d'habits : par trop delicatement nourrir mon corps, et le parer, et vouloir vivre à mon plaisir.

J'ay peché par **envie**, prenant plaisir à mal parler d'autruy, à diffamer mon prochain, à reveler par mauvaise intention plusieurs secrettes imperfections que j'auroy veuës en luy.

J'ay maudit secrettement et publiquement mon frere chrestien. J'ay eu et nourry des haines couvertes contre plusieurs ; je me suis souvent esjouy du mal d'autruy, et au contraire j'ay esté marry et desplaisant de son bien.

J'ay peché en **gloutonnie**, par trop boire et trop manger, trop souvent, trop ardemment, trop curieusement, et trop somptueusement, sans faim, sans soif, sans necessité, et en folement donner et folement despenser. J'ay transgressé et rompu les jeunes commandez de l'Eglise, comme le Quaresme, les quatre temps, les vigiles de festes ; ou je les ay jeunez, ce n'a point esté par devotion, mais plustost par maniere d'acquit et pour la gloire du monde. Je me suis transporté plusieurs fois en tavernes et cabarets, et principalement és jours de festes durant le service divin, et ay despendu mon bien inutilement à plusieurs jeux illicites et defenduz, au grand scandale de mon prochain, et prejudice de ma famille.

J'ay peché en **ire**, en me troublant et courrouçant tost pour neant, et legerement : en nourrissant haine et courroux contre mon prochain, en luy soubhaitant [sic] la mort, dommage, et desplaisir, par plusieurs appetits de vengence, et propos de ce faire ; en murmurant, jurant, et blasphemant le sainct nom de Dieu et de ses Saincts ; en nommant et invoquant l'ennemy, et proferant plusieurs paroles d'execrations ; en souhaitant et desirant ma mort par un desespoir et desconfort.

J'ay peché en **paresse**, pour avoir souvent mal employé le temps, pour n'avoir fait le devoir en l'estat et vocation, à laquelle il a pleu à

Dieu m'appeller. J'ay esté paresseux de servir et rendre graces à Dieu, de faire et accomplir mes penitences, d'exercer les oeuvres de charité, de suivre la vertu, et fuir le vice, dont il me desplait, et crie à Dieu mercy.

[Manquements aux vertus morales contraires aux sept péchés mortels]

Je me confesse que je n'ay pas mis peine d'acquerir les sept vertuz morales contraires aux sept pechez mortels, comme humilité contre orgueil, liberalité contre avarice, chasteté contre luxure, amour et dilection contre envie, sobrieté contre gourmandise, patience contre ire, et diligence contre paresse.

[Péchés contre les dix commandements]

J'ay transgressé les commandemens de la Loy : car je n'ay point creu en Dieu, ny esperé en luy fermement, et ne l'ay aymé de tout mon coeur, de toute ma force, et de toute mon ame, ny mon prochain comme moy-mesme.

J'ay juré le nom de Dieu en vain, et de la vierge Marie, et des Saincts et Sainctes de paradis.

J'ay mal gardé les festes commandées de l'Eglise, y faisant oeuvres seculiers et serviles, et ne me suis pas gardé d'y commettre peché mortel. Je n'ay pas esté soigneux d'assister au service divin, et à la predication de la parole de Dieu, et ay negligé mon salut.

Je n'ay point porté honneur et reverence à mes peres et meres spirituels et charnels, ausquels souvent ay contredit et desobey.

J'ay outragé et molesté mon prochain, desiré et pourchassé sa mort.

Je n'ay point gardé continence et chasteté.

J'ay pris et retenu injustement le bien d'autruy.

Je n'ay pas tousjours porté bon et loial tesmoinage [*sic*] pour garder justice, et soustenir verité.

J'ay lasché la bride à ma concupiscence, et à plusieurs mauvais desirs, et appetits desordonnez.

[Manquements aux sacrements, aux articles du *Credo*, aux oeuvres de miséricorde. Péchés des cinq sens]

Je n'ay point eu les choses sainctes, et principalement les sept sacremens de l'Eglise en tel honneur et reverence comme doit avoir tout vray fidel et catholique.

Je n'ay point mis peine de sçavoir si parfaitement, ne de croire si fermement les douze articles de la foy, comme Dieu m'en a donné les moyens et l'opportunité.

CONFESSIONS GÉNÉRALES DE REIMS

Je n'ay point accomply les sept oeuvres de misericorde spirituelles et corporelles.

je n'ay point esté soigneux de garder mes cinq sens de nature, comme mes yeux de mal regarder, mes aureilles de mal escouter, ma langue de mal parler, mes mains de mal toucher, mes pieds de mal aller.

‹1239 *Brief, en infinies sortes et manieres de pensée, de parole, et de faict j'ay offensé mon Dieu, dont il me desplait, et m'en repens grandement, et en dy ma coupe, ma grieve coulpe, ma tres-grieve coulpe, et devotement et humblement luy en requiers pardon et mercy, par le merite de la mort et passion de nostre Sauveur J. C., et à vous mon Pere spirituel, penitence et absolution.*

[Absolutions. Bénédiction]
Per meritum passionis et resurrectionis Domini nostri I. C. … P1134
Indulgentiam, absolutionem, et remissionem omnium peccatorum vestrorum, cor contritum… P1122
Dominus I. C. qui in cruce moriens pro omnibus… Et ego indignus minister eius, in quantum possum et debeo, vos absolvo. In nomine Patris. P1118
Benedictio Dei Patris omnipotentis et Filii et Spiritus Sancti descendat super vos et maneat semper. In nomine… P1144
Je vous admoneste en ce bon jour de Pasques de faire prieres pour la paix et union de l'Eglise catholique, pour le roy nostre sire, la royne, tout le noble sang royal, pour la paix de ce royaume, et de toute la chrestienté.

Je vous recommande aussi les oeuvres de charité et de misericorde, par exprés l'Hostel Dieu de N. l'oeuvre et la Fabrique de ceans, voz offrandes et droicts paroichiaux, ausquels vous estes tenuz et obligez.

4. Reims 1677 et formulaires s'y rattachant :
La Rochelle 1689, 1744

[Reims 1677 : Charles-Maurice Le Tellier])

Maniere de faire la Confession generale le jour de Pasque, et de donner l'absolution au peuple qui est present à cette ceremonie.

[Seuls les péchés contre les dix commandements sont vraiment développés par rapport à Reims 1585-1621.]

1240 **Reims 1677 p. 108-116.**
La Confession generale que le prêtre fait le jour de Pasque au nom de tout le peuple, et en presence de toute l'Eglise, et l'absolution generale qu'il donne à tous ceux qui assistent à cette ceremonie, est

une sainte coutûme, dont nous commandons l'execution dans nôtre diocese ; ordonnant à tous les curez de la faire au jour de Pasque avant leur prône, et d'avertir le peuple qui y assiste, que cette ceremonie ne les dispense pas de confesser chacun en particulier les pechez qu'ils ont commis depuis leur baptême, ou depuis leur derniere confession ; et que ce n'est qu'un aveu public que l'Eglise fait à Dieu, des pechez et desobeissances de ses enfans, pour obtenir en s'humiliant devant luy par cette confession publique et generale, leur entiere conversion, et la grace de confesser sacramentalement tous leurs pechez, et de les quitter entierement. Il les avertira aussi d'unir leurs intentions à la sienne, et de confesser de coeur et de pensée leurs pechez lors qu'il les confessera de bouche. …

P1241 *Je me confesse à Dieu le createur tout-puissant, à la bienheureuse vierge Marie, et à tous saints et saintes qui regnent dans le ciel, de tous les pechez que j'ay commis depuis mon Baptême jusqu'à ce jour.*

[Péchés mortels]

J'ai peché par **orgueil**, par ingratitude envers Dieu, et envers les hommes, par convoitise, presomption et arrogance ; par vanité et ambition ; par opinion de valoir mieux, ou sçavoir plus que les autres ; par hypocrisie, simulation, et dissimulation ; par dépit et rebellion contre les commandemens de Dieu et de mes Superieurs, et par mépris des bons conseils qui m'ont été donnez pour ma conduite. [proche de Reims 1585]

J'ay peché par **avarice**, en desirant sçavoir des choses mauvaises et inutiles, ou en recherchant la connoissance des choses naturelles, ou de la religion pour une mauvaise fin. J'ay souhaitté desordonnément les biens du monde, et j'en ay fait un mauvais usage : je me suis dénié les choses necessaires ; et j'ay refusé d'assister mon prochain en son extréme necessité. J'ay eu trop d'ardeur pour acquerir les richesses ; et pour y parvenir je me suis servy de subtilitez, de finesses et tromperies, de rapines, d'usures et de larcin ; ou si je ne me suis pas servy de tous ces méchans moyens, j'en ay eû au moins la volonté pour devenir riche. J'ay endurcy mon coeur ; j'ay oublié Dieu et négligé le salut de mon ame ; j'ay commis plusieurs parjures pour vendre plus cher, et pour achetter à meilleur marché.

J'ay peché par **luxure** en plusieurs sortes et manieres ; par des regards mauvais et deshonnestes ; par des attouchemens illicites sur moy, et sur autruy ; par des complaisances et consentemens deliberez de pecher ; par des postures dissoluës ; par des danses et chansons im-

pudiques; par des paroles deshonnestes; par des nouveautez et superfluitez d'habits, et par des parûres contraires à l'honnêteté, et à la
modestie chrétienne; en nourrissant mon corps trop delicatement, et
en recherchant les plaisirs des sens.

J'ay peché par **envie**, prenant plaisir à parler au desavantage de mon
prochain, à le diffamer, à réveler par mauvaise intention plusieurs secrettes imperfections que j'avois connûës en luy. J'ay maudit et en secret
et en public mon frere chrétien. J'ay nourry et entretenu des haines
secrettes contre luy: je me suis souvent réjoüy du mal d'autruy, et j'ay
été fâché de son bien et de son avancement. [proche de Reims 1585]

J'ay peché par **gourmandise**, en beuvant et mangeant avec excés, trop
souvent, trop ardemment, avec trop de delicatesse, et de dépense; sans
faim, sans soif, et sans necessité; en faisant de folles dépenses, et donnant
à manger par excés. J'ay transgressé et rompu les jeûnes commandez
de l'Eglise en Carême, quatre temps, et vigiles des festes; ou si je les ay
jeûnez, ce n'a point été par devotion, mais plûtost par temperament, par
coûtume, et pour être vû et estimé des hommes. J'ay été plusieurs fois aux
tavernes et cabarets, principalement és jours de festes, et durant le service
divin; et j'ay consumé mon bien inutilement au jeu, au grand scandale
de mon prochain, et au préjudice de ma famille. [proche de 1585]

J'ay peché par **colere**, en me troublant pour des choses legeres et de
neant; en conservant de la haine contre mon prochain, en luy souhaittant la mort, ou quelque dommage, et déplaisir; par plusieurs desirs de
vengeance avec resolution de les executer; en murmurant, et maudissant le saint nom de Dieu, et de ses Saints; en nommant et invoquant
le diable, et proferant plusieurs paroles d'execration; souhaittant ma
mort par desespoir, ou par lâcheté. [proche de 1585]

J'ay peché par **paresse**, pour avoir souvent mal employé le temps;
pour n'avoir pas fait mon devoir en l'état et vacation [*sic*] à laquelle il
a plû à Dieu de m'appeller: J'ay été paresseux de servir Dieu et de luy
rendre graces de tous les biens qu'il m'a faits, et que je reçoy à tous
momens de sa divine bonté; j'ay négligé d'accomplir les penitences qui
m'ont eté imposées par le prêtre aprés la confession de mes pechez: j'ay
aussi négligé d'exercer les oeuvres de charité, de pratiquer la vertu, et
de fuir le vice; dont je me repens et demande pardon à Dieu.

[Manquements aux vertus morales contraires aux péchés mortels]

Je me confesse de n'avoir pris aucun soin, et de ne m'être donné
aucune peine pour acquerir les sept vertus morales contraires aux sept
pechez mortels; comme l'humilité, contre l'orgueil; la liberalité, contre

l'avarice; la chasteté, contre la luxure; l'amour et dilection de mon prochain, contre l'envie; la sobrieté, contre la gourmandise; la patience, contre la colere; et la diligence, contre la paresse. [proche de 1585]

[Péchés contre les dix commandements]

Je me confesse aussi d'avoir transgressé les commandemens de la Loy; car je n'ay point crû en Dieu, ny esperé en luy avec fermeté et confiance; je ne l'ay point aimé de tout mon coeur, de toutes mes forces, et de toute mon ame; ny mon prochain comme moy-même.

J'ay juré le saint nom de Dieu en vain; j'ay juré le nom de la Vierge et des Saints, et j'en ay parlé avec mépris.

Je n'ay pas religieusement gardé les dimanches et festes commandées de l'Eglise, ayant fait ces jours-là des oeuvres serviles; je n'ay pas été soigneux d'assister au service divin, à la messe, et aux instructions de ma parroisse; et j'ay négligé de préparer mon coeur par la charité, ou par le desir de l'acquerir, pour sanctifier selon Dieu les dimanches et festes commandées par l'Eglise : j'ay raillé des choses saintes, et me suis moqué des maximes, mysteres et ceremonies de l'Eglise : j'ay mal-traitté et deshonoré ses ministres; et je ne leur ay pas rendu le respect et les devoirs ausquels je suis obligé.

Je n'ay point porté honneur et reverence à mes pere et mere; je les ay méprisez; je leur ay refusé le secours et l'assistance que j'étois obligé de leur rendre; j'ay souhaitté leur mort pour joüir de leur bien : je n'ay point honoré mes superieurs; je les ay souvent contredits sans raison, et je leur ay desobey.

J'ay outragé et contristé mon prochain : j'ay desiré, poursuivy et procuré sa mort.

Je n'ay point gardé la continence et chasteté.

J'ay pris et retenu injustement le bien d'autruy.

Je n'ay pas toûjours porté bon et fidelle témoignage pour garder la justice, et soûtenir la verité.

J'ay lâché la bride à mes convoitises déreglées, à mes mauvais desirs, et à mes appetits desordonnez.

[Manquements aux sacrements, aux articles du *Credo*, aux oeuvres de miséricorde. Péchés des cinq sens]

Je me confesse aussi de n'avoir pas eû pour les choses saintes, et principalement pour les sept sacremens de l'Eglise, le respect que tout bon et tout fidelle catholique doit avoir pour ces précieux dons; je les ay souvent profanez lors que je m'en suis approché sans les préparations necessaires pour les recevoir utilement.

CONFESSIONS GÉNÉRALES DE REIMS

Je ne me suis pas mis en peine de me faire instruire des douze articles de la foy catholique, quoique j'eusse la commodité de le faire ; et je ne les ay pas crûs avec la fermeté avec laquelle tout bon Chrétien les doit croire. Je n'ay pas accomply selon mon pouvoir les sept oeuvres de misericorde spirituelles ; n'ayant point enseigné les ignorans, corrigé les défaillans, donné conseil à ceux qui en avoient besoin, consolé les affligez, porté patiemment les injures, pardonné les offenses ; et n'ayant point prié pour les vivans et les morts, et pour ceux qui me persecutent. Je n'ay pas accomply selon mon pouvoir les sept oeuvres de misericorde corporelles ; n'ayant point donné à manger à celuy qui avoit faim, à boire à celuy qui avoit soif ; n'ayant point logé le pauvre pelerin, revêtu le pauvre qui étoit nud, visité les malades, et les prisonniers, rachetté les captifs, et n'ayant ensevely les morts.

Je n'ay point été soigneux d'empécher mes cinq sens de nature de contribuer à aucune mauvaise action ; comme mes yeux, de mal regarder ; mes oreilles, de mal écouter ; ma langue, de mal parler ; mes mains, de mal toucher ; et mes pieds, de courir au mal.

P1242   *Enfin je me confesse qu'en infinies sortes et manieres de pensée, de paroles, d'actions et d'obmissions j'ay offensé mon Dieu : J'en ay un veritable regret et déplaisir, et j'en dois ma coulpe, ma coulpe, ma tres-grande coulpe : et je prie Dieu tres-humblement d'effacer tous mes pechez, et de me les pardonner par sa misericorde, et par le merite de la mort et passion de notre-Seigneur J. C.*

… Dites vôtre Confiteor.

[Absolutions]

Per meritum passionis et resurrectionis Domini nostri I. C. … P1134

Indulgentiam, absolutionem, et remissionem omnium peccatorum vestrorum, cor contritum… P1122

Dominus I. C. qui in cruce moriens pro omnibus… Et ego indignus minister eius, in quantum possum et debeo, vos absolvo. In nomine Patris. P1118

Benedictio Dei Patris omnipotentis et Filii et Spiritus Sancti descendat super vos et maneat semper. In nomine… P1144

Je vous ordonne en ce saint jour de Pasque de faire des prieres pour la paix et union de l'Eglise catholique, pour le Roy, la Reine, monseigneur le Dauphin, les enfans de France…

Je vous recommande aussi de faire des oeuvres de charité et de misericorde…

CHAPITRE IX

AUTRES CONFESSIONS GÉNÉRALES

**Metz 1543. Autun 1545. Verdun 1554, 1691. Cambrai 1562
Beauvais 1557. Besançon 1561, 1581. Agen 1564. Chartres 1581
Nevers 1582. Bourges 1588, 1593. Bâle 1595. Limoges 1596
Orléans 1642, 1726. Clermont 1733. Troyes 1768**

Metz 1543

[Jean de Lorraine]
Confessio generalis diebus solennibus in ambone facienda

⁰1243 **Metz 1543** f. 33v-34v
En l'honneur et reverence de la solempnité du jourd'huy, s'il vous plaist, vous direz apres moy. Et vous aurés l'absolution generalle.
Dicat sacerdos tractim ut populus in proferendo eum sequi possit.

¹1244 *Je me rend coulpable a Dieu, a la glorieuse vierge Marie, a monsieur sainct N. mon patron, a tous sainctz, a toutes sainctes, a toute la court de paradis, et a vous. De tous les pechez que j'ay faictz depuis que vins en ce monde, jusque aujourd'huy.*

Premierement en mes **cinq sens** naturelz mal gouvernés par mon deffault. En veoir, en ouyr, en odorer, en gouster, en atoucher, en parler, en penser mal, en aller, en ouvrer [travailler].

Es **sept pechez mortelz**, en orgueil, en avarice, en envye, en ire, en paresse, en gloutonnie, en luxure, es branches, et racines qui en descendent.

Es **sept euvres de misericorde** mal accompliez par mon deffault.

Es **dix commendement**(s) de la loy. En Dieu jurer et parjurer, en mentir en esciant [sciemment], et non esciant, en faire faulx jugement sur aultruy, en peu Dieu aymer, et mon prochain, en peu Dieu servir, en mauvais delis, en maulvais consentement, en murmure, en rancune, en detraction [médisance], en ypochrisie, en vaine gloire, en parler au moustier [monastère], en parler aux excommuniez, en leur faisant participation evidemment.

330 CHAPITRE IX

Es **douze articles de la foy**, que je n'ay my creu si perfaictement comme je deusse.

P1245 *Et en toutes aultres manieres, et facons ou j'ay courucé Dieu mon crea-teur, soit mortellement, soit veniellement, je m'en confesse et m'en repans [sic]. Et en demande pardon, penitence, et absolution de Dieu, de la glorieuse vierge Marie, de tous sainctz, de toutes sainctes, de monsieur sainct N. mon patron, et de vous.*

Submissa voce dicat. *Misereatur vestri omnipotens Deus, et dimissis omnibus peccatis vestris, perducat vos ad vitam eternam. Amen.* P1129 *Indulgentiam, absolutionem, et remissionem omnium peccatorum vestrorum, spatium vere penitentie, et emendationem vite tribuat vobis omnipotens Pater, pius et misericors Dominus. Amen.* P1125

Alta voce dicat. *Pour penitence, et en remission de vos pechez vous dirés ung chacun de vous trois fois la [sic] Pater noster et l'Ave Maria. Et prié Dieu pour moy, et aydant sa grace, je le prie pour vous.*

Autun 1545

[Jacques Hurault]
Preparatoire exhortation pour recevoir le sainct sacrement de l'Eucharistie

Première longue exhortation consacrée à l'eucharistie donnant des mo-dèles de prières à dire avant et après la communion. Non suivie d'une confes-sion générale ni de formules d'absolution, elle est classée ici parce que le début (p. 43-44) donnant les raisons de communier à Pâques est repris par Paris 1552.

P1246 **Autun 1545 p. 43-52**

[Raisons de communier à Pâques]

p. 43-45 Chrestiens, la saincte journée prochaine a nous, qui est la solennité de Pasques, nous invite pour la solenniser religieusement, et chrestiennement. Pasques signifie passage. Et comme les enfans d'Is-rael feirent leur Pasques… Ainsi nostre vray agneau J. C. est nostre pasque… Pourtant est necessaire, et est commandé de Dieu a ung chas-cun chrestien, estant en aage competant, et usage de raison, de… faire sa pasque, c'est a dire, de recevoir sacramentalement J. C. …

Premierement, a ce nous invite le sainct temps de jeusne et peni-tence, que vous debvez avoir bien employé en ce karesme. Seconde-ment, pource que l'eglise faict solennité et memoire speciale de la pas-sion de nostre Seigneur, qui nous doibt esmouvoir a recevoir nostre redemption. Tiercement, car nostre Seigneur a tel jour que dimenche resuscita de mort a vie. Ainsi le recevant resusciterons spirituellement en nouvelle vie spirituelle, et abondance de vertus…

[Conditions pour communier]

p. 45-46 Brief, nul ne vienne a ceste tant divine refection, s'il n'est disciple de J. C., de cueur, d'esprit, de faict, et de parole. Car qui indignement approche de ceste saincte table, il peche mortellement par ung nouveau peché.

Secondement, pour dignement recevoir, fault avoir usage de raison…

Tiercement… est necessaire soy fort humilier, et rien presumer de soy; mais donner toute louange a Dieu du bien qu'il nous faict…

Quartement est necessaire la foy vive, une ardente charité, par laquelle tu te vouë et donne a nostre seigneur J. C. …

›1247 p. 47 **[Prière avant la communion]**

Jesu Christ, je ne suis digne de vous recevoir; de moy je suis tout indigne, mais suyvant vostre promesse, misericorde, et grace, en icelle je me fie, et viens à vous pour vous recevoir.

›1248 **[Prière après la communion]**

O Jesus Christ, O mon salutaire, O benoist filz de Dieu, auquel est toute nostre benediction, O convive divin, O pain des Anges, O vie, O extinction de mort et abolition de peché, vous estes la viande, de laquelle nous sommes nourris, et sustentés, tant que nous demourons au desert de ce monde. Je vous prie mon Dieu Jesus, que par ceste viande, qui est vostre vray corps, vous me conduisiez en la terre et region des vivans, ou face a face je vous puisse veoir en la gloire de vostre pere, mon Dieu, mon createur. …

p. 49 [Explication de l'eucharistie]

Or mes freres, je vous veulx bien advertir que il vous suffit de recevoir J. C. soubz l'espece de pain, car ce qui est soubz celle espece, est ce qui est au calice. Et ce qui est soubz espece de vin au calice, est ce qui est soubz espece de pain, c'est J. C. … Car soubz l'espece de pain est tout J. C., son corps, son sang, son ame, et la divinité. Pareillement soubz l'espece de vin… le principal que tu as a faire, c'est croire en J. C., et sentir en toy par ceste digne reception, que le bien de J. C. te est communiqué, et est tien en croyant en luy, et l'aymant comme l'enfant son pere. …

p. 51 [Défenses de communier]

Je fais commandement a tous mes parrochiens, de non faire aultre part leur pasques, que en ceste parroisse, sans mon congé et licence. …

CHAPITRE IX

Item, je deffends ceste saincte table a tous usuriers, usurieres manifestes, sorciers, sorcieres, concubinaires publiques, et blasphemateurs de Dieu, qu'ilz ne approchent de la saincte table sans avoir faict amendement de vie et restitution de l'autruy.

Item je deffends la table a tous ceulx qui sçachans retiennent le bien et droictures de l'eglise, et des poures pupilles jusques a ce qu'ilz ayent satisfaict, ou soyent en propos d'amendement...

[Exhortation aux parents et aux maitres]

Aussi je enhorte tous peres, meres, maistres, et maistresses, de instruyre leurs enfans et servans, que a ce jour ilz soyent disposés comme chrestiens, pour solenniser celle grande feste. Et que les peres, et meres meinent leurs enfans avec eulx ; car la discipline paternelle est trop plus profitable que d'aultruy.

Autun 1545

[Jacques Hurault]
Confessio generalis

Formulaire modifié et abrégé par rapport aux éditions diocésaines précédentes de 1503-1523[1].

P1249   **Autun 1545 p. 58-61**

Il est utile que le Curé au matin de Pasques, ou le grand vendredy, ou samedy suyvant, enhorte son peuple a faire une confession generale. Et puis generalement, et publiquement, leur donne absolution, et leur donne a entendre que ceste generale confession n'est pas pour effacer les pechés mortelz, ains fault pour ce faire confession secrette, et recevoir absolution sacramentale. Mais elle profitte pour l'absolution des pechés venielz, et obliés, et pour soy humilier, et avoir plus ardente charité. Enhortera son peuple disant. Dictes apres moy.

P1250   *Je me confesse a Dieu le Pere, le Filz, et le benoist Sainct Esprit, et a tous les sainctz et sainctes de paradis, que je prie vouloir prier pour moy. Et specialement la glorieuse vierge Marie, monseigneur sainct Jean Baptiste, monsieur sainct Pierre et sainct Paul, et tous les anges et sainctz de la court celestielle.*

Je me confesse de tous les pechés que j'ay faictz depuis que je suis baptizé, jusques a l'heure presente, desquelz il me souvient, et desquelz je n'ay memoire.

---

[1]   *Voir supra* Formulaires se rattachant à Chartres 1490 etc. (P1207).

AUTRES CONFESSIONS GÉNÉRALES

Car j'ay peché es **sept pechés mortelz**, et branches dependantes d'iceulx, et n'ay esté studieux d'avoir les sept vertus ausdictz pechés contraires: qui sont Humilité contre Orgueil, Charité contre Envye, Patience contre Ire, Diligence contre Paresse, Chasteté contre Luxure, Largesse et Liberalité contre Avarice, Abstinence contre Gloutonnye. Seigneur Dieu, c'est ma coulpe, je vous en crye mercy.

Aussi me confesse d'avoir transgressé les **dix commandemens de la loy.**

Je n'ay pas aymé Dieu de tout mon coeur, de toute ma force, et de toute mon ame. Ne mon prochain comme moymesme. Ne faict à Dieu telle reverence, que je deusse. Mais ay juré en vain son sainct nom, et me suis parjuré; j'ay juré en vain par le nom des benoistz Saincts et Sainctes.

C'est ma coulpe seigneur Dieu, et ma griefve coulpe, je vous crie mercy.

Et si je **me suis donné au diable**, et aussi ay autruy voué et donné a luy. Mais seigneur Dieu je le desavouë, et le renonce, aussi au monde, et à tous ses adherans, vous priant me vouloir recevoir en vostre tres grande misericorde, me remettant et recommandant à vostre souveraine bonté et majesté.

J'ay **mal gardé les sainctz dimenches**, et festes commandées.

Je n'ay pas avec toute humilité **honnoré mon pere et ma mere**, ny mes parens tant spirituelz, que corporelz. Aussi envers mon prochain me suis mal regi par haine, et male versation.

J'ay **menty** souvent, et en mentant juré vainement. *Seigneur Dieu je vous en crie mercy.*

Je ne me suis mys en disposition a recevoir et mettre en oeuvre **les sept dons du Sainct Esprit**, qui sont la crainte de Dieu, force, pieté, bon conseil, entendement, science, et sapience.

Ne aux **oeuvres corporelles de misericorde**, qui sont, donner à manger aux fameliques, boire à ceulx qui ont soif, revestir les povres nuds, visiter et racheter les prisonniers et captifz, et ensepulturer les mortz.

Ne aussi me suis employé aux **oeuvre de misericorde spirituelles**, qui sont, corriger les deffaillans, enseigner les ignorans, donner bon conseil à ceulx qui doubtent, prier pour le salut de mon prochain, consoler les désolés, porter patiemment les injures, et pardonner aux deffaillans.

334 CHAPITRE IX

Je n'ay pas porté honneur aux **sept sacremens** de saincte Eglise comme je deusse, ny honnoré les ministres de Dieu, tant ecclesiastiques, que seculiers.

J'ay commis les dessusdictz pechés, ou partie d'iceulx, par faulte de bien gouverner mes **cinq sens** de nature, que m'avez donné seigneur Dieu : car par l'**ouye** j'ay prins plaisir en delices mondaines, detraction de mon prochain. Par mes **yeulx** j'ay faict mauvais regardz, par delectation. Par l'**odorement** j'ay prins trop grand plaisir en odorement. Par ma **bouche** j'ay mal parlé d'autruy, et ay mal usé de ma langue, tant en menteries, que en detractions. Et du **toucher** j'en ay mal usé, et le tout procedant de mon cueur, par sa malice, suyvant plutost le mal, et le monde, que vostre esprit seigneur Dieu, lequel me incitoit à bien faire, et ne l'ay faict.

P1251 *dont je vous crie mercy, et vous en dis ma coulpe, ma tres griefve coulpe. Et en demande absolution selon vostre grande misericorde par vostre ministre, qui est mon Curé par vous ordonné à ce faire, et déclaré ainsi estre. Et ainsi je le croy.*

Et me recommande à la mere de Dieu la vierge Marie, et à monsieur sainct Michiel, et à tous les benoistz sainctz et sainctes, qu'il leur plaise vouloir prier pour moy. Et vous mon Curé, mon pere spirituel, vueillez prier pour moy, et m'absouldre soubz la tres grande misericorde de Dieu, à laquelle je me soubmetz, et ay entiere et ferme fiance selon sa grande et liberale promesse.

Respondeat Parochus. *Amen.*

[Absolutions. Bénédiction]
Per mortem et gloriosam resurrectionem Domini nostri I. C. misereatur vestri omnipotens Deus, et dimittat vobis omnia peccata vestra, et perducat vos I. C. filius Dei ad vitam aeternam. Amen. [rare] P1135

Indulgentiam, absolutionem, et remissionem omnium peccatorum vestrorum... P1123

Dominus noster I. C. qui est summus pontifex, ipse vos absolvat, in cuius auctoritate ego absolvo vos a peccatis vestris. In nomine Patris... [rare] P1117

Et benedictio Dei Patris omnipotentis... P1144

AUTRES CONFESSIONS GÉNÉRALES

Verdun 1554

[Nicolas Psaulme]

Officium in die Iovis sancta cum modo faciendi absolutionem et abluendi altaria

P1252   **Verdun 1554** f. 49-54v

Confession générale le Jeudi Saint identique à Reims c. 1495-1540, P1225

Verdun 1554

Die sancto Pasche...

P52bis   **Verdun 1554** f. 69v-75

Formulaire de Paris 1552 P1213, avec quelques remaniements : avant la *Preparatoire exhortation...*, addition d'une rubrique explicative et d'une brève exhortation :

f. 69v-70 Die sancto Pasche, in aliquibus ecclesiis, propter multitudinem communicantium, solet celebrari una missa de mane post matutinas, in qua administrantur hi qui iusta ratione non possunt communicari in maiori missa, in qua presbiter pro libito potest facere absolutionem generalem, et similiter in maiori missa. In aliis vero ecclesiis sola missa eodem die celebratur, ad quam accedunt communicaturi, secundum morem uniuscuiusque ecclesie.

Sequitur exhortatio facienda ad populum ante absolutionem.

Bonnes gens, en ceste tres saincte et tres solennelle journée de Pasques, consacrée par nostre redempteur J. C. resuscité de mort a vie. Il est commandé que tous Chrestiens ayans discretion, recoivent le pain de vie J. C. nostre saulveur. Et pour ce faire au nom de nostre Seigneur vous estes icy assemblez. Toutesfoys ne soit aucun si oultrageux qui vienne a la saincte table s'il est excommunié, ou s'il a hayne ou malveillance a quelconque personne, ou s'il n'est mon parroissien, et qu'il en ayt parlé a moy. Et aussi que nul n'y vienne s'il n'est confessé seul a seul, a son propre curé ou par sa licence. Et pour plus abundamment obtenir grace du tres souverain Seigneur en ensuyvant l'ordonnance de l'Eglise. Nous ferons l'absolution generalle ... Et direz apres moy devotement. Sire je me confesse a Dieu mon createur. Prout in die Iovis sancta, vel eo qui sequitur modo.

f. 70-74v *Preparatoire exhortation pour recepvoir le sainct Sacrement de l'autel.* Seigneurs et dames la saincte journée du jourd'huy, qui est la solennité de Pasques... P1213

336   CHAPITRE IX

f. 74v-75 [Le dernier § est remanié: addition de la mention de «l'evesque et comte de Verdun»; (le) «Roy» ou (le) «Duc» remplacent les mentions «le roy, la royne et monsieur le daulphin...» du texte parisien.]

[Une rubrique finale concerne les enfants qui doivent communier une fois par an quand ils ont l'âge légal de se marier; cette possibilité peut être avancée selon leur dévotion, comme, chez certains, la malice supplée l'âge (!):]

Notandum est quod illi pueri idonei sunt ad suscipiendum eucharistiam, et ad hoc videntur ligati semel in anno, qui secundum leges et canones censentur habiles ad nubendum: potest tamen devotio etiam hanc prevenire, sicut in quibusdam etatem supplet malitia.

Beauvais 1557

[Odet de Coligny de Chatillon]
Exhortation pour le jour de Pasques au matin devant que le peuple communie[2]

Les accusations paraphrasent les commandements de Dieu, le cinquième commandement «Tu ne tueras pas» étant remplacé par les fautes contre le prochain. Une allusion est faite aux fautes contre les commandements de l'Eglise (p. 19). Absence d'absolution générale, car tous doivent s'être confessés «particulierement» auparavant.

P1253   Beauvais 1557 p. 16-24

Mes freres et amys qui vous presentez icy, pour recevoir le sainct sacrement du corps et du sang de nostre Seigneur I. C., entendez que c'est que vous allez faire... nostre Sauveur s'est voulu obliger de nous donner son corps, son sang, sa mort et passion, ses graces et merites, à la descharge de nos pechez, et remission de tant de faultes...

p. 19 ... Et qui le reçoit indignement, engloutist son jugement. Il fault laisser et se deffaire de toute hayne contre vostre prochain, toute deliberation de vengeance, pour injure qu'on vous ayt faicte. Nettoyez vostre coeur de toute volonté de peché, pour le temps advenir; fermement proposer de renouveller une vie qui soit aggreable a Dieu... Et affin que recognoissiez mieulx voz pechez, encores que je presuppose que vous estes tous confessez particulierement, et avez receu l'absolution du sainct ministere de vostre curé et pasteur, devant que vous presenter: toutesfois selon toute bonne coustume, vous vous confes-

---

[2]   *Admonitions pour les curez et vicaires du diocese de Beauvais...* Molin Aussedat n° 208.

AUTRES CONFESSIONS GÉNÉRALES

serez generallement selon que vous congnoistrez avoir offencé contre les commandemens de Dieu et de la saincte Eglise.

Icy le peuple se doibt mettre a genoulx.

p. 20 *Brief recueil des pechez contre les commendemens de Dieu.*
Nous crions et demandons mercy à Dieu nostre createur, de toutes les faultes que nous avons commises contre luy, l'irritant et provocant a nous punir et damner.

Et premierement, que nous ne l'avons point aymé de tout nostre coeur, de toute nostre ame, Que nous avons esté ingratz de ses saincts benefices ; avons mieulx aymé et plus esperé en ses creatures corruptibles et mortelles, que a luy seul Seigneur immortel et eternel createur... Que nous avons juré irreveramment par le nom des saincts et sainctes, et par quelzconques autres creatures, Que nous avons ouy sa parolle indevotement, n'avons medité sa saincte loy comme il le commande, Que nous avons prins le nom de Chrestien en vain, puis que nous avons vescu pirement que infideles, Que nous n'avons porté honneur a la saincte Escripture, ne aux ministres de l'Eglise qui la distribuent, et ses saincts sacremens aussi, ... Que nous n'avons sanctifié les sainctes festes, ne cherché le vray repos de nostre conscience... Que nous n'avons assez reveré noz peres et meres ... ne noz prelatz et evesques, ... Que nous n'avons porté assez d'honneur aux anciens comme a noz peres, et aux anciennes comme a noz meres, selon que l'apostre l'enseigne.

Nous prirons Dieu aussi nous pardonner, que nous avons esté negligens de executer les offices de charité envers noz prochains, tant amys que ennemys, tant riches que paoures : Et promettons de ceste heure pardonner a toute personne qui nous a offencé, ne demandant aucune vengeance : mais prions Dieu leur vouloir pardonner, et les convertir.

Et quant aux autres contre lesquelz nous avons failly, tant paoures, ausquelz nous debvons aumosne et soulagement, que aux riches, ausquelz nous debvons amytié, bon exemple, et leur rendre ce qui leur appartient, nous prions Dieu nous le pardonner. Mesmes que nous n'avons point usé de correction fraternelle envers ceulx ausquelz nous debvons profiter pour les retirer de peché ; Que nous avons voluntiers ouy mal parler d'autruy, favorisant aux medisans ; Que nous n'avons consolé l'affligé, visité le malade, aydé a l'indigent, consolé le despourveu d'ayde et de conseil.

Que nous avons abusé des dons de nature, de santé corporelle, de jeunesse et beaulté de nostre corps, de nostre entendement et dons d'esperit ; des biens temporelz, vivans en volupté deffendue, convertissans les dons

de Dieu a son injure, et à luy desplaire, en fornication et adultere ; et autres
ordures de plaisir tant pernicieux, en pensées, en parolles, en oeuvre, en
gourmandise et commessations [festins] ; en superfluité d'habillemens,
en delices prohibées, en perdition de temps, en seduction d'hommes et
de femmes ; en paresse et trop grand ayse, qui hebete et abrutist l'homme,
le rendant charnel et inutile au service de Dieu, nous privant du fruict de
nostre sanctification, et de la purité [sic] que Dieu requiert en nos corps,
qui sont temples du Sainct Esprit, faisans des membres dediez a J. C. les
membres des paillardes, a nostre ruyne, perte et damnation. Que nous
avons injustement prins, retenu, ravy, convoité et desiré le bien d'autruy,
tant sacré que prophane ; que nous promettons des maintenant restituer
selon nostre possibilité, en temps et lieu. Que nous avons eu envie du bien
d'autruy ; et mesmes avons esté marriz, quand Dieu faict plus de graces
a noz prochains, que a nous. Que nous avons demandé l'honneur, qui
seulement appartient à Dieu… Que nous avons servy a l'avarice, aymant
les biens du monde pour nous y fier, par dessus mesure…

Et generalement nous demandons mercy à Dieu de toute autre offence, que nous avons commis par convoitise et mauvaise volonté…
Nous demandons à Dieu qu'il nous face misericorde et grace, par le
merite de nostre Saulveur son consubstanciel filz J. C., nostre reconci-
liateur, en ceste journée, que nous sommes assemblez en son nom …
et luy prions nous recevoir et unir avec luy, pour estre eternellement
jouyssans du bien eternel, infiny, qu'il a preparé a ses esleuz, qu'il a
appellez, et preordonnez a la vie eternelle. Amen.

Besançon 1561, 1581

[Claude de La Baume]
Sequuntur commendationes quedam cum confessione generali,
que fieri poterunt in die sancto Pasche in ecclesiis ruralibus mane,
antequam populus veniat ad communionem.

P1254 **Besançon 1561** f. A1-A4v (reliés à la suite du rituel)

Poterunt etiam simplices curati et pastores ex his accipere materiam
pie doctrine, tam ad docendum populum in prono, quam in confessionibus.

In nomine Patris…

Mes freres et seurs en J. C. Je vous denonce ce jourd'huy la resurrection de nostre sauveur J. C. C'est aujourd'huy le jour de Pasques,
auquel le fils de Dieu, ayant vaincu Satan et la mort, et nous ayant avec

son precieux sang rachetez de peché et de l'enfer, il est resuscité a la vie eternelle. …

Mais il faut que vous entendez mes enfans, que pour estre participans de la passion de J. C., et de sa resurrection, il fault de nostre costé que nous faisions deux choses. L'une est que nous ayons la foy constante et ferme. L'autre que nous recevions avec bonne devotion et reverence les sacremens qu'il a laissé en l'Eglise en remembrance de ce grand benefice. Specialement le sainct Baptesme, et le sainct sacrement de l'autel qui est son corps et sang precieux.

Confessio fidei
Quant au premier qui est la foy, je tiens qu'il n'y a en ceste compaignie qui ne croye comme bon chrestien en general tout ce que nostre mere saincte Eglise croit. Et en special les articles de la foy, contenuz au Symbole qu'on dict nostre credance, ou Credo. Lesquelz je vous reciteray simplement en langaige vulgaire, a celle fin que chascun les entende et confesse de parolle ce qu'il croit. Et dictes avec moy. *Je croy en Dieu…*

Voila les douze articles de nostre foy, je pense que vous ne faictes doubte de nul d'iceux. Toutesfois nous devons prier Dieu ainsi que les apostres prioient J. C. *Domine adauge nobis fidem.* Seigneur donne moy foy perfaicte, et vostre Esprit Sainct qui de sa grace illumine mon entendement et guide ma volunté conformement a vostre saincte doctrine.

Exhortatio ad perceptionem Eucharistie et Penitentie
Oultre la foy, il est de besoing pour pouvoir estre participant… de la mort et resurrection de J. C., que nous soyons premierement baptisez. … Car dict nostre Seigneur: «Qui ne sera encores une fois né de eau et du Saint Esprit, n'entrera point au royaume de Dieu». Et semblablement dict il du sacrement de son precieux corps…

f. A2v … Mais quoy? Si nous avons apres nostre baptesme offensé Dieu, et par noz vices et iniquitez souillé nostre ame, il reste le remede tout prest et appareillé a ceux qui en veulent user: le sacrement de penitence. …

Partes penitentie. Ce sacrement de penitence contient trois parties, c'est assavoir contrition de cueur, confession de bouche, et satisfaction d'oeuvre. Quant au premier point qui est avoir desplaisance et doleance de ses pechez, il fault aussi avoir ferme propos de laisser le peché, et que cela se face non seulement par crainte de la peine eternelle (car ce

340   CHAPITRE IX

seroit une crainte servile seulement) mais aussi au regard de sa divine
bonté qui a esté offensée et irritée par nous. ...

f. A3 Instructio ad digne suscipiendum Eucharistiam

[Le préambule indique que les curés pourront tirer de ce formulaire la matière d'une pieuse doctrine pour instruire le peuple au prône ou en confession. Le début diffère des instructions contemporaines : l'accent est mis sur la foi qui doit être « constante et ferme », avec récitation par toute l'assemblée du *Je croy en Dieu* ; puis sur les deux sacrements du baptême et de l'eucharistie ; l'invitation à la pénitence vient ensuite avec une explication de ses différentes parties.

La suite, comprenant les conditions pour communier dignement, les interdictions de communier à certaines catégories de personnes, la confession générale et l'absolution, s'inspire des formulaires de l'époque. Sont ajoutés des conseils de vie chrétienne selon les différents états de vie.]

... Premierement la **foy** est requise...

La seconde vertu est **esperance**, que nous avons par la reception du corps et sang de J. C., obtenir sa grace et estre uniz et incorporez avec luy pour resusciter au jour du jugement...

La tierce est **charité et dilection**. Premierement de Dieu ... (de)puis de nostre prochain...

La quarte est **justice**, ayant satisfaict ou vrayement propos de satisfaire tout ce en quoy pouvons estre tenuz a nostre prochain.

La cinquieme est **humilité**, considerant que si ce n'estoit la grande clemence et benignité de nostre seigneur, nous n'oserions estre si hardis de nous approcher a tant hault et auguste mystere...

La sixiesme vertu que devez avoir, c'est **repentance de voz pechez**, avec propos ferme de changer vostre vie mauvaise.

Et finablement **devotion**, je dis un ardant desir de recevoir ce sainct sacrement, et une longue meditation d'iceluy. Car tout ainsi que la viande materielle prinse par enuy et sans appetit ne porte point de profict a celuy qui la prent, aussi ne fait ceste viande spirituelle, quant est prinse sans appetit et desir spirituel. ...

Hastez vous donques bonnes gens, et ne differez de venir, afin que par vostre demeure ne faictes desplaisir au maistre du banquet, qui vous attend : vous scavez combien il y a.

f. A4 Qui debent removeri a sacramento Eucharistie

L'Eglise commande que un chascun catholique qui est en aage de discretion se confesse a son propre curé, a tout le moins une fois l'an, et recoive devotement le corps de nostre seigneur J. C. a Pasques...

AUTRES CONFESSIONS GÉNÉRALES

Mais s'il y a aucun ou aucune qui soit en sentence d'excommuniement ou interdict, je luy defens qu'il ne vienne point recevoir ce precieux sacrement... jusques a tant qu'ilz ayent l'absolution.

Je defends aussi que nulz de quelque estat qu'ilz soient, si ne sont mes parrochiens, ne prennent le corps de nostre seigneur en ceste eglise ou parroisse, s'il ne m'est apparu de la licence de leurs curez ou souverains, par lettres, ou autrement.

Semblablement je defens a mes parrochiens et parrochiennes sur peine d'excommuniement qu'ilz n'aillent a recevoir son sauveur hors de ceste eglise, sans avoir de moy permission.

Item je defens sur peine d'excommuniement que nul ne nulle ne recoive le corps de nostre seigneur en ceste eglise, ou en ceste parroisse s'il n'est confessé a moy, ou a mes commis, ou autre que ayt authorité de ce faire.

Item je defens que nul de quelque estat qui soit, ne vienne a la table de nostre seigneur s'il estoit en haine de son prochain, ou s'il se sent avoir quelque autre peché secret ou notoire qu'il ne delibere de laisser.

Item que nul ne nulle ne vienne a la table de nostre seigneur s'il n'a ouy messe entiere... Ce n'est pas bien faict d'avoir le cueur plus aux viandes corporelles, que a la spirituelle.

[Conseils selon les différents états de vie]
Admonitiones particulares

f. A4v ... Apres que aurez receu ceste tres digne hostie, vous vous devez garder sainctement et devotement : considerant qui est celuy que vous avez abergé [hébergé] et logé en vous. Car vous luy devez faire bonne chère et lye [bombance], comme bon hoste : et non point le fascher et debouter d'avec vous.

Et aussi vous **bonnes gens qui avez enfans et famille**, ou jeunes gens en gouvernement, qui sont disposez a la saincte communion : enseignez les et instruez comme ilz se doivent maintenir et garder de peché, qu'ils mettent leur pensement plustost aux choses celestes que a celles de la terre, puis que nous sommes faictz un corps avec J. C., qui est assis au ciel a la dextre de Dieu le pere. Qu'ilz mortifient leurs voluntez et affections (mesmes de la chair) d'avarice, de ire et courroux, qu'ilz se gardent d'estre menteurs, ny blasphemateurs du nom de Dieu, ny malicieux : ains plus humbles, patients, et charitables, pardonnans a leur prochain tout ainsi que nostre seigneur pardonne ; et qu'ilz ayent le nom de Jesus en toutes leurs oeuvres et rendent graces a Dieu par luy.

CHAPITRE IX

Les **vielz hommes** je les prie et exhorte avec sainct Paul qu'ils soient sobres et discretz; qu'ilz gardent la foy saine, bonne dilection et patience.

Les **vieilles femmes** je les prie aussi qu'elles soient sobres en habitz et en manger et boire, point mesdisantes ny criardes; qu'elles enseignent les jeunes de aymer leurs marys et leurs enfans, et garder chasteté avec l'honneur et bien de leurs maisons et obeissance a leurs marys.

Vous **hommes mariez**, qui aymez voz femmes comme voz personnes mesmes, nostre Seigneur dict que nul ne hayt sa chair, ains la nourrit et eschauffe.

Vous **enfans**, obeissez a voz peres en toutes choses, car cecy plaist a Dieu.

Et aussi **vous qui avez des enfans**, ne soiés pas si rudes a voz enfans que les mettiez en desespoir, ains avec honneste gravité remonstrez leur leurs faultes.

Vous qui estes en service d'autruy, **serviteurs et servantes**, obeissez a voz maistres, non pas seulement pour leur complaire devant leurs yeulx, mais en simplicité et bonne foy, gardant leur bien de tout vostre pouvoir pour crainte d'offenser Dieu, car Dieu vous en donnera la recompense.

Sur toutes choses, mes freres et enfans en J. C., je vous recommande la charité et dilection, qui est le lieu de toute dilection, et la paix de J. C. habitera avec vous.

Besançon 1561, 1581

Confessio generalis peccatorum
[Formulaire faisant suite au précédent]

P1255 **Besançon 1561 f. A4v-A6**

En ensuyvant la bonne coustume que l'on a aujourd'huy (afin d'esmouvoir les cueurs des creatures a plus grande devotion, et pour remission de quelques pechez venielz et diminution des epines deues a voz pechez) vous ferons a ceste heure une absolution generale: non pas pour vous asseurer que vous vaille pour absolution d'aucuns pechez mortelz que n'ayez volunté de confesser. Car il est besoing que la maladie soit descouverte au medecin si voulez avoir guerison, non autrement. …

P1256 *Je me confesse a Dieu tout puissant, et en criant mercy luy dis ma coulpe. Je me confesse a la benoiste vierge Marie mon advocate, au glorieux sainct Michel archange, a monsieur sainct Pierre, monsieur sainct Paul, monsieur sainct N. patron et advocat de l'eglise de ceans. A tous les saincts et sainctes*

AUTRES CONFESSIONS GÉNÉRALES

de paradis, et a vous sire nostre pere spirituel vicaire et lieutenant de Dieu, de tous les pechez que j'ay faict et feis onques depuis l'heure que je suis né jusques a l'heure de maintenant, desquelz il me souvient et qu'ay mis en oubly.

Car j'ay peché en tous les **sept pechez mortelz** sans en excepter un, et en plusieurs sortes.

Premierement j'ay peché par **superbie et orgueil** m'estimant plus que je ne vaulx, et desirant honneurs et estatz, et d'estre loué du monde : dont autres pechez en sont ensuyviz. Car je n'ay obey a ce qui m'a esté commandé justement, je me suis combatu plusieurs fois sans raison, et porté parolles contencieuses, je suis esté curieux de scavoir choses qui ne m'appartiennent point, hypocrite, faignant d'estre homme de bien pour tromper les gens, glorieux et jactabond [vantard] en parolles et habillemens…

J'ay peché par **envie**, ayant desplaisir du bien d'autruy et joye de son mal, par un regret que j'avois de ce qu'ilz estoient plus riches et plus honorez que moy, ou qu'ilz se vouloient esgaler a moy, dont j'ay faict des poursuytes contre eux, en leurs biens et honneur. J'ai mal parlé publiquement et en secret de plusieurs personnes, et ay prins plaisir a ouyr detraction et faulx tesmoings.

J'ay peché par **ire et courroux** en un impatient desir de vengeance quand j'estois mesprisé, dont plusieurs fois me suis mis a crier, a blasphemer, a dire des injures ; j'ay refusé de parler a mon prochain par mal talent, j'ay desiré sa mort, je l'ay battu, blessé, je me suis despité contre fortune, contre moy et autres.

J'ay peché par **gloutonnie** mettant mon affection a manger et boire … sans avoir esgard a ma qualité ny a mes biens, ny aux jeusnes que l'Eglise commande … j'ay esté chargé de vin plusieurs fois, et malade par trop manger, et ay fait et dict plusieurs choses deshonnestes et iniques contre moy et mon prochain.

J'ay peché par **avarice** en desirant des biens de ce monde, et adorant les richesses, dont j'ay convoité le bien d'autruy. Je n'ay donné du mien pour l'honneur de Dieu. J'ay trompé mon prochain, vendant et achetant, j'ay menty pour le tromper, je me suis parjuré…

J'ay peché par **luxure** en pensemens deshonnestes, parolles lascives, danses et faictz impudiques. Je vous ay offensé mon Dieu, par paillardise que plusieurs fois ay commise devant vostre conspect [regard ?] et de mon bon ange.

J'ay peché par **paresse**, ayant le cueur lasche et tant abbatu aux oeuvres de vertu, dont je suis tumbé aucunes fois en desesperation. J'ay eu la volunté de faire des meschansetez occultes, je me suis fasché de ouyr voz commandemens, et voulu mal a ceux qui me enhortoient a bien. J'ay occupé mon entendement en pensant choses vaines, et defendues par la loy divine. Finablement je suis esté paresseux a bien faire, et hardy a mal.

Seigneur Dieu je dis ma coulpe, et vous demande pardon.

Je ne obey a voz commandemens qui me sont tant recommandez de vostre part par mon curé et pasteur.

Je ne vous ay aymé de tout mon cueur, ains ay mis mon affection aux choses terrestres contre vostre ordonnance, et ay laissé de vous obeyr pour servir a mes affections.

Je n'ay aymé mon prochain comme moymesme, ains l'ay trompé, deceu, injurié et blessé a son bien, a son honneur et a sa personne, j'ay plusieurs fois juré en vain… j'ay mal gardé les festes qui me sont esté commandées de vostre part.

Je n'ay honnoré mes pere et mere temporelz et spirituelz, ne les ay aidé en leurs necessités spirituelles et temporelles ainsi que vous le commandez.

J'ay souhaitté la mort d'aucuns, et eusse voulu avoir le moyen de les mettre hors de ce monde.

Je n'ay gardé chasteté de mon corps ny de mon esprit, je trompé mon prochain pour avoir son bien, j'ay mal parlé et couvoité les biens et la femme d'autruy.

Aussi ay je mal gardé mes **cinq sens corporelz**. Mes yeux, de mal veoir et regarder, mes oreilles, de mal ouyr et escouter, mon nez de sentir, ma bouche de gouter, mes mains de toucher choses dont je pouvois offenser en voz commandemens dont je vous crie mercy.

Les **sept oeuvres de misericorde corporelles**: j'ay delaissé de accomplir par faulte de charité, comme de repaistre ceux qui avoient faim, donner a boire a ceux qui avoient soif, vestir ceux qui estoient nudz et aberger ceux qui n'avoient ou se loger, visiter les prisonniers et malades, ensevely les trespassez.

Aussi peu ay je accomply les **oeuvres de misericorde spirituelles**: je n'ay donné conseil a mon prochain de se garder de peché, ny enseigné le chemin de vertu, ny reprins quand il pechoit, ny consolé quand il estoit en aucune affliction, ny pardonné s'il m'avoit offensé ou faict desplaisir.

AUTRES CONFESSIONS GÉNÉRALES

Je n'ay porté l'honneur et reverence que tout bon chrestien doit aux **sacremens de l'Eglise** :
au baptesme par lequel j'ay promis vivre en bon chrestien et renoncé au diable.

a la confirmation par laquelle j'ay receu le sainct Esprit pour resister aux tentations.

a la saincte Eucharistie par laquelle j'ay receu le corps et sang de mon redempteur.

a penitence par laquelle j'ay eu remission de mes pechez apres le baptesme.

au mariage, par lequel j'ay promis loyauté et fidelité a ma compagne.

a l'ordre de prestrise auquel sont constituez les ministres de Dieu.

a l'extreme unction pour le souvenir de la mort et ayder a bien mourir tous ceux qui sont en tel danger.

1257 *Je me confesse de tous les pechez dessusdictz a vous mon souverain createur en confusion du diable d'enfer, vous demandant pardon, et suppliant tres humblement me vouloir donner vostre grace avec laquelle j'ay propos et volunté d'obeir a voz commandemens et a vostre saincte loy. Et pour toutes offenses de tout mon temps mal employé (mon pere spirituel) et que j'ay peché de pensée, ou de parolle, ou de faict, ou par omission, je dis ma coulpe, ma tresgriefve coulpe, et devotement crie mercy a Dieu que par le merite de son benoist filz, il me vueille pardonner. Et prie la benoiste vierge Marie, sainct Michel archange, monsieur sainct Pierre, monsieur sainct Paul, monsieur sainct N. estre mes intercesseurs et vous mon pere spirituel mon pasteur et vicaire de Dieu, me vouloir donner l'absolution selon le pouvoir qu'avez de J. C., et la misericorde de Dieu, a laquelle je me submegtz et l'implore.*

Vous direz une fois le *Pater noster*, et *Ave Maria*.

Absolutio
Per passionem et resurrectionem Domini nostri I. C. et intercessionem beate Marie virginis cum omnibus sanctis. Misereatur vestri omnipotens Deus et dimittat vobis… [rare] P1136

Indulgentiam, absolutionem et remissionem… P1123

Oremus. Dominus noster I. C. qui dixit discipulis suis quecumque ligaveritis … in celis, et in ministrorum suorum numero me licet indignum peccatorem esse permisit, vos absolvat. Et ego authoritate michi commissa, vos absolvo ab omnibus peccatis vestris. In nomine Patris… [rare]

346 CHAPITRE IX

Cambrai 1562

[Maximilien de Berghes]

Admonitiones faciende circa festum Paschae

Confession en partie différente de celle de Cambrai 1503[3], ne mentionnant plus les conditions pour communier. Elle débute de façon originale par les péchés de concupiscence et de médisance, suivis des péchés des cinq sens (liste remaniée), des péchés mortels (liste allégée), des manquements aux sept vertus (inchangés), des commandements (inchangés), et des oeuvres de miséricorde (inchangées). Sont supprimés les péchés contre les dons du Saint-Esprit et contre les sacrements.

P1258 **Cambrai 1562 f. 193v-198**

Quoniam quilibet Christianus in festo Paschae vel circa illud, omnia peccata sua proprio sacerdoti confiteri tenetur, et corpus Christi ab eodem vel eius vicario recipere, per cap. *Omnis utriusque de Poenit. et remiss.* Congruum fuerit ut quilibet parochus in principio Quadragesime semel, et circa finem eiusdem iterum, pro plebis sibi commissae instructione, sequentem exhortationem proferat, atque postea eandem plebem sacerdos secum Confessionem generalem proxime sequentem proferre iubeat.

[Raisons de communier le jour de Pâques]

Bonnes gens qui estes parvenus en aage de discretion suffisans a cognoistre, et discerner le bien du mal, et le mal du bien, selon l'ordonnance de nostre mere saincte Eglise, vous estes tenus le jour de Pasques ou devant recevoir le sacrement de l'autel, qui est le tres precieux corps de nostre seigneur J. C. ... [suite très proche de Cambrai 1503 P1207, 2]

(f. 195) Et pour ainsi commencherons ceste confession generale laquelle tous et toutes direz apres moy :

P1259 *Je me confesse à Dieu le pere tout puissant, à la benoiste vierge Marie, à tous les sainctz de paradis, et à vous Sire comme vicaire et lieutenant de Dieu, de ce que depuis l'heure de ma naissance ou derniere confession jusques à maintenant j'ay grandement offensé mon Dieu le createur en pensez, dictz, faictz, et omission.*

Premierement je confesse le **peché de ma concupiscence**, en ce que acquiesçant et estant incité de mon desir charnel j'ay plusieurs fois desirez et esté esmeut à plusieurs et diverses voluptez. Pareillement sans avoir regard à Dieu mon createur, ni à ses sainctz commandemens, j'ay

---

[3] *Voir supra* le formulaire de Chartres 1490, identique à celui de Cambrai (P1207).

affecté honneur, pompe, renommé [*sic*] et credit; et par dons, prieres, finesses, tromperies et autres moyens, j'ay ambitieusement tasché d'y parvenir à acquerir richesses et biens, fut par le labeur de mon prochain ou autrement, je m'y suis entierement adonné; j'ay du tout eu propos de me venger du tort et injure que je pensoye m'estre faict, et pour m'en venger, j'ay eu pensée de y exposer moymesme, et autres jusques au peril de la vie.

Secondement de ma bouche j'ay maintesfois parlé et **mesdis** d'aultruy, usant de blasmes, detractions, faulx rapportz, mocqueries, paroles oyseuses et dehonnestes, par lesquelles j'ay incité moymesme et plusieurs autres à mal faire, semant souventes fois entre freres et amys haine, courrouce, et envie: incitant plusieurs à ambition, et mesprisant ceulx qui pretendont [*sic*] parvenir à quelque estat et honneur.

Tiercement j'ay mesusez de mes **cincq sens** corporelz car j'ay tourné mes **yeulx** à choses mondaines, hommes et femmes, les uns par haine et despit; les autres par desir, et plaisir desordonné, donnant par tel regard à autruy occasion de peché.

J'ay voluntier **ouy** parler et mesdire d'autruy, paroles oyseuses, esbatemens, chansons mondaines, esquelles j'ay prins trop grande plaisance, et ay eu ennuy d'ouyr la parole de Dieu, bons enseignemens, ou complaincte de poures gens.

J'ay aussi prins plaisir desordonné en **sentement** de choses bien odoriferante [*sic*], et en **goust** de viande et bruvage delicieux, ausquelles j'ay mis mon appetit.

Par mauvais **attouchemens** j'ay souventes fois incité moymesme et autres à oeuvres charnelles, delaissant mon labeur, et choses servantes à mon salut.

Je me confesse aussi des **sept pechéz mortelz**, et premierement d'orgueil par ambition et outrecuydance, par desobeissance et rebellion, hypocrisie, desdaing, vaine gloire, ne honnorant mes superieurs, desprisant [*sic*] mes semblables, en me prisant par trop.

J'ay peché en ayant desplaisance du bien et de la prosperité d'autruy, prenant plaisance en son mal, dommaige, adversité, faulx jugement et blasme.

Je me suis plusieurs fois mis en couroux, murmure, haine, rancune et discord, mettant tous mes efforts à me venger.

J'ay aussi desirez et prins trop grand plaisir en boire, et bonnes viandes, et mengeant outrageusement sans fain [*sic*] et sans soif, me suis submis à plusieurs choses desordonnéez.

348 CHAPITRE IX

J'ay eu mauvaises et deshonnestes imaginations et pensées, en mauvais desirs, voluntéz et regards, en decevant [abusant?] parler, dons, promesses pour decevoir [tromper] autruy en mauvais attouchemens et desordonnances.

Par avarice j'ay convoité le bien d'autruy, mis mon entente à acquerir richesses et les biens de ce monde, commettant pour ce faire rapine, usant de faulses marchandises, me(n)songes, en jurer, mentir, donner faulx à entendre pour cher vendre, et meilleur marché avoir, en detenant le salaire de ceulx que je mectoy en oeuvre.

Paresseux j'ay esté et negligent à toutes bonnes oeuvres, au contraire enclin à mal faire, prest et legier à folie, et hardy à peché.

Je n'ay point eu les **sept vertus contraires aux sept pechez mortelz**... *Voir* P1207, 33

J'ay transgressé les **commandemens de la loy divine**... P1207, 34

Je n'ay pas accomply les **sept oeuvres de misericorde**... *Voir* P1207, 38 et 39

P1260 *Si confesse tous les pechéz desquelz je suis coulpable a l'honneur de Dieu...* P1209

Mais nul ne se doit fier ne croire que ceste confession luy vaille pour absolution de quelque peché mortel... Ceulx qui scavent *Confiteor* le dient, et les autres *Pater noster. Ave Maria.*

[Absolutions et bénédiction]
Per resurrectionem... P1137
Indulgentiam, absolutionem... P1123
Et benedictio Dei Patris... P1144

Agen 1564

[Janus Frégose]
Instructiones fiendae in die Paschae

Formulaire original, insistant sur la présence réelle dans l'eucharistie, la foi, l'espérance et la charité envers Dieu, l'amour du prochain, et se terminant par une brève confession générale suivie des formules d'absolution.

P1261 **Agen 1564 f. 21v-26v**

Vous vous presentés icy (mes freres et amis) avec deliberation de recepvoir le sainct et venerable sacrement de l'autel. C'est soubs l'espece du pain recepvoir le precieux corps et sang de nostre Seigneur Jesus Christ...

AUTRES CONFESSIONS GÉNÉRALES

Premierement regardons quelle **foy** nous avons, si nous croyons fermement sans hesitation ce qui nous est proposé à croire. Considerons si … nous errons point en iceluy (sacrement) comme font aucuns, qui (combien que l'Escriture nous le tesmoigne formellement) ne croyent point que soubs ce pain soit contenu et compris le vray et naturel corps de nostre Seigneur, ains vray pain seulement en signe du corps de Jesus Christ…

Apres considerons quelle **esperance** nous avons en Dieu, combien nous nous fions, et asseurons de ses promesses, nous esperons sa misericorde, combien nous dependons de luy…

Contemplons en apres quelle **charité** nous avons, sans laquelle foy, esperance, et toutes autres vertus sont manques et mutiles [*sic*]… Pour avoir charité faut aymer Dieu sur toutes choses… et son prochain comme soy mesme… regardons si nous aymons Dieu sur toutes choses… Si aymons mieux tout perdre, corps, biens, honneurs, et vie, que d'offenser nostre Dieu… La personne qui est telle, se peut hardiment presenter à ceste table, car elle y recevra profit, c'est remission de ses pechez, la grace et faveur de son Dieu. …

Apres nous faut considerer **comment sommes affectionnés envers nos prochains**… Nous faut une fois regarder si avons point offensé nostre prochain par oeuvre, ou par dict, en son corps, en ses biens, en sa renommée, en son ame. … Apres regardons si luy avons rendu, et exhibé ce que luy devons, c'est secours de nos biens, de nos corps, de nostre conseil à ses necessités, comme vouldrions estre secourus es notres. … Aussi si nous pardonnons, et avons pardonné à ceux qui nous ont offencés… Si nous avons point de haine, ire, rancune, ou envie contre nostre prochain, et si l'avons, vitement nous en desister…

Mes amis si vous voulés prendre ce sacrement à vostre advantaige, faut que vous vous prepariés, examinés et composiés de ceste sorte que vous viens de dire : autrement vous vous abusés, et au lieu de prendre vostre salut, prendriez vostre damnation.

Je presume que chacun de vous, pour mieux s'examiner, s'est presenté devant moy, ou mes aidés [*sic*], et receu le sacrement d'absolution en particulier, et là avoir esté plus amplement instruits de vous preparer… Chacun de vous invoque l'aide de Dieu et assistance de son sainct Esprit, afin qu'à vostre salut puissiés prendre et recepvoir ce sainct sacrement avec son effect et efficace, qui est remission de vos pechés, et augmentation de grace. Amen.

350 CHAPITRE IX

f. 25 Confession generale.

P1262 *Je confesse à Dieu tout puissant, à la sacrée vierge Marie, à tous les Angels [sic], saincts et sainctes regnants avec Dieu en paradis, à vous mon pere spirituel ministre de J. C. en son eglise, et à toute ceste devote et saincte assemblée, qui est icy presente: Recognoissant que j'ay infiniment et sans nombre offencé mon Dieu, ses saincts et sainctes, ses loiaux serviteurs tant vivants que trespassés, en orgueil, en ire, en envie, en luxure, en avarice, en glotonnie, en paresse; j'ay obmis, mesprisés et transgressés les saincts commandements de mon Dieu, les commandements de saincte Eglise son espouse, les bons commandements et loiaux advertissements de mes majeurs, superieurs, prelats, et magistrats. Et ce par ma faute, par ma malice, et par ma negligence. Dont ma conscience me remord, et me sens grandement coulpable: qui est cause que sans feintise me repens, et prie maintenant du [sic] bon coeur mon Dieu avoir pitié de moy: et me pardonner toutes mes susdictes offences, prie la sacrée Vierge, les saincts, et sainctes prier pour moy mon Dieu. Vous prie aussi mon pere spirituel, et toute l'assistance, me pardonner en tant que vous ay offencés, et prier Dieu pour moy pauvre pecheur, afin qu'il aye pitié de moy, et me pardonne, tous mes pechés et offences. Amen.*

Ceux qui sçavent *Confiteor* le dient, et les autres *Pater noster. Ave Maria.*

Absolutio. Per resurrectionem Domini nostri I. C. … P1137
Indulgentiam, absolutionem, et remissionem… P1123
Alia absolutio. *Oremus. Dominus noster I. C. qui in cruce moriens pro omnibus…* P1118
Alia absolutio. *Oremus. Dominus noster IC., qui dicit discipulis suis…* P1110
Et benedictio Dei patris omnipotentis… descendat super vos… P1144

Chartres 1581. Limoges 1596

[Chartres 1581: Nicolas de Thou]

Formulaire entièrement nouveau par rapport aux éditions de Chartres 1490-1553. Les conditions pour communier sont supprimées. Addition du manque de disposition à recevoir les sept dons du Saint-Esprit, et du manque de révérence envers les ordonnances et traditions de l'Eglise.

AUTRES CONFESSIONS GÉNÉRALES

1263 **Chartres 1581** f. 30-31. *De publica et generali peccatorum confessione, que fit à populo ante sacram communionem.*
Limoges 1596 p. 28-30. *Publica et generalis peccatorum confessio quotamvis à populo ante sacram communionem in die festo Paschae fieri consueta[4].*

... L'on a coustume faire au jourd'huy une forme et maniere de confession et absolution generale : soyez attentifs à me oyr, et dire ainsi apres moy.

1264 *Je me confesse à Dieu, à la benoiste vierge Marie, aux saincts de paradis, et à vous mon pere spirituel, des faultes et offenses qu'ay commis, tant en pensées, paroles et faicts, qu'en omission de ce qu'estois tenu faire pour l'observation de la loy divine, qu'ay[5] transgressé en toutes sortes.*

Je congnois que **n'ay avant et sur toutes choses parfaictement aymé mon Dieu et createur.**

Je ne l'ay aussi crainct, adoré, loué, invoqué, et prié comme appartenoit, mesmement és sept heures à ce ordonnées, ny remercié des dons et graces receues de luy, ny escouté dignement et savouré sa saincte parole, et sanctifié les festes de commandement, et emploié le temps à bien faire, comme pouvois et en avois les moyens.

J'ay au contraire commis honteusement les **sept pechez mortels**, et m'y suis delecté, en mesprisant les sept vertus qui leur sont contraires.

Je ne me suys aussi disposé à recevoir les **sept dons du Sainct Esprit** : ny ay songneusement gardé les **cinq sens de nature**, desquels Dieu m'a accommodé pour emploier en toutes vertueuses actions.

Je n'ay porté pareillement telle reverence qu'il convenoit aux saincts **sacrements** de l'Eglise, ny à ses ordonnances et louables traditions. Et si n'ay aymé mon prochain comme moymesme et secouru en ses necessitez à mon pouvoir, accomplissant en son endroict les **sept oeuvres de misericorde** tant spirituelz que corporels : Ny honoré mes parentz et superieurs : ainsi que suys tenu.

1265 *Dont me sens indigne de lever les yeulx au ciel pour en requerir pardon : toutesfois j'ay extreme desplaisir d'avoir ainsi offensé mon Dieu, et me condampne et mes vices avec vraye repentance, en intention de me amander à l'advenir moyennant sa grace et ayde, que je implore luy requerant*

---

4 Des variantes orthographiques à Limoges.
5 qu'ay] laquelle j'ay Lim.

352 CHAPITRE IX

mercy, par le merite de la passion de son cher fils J. C., constitué propicia-
teur pour la reconciliation du genre humain, et à vous mon pere spirituel
demande penitence et absolution, et qu'ils vous plaise prier pour moy:
disant en signe de contrition et deplaisance d'avoir ainsi griefvement
offensé, ma coulpe, ma griefve coupe, et ma tres griefve coulpe.

Ceux qui scavent leur *Credo*, etc. si le dient et qui ne le scayt, die
Pater noster, etc. Ave Matia, etc.

[Absolutions et bénédiction]
Tum curatus generalem sic impartietur absolutionem.
Per meritum passionis et resurrectionis Domini nostri I. C. ... P1134
Indulgentiam, absolutionem, et remissionem omnium peccatorum...
P1122
   Dominus noster J. C., qui dixit discipulis suis... P1113
   Benedictio Domini nostri J. C. descendat... P1144
Deinde curatus monebit populum, ne hac confessione et absolu-
tione generali sic se putet à peccatis absolvi, ut necesse non sit privatim
sacerdoti in aurem confiteri, sed sciat valere tantum in remissionem
venialium, et ut quisque promptius preparetur ad confitendum singu-
lariter que occurrent memorie, et sic dicet[a].

Variante Limoges. [a] ne hac confessione... dicet] Quelque confession qu'ayez presentement faicte, et absolution generalle que vous aye donné, ne vous fiez qu'elle vous
vaille pour absolution des pechez mortelz, desquelz avez souvenance et memoire. Car
il convient secrettement et en privé vous confesser à moy, ou à mes vicaires ou commis,
et faire satisfaction, ou promettre la faire à vostre commodité, et sans fraude. Vous y
ferez tout debvoir pour la descharge de vos consciences.

Nevers 1582
[Arnaud Sorbin]

P1266   **Nevers 1582 f. 67-71v**

Formulaire de Paris 1574-1581, sans titre, avec addition au début d'une rubrique explicative:
Notandum est quod die Pasche quilibet fidelis christianus tenetur omnia peccata sua sacerdoti confiteri, et corpus Christi recipere
per capitulum *Omnis utriusque sexus, de penitent. et remissi.* Tamen
ante receptionem debent audire missam integram in sua quisque
parochia, et genibus flexis, audire plebanum, hec que sequuntur
monentem.

AUTRES CONFESSIONS GÉNÉRALES

C'est ce que les curez doivent dire le Jeudy absolut, veille de Pasques, et jour de Pasques, en forme de Prosne, avant que admettre personne à la Communion.

Peuple chrestien, la saincte journée du jourd'huy…

Les interdictions de communier sont développées:

f. 68-68v Item je defens, que nul usurier et usuriere occultement ne manifestement jusques à pleine satisfaction faicte, vienne à la table de nostre Seigneur.

Item je defens, que nul sorcier ne sorciere, ne personne qui y croye, jusques à ce qu'ils soient vrais confez et repentans, se presente à la table de nostre Seigneur.

Item je defens, que aucun qui aura retenu les droicts de saincte Eglise, et qui empesche la jurisdiction et franchise d'icelle, et qui n'aura payé loyaument ses dismes et ses droictures, et qui aura destourbé autruy de faire oblations, ou autres biens, jusques à pleine satisfaction faicte, vienne à la table de nostre Seigneur. [proche d'Autun 1545]

Bourges 1588, 1593

[Renaud de Beaune]
Exhortation sommaire à la Pénitence

1267 **Bourges 1588** f. X^V-XVII [Supplément au rituel].

Formulaire de Paris 1574-1581 (P1213) avec remaniements:

f. X^V Le début paraît original:

Chrestiens, encores que tout le temps de la vie d'un vray Chrestien doive estre employé à penitence, pour l'infirmité du peché qui nous est toujours present sans la grace et misericorde de Dieu, toutesfois approchant ce saincte temps de Pasques … il est necessaire à tous vrais Chrestiens avoir recours au Sacrement de Penitence…

f. XI Insistance sur l'importance du sacrement et la nécessité d'une «vraye repentance… Et que ceste repentance engendre une contrition et humiliation de coeur, voire abjection et oubliance de soymesme, par pleurs, jeusnes, et tous autres actes de penitence interieure et exterieure…».

f. XII-XVII Confession générale de Paris 1574-1581 à partir de:
Donc qui viendra à ceste saincte communion, qu'il se prepare…

354 CHAPITRE IX

Bâle 1595

[Jacques-Christophe Blarer de Wartensee]

P1268 **Bâle 1595** [4]-42 p. *Kurtze ermanungen von den heiligen Sacramenten...* 1594[6].

Série d'exhortations en allemand insérées à la fin de la 1re partie du rituel, provenant en partie du rituel de Mayence 1551.

43-[3] p. *Briefves exhortations des s. Sacremens, desquelles les curez et pasteurs de l'Eglise, en l'administration et exhibition d'iceux, selon la commodité du temps et des persones pourront user[7].*

Traduction française des exhortations et de la confession générale :
p. 21. *Forme de confession generale.*
Je poure pecheur renonce à l'ennemi, à toutes ses suggestions, conseils et faicts. Je croy en Dieu le Pere, en Dieu le Filz et en Dieu le sainct Esprit. ... P448
Hac confessione generali finita, Sacerdos subiungit. *Misereatur vestri, etc.*

Limoges 1596

Voir Chartres 1581.

Orléans 1642

[Nicolas de Nets]
De Communione Paschali

P1269 **Orléans 1642** p. 146-157.

Formulaire de Paris 1630 avec remaniements.
p. 148 Raisons de communier le jour de Pâques remaniées en partie :
N.N. vous devez et estes tenus de recevoir aujourd'huy le sainct sacrement de l'autel, le tres precieux et tres adorable corps de N.S.J. C. ...
... Premierement, pour ce que vous y devez estre plus disposés, par le sainct temps de Caresme, que vous avez deu employer en jeusnes et en penitences.
Secondement pource qu'en ce temps auquel nous faisons memoire de la Passion de nostre Sauveur, et des mysteres de nostre redemption ;

---

[6] Titre pris à la table, p. [249].
[7] Titre pris à la table, p. [45].

AUTRES CONFESSIONS GÉNÉRALES

vous avez occasion d'estre plus devots, et consequemment mieux disposez, à bien recevoir ce Sacrement.

En fin pour ce qu'a pareil jour, Nostre Seigneur est resuscité. Car si vous le recevez dignement, vous ressusciterez aussi spirituellement, en une nouvelle et meilleure vie.

p. 149 : Interdictions de communier reprenant Paris 1630.

p. 150-151 : Raisons de communier sous la seule espèce du pain : texte apparemment original :

Il faut aussi que vous soyez advertis, qu'encore que ce tres-auguste Sacrement soit institué par J. C. sous les especes du pain et du vin… L'Eglise … a pour de bonnes raisons ordonné, que vous ne le receviez que sous une espece qui est celle du pain.

Ce n'est pas pour vous faire aucun tort, puisque soubs cet' espece, vous recevez toujours J. C. tout entier, son Corps, son Sang, son Ame, et sa Divinité. Mais c'est pour eviter les dangers qui souvent se rencontreroient, de respandre le precieux Sang, si on le donnoit à toutes sortes de personnes ; C'est pour ne se point exposer au hazard, de le voir souvent gelé, si on estoit obligé de le garder pour la communion de personnes laïques ; c'est aussi pour ne se point hazarder à contrevenir au respect qui luy est deu, en le donnant à des personnes, qui vomissent en sentant le vin ; en fin c'est à cause qu'en plusieurs pays, ou il ne croist point de vin, on seroit quelquefois en peine d'en trouver suffisamment, pour tous ceux qui devroient communier.

… Quand donc on vous presentera une coupe, ou autre chose semblable, pour boire apres la communion, vous devez estre advertis que ce ne sera pas le Sang de Nostre Seigneur… mais seulement du vin, pour vous ayder à avaler le sainct Sacrement que vous aurez receu…

p. 151-152 : Utilité de la confession générale pour apprendre l'ordre et la méthode pour se confesser, moins développée qu'à Paris.

… Au reste on a de coustume de faire aujourd'huy, une espece de Confession et absolution generale…

L'absolution pourtant qui vous sera donnée, vous sera utile pour la remission des pechez veniels ; et quant à la Confession, elle servira pour instruire ceux qui en ont besoin : Car nos predecesseurs l'ont ainsi ordonnée pour l'instruction du peuple, afin que… les simples et moins instruits aprissent [sic] l'ordre et la methode qu'ils doivent tenir pour s'examiner et confesser… Soyez donc attentifs à escouter cete Confession, et secretement en vous mesmes sans le declarer, considerez s'il y a quelque chose qui vous touche, et qui vous regarde.

356 CHAPITRE IX

p. 152-157 *Confession generale. Generalis absolutio.* Formulaire de Paris 1630 sauf minimes variantes. Voir Paris 1552-1630, P1213.

Verdun 1691
[Hyppolite de Béthune]
Pour le saint jour de Pâques

P1270 **Verdun 1691 p. 313-328**
Nous faisons l'office des anges à vôtre égard, Chrétiens, et nous vous annonçons que ce Dieu, que vous avés veu expirer sur une croix … a enfin donné des marques de son pouvoir infini, aussi bien que de son innocence : qu'il a rompu les liens de la mort, détruit le peché, dépoüillé l'enfer, confondu la sinagogue… Car comme J.-C. n'est mort, que pour nous faire mourir au peché dans sa personne divine, il n'est aussi resuscité, que pour nous faire vivre de sa vie nouvelle et glorieuse…

p. 315-326 Confession generalle.

P1271 *Je me confesse à Dieu le créateur tout-puissant, à la bien-heureuse Vierge Marie, à tous les Saints et Saintes de Paradis, de tous les pechés que j'ai commis depuis mon Baptême jusqu'à cette heure.*

[Premier commandement]
Premierement, j'ai manqué souvent à adorer Dieu les matins et les soirs. J'ai passé les journées d'une maniere toute paienne, sans faire quoi que ce soit pour son service, ou sans lui raporter mes actions, mais seulement à mon propre interêt, commodité, plaisir et satisfaction.

Je n'ai point crû tout ce qu'enseigne l'Eglise catholique, j'ai douté volontairement de quelques Articles de la Foi, j'ai lû et retenu des livres heretiques et défendus par l'Eglise. J'ai été trop curieux à examiner les verités de la Religion, j'en ai parlé trop librement et avec si peu de respect, que j'ai donné lieu à mon prochain de douter de ma foi.

J'ai ignoré et negligé d'apprendre les misteres [*sic*] de la foi.

J'ai usé de superstition, ajoûtant foi aux songes, croiant qu'il y a des jours heureux et mal-heureux[8], consultant les devins, guerissant les maladies, ou me faisant guerir par des signes, billets, prieres non ap-

---

[8] L'origine de ces jours heureux et malheureux remonte au IVe siècle. Introduits à l'origine pour l'usage de la saignée d'après le cours de la lune, ces jours ont été réduits à vingt-quatre au IXe siècle (en général deux jours par mois). Cf. Ch. Cuissard, *Étude sur les jours égyptiens des calendriers*, Orléans, 1882, p. 10, 13, 80, 96. Leur observance a été longtemps tolérée par l'Église qui condamna pourtant plusieurs fois cette superstition, notamment Gerson au XVe siècle ; ils sont indiqués dans les calendriers des rituels jusqu'au milieu du XVIe siècle.

AUTRES CONFESSIONS GÉNÉRALES

prouvées de l'Eglise, faisant de vaines observations, et usant de moiens, qui n'avoient aucun raport à la fin que je m'étois proposée. Présumant de la misericorde de Dieu, j'ai peché plus librement, et negligé de faire penitence, et autres bonnes oeuvres ; et d'autresfois me défiant de sa bonté infinie, j'ai desesperé du pardon de mes pechés et de l'amendement de ma vie, pensant que je ne pouvois faire autrement, et que Dieu ne me donnoit point les graces necessaires.

J'ai été si mal-heureux que de murmurer contre Dieu, trouvant à redire à sa divine providence, et me plaignant que sa loi est trop difficile, qu'il me traitoit avec trop de rigueur, ou qu'il n'avoit pas soin de moi.

J'ai plus aimé les creatures que Dieu, me resolvant de pecher plûtôt que de souffrir quelque disgrace, ou que de déplaire à un parent, à un ami, ou a quelque autre personne.

J'ai vêcu dans la disposition d'accepter des duels, ou de me venger, en cas qu'on fît ou dît quelque chose contre mon honneur, ou mon propre interêt.

J'ai negligé de faire des actes de foi, d'esperance, et d'amour de Dieu, passant presque toute l'année en état de peché mortel, sans me mettre en peine de r'entrer au plûtôt en grace avec Dieu par les sacremens, que je ne reçois ordinairement qu'aux fêtes de Pâques.

J'ai détourné les autres du service de Dieu, je les ai même portés au peché par mon mauvais exemple, en loüant et conseillant le mal, le faisant en leur presence, blâmant la devotion, et faisant des railleries de ceux qui la pratiquent.

Je me suis opposé au bon ordre, aux établissemens de piété, j'ai haï, mal parlé, et persecuté ceux qui se sont declarés pour la vertu.

J'ai fait gloire du crime, et je me suis vanté d'en avoir commis. Voiant mon prochain mal faire je ne l'ai point repris, ni eu soin d'avertir ses Superieurs, ou ceux qui pouvoient apporter du remede à son mal, j'ai même blâmé et décrié ceux, qui s'acquittent de ce devoir de charité, si expressément commandé par J. C. dans l'Evangile.

J'ai été immodeste dans l'Eglise, m'y promenant, y tenant des discours inutiles, et y paroissant avec fierté, orgüeil, vanité, et dans des postures indécentes.

J'ai méprisé les Prêtres et les Religieux, faisant des railleries d'eux, prenant plaisir à en dire, ou à en entendre dire du mal.

J'ai obtenu ou fait obtenir des benefices par presens, services, argent, et par des traités simoniaques.

Je me suis approché des sacremens, sans m'y être bien disposé ; j'ai fait de mauvaises confessions pour ne m'être pas suffisamment examiné auparavant, pour avoir celé quelque peché, pour m'être adressé à quelque prêtre, qui n'avoit pas le pouvoir de l'absoudre, pour n'avoir point travaillé à me corriger de mes mauvaises habitudes, pour avoir toûjours demeuré dans les occasions prochaines d'offenser Dieu, frequentant les personnes et les lieux, et retenant les emplois et les charges, qui m'ont souvent fait pecher. Enfin pour avoir cherché un Confesseur ignorant, sourd, peu exact et inconnû, dans l'esperance qu'il ne prendroit pas garde à bien des choses, et que je pourrois lui déguiser le veritable état de ma conscience.

Je n'ai pas accompli la penitence, qui m'avoit été enjointe par mon Confesseur, ou j'ai trop differé à l'accomplir, ou je l'ai mal faite.

J'ai manqué de me confesser et communier à Pâques, et ensuite trop differé à r'entrer dans mon devoir.

[Deuxième commandement]

J'ai juré en vain, assûrant une chose que je sçavois n'être pas, ou dont je doutois.

Etant obligé de faire serment, je me suis servi d'équivoques et ai répondu dans un sens contraire à l'intention du Juge, j'ai aussi conseillé aux autres de répondre de la sorte.

Je n'ai point gardé exactement les sermens que j'ai faits en entrant dans ma charge, mon benefice, mon emploi, ou mon mêtier.

J'ai juré de faire quelque chose sans avoir l'intention de la faire, ou prévoiant que je ne pourrois point la faire.

J'ai juré par colere, blasphêmé, fait de imprécations, invoquant le Diable, et lui donnant mon corps, mon ame, mes enfans, mes serviteurs, et autres choses.

J'ai juré de faire du mal, ou de ne pas faire le bien que Dieu conseille ou commande.

J'ai juré sans necessité, et pour des choses de néant, faisant gloire de prendre en vain le saint Nom de Dieu.

Je n'ai pas accompli mon vœu, d'autres-fois j'ai trop differé à l'accomplir.

[Troisième commandement]

J'ai profané les jours de dimanches et de fêtes, faisant sans necessité des œuvres défenduës, et les passant dans les jeux, crapules, ivrogneries, ou à la chasse, ou dans une pure oisiveté.

Je n'ai pas emploié mon autorité pour empêcher ces profanations, au contraire j'en ai abusé pour les entretenir.

Je n'ai pas entendu la messe les jours de dimanches et de fêtes, et je me suis exposé sans necessité au danger de ne la pas entendre, et quand j'y ai assisté, j'y ai souvent manqué d'attention, pensant volontairement à mes affaires, y parlant, regardant de côté et d'autre, ou y faisant des lectures indifferentes.

J'ai negligé d'assister les dimanches et les fêtes à la Messe de Paroisse, aux Vêpres, et aux instructions qui s'y font, et je n'ai pas eu soin d'y envoyer ceux de ma famille.

[Quatrième commandement]

J'ai manqué de respect envers mes parens, je leur ai parlé rudement et avec mépris, je leur ai donné occasion de se mettre en colere, de jurer, etc. Je ne les ai pas visités, ni rendu les devoirs que je leur devois; je ne les ai pas assistés dans leurs besoins; j'ai souhaité leur mort; je n'ai pas fidelement executé leurs dernieres volontés; je n'ai pas prié Dieu pour eux aprés leur décés; je leur ai desobéï, et me suis rendu insuportable [sic] dans la famille par mon opiniâtreté et mauvaise conduite. J'ai mal emploié le tems qu'ils me donnoient pour étudier ou pour apprendre le mêtier auquel ils m'avoient destiné, et j'ai dépensé inutilement leur argent; j'ai dérobé de leurs biens, et emploié des domestiques à ce sujet. Je leur ai dit des injures, et j'ai même levé la main sur eux.

Je n'ai pas élevé mes enfans dans la crainte de Dieu; je leur ai souvent donné des maledictions, je ne les ai point corrigés, lorsqu'ils ont offensé Dieu. Je me suis moi même fâché contre ceux qui les ont corrigés, les entretenant ainsi dans leurs mauvaises inclinations, par un amour dereglé envers eux.

Je n'ai pas eu soin de mes serviteurs et domestiques, j'ai souffert qu'ils offençassent Dieu, et qu'ils negligeassent les devoirs d'un bon Chrétien, je les ai fait travailler sans necessité les dimanches et les fêtes, je leur ai commandé ou conseillé de poursuivre mes vengeances.

J'ai donné mauvais exemple dans ma famille, jurant en presence de mes enfans et de mes domestiques, violant les jeûnes de l'Eglise, proferant des paroles deshonnêtes, etc.

J'ai causé de la jalousie entre mes enfans, j'ai negligé de gagner leur vie, dissipant mal à propos le bien de la famille, je les ai mis dans des emplois, dont ils n'êtoient pas capables, je les ai frapés par colere, je leur ai inspiré la vanité, l'orgueil et la vengeance. J'ai fait coucher les freres avec les soeurs, sans me mettre en peine du mal, qui en pourroit arriver.

J'ai troublé la paix de la famille par mes impatiences, et mauvaises humeurs.

360 CHAPITRE IX

Je n'ai pas gardé la chasteté et l'honnêteté propres aux personnes mariées, recherchant avec excés les plaisirs, que permet le mariage; d'autres-fois j'ai refusé le devoir.

J'ai abusé de l'autôrité que Dieu m'avoit donnée dans le lieu de ma résidence. J'ai fait décharger des Tailles et d'autres charges publiques ceux, qui n'endoivent point être exemts [sic].

J'ai exigé des corvées et des droits qui ne m'étoient point dûs.

J'ai laissé le crime impuni, crainte de faire de la dépense.

Je n'ai pas paié exactement mes dêtes, les dixmes, les salaires des ouvriers et de mes domestiques. J'ai détourné les peuples de l'Office divin, les engageans à des parties de jeux, ou de chasse.

[Cinquième commandement]
J'ai frapé, tué, blessé.

J'ai desiré la mort de mon prochain, ou la perte de son bien.

J'ai conservé des inimitiés, refusé de voir, de salüer et de parler à ceux de qui je prétendois avoir reçû des mécontentemens; je me suis réjoüi de leur mal, et j'ai eu de la tristesse, du bien qui leur est arrivé; d'autres-fois j'ai été indifferent à leur égard, ne les voulant ni aimer, ni haïr.

J'ai été cause de l'avortement.

J'ai suffoqué mon enfant, le mettant coucher dans mon lit contre les defenses de l'Eglise, et j'ai tâché d'empêcher la generation.

Etant enceinte, j'ai fait perir mon fruit faute de me conserver.

[Sixième et neuvième commandements]
J'ai commis le peché de la chair.

J'ai fait des attouchemens deshonnêtes sur moi, sur d'autres personnes, et même sur des bêtes.

J'ai eu des desirs deshonnêtes, et contraires à la chasteté.

Je me suis volontairement entretenu en des pensées deshonnêtes, et y ai pris plaisir, quoi que je ne desirasse point de faire le mal.

J'ai fait des regards accompagnés de pensées et de plaisirs deshonnêtes, donné et reçû des baisers sensuels.

J'ai dit des paroles sales et deshonnêtes, et ai pris plaisir à les entendre; j'ai chanté des chansons lascives, retenu chez moi des tableaux et des livres deshonnêtes.

J'ai servi à l'impudicité des autres, faisant leurs messages, les retirant chés moi.

Je me suis habillé d'une maniere lascive, aiant le sein découvert.

J'ai donné des oeillades, fait des gestes, et gardé des postures lascives.

AUTRES CONFESSIONS GÉNÉRALES

J'ai retenu des lettres d'amourettes, et des gages d'une amitié criminelle.

[Septième commandement]
J'ai fait tort à mon prochain dans ses biens, pris et retenu ce qui lui appartient. Je me suis approprié les choses que j'ai trouvées, sans tâcher de découvrir ceux qui les avoient perduës.

J'ai causé du dommage à mon prochain, j'ai commandé, conseillé et exhorté de lui en faire.

J'ai profité de la necessité de mon prochain, vendant plus et achetant moins que la chose ne valoit.

Je n'ai point travaillé fidellement pour les autres; j'ai mal fait la besogne, je l'ai venduë plus qu'elle ne valoit; je n'ai pas emploié les matereaux [matériaux] selon la qualité et quantité dont j'étois convenu; j'ai retenu une partie des choses qui m'avoient été confiées, sous prétexte que je ne gagnois point assés, ou que c'est la coûtume parmi ceux de ma profession de commettre ces petites infidelités.

[Huitième commandement]
J'ai trompé, falsifiant, ou mêlant la marchandise, cachant ses defauts, et la vendant autant que si elle eût été bonne.

Quand j'ai été trompé dans la marchandise, ou dans la monnoie, j'ai tâché de tromper les autres pour me dédommager.

Je me suis servi de faux poids, ou de fausses mesures.

J'ai acheté de ceux qui n'avoient pas le pouvoir de me vendre, comme des enfans de famille, et dans le doute si la chose avoit été dérobée.

J'ai fait des monopoles, empêchant que les choses fussent venduës, ou affermées [mises en fermage] ce qu'elles valoient.

J'ai commis des usures, tirant des interêts sur de simples obligations, ou vendant plus cher que la chose ne valoit, à cause du credit que je faisois.

J'ai fait des contracts injustes.

J'ai injustement intenté des procés, je les ai prolongés par des chicanes, j'ai donné conseil ou aide pour cela, j'ai usé de fraudes et de tromperies, détournant et cachant des pieces, qui donnoient le droit à ma partie.

J'ai trompé dans le jeu.

J'ai refusé la justice, lassé les parties par trop de retardement.

J'ai trop pris pour mes vacations, et j'ai reçeu des presens.

J'ai fait souffrir mes creanciers, negligeant de les paier, et retenant contre leur volonté ce que je leur devois.

[Dixième commandement]

J'ai desiré d'avoir le bien d'autrui par des voies illicites, par finesses, surprises et artifices; j'ai à cét effet souhaité sa mort, ou que quelqu'autre disgrace se mît dans la necessité de s'en dépoüiller.

[Calomnie et médisance]

J'ai menti pour faire plaisir, et d'autres-fois au préjudice de mon prochain.

J'ai reproché des defauts à mon prochain pour le faire rougir; j'ai dit des faussetés contre lui, exageré ses fautes, et j'ai tâché de le décrier, j'ai parlé de lui avec mépris; j'ai pris plaisir à entendre mal parler de lui; j'ai publié ses fautes secrettes et revelé ses secrets; j'ai fait des railleries picquantes de lui, et contraires à la charité.

J'ai fait des rapports et divisé les parens, les amis, les inferieurs d'avec leurs superieurs.

J'ai fait des jugemens temeraires de mon prochain, j'ai mal interpreté ses actions, et j'ai douté sans fondement de sa probité.

[Orgueil]

J'ai eu trop bonne estime de moi-même; j'ai eu de la vaine complaisance dans mes talens, dans mon esprit, beauté de corps, noblesse, vertus, richesses, etc. J'ai méprisé les autres, je me suis voulu élever au dessus d'eux, et par cette ambition j'ai desiré les charges et les dignités; je me suis vanté, j'ai fait mes actions pour être estimé des hommes; j'ai été hipocrite [*sic*], voulant paroître meilleur que je ne suis, et me suis fâché lorsqu'on m'a repris.

J'ai été opiniâtre, preferant mon jugement à celui des autres, particulierement à celui de mon Superieur; j'ai resisté à la verité, et n'ai voulu avoüer que j'avois tort.

[Avarice]

J'ai été trop attaché aux biens de ce monde, la pluspart de mes actions n'ont esté que pour des gains temporels; j'ai eu de la dureté envers les pauvres, et j'ai pressé mes debiteurs sans pitié.

[Gourmandise]

J'ai bû et mangé par excés, me laissant aller au plaisir, et me reglant plûtôt sur mes forces à porter le vin, que sur le besoin que j'en avois; je me suis glorifié de pouvoir beaucoup boire; je me suis enyvré; j'ai été cause que d'autres se sont enyvrés, en les excitant à boire, j'ai même tâché de les enyvrer, et je me suis vanté de l'avoir fait.

J'ai manqué de jeûner sans excuse legitime les jours de Carême, de Vigiles, et de Quatre-tems; j'y ai mangé des viandes défenduës; j'ai été

AUTRES CONFESSIONS GÉNÉRALES

cause que d'autres ont fait la même chose, j'ai donné, ou vendu du vin à des personnes, qui avoient déja trop bû, et que je prévoiois devoir s'enyvrer. J'ai fait mes collations trop fortes, excedant dans la quantité et qualité des viandes.

[Paresse]
J'ai mal emploié le tems, ne faisant rien, ou presque rien, ou m'occupant à des choses tout à fait inutiles.

J'ai eu du dégoût du service de Dieu, ce qui m'a empêché de faire de bonnes actions, de frequenter les sacremens, et de me rendre assidu à tout le Service divin.

P1272 *Enfin je me confesse que j'ai offencé mon Dieu, par une infinité de pensées, de paroles, d'actions, et d'omissions, j'en ai un grand regret, et j'en dis ma coulpe, ma très grande coulpe, j'en demande tres-humblement pardon à Dieu, et à vous mon pere spirituel, penitence et absolution.*
… Confiteor.

[Absolutions et bénédiction]
… Per meritum passionis et resurrectionis, per gratiam Domini nostri J. C. … P1134
Indulgentiam absolutionem et remissionem… P1122
Oremus. Dominus noster I. C. qui dixit discipulis suis… P1113
Benedictio Domini nostri J. C. descendat super vos… P1145
Vous prîrés en ce saint jour de Pâques pour la paix et union catholique, pour le Roi et toute la famille Royale, pour Monseigneur nôtre Evêque, et pour la paix de ce Royaume.

Je vous recommande les oeuvres de charité, d'assister les pauvres de cette paroisse, et de donner quelque chose à la Fabrique de ceans.

Je vous avertis aussi de ne point approcher de la sainte table, qu'après avoir entendu la Messe.

Orléans 1726
[Louis-Gaston Fleuriau d'Armenonville]
De Communione Paschali

P1273 Orléans 1726 p. 137-146

p. 138-139 [Raisons de communier le jour de Pâques]
… Vous êtes obligez, mes chers Freres, de recevoir dans ces saints jours l'auguste Sacrement de nos autels, c'est-à-dire, le très-précieux, et très-adorable corps de nôtre Seigneur J. C. …

364 CHAPITRE IX

La sainte Eglise nôtre mere vous a imposé cette obligation pour plusieurs raisons.

Premierement, parce qu'ayant passé le saint tems de Carême dans le jeûne et dans la pénitence, vous devez être plus disposez à recevoir ce grand Sacrement.

Secondement, parce que faisant memoire de la Passion de nôtre Sauveur, et des misteres de nôtre redemption, vous devez être pénetrez de plus vifs sentimens de reconnoissance, et de devotion.

Enfin, parce que nôtre Seigneur étant ressuscité en ce saint jour, nous trouvons pour nous dans ce mistere un motif pressant, et un parfait modele d'une resurrection spirituelle à une nouvelle et plus sainte vie.

C'est pour nous conformer aux intentions de l'Eglise, et pour vous en instruire, que nous allons vous renouveller la lecture du Canon, *Omnis utriusque sexûs*, du saint Concile de Latran…

Nous vous exhortons donc de vous preparer à cette grande action, comme le demande saint Paul, lorsqu'il dit : *Que l'homme s'éprouve lui-même, et qu'il mange ainsi de ce pain, et qu'il boive de ce calice.* [1 Cor. 2, 28]

[Conditions pour communier]

Ce précepte de l'apôtre vous engage … avant de vous presenter à la sainte table, d'examiner vos consciences, et après avoir reconnu les pechez dont vous êtes coupables devant Dieu, de les confesser à vôtre curé, ou à son vicaire, ou autre prêtre commis à cet effet ; afin que par l'absolution sacramentelle vous vous trouviez en état de faire une digne communion.

Cette préparation exige necessairement que vous quittiez toute haine et inimitié contre vôtre prochain ; que vous répariez le tort que vous avez pû lui faire, soit dans ses biens, soit dans sa réputation ; que vous renonciez à toutes habitudes et occasions du peché ; généralement à tout ce qui pourroit être un obstacle à vôtre justification ; et que vous ayez reçu dans le tribunal de la Pénitence l'absolution des pechez dont vous vous sentiriez coupables.

p. 139-140 [Interdictions de communier]

… s'il y avoit quelque personne excommuniée, ou interdite … nous lui défendons de se présenter à cette sainte table…

Nous défendons aussi à tous ceux et celles qui ne sont pas de cette paroisse de s'y presenter, s'ils n'en ont obtenu la permission de leur curé…

AUTRES CONFESSIONS GÉNÉRALES

Nous défendons pareillement … à tous ceux et celles qui sont de cette paroisse, de recevoir le précieux corps de nôtre Seigneur, pour satisfaire à leur devoir pascal, hors de cette paroisse, sans nôtre permission.

Nous défendons enfin à toutes sortes de personnes de s'aprocher de cette sainte table, si elles ne sont à jeun, et si elles n'ont auparavant entendu la sainte messe…

p. 141 [**Devoirs des parents de préparer leurs enfants et domestiques à communier dignement**]

Nous recommandons encore à ceux qui ont sous leur autorité des enfans, domestiques, ou autres personnes en âge de recevoir cet auguste sacrement, de les instruire de la maniere dont ils doivent s'y preparer, pour le faire dignement, et principalement de se purifier de tout peché mortel.

[**Raisons de l'interdiction faite aux fidèles de communier au vin**]

… quoique ce sacrement soit institué par J. C. sous les especes du pain et du vin, et que le prêtres… le reçoivent sous ces deux especes ; l'Eglise neanmoins a, pour de bonnes raisons, ordonné que vous ne le receviez que sous la seule espece du pain, sous laquelle vous recevez J. C. tout entier, son corps, son sang, son ame et sa divinité … elle n'en use ainsi que pour éviter le danger de répandre le précieux sang, et les autres inconvéniens qui pourroient arriver en le donnant indifferemment à toutes sortes de personnes.

[**L'absolution générale de Pâques rappelle l'ancienne réconciliation des Pénitents publics le Jeudi saint**]

Lorsque la Pénitence publique étoit en usage, l'Eglise avoit coutume de reconcilier les Pénitens le Jeudi saint ; et quoique cette sainte pratique ait à present cessé, elle en a cependant conservé la memoire dans la cérémonie de l'Absoute générale, qui s'observe encore aujourd'hui dans ce saint jour de Pâques. Nous avons d'autant plus de raison de garder ces précieux restes de l'antiquité, que nous en voyons dans la premiere et principale Eglise de ce Diocése un monument respectable dans la réconciliation des Pénitens publics, qui s'y fait tous les ans le Jeudi saint[9]…

Si sans le détail des fautes dont nous allons faire une accusation publique, vous vous sentiez coupables de quelques-unes, ou même de

---

[9] Aucun rite de réconciliation de Pénitents publics dans le rituel de 1726 ; peut-être dans le missel diocésain de l'époque ?

plusieurs d'entre elles ; repassez-les dans l'amertume de vos coeurs, et marquez vos regrets au souverain Juge...

Nous vous donnerons ensuite l'Absolution générale ; mais ne croyez pas ... que quelque utile qu'elle puisse être, elle soit suffisante pour vous absoudre d'aucun peché mortel : car si vous vous en reconnoissez coupables, vous devez vous en confesser, pour vous mettre en état de la recevoir dans le Sacrement de Pénitence.

Confession generale.

P1274 *Je me confesse à Dieu Tout-Puissant, à la bien-heureuse Marie toûjours Vierge, à tous les Saints et Saintes du Paradis, de tous les pechez que j'ai commis depuis que j'ai atteint l'âge de discrétion jusqu'à present.*

p. 142-146 Et pour suivre par ordre les pechez dans lesquels j'ai eu le malheur de tomber.

Je declare que j'ai transgressé les **Commandemens de Dieu**, et les **Commandemens de l'Eglise.**

Je n'ai pas crû fermement avec l'Eglise tout ce que je suis obligé de croire ; mais j'ai quelquefois douté et quelquefois contredit.

J'ai desesperé de mon salut, à cause du grand nombre et de l'énormité de mes pechez, ou j'ai trop présumé de la misericorde de Dieu, prenant de là occasion de pecher plus librement.

Je n'ai pas aimé Dieu de tout mon coeur, de toute mon ame, et de toutes mes forces, et mon prochain comme moi-même.

Je n'ai pas rendu à Dieu le culte que je lui devois ; j'ai manqué de le prier soir et matin, et dans les autres tems où je le devois faire.

J'ai manqué au respect que demande la sainteté des Eglises, les Sacremens, les Ministres des autels, les cérémonies qu'on y observe.

J'ai usé de superstition ou de vaines observances pour être guéri, ou pour guérir les autres ; j'ai fait dire ma bonne avanture, et consulté les Devins.

J'ai pris en vain le nom de Dieu, de la sainte Vierge, et des Saints ; j'ai blasphemé le saint Nom de Dieu ; j'ai juré par la mort de J.-C., et par d'autres choses saintes ; j'ai juré avec imprécation ou exécration en me donnant au démon, et en souhaitant la mort à moi-même, ou aux autres.

J'ai fait témérairement des voeux que je n'ai pas accomplis.

Je n'ai pas sanctifié comme je le devois les dimanches et les fêtes commandées par l'Eglise ; je les ai profanez par des oeuvres manuelles et serviles ; je n'ai pas eû soin d'assister au Service divin, d'entendre la parole de Dieu ; j'ai negligé de faire assister à la Messe mes enfans et

AUTRES CONFESSIONS GÉNÉRALES

mes domestiques ces jours-là, et je les ai passez dans le jeu, la danse et la débauche.

Je n'ai pas rendu l'honneur et le respect qui étoit dû à mes Peres et Meres, spirituels et temporels ; je les ai contredit, contristez et abandonnez dans leurs besoins.

J'ai pris et retenu injustement le bien d'autrui.

J'ai battu, ou tué mon prochain, ou desiré sa mort.

Je n'ai pas gardé la continence et la chasteté.

Je n'ai pas toûjours rendu bon et fidele témoignage pour soûtenir la verité.

J'ai desiré la femme et les biens de mon prochain.

Je n'ai pas pratiqué les **oeuvres de miséricorde** spirituelles et corporelles.

J'ai eû une negligence criminelle à m'approcher des **sacremens de Pénitence et d'Eucharistie**, et je n'ai pas même satisfait les années précedentes au précepte de la Confession annuelle et de la Communion pascale.

J'ai peché par **orgüeil**, par ingratitude envers Dieu et envers les hommes, par amour de vaine gloire, par présomption et arrogance, par ambition, par hypocrisie, par esprit de rebellion contre les Commandemens de Dieu et de mes Superieurs, et par mépris des bons conseils.

J'ai peché par **avarice**, par un desir dérelgé d'acquerir des richesses pour en faire un mauvais usage ; j'ai été si attaché aux biens de ce monde, que je me suis privé de leur usage, tant dans mes propres besoins, que dans ceux d'autrui ; j'ai été si ardent à les rechercher, que j'ai formé le dessein de me servir de toutes les voies les plus injustes, même des rapines, usures et larcins ; j'ai même fait plusieurs mensonges, juremens et parjures pour vendre plus cher, et acheter à meilleur marché ; enfin cette passion m'a tellement occupé, qu'elle m'a conduit jusqu'à l'oubli de Dieu et du salut de mon ame.

J'ai commis le peché d'**impureté**, sçavoir par fornication, ou adultere ; par des regards deshonnêtes, par des attouchemens impudiques sur moi, et sur autrui, par délectation et consentement déliberé ; par une contenance lascive, danses et chansons dissoluës ; par paroles impures ; par habillemens immodestes ; par une trop grande application à nourrir délicatement mon corps, à le parer et à ne chercher que mon plaisir, et par une affectation à garder des tableaux impudiques, et à lire et garder des livres lascifs.

J'ai peché par **envie**, par une trop grande complaisance en moi-même, en me réjoüissant du mal d'autrui, et en m'affligeant de tous les avantages de mon prochain; j'ai nourri une haine secrette contre lui; je l'ai même maudit secrettement; et non content de cela, j'ai manifesté et publié par mauvaise intention ses défauts cachez, pour le diffamer et lui ôter sa réputation.

J'ai peché par **gourmandise**, en buvant et mangeant avec excez, en buvant et mangeant à des heures induës, trop souvent, trop ardemment, trop somptueusement, sans aucune necessité, dans les cabarets, même les jours de fêtes, durant le Service divin, au scandale de mon prochain et au préjudice de ma famille. Cet excez m'a porté à dire des paroles oiseuses, et ce qui est plus grief, à transgresser les jeûnes commandez par l'Eglise, du saint tems de Carême, des Quatre-Tems, et des Vigiles des Fêtes; et si j'ai quelquefois jeûné, je l'ai fait moins par devotion que par maniere d'acquit et pour sauver les aparences.

J'ai peché par **colere**, en me fâchant facilement et pour chose legere; en conservant trop long-tems mon ressentiment contre mon prochain; en lui souhaitant du mal et même la mort; en desirant de me vanger, et formant le dessein de le faire; en reniant et blasphemant le nom de Dieu et des Saints; en nommant et invoquant le démon, et proferant plusieurs autres semblables paroles et exécrations, et en me souhaitant la mort par désespoir.

J'ai peché par **paresse**, en demeurant oisif, et ne prenant aucun soin de bien employer le tems, ou de servir Dieu, et d'accomplir les pénitences qui m'ont été imposées; mais je me suis laissé aller à une si grande nonchalance et indévotion, que je n'ai presque plus pensé à rien faire pour mon salut, et que j'ai perdu tout mon tems dans l'oisiveté, au lieu de l'employer à remplir mes devoirs.

P1275 *Je me confesse et je m'accuse de tous ces pechez autant que j'en suis coupable, et du mauvais usage du tems passé que j'ai perdu par oisiveté, ou emploié à offenser Dieu par une conduite déreglée. Et pour marquer la douleur que j'en ai, je reconnois que c'est par ma faute, et par ma très-grande faute; j'en demande très-humblement pardon à Dieu, par les merites de la mort et passion de J.-C. nôtre sauveur.*

Si quis ampliorem Confessionis formulam pro statu Parochianorum adhibendam esse judicaverit, recurrat ad Examen generale, suprà,

AUTRES CONFESSIONS GÉNÉRALES

pag. 71. et seq. ibique peccata ea seligat, quorum declaratio utilis et conveniens ipso videbitur[10].

Que chacun dise presentement le *Confiteor* à genoux, pour recevoir l'absolution générale.

Generalis Absolutio

Per meritum Passionis... P1134

Cor contritum et vere poenitens, indulgentiam, absolutionem, et remissionem omnium peccatorum vestrorum, gratiam et consolationem sancti Spiritûs tribuat vobis omnipotens et misericors Deus. R. Amen.

[rare] P1098

Dominus noster J. C., qui dixit discipulis suis... P1113

Benedictio Domini nostri J. C. descendat super vos... P1145

Nous vous exhortons, mes chers Freres, de prier en ce saint jour, pour la paix et l'union de l'Eglise catholique, apostolique et romaine, pour nôtre saint Pere le Pape, pour monseigneur nôtre Evêque; pour le Roy, la Reine, toute la famille royale, et pour la paix de ce Royaume.

Nous vous recommandons les oeuvres de misericorde, et particulierement les besoins de l'Hôpital Général, de l'Hôtel-Dieu, des Pauvres de cette Paroisse, et de la Fabrique de cette Eglise.

Clermont 1733

[Jean-Baptiste Massillon]

Formule du Prosne pour le saint jour de Pasques avec l'Absoûte génerale qui se fait en ce saint jour.

Formulaire de Paris 1697 avec des remaniements:

La liste des interdictions de communier diffère en partie; la confession générale supprime le texte des commandements; certains sous-titres sont absents ou diffèrent.

Les absolutions sont celles des formulaires diocésains de Clermont de 1505 à 1608, identiques à Chartres 1490 etc.[11].

L'évêque Jean-Baptiste Massillon indique (p. 211) que cette confession générale peut servir d'examen de conscience aux pénitens pour leur confession[12].

---

[10]   *Voir infra* Examens de conscience, Orléans 1726 (P1414).

[11]   Les confessions générales de Clermont 1505-1608 sont identiques à celle de Chartres 1490 (P1207).

[12]   Voir aussi *infra*, Examens de conscience, Clermont 1733, *Accuratius Examen circa sextum et nonum Praeceptum Decalogi* (P1415).

370 CHAPITRE IX

P1276 **Clermont 1733 p. 146-168.**

C'est aujourd'hui le saint jour de Pâques, la plus grande et la plus solennelle de toutes les fêtes : c'est le jour par excellence que le Seigneur a fait : jour auquel l'Eglise célebre la glorieuse et triomphante Résurrection de notre Seigneur J. C. ...

[Interdiction de communier à certaines catégories de personnes]

(p. 147) ... de la part de Dieu tout puissant et de l'autorité de sa sainte Eglise, nous défendons à tous excommuniez et à toutes personnes qui sont en état de péché mortel, d'approcher de la sainte table jusqu'à ce qu'ils ayent été reconciliez à l'église, et qu'ils ayent réparé le scandale qu'ils ont donné.

Nous défendons à tous ceux et celles qui retiennent injustement le bien d'autrui, à tous ceux et celles qui empêchent la jurisdiction de l'Eglise, qui n'auront pas payé loyalement les dixmes, d'approcher de la sainte table jusqu'à ce qu'ils ayant restitué, s'ils le peuvent, ou s'ils ne le peuvent, jusqu'à ce qu'ils soyent dans une pleine volonté et résolution de restituer aussitôt qu'ils le pourront.

[La suite comme Paris 1697 p. 534-535 sauf :]

Nous défendons à toutes personnes de recevoir le très-saint sacrement avant que d'avoir entendu la messe, hors le cas de maladie, infirmité, ou autre pressante raison.

[Absence du § parisien Nous défendons aussi à tous peres et meres...]

p. 148 ... Nous allons commencer dans ce moment, mes Freres, la céremonie de l'Absoute génerale, selon l'ancien usage de ce Diocese qui subsiste encore dans la plûpart des Eglises du Royaume. Cette cérémonie est un reste et une image de la réconciliation publique des Pénitens, laquelle dans les premiers siécles se faisoit le Jeudy saint... [la suite comme Paris 1697, sauf :]

p. 164 **Contre le troisiéme commandement de l'Eglise :**

Clermont supprime par rapport à Paris : Ou pour n'avoir pas eu un ferme propos de me corriger.

et ajoute :

Je n'ai pas réparé ces confessions nulles et sacrileges.

Contre le cinquiéme commandement de l'Eglise :

Clermont ajoute :

AUTRES CONFESSIONS GÉNÉRALES

Je n'ai pas suppléé par d'autres pénitences à la dispense du jeûne ou de l'abstinence.

Contre le sixiéme commandement de l'Eglise :
Clermont ajoute à « Je n'ai pas gardé l'abstinence de viande les vendredis et les samedis » :
et les autres jours ausquels l'abstinence de viande est prescrite, comme les jours des Rogations.

Troyes 1768
[Claude-Matthias-Joseph de Barral]
Le saint Jour de Pâques

1277 Troyes 1768 p. 532-533 La Fête de Pâques que nous célébrons aujourd'hui, est la plus grande et la plus solemnelle de toutes les fêtes...

Confession générale, vulgairement dite Absoute.

C'est une ancienne coutume de l'Eglise, de faire aujourd'hui une espèce de Confession et Absolution générale, afin qu'après les pénibles exercices du Carême, qui sont une pénitence générale de toute l'Eglise, avouant tous ensemble nos péchés, et demandant unanimement pardon à Dieu, nous recevions par cette cérémonie, un témoignage public de notre rétablissement, pour participer dignement aux saints mystères de la mort et résurrection de notre Seigneur, et au très-saint sacrement de l'autel, qui en contient la vertu. Car, quoique dans l'Eglise il y en ait plusieurs qui ne sont pas en leur particulier coupables de péché mortel, bien loin de l'être de tous ceux qui sont compris dans la Confession générale, néanmoins si nous nous considérons dans l'union de l'Eglise, qui nous rend membres d'un même corps, et par conséquent membres les uns des autres, la charité nous oblige de porter le fardeau de nos frères, et de demander avec eux pardon à Dieu...

p. 534 ... quoique cette cérémonie n'ait point la vertu d'effacer aucun péché mortel, elle peut cependant beaucoup pour effacer les péchés véniels, pourvu que l'on y assiste dévôtement, et que l'on reçoive avec révérence la bénédiction générale que nous donnerons à la fin. ...

Confession générale.

1278 *Je me confesse à Dieu le créateur Tout-Puissant, à la bien-heureuse Vierge Marie, à tous les Saints et Saintes, et à vous, mon Pere, de tous les péchés que j'ai faits depuis l'âge de connoissance, jusqu'à cette heure, contre les dix Commandemens de Dieu, et contre ceux de notre mere sainte Eglise.*

CHAPITRE IX

p. 535 Premièrement, **je n'ai pas cru tout ce que la sainte Eglise Romaine croit**. J'ai acquiescé à quelque hérésie ou infidélité. J'ai été trop curieux à discuter les mystères de la Foi, et quelquefois j'en ai douté. J'ai eu trop de communication avec les incrédules sur les points de la Religion, et j'ai lu de leurs livres et autres défendus par l'Eglise. Je ne me suis pas mis en devoir d'apprendre les mystères de la Foi, les Sacremens, et ce qui regarde mon exercice et mon état. Je n'ai pas assisté aux instructions de la paroisse. Je me suis servi de superstition et de maléfice, et j'y ai porté les autres. J'ai ajouté foi aux songes, divinations, jours heureux et malheureux[13], et semblables vaines observances. J'ai tourné les paroles de l'Écriture sainte, et les cérémonies de l'Eglise en railleries et choses prophanes.

Présumant de la miséricorde divine, j'ai péché plus librement, et différé de me convertir. D'autre part, me défiant de la divine miséricorde, j'ai désespéré de ma conversion et de la rémission de mes péchés.

J'ai murmuré contre Dieu, me plaignant de lui comme s'il n'étoit pas bon et juste, et trouvant à redire à sa divine providence. J'ai péché par ingratitude envers Dieu et envers les hommes, par orgueil et arrogance, par hypocrisie et mépris des bons conseils. J'ai présumé que les biens que j'avois du corps, de l'esprit et autres extérieurs, venoient de moi et non pas de Dieu; ou que je les avois de Dieu par mes propres mérites, sans la grace divine.

J'ai juré en vain: jurant d'une chose que je sçavois ou doutois être fausse; jurant vrai sans nécessité; jurant de commettre quelque péché, ou de ne pas faire quelque bien. J'ai promis avec serment ce que je ne voulois pas accomplir. J'ai été cause qu'un autre ait juré en vain; je me suis accoutumé à jurer. Etant interrogé juridiquement, je n'ai pas répondu selon l'intention du Juge, et ai conseillé de le faire. J'ai malheureusement blasphêmé. J'ai invoqué le démon, et lui ai donné mon corps, mon ame, mes enfans, mes serviteurs, ou autre chose. Ayant fait voeu, je n'ai pas eu soin de l'accomplir. J'ai voué témérairement et superstitieusement.

J'ai transgressé les Fêtes, faisant des oeuvres défendues par l'Eglise, et manquant d'ouir la sainte Messe. J'ai empêché les autres de l'entendre. Par mépris ou négligence, j'ai manqué d'assister à la Messe de Paroisse et à Vêpres, et d'y faire assister mes gens. Je suis venu à l'Eglise

---

[13] Sur les jours heureux et malheureux: voir Verdun 1691 (P1270), note 8.

AUTRES CONFESSIONS GÉNÉRALES

à mauvaise intention, j'y ai été avec dissipation et vanité, et j'y ai commis d'autres péchés.

Je n'ai pas eu soin de me confesser au moins une fois l'année, ni de faire aussi confesser ceux qui dépendoient de moi. Je me suis confessé sans avoir examiné ma conscience, sans résolution de quitter le péché, et faute d'examen suffisant, je n'ai pas entièrement déclaré tous mes péchés. Je n'ai pas jeûné le Carême, les Vigiles et les Quatre-Tems. J'ai bu et mangé par intempérance, avec un dommage notable de ma santé. J'ai fréquenté les cabarets les dimanches et les fêtes durant le service divin, avec grande dépense et à la ruine de ma famille. Je me suis enivré, et y ai engagé quelqu'autre. J'ai traité avec irrévérence les Reliques des Saints, leurs images, les Sacremens, et les cérémonies de l'Eglise. Par dégoût des choses spirituelles, je n'ai pas fait quelque bonne oeuvre à quoi j'étois obligé.

J'ai offensé mes parens par haine, mocquerie, malédiction, jugement téméraire, mépris, exécration ; je les ai contristés et mis en colere ; je ne leur ai pas obéi, et ne les ai pas secourus dans leurs besoins ; je leur ai souhaité du mal, et même la mort, pour avoir leur succession ; je n'ai pas exécuté leurs testamens et dernières volontés. Je n'ai pas observé les ordonnances de mes supérieurs ; j'en ai mal parlé.

J'ai maudit mes enfans ; je ne les ai pas instruits de prier Dieu, et des devoirs du Chrétien ; je ne les ai pas corrigés, ni occupés en quelque honnête exercice, pour les retirer de l'oisiveté et des occasions de débauche ; par un amour désordonné vers eux ou les miens, je me suis porté à offenser Dieu.

Je n'ai pas eu soin pareillement, que **mes serviteurs et domestiques** ayent sçu les choses nécessaires au salut ; Qu'ils ayent observé les Commandemens de Dieu et de l'Eglise, et ne les ai pas fait assister dans leurs maladies, tant pour les choses spirituelles, que pour les corporelles.

Je n'ai pas aimé mon Prochain ; je lui ai souhaité du mal, en son corps, en son honneur, en ses biens spirituels et temporels ; je me suis attristé de la prospérité des autres, et me suis réjoui de leur mal ; j'ai conservé des haines et rancunes ; je n'ai pas demandé pardon ni fait satisfaction, et n'ai pas voulu parler, ni saluer ceux avec qui j'avois eu des querelles ou des différends ; j'ai empêché de faire le bien ; j'ai scandalisé, ou je n'ai pas empêché le mal, quand je l'aurois pu. Je n'ai point donné l'aumône selon mes facultés, et j'ai refusé de secourir les affligés. J'ai semé des discordes, des procès et des inimitiés ; j'ai injurié, maudit, blessé, ou donné commission et conseil de le faire ; j'ai procuré directement ou indirectement la mort d'un enfant, ou d'une autre personne. Par fureur et colère, je me suis maudit, et j'ai désiré ma mort.

J'ai eu des pensées déshonnêtes, auxquelles je me suis volontairement arrêté ; j'ai péché contre la pudeur, par desirs, par paroles, par actions ; j'ai lu ou chanté des choses indécentes ; j'ai engagé les autres à pécher, ou à m'aider pour pécher, par tromperie, promesses ou menaces ; dans les choses mêmes permises, je n'ai pas observé la retenue que la sainteté de la Religion prescrit.

J'ai pris quelque chose d'autrui par larcin, ou par violence. J'ai pris une chose sacrée, ou dans un lieu sacré. J'ai fait dommage à mon prochain, et ne me suis pas hâté de le réparer. Par des voyes indues, j'ai empêché le droit de quelqu'un. Par ma faute, je suis insolvable à mes créanciers, et par là ils souffrent du dommage. Ayant trouvé quelque chose, je l'ai prise à dessein de la retenir, sans m'informer à qui elle pouvoit appartenir. Par ma faute, j'ai perdu des choses que je tenois en dépôt. J'ai endommagé ce qui m'a été prêté ou loué. En vendant et achetant j'ai fait de la fraude en la marchandise, aux prix, au poids et en la mesure. J'ai acheté de ceux qui n'avoient pas le pouvoir de vendre, comme des domestiques et des enfans de famille. J'ai vendu plus cher que la chose ne valoit. J'ai acheté à trop bas prix, et en ai eu la volonté. J'ai vendu une chose pour une autre meilleure, et une défectueuse pour une entière. La chose que je vendois ayant un défaut caché, je ne l'ai pas déclaré. J'ai acheté des choses que je sçavois ou doutois être dérobées. J'ai eu la volonté de prendre ou retenir le bien d'autrui. J'ai eu dessein d'acquérir de toutes mains en bien et en mal.

J'ai commis usure. J'ai fait un contrat usuraire, et une société injuste en marchandise. Ayant reçu payement ou salaire pour faire quelque chose, je ne m'en suis pas fidèlement acquitté. J'ai retenu le salaire de mes ouvriers ou domestiques, et différé de les payer avec leur dommage. J'ai suscité un procès contre la justice ; en une cause juste, j'ai usé de tromperie pour gagner. J'ai joué à des jeux défendus, et par fraude, j'ai gagné au jeu.

J'ai commis simonie, en vendant ou achetant une chose spirituelle, ou jointe à une spirituelle. J'ai privé l'Eglise des dîmes et autres droits que je devois. Par des moyens illicites et mauvaises informations, j'ai obtenu quelque chose qui ne m'appartenoit point ; j'ai empêché injustement les autres de faire quelque gain honnête ; j'ai aussi empêché quelqu'autre

AUTRES CONFESSIONS GÉNÉRALES

d'avoir un Bénéfice ecclésiastique. J'ai participé au larcin, en le commandant, conseillant, consentant, le louant et favorisant, recélant, ne l'empêchant et manifestant quand je l'ai pu et dû. Je ne me suis point mis en devoir de restituer et de réparer le tort que j'ai fait ou procuré.

J'ai porté faux témoignage. J'ai accusé et dénoncé injustement. Étant juge ou arbitre, j'ai prononcé une sentence injuste. J'ai dit des mensonges ; et quelques fois avec préjudice et dommage notable du prochain. J'ai médit, j'ai calomnié, particulièrement des personnes qualifiées et des supérieurs. J'ai fait des jugemens téméraires, et interprété en mal les actions vertueuses. J'ai fait de faux rapports, ou des vrais par malice ; j'ai découvert un secret qui m'étoit confié ; j'ai révélé ce que j'avois vu, ou entendu en secret ; j'ai ouvert quelque lettre missive, et à mauvais dessein. J'ai usé de flatterie, louant ou défendant quelqu'un en chose qui étoit péché.

1279 *Je me confesse et accuse de tous ces péchés, et des autres qui me sont cachés, autant que j'en suis coupable. Et en signe de regret et déplaisir que j'ai d'avoir ainsi grièvement offensé mon Dieu, je reconnois que c'est ma faute, ma grande faute, et ma très-grande faute, et je lui en demande humblement pardon et miséricorde, par le mérite de la mort et passion de J. C. notre sauveur.*

Que tous disent leur *Confiteor.*

Absolution générale
Per meritum passionis, et resurrectionis… P1134
Indulgentiam, absolutionem, et remissionem omnium peccatorum vestrorum, cor contritum… P1122
Oremus. Dominus noster J. C., qui dixit discipulis suis… P1113
Benedictio Domini nostri J. C. descendat super vos, et maneat semper. … P1145

CHAPITRE X

PÉNITENCE PRIVÉE

Titres des premiers formulaires

1280 **Bâle 1488** f. f1-f2. *De Sacramento Poenitentie.* P1513

1281 **Chartres 1490-1553 et 1604.** Éd. 1490 f. 32-34. **Agen 1564. Angers 1543. Autun 1503, 1523. Cambrai 1503. Châlons-sur-Marne 1569. Clermont et Saint-Flour 1506-1608. Limoges 1518. Maguelonne 1533. Meaux 1546. Metz 1543. Orléans 1548, 1581. Périgueux 1536. Sens 1500-1580. Verdun 1554.** *De penitentia generalis instructio pro sacerdotibus.* P1514

1282 **Strasbourg [1490]-1513.** Éd . 1490 f. 20-20v. *Modus absolvendi quem tenere debent curati circa confessos.* P1515

1283 **Paris 1497** f. 05v-07v. **Amiens 1509-1554. Rennes c. 1510, 1533. Saint-Brieuc [1506]. Saint-Malo 1557.** *S'ensuyt aucuns notables pour mieulx entendre comment confession se doit faire.* [Extrait de l'Examen de conscience selon les péchés capitaux de Jean Gerson[1]. Absence de rite de confession].

1284 **Lyon 1498** f. 12v. *Ordo ad ministrandum sacramentum penitentie.* P1516

1285 **Saint-Brieuc [1506]** f. 67-67v. **Rennes c. 1510, 1533.** Éd. 1510 f. 64v-65. **Saint-Malo 1557.** *Modus confitendi.* P1517

1286 **Saint-Brieuc [1506]** f. A5v-B3. *Modus confitendi optimus et compendiosus… per Andream Hyspanum* [André de Escobar]. P1518

1287 **Senlis 1526** f. AA1-BB6. *Tractatus de sacramento Penitentie in quo clare videbitur quomodo curati debent se habere in confessionibus audiendis.* [Artus Fillon, *Speculum curatorum*]. [Absence de rite de confession, mais formules d'absolution].

1288 **Auxerre 1536** f. 91v-93v. *Sequitur confessio. De penitentia.* P1519

1289 **Lyon 1542** f. 8-10v. *De sacramento penitentie* P1520
f. 89-94. *Confessio generalis* [André de Escobar, *Modus confitendi*]. P1518

---

[1] Jean Gerson, *Œuvres complètes*, éd. P. Glorieux, t. 7, p. 398-399.

378 CHAPITRE X

Quelques variantes par rapport à Saint-Brieuc [1506].

P1290 **Metz 1543** f. 46v-60. *De confessione et penitentia tractatus perutilis et necessarius.* P1521

P1291 **Autun 1545** p. 34-43. *De poenitentia, exhortatoria instructio.* P1522

P1292 **Cambrai 1562, 1606.** Éd. 1562 f. 38v-48v. *De Poenitentia generalis instructio. Admonitio ad pastores, quo pacto se gerere debeant erga poenitentes.* P1523, P1542 (éd. 1606)

P1293 **Vienne 1578** p. 27-34. *De administratione sacramento poenitentiae.* P1524

P1294 **Chartres 1580** f. 156-182v. *De Penitence.* P1525

P1295 **Chartres 1581** f. 25-31v. *De Penitentia.* P1526

P1296 **Angoulême 1582** f. 247-308. *Du s. Sacrement de Penitence.* P1527

P1297 **Nevers 1582** f. 23-26v. *Exhortation au Sacrement de Penitence. Observations pour le Sacrement de Penitence.* P1528

P1298 **Reims 1585, 1621; Laon c. 1585, 1621; Senlis 1585; Amiens 1586, 1607; Châlons-sur-Marne 1606; Saint-Brieuc 1605.** Éd. Reims 1585 f. 29v-36v. *De Sacramento Poenitentiae.* P1529

P1299 **Bordeaux 1588, 1596, 1602, 1611.** Éd. 1588 p. 48-52. *De ritibus et caeremoniis ad confessionem adhibendis.* P1530, P1538 (éd. 1602, 1611)

P1300 **Lyon 1589** f. 6v. *Absolutio, quam debent facere confessores, quando audiunt confessionem.* P1531

P1301 **Strasbourg 1590** p. 6-11. *De Sacramento Poenitentiae. De Confessione sacramentali.* P1336

P1302 **Tournai 1591** p. 32-35. *De Sacramento Poenitentiae. Ratio servanda in confessione poenitentiali et forma absolutionis.* P1532

P1303 **Cahors 1593** f. 175v-183v. *De Sacramento Poenitentiae.* P1533

P1304 **Bâle 1595** p. 101-148. *De Sacramento Poenitentiae.* P1534

P1305 **Limoges 1596** p. [20]-28. *De Sacramento Poenitentiae.* P1535

P1306 **Vannes 1596** f. 161v-164v. *De Sacramento Poenitentiae Canones* P1536

P1307 **Paris 1601, 1615, 1630.** *Praefatio pro Poenitentia.* Éd. 1601 f. 55v-62. Quelques remaniements en 1615. P1537, P1548 (éd. 1615).

P1308 **Rodez 1603** p. 57-73; **Vabres 1611.** *Advertissement touchant au S. Sacrement de Penitence.* P1539

P1309 **Cahors 1604** première partie, p. 16-27. *Ordo administrandi Sacramentum Poenitentiae.* Deuxième partie (*Manuale proprium*) p. 26-43. *Pour le sacrement de Penitence* [reprend en grande partie Cahors 1593]. P1540

P1310 **Chalon-sur-Saône 1605** p. 46-53. *Du Sacrement de Penitence.* P1541

P1311 **Metz 1605, 1631.** *De Sacramento Poenitentiae.* Éd. 1605 p. 38-52. P1341

PÉNITENCE PRIVÉE 379

°1312 Évreux 1606, Lisieux 1608, 1661, Meaux 1617. Éd. Évreux 1606 f. 13-22v. *De Sacramento Poenitentiae.* P1543

°1313 Saint-Omer 1606 p. 54-65. *Modus administrandi Sacramentum Poenitentiae sanis.* P1544

°1314 Rouen 1611/1612, Avranches 1613. Éd. Rouen 1612 p. 61-74. *De Sacramento Poenitentiae.* P1545

°1315 Genève 1612 p. 32-39. *De Sacramento Poenitentiae.* P1546

°1316 *Romanum* 1614 *De Sacramento Poenitentiae.* P1547

°1317 Bourges 1616 f. 26v-39 *Du salutaire Sacrement de Penitence. Methode pour bien et deüment administrer et recevoir le Sacrement de Penitence.* P1549

°1318 Toulouse 1616[2], 1632, 1641, 1653. Éd. 1616 p. 81-89. *Du Sacrement de Penitence.* P1550

°1319 Vannes 1618 2e partie p. 82-86. *De la confession et absolution sacramentale.* P1551

°1320 Cambrai 1622, 1659. *De Sacramento Poenitentiae.* Éd. 1622 p. 42-57, remaniée par rapport à 1606.

°1321 Arras 1623 p. 19-62. *De Sacramento Poenitentiae. Prima pars,* p. 22-27. *Ordo Sacramenti Poenitentiae. Secunda pars,* p. 298-301. *Instructio ad plebem de sacramento Poenitentiae ritè suscipiendo*[3]. Etc.

---

[2]   Toulouse 1616. Il manque la page de titre du seul exemplaire connu, conservé à Toulouse, Bibl. univ., remplacée par un titre manuscrit portant la date d'impression M.DC.XVI. Cf. Molin Aussedat n° 1307.

[3]   Absence de formulaire concernant la pénitence privée à Arras 1600.

CHAPITRE XI

CONSEILS AUX PRÊTRES
INTERROGATOIRE DU PÉNITENT
EXEMPLES DE PÉNITENCES

Une trentaine de rituels donnent des listes plus ou moins développées, en latin ou en français, d'anciens Canons Pénitentiaux[1], « afin que les Confesseurs… puissent faire connoître aux Pénitents avec quelle rigueur on traitoit autrefois les Pécheurs, et avec quelle indulgence on les traite aujourd'hui.[2] ».

Les premiers sont les rituels de Cahors 1604 et Évreux 1606, qui reproduisent les listes des *Ordo baptizandi* romano-vénitiens[3].

Ces listes proviennent essentiellement des *Instructions aux Confesseurs* de saint Charles Borromée, imprimées par ordre du Clergé de France.

Certains rituels citent aussi l'ancien Pénitentiel romain[4], le Décret de Burchard, le corps du Droit canonique à la fin du Décret de Gratien, Bède le vénérable, Yves de Chartres, Anselme de Cantorbéry[5], etc.

Plusieurs expliquent en quoi consistaient ces pénitences, d'après les avis de saint Charles.

Par exemple **Auxerre 1730** *Pars quarta*, p. 24-30 :

Il faut sçavoir pour l'intelligence des Pénitences ordonnées par les Canons Pénitentiaux, qu'anciennement la durée des Pénitences étoit exprimée, tantôt par un certain nombre de jours, tantôt par des quarantaines, et tantôt par une quantité d'années.

---

[1]   Rituels donnant des listes d'anciens canons pénitentiaux : Cahors 1604 (identiques à Évreux 1606, Lisieux 1608-1661, Coutances 1618) ; Rouen 1611/1612 (identiques à Avranches 1613) ; Cahors 1642 ; Orléans 1642 ; Châlons-sur-Marne 1649, Clermont 1656, Bourges 1666, Besançon 1674-1705, Langres 1679, Nevers 1689, Verdun 1691 et 1787, Toul 1700 et 1760, Metz 1713, Auxerre 1730, Clermont 1733, Toulon 1749, Carcassonne 1764, Châlons-sur-Marne 1776, Paris 1786, Lyon 1787-1788.

[2]   Carcassonne 1764 p. 213.

[3]   Sur l'*Ordo baptizandi*, voir *supra* Bibliographie sélective – sources, p. 24.

[4]   Pénitentiel romain : recueil de canons datant des VIIe et VIIIe siècles, établissant de véritables tarifs de pénitences à l'usage des confesseurs, et répandus surtout par les moines celtes.

[5]   Sur Burchard, Gratien, Bède le vénérable, Yves de Chartres, Anselme de Cantorbéry, voir *infra* Auteurs cités.

382 CHAPITRE XI

Quand la Pénitence étoit pour certain nombre de jours … on jeûnoit pendant ces jours sans interruption au pain et à l'eau.

Quand c'étoit pour une quarantaine, on jeûnoit de même pendant quarante jours au pain et à l'eau, et outre ce jeûne, on alloit nuds pieds, on ne portoit pas de linge, on ne se servoit point d'armes, on n'usoit point du mariage, et on ne beuvoit ni mangeoit avec personne.

Que si on imposoit plusieurs quarantaines pendant une même année pour un péché, on les réduisoit ordinairement à trois, dont la première étoit devant Noël, la seconde avant Pâques, et la troisiéme commençoit treize jours devant la Nativité de Saint Jean Baptiste. Pendant ces quarantaines, le Pénitent jeûnoit au pain et à l'eau, les lundis, mercredis et vendredis.

Enfin, si la Pénitence étoit ordonnée pour une ou plusieurs années, on jeûnoit la premiere année au pain et à l'eau les lundis, mercredis et vendredis; aux mardis, jeudis et samedis on pouvoit user de petits poissons, de fruits, d'herbes et de légumes. Aux jours de dimanches et de fêtes et pendant l'octave de Pâques on ne jeûnoit point. …

FORMULAIRES

Chartres 1490-1553, 1604
Agen 1564. Angers 1543, 1580. Autun 1503, 1523. Cambrai 1503
Châlons-sur-Marne 1569. Clermont-Saint-Flour 1506-1608
Limoges 1518. Maguelonne 1533. Meaux 1546
Orléans [1548], 1581. Périgueux 1536 [quelques variantes]
Sens 1500-c. 1580. Verdun 1554

[Chartres 1490: Miles d'Iliers]
De penitentia generalis instructio pro sacerdotibus

P1322 **Chartres 1490** f. 33-33v[6] Audiatque presbiter in ecclesia in loco eminenti[a] confessiones[b]. Vultum mulieris non respiciens, omnes pacienter audiens, veniam petentibus promittens, penas[c] portabiles infligens[d].

Verbi gratia, pro superbia: humiliare[e], pro rixa et odio: peregrinari, pro invidia: egenis et miseris subvenire, pro avaritia: pauperibus et locis piis elemosinas facere, pro gula: ieiunare, pro luxuria: carnem domare, pro accidia[f]: bonis operibus diligenter insistere.

---

6 Chartres 1490 f. 32v-33: voir *infra* Conseils aux pénitents selon leur état de vie ou leur caractère, P1502.

CONSEILS AUX PRÊTRES

383

Observetque[g] tamen quisque sacerdos, ne de maioribus peccatis sacrosancte sedi apostolice vel episcopo tantummodo reservatis, quemdam[h] absolvere[i] cum eius potestas quo ad hoc sit ligata, videlicet de fractione voti, de periurio solemne[j], de blasphemia in Deum et sanctos, de homicidio, de peccato contra naturam, de adulterio, de defloratione virginum, de sortilegio, de heresi, de divinatione, de incestu, de iniectione manuum in parentes, de oppressione et suffocatione parvulorum, de iniectione manuum in clericos, et aliis pluribus criminibus que inferuntur iuri proibito, et[k] in his versibus aliqua continentur. Unde v. Per papam...[l]7.

In mortis tamen articulo quorumcunque peccatorum et excommunicationum, a quocunque presbytero non deneganda est absolutio. Ab infirmitate vero convalescentes, absoluti de quocunque criminum predictorum a non habente potestatem, sciant episcopum vel sanctam sedem apostolicam fore consulendum, sed si quis fuerit excommunicatus ab homine, non potest corpus Christi, nec unctionem sanctam aut sepulturam recipere tanquam catholicus, donec fuerit a suo excommunicatore absolutus.

Variantes. [a] eminenti] patenti Ve. –[b] et non in absconso et precipue mulieris] *add.* Pé. – patienter] Aut. Cam. Pé. Sen. –[c] penas] penitentias Ve. –[d] infligens] imponens Mea. Ve. –[e] humiliari] Ve. –[f] acedia] Ve. –[g] Observet] ChM. Sen. – Caveat] Ve. – [h] quemdam] quem Pé. – quemquam Ag. Aut. Cam. ChM. Lim. Mea. Sen. Ve. –[i] absolvat] ChM. Mea. Pé. –[j] solemni] ChM. Mea. Pé. Sen. Ve. –[k] inferuntur... et] *om.* Pé. Ve. –[l] videlicet de fractione... continentur] de quibus peccatis reservatis, in calce huius operis ad longum patebit Ag.

Strasbourg [1490][8]

[Albert de Bavière]

Fidelis ammonitio. De sacramento confessionis

Longue admonition attribuée à l'évêque du diocèse Albert de Bavière, empruntée en réalité en grande partie aux statuts synodaux et conciles provinciaux de l'époque :

Il faut se confesser au moins une fois par an ; les prêtres ne doivent pas donner l'absolution si le pénitent ne sait pas le *Pater* et le *Credo* ; les condamnés à mort peuvent se confesser et communier ; les péchés réservés à l'évêque et

---

7   *Voir infra* Cas réservés, liste des cas réservés au pape et à l'évêque du diocèse (P2447, 2579).
8   Ouvrage s.d., daté 1490 par René-Pierre Levresse, « Les rituels incunables de Strasbourg », *Archives de l'Église d'Alsace*, t. 39 (1976-79), p. 67.

384 CHAPITRE XI

au pape ne doivent pas être absous, sauf en cas de mort ; Il ne faut rien exiger des pénitents pour la confession[9]...

P1323 **Strasbourg 1490** f. [4v]-[5]. Subditos vestros etatem discretionis habentes, ut ad minus semel in anno confiteantur integre atque pure admonete. ... Si omnes subditi confiteantur attente considerate an orationem dominicam et symbolum sciant examinate ; si nesciant ut addiscant inducite. Condemnatis ad mortis supplicium confessionis et eucharistie sacramenta cum petierint fideliter ministrate, eosque non tamen sine iudicis consensu in cimiterio sepelite. ... A gravioribus peccatis romano pontifici vel nobis reservatis nisi in mortis articulo nullus presumat absolvere. Sed talibus ad nos vel nostrum penitentiarium remittat... Pro audiendis confessionibus nihil exigite...

Paris 1497
Amiens 1509-1554. Rennes c. 1510-1533
Saint-Brieuc [1506]. Saint-Malo 1557[10]

[Paris 1497 : Jean Simon de Champigny]
S'ensuyt aucuns notables pour mieulx entendre comment confession se doit faire[11]

Extrait de l'*Examen de conscience selon les péchés capitaux* [*Modus confitendi*] de Jean Gerson, donnant des conseils aux confesseurs[12].

P1324 **Paris 1497** f. o5v-o7v. Notez que par ce que dit est des sept pechez mortels, on peult savoir quantes fois on peche par les cinq sens, et contre les dix commandemens, et contre les oeuvres de misericorde et contre les douze articles de la foy...[13]

Notez que on se doit confesser de reigle commune au moins une foys l'an, a Pasques et quant on veult recevoir le corps nostre Seigneur

---

9   Le magistrat de Strasbourg s'opposait à ce que les condamnés à mort reçoivent ces sacrements ; Jean Geiler de Kaysersberg, prédicateur de la cathédrale, demande qu'on les leur donne ; l'évêque de Strasbourg se rallie à la thèse de Geiler après avoir entendu l'avis d'une commission d'experts. En 1485, l'accord se fait avec le magistrat (René-Pierre Levresse, « Les rituels incunables de Strasbourg », *Archives de l'Église d'Alsace*, t. 39 (1976-79), p. 65).

10   Il n'existe plus d'exemplaire de ce rituel. Par contre, un exemplaire du rituel de Rennes imprimé vers 1510 conservé au Grand Séminaire de Rennes, contenait des feuilles manuscrites indiquant ce qui différenciait le rituel de Rennes de celui de Saint-Malo. Cet exemplaire, microfilmé à Paris IRHT en 1965, est actuellement introuvable.

11   Titre de Rennes, Saint-Brieuc (et Saint-Malo) : *Ensuivent aucuns notables pour mieulx entendre comme confession se doit faire*.

12   Jean Gerson, *Œuvres complètes*, éd. P. Glorieux, t. 7, p. 398-399.

13   Paragraphe absent de Saint-Brieuc.

CONSEILS AUX PRÊTRES

ou aucun sacrement, et quant on est en peril de mort… Et quant plus souvent le fait, et mieulx vault selon l'estat de la personne ou quatrre [*sic*] fois l'an ou chascun moys ou chascune sepmaine ou chascune bonne feste.

Notez que confession se doit faire en lieu public…

Notez que plusieurs pechez sont, desquelz ne peut absouldre ung simple prestre s'il n'a aucun povoir especial du prelat ou s'il n'est penitancier. Telz cas sont Sortileges…[14]

Notez que quand la personne se confesse elle doit avoir voulenté de tout dire à son povoir, et de respondre à la verité sans mentir pour soy accuser ne excuser. Et doit on couvrir le peché d'autrui, si n'est que autrement on ne peut reveler le sien, ou se n'estoit pour profitter par le moien du confesseur sans autre prejudice…

Notez qu'on ne doit mye prendre penitence s'on n'a voulenté de la faire…

Notez que s'il convient restituer grant chose et on ne scet à qui … on le doit faire par le conseil de son prelat…

Notez que quant on scet le nombre des pechez qui sont nombrez en general on doit dire les especiaulx et quantes fois…

Notez que se la personne qui se confesse a en voulenté et propos de recommencer son pechié, on ne le peut ne ne doit absouldre comme s'elle ne veut rendre l'autruy selon son povoir, ou delaisser son peché charnel ou sa male rancune qu'elle a de vouloir nuire a aultruy par aultre voye que de droit. Neantmoins c'est bon que telle personne face tousjours le bien qu'elle pourra affin que Dieu la convertisse à bien.

Notez que chescun pechié est pire de tant comme il nuyt à plusieurs et chascun qui a esté cause du mal et peché d'autrui, et en especial de jeunes gens ou enfans filz ou filles, soit par conseil ou par induction ou par compaignie, s'en doit repentir en especial et procurer leur correction et amendement par soy et par autrui, et les ramener à bonne voye et à bonne doctrine. Et en ce gist la principale partie de sa penitence.

Notez que quant la personne fait diligence de remembrer ses pechez, et elle n'en peut avoir memoire d'aucuns, elle n'en sera mye pour ce damnée s'elle ne les confesse expressement. Neantmoins s'elle en a memoire apres, elle est obligée de s'en confesser en temps et en lieu…

---

[14] *Voir infra* Cas réservés aux évêques, Paris 1497 (P2581).

386 CHAPITRE XI

Senlis 1525 [1526 n.st.]

[Artus Fillon]
Tractatus de sacramento Penitentie

Le rituel de Senlis reproduit presque entièrement le dernier des traités sur les sacrements du *Speculum curatorum* de l'évêque éditeur du rituel, Artus Fillon: *Tractatus De sacramento Penitentie in quo clare videbitur quomodo curati debent se habere in confessionibus audiendis*[15].

P1325 **Senlis 1526** f. AA3v … Primo interroget sacerdos penitentem circa peccata mortalia. Deinde circa species cuiuslibet peccati, exempli gratia. Dicet sacerdos penitenti. *Peccasti per superbiam?* Ille respondebit. *Ita.* Interrogabit postea sacerdos dicens. *Videamus in qua specie. Utrum per inanem gloriam?* Respondebit confitens. *Ita.* Tunc circa hoc statim sacerdos interroget quotiens et sic faciat circa singula peccata. …

f. AA4v-BB5 Sequitur numerus peccatorum et rami eorum…[16]

f. BB5-BB5v De satisfactione. … Sunt autem tres modi quibus possumus Deo satisfacere, s. [scilicet] jejunium, oratio, et elemosina. Jejunium solvit; elemosina placat; oratio reconciliat.

Isti autem modi satisfaciendi dicuntur a simplicibus penitentie iniuncte vel iniungende.

Et advertat sacerdos quod sit discretus ad iniunctione huiusmodi satisfactionis sue penitentie. Maxime ne nimiam et indiscretam iniungat presertim mulieribus pauperibus et debilibus, quibus non sunt iniungenda jejunia aut elemosina sed altera penitentia, puta oratio ut scilicet dicat pluries orationem dominicam, et adversis diebus dominicis; aut faciat brevem peregrinationem, vel visitet ecclesias in qualibet dicendo. Pater noster, et sic de aliis.

[La satisfaction comprend le jeûne, la prière, ou l'aumône … elle ne doit pas être trop conséquente, surtout pour les femmes, les pauvres et les infirmes auxquels on peut demander, au lieu de jeûner et de faire l'aumône, de réciter plusieurs Pater, ou de faire de courts pèlerinages, ou encore de visiter des églises en disant dans chacune un Pater.]

---

[15]   É. Picot, *Artus Fillon, chanoine d'Évreux et de Rouen, puis évêque de Senlis*, Évreux, 1911, p. 21 et 50-55, énumère les diverses éditions du *Speculum curatorum* parues entre 1506 et 1530, d'abord à Rouen, puis à Paris, Lyon et Troyes (treize éditions connues, les dernières sous le titre *Eirudictionum atque Directorium curatorum.*)

[16]   *Voir infra* Examens de conscience, Senlis 1526 (P1379).

CONSEILS AUX PRÊTRES

Toulouse 1526, 1538, 1553

[Toulouse 1526 : Jean d'Orléans]
... ne aliquis presbyter ob defectum librorum in predictis sacramentis possit periclitari aliqua notabilia scripsimus... De penitentia.

▶1326 **Toulouse 1526 f. 71.** Brève instruction (une demi page) citant la pénitence solennelle donnée par l'évêque, la pénitence publique réservée aux péchés publics (avec référence à Guillaume Durand[17]), et la pénitence privée qui doit être donnée par le prêtre de la paroisse, sauf à l'article de la mort. Aucun rite de pénitence.

Auxerre 1536

[François II de Dinteville]
Sequitur confessio. De penitentia.

▶1327 **Auxerre 1536 f. 91v-93v sign. m3v-m5v**
Sacerdos confitentem benedictione ab ipso suscepta interroget super tribus.
Primo si a longo te[mpore] [fuerit] confessus.
Secundo si penitentiam sibi [inunc]ta adimpleverit.
Tertio si quando recepit corpus dignissimum domini nostri I. C. in festo Pasche, vel alias sciens aliquod peccatum mortale in sua conscientia.
His interrogationibus factis, dicat sacerdos confitenti dulciter : *dic peccata que fecisti, et in quibus magis contra dominum Deum nostrum offendisti.* Audiendo sua peccata sacerdos poterit cognoscere cuius conditionis est confitens, et si non intelligat suum statum, interroget artem vel industriam et modum vivendi. Et quando confitens dixerit ea que fecit maiora sua peccata, sacerdos interroget eum super peccatis mortalibus gradatim.

f. m3v-m5 [Interrogatoire sur les sept péchés mortels][18]

f. m5 [Circonstances aggravantes]
Circunstantie aggravantes peccata sunt memorie commendande, ut patet in hoc versu.
Quis. Utrum masculus vel feminam, iuvenis vel senex.
Ubi. In loco sacro vel prophano, vel tempore sacro.
Cur. Coacte vel sponte, modo agendi vel patiendi.
Quid : adulterium vel fornicationem.

---

[17] Guillaume Durand, évêque de Mende (1230-1296), auteur d'un Pontifical composé à partir du Pontifical de la Curie.
[18] *Voir infra* Examens de conscience, Auxerre 1536 (P1380).

388   CHAPITRE XI

Quotiens: semel vel plures.
Quando: tempore sacro vel non.
Quomodo poterit: Sacerdos dicat hec et similia tua penitentia opportet quod tria habeat.

Primo quod habeas magnam contritionem de peccatis sic confessis, de offensis in Dominum nostrum factis continue, et in memoria quando habeas peccata sic dicta in recordatione si possibile esset semper.

Secundo quod omnia peccata tua interrogata et non dicta nichil retinendo secundum tuum posse confessa.

Tertio satisfacere omnibus si alicui teneris faciendo penitentiam iniunctam cum magnis gemitibus.

[Exemples de pénitences]

Deinde moneat sacerdos ut doleat de peccatis suis, intendendo quod amplius in illa non revertetur, habundet in omne opus bonum, deinceps exercendo divinum officium peregre progrediatur, fugiat consortia malorum fugienda, perseverando in bonum inceptum quoniam qui perseveraverit usque in finem salvus erit.

Finaliter confitenti det absolutionem iniungendo non magnam penitentiam bene contritis, et aliis secundum suam discretionem, ut expediens sibi videbitur orationes unicum vel duo aut plus, ieiunia secundum quod illa observaverunt ab ecclesia instituta, elemosinas et cetera.

Lyon 1542

[Hippolyte d'Este]
De sacramento penitentie

[Interrogatoire d'un pénitent]

L'interrogatoire reprend en majeure partie celui du Sacerdotale de Castellano[19] en l'abrégeant; le pénitent doit savoir l'oraison dominicale, la salutation angélique et le symbole des apôtres; il ne doit avoir ni haine ni inimitiés envers quelqu'un, pardonner à ses ennemis et à ceux qui l'ont offensé; s'il veut s'abstenir de pécher, il doit quitter sa concubine [*sic*], arrêter l'usure, et réparer les dommages causés à autrui dans ses biens ou sa réputation. Le prêtre l'interrogera aussi sur les articles de la foi et sur ses péchés, sur les dix commandements et sur les péchés mortels[20].

---

[19] Rituel romano-vénitien, f. 49-51 de l'édition 1585. *Voir infra* Bibliographie sélective – sources, p. 23.

[20] Le rituel lyonnais de 1542 contient f. 89-94 un second examen de conscience beaucoup plus développé, reprenant, sans le citer, le *Modus confitendi* d'André de Escobar; ce dernier relié

CONSEILS AUX PRÊTRES 389

Aucun délai d'absolution n'est demandé.

P1328 **Lyon 1542 f. 8-9.** Secunda tabula post naufragium est Penitentia, quoniam qui humana fragilitate, vel suadente diabolo aut sua propria iniquitate peccaverunt per penitentiam ad salutis portum reducuntur. … Triplex est penitentia, solennis scilicet publica et privata…

Triplex autem est confessio: una est mentalis: que est recognitio peccati in corde coram Deo: et ista est de lege nature statim post peccatum Ade. Altera est cerimonialis qualis erat de lege Mosaica: dum pro peccatis offerebantur sacrificia. Alia est sacramentalis: que fit sacerdoti per penitentem: et ista est de necessitate salutis cunctis hominibus. Omnes enim adulti, et qui pervenerunt ad annos discretionis, tenentur confiteri semel in anno, id est quadragesima omnia peccata sua[21]…

f. 9v-10. Post hec interrogabit eum de statu suo, si est coniugatus, cuius exercitii, vel artis, si habet filios, et similia. Nec tamen omnia sunt ab omnibus inquirenda, et maxime cavendum est in iuvenculis, virginibus, et simplicibus pueris, ne inquirendo doceantur que nesciunt.

Interrogabit preterea sacerdos penitentem a quo tempore non est confessus, et si confessus fuit saltem semel in anno, et recepit sanctam communionem, ut tenetur. Si in sua ultima confessione malitiose tacuit aliquod peccatum mortale, quo casu teneretur iterare eam, si perfecit penitentiam sibi a sacerdote indictam. Si sit excommunicatus maiori excommunicatione vel minori, quo casu esset primum absolvendus ab ipsa excommunicatione …

Interrogandus est preterea si scit orationem dominicam, salutationem angelicam, et symbolum apostolorum, et si nescit, iniungat ei ut discat quamprimum.

Item petet, si habet odium, aut inimicitias in aliquem, et si vult remittere, et parcere inimicis, et his qui eum offenderunt, et si vult abstinere a peccatis, dimittere concubinam, cessare ab usuris, et satisfacere, si quid abstulit alteri in bonis, aut fama.

Interrogabit item de articulis fidei distincte, et secundum eius conditionem, et statum formabit interrogationes, et diligenter investigabit peccata, et eorum species et circunstantias, que circunstantie hoc versu continentur. Quis, quid, ubi, per quos, quoties, cur, quomodo, quando. Id est. Quis? Si sit clericus, an laicus, senex vel iuvenis.

également à la suite du rituel de Saint-Brieuc [1506]. *Voir infra* Examens de conscience, Saint-Brieuc [1506]-Lyon 1542 (P1378).

[21] Le formulaire de confession est donné plus loin (P1520).

Quid? id est clare exprimat speciem peccati, si sit occultum, vel manifestum, enorme, vel parvum, novum vel antiquum.

Ubi? in loco sacro, an prophano.

Per quos? quibus mediantibus.

Quoties? scilicet reiteravit peccatum.

Cur? scilicet si prevenit tentationem, vel ab ea fuerit preventus, vel qua occasione id fecit.

Quomodo? id est per quem modum, et qualiter id fecerit.

Quando? Si tempore sacro, aut festivo, vel tempore ieiunii.

Ante omnia autem debet sacerdos peccatores inducere ad faciendam veram et integram confessionem, et puram suorum peccatorum expressionem, proponens eis spem divine misericordie, que nullum ad se revertentem reiicit, exemplo beati Petri qui Christum negavit, Latronis, qui cum Christo in cruce pependit, Marie Magdalene, qui fuit in civitate peccatrix, et aliorum qui omnes clementissimo a Domino sunt recepti et sanctificati.

Advertat etiam sacerdos ut peccata puerorum, virginum, iuvencularum, et mulierum caute investiget, et quod eis tribuat fiduciam dicendi, ne quid ex verecundia dimittant. Debet etiam de penitentium peccatis compati, et condolere, et ita cum dulcedine eos attrahere ad veram et integram confessionem.

Interrogabit preterea sacerdos de decem preceptis legis, et de septem peccatis mortalibus …

Audita vero confessione, arguet sacerdos penitentem de commissis, et increpabit secundum persone conditionem, et delictorum qualitatem, propositaque pena peccatis succedente, que est eterna damnatio, et opposita spe immense misericordie Dei …

Si autem penitens fuerit excommunicatus, priusquam absolvat eum a peccatis sibi confessis, remittet eum ad superiorem, qui eum ab excommunicationis absolvat, qui rediens postea suscipiet absolutionem et penitentiam a suo sacerdote.

Metz 1543

[Jean de Lorraine]

De confessione et penitentia tractatus perutilis et necessarius

Les prêtres ne doivent pas absoudre des péchés les plus graves qui sont réservés au pape ou à l'évêque: homicide, sortilèges, peché contre nature, inceste…

L'absolution est refusée aux voleurs, usuriers, fraudeurs, s'ils ne promettent pas de restituer le bien d'autrui le plus vite possible.

CONSEILS AUX PRÊTRES

Conseils sur la manière de se confesser, la manière de confesser les femmes, les moments de l'année propices pour se confesser...

Les prêtres doivent avertir leurs paroissiens que c'est pécher gravement que de consulter des devins, croire aux superstitions des religions païennes, faire le tour des maisons certains jours avec des cierges bénits, traverser le feu ou l'eau, utiliser des ligatures ou des formules superstitieuses pour soigner les malades.

P1329 **Metz 1543** f. 46v-50 Ad audiendam confessionem, eminentem locum, non retro altare, sed in patenti eligant sacerdotes, ut convenienter possint videri. Nec in locis absconditis extra ecclesiam recipiant confessiones, nisi occurrente magna necessitate, vel infirmitate. Et frequenter moneant populum ad confessionem, presertim in initio quadragesime.

In confessione autem habeat sacerdos vultem humilem et oculos ad terram, nec indiscrete aut frequentius vultum aut faciem confitentis aspiciat, sed vel caputium ante oculos teneat, vel alibi faciem vertat. Et presertim cum mulieres sibi confitentur.

Et si forte horribile peccatum audierit, non spuat, non faciem torqueat, aut signum aliquod faciat propter quod peccantem deterreat, vel rubore seu verecundia confundat, ita ut reliqua peccata sibi timeat revelare. Sed patienter audiat penitentes, spem venie eis promittat si se abstinnerint [sic] a peccatis, et penitentes fuerint, et contriti de commissis.

Caveant sibi sacerdo(te)s ne inquirant nomina personarum cum quibus confitentes peccaverint, sed circunstantias tantum, et solas eas que aggravant peccatum, non inquirentes nisi de peccatis usitatis. De non usitatis caveant, nisi a longe, et per aliquam circunstantiam, ut melius detur modus et materia confitendi.

Caveant omnino sacerdotes, ne verbo aut signo, aut aliquovismodo prodant peccatorem. Sed si si prudentiori consilio indiguerint, id absque ulla expressione persone caute inquirant...

De maioribus peccatis presbiteri non absolvant peccatores, sicut de homicidio, de sortilegiis, de peccato contra naturam, de incestu, de stupro virginum, de sacrilego coitu monialium, de iniectione manuum in parentes, presbiteros, clericos, et cuiuscunque religionis conversos, de votis fractis, de suffocatione parvulorum, et pluribus aliis enormibus peccatis summo pontifici seu episcopo reservatis...

Ad id etiam summopere debet advertere sacerdos, ut querat a confitente utrum doleat de commissis, dicens ei quod non gaudeat se conversum, si non doluerit se perversum fuisse. Et an proponat ulterius non peccare, et penitentiam agere de commissis. ...

In iniungendis penitentiis considerent confessores peccatum, modumque peccandi, tempus, locum, qualiter, et quomodo, personam, qualitatem, et quantitatem culpe, et contritionem confitentis. Et non iniungant nimis magnas penitentias, neque duras, sed moderatas...

Fures, raptores, usurarii, fraudatores, non absolvantur nisi promittant restituere bona fide citius quam poterint alienum. ...

Cavere debet summopere tam episcopus quam confessor ne de restitutionibus faciendis aliquid retineant ne per hoc penitentes a restitutione retrahantur. ...

Nullus sacerdos missas quas iniunxerit audeat celebrare ne credatur ipsas missas iniunxisse propter ipsum lucrum...

Sciant omnes sacerdo(te)s quod si episcopus concedat subdito suo ut sibi liceat eligere confessorem, taliter electus in casibus specialiter episcopo reservatis nequit absolvere...

Si quis parrochianus alii quam suo sacerdoti aliqua rationabili causa voluerit confiteri sua peccata, licentiam prius postulet a suo proprio sacerdote, cum aliter ipse non possit illum absolvere, vel ligare nisi habeat a superiore licentiam seu potestatem.

[Comment se confesser]

Quoniam multi sunt nimis rudes in confessione facienda, instruendi sunt publice a suis presbiteris in principio quadragesime, et aliis temporibus oportunis, quomodo confessio sit facienda, videlicet quod cum humilitate et reverentia ad sacerdotem accedant, et flexis genibus, ac iunctis manibus, discoperte capite (si sint homines), mulieres vero velato capite, incipiant in hunc modum : *Confiteor Deo omnipotenti et beate Marie virgini, et tibi pater, quia peccavi nimis in tali peccato, et in tali, et totiens, in tali loco, ac in tali tempore, et per tot coadiutores.*

Mulieres vero instruende sunt ne ante sacerdotis faciem, sed ad ipsius latus se collocent, ne in faciem videantur, quas cum audiunt confessores tam honeste, tam religiose, et tam sancte debent eas audire, ne pater celestis qui videt in abscondito in aliquo offendatur. Patienter etiam audiende sunt que dixerint in spiritu lenitatis, inducendo, et monendo eas ut integre, nude, vere, aperte confiteantur, declarando aliter non valere eorum confessionem.

Et quoniam hominum labilis est memoria adeo quod quis vix potest recordari eorum que fecit a mense citra, periculosumque est diu remanere in peccato mortali immo et damnosum... Ea propter opere

CONSEILS AUX PRÊTRES

precium et etiam pernecessarium foret, ut de cetero curati diligenter moneant suos parrochianos ut confiteantur saltem in festis solennibus videlicet in Pascha, Penthecoste, Assumptione beate Marie virginis, festo omnium sanctorum, Natale Domini, et in capite ieiunii...

Item quia communiter in ebdomada sancta, et precipue tribus ultimis diebus in ecclesiis parrochialibus tanta confluit volentium confiteri multitudo, quod omnes commode audiri non possunt... Ob id equum foret ac salutiferum ut singulis diebus dominicis quadragesime, curati inducant suos parrochianos et hortentur, ut ante ebdomadam predictam veniant ad confitendum peccata sua... Quod si forte aliquos negligentes in hoc reppererint, eorum damnatam accidiam (ymmo verius contemptum) ieiunio, vel elemosina puniendam esse merito iudicare possunt.

Annuntiare etiam diligenter debent sacerdotes suis parrochialis grande peccatum esse divinatores consulere, superstitionibus ex reliquiis paganitatis venientibus credere. Aut cum candelis benedictis certo die domos circuire, vel per ignem, aut aquam transire, vel ad curationes infirmitatum uti ligaturis, vel carminibus superstitiosis, quoniam hec sapiunt sortilegium. Et pro his casibus ad episcopum seu eius vicarium remittant.

[Examen de conscience]

f. 50-53 Sequitur numerus peccatorum principalium[22]...

[Exemples de pénitences]

De penitentia.

f. 53-56 Et quia semper vere confessioni penitentia debet esse comes, et pedissequa, non absonum videtur adiicere aliquid de eadem. Nam sicut puero non est salus sine baptismo, ita adulto qui fedus baptismi violavit non est salus, sine penitentia adminus contritionis. In proposito vero, et ardenti voluntate confessionis et satisfactionis, salvari possunt adulti, sed quia vera penitentia liberat hominem a diabolo, mundificat a peccato, et reconciliat Deo, consilium nobis fuit aliquam aperire viam qua facilius ad eam confessores crassari possint. ...

Sacerdos igitur peccata confitenti, et propositum ulterius non peccandi habenti, suadeat et imponat penitentiam et correctionem per contrarium sibi correspondentem: contra superbiam suadeat humilitatem et iniungat orationem... Nam tribus modis Deo satisfacere possumus: per ieiunium, orationem, et elemosinam. Ieiunium solvit,

---

[22]   *Voir infra* Examens de conscience, Senlis 1526, Metz 1543 (P1379).

394 CHAPITRE XI

elemosina placat, oratio reconsiliat, imponendo semper iuxta persone conditionem penitentiam quam poterit supportare. …

Similiter quia videmus omnem etatem esse pronam et proclivem ad omnem libidinem, hocque morbo pestifero singulos promiscue et impudenter laborare, pro qua forsan ignorantia sacerdotum, vel malicia, nulla vel modica iniungitur penitentia. Consulitur igitur quod sacerdotes studeant inquirere diligenter peccata usitata et circunstantias peccati gule, et luxurie, quibus proch dolor genus humanum corrumpitur, frequentius et fedatur, et cognita qualitate peccati iniungant eis penitentias inferius descriptas, que ex conciliis celebratis in ecclesiis gallicanis excerpte sunt…

[Exemples de pénitences pour la gourmandise]

Vitium igitur gule in excessu circa potum et cibum attenditur quod maxime fit in quinque [*sic*]. Inquiratur igitur a penitente utrum aliquem excessum fecerit querendo cibos nimium sumptuosos… Item utrum peccaverit nimia ciborum etiam vilium sumpretione… Item utrum sumendo cum nimia aviditate sicut Esau. …

[Exemples de pénitences pour la luxure]

Circa peccatum luxurie, queratur utrum penitens accesserit ad prostitutas mulieres, sive viduas, sive alias. …

De tempore utrum in solemnitatibus precipuis. Quod si fecerit honestum videtur ut in vigiliis festorum, que violavit ieiunet omnibus diebus vite sue in pane et aqua, vel saltem redimat competenter. …

Ostendatur etiam miseris qui ad prostitutas accedunt periculum in quo incidunt. …

Deflorator autem virginis tot debet maritare quot defloravit, si eius facultas suppetat, vel alias pauperes mulieres loco earum… Ex romano concilio cautum pariter reperitur quod si quis in puerperio cum muliere concubuerit, decem dies peniteat in pane et aque… Eadem quoque imponitur qui accedit ad mulierem menstruatam … quia ex corrupto femine, corruptus nascitur fetus. Et fere semper ut asserunt phisici, nati ex tali coitu communiter sunt vel gilbosi, vel leprosi, aut alia corporis macula aspersi. …

Omnis homo ante sacram communionem a propria uxore abstinere debet tribus aut quatuor aut octo diebus c. omnis homo de conse. di. II[23].

---

[23]   Gratien, Décret *De consecratione* D. II. C. 21.

CONSEILS AUX PRÊTRES

[Du péché de mollesse]

De peccato molliciei.

Queratur utrum pollutio ei contigerit etiam vigilando per se solum. … Item queratur utrum mulierem non suam lascive aspexerit, concupivit… Item queratur utrum aliquem pro aliquo sollicitavit… Monendi sunt ergo luxuriosi, aut qui vitio carnis sunt dedeti, sub his verbis: frater labora, ora, et cogita vitare otium, et malam societatem…

Illud quoque non est silentio pretereundum quod sacerdos debet esse solicitus ut penitenti onus importabile non imponat…

Rursus etiam admoneant sacerdotes suos subditos ne penitentiam eis iniunctam revelent, quia per hoc contingeret peccatum eorum posse prodi et manifestari…

[Cas des malades]

Ab infirmis autem in mortis articulo constitutis, pia est inquirenda peccatorum confessio; non penitentia iniungenda…

Autun 1545

De Poenitentia

Voir infra Formulaires de confession, Autun 1545 (P1522).

Cambrai 1562, 1606

[Cambrai 1562: Maximilien de Berghes]
De Poenitentia generalis instructio.
Admonitio ad pastores, quo pacto se gerere debeant erga poenitentes

P1330 **Cambrai 1562**

f. 38v-40 Quando Parochus[a] alicuius Poenitentis confessionem auditurus est, si Poenitens sua peccata exactè enumerare potest, illum usque in finem patienter audiet[b]: Deinde ubi desierit[c], admoneat illum, ut bene ponderet gravitatem, multitudinem, et assiduitatem peccatorum suorum, ut hac ratione serio detestetur suas iniquitates. Proponat etiam Poenitenti contra quem peccaverit, atque ipsius in Deum temeritatem et ingratitudinem, necnon quo pacto ipsius Dei patientia ac benignitate, tam infeliciter[d] abusus sit, per continuationem delictorum, peccata peccatis accumulando. Denique metuendum iudicium divinum poenitenti ob oculos ponet, detestationem[e] peccati inducet, ac horrorem poenarum inferni proponet. Postea si illum ex corde poenitere perspiciat, eum consolabitur ostendendo infinitam Dei miseri-

396 CHAPITRE XI

cordiam, atque veritatem in promissis, necnon preciosi sanguinis domini nostri I. C. efficaciam. Praeterea admonebit poenitentem, ut vitam ac mores in melius commutet, ac voluntarie pro peccatis perpetratis satisfaciat. Quod si usque adeo simplex fuerit poenitens, ut Sacerdotis non solum instructione, sed etiam examinatione egeat: tunc Sacerdos priusquam illum, vel de peccatis interroget, vel audiat, paucis verbis, ut cognoscat, ac in mentem revocet gravitatem, multitudinem ac assiduitatem peccatorum suorum, exhortabitur, haec aut similia dicens:

Mon amy (m' Amye) vous debvés scavoir et cognoistre que nostre Seigneur J. C. … a mis et institué en son Eglise le Sacrement de Penitence, affin de nous asseurer que le pecheur envers Dieu peult trouver grace et misericorde quand il se repent. Mais à cette fin que cela se fasse plus parfaictement, et que vostre penitence soit à Dieu aggreable, vous debvés bien peser la gravité, la multitude, et l'assiduité de voz pechez: pour par ce moyen venir à serieusement, et d'un bon coeur detester voz pechez. … Parquoy à icelle (vraye penitence) vous enhorte, vous admonestant de ne vous desesperer pour tous les pechez qu'avez commis: Car la misericorde de Dieu est infinie, et ses promesses infallables [sic], et l'efficace du sang precieux de nostre Seigneur J. C. inestimable. Et pourtant prenés couraige et bonne espoir en la bonté et charité de Dieu. … Et parainsi faictes une bonne, humble, et entiere confession, qui vous soit fructueuse et salutaire.

Variantes Cambrai 1606. (a) et quilibet Confessarius] add. –(b) audiat –(c) disierit. –(d) infeliciter] indigne –(e) ponet, detestationem] ponens ad detestationem.

Chartres 1580
[Nicolas de Thou]

P1331 **Chartres 1580**
[Premières instructions se référant aux canons du Concile de Trente]

f. 163v *Comme le confesseur se doit comporter à l'endroict des penitens.*

… S'il cognoist aussi qu'ils n'ayent faict devoir d'esprouver leurs consciences, les renvoyra doucement pour y penser à loysir. Où auroit crainte qu'ils ne retournassent, et verroit quelque signe d'amendement de vie, passera outre, apres les avoir blasmé de leur negligence, et exhorté d'estre plus songneux à l'advenir.

f. 164 *Injonction aux Curez.*

Enjoignons aux Curez de nostre Diocese d'entendre soigneusement au deu de leur charge, et de ne commettre aucuns à oyr leurs parois-

CONSEILS AUX PRÊTRES

siens en confession, qui ne soyent idoines pour ce faire : sçachans, selon la discipline ecclesiastique, accueillir les infirmes, consoler les pusillanimes, arguer les inquietés, et à l'exemple du Samaritain appliquer vin et huile à leurs playes et ulceres, ainsi que requis sera.

N'oubliront eux-mesmes, és confessions qu'ils oyront, de les exciter par de sainctes remonstrances, increpations et prieres à instituer tellement leur vie, qu'ils ne retombent plus en peché mortel, si faire ce peut[24]...

f. 174-174v *Advertissemens aux Confesseurs.* ...

... Ils tempereront ... les penitences, pour ne contraindre les pecheurs à faire pis par desespoir. L'Eglise seulement requiert qu'apres diligente excussion de leurs consciences, ils confessent les pechez, par lesquels ont souvenance d'avoir mortellement offensé Dieu[25] : et tient que les autres qui sont occults, et dont ils n'ont memoire, sont enclos en la mesme confession...

[Facilités données pour se confesser des cas réservés]

f. 176v De nostre part, deputerons és villes plus insignes de l'estenduë de nostre diocese, gens de bonne vie, conversation, moeurs, et erudition pour en nostre nom absouldre les penitens esdicts cas, et les relever de la peine et travail, qu'ils auroyent de recourir à nous : et aussi qu'à l'occasion des difficultez du chemin, ils ne different, ou negligent de se confesser, s'ils n'en estoyent promptement absoulz.

Chartres 1581
[Nicolas de Thou]

P1332 **Chartres 1581**

f. 26v *Quomodo se gerere debet sacerdos erga penitentem.*

Si penitens sua peccata exacte possit recensere, presbyter illum usque in finem patienter audiet.

Ubi desierit, modeste interrogabit, an preterita peccata displiceant, et propositum habeat vitam emendandi.

Si ex corde penitere perspiciat, benigne eriget, et adiuvabit consolando, leniendo, spem in Dei misericordia (cuius semper aperta sunt omni penitenti viscera) promittendo. ...

---

[24] F. 164v-165. *Voir infra* Conseils aux pénitents selon leur état de vie, Chartres 1580 (P1504).
[25] Référence marginale : ex concilii Tridentini. de Poenitentia. c. 5, sess. 14 [De confessione].

398 CHAPITRE XI

... Pro qualitate etiam confitentis inquiret tam de preceptis Decalogi, quam de articulis fidei, et que illis coherent sacramentis Ecclesie, necnon de operibus misericordie.

f. 28v *De Sacramento Poenitentie.*

Sacramentum Penitentie, est visibile et externum signum invisibilis gratie, quam Deus certo et efficaciter operatur in remissione peccatorum per sacerdotis ministerium. Tota vis eius potissimum in absolutione consistit. Nam simulatque sacerdos verbum istud protulerit. *Ego te absolvo*, statim peccata remittuntur vere contrito et confesso: idque virtute promissionis divine, et clavium sibi à Christo traditarum.

Quamvis hec absolutio sit alieni beneficii dispensatio, non tamen est solum ministerium nudum declarandi remissa est peccata: sed ad instar actus iudicialis, quo à sacerdote, velut à iudice, sententia pronunciatur.

Angoulême 1582

[Charles de Bony]
Instruction pour la confession

L'instruction d'Angoulême recopie celle du *Manuel general, et instruction des curez et vicaires* du carme Denis Peronnet, dont plusieurs éditions paraissent à cette époque[26].

P1333 **Angoulême 1582**

p. 287-289 Il faut en premier lieu que le Confesseur sache discerner entre les pêchez qui sont mortels, et ceux qui sont veniels.

Secondement il est requis qu'il soit Prebstre, et qu'il ait jurisdiction ordinaire, ou deleguée...

Toutesfois à l'article de la mort... tous Prebstres indifferemment peuvent absouldre, et de tous cas.

Il faut aussi... que le Prebstre ne soit excommunié, ni suspend, ni interdit. ...

... qu'il soit composé en ses gestes et maintien, en ses habits, et prudent et bien advisé en ses paroles...

Qu'il ne soit trop long n'y [*sic*] curieux, ou rigoureux en son interrogatoire. Qu'il soit secret...

Qu'il se prepare à escouter la confession du penitent par l'invocation de l'ayde et grace de Dieu...

---

[26] *Manuel general,* éd. Paris 1574 f. 181-182 et 188v-190. Sur Denis Peronnet, voir *infra* Auteurs cités, p. 1943.

CONSEILS AUX PRÊTRES

Qu'il preigne garde à la qualité du penitent: car aucuns ont une conscience craintive, lesquels il faut consoler… Les autres ne font conscience de rien, et n'ont pas grand douleur et repentance de leurs pechez: aux-quelz il faut proposer la gravité du peché et le jugement de Dieu…

Il y en a d'aucuns qui se confessent souvent, et s'accusent d'eux-mesmes, aux-quels il ne reste que de leur donner l'absolution … sinon qu'on pourra adjuster quelque petite exhortation, ou consolation… Mais quant à ceux qui ne se peuvent accuser, n'y examiner leur conscience sans l'aide du confesseur, on tiendra l'ordre qui s'ensuit[27].

p. 299-300 Apres cela, le Confesseur enjoindra au penitent, telle penitence et satisfaction qu'il cognoistra estre expedient, selon la gravité du peché, et selon la qualité du penitent.

Toutes fois il doit adviser, que la peine ne soit point trop grande et difficile, afin que le penitent n'ait l'occasion de faillir à son devoir.

Il doit aussi adviser, que si le peché du penitent est occulte il ne luy enjoigne penitence publique, de peur que son peché ne soit decouvert et manifeste à tous; et qu'il s'en ensuyve scandale…

Si le penitent est tenu à restitution de biens, il sera adverti de le faire à celuy qu'ilz appartiennent s'il le cognoist, et si cela ce [sic] peut faire sans scandale; autrement il les fera rendre par personnes interposées, sans se manifester; s'il estoit decedé il les rendra ou fera rendre à ses heritiers, si on les cognoist, autrement les faut bailler aux pauvres…

Nevers 1582

[Arnaud Sorbin]
Observations pour le Sacrement de Penitence

P1334 **Nevers 1582**

f. 23 Le Curé doit, tous les dimenches principalement, et les festes annuelles, exhorter son troupeau à penitence, et à la participation dudict Sacrement: leur proposer les trois fruicts qui en proviennent, sçavoir la grace et remission des pechez, cognoissance avec detestation de la vie passée, et amendement d'une nouvelle vie.

Doit demander, apres que le penitent aura dit *Benedicite Pater*, et luy respondu *Dominus sit* etc., l'estat du penitent, s'il ne le cognoist. L'interroger discretement (et hors du dangier de luy apprendre à com-

---

[27] P. 289-299. *Voir infra* Examens de conscience et Formulaires de confession, Angoulême 1582 (P1384, P1527).

400　　　CHAPITRE XI

mettre les pechez qu'il a ignorez) des vices où la qualité et estat de la
personne peult estre plus enclin. Exhortant les anciens… [**Conseils
selon les différents états de vie**][28]…

[Enseignements à donner au pénitent]

f. 23v … Les enseignemens que le penitent doit recevoir en la
confession, sont la cognoissance de ce qu'il faut croire en premier lieu,
en apres l'intelligence de ce qu'il fault faire, sçavoir des commandemens
de Dieu, l'usage et fruict des sacremens de l'Eglise, qui sont sept en
nombre, et finalement ce qu'il fault fuyr, sçavoir le peché.

Et pour ce faire, fault que le Confesseur n'ignore ce qu'il doit apprendre à son penitent.

Doit aussi sçavoir la difference qui est entre peché veniel et peché mortel : desquels le veniel est appellé tel, parce que de sa nature
il ne destourne l'homme de la grace de Dieu, comme fait bien le
mortel, contraire à l'amour de Dieu, et dilection du Chrestien… A
la cognoissance des pechez mortels fault adjouster la cognoissance
des circonstances, pour bien user de la clef de jurisdiction, qui suppose cognoissance de cause, et proportionner les penitences aux
crimes. …

f. 24-26 [Cas réservés au Pape et aux Evêques][29]

f. 26 … L'examen doncques parfaict [terminé] sur l'interpretation
des commandemens de Dieu, discussion des pechez mortels contraires
à iceux, et sur l'eclaircissement de l'usage et fruict des sept sacremens
de l'Eglise, articles de la foy, et faultes qui se peuvent commettre par le
mespris, irreverence, ou infirmité de la foy, ou malice des penitents : le
Confesseur, avant disposer la penitence selon la gravité des crimes, doit
considerer la qualité, douleur, et contrition de son penitent : le consoler, s'il est triste ou desolé ; et s'il est trop destitué de la cognoissance
des ses pechez, et douleur d'iceux, luy representer la justice de Dieu,
la rigueur de la mort, et peines d'enfer, pour le disposer au fruict de la
penitence : adjoustant en fin, que la souveraine partie de la penitence,
ou un des principaux fruicts d'icelle, est le regret des pechez passez,
et la prevoyance contre les futurs, sans lesquels fruicts la penitence est
infructueuse, et de nulle valeur.

---

[28]　　*Voir infra* Conseils aux pénitents selon leur état de vie, Nevers 1582 (P1505).
[29]　　*Voir infra* Cas réservés (P2455, P2590-2592).

[Exemples de pénitences]

Eux donques supposez, si le pecheur a offensé par la langue, il sera convenable, apres en avoir ordonné de la restitution de l'honneur s'il y en eschet (l'honneur du penitent, si faire se peult, sauvé) de luy enjoindre des prieres; si par le jeu, des meditations sainctes; si par gourmandise, des jeusnes; si par avarice, (la restitution, si elle est requise, supposée) des aulmosnes; si par superbe, des exercices d'humilité, comme laver les pieds aux pauvres, visiter les hospitaux, et les prisons; si par ire, enjoindre les reconciliations; si par luxure, separation pour quelques jours de la liberté matrimoniale aux mariez, avec consentement de l'autre partie; aux autres, jeusnes, ou autres exercices à ce utiles; le tout accommodé aux forces, zele, et honneste volonté du vrayement penitent.

Reims 1585, 1621
Amiens 1586, 1607. Châlons-sur-Marne 1606
Laon c. 1585, 1621. Senlis 1585. Saint-Brieuc 1605[30]

[Reims 1585: Louis III de Lorraine, cardinal de Guise]
Aliquot regulae, quarum observatio valde iuvat illum, qui de peccatorum qualitate, et poenitentiarum iniungendarum ratione rectè velit iudicare

Les instructions de Reims font référence à Jean Gerson, mais aussi à Navarro[31], Dominique Soto[32], et Guillaume de Paris[33]. La question de la contrition n'est pas abordée.

P1335 **Reims 1585**

f. 30v Imprimis notandum est, omne peccatum mortale ita dici, quia dignum sit morte, seu damnatione aeterna, quemadmodum et veniale, quia dignum sit venia... sunt nonnulla (peccata), quae aperte sunt mortalia, ut idololatria, haeresis, magia, blasphemia, periurium,

---

[30] Saint-Brieuc 1605: édition du *Sacerdotale* de Reims 1585 avec substitution de quelques nouveaux cahiers pour les adaptions indispensables à Saint-Brieuc.

[31] Sur Navarro, voir *infra* Auteurs cités, p. 1943.

[32] Dominique de Soto, frère prêcheur (1495-1560), auteur de plusieurs ouvrages de philosophie, de théologie, et de polémique. (*Catholicisme*, t. 14 (1996), col. 338-339; V. Beltran de Heredia, « Sotot (Dominique de), frère prêcheur (1495-1560) », *Dictionnaire de théologie catholique*, t. 14 (1941), col. 2423-2431).

[33] Sur Guillaume de Paris, confesseur de Philippe le Bel, auteur d'un *Tractatus de septem sacramentis*, voir R. Coulon, « Guillaume de Paris », *Dictionnaire de théologie catholique*, t. 6 (1920), col. 1977-1980.

402 CHAPITRE XI

adulterium, incoestus, et omnis fornicatio, sacrilegium, usura, simonia, et caetera id genus. ...

f. 31-31v ... *Confessarius non debet poenitentem absolvere sine iniunctione alicuius poenitentiae...*

Non debet poenitentiam ullam iniungere impossibilem, vel nimium incommodam atque difficilem, vel quam probabile sit poenitentem nolle vel posse adimplere. Gerson, Tract. 41 et in sermone de poenitentia. ...

Sunt quaedam peccatorum genera, quae certas poenientias exigunt, quas Confessarius remittere aut moderari non potest, hoc est, augere vel minuere, ut sunt omnia quae obligant ad restitutionem. ...

Bordeaux 1588, 1596

De ritibus et caerimoniis ad confessionem adhibendis
Voir infra Formulaires de confession, Bordeaux 1588, P1530.

Strasbourg 1590

[Jean de Manderscheidt]
De ritu confitendi et confessiones audiendi

P1336 **Strasbourg 1590**

p. 8-10 Sacerdos confessionem peccatorum auditurus, suorum delictorum memor, hanc aut similem orationem ad Deum instituat.

Adiutorium nostrum ... Domine exaudi...

Oremus. Domine Deus propitius esto mihi peccatori... P1580

... Methodus examinandi conscientiam.

In primis doceat peccatorem tam diu Dei gratia privatum, ad aeternam haereditatem accessum habere non posse, quam diu in peccato manet. Quare per poenitentiam in gratiam cum Deo redire festinet. Ad cognitionem autem peccatorum suorum iuvabitur, si propositis Decalogi, Ecclesiae ad maiorum praeceptis, variisque peccatorum speciebus recogitet, quaenam ex illis praetergressus fuerit; id autem futurum est, si praeteriti temporis partes; si loca et conversationis occasiones discutiat.

Poenitens ad confessarium accedens, utroque genu flexo cruce se muniens dicat. *In nomine Patris... Benedic Pater.* Cui sacerdos. *Dominus sit in corde tuo, et in labiis tuis, ut bene confitearis peccata tua. In nomine Patris...* P1610bis

Inde confitens generalem praemittat confessionis formam, ut sequitur. *Confiteor...* P1624

CONSEILS AUX PRÊTRES

Misereatur omnip. Deus, et dimissis omnibus peccatis tuis… P1722
Indulgentiam, absolutionem et remissionem… P1708
*Dominus noster I. C., qui est summus pontifex te absolvat… Deinde
ego te absolvo…* P1677
Passio Domini nostri I. C., merita B. Mariae virginis… P1729

Tournai 1591
Ratio servanda in confessione poenitentiali et forma absolutionis

Voir infra Formulaires de confession, Tournai 1591, P1532.

Cahors 1593
[Antoine Hébrard de Saint-Sulpice]
*Instruction fort utile et profitable a tous curez et vicaires
pour bien examiner les consciences de penitens en la confession*

L'Instruction aux confesseurs de Cahors s'inspire de celle de Denis Peronnet, reprise par Angoulême 1582[34].

Le long examen de conscience sur les dix commandements et les péchés mortels (f. 177-182v), les exhortations contre les sept pechez mortelz (f. 186-190v)[35], et l'examen de conscience pour les enfants (f. 190v-192)[36] recopient le Manuel de Denis Peronnet.

Les conseils aux différentes catégories de pénitents (f. 185v-186) viennent de Chartres 1580[37].

L'injonction finale aux curez (f. 194) demande à ceux-ci de suivre vis-à-vis des pénitents l'exemple du Samaritain.

P1337 **Cahors 1593**

f. 174-175v *Ce qui est requis de la part du confesseur.*
Il faut en premier lieu que le confesseur soit prestre, et scache discerner entre les pechez qui sont mortelz et qui sont venielz. Ne soit pas excommunié, suspend, ny interdit (a quoy toutesfois estant en danger de mort on ne doit avoir esgard)…

f. 194 *Injonction aux curez.* Enjoignons aux curez de nostre Dioecese, d'entendre soigneusement au deu de leur charge, et ne commettre aucuns a ouyr leurs parroissiens en confession, qui ne soyent idoines

---

[34] *Voir supra* Angoulême 1582 (P1333).
[35] *Voir infra* Examens de conscience, Cahors 1593 (P1386).
[36] *Voir infra* Confession des enfants, Cahors 1593 (P1756).
[37] *Voir infra* Conseils aux pénitents, Chartres 1580, Cahors 1593 (P1504).

404 CHAPITRE XI

pour ce faire, sçachant selon la discipline ecclesiastique, accuillir [*sic*] les infirmes, consoler les pusilanimes [*sic*], arguer les inquietes [*sic*], et a l'exemple du Samaritain appliquer vin et huile a leurs playes et ulceres, ainsi que requis sera. (comme Chartres P1530, P1331)

Bâle 1595

De Sacramento Poenitentiae

Voir infra Formulaires de confession, Bâle 1595, P1534.

Paris 1601

[Henri de Gondi]
Praefatio pro Poenitentia

Instruction en quinze points incluant le rite de la confession. La question de la contrition n'est pas abordée.

P1338 **Paris 1601**

f. 55v-62 Cum poenitentia sit virtus et sacramentum, qua dolet peccator ut oportet de peccatis praeteritis cum proposito ea in futurum evitandi, dicente D. Amb[rosio] Poenitere est praeterita mala plangere, et plangenda iterum non committere[38]: ideo summa cura et diligentia adhibenda est à sacerdote animarum rectore, eiusque vices gerente, ut circa hoc ministerium fideliter versetur...

Prima regula. Qui peccatorum suorum veniam postulaturus confessarium adit, imprimis longo satis tempore seipsum et conscientiam examinet, consideretque sceleris sui gravitatem, Dei bonitatem et magnitudinem quem offendit...

... *Quarta regula.* Quemadmodum debet esse integra poenitentis confessio, nec unum peccatum debet poenitens confiteri et alterum celare, si veram et perfectam absolutionem consequi desideret: hîc cavebit sacerdos, ne poenitentem absolvat ab uno peccato, altero retento...

... *Sexta regula.* Cum poenitens paratus fuerit peccata enarrare, iubebit imprimis sacerdos ut signo crucis munitus, capite nudo, manibus iunctis, instar deprecantis et genibus flexis dicat: *Benedic mihi pater, quia peccavi.*

... *Octava regula.* Cum ex praecipuis veteris legis Mosaïcae sacerdotum officiis fuerit, discernere lepram à lepra: multo magis convenit,

---

[38] Cf. Gratien, Décret *De Poenitentia* D III C.I. A. Friedberg t. I, c. 1211.

ut in lege evangelica vera et non figurata, sciat sacerdos evangelicus lepram spiritualem, quod est peccatum à lepra I [*sic*] à peccato distinguere, dabit ergo sedulam operam confessarius, ut species peccatorum et differentias probe cognoscat: quoniam alia sunt venilia, alia mortalia: et inter mortalia, alia aliis graviora...

Nona regula. Studeat pariter confessarius integrè nosse casus ss. Domino Papae reservatos...

Rodez 1603. Vabres 1611

Advertissement touchant au S. Sacrement de Penitence
Voir infra Formulaires de confession, Rodez 1603 (P1539).

Cahors 1604

[Siméon-Etienne de Popian]
De observandis ante Confessionem
[Conditions d'une bonne confession. La confession mensuelle et la communion fréquente sont nécessaires.]

Le rituel de Cahors 1604 comprend deux parties; la première reproduit un rituel romano-vénitien, dont les éditions se succèdent presque chaque année à Venise entre 1592 et 1614: *Ordo baptizandi et alia sacramenta administrandi, ex Romanae Ecclesiae ritu. ...*[39].

1339 Cahors 1604, *Ordo baptizandi,* p. 18-20.

p. 18 Ne pigeat (Confessarius) docere eos, qui sanctae crucis signum sibi facere nesciunt, et sub sanctae obedientiae praecepto confessarius sciat se teneri, ut faciant antequam confessionem audiat, Orationem dominicam, Salutationem angelicam, Symbolum fidei, et decem praecepta Dei, ut poenitentes, ipso audiente recitent. Et quos ignorare deprehenderit, arguat, imponatque, ut certo tempore sibi praefinito addiscant...

p. 19-20 ... in adeo neque in excutienda conscientia, et in peccatis numerandis diligentiam, neque in detestandis dolorem adhibuisse iudicaverit, prorsusque imparatum esse cognoverit, conetur magno contritionis desiderio eum afficere, ut deinde huius praeclari doni cupiditate incensus, illud à Dei misericordia petere, et efflagitare in animum inducat, humanissimisque verbis à se dimittet, hortabiturque, ut ad cogitanda peccata aliquod spatium sumat, ac deinde revertatur.

---

[39] Molin Aussedat n° 1516, 1517, 1520, 1521... La seconde partie du rituel, intitulée *Manuale proprium parochorum cadurcensium,* contient essentiellement des exhortations pour les sacrements.

406 CHAPITRE XI

Hortetur etiam poenitentem, ne in annum differat confessionem, nam si considerabit turpitudinem peccati, quod semper insequitur imminens ira Dei; ac calamitates, et gravissima damna, quae nobis affert, quidque ratio salutis suae postulet ob multa, quae impendent vitae discrimina, profecto cognoscet quammaxime decere, si singulis mensibus, vel saltem in maioribus Ecclesiae sollemnitatibus confiteatur; simulque divinum Euchristiae sacramentum devotè percipiat; et quemadmodum corpori in singulos dies alimentum subministrare necessarium putamus, ita spirituali pabuli animam frequentius reficere oportet.

[Traduction:] Le confesseur ne doit pas hésiter à enseigner à faire le signe de croix à ceux qui ne le connaissent pas; avant de se confesser, les pénitents doivent lui réciter l'oraison dominicale, la salutation angélique, le Credo, et les dix commandements. S'ils les ignorent, le prêtre doit les reprendre et leur imposer de les apprendre pour une date fixée. S'il juge que l'examen de conscience, l'énumération et la détestation des péchés sont insuffisants, qu'il s'efforce d'amener le pénitent à un grand désir de contrition, à implorer la miséricorde divine, et à la demander avec insistance. Sinon, qu'il le renvoie avec délicatesse en lui demandant de prendre le temps de réfléchir à ses péchés, puis de revenir.

Qu'il l'exhorte à ne pas différer sa confession d'un an, car la gravité du péché entraine toujours la colère de Dieu, ce qui occasionne des calamités et de très grands préjudices; en vue d'assurer le salut, il convient particulièrement de se confesser tous les mois, ou au moins aux solennités majeures de l'Eglise; et de même que nous nourrissons notre corps chaque jour, nous devons fréquemment nourrir notre âme.

Cahors 1604
Évreux 1606. Coutances 1618. Lisieux 1608, 1661

De iniungenda satisfactione
[Canons pénitentiaux]

Le cardinal Charles Borromée donnait, comme exemple de législation passée, les anciens canons pénitentiaux. Le rituel de Cahors semble être le premier à en donner une liste (soixante-sept cas) recopiant celle des *Ordo baptizandi* romano-vénitiens, pour faire connaître aux pénitents avec quelle rigueur on traitait autrefois les pécheurs.

P1340 Cahors 1604, *Ordo baptizandi*, p. 21-27

Ut autem sciat qualem debeat unicuique crimini pro eorum gravitate satisfactionem imponere, notos habere debet veteres poenitentiales Canones, ut ad eorum normam, quantum fieri possit, sese accommodet: ne si forte peccatis conniveat, et indulgentius cum poenitentibus

CONSEILS AUX PRÊTRES

agat, levissima quaedam opera pro gravissimis delictis iniungendo, alienorum peccatorum particeps efficiatur. ...

Series antiquorum Canonum Poenitentialium pro satisfactionis graviorum criminum qualitate diiudicanda.

[1] Sacerdos, qui fornicationem admiserit, poenitentiam agat decem annis.

[2] Qui sponsam alienam de praesenti accipit, in Poenitentia sit septem annis et quadraginta diebus in pane, et aqua.

[3] Monialis, quae fornicatur, matrimoniumve contrahit; qui item eam cognoscit, contrahitve cum ea, poenitens sit decem annis.

[4] Qui Sacerdos Missam canit; neque communicat, per annum Poenitentiam agat, nec vero interea celebret.

[5] Sacerdos, qui palla altaris mortuum involuit, poenitens sit decem annis et quinque mensibus; Diaconus autem annis tribus, et sex mensibus.

[6] Falsarius in pane, et aqua Poenitentiam agat, quandiu vivit.

[7] Qui scienter contraxerit, coieritve cum duabus sororibus, aut cum duabus commatribus, aut sorore, cum matre, et filia; quaeve coierit cum patre, et filio, aut cum duobus fratribus, poenitentia ei constituitur octo annis.

[8] ... [9] Mulieri quae partum supponit, quaeve de alio viro concipit, Poenitentiae, et satisfactionis modus praescribitur arbitratu prudentis sacerdotis. ...

Chalon-sur-Saône 1605

Ce qu'il faut observer en la confession penitentielle et la forme de l'absolution

Voir infra Formulaires de confession, Chalon-sur-Saône 1605 (P1541).

Metz 1605, 1631

[Metz 1605: cardinal Charles II de Lorraine]
De Sacramento Poenitentiae

1341 **Metz 1605**

p. 38-43 Sacramentum poenitentiae (quae est secunda post naufragium tabula) pro materia habet luctus poenitentis[40], videlicet contritionem, confessionem, et satisfactionem, quae etiam partes poenitentiae vocantur: Forma est, *ego te absolvo à peccatis tuis, in nomine Patris...*

---

40 luctus poenitentis] actus poenitentis Metz 1631.

408 CHAPITRE XI

... (Poenitentes) cum humilitate, et reverentia, et cordis contritione ad Sacerdotem accedant ... dicendo, *Benedic Pater*. P1595. ... [R.] *Deus sit in corde tuo et in labiis tuis*... P1608

Tunc poenitentes subiungant. *Confiteor Deo omnipotenti*... P1626

... Quod si à poenitente ignoretur modus confitendi cum Sacerdotem accedit, tunc Sacerdos iuvet illum et ... interroget super unoquoque Dei et Ecclesiae praecepto, super peccatis septem mortalibus et eorum circunstanciis, necnon discurrat per duodecim fidei articulos...

... Curati de caetero moneant suos paroechianos, ut saepius confiteantur, et saltem in festis solemnioribus, nimirum Pentecostes, Assumptionis beatae Mariae virginis, festi Sanctorum omnium, Natalis Domini, et in capite ieiunii... Moneant etiam ... ne differant confessiones in hebdomadam sanctam, inqua tanta confluit volentium confiteri multitudo...

... Noverint autem (Sacerdotes) discernere inter species et differentias peccatorum, quoniam alia sunt venialia, alia vero mortalia, et inter haec, alia aliis graviora, ut adulterium gravius est simplici fornicatione, incestus gravior adulterio, sacrilegium simplici furto, parricidium simplici homicidio, blasphemia, aut periurium, simplici iuramento.

... De maioribus peccatis presbiteri non absolvant peccatores, sicut de homicidio, de sortilegiis, de iniectione manuum in parentes, clericos, et cuiuscunque religionis conversos, et pluribus aliis enormibus peccatis summo Pontifici, seu Episcopo reservatis...

Et quoniam non debet quis gaudere se conversum, si non doluerit se perversum fuisse, debet Sacerdos quaerere à confitente, utrum doleat de commissis, et proponat ulterius non peccare, et si respondeat se à peccatis abstinere non posse, vel nolle, vel quod ab aliquibus vult abstinere, et ad aliqua reverti, debet nihilominus eius confessione audita de peccatis ei consilium praebere: Et si nequiverit ad veram poenitentiam inducere, non debet à peccatis eum absolvere: Irrisor enim est, et non poenitens, qui adhuc agit quod poenitet. Provideat tamen quantum poterit, ne in desperationis periculum illum inducat, sed exhortetur eum ad ieiunium, orationes, eleemosinas, et alia bona, ut per eiusmodi opera dignetur dominus cor poenitens, et vere contritum illum tribuere. ...

Facta recitatione per confitentes suorum peccatorum ... concludant confessionem incoeptam dicendo: *Mea culpa*... P1626

[Absolutions] ... *Misereatur tui omnip. Deus*... P1723 *Indulgentiam absolutionem et remissionem*... P1708

CONSEILS AUX PRÊTRES

Deinde dicet (sacerdos) manu extensa super caput poenitentis.
Dominus noster I. C., qui est summus Pontifex, te absolvat... P1676
Passio Domini nostri I. C., merita beatae Mariae... P1729

Saint-Omer 1606

Modus administrandi Sacramentum Paenitentiae sanis

Voir infra Formulaires de confession, Saint-Omer 1606 (P1544).

Rouen 1611/1612. Avranches 1613

[Rouen 1611/1612: cardinal François de Joyeuse]
De actibus sacerdotis in Sacramento Poenitentiae

1342 **Rouen 1612** p. 63-64
... Multa sunt quae sacerdos debet inquirere, non tamen ab omnibus.

I. Primum, si poenitens est valde imperitus; quaerendum est, an recitare possit Orationem Dominicam, et Salutationem Angelicam, et Symbolum fidei: An teneat duos praecipuos articulos fidei, unum de mysterio Trinitatis; alterum de mysterio Incarnationis et Passionis Christi.

II. Quo tempore, et an integre fecerit ultimam confessionem. ...

III. Quaeret statum et conditionem poenitentis, ut eius conscientiam facilius explorare possit.

IV. An peccata sua in memoriam revocaverit. Nam si imparatus veniret omnino, remittendus esset potius quam audiendus.

V. Postremo admonendus est, ut omni tempore vel pudore deposito, Deum sibi proponat ante oculos, et integre confiteatur ad veniam consequendam. ...

Rouen 1611/1612. Avranches 1613

[Canons pénitentiaux]

1343 **Rouen 1612** *Canones quidam Poenitentiales in corpore Iuris.*
p. 72-73 Quamvis autem hodie non servandus sit antiquorum canonum rigor, in Poenitentiis iniungendis: tamen hîc proponemus aliquot huiusmodi canones poenitentiales, ut sacerdos ex eis iudicium sibi formare possit, et agnoscere, quae peccatis mortalibus poena debeatur.

Presbyter si fornicationem fecerit, quamvis secundum Canones Apostolorum debeat deponi, tamen si in vitio non perduraverit, et sponte confessus resurgat, decem annis in hunc modum poeniteat. Tribus quidem mensibus, in loco à caeteris remotus, pane et aquae utatur ad vesperam, tantum autem Dominicis diebus et praecipuis festis modico vino et piscibus atque leguminibus recreetur, et sacco indutus humi adhaereat. Post aliquantisper resumptis viribus, annum et dimidium in pane et aqua expleat, exceptis dominicis et festis diebus. Deinde usque ad expletionem septimi anni, tres legitimas ferias in pane et aqua ieiunet. Postea usque ad finem decimi anni, sextam feriam observet in pane et aqua. Ex Can. *Presbyter. dist. 82.*

Si quis Sacerdos cum filia spirituali fornicatus fuerit, sciat se grave adulterium commisisse. Idcirco foemina si laïca est, res suas Monasterio tradat, et Conversa in Monasterio serviat. Sacerdos vero qui malum exemplum dedit hominibus, ab officio deponatur, et peregrinando duodecim annis poeniteat, postea ad Monasterium vadat. Ex Can. *Si quis. 30. q. 1.*

Sacerdos si eorum, qui ipsi confitentur, peccata recitet alicui, deponatur, et omnibus diebus vitae suae peregrinetur. Ex Can. *Sacerdos. 33. q. 3. De Poenitent. dist. 6.*

Si quis in Deum aut aliquem Sanctorum, blasphemiam publicè relaxare praesumpserit, septem diebus Dominicis prae foribus Ecclesiae stare debet, ultima die corrigia ligatus circa collum, calceamenta [chaussures] non habeat, septemque praecedentibus sextis feriis in pane et aqua jejunet, et quolibet die tres reficias pauperes, et si ei non suppetant facultates, in aliud commutetur. Ex Can. *Statuimus. De maledicis.*

Quicumque sciens pejeraverit, quadraginta dies in pane et aqua, et septem annos sequentes. Ex Can. *Quicumque. 6. q. I.*

Homicida voluntarius poeniteat septem annis. Ex Can. *Si quis homicidium. dist. 50.* et can. *Si quis voluntariè...*

Incestum commitens scienter, poenitentiam agat septem annis, et perpetua privatur coniugio, si in primo vel secundo gradu...

Opprimens filium notabili negligentia, tribus annis in pane et aqua poeniteat.

Adultero etiam poenitentia constituitur septem annorum, sicut fere pro quolibet alio mortali, ut probatur multis canonibus, quos hîc proferre non est necesse.

Genève 1612

De Sacramento Poenitentiae

Voir infra Formulaires de confession, Genève 1612 (P1546).

CONSEILS AUX PRÊTRES

Rituale Romanum 1614

Ordo ministrandi Sacramentum Poenitentiae

P1344 ... Poenitens, si opus fuerit, admoneatur, ut quâ decet humilitate mentis et habitûs accedat, flexis genibus, signo crucis se muniat.

Mox Confessarius inquirat de illius statu (nisi aliter notus fuerit) et quampridem sit confessus, et an impositam poenitentiam adimpleverit, num ritè atque integrè alias confessus fuerit, num conscientiam suam, ut debet, prius diligenter discusserit.

Quod si poenitens aliquâ censurâ, vel casu reservato sit ligatus, à quo ipse non possit absolvere, non absolvat, nisi prius obtentâ facultate à Superiore.

Si vero Confessarius, pro personarum qualitate, cognoverit poenitentem ignorare Christianae fidei rudimenta, si tempus suppetat, eum breviter instruat de articulis fidei, et aliis ad salutem cognitu necessariis, et ignorantiam eius corripiat, illumque admoneat, ut ea postmodum diligentius addiscat.

Tum Poenitens confessionem generalem Latinâ vel vulgari linguâ, dicat, scilicet: *Confiteor, etc.* vel saltem utatur his verbis: *Confiteor Deo omnipotenti, et tibi Pater.* Peccata sua exinde confiteatur...

Si Poenitens numerum et species, et circumstantias peccatorum explicatu necessarias, non expresserit, eum Sacerdos prudenter interroget. Sed caveat, ne curiosis aut inutilibus interrogationibus quemquam detineat, praesertim juniores utriuque sexûs, vel alios, de eo quod ignorant, imprudenter interrogans...

Demum, auditâ confessione, perpendens peccatorum quae ille commisit, magnitudinem ac multitudinem, pro illorum gravitate, ac poenitentis conditione, opportunas correptiones ac monitiones, prout opus esse viderit, paternâ charitate adhibebit, et ad dolorem et contritionem efficacibus verbis adducere conabitur, atque ad vitam emendandam, ac melius instituendam inducet, remediaque peccatorum tradet.

Postremo salutarem et convenientem satisfactionem, quantum spiritus et prudentia suggesserit, injungat...

Quare curet, quantum fieri potest, ut contrarias peccatis poenitentias injungat: veluti avaris eleemosynas, libidinosis jejunia, vel alias carnis afflictiones, superbis humilitatis officia, desidiosis devotionis studia. ...

412 CHAPITRE XI

Bourges 1616

Methode pour bien et deüment administrer le Sacrement de Penitence

Voir infra Formulaires de confession, Bourges 1616. P1549.

Cambrai 1622, 1659

[Cambrai 1622 : François Van der Burch]
De Sacramento Poenitentiae

Les conseils aux pénitents de Cambrai 1562-1606 sont supprimés. Par contre, les conseils aux confesseurs sont beaucoup plus développés, sans rigorisme[41].

P1345 **Cambrai 1622**

p. 48 Inprimis vero inquirat de statu et conditione poenitentis (si est ignotus), cuius artis, aut professionis sit : et si rudior sit, num Christianae fidei rudimenta, ut Orationem Dominicam, Salutationem Angelicam, Symbolum Apostolorum, Praecepta Dei, et Ecclesiae, et numerum Sacramentorum, aliaque ad salutem scitu necessaria noverit : et ignorantem corripiat, et (si tempus suppetit) breviter instruat...

p. 52 Postremo audita confessione... videat an poenitens vere doleat, eumque ad seriam contritionem inducat ex peccatis turpitudine, ex Dei offensa ... et poena damnationis aeternae. Tum pro peccatorum multitudine, et gravitate, ac poenitentis conditione opportunas correptiones et monitiones prudenter adhibeat... Denique ad vitam emendandam inflectat.

Arras 1623, 1644, 1757
Saint-Omer 1641, 1727. Senlis 1764

[Hermann Ortemberg]
De Sacramento Poenitentiae

P1346 **Arras 1623**

[1° partie] p. 56-59. *De modo interrogandi Poenitentem.*
Tenetur Confessarius Poenitentem interrogare, quando et de quibus viderit esse necessarium.

1. Igitur interroget (nisi haec aliunde sciat) cuius conditionis, officii, vel status existat et num sit sibi subditus, ut in eum iurisdictionem possit exercere.

2. Inquirat de tempore, à quo non est confessus.

3. An fecerit poenitentiam iniunctam.

---

[41] Délai ou refus d'absolution. *Voir infra* Instructions sur la contrition, Cambrai 1622 (P1439).

CONSEILS AUX PRÊTRES

4. An in postrema Confessione, conscientiae suae satisfecerit, omnia verè et cum emendationis proposito confitendo : quo possit agnoscere, num iteranda non sit.

5. His interrogationibus praemissis, exhortetur Poenitentem, ut confidenter dicat ipse per se, quae memoriae occurrunt : eumque dicentem, licet inordinatè et imperfectè, patienter audiat, et sine interruptione : nisi videretur obiter monendus, ne nominet personam aliquam, vel ne dicat superflua...

6. Postquam autem Poenitens ... confessus fuerit, Sacerdos prudentibus interrogationibus conabitur supplere, quod ad Confessionis eius integritatem deesse videbitur. Idque ordinatè procedendo : puta per Praecepta Decalogi, praecepta Ecclesiae, per peccata capitalia, per opera misericordiae etc. prout in catalogo peccatorum, qui suo loco habetur, videri potest[42].

7. Caeterum, si dispositio Poenitentis moram non patiatur ... summus ordo erit, nullum servare ordinem alium, quam quem discretio dictaverit...

8. Cavere autem debet, ne interrogationes faciat ineptas, et personarum conditioni minus congruentes. ...

9. Sed neque de insolitis criminibus aut communiter ignotis interrogare debet Confessarius...

10. Abstinere quoque debet ab interrogando vel audiendo peccata alicuius tertii...

11. Ubi Confessarius ex praecedenti Confessione alterius, novit peccatum aliquod Poenitentis, quod ipse confiteri omittit ; ita prudenter de eo interrogare studeat...

12. Denique interrogationes ita conetur instituere, ut nec importunus sit hac in parte, nec nimium scrupulosus. Debetque meminisse, praecipuum Sacramenti Poenitentiae fructum esse, ut auferatur peccatum, et emendatio subsequatur. ...

p. 59-61 *De Poenitentiis iniungendis.*

1. Debet Confessarius, quantum Spiritus et prudentia suggesserit, pro qualitate criminum, et Poenitentis facultate, salutares et convenientes satisfactiones iniungere...

2. Sed neque nimium graves, incommodas ; atque difficiles poenitentias debet iniungere, seu quas probabile sit Poenitentem non adimpleturum[43]. ...

---

[42]   Voir *infra* Examens de conscience, Arras 1623 (P1397).

[43]   seu quas... adimpleturum] Poenitentis statui, conditioni, infirmitati minimè congruentes Saint-Omer 1727.

414 CHAPITRE XI

3. Pro peccatis autem occultis non sunt iniungendae poenitentiae publicae. ...

4. Triplex Poenitentiarum genus communiter assignatur: videlicet, Oratio, Ieiunium, et Eleemosyna. Ubi Orationis nomine non solum intelliguntur preces vocales, sed etiam sacra meditatio, lectio piorum librorum, auditio Missae, Concionis sacrae, lectionis Catecheticae[44], et alia huiusmodi opera spiritualia.

Per Ieiunium quoque intelliguntur omnia quae ad castigationem corporis valent: ut abstinentia cibi vel potus, disciplinarum usus et cilicii, vigiliae, peregrinatio, humi-cubatio, etc.

Per Eleemosynam denique non solum pecunarium[45] largitio, sed et aliae misericordiae opera intelliguntur.

5. Ex his ea Confessarius eliget Poenitenti imponenda, quae et qualitati ipsius et peccatis maxime congruere videbuntur. Nam peccata carnis corporali maceratione castigari convenit, avaritiam eleemosynis, acediam orationibus...

6. Et quia plerumque homines in peccatis suis delitescunt, propterea quod rari sunt in audiendo verbo Dei, et Sacramentis frequentandis; opportunum erit eis loco poenitentiae iniungere, ut certis diebus confiteantur, communicent, et praedicationem audiant[46]. ...

p. 61-62 *De peccatorum remediis*[47].

Quia Sacerdos remedia peccatorum adhibere debet, visum est, summam eorum quae praecipua sunt hîc comprehendere, quo magis ea in promptu habere possit.

1. Igitur adversus peccata remedium est, continua et fervens oratio pro vitae emendatione...

2. Bonis aliis quibusque operibus, eleemosynis, ieiuniis, Sacramentorum et Officii divini frequentationi, meditationi rerum divinarum, sacrae lectioni, praedicationi etc. ...

3. Occasiones peccatorum summopere declinare.

---

[44] Catecheticae] Catechismi Arras 1757, Senlis 1764.

[45] pecunarium] pecuniae Arras 1757, Senlis 1764.

[46] opportunum erit...] opportunum erit unà cum aliis operibus satisfactoriis eis injungere ut certis diebus verbi Dei praedicationem audiant, et ad Poenitentiae tribunal accedant... Saint-Omer 1727. Et quia plerumque homines...] Et cum plerumque homines in peccatis suis torpescant, quia rari sunt in audiendo verbo Dei, et Sacramentis frequentandis; opportunum erit eis, loco poenitentiae, injungere ut ad Poenitentiae tribunal et ad sacras conciones audiendas saepiùs accedant Arras 1757, Senlis 1764.

[47] *De peccatorum remediis*] chapitre supprimé à Arras 1757 et Senlis 1764.

CONSEILS AUX PRÊTRES

4. Investigatâ et deprehensâ eorum radice (nam solent in nobis unum vel duo vicia dominari...) eam assumere praecipue expugnandam.

5. Quotidie examen conscientiae instituere...

Chartres 1627, 1639, 1640

[Léonor d'Estampes de Valançay]

1347 **Chartres 1639**

p. 59-60 *Ordo ministrandi Sacramentum Poenitentiae.*

Poenitens... sua peccata sigillatim declaret, prout poterit, clarè, distinctè, atque integrè, sine involucris, omittendo superflua...

Ut vero tam Sacerdos, quam Poenitens ipse ad clariorem peccatorum cognitionem pervenire possit, haec quattuor nosse proderit plurimum. I. Loca in quibus Poenitens habitavit. 2. Personas cum quibus conversatur. 3. Officia seu negotia in quibus exercetur. 4. Vitia ad quae magis est propensus. Insuper et speciem et numerum peccatorum, cum intentione qua quid factum est, inquirere necessarium erit (p. 60).

p. 85-87 *De iniungenda satisfactione post confessionem.*

Cum duo in peccato mortali considerentur, macula scilicet, et reatus poenae aeternae: per Sacramentum Poenitentiae generaliter abstergitur macula et aufertur etiam poena, non tamen semper tota ab contritionis defectum, sicque remanet poena quaedam temporalis, vel in hoc mundo, vel in purgatorio solvenda. Hic fit ut post confessionem et absolutionem, quibus culpa quo ad maculam remittitur, et quo ad poenam aeternam, sequatur satisfactio pro poena temporali. ... [identique à Rouen 1640-1651 et Périgueux 1651]

Cahors 1642

[Alain de Solminihac]
Manuale proprium Parochorum Cadurcensium.
Canons Penitentiaux que le Confesseur doit considerer,
lors qu'il enjoint les penitences.

1348 **Cahors 1642**

p. 29-38 Pour plus facilement se souvenir d'iceux, et s'en aider plus commodément, il sera à propos de les proposer selon l'ordre des commandemens du Decalogue, et des Sacremens ausquels l'on verra qu'ils se rapportent.

Canons appartenans aux commandemens du Decalogue.

416   CHAPITRE XI

Celuy là qui s'enhardit d'observer des divinations en quelque chose, qu'il soit quarante jours en penitence, chap. I *de sortilegiis.*

Celuy qui par le moyen de l'astrolabe veut sçavoir les choses qui sont à venir, ou qui va consulter les devins, mesme avec un bon zele, et sans y penser malice, qu'il soit suspendu des choses divines durant un an, au chap. 2 du même tilt.

Celui qui avec les enchantements et sorcelleries veut garantir sa maison, ou qui faict quelque chose de semblable, ou qui y consent, ou donne conseil, qu'il soit en penitence cinq ans, au chap. *divinationes 26. quaest. 5.*

Celuy la qui se marie, violant le simple voeu de chasteté qu'il a faict, qu'il soit condamné à la penitence de trois ans, au chap. *si vir distinct. 27.*

Celuy-la qui blasphemera publiquement contre Dieu, nostre Dame et les Saincts, qu'il face penitence sept ans, selon la forme prescrite au chap. *final. de maledictis.*

Celuy qui jure de ne point se reconcilier avec son prochain, qu'il se reconcilie, et par apres que durant un an il face penitence, au chap. *qui sacramento 22. quaest. 4.*

Que celui-la qui à son escient se sera parjuré, jeusne quarante jours en pain et en eau, et par apres que les autres sept ans ensuivans il soit penitent, et que jamais il ne soit sans penitence, au chap. *qui compulsus 22. quaest. 5.*

… p. 32 Que celuy qui aura tué son maistre, ou sa propre femme, n'aille jamais à cheval ny en carroce, lictiere, ou autre façon, qu'il ne se marie jamais, que de dix ans il ne mange chair, qu'il ne boive point de vin…

… p. 34 La Nonnain qui paillarde, et celuy qui la cognoist charnellement, soit en penitence dix ans…

p. 38-45 *Les Canons Penitentiaux qui visent à l'usage des Sacremens.*

Celuy qui a son escient est rebaptizé, s'il a commis ce crime par heresie, que sa peine soit de sept ans, et qu'il jeusne le Mecredy [*sic*] et le Vendredy, que s'il l'a faict par l'immondice, sans que son corps en aye esté guery, qu'il soit en penitence trois ans, par le chap. *si quis bis, de consecrat. distinct. 4.*

Si l'Evesque ou le Prestre, ou le Diacre ont esté rebaptizez à leur escient, qu'ils facent penitence tant qu'ils vivront, mais que les autres Clercs et Nonnains facent penitence dix ans, par le chap. *eos qui, eodem distinct. …*

Le Prestre qui celebre sans prandre [*sic*] le sainct Sacrement, qu'il face penitence durant un an, et que cependant il ne communie point…

CONSEILS AUX PRÊTRES

Le Prestre qui envelope un mort dans les linges de l'Autel, soit penitent dix ans et cinq mois, le Diacre trois ans et six mois...

Celuy qui pollue le Chresme, le Calice, ou l'Autel par sacrileges, soit penitent sept ans...

Si un Prêtre excommunié celebre, qu'il soit trois ans en penitence, et que chaque sepmaine, le Lundy, le Mercredy, et le Samedy il s'abstiene [sic] de chair, et de vin...

Le Prestre qui a esté degradé pour un jamais [sic], s'il presume de celebrer, qu'il soit privé de l'Eucharistie jusques au dernier jour de sa vie, et est excommunié, toutesfois il peut prendre le viatique sur la fin de ses jours...

... p. 43 A la femme qui suppose un enfant à son mari l'ayant conceu d'un autre homme que le sien, on ne donne point autre penitence, et satisfaction que celle qu'un prudent Confesseur lui ordonnera...

... Les parens qui rompent les fiançailles de leurs enfans, et mesme les enfans, si du [sic] leur consentement elles sont été contractées, soient privez de la communion trois ans...

Celuy qui se marie avec celle qu'il aura connu charnellement, qu'il face penitence cinq ans...

Celuy qui cognoist sa femme qui avoit paillardé, devant qu'elle aye fait penitence, que luy mesme soit en penitence deux ans...

Le Prestre qui se trouve à un mariage clandestin, qu'il n'exerce point son office par l'espace de trois ans...

Orléans 1642

[Nicolas de Nets]
De la Confession

1349   Orléans 1642 p. 90

... Elle (la Confession) doit estre *simple*, sans disjunction; *humble*, avec signes de modestie; *pure* sans meslange des choses qui ne servent de rien; *fidele*, sans aucun mensonge; *frequente*, au moins pour estre plus utile; *nue*, sans cacher rien de la griefveté des fautes; *discrete*, c'est à dire expliquée en termes honestes et avec circonstances; *volontaire*, et de bon coeur; faicte avec un'*honeste pudeur*; *entiere*, sans celer aucun peché mortel; *secrete*; accompagnée de *larmes*, c'est à dire de contrition ou d'attrition; faicte *promptement* apres le peché commis; faicte *courageusement*, sans que la honte ny la craincte empeschent de dire ce qui est necessaire; faicte *en s'accusant soy mesme*, non autruy; en fin

418 CHAPITRE XI

faicte *avec disposition à l'obeissance* pour executer ce qui sera ordonné
par le confesseur.
… *Sit simplex, humilis confessio, pura, fidelis.*
Atque frequens, nuda, et discreta, libens, verecunda.
Integra, secreta, et lachrymabilis, accelerata.
Fortis, et accusans, et sit parere parata[48].

Orléans 1642

Des Penitences
[Canons pénitentiaux]

P1350 **Orléans 1642** p. 121***-125***[49]
… si la Penitence estoit d'une ou plusieurs années on jeusnoit la
premiere année au pain et à l'eau, les lundys, mercredys, et vendredys ;
les autres trois jours, sçavoir les mardys, jeudys, et samedys, on pou-
voit user de petit poisson, de fruicts, d'herbes et legumes, et boire de
la cervoise. Aux jours de dimanches et festes *in populo* on ne jeusnoit
point, non plus que pendant l'octave de Pasques…
… Voicy donc une partie des principales penitences :
Pour avoir quitté la foy Catholique : 10 ans.
Pour avoir sacrifié au Diable. 10 ans.
Pour avoir suivy quelque superstition des payens. 10 ans.
Pour avoir mangé du sacrifice des payens. 30 jours.
Pour avoir mangé avec un juif : 10 jours.
Pour avoir fait mestier de devins. 7 ans.
Pour y avoir eu recours. 5 ans.
Pour avoir cueilly des herbes medicinales avec enchanteries. 20 jours.
Pour avoir noüé l'esguillette, ou enfasciné [ensorcelé]. 2 ans.
Pour avoir apostasié de son voeu. 10 ans.
…

Châlons-sur-Marne 1649

[Félix Vialart de Herse]
Canones Poenitentiales, pro Decalogi ratione dispositi

P1351 **Châlons-sur-Marne 1649** p. 97-114
Praeceptum I. *Dominum Deum tuum adorabis, et illi soli servies.*

---

48 Référence marginale : S. Thomas in 4. dist. 17. q. 3.a. 3. [in *Lib. IV Sententiarum*, dist. XVII,
    quaest. IV, art. I]
49 Double pagination des p. 105-130.

CONSEILS AUX PRÊTRES

Qui à Fide Catholica descisens, intimo, summoque praevaricationis suae dolore affectus ad Ecclesiam redierit, poenitentiam aget annis decem. Quo temporis spatio decurso ei communio praestari debet. …

Qui cum Iudaeo cibum sumpserit, poenitens erit dies decem pane, et aquâ victitans. …

Qui auguriis, et divinationibus servierit, quive incantationes diabolicas fecerit, poenitens erit annos septem. …

Mulier incantatrix [enchanteresse] poenitentiam aget annum, vel, ut alio canone cavetur, annos septem. …

Qui herbas medicinales cum incantationibus collegerit, poenitentiam aget dies viginti. …

Qui magos consuluerit: quive domum suam induxerit, aliquid arte magica exquirendi caussâ [sic], in poenitentia erit annos quinque…

Qui aedes magicis cantionibus [enchantements] lustrat, aliudve tale admittit: et qui ei consentit, quive consulit, in poenitentia erit annos quinque. …

Si quis ligaturas, aut fascinationes [enchantements] fecerit, poenitens erit annos duos, per legitimas ferias. …

Si quis in codicibus, aut in tabulis, forte ductâ, res futuras requisierit, poenitens erit dies quadraginta. …

Respiciens furta in astrolabio, annis duobus. …

… **Praeceptum V.** *Non occides.*

… Si quae mulier post partum filium, filiamve spontè interfecerit, poenitentiam aget annos duodecim; et nunquam erit sine poenitentia. …

Paupercula, si ob difficultatem nutriendi id commiserit, annos septem.

Si qua mulier spontè abortum fecerit, poenitentiam aget tres annos; nolens, quadragesimas tres, item. …

Mulier partum suum perdens voluntariè ante quadraginta dies, poenitens erit annum; si vero post quadraginta dies, annos tres; si vero postquam editus est in lucem, tamquam homicida. …

… **Praeceptum X.** *Non desiderabis uxorem proximi tui.*

Si quis concupiscit fornicari, si Episcopus, poenitens erit annos septem; si Presbyter, quinque; si Diaconus vel Monachus, tres; è quibus unum in pane et aquâ; si Clericus, aut Laïcus, annos duos.

Si quis in somnis ex immundo desiderio pulluitur, urgat, et cantet septem Ps. poenitentiales; et die, triginta. …

420   CHAPITRE XI

Chalon-sur-Saône 1653

[Jacques de Nuchèzes]
Du Sacrement de Penitence

P1352 **Chalon-sur-Saône 1653**

p. 37-38 *Des interrogats qu'il faut faire.*

… (Le Prestre) s'informera (si d'ailleurs il n'en a la cognoissance) premierement de quelle Province (le Penitent) est, s'il est de sa juris-diction ou non, s'il est marié, Clerc, ou laïque, de quel mestier il fait profession.

2. Depuis quel temps il a esté confessé, s'il a examiné sa conscience avant que se presenter, ayant parcouru les occupations, aages et estats de sa vie, s'il a consideré les fautes qu'il pourroit avoir commises par pensées, par paroles et par oeuvres, dans les exercices, compagnies et lieux où il s'est trouvé.

3. S'il n'a volonté de quitter son peché, fuyr l'occasion qui l'y attache, s'il a hayne ou rancune à l'endroit de son prochain, qu'il ne veuille quitter, s'il ne luy retient rien…

4. S'il n'est point lié à quelque censure, ou cas reservé, dont il n'ait pouvoir de l'absoudre…

5. Si le peché n'est point attaché à aucune excommunication, mais seulement reservé…

6. Il luy demandera s'il n'a rien obmis en ses confessions, particu-lierement en la derniere : car qui sciemment obmet un peché, rend sa confession nulle ; s'il n'ayme pas Dieu de tout son coeur, s'il ne croit aux articles de nostre Foy, s'il n'a pas un ferme propos de s'amender, et satisfaire entierement.

7. Qui est celuy qui l'a entendu et absout auparavant, car la confes-sion faite par devant un Prestre qui n'a la jurisdiction ordinaire, ou deleguée, doit estre reïterée.

p. 39-40 *L'Examen du penitent.*

Apres avoir entendu le penitent et remarqué les circonstances de son peché, si le Confesseur recognoit qu'il n'a entierement satisfait à son accusation ; il l'interrogera sur ce qu'il jugera avoir obmis contre Dieu, contre l'Eglise, contre le prochain, contre soy-mesme ; prenant garde de l'examiner :

1. Des pechez qui pour l'ordinaire se commettent par ceux de sa profession.

CONSEILS AUX PRÊTRES

2. Aux cas un peu extraordinaires, il s'y comportera de telle sorte que, si le penitent y est tombé il s'en accuse sans nommer autre personne, s'il n'est necessaire…

3. Ne se rendra pas trop curieux en la recherche des pechés de la chair, particulierement à l'endroit des jeunes gens, qui peuvent en recevoir du scandale et salles [sic] impressions.

Que si le penitent declarant qu'il ne peut s'accuser soy-mesme, prie le Confesseur de suppleer à son ignorance, et de l'examiner; alors il luy remonstrera, comme c'est au penitent de declarer ses fautes et de descouvrir ses imperfections, qui ne peuvent estre cogneuës que par luy mesme; que si nonobstant il persiste, et qu'il le recognoisse incapable, ou timide, il l'examinera selon la forme predite; et s'il le rencontroit sans contrition, sans preparation aucune, il tâchera par paroles douces et raisons efficaces de l'amener à une recognoissance entiere de sa faute, l'exhortant à prendre un peu de temps pour se rechercher soy-mesme, et accuser par apres ses fautes. Mais si apres tout cela, il estoit si grossier et si stupide qu'il ne peust s'examiner, ny ne sçeust les principes de nostre Religion, comme le *Pater,* l'*Ave,* le *Credo,* et autres choses necessaires à salut, il luy fera cognoistre (apres l'avoir repris aigrement) sa bestise, et le peu de soin qu'il a du salut de son ame, luy enjoindra de se faire instruire pour l'advenir, tirera de sa bouche ce qu'il pourra, l'invitera … de pourchasser enfin serieusement l'obligation qu'il a de purger sa conscience au Sacrement de Penitence, où l'on doit avoir un desplaisir de ses fautes, et une constante resolution de ne plus les commettre.

p. 40-41 *De la Penitence qu'on doit imposer.*

… Si le Penitent ne veut accepter la penitence qu'on luy enjoint, le Confesseur tâchera par remonstrances, exemples, et vives raisons, de l'induire à ce faire, sans se servir toutefois de prestations de serment, ou de voeu; luy faisant voir comme elle n'est pas si rigoureuse que les Canons l'ordonnent, les peines de nostre premier Pere, l'horreur de l'Enfer, et les tourmens du Purgatoire, à quoy demeurent engagés ceux qui n'accomplissent icy bas leur penitence.

422 CHAPITRE XI

Clermont 1656
Besançon 1674, 1705. Langres 1679

[Clermont 1656 : Louis d'Estaing]

Canones poenitentiales. Quorum cognitio Parochis, Confessoribusque necessaria est, dispositi pro ratione ordineque Decalogi[50]

Besançon 1674 Pars prima, p. 127-144. Formulaire de Clermont. Langres 1679 p. XXIV-XXXIII. *Canones aliquot Poenitentiales. Ex Burchardo, Ivône, Anselmo*[51]*, aliisque collectoribus, tum vero praecipue ex Poenitentiali Romano desumpti, et pro Decalogi ratiône dispositi.* Formulaire moins complet que Clermont 1656.

Listes très développées de canons, avec références aux sources pour chacun d'entre eux ; la liste concernant les commandements est proche de celle de Châlons 1649 ; les listes concernant les péchés capitaux et autres péchés sont nouvelles.

P1353 **Clermont 1656**

p. 64-77 Patres docuerunt, quam necessaria admodum sit Sacerdotibus qui in audiendis poenitentium confessionibus versantur, Canonum Poenitentialium scientia. … Sunt namque ii quasi regulae quaedam, quibus cum ad culpae commissae gravitatem recte dignoscendam ; tum ad imponendam pro illius ratione veram poenitentiam Sacerdotes Confessarii ita diriguntur, ut ubi singula, et quae ad peccati magnitudinem, et quae ad poenitentis statum, conditionem, aetatem, intimumque cordis contriti dolorem pertinent, accuratè pependerint ; tum demum poenitentiam iudicio ac prudentiâ suâ moderentur.

Praeceptum I. *Dominum tuum adorabis, et illi soli servies.*
Canones Poenitentiae. Si quis contra hoc praeceptum aliquo modo peccarit [*sic*].
Qui à fide Catholicâ descicens, intimo, summoque praevaricationis suae dolore affectus ad Ecclesiam redierit, poenitentiam aget annis decem. Quo temporis spatio decurso ei communio praestari debet. …

p. 77-78 *Canones Poenitentiae. De septem peccatis capitalibus.*

---

[50] Ex S. Carol. Borrom.] *add.* Bes.
[51] Sur Burchard, Yves de Chartres, Anselme de Cantorbéry, voir *infra* Auteurs cités, p. 1941-1943.

CONSEILS AUX PRÊTRES

Capitalia peccata, quae principalia etiam vocantur, utpote è quibus omnia vitia principium habent; sunt, Superbia, Vana gloria, Avaritia, Luxuria, Invidia, Ira, Gula, et Accidia. ...

Canones Poenitentiae. De gulâ et ebrietate.
Sacerdos imprudenter ebrius factus, pane et aquâ poenitentiam agat dies septem; si negligenter, dies quindecim; si per contemptum, dies quadraginta.

Diaconus, et alius Clericus ebrius factus...

... Si quis nimio cibo se ingurgitaverit, ut inde dolorem senserit; unum diem poenitentiam in pane et aquâ.

p. 78-79 *Canones Poenitentiae. De variis Peccatis.*
Si quis Sacerdos Missam canit, neque communicat; per annum poenitentiam agat, nec vero interea celebret.

Sacerdos excommunicatus, si celebrat; tribus annis poenitens sit...

... Infirmos aut vinctos visitare negligens, poenitentiam aget dies decem, pane et aquâ victitans.

Elne 1656
[Chapitre d'Elne]
De Poenitentia et eius partibus...

P1354 **Elne 1656**
Quid Poenitentia sit, quae eius materia, et simul quot et quid sint eius partes.

p. 58-59 ... Conditiones bonae confessionis, sine quibus aut omnibus aut una earum confessio non est, sunt quatuor. Integra, Diligens, Fidelis, et Obediens.

Integra, ut omnia peccata mortalia, eorum numerum, et circunstantias, immo ea de quibus dubius est poenitens an sint peccata, confiteatur.

Praecipuae circunstantiae sunt, finis propter quem peccatur, tempus, locus, in quibus peccatur, et persona peccans, vel cum qua peccatur.

Hae circunstantiae non semper sunt confitendae, sed tantum in sequentibus casibus...

Secunda conditio... est, quod sit diligens, id est quod qui confiteri vult prius diligentiam aliquam adhibeat ut peccata omnia in memoriam reducat. ...

Tertia conditio confessionis est quod sit fidelis, id est vera, ut scilicet poenitens nihil neget eorum quae commisit, nec sibi imponat scienter quae non fecit. …

Quarta conditio confessionis est, ut sit obedire parata, id est ut poenitens habeat animum, et propositum exquendi quod Confessarius iudicavit necessarium pro bono ipsius conscientiae poenitentis.

Quid circa Poenitentiae Sacramentum Parochus generatim doceat, horteturque populum sibi commissum.

p. 64 … Confessarius autem ante quam Confessionem audiat, efficiat ut poenitens ipso audiente recitet confessionem generalem, orationem dominicam, Salutationem angelicam, Symbolum fidei, et Decalogum, nisi ob rationabilem aliquam causam cum certis personis aliquando aliter faciendum esse prudenter iudicet. …

Bourges 1666

[Anne de Lévis de Ventadour]
De la Satisfaction
[**Canons pénitentiaux**]

P1355 **Bourges 1666** tome I, p. 218

… pour faire voir que cete [*sic*] Satisfaction ne doit être si douce et si legere, que la pluspart des Confesseurs l'imposent, principalement pour les pechez mortels; il est bon qu'il soit instruit de la rigueur ancienne des Canons. …

p. 219 … voicy donc une partie des principales Penitences.

Pour avoir quitté la Foy catholique: *dix ans.*

Pour avoir sacrifié au Diable: *dix ans.*

Pour avoir suivy quelques superstitions des Payens: *deux ans.*

Pour avoir mangé du sacrifice des Payens: *deux ans.*

Pour avoir mangé avec un Juif: *dix jours.*

Pour avoir fait métiers de devins: *sept ans.*

Pour y avoir eu recours: *cinq ans.*

Pour avoir cueilly des herbes medicinales avec enchantement: *vingt jours.*

Pour avoir noüé l'éguillette ou enfasciné: *deux ans.*

Pour avoir apostasié de son voeu: *dix ans.*

… Pour un parjure fait dans l'Eglise: *dix ans…*

… Pour la foy violée à son Roy, ou son Seigneur: *Monastere.*

CONSEILS AUX PRÊTRES

… Pour avoir blasphemé le nom de Dieu, de la Vierge ou des Saints publiquement : *falloit pendant sept dimanches consecutifs se tenir debout à la porte de l'eglise lorsqu'on celebroit la Messe, et le septième, être sans manteau, sans souliers, ayant une corde ou couroye au col : falloit aussi jeûner les sept vendredys precedens…*

p. 223 Ce n'est pas que l'on soit obligé d'imposer ces penitences, mais le Confesseur s'en peut servir pour representer au penitent, et luy faire voir par le jugement de l'Eglise, l'énormité de son peché et ce qu'il merite, et pour connoître à peu prés quelles penitences il peut imposer pour chaque peché…

p. 223-229 *Ce que le Confesseur doit faire pour imposer les penitences.*
p. 225 … Nous avons déja dit les moyens par lesquels nous pouvons satisfaire à Dieu pour nos pechez, et que nous le pouvons en trois façons, par le Jeûne, par l'Aumône, et par l'Oraison…

Bourges 1666
Quelles interrogations il faut faire devant la Confession

P1356 **Bourges 1666** tome 1, p. 246-247
Il y en a six ou sept : la premiere est de demander au Penitent s'il est de la Paroisse, parce que pour absoudre faut avoir jurisdiction.
La seconde, de quelle condition, si Juge, Marchand, Laboureur, Artisant [*sic*], Marié, ou non, Ecclesiastique, Beneficier, etc. Pour reconnoître s'il s'accuse des pechez de sa condition…
La troisiéme, depuis quel temps il n'a été à confesse…
La quatriéme, s'il a accomply la penitence enjointe…
La cinquiéme, s'il a eû querelle ou haïne contre son prochain, et s'il s'est reconcilié.
La sixiéme, s'il s'est bien preparé pour faire cette confession…
La septiéme, s'il sçait les choses necessaires à salut…
En fin il est necessaire de s'informer quel âge il a, pour connoître s'il est capable de censure ou de pechez reservés, s'il est obligé au jeûne ou non…
Mais si l'on trouvoit des personnes si grossieres qu'on ne leur pût du tout rien faire apprendre, il faudroit se contenter de leur faire produire un acte sur les principaux mysteres de la foy, comme de leur faire dire avec intention et de coeur, Mon Dieu, je croy que vous n'estes qu'un Dieu en trois personnes, le Pere, le Fils, et le S. Esprit, et ainsi sur les autres mysteres…

426 CHAPITRE XI

Il leur faut encore demander s'ils sçavent le Symbole, le Pater, le Decalogue: et s'il se trouve qu'ils les ignorent, les obliger de les apprendre au plutôt, leur enjoignant d'assister quelques jours au Catechisme par penitence. …

Alet 1667-1771

[Alet 1667: Nicolas Pavillon]

P1357 **Alet 1667**

p. 128-134 *De la Satisfaction.*

p. 133 … *Quelle Penitence doit-on ordonner pour les pechez veniels?*

Si ces pechez se commettent avec affection, et avec une attache volontaire, ou une negligence notable, on peut ordonner le jeusne de quelques jours, quelques prieres, et quelques aumônes, comme aussy quelques humiliations d'esprit et de corps, et autres actions de mortification contraires à l'habitude qu'on reconnoist y avoir contractée. Si au contraire ces pechez se commettent par inadvertence, ou par quelque legere negligence, il suffit d'ordonner quelque priere, et particulierement l'oraison dominicale, qui est une fort bonne penitence, pourveu que l'on fasse ce que l'on promet à Dieu, c'est à dire que l'on pardonne effectivement aux autres ce qu'ils ont fait contre nous, comme nous voulons que Dieu nous pardonne.

p. 137-139 *Conduite plus particuliére que doit tenir le confesseur dans l'administration du sacrement de penitence.*

p. 138 … *Quelle est la premiere chose que doit faire le Confesseur lorsque le penitent s'est mis au confessionnal?*

C'est de luy dire s'il est besoin qu'il fasse le signe de la croix, et qu'il demande la benediction, disant: *Mon pere, donnez-moy s'il vous plaist vostre benediction, parce que j'ay peché;* ou bien: *Benedic mihi, pater, quia peccavi.* …

2. Il doit luy demander le temps de sa derniere confession, s'il a fait la penitence, ou les restitutions qui lui ont esté ordonnées, et s'il n'a point caché de peché par honte, ou autrement dans ses confessions precedentes.

3. S'il sçait la Doctrine, le *Pater,* l'*Ave,* le *Credo,* les Commandemens de Dieu et de l'Eglise. Que s'il ne sçavoit pas toutes ces choses, et que ce fust par negligence, luy ayant été recommendé de les apprendre, il faut le differer, et s'offrir pour l'en instruire. S'il n'y a point de sa faute, il faut sur le champ l'instruire des principaux mysteres de nostre foy, si l'on en a le temps.

CONSEILS AUX PRÊTRES

4. On doit luy demander s'il s'est examiné avant que de venir à confesse, et s'il ne l'a pas fait, le differer pour luy donner le loisir de le faire…

Enfin il luy faut demander s'il n'est point tombé dans quelque ex-communication, ou interdit: s'il n'a point quelque restitution à faire: s'il n'est pas dans quelque inimitié sans vouloir se reconcilier: s'il n'est point dans quelque occasion prochaine du peché d'impureté, ou des autres. Et s'il se trouve dans quelqu'un de ces cas, il le faut differer, et luy donner des avis pour remedier à ces empechemens de l'absolution. Que s'il ne s'y trouve point engagé, il faut l'ecouter, quoyqu'il s'accusast sans ordre, pourveu qu'il ne s'embarrasse point; car alors il le faut examiner par ordre sur les Commandemens de Dieu, et de l'Eglise.

De ce que le Confesseur doit faire aprés l'examen du penitent.

p. 160 S'il (le penitent) ne se souvient plus d'aucune autre faute, il faut l'exciter au repentir de ses pechez … et l'exhorter à s'affermir dans la resolution de ne les plus commettre, d'en eviter les occasions, et de pratiquer autant qu'il pourra les vertus contraires. …

Quels avis doit-on donner aux pauvres gens?

p. 160-161 D'accepter avec joye leur pauvreté, et toutes les autres afflictions qui leur arrivent, et de les offrir à Dieu pour satisfaire à leurs pechez. Et pour ce qui est des penitences qu'on leur doit imposer, les plus ordinaires sont, la priere du matin et du soir à genoux pendant quelque temps par esprit de penitence; l'assistance à tous les divers offices les festes et dimanches; de s'abstenir du cabaret, de la danse, et du jeu, pour en perdre l'habitude. …

Toulouse 1670, 1712, 1725, 1736
Auch 1678 et province ecclésiastique d'Auch (Oloron 1679)[52]
Vabres c. 1729, 1726

[Toulouse 1670: Pierre de Bonzy]
Ordre pour l'administration du Sacrement de Penitence

P1358 Toulouse 1670 p. 360-362

Chapitre faisant partie des *Additions au Rituel Romain, tirées du Pontifical, Ceremonial des Evesques, Rituel de Tolose, et autres Rituels approuvés*, faisant

---

[52] Aucun exemplaire connu d'Auch 1678. Le rituel d'Oloron 1679 est le seul de la Province ecclésiastique d'Auch dont il subsiste un exemplaire: Pau, Archives départementales, U.5049 (R).

CHAPITRE XI

suite au rituel romain qui forme la première partie du rituel: conseils aux confesseurs sur la manière de se préparer avant la confession, et de se conduire pendant et après:

… ceux qui sont établis pour l'administrer … se garderont bien de se présenter … avec un peché mortel sur la conscience… Ils doivent de plus avoir une intention droitte, ne s'appliquant point à cette fonction par cupidité ou par desir d'un gain sordide, ny par vanité, ou curiosité, ou par aucune inclination naturelle, mais par un pur desir de gagner les ames à Dieu…

Ils iront au Confessional avec modestie… Ils n'entendront personne debout, ou nüe teste… Ils ne doivent point admettre à ce Sacrement ceux qui s'y presentent avec l'espée, ou autre sorte d'armes, avec les gans, ou avec des carreaux sous les genoux. Ny aussy les femmes, ou les filles qui s'en approchent ayant la teste desvoilée, ou avec le sein, ou les bras descouverts. …

… dans l'examen des pechés, imposition des penitences, et autres choses qui regardent ce sacrement, ils garderont exactement les regles [du] rituel romain, et les Instructions dressées sur ce sujet par l'ordre [du] Cardinal de Joyeuse[53] inserées au 2. Tome des Ordonnances Synodales de ce Diocese… Comme aussy celles, du grand Saint Charles traduites en françois par Monseigneur de Montchal Archevesque de Tolose[54] pour la conduite des Confesseurs de son Diocese, et depuis reimprimées en l'an 1667. par l'ordre de l'Assemblée generale du Clergé de France.

En sortant du Confessional ils se prosterneront devant le saint Sacrement, et demanderont à nostre Seigneur pardon des fautes qu'ils pourroient avoir commises en écoutant les confessions, et la grace de l'amendement pour leurs penitens.

Laon 1671, 1782

[Laon 1671: César d'Estrées]
De Poenitentiae Sacramento

P1359 **Laon 1671**

p. 123 *De materia Poenitentiae* … Si poenitens non satis calluerit modum confitendi, juvabit (Sacerdos) illum humaniter, ac veluti manu ducet, diligenter interrogans super Praeceptis Dei et Ecclesiae, super

---

[53] François de Joyeuse, archevêque de Toulouse de 1584? à 1605.
[54] Charles de Montchal, archevêque de Toulouse de 1628 à 1651.

CONSEILS AUX PRÊTRES

peccatis capitalibus, nec-non delictis uniuscujusque statui, et conditioni propriis: in quo prudenter se geret...

Porro si Confessarius cognoverit poenitentem ignorare Christianae Religionis rudimenta, et articulos fidei scitu necessarios ad salutem, si tempus suppetat, eum breviter instruet de illis, ignorantiam ejus corripiet...

Rodez 1671

[Gabriel de Voyer de Paulmy]
Quid sit observandum à prudente Confessario ad rite administrandum Poenitentiae sacramentum

Instructions romaines avec additions:

P1360 **Rodez 1671**

p. 110 ... Quatenus autem, tum Sacerdos, tum Poenitens ipse, ad clariorem peccatorum cognitionem pervenire possint, haec quatuor nosse, et ad ea specialiter attendere proderit plurimum. 1. Loca in quibus Poenitens habitavit. 2. Personas cum quibus conversatus est. 3. Officia, seu negotia in quibus exercetur. 4. Vitia ad quae magis est propensus.

Reims 1677. Clermont 1733

[Reims 1677: Charles-Maurice Le Tellier]
De la Satisfaction

P1361 **Reims 1677 p. 84-89; Clermont 1733 p. 232-236**

Reims 1677 p. 84 ... L'Eglise, lorsque sa discipline étoit dans sa plus grande rigueur, refusoit la paix à tous les pecheurs qui ne se soumettoient pas aux rigueurs de la penitence pendant qu'ils étoient en santé... C'est par ce même principe que durant plusieurs siecles elle n'accordoit l'absolution qu'à ceux qui avoient fait penitence; Qu'elle l'ordonnoit en public et pendant plusieurs années à ceux qui avoient commis des crimes scandaleux; Qu'elle les obligeoit de quitter leurs employs, ou de s'abstenir des fonctions de leurs charges; Qu'elle les contraignoit de quitter le monde pour aller pleurer leurs pechez dans les Solitudes et les Monasteres; Qu'elle obligeoit les personnes mariées de se separer par un consentement mutuel, pendant le temps de leur penitence; Qu'elle bannissoit de l'Eglise durant la celebration des divins mysteres les pecheurs soûmis à la penitence. Et qu'enfin elle les exerçoit dans le

430 CHAPITRE XI

sac et la cendre, dans le cilice, les jeûnes, les veilles, les gemissemens, les larmes, et dans toutes sortes d'austeritez.

p. 85 … il est très difficile, et même moralement impossible[a] de discerner exactement en toute matiere le peché mortel d'avec le veniel; quoique nous sçachions certainement qu'il y en a plusieurs qui sont mortels; comme l'idolatrie, l'heresie, la magie, le blasphême, le parjure, l'adultere, l'inceste, toute fornication, le sacrilege, l'usure, la simonie, l'homicide volontaire, et plusieurs autres de cette nature…

p. 85-87 … la peine éternelle qui est dûë au peché mortel, est changée en peine temporelle par la vertu de la contrition et de l'absolution sacramentale: et il reste plus ou moins de cette peine temporelle, selon les degrez d'amour qui se rencontrent dans la contrition… C'est pour satisfaire à ces peines qui restent aprés le pardon du peché, que le Prêtre doit aprés la confession imposer les penitences proportionnées aux pechez, selon leur nombre et leur qualité. … le Prêtre ne doit pas être trop severe, de peur que les Fidelles ne puissent accomplir les penitences qu'il leur imposeroit, et (qu') il ne doit pas aussi être trop facile, de crainte que les Fidelles par le mépris de la peine ne fussent plûtost invitez à pecher de nouveau, qu'à mener une vie nouvelle selon Jesus-Christ.

… les penitences que les Confesseurs imposeront ordinairement, seront la priere, le jeûne, l'aumône[b], et les autres exercices de la vie spirituelle, qui sont les satisfactions par lesquelles l'Eglise purifie ses enfans…

Additions Clermont. [a] selon saint Augustin, Enchirid. c. 8 n. 12] *add.* –[b] les lectures saintes] *add.*

Limoges 1678, 1698

[Limoges 1678: Louis de Lascaris d'Urfé]
De Sacramento Poenitentiae

P1362 **Limoges 1678**

Pars prima p. 98-101 *Quid agat Parochus, ut Fideles ad Sacramentum Poenitentiae opportunè, ac ritè suscipiendum disponat.*

p. 99 … Multum quoque juvabit (Parochus), si hujus Sacramenti necessitatem ac utilitatem identidem proponat, recenseatque illius varios ac multiplices fructus. Proinde Fidelibus suggerat Poenitentiae quidem radices esse amaras, sed ejus fructus esse suavissimos: cum nihil optatius esse possit, quam Deo reconciliari, et in ejus gratiam restitui, praeclusum per peccata felicitatis aditum referari, animam scelerum pondere oppressam sublevari, eique pacem ac tranquillitatem tribui.

CONSEILS AUX PRÊTRES

p. 101 Atque ut Fideles hoc Sacramentum cum fructu suscipiendum sint ritè dispositi, 1. tradet methodum examinandae conscientiae, perlustrando Dei et Ecclesiae praecepta, et perpendendo quid contra singula cogitatione verbo aut opere commiserint, vel etiam omiserint. 2. Docebit etiam modum quo poenitens divino fretus auxilio actum contritionis eliciat, et quomodo se ad illam disponere possit, oratione scilicet, item piâ rationum, quae animum ad dolorem excitare possint, consideratione, demum aliquâ bonorum operum praxi. ...

p. 107-109 *Quid observet Sacerdos post auditam Confessionem, praesertim ut ad dolorem peccati, et vitae melioris propositum excitet.*
p. 108 II. Ad dolorem et contritionem paucis verbis, sed efficacibus adducere conabitur (Confessarius). Quamobrem ex variis motivis quibus contritionis dolor excitari solet, ea praesertim seliget, quae habitâ ratione conditionis ac dispositionis Poenitentium judicaverit aptiora; haec vero ex libro Pastorali haurire poterit.
III. Neque tantum ad praeteritorum peccatorum detestationem, sed etiam ad vitam emendendam, et melius instituendam inducet. ...

p. 109-111 *Quid observandum, aut cavendum in satisfactione imponenda, quaeve satisfactiones injungendae.*
p. 110 III. Cum omne satisfactionis genus ad tria praecipue referatur; Orationem scilicet, Jejunium et Eleemosynam: sigillatim scire debet Sacerdos quid sub Orationis, Jejunii, aut Eleemosynae nomine comprehandatur, ut sic, quid cuique Poenitenti convenientius fuerit, injungere possit.
Quoniam vero Orationis nomine non solum preces vocales aut mentales, sed et Missae celebratio aut auditio, divinorum Officiorum frequentatio, pia ac devota sacramentorum Poenitentiae et Eucharistiae susceptio, Concionis sacrae aut Catechismi auditio, piorum librorum lectio, aliaque opera spiritualia solent intelligi...

p. 111-112 *Quid observandum à Sacerdote circa Absolutionem Sacramentalem.*
[Instruction romaine]

Agen 1688
[Jules Mascaron]

P1363 **Agen 1688**
p. 75 Pour faire une confession utile, il faut aprés avoir invoqué du fond du coeur la grace de l'Esprit saint qui gemit en nous ... faire

une reveüe exacte de ses fautes et de ses dispositions interieures; et s'il s'est écoulé un temps considerable depuis la derniere confession, il faut s'examiner avec encore plus d'application, et plus de loisir sur les commandemens de Dieu et de l'Eglise, sur les pechés capitaux, et sur les engagemens de sa condition et de son état. ...

p. 76-77 Aprés avoir oüy la confession entiere du penitent ... il faut luy prescrire une penitence qui convienne autant qu'il se peut à la grandeur, à la qualité et au nombre des pechés, à la condition, au sexe, à l'âge et aux dispositions du penitent... On doit imposer par exemple aux impudiques des austerités corporelles, aux avares des aumônes, aux orgueilleux des prieres et des pratiques d'humilité. Il faut sur tout tenir un juste milieu entre une rigueur excessive, et une douceur trop molle...

Si le penitent avoit peine à se soumettre aux satisfactions raisonnables qu'on luy prescrit ... on pourra citer quelques Canons Penitentiaux...

Pour des superstitions, on imposoit autrefois jusques a sept années de penitence, pour les parjures, des sept et des dix années, pour les larcins des cinq ans, pour l'adultere des dix années et quelque fois une penitence de toute la vie. Et en cas que le penitent demeure obstiné sans raison à refuser une penitence convenable et proportionnée à ses forces; il faut le renvoyer comme n'ayant pas une douleur suffisante. ...

Nevers 1689

[Edouard Vallot]

P1364 **Nevers 1689**

p. 40-44 *De la Satisfaction.*

p. 42 ... 1°. Les Penitences utiles à toutes sortes de personnes selon la qualité de leurs pechés sont l'usage du cilice, de coucher sur la dure, de se retrancher toutes sortes de plaisirs même licites, comme les promenades, les conversations, la lecture de certains livres, etc.

2°. De mortifier son esprit, l'assujettissant à la conduite d'autrui, gardant le silence sur des choses où il seroit permis de parler, de faire des actions humbles...

3°. De souffrir non seulement avec patience, mais avec quelque sorte de joye la justice que Dieu se fait à lui même, lorsqu'il lui plaît nous envoyer quelques infirmités ou maladies, des pertes de biens, quelque persecution de la part des hommes, des humiliations, quelques injustices qu'on nous fait...

CONSEILS AUX PRÊTRES

4°. Une de Penitences les plus utiles est d'obliger les gens qui en ont le tems chaque jour, et les pauvres au moins les dimanches et les fêtes de lire quelque Livre de pieté, comme est l'*Imitation de J. C.*, *l'Introduction à la vie devote, le Combat spirituel*[55], les oeuvres de Grenade[56], de sainte Therese et d'autres semblables, et sur tout le livre des Evangiles et les Epitres de S. Paul, avec la vie de quelque Saint. ...

p. 43 ... 9° A ceux qui ne s'accusent que de pechés veniels, on leur prescrira des humiliations, des visites de malades, des prieres à faire à certaines heures devant le saint Sacrement, d'entrer dans quelque societé de personnes qui s'appliquent aux oeuvres de charité, etc. ...

p. 44-47 *De quelques Penitences qui étoient en usage dans l'Eglise dans les siecles passés.*

p. 45 ... Celui qui ayant apostasié vouloit rentrer dans l'Eglise, étoit obligé de faire penitence de son crime pendant dix ans qu'il s'abstenoit aussi de la Communion.

Celui qui avoit consulté les devins et sorciers, ou êtoit coupable de quelque superstition, êtoit obligé à sept ans de penitence.

Pour tout Clerc ou Moine qui avoit quitté sa profession pour retourner au siecle, dix ans de penitence.

Pour celui qui avoit fait un faux serment, sept ans. ...

p. 47 ... Une femme qui employoit du fard sur son visage pour plaire aux hommes, êtoit mise en penitence pendant trois ans.

Verdun 1691, 1787[57]
Toul 1700, 1760

[Verdun 1691 : Hippolyte de Béthune]

[Canons pénitentiaux]

>1365   Verdun 1691

p. 131-133 Les anciens Canons de l'Eglise marquent fort en détail, les Pénitences que l'on doit imposer pour chaque peché. Et quoi que les Confesseurs ne soient pas aujourd'hui si étroitement obligés de suivre ces anciens Reglemens ... il est utile qu'ils les sçachent, et Nous les rapporterons ici, à l'exemple de plusieurs Prelats, comme Gracian, Ives de Chartres, Bede, et le Penitentiel Romain, les ont recüeillis[(a)].

---

55   Laurent Scupoli (1530 ?-1610), *Le Combat spirituel... augmenté de la Paix de l'ame...* [Très nombreuses éditions]

56   Le Bienheureux Louis de Grenade, o.p., auteur au XVIe siècle de très nombreux oeuvres spirituelles.

57   Verdun 1787, tome I, p. 196-198. *Extrait abrégé des anciens Canons Pénitenciaux.* Formulaire très proche de Verdun 1691.

434 · CHAPITRE XI

Pour avoir quitté la foy Catholique, dix ans.

Pour avoir suivi quelque superstition païenne, deux ans.

Pour avoir fait profession de Devin, sept ans.

Pour avoir eu recours aux Devins, cinq ans.

Pour avoir cüeilli des herbes medicinales, avec enchantement, vingt jours.

Pour avoir noüé l'éguillette, ou fait quelque autre enchantement, deux ans.

Pour un parjure de propos deliberé, sept années et quarante jours au pain et à l'eau.

Si le parjure est fait dans l'Eglise, dix ans. …

[a] *Variante Toul 1700 p. 113.* Les Canons Penitentiaux… sont rapportez fort au long dans les Instructions de S. Charles, desquelles on se contente de donner icy quelques extraits sur les pechez les plus communs et les plus ordinaires…

Metz 1713

[Henri-Charles du Cambout de Coislin]

[Canons pénitentiaux]

Liste de quarante-sept cas en latin, suivie d'un index alphabétique explicatif.

P1366 **Metz 1713 *Pars prima*, p. 293-306**

Sanctus Carolus Borromeus Canones Poenitentiales Confessariis proposuit… Ex variis Canonum Poenitentialium summis, seu breviatis collectionibus, eam seligendam duximus, tanquam authenticam, quae in jure Canonico, in calde decreti Gratiani edita est. …

Primus est, quod si Presbyter fornicationem fecerit, poenitentiam decem annorum faciat hoc modo…

2. Si Presbyter cognovit filiam spiritualem…

Orléans 1726

[Louis-Gaston Fleuriau d'Armenonville]

De la Confession

P1367 **Orléans 1726**

Formulaire d'Orléans 1642 p. 89-91 avec remaniements:

p. 70 … Ce n'est pas assez de confesser ses pechez, il faut que la Confession soit accompagnée de certaines conditions. Saint Thomas

CONSEILS AUX PRÊTRES

avec les Theologiens en aporte [*sic*] seize, qui sont renfermées dans les quatre vers suivens.

Sit simplex, humilis Confessio, pura, fidelis… [comme Orléans 1642]

S. Thomas (in 4. Dist. 17. q. 3. art. 4.) les explique ainsi : la Confession doit être, 1. Simple, c'est-à-dire, le pénitent ne doit declarer que ce qui fait connoître la griéveté de ses pechez, sans y mêler rien d'étranger et d'inutile. 2. Humble, par la connaissance et l'aveu de sa misere, et de ses foiblesses. 3. Pure, avec une intention droite. 4. Fidelle, sans aucun mensonge. 5. Frequente, au moins pour être utile, parce qu'il est difficile de se bien confesser, quand on se confesse rarement. 6. Nuë, sans déguisement et sans obscurité. 7. Discrette, avec discernement et circonspection. 8. Volontaire, de bon coeur. 9. Modeste, avec pudeur. 10. Entiere, sans rien celer de ce qu'il faut necessairement declarer. 11. Secrette, à cause de la qualité du Tribunal, où tout se passe dans le secret. 12. Accompagnée de larmes, c'est-à-dire, de contrition ou d'attrition. 13. Faite promptement, sans trop diferer après le peché commis. 14. Faite courageusement, sans que la honte ni la crainte empêche de dire ce qui est necessaire. 15. Faite en s'accusant soi-même et non autrui. 16. Faite avec disposition d'executer ce qui sera ordonné par le Confesseur.

Auxerre 1730

[Charles de Caylus]

De Satisfactione

▶1368   **Auxerre 1730** *Pars prima*, p. 83.

… Omnia Satisfactionis genera ad tria praecipuè possunt reduci, scilicet Orationem, Jejunium et Eleemosynam.

Orationis nomine intelliguntur non solum preces, sed et piae lectiones, ac praesertim sacrarum Scripturarum meditatio, aliique religionis actus.

Per Jejunium non solum intelligitur abstinentia à cibis, sed etiam quidquid carnem macerat, quales sunt aerumnae hujus vitae propter Deum patienter toleratae, abstinentia à voluptatibus licitis.

Per Eleemosynam omnia caritatis tum corporalis tum spiritualis erga proximum Officia intelliguntur.

Cum Poenitens teneatur dignos fructus Poenitentiae facere, Satisfactio peccatis commissis debet esse proportionata.

Non remittitur peccatum nisi restituatur ablatum. Tenetur ergo qui laesit proximum sive in persona, sive in fama, sive in bonis, illatam injuriam reparare.

Auxerre 1730

Abregé des Canons Pénitentiaux

P1369 **Auxerre 1730** *Pars quarta*, p. 25-30.
Contre le premier Commandement.
Pour avoir quitté la Foi catholique, dix ans.
Pour avoir suivi quelque superstition des Payens, deux ans.
Pour les Devins, sept ans; pour y avoir eû recours, cinq ans.
Pour avoir cuëilly des herbes medicinales avec enchantement, vingt jours.
Pour avoir noüé l'éguillette ou empêché l'usage du Mariage, deux ans.
Pour avoir ensorcelé, deux ans.
Contre le II. Commandement.
Pour avoir apostasié de son voeu, dix ans.
Pour un parjure fait volontairement, quarante jours, et sept années.
Pour un parjure fait dans l'Eglise, dix ans. …

Clermont 1733

[Jean-Baptiste Massillon]

Clermont 1733 p. 232-236. *De la Satisfaction.* Formulaire de Reims 1677 p. 84-89, P1361.

Clermont 1733

Extrait abregé des anciens Canons Penitentiaux

P1370 **Clermont 1733** p. 237-241
Ces Canons ne sont pas tous d'une égale antiquité, ny d'un même pays. C'est pour cela qu'on y voit quelquefois des péchez moindres punis plus severement que d'autres plus considerables. Car l'Eglise n'use pas par tout d'une même discipline sur l'article des Pénitences. Elle a été quelquefois quelquefois plus sévere, quelquefois plus indulgente dans des tems qu'en d'autres, dans un pays que dans un autre: les besoins ne sont ny par tout, ny en tout temps les mêmes: c'est ce qui fait varier la discipline de l'Eglise.
Voicy donc l'extrait abregé de ces Canons.

CONSEILS AUX PRÊTRES

Pour avoir renoncé à la Foy catholique, *Dix ans de pénitence.*
Pour avoir sacrifié au Démon, *Dix ans.*
Pour avoir suivi quelque superstition des Payens, *Deux ans.*
Pour avoir mangé du sacrifice des Payens, *Trente jours.*
Pour avoir mangé avec un Juif, *Dix jours.*
Pour avoir fait le métiers de Devin, *Sept ans.*
Pour avoir consulté les Devins, et avoir eu recours à eux par raport à leur art diabolique, *Cinq ans.*
Pour avoir noüé l'aiguillette, ou enfasciné, *Deux ans.*
Pour avoir apostasié de son voeu solemnel, *Dix ans.* ...

Nantes 1733, 1755, 1776

[Nantes 1733 : Christophe-Louis Turpin Crissé de Sansay]
Ordo ministrandi Sacramentum Poenitentiae

▶1371 **Nantes 1733**

p. 30-34 [Instructions de caractère non rigoriste :]

Quâ facta exprimit (Poenitens) tempus ultimae Confessionis, rationem reddit de poenitentiâ in superiori confessione impositâ, an eam debitè impleverit. Tunc si opus esse judicaverit, inquiret Sacerdos de statu Poenitentis, cujus Parochiae sit, an Judex, Mercator, Artifex, Conjugatus etc. An restitutioni si quae fuerat praescripta, satisfecerit ; an defectu examinis, integritatis, doloris, etc. aliquam in confessionibus praeteritis culpam voluntariam commiserit, an fidei rudimenta cognoscat. Si ea ignoret eum breviter et paternè, si tempus suppetit, instruat Sacerdos : Quod si per tempus non liceat, benignè remittat donec eum instruxerit, vel instrui curaverit. His expletis Poenitens peccata sua sigillatim declaret distinctè atque integrè, nec Sacerdos eum interpellabit nisi postulet necessitas, nec reprehendet nisi finitâ confessione ; quinimmo eum adjuvabit, et si opus sit, interrogabit. Omnibus declaratis Poenitens dicet : *De tous ces pechez et de tous les autres dont je ne me souviens pas, et generalement de tous ceux de ma vie passée, j'en demande pardon à Dieu, et à vous, mon Pere, pénitence et absolution.* ...

Chalon-sur-Saône 1735

[François de Madot]
De la satisfaction du pénitent

▶1372 **Chalon-sur-Saône 1735**

p. 50 ... Le Confesseur ... fera en sorte que la pénitence qu'il impose soit oposée [*sic*]au péché qu'il veut punir, ordonnant par exemple des

438 CHAPITRE XI

aumônes aux avares, des jeûnes aux sensuels, des oeuvres de dévotion aux paresseux, des actes d'humilité aux orgüeilleux, la fréquentation des Sacremens à ceux qui ne s'en aprochent que rarement, etc.

Et parce que toutes les oeuvres satisfactoires peuvent se raporter [sic] à l'oraison, aux jeûnes et à l'aumône, le Confesseur doit sçavoir ce qui est renfermé sous chacune de ces espèces, pour s'en servir au besoin.

Sous le nom d'oraison on comprend non-seulement les priéres mentales et vocales, mais encore la célébration ou l'assistance à la Messe, la fréquentation des divins offices, la réception des Sacremens, la lecture des bons livres.

Par le jeûne, on entend non-seulement l'abstinence et la sobriété, mais encore tous les châtimens corporels, tels que sont la discipline, la haire, les veilles, les pélerinages, etc.

L'aumône enfin signifie non-seulement l'action par laquelle on donne de l'argent, mais encore toutes les oeuvres de miséricorde corporelles, telles que de visiter les malades et les prisonniers, ensevelir les morts, etc. …

Évreux 1741
Albi 1783[58]. Boulogne 1750, 1780. Bourges 1746. Limoges 1774 Montauban 1785. Poitiers 1766

[Évreux 1741: Pierre de Rochechouart]
Modèles d'exhortations pour l'administration du Sacrement de Pénitence

P1373 Évreux 1741

p. 199-200 On a jugé à propos de mettre ici plusieurs courtes exhortations contenant les motifs de contrition par lesquels un Confesseur peut exciter les pénitens à la détestation de leurs péchés[a]. Il faut choisir quelques-uns de ces motifs suivant les différentes dispositions des pénitens. Ceux d'amour de Dieu et de réconnoissance conviennent mieux pour l'ordinaire aux esprits doux et cultivés, etc. Pour des esprits durs et grossiers, on doit ordinairement employer les motifs de crainte et de terreur, y mêlant cependant toujours quelques motifs d'amour. Cependant, nous avertissons que l'exhortation la plus touchante en ce genre, est toujours celle qui est tirée des circonstances actuelles où se trouvent les Pénitens, et qui est plus proportionnée,

---

[58] Albi 1783 réédite les exhortations I, III, V, VII, IX.

CONSEILS AUX PRÊTRES

à l'âge, à la condition, et à l'intelligence des personnes auxquelles on adresse la parole[b].

Variantes. [a] Ces modèles pourront n'être pas inutiles à ceux qui n'ont pas encore une longue expérience dans le Ministère…] *add.* Boul. –[b] Cependant… parole] *om.* Bou. Boul. Lim. Mon. Poi.

Toulon 1749-1790

[Toulon 1749 : Louis-Albert Joly de Choin]
Instruction sur le Sacrement de Penitence

L'*Instruction sur le Sacrement de Penitence* occupe les p. 203-652 de la première partie des *Instructions du rituel du Diocèse de Toulon*, éd. 1649.]

1374　Toulon 1749[59]. De la maniere d'interroger les Pénitents.

Première partie, p. 441 … Quand le Pénitent qui se confesse est inconnu au [*sic*] Confesseur, il est bon de commencer, avant qu'il s'accuse, par lui demander sa profession et son état ; par exemple, s'il est marié, s'il est Juge, Avocat, Procureur, Marchand, Financier, Serviteur, etc. …

Le Confesseur demandera encore au Pénitent … depuis quel tems il ne s'est pas confessé ; s'il a accompli sa pénitence ; s'il a reçû l'absolution…

Le Confesseur qui n'aura pas encore entendu un Pénitent, et qui croira avoir lieu de douter s'il fait ses priéres, les lui fera réciter ; s'il y a sujet de croire qu'il ne sait pas son catéchisme, il l'interrogera sur ce qu'il est obligé de savoir, sur les principaux mysteres de la Foi, sur les obligations communes des Chrétiens, sur les Commandemens de Dieu et de l'Eglise, sur les Sacremens. …

p. 443 Quand on trouve des Pénitens qui n'ont point examiné leur conscience… par leur faute, étant capables de le faire, il faut les renvoyer faire leur examen, et tâcher de les engager à faire tous les soirs l'examen de la journée… Que s'ils ne savent pas s'examiner, il faut leur en apprendre la méthode avec bonté et douceur. …

p. 444 La meilleure méthode d'examiner les Pénitents qui ne savent, ou qui ne peuvent pas s'accuser… est de suivre l'ordre des Commandements de Dieu et de l'Eglise ; de venir ensuite aux péchés capitaux, et aux sens extérieurs.

p. 492-495 *De la prudence du Confesseur pour régler la fréquente Confession.*

---

[59]　*Instructions du Rituel du Diocése de Toulon. Toulon,* 1749. Paris, BnF, B. 1701.

440 CHAPITRE XI

Il y a trois sortes de Pénitens qu'un Confesseur doit porter à se confesser souvent. Les premiers sont ceux à qui la fréquente confession est nécessaire pour sortir de l'état de péché mortel...

Les seconds sont ceux qui étant en état de grâce, tomberoient probablement bientôt dans le péché mortel, s'ils n'avoient soin de prendre souvent dans la confession les forces nécessaires pour résister aux tentations...

Les troisiémes sont ceux qui vivent dans la crainte de Dieu, et desirent de s'avancer dans la perfection chrétienne...

p. 495-497 *Autres Regles qu'un Confesseur doit suivre lorsqu'il instruit les Pénitens.*

Le Confesseur faisant dans le sacré tribunal la fonction de Docteur, de Juge, et de Médecin, c'est à lui à conduire le Pénitent, à juger sa cause, et à lui ordonner les remédes nécessaires à sa guérison. ...

p. 633-638 *Extrait abbregé des anciens Canons Pénitentiaux.*

Ces Canons ne sont pas tous d'une égale antiquité, ny d'un même pays... [comme Clermont 1733]

[Liste très proche de Clermont 1733 p. 237-241]

Pour avoir renoncé à la Foi catholique, *dix ans de pénitence.*

Pour avoir sacrifié au démon, *dix ans.*

Pour avoir, à la manière des Payens, rendu quelque culte aux élémens, et observé des signes superstitieux, soit pour planter des arbres, soit pour bâtir des maisons, soit pour semer des terres, soit pour faire des mariages, *deux ans.*

Pour avoir mangé du sacrifice des Payens, *trente jours.*

Pour avoir mangé avec un Juif, *dix jours.*

Pour avoir fait le métiers de Devins, *sept ans.*

Pour avoir cueilly des herbes medicinales avec des paroles d'enchantement, *vingt jours.*

Pour avoir consulté les Devins, et avoir eu recours à eux par rapport à leur art diabolique, *cinq ans.*

Pour avoir noué l'éguillette, ou enfasciné, *deux ans.*

Pour avoir cherché au sort dans des livres ou tablettes, des choses futures, *quarante jours.* ...

CONSEILS AUX PRÊTRES

Carcassonne 1764

[Armand Bazin de Bezons]
Extrait abregé des Canons Pénitentiaux, tiré des Instructions de Saint Charles
aux Confesseurs, imprimé par ordre du Clergé de France

1375 Carcassonne 1764 p. 213-216
Pour avoir quitté la Foi catholique, dix ans de pénitence.
Pour avoir pratiqué quelque superstition, deux ans.
Pour avoir fait profession de Devin, sept ans.
… Pour avoir travaillé un dimanche ou une fête, trois jours.
Pour avoir charroyé le dimanche, sept jours.
Pour avoir dansé devant une Eglise, trois ans.
Pour avoir causé dans l'Eglise durant le service divin, dix jours.
… Pour avoir tué son enfant afin de cacher son crime, dix ans.
Pour un avortement volontaire, trois ans. …

Châlons-sur-Marne 1776. Paris 1786

[Antoine-Eléonor Le Clerc de Juigné]
Selecti Canones Poenitentiales juxta Decalogi ordinem dispositi

1376 Châlons-sur-Marne 1776 *Pars prima*, p. 451-456; Paris 1786, Tomus
II, p. 225-229
p. 451 *I. Non habebis Deos alienos coram me.*
Qui à Fide Catholicâ desciverit, Poenitentiam aget annis decem.
Qui auguriis et divinationius servierit, quive incantationes diaboli-
cas fecerit, Poenitens erit annos septem.
Qui magos consuluerit, artemve magicam ad quodcumque adhi-
buerit, in Poenitentiâ erit annis quinque.
II. Non assumes Nomen Domini in vanum.
Quicumque sciens pejeraverit, quadraginta dies in pane et aquâ,
et septem sequentes annos poeniteat; et quot homines in peccatum
induxerit, quasi pro totidem perjuriis jejunet. …

Lyon 1787

[Antoine de Malvin de Montazet]
Des Canons Pénitentiaux

1377 Lyon 1787 Première partie p. 238-242
p. 241 Un Prêtre chargé de la conduite des ames ne doit pas ignorer
les Canons Pénitentiaux…

Sur le premier Commandement de Dieu.

Pour avoir blasphémé publiquement le nom de Dieu, de la Sainte Vierge ou des Saints, sept semaines de pénitence...

Pour avoir abandonné la foi catholique, dix ans de pénitence.

Pour avoir pratiqué quelque superstition, deux ans de pénitence...

Pour avoir pratiqué la profession de Devin, sept ans...

CHAPITRE XII

EXAMENS DE CONSCIENCE
CATALOGUES DE PÉCHÉS

1. Présentation

a. Examens de conscience

Au XVIe siècle, les rituels d'une dizaine de diocèses contiennent des examens de conscience:

Saint-Brieuc [1506] et Lyon 1542 reproduisent la *Confessio generalis* de André de Escobar[1], donnant un examen de conscience détaillant douze grandes catégories de péchés.

Senlis 1526, Auxerre 1536, Metz 1543 se limitent aux péchés mortels.

Lyon 1542 ajoute à la *Confessio generalis* les péchés procédant des péchés capitaux.

Paris 1552 propose une présentation approfondie des péchés contre les dix commandements dans sa longue *Exposition des commandemens de Dieu,* reprise jusqu'en 1630.

Chartres 1580 ajoute à une longue liste de péchés mortels une liste brève de péchés véniels et une liste avec explications développées des vertus opposées aux péchés mortels.

Angoulême 1582 et Cahors 1593-1619 donnent un formulaire développé sur les dix commandements et les péchés mortels; Angoulême s'inspire en partie du *Manuel* du carme Denis Peronnet[2]; Cahors le reproduit.

Bâle 1595, recopiant Trèves 1574, traite des péchés contre les dix commandements et de trois péchés capitaux: orgueil, gourmandise, paresse.

Limoges 1596 présente une *Formula examinis iuxta decem praecepta Decalogi* relativement développée.

---

[1]   Sur André de Escobar, voir *infra* Auteurs cités, p. 1941.

[2]   Sur Denis Peronnet, voir *infra* Auteurs cités, p. 1943.

La grande période des examens de conscience s'étend sur un peu plus d'une centaine d'années : 1580-1690, et l'on peut dire que le XVIIe siècle en est le « siècle d'or ».

Les rituels parisiens de 1601 et 1615 par exemple prévoient trois formulaires pouvant en faire office : le premier, destiné à un pénitent « ignarus », est un aide-mémoire de foi catholique ; les deux autres – *Exposition des Commandemens de Dieu* et *Confession generalle* du jour de Pâques – rééditent des formulaires publiés à Paris depuis 1552[3].

Les examens de conscience disparaissent presque complètement dans la seconde moitié du XVIIIe siècle.

Les derniers se trouvent à Beauvais 1725 (reprenant la confession générale de Paris 1697), Orléans 1726 (très proche d'Orléans 1642), Clermont 1733 (rituel de Massillon), Alet 1771 (reproduisant Alet 1667), Cambrai 1779, reproduisant le formulaire de 1707 publié par Fénelon, et Laon 1782, reproduisant Laon 1671.

B. Péchés confessés dans les examens de conscience

Figurent dans tous les formulaires, sauf exceptions, les péchés mortels (le péché d'orgueil étant le plus développé), et les péchés contre les dix commandements.

Apparaissent plus rarement :

Les péchés contre les commandements de l'Eglise : Cambrai 1606, 1622, Rouen 1612, Soissons 1622, Arras 1623…

La coopération aux péchés d'autrui : Cambrai 1606, 1622, 1659, 1707… Arras 1623, 1644, Chartres 1627-1640, Paris 1630, Rouen 1640 etc.

Les péchés sur les cinq sens de nature (Toulouse 1616-1653).

La négligence des oeuvres de miséricorde corporelles et spirituelles : Saint-Brieuc [1506], Lyon 1542, Beauvais 1725.

Les péchés criant au ciel, et les péchés contre le Saint-Esprit : Beauvais 1637, et 1725, Besançon 1674.

L'examen de conscience de André de Escobar, édité à Saint-Brieuc [1506] et Lyon 1542 est l'un des plus complets puisqu'il détaille douze catégories de péchés, dont les péchés en pensée et en parole, les péchés des cinq sens et des membres du corps, les péchés contre les douze articles du Credo, contre les sacrements, contre les dons du St-Esprit,

---

3 Formulaires P1213, P1382, P1389.

EXAMENS DE CONSCIENCE (1506-1580)

la négligence des fruits du Saint-Esprit, et l'omission des béatitudes évangéliques.

Sons examinés dans quelques rituels : les péchés véniels (Chartres 1580), les vertus contraires aux péchés mortels (Chartres 1580), les confessions invalides (Amiens 1687), le scandale (Soissons 1778), les péchés des prêtres (Alet 1667, Nevers 1689).

C. Catalogues de péchés

Ces catalogues concernent en priorité les péchés contre les commandements de Dieu, en second lieu les péchés mortels. Les listes des autres péchés, contre les commandements de l'Eglise, péchés criant vengeance au ciel, contre les oeuvres de miséricorde, contre le Saint-Esprit, coopération aux péchés d'autrui, péchés des cinq sens...) sont moins fréquentes.

Des catalogues de péchés figurent aussi dans les « aides-mémoire » de foi catholique, spécialement nombreux au XVIe siècle dans les rituels[4].

Tous ces formulaires peuvent être lus au prône, au besoin par parties, plusieurs fois par an.

2. Formulaires

Saint-Brieuc [1506]
Lyon 1542

[Saint-Brieuc [1506][5] Christophe de Penmarch ou Olivier du Châtel]
André de Escobar, *Modus confitendi*
[Douze catégories de péchés]

Un petit traité sur la confession, de même impression que le rituel de Saint-Brieuc 1506, est relié à la suite du seul exemplaire connu de celui-ci ; il contient entre autres des extraits du *Modus confitendi* du controversiste portugais André de Escobar, dit Andreas Hispanus[6].

---

4 *Voir infra* chapitre XXVI : *Enseignement de la foi.*
5 Saint-Brieuc [1506]. Molin Aussedat n°1150. L'ouvrage peut être daté de 1506 d'après le comput et la table pascale qui citent tous deux cette date comme point de départ de leurs calculs. Il aurait donc été publié soit à la fin de l'épiscopat de Christophe de Penmarch, mort le 17 décembre 1505, soit au tout début de l'épiscopat d'Olivier du Châtel, évêque du diocèse de mars 1506 à 1525.
6 Sur André de Escobar, voir *infra* Auteurs cités, p. 1941.

446 CHAPITRE XII

Ce *Modus confitendi* contient un examen de conscience détaillé et un rite de confession privée[7]. Le texte de Saint-Brieuc présente un certain nombre de différences avec le texte du même André de Escobar édité à Strasbourg en 1507[8]. Le rituel de Lyon 1542 (f. 89-93v) donne sous le titre *Confessio generalis*, et sans mention d'auteur, le texte du *Modus confitendi* avec quelques variantes non indiquées ici par rapport au texte de Saint-Brieuc.

P1378 **Saint-Brieuc [1506]** f. A5v-B3 *Modus confitendi optimus et compendiosus, sive generalis confessio, edita per rev. patrem et dominum Andream Hyspanum sancte romane ecclesie penitentiarium, episcopum Civitatensis, que dici potest Speculum confitentium...*
[Titre courant:] *Confessio generalis*

Quoniam omni confitenti necessarium est hanc generalem confessionem debere et facere... Ego magister Andreas Hispanus ... pro mihi confitentes hanc generalem confessionem que quasi omnia peccata continet, ex multis sanctorum patrum dictis collegi...

[Confiteor]
f. A6 ... Facto signo sancte crucis ante omnia dic primo:
Ego reus et peccator maximus. Confiteor Deo omnipotenti, et beate Marie semper virgini, et omnibus sanctis. ... P1617

De cogitatione. [Péchés en pensée]
Primo peccavi cogitatione. Quia carnis delicias, gulas, luxurias, seculi pompas, honores, et divitias habere cogitavi. Et multum concupivi. Ac turpibus cogitationibus consensi. Et tam impressam imaginationem in eis habui et delectationem quod multas meas cogitationes opere perfecissem, nisi timor et verecundia mundi me retraxissent.
Corde et animo horas meas non dixi, nec Deum laudavi, nec de ipso futuro seculo seu de die iudicii cogitavi. Immo tentationes dyaboli, et mundi voluntarie suscepit [sic pour suscepi], et eis consensi. Vindictas desideravi. Et amicitias simulavi. In meis adversitatibus patientiam non habui. In affectum cordis mei transivi. Et opere perfeci, quecumque

---

[7] Voir *infra* Formulaires de confession privée, Saint-Brieuc [1506] *Modus confitendi* (P1518).
[8] L'édition Strasbourg 1507 est conservée à Paris, BnF, Rés. D. 5092, suivie sous même reliure d'autres opuscules: *Instructiones Confessorum* d'Albert II, archevêque de Magdebourg et de Mayence [1490-1545] s.l.n.d.; *Annotaciuncula pro Confessoribus Spire* de Georg von Gemmyngen, Strasbourg, 1508; *Libellus de modo penitendi et confitendi* de Guillaume de Vuert [Wilhelm Zenders (de Weert) d'après Catalogue BnF], Paris, 1495; *Confessionale beati Thome de Aquino*, s.l.n.d.; *Casus papales episcopales et abbatiales, Anvers, Godfridus Back*, s.d.; *La confession Maistre Jehan Jarson*, s.l.n.d.; etc.

EXAMENS DE CONSCIENCE (1506-1580)

prius cogitata facere potui. Qualitercumque cogitatione peccavi reddo me culpabilem, et dico meam culpam.

De locutione. [Péchés en parole]

Secundo peccavi in locutione. Quia sepius superflue et inepte locutus sum, Deum meum et sanctos eius blasphemavi. Et Deum de suis operibus reprehendi. Peccata mea propria defendi, et excusavi. Nimium iuravi. Superioribus et meis proximis detraxi. Et contra eos murmuravi. Eorum vitam et opera sinistre iudicavi. Et eos diffamavi. Jurata et promissa non servavi; sepe peioravi et periuravi. Et multos decepi verbis. Testimonium falsum dixi. Perniciose mentitus sum. Propinquis et familiaribus meis maledixi. Et eos vituperavi, et scandalizavi. Maioribus adulatus sum. Et cum verbis ac mendaciis eorum amorem procuravi. Contentiones et litigiosas causas procuravi. Discordias seminavi. Male consului. Et bilinguis fui. Meipsum laudavi. Et secreta revelavi. Indiscretus fui. Et vota honesta non implevi. Dissolutus in visu fui, et in risu. Cachinos et cantilenas de aliis feci. Verba scurillia, et turpia dixi. Perfidus in verbis extiti. Verba Dei tacui. Non docui. Non correxi. Proximos non monui. Horas meas debite non legi nec confessus fui. Non communicavi. Nec Deo meo de beneficiis acceptis mane, die, ac nocte gratias reddidi. Nec alia sancta officia lingue exercui. Sed eam ad omnia viciosa verba laxavi. Qualiscumque ego locutione peccavi, reddo me culpabilem et dico meam culpam.

f. A6v De septem peccatis mortalibus[9]. [Péchés mortels]

Et primo de Superbia. *Tercio* pater peccavi opere et actione multipliciter. Et primo confiteor me peccasse contra Deum meum et proximum. Et septem peccata mortalia commisisse.

Superbiam enim commisi, quia singulari excellentia aliis preesse volui. Pomposus, et presumptuosus fui. In meis operibus semper vanam gloriam quesivi et habui. De divitiis, honoribus, de genere, et nobilitate, et corporis pulchretudine me iactavi. Et causa ipsorum aliis dominari volui. Inobediens prelatis extiti. Censuras ecclesie et synodorum non curavi. Hypocrita fui. Rebellis et obstinatus in consuetudine peccandi. Confiteri et penitere, seu communicare nolui. Parentes, proximos, et inferiores despexi. Et meos familiares, et amicos verbis superbis a me effugavi. Curiosus, et levis in verbis meis, et dissolutus in risu extiti. Singularis esse verbis et factis decrevi. Propriam voluntatem semper implere volui. Peccata propria excusavi, et defendi. Cito credidi. Et ingratus Deo et hominibus de beneficiis extiti.

---

[9]   Lyon 1542 ajoute: et de peccatis operis.

De Avaritia. Item peccavi in peccato cupiditatis et avaricie. Quia inordinate divitias, honores, pecunias, et beneficia concupivi et amavi. Res alienas abstuli. Et retinui iniuste, et dissipavi. Parcus michi in necessariorum exhibitione. Et proximo in elemosinarum largitione fui. Propter pecunias, honores, et beneficia, multa falsa testimonia, falsas litteras, proditiones, adulteria, proximorum damna, usuras, symonias, deceptiones, fraudes, rapinas, furta, mendacia, causas litigiosas, iniustas et iniquas sententias, officia tyrannica, mercantias, et advocantias causarum iniustarum ac procurationes, falsos testes, falsas litteras, perversorum, et consanguineorum promotiones in Dei ecclesia, ludos fortuitos, et falsa iuramenta, dixi, feci, et procuravi.

De Luxuria. Item peccavi peccato fornicationis et luxurie. Quia delectatione et cogitatione, gule et luxurie corporis. Pollutiones in corpore meo habui. Verbis luxuriosis, tactibus, amplexibus, et osculis, et aliquando actibus inhonestis, mulieres turpiter cognovi, et dilexi, Et si non opere, tamen mente. Adulterium, incestum, raptum, et peccatum contra naturam, facere et exercere desideravi.

De Invidia. Item peccavi in peccato invidie. Nam honorem, et famam, ac promotionem proximi propter invidiam destruere, et impedire procuravi. Et de eius damno, et infortunio gavisus fui. Et de eius prosperitate valde dolui. Et eum depressi inquantum potui.

f. B1 *De Gula.* Item peccavi in peccato gule. Quia horam comedendi et bibendi sepius preveni. Sine siti et fame comedi et bibi. Et ebrietate me replevi. Cibum, et potum avide sumpsi. Et frequenter comedi in die, et bibi. Sumptuosa cibaria, et pocula ad delectationem carnis procuravi. Tabernas frequentavi. Et in saporibus ciborum, et potuum delectatus fui. Jejunia ecclesie, et regularia, fregi. Et cibaria prohibita sumpsi.

De Ira. Item peccavi in peccato ire. Nam meis proximis et subditis sine causa iratus fui. Propter iram me vindicavi. Et iniurias michi illatas sustinere nolui. Cum ira Deum meum blasphemavi. Homines vituperavi. Et nocem proximo in persona, et rebus deliberavi. Rancorem cordis servavi, et tumorem mentis pro ira habui. Clamores feci. Discordias seminavi. Et veniam michi petentibus non peperci.

De Accidia. Item peccavi in peccato accidie. Nam bona que tenebar facere, non feci nec procuravi. Mala autem que tenebar fugere non fugi. Sed plus ad illa cucurri et opere complevi. Panem meum laboribus non quesivi. Tardus ac longus ad confitendum, et penitendum de peccatis fui.

Penitentiam michi datam, vota promissa, vel inchoata non complevi. Opus Dei negligenter feci.

EXAMENS DE CONSCIENCE (1506-1580)   449

Remissus in dicendo officium divinum et in faciendo Dei servitium fui. Vel invitus feci.

Ignania mea et iniuria res meas deturpavi. In horis, ad divinis officiis, nullam devotionem habui.

Et si aliquando feci aliquod bonum, illud cum tristicia ac verecundia, ac vana gloria peregi.

Desistere me posse a peccatis penitus desperavi. Et indiscreto servore Deo serviendi tantum corpus meum exterminavi, quia sibi servire ut tenebar, postmodum non potui. Ad consuetam vitam perversam declinavi. Vota promissa non complevi. Nec ieiunia ecclesie.

Qualitercumque in his septem peccatis mortalibus aut aliquo eorum, sive in aliquibus circumstantiis ipsorum peccavi, dico meam culpam, et reddo me culpabilem Deo et vobis.

De decem preceptis legis. [Péchés contre les dix commandements]

Quarto peccavi operatione, quia decem precepta Dei mei transgressus fui opere, et voluntate.

Primo Deum meum ex toto corde meo non dilexi, non timui, non adoravi. Nec firmam fidem, et spem de ipso et in ipso habui. Quin potius divinis, auguriis, sortilegiis, et incantationibus, heresibus, et falsis doctrinis magistris quam Deo meo, et scripturis sacris, fidem dedi et magis de eis confessus fui.

Secundo Nomen Dei mei in vanum assumpsi per os meum. Pro nulla vel modica re Deum meum periuravi. Et frequenter, et sine causa, juramenta falsa pronunciavi. Et super evangelia iuravi sine necessitate. Simplici verbo credere nolui. Et per membra humana Dei iuravi, et Deum et sanctos eius negavi atque blasphemavi.

Tercio peccavi. Nam diem dominicum ac festivitates ecclesie cum orationibus, missis, et predicationibus, et elemosinis non sanctificavi. Sed illis diebus debitores meos recepi, et solvi, michi debita procuravi. Familiam meam laborare feci. Temporalibus vacavi. Et mundi gaudiis, crapulis, et luxuriosis actibus, magis illis diebus festivis me dedi quam aliis diebus.

f. B1v *Quarto* peccavi. Nam patrem et matrem meam corporales non honoravi. Nec eis in necessitatibus subveni. Sed eos ad iram provocavi. Prelatis, et patribus meis spiritualibus et matri mee sancte ecclesie, debitas reverentias non feci. Nec eorum precepta, et censuras curavi. Imo in contemptum clavium ecclesie, cum excommunicatis, cismaticis, et hereticis participavi. Decimas, quas ecclesie tenebar dare integre non dedi.

CHAPITRE XII

Quinto peccavi. Nam proximum meum licet non actu, tamen animo et voluntate occidere volui. Ac in persona, et in rebus ledere concupivi. Manus violentas in eum posui, et ponere decrevi, vel poni procuravi.

Sexto peccavi erga mulieres coniugatas. Nam adulterium cum eis committere optavi. Verbis, promissis, et muneribus, ad adultandum [sic pour adulterandum] eas provocavi in diversis cogitationibus, et actibus per adulterium me coinquinavi.

Septimo peccavi. Nam res alienas iniuste de locis sacris et non sacris abstuli. Et officium ad recipiendum bona pauperum procuravi. Et res inventas et alienas dominis suis non reddidi. Patrimonium crucifixi non debite expendi. Nec per me ablatum vel furatum, aut inumentum [sic pour inventum] unquam restitui. Nec voluntates ultimas defunctorum et testamenta adimplevi.

Octavo peccavi. Nam contra proximum meum ex malitia publice et occulte falsum testimonium, falsas scripturas, falsos testes, contra eum procuravi, et dixi. Et eius vitam, et mores quantum potui denigravi et vituperavi. Derisiones, ac maledictiones contra eum protuli. Et scandala procuravi.

Nono peccavi. Nam proximi mei uxorem, consanguineam, sanctimonialem, aut infidelem vel iudeam desideravi, et in eius pulchritudine gavisus fui. Et ad eam videndum cucurri, et eam habere quocunque modo deliberavi.

Decimo peccavi. Nam vineas, domos, beneficia, et bona mei proximi, per dolos, fraudes, violentias, et deceptiones, habere concupivi. Et contra eum causas iniustas, et litigiosas monui. Verbis et factis quantum potui propter illa bona eum rebus suis iniuste prevavi [sic pour privavi], et privare studui.

In his omnibus dico meam culpam et reddo me Deo culpabilem et vobis.

[Péchés des cinq sens et des membres du corps][10]

Quinto pater peccavi operatione et contra Deum, cum omnibus membris, et sensibus corporis mei.

Capillos meos, et supercilia mea, sepius per superbiam ordinavi. Nam cum meo capite Deo et meis maioribus reverentiam non feci. Item collum meum ad obedientiam inclinare nolui.

Item aures ad audiendum luxuriosa verba, detractiones, cantus, et instrumenta musicalia dedi.

---

[10] Lyon 1542 ajoute le titre : De peccatis quinque sensuum et membrorum corporis.

EXAMENS DE CONSCIENCE (1506-1580)

Item oculos meos coloribus deturpavi et impudice cum eis multas mulieres, ac vanitates mundi respexi.

Item nares meas odoribus provocantibus ad vanam gloriam, et luxuriam, ordinavi.

Item os meum ad loquendum mendacia, blasphemias, et iniurias deputavi.

Item linguam meam ad gustandum suavia, et loquendum mendacia ordinavi.

Item guttur meum crapula, et ebrietate, replevi.

Item manibus meis aliena rapui, et turpiter cum eis corpus meum, et alia membra mea ad generationem deputata, seu etiam mulierum et puellarum, impudice tetigi, et fornicationem maculavi.

Item ventrem meum luxurie, et ebrietatibus dedi.

Item in lumbis meis ardorem libidinis exoptavi.

Item in corde meo varias cogitationes et tentationes habui, quas opere perfecissem nisi timor mundi et hominum verecundia me abstraxissent.

Item genua mea Deo meo, et sanctis, et maioribus, ac preclaris non flexi.

Item cum pedibus meis ad luxuriandum, furandum et sanguinem fundendum cucurri.

Qualitercumque ego cum aliquo membro mei corporis Deum offendi, dico meam culpam et confiteor Deo et vobis.

f. B2 **De septem operibus misericordie tam corporalibus quam spiritualibus[11]. [Omission des œuvres corporelles et spirituelles]**

Sexto peccavi ultimo modo peccandi scilicet omissione. Nam cum paupere indigente et in necessitate constituto, septem opera misericordie non exercui.

Nam cum potui esurienti dare panem si dedi, et sitienti potum non prebui.

Hospitem, peregrinum, et errantem ad meum hospitium et ad viam rectam non reduxi.

Infirmos cum necessariis non visitavi.

Nudum vestimentis non cooperui.

Incarceratos iniuste non redemi.

Mortuum derelictum non sepelivi nec sepelire feci.

Item opera misericordie spiritualia ad que tenebar non implevi.

Nam ignorantes que sunt salutis anime non docui.

---

[11] Lyon 1542 donne le titre : De omissione septem operum misericordiae corporalium et spiritualium.

Destituto humano auxilio, et peccatorum consilium non dedi.

Errantem et peccatorem non castigavi nec correxi.

Tristem, et desolatum non confortavi.

Nec michi irascentibus, et malefacientibus peperci.

Iniurias et contumelias michi illatas patienter non sustinui.

Pro salvationem animarum amicorum et inimicorum, Deum non exoravi.

Et mercedem laborum michi facientibus non prebui.

Qualitercumque ego opera misericordie non complevi, dico meam culpam, et reddo me culpabilem Deo et vobis.

De duodecim articulis fidei. [Péchés contre les douze articles de la foi]

Septimo peccavi. Quia duodecim articulos fidei firmiter non credidi.

Nec corde, et ore ad iustitiam eos confessus sum, immo aliquando circa ipsos, et circa sacramenta altaris dubitavi.

Et fidem vivam et iustam cum bonis operibus sicut bonus christianus non habui.

Nec contra iudeos, infideles, hereticos, fidem meam omnino non defendi, et predicavi.

Immo errantes et arguentes contra fidem, libenter audivi.

De septem sacramentis Ecclesie. [Péchés contre les sacrements]

Octavo peccavi. Quia septem sacramenta Ecclesie ut bonus christianus preterii et neglexi.

Primo quia licet sum baptizatus, tamen diabolo et pompis eius ut promisi in baptismo non renuntiavi.

Et licet sum confirmatus, tamen fidem Christi ac veritatem, propter timorem mundi, loqui et predicare erubui, et neglexi.

Et sacramentum matrimonii non honoravi nec custodivi.

Ordines ecclesiasticos indigne recepi, et in peccato indigne eos exercui.

Et personas in sacris ordinibus constitutas propter Deum non honoravi.

Penitentiam pro meis peccatis. Et ieiunia, orationes, seu elemosinas mihi iniunctas non feci.

Oris confessionem, et corporis Christi communionem facere et recipere neglexi.

Qualitercumque ego in septem sacramentis peccavi dico meam culpam, et reddo me culpabilem Deo et vobis.

EXAMENS DE CONSCIENCE (1506-1580)

f. B2v **De septem virtutibus theologalibus et cardinalibus.** [Négligence des vertus théologales et cardinales]

Nono peccavi omissione quia tres virtutes theologicales, et quatuor cardinales servare neglexi.

In me non est vera fides Christi cum bonis operibus.

In me non est certa spes de futuris bonis celestibus.

In me non est charitas qua super omnia diligitur Deus, atque ut meipsum sic meum proximum non dilexi.

In me non est prudentia. Quia actus meos, quid, quando, et quomodo eos debuissem agere non feci. Et iuxta voluptatis desideria actus meos inconsulte peregi.

In me non est fortitudo, quia passiones interiores, et exteriores viriliter pro Christo non subiugavi. Turpia, et verecunda, agere non metui.

In me non est temperantia, quia labores, ieiunia, et tribulationes sustinere nolui.

In me non est iustitia, quia a malo non declinavi, sed bonum quod tenebar facere neglexi.

Unicuique quod suum erat iuste non dedi. Et propter meas utilitates bonum commune. Et multorum salvationem neglexi.

Quicquid ergo contra septem virtutes peccavi, dico meam culpam et reddo me culpabilem.

Septem dona Spiritus sancti. [Péchés contre les dons du Saint-Esprit]

Decimo peccavi. Quia septem dona Spiritus sancti non curavi.

In me non est sapientia ad divina contemplenda.

In me non est intellectus ad novissima mortis mee, et penas inferni, et diem iudicii considerandum.

In me non est consilium ad bonum eligendum, et malum reprobandum.

In me non est scientia, ad meipsum et facta mea cognoscendum.

In me non est fortitudo ad tentationibus, et tribulationibus, ac mala cogitationibus resistendum.

In me non est pietas, pauperibus, et afflictis corde et opere compatiendum.

In me non est timor Dei ad malum fugiendum, et salutem querendum.

Qualitercumque ego in his peccavi dico mea culpam.

Duodecim fructus Spiritus sancti. [Négligence des fruits du Saint-Esprit]

Undecimo peccavi. Quia duodecim fructus Spiritus sancti scienter neglexi.

In me non est charitas.
Nec gaudium in Dei servicio.
Nec pax cum proximo.
Nec patientia in adversis.
Nec longanimitas in divinis servitiis.
Nec bonitas vite mee.
Nec benignitas erga proximum.
Nec modestia in gestu, et habitu, et operibus meis.
Nec mansuetudo in turbationibus.
Nec humilitas in operibus.
Nec veritas in verbis et locutionibus.
Nec continentia et castitas in meis affectionibus.

Sed graviter peccavi contra predicta sicut equus et mulus in quibus non est intellectus. De his omnibus et singulis dico meam culpam.

De octo beatitudinibus. [Omission des béatitudes évangéliques]
Duodecimo peccavi. Quia secundum octo beatitudines evangelicas unum ut Christi servus omisi.

Primo paupertatem voluntariam cum spirituali intentione non habui.

Secundo mitis et mansuetus in persecutionibus et iniuriis michi illatis non extiti.

Tertio peccata mea non deflevi, nec cum illa contritione qua debui ad hanc confessionem accessi.

Quarto iuste unum non studui, sed in peccatis assuetus fui, benefacere, ieiunare, et orare neglexi.

Quinto michi misericors, et aliis non fui. Ac bona ecclesiastica michi commissa pauperibus non dispersi.

Sexto mundo corde quo ad Deum et proximum per bona exempla non vixi, sed duplici animo in factis et verbis hypocrita extiti.

Septimo pacificus non fui, sed propter ambitionem beneficiorum et bonorum, discordias seminavi, ac cismata feci.

Octavo quia non propter Christum persecutiones et maledictiones hominum iustinui, sed quando potui me vindicavi.

[*Confiteor* développé]
Quandocunque et qualitercunque ego infelix peccator, peccavi contra beatitudines, et[a] *contra omnia predicta, et singula, et ipsorum circunstantias.* ... P1618

[Absolutions]
Misereatur tui etc. Indulgentiam absolutionem etc.

EXAMENS DE CONSCIENCE (1506-1580)

Meritum passionis domini nostri I. C. Merita et intercessiones beate Marie semper virginis... P1718
Dominus noster I. C. per virtutem et meritum sue amarissime passionis te absolvat. ... P1668

Senlis 1525 [1526 n.st.]
Metz 1543

[Senlis 1526 : Artus Fillon]
Tractatus de Sacramento Penitentie
Sequitur numerus peccatorum[12] et rami eorum super quibus est interrogandus penitens
[Péchés mortels et ramifications]

Les rituels de Senlis et de Metz reproduisent le dernier de la série des traités sur les sacrements du *Speculum curatorum* de l'évêque de Senlis Artus Fillon : *Tractatus De sacramento Penitentie in quo clare videbitur quomodo curati debent se habere in confessionibus audiendis.* Il manque les *Iniunctiones circa sacramentum Penitentie,* ainsi que la préparation à la mort[13].

Le traité est divisé en trois parties : *Confessio, Contritio,* et *Satisfactio.*

Le chapitre sur la confession est de loin le plus long ; la confession doit être vraie et intègre (vera et integra) ; une liste de péchés détaille les péchés mortels et leurs ramifications. Le formulaire de Metz est légèrement abrégé par rapport à celui de Senlis et présente quelques minimes variantes de texte.

P1379 **Senlis 1526 n.st.**

f. AA4v-BB5 **Exponantur species superbie prout sequuntur.**
Superbia habet quinque species. Inobedientia. Presumptio. Hypocrisis. Ingratitudo. Inanis gloria.
Inobedientia est non velle parere Deo, Ecclesie aut prelatis. Ideo circa hanc inquiratur.
Si paruit Deo per fidem et non dubitaverit in fide. Si dicat *ita,* statim interrogetur quotiens et quibus modis.
Si sortilegiis usus est, aut uti voluit, aut ire vel mittere ad divinatores pro rebus perditis, aut sanitate recuperanda.

---

[12] principalium] *add.* Metz.
[13] É. Picot, *Artus Fillon, chanoine d'Évreux et de Rouen, puis évêque de Senlis,* Évreux, 1911, p. 21 et 50-55, énumère les diverses éditions du *Speculum curatorum* parues entre 1506 et 1530, d'abord à Rouen, puis à Paris, Lyon et Troyes (13 éditions connues, les dernières sous le titre *Eirudictionum atque Directorium curatorum*).

456 CHAPITRE XII

Si dilexerit Deum toto corde, et non murmuraverit aliquando propter tempus, aliquando propter perditionem bonorum. etc.

Si dicat *ita,* interrogetur quotiens. Si dicat *nescio quotiens.* interrogetur si frequenter hoc faciat, et procedatur eo modo quo dictum est.

Si aliquid contra ordinationes ecclesie et suorum prelatorum fecerit, puta vendendo in festis aut operando aut ad ludos cartarum vel taxillorum [dés] ab ecclesia prohibitos ludendo: precipue in festis.

Si suos prelatos honoraverit et pro eis oraverit.

Et circa istum ramum inobedientie poterit inquirere ea que contra primum preceptum [Decalogi] penitens commiserit.

Item poterit interrogare de inobendientia circa patrem et matrem tam carnales quam spirituales, et si dure quicquam eis locutus fuerit aut eos spreverit, vel propter antiquitatem aut paupertatem.

Presumptio est quando homo aliqua bona que habet, habere a se credit, et quod est dignus talibus bonis. Est etiam contemnere reliquos, existimando se meliorem, fortiorem, pulchriorem, prudentiorem, et sic de aliis.

Est etiam nimis presumere de misericordia Dei, ut hi qui dicunt faciamus mala, Deus non fecit nos ut damnemur.

Hypocrisis est quando homo simulat habere aliquas virtutes quas non habet, vel in gestu, vel in habitu, vel in dictis, vel in conversatione.

Ingratitudo est quando homo non reddit Deo gratias, nec cognoscit beneficia que suscepit a Deo: ut quod est christianus, quod redemptus, quod est sanus, quod abundat bonis, et cetera.

Inanis gloria. Est quando homo querit gloriam ab hominibus propter aliquod opus quod fecit. Et vult de suis operibus sive bonis, sive malis laudari.

Sequitur de peccato ire que habet quatuor species. Blasphemia. Indignatio. Contumelia. Rixa.

Blasphemia est: derogare bonitati divine imponendo ei aliquid quod non habet, vel negando id quod habet, vel etiam execrabiliter loqui de factis eius excellentioribus: ut iurando mortem eius, passionem, virtutem, etc. Et nota quod sub blasphemia debet etiam interrogare de omnibus iuramentis et periuriis. Et quotiens ista commiserunt.

Indignatio, que aliter potest vocari impatientia. Est quando homo est iniuste iratus contra alterum, et non vult cum eo ad tempus communicare, aut ei loqui propter illam indignationem non tamen simpliciter odit eum, aut quando impatienter fert ea que a Deo vel ab homine sibi inferuntur. Et vulgari sermone potest dici *impatiemment porter les effectz de Dieu ou les ditz ou faictz de son prochain.*

Contumelia est quando homo ex ira dicit aliqua verba iniuriosa alicui: et vulgari sermone potest dici. *Tenser a aultruy par ire.*

Rixa est quando homo post verba venit ad verbera et percutit aut occidit, facto vel voluntate proximum. Et inquiratur circa hoc de homicidio voluntario.

De peccato accidie que vocatur paresse habet ramos tres. Pusillanimitas. Desperatio. Torpor.

Pusillanimitas. Est quando homo non audet neque vult aggredi aliquod bonum ad quod tenetur, cuiusmodi sunt hi qui dicunt ego non possum ieiunare, ego non possum audire missam ad longum, et idcirco non tentant hoc facere.

Desperatio. Est quando homo diffidit de misericordia Dei et ex hoc perseverat in sua malicia, ut sunt hi qui dicunt faciamus audacter mala, ita bene sumus damnati.

Torpor gallice potest dici, *lascheté de couraige ou faire a regret ce qu'on est tenu de faire*: ut quando homo ingrate venit ad missam, ingrate ieiunat, ingrate continet, et sic de aliis. Et bene vellet quod non esset imperatum a Deo aut ab Ecclesia hoc facere.

Pusillanimis igitur differt a torpido: quia pusillanimis homo nullo modo tentat aut facit facere que tenetur: sed torpidus vel tentat vel facit, licet ingrate et cum tedio.

De peccato luxurie que habet sex species. Fornicatio. Stuprum. Adulterium. Incestus. Raptus. Peccatum contra naturam.

Fornicatio. Est actus carnis inter non nuptos sed solutos.

Stuprum. Est defloratio virginis.

Adulterium. Est habere actum carnis cum uxorata vel cum uxorato.

Incestus. Est actus carnis cum consanguinea, vel cum moniali: quod tamen proprie dicitur sacrilegium.

Raptus. Est violenter habere actum carnis cum aliqua vel aliquo et sine eius consensu.

Peccatum contra naturam. Est habere actum carnis aliter quam natura ordinavit, vel cum bestia.

Et interrogent prudenter circa ista, ne detegant peccata et modos peccandi incognitos, et primo interrogent in generali. *Peccasti peccato carnis.* Si respondeat sic. Interrogent quomodo: et sic per generales interrogationes poterunt venire ad specialia peccata.

Interrogent prudenter coniunctos matrimonio: quia multis modis possunt simul peccare: ut vir abutendo propria uxore, quasi aliena, vel desiderando alienam in ipso actu, etiam in modo conveniendi et tempore, ut tempore menstrui, etc.

Inquirent etiam prudenter si in suo actu habuerint intentionem prolis, aut saltem non habuerint actum oppositum, aut displicuerit eis multitudo filiorum.

Interrogent preterea : quamvis de facto confitens nichil in actu commisit. Si verbis, signis, mente, conversatione, habitu, gestu, pretenderint et voluerint actum carnis.

Interrogent etiam de delectatione in somnis. Si postmodum in vigilia delectati sunt et usque ad consensum. Si in tali delectatione fuerit ne aliqua pollutio, et postmodum voluntas consummandi actum carnaliter.

De peccato gule que habet quatuor species. Importune comedere, vel qualibet hora comedere. Excessive comedere. Inebriari. Delicate vivere.

Importune comedere est quando homo omni hora et frequenter preter appetitum naturalem comedit.

Si autem hoc faciat tempore ieiunii est peccatum mortale. Si alio tempore non semper est mortale.

Excessive comedere. Est quando tentum comedit quod gravat naturam suam notabiliter. Et istud est peccatum mortale.

Inebriari. Est excessive bibere sic quod homo perdat usum rationis, et est mortale, vel perdat usum lingue aut vacillet in sermone, et tunc secundum qualitatem personarum est mortale vel ad minus veniale.

Delicate vivere. Est quando homo est nimis curiosis ad previdendum ea que comesturus est, et hoc solum propter delectationem. Et excessive exponit secundum condecentiam status. Frequenter est mortale, non tamen semper. Et nota generaliter in omni peccato interrogandus est penitens, si habuerit voluntatem commitendi illud peccatum, licet actu non commiserit.

De peccato invidie que habet quatuor species. Odium. Detractio. Exultatio in adversis proximi. Tristitia in bonis proximi.

Odium est quando homo aliquem odit nec vult eum diligere, aut cum illo loqui aut frequentare. Et differt ab indignatione que est species ire, quia indignatus contra aliquem non propterea odit eum, licet illo tunc impatienter ferat dicta vel facta sua, propter que indignatur in eum. Sed odiens alterum vult ei malum non ex ira sed invidia.

Detractio. Est quando homo denigrat famam alterius imponendo et aliquod falsum, aut manifestando aliquod turpe de illo quod erat

EXAMENS DE CONSCIENCE (1506-1580)

ocultum, non ex caritate, sed ex invidia. Et his modis tenetur homo restituere famam illius de quo detraxit. Si autem detrahat alteri dicendo audivi talia dici de tali. Et hoc ex invidia vel ratione diminutionis fame dicat: peccat quidem mortaliter: sed non tenetur ad restitutionem fame, quia solum asserit se audivisse.

Exultatio in adversis proximi. Est quando homo letatur de infortunio proximi, vel quando desyderat proximo aliquod malum, ut sunt illi qui dicunt proximo: diabolus te possit importare, tu sis maledictus. Aut dicentes quod Deus iuste dedit et illud infortunium.

Tristitia de bonis proximi. Est quando homo tristatur de bona fortuna et prosperitate proximi, vel de eius promotione, vel quando quis dolet audire bona de proximo vel letatur audire mala.

De peccato avaricie que habet quinque species. Furtum. Rapina. Usura. Symonia. Sacrilegium.

Furtum est quando quis retinet latenter bona proximi sui ipso nolente ex animo non restituendi.

Rapina est quando homo violenter rapit bona proximi sui. Circa hoc inquiratur a penitente. Si processum iniustum contra proximum habuerit aut opinione malam: si advocatus aut iudicium falsum vel ex ignorantia aut malicia dederit vel tulerit.

Usura est aliquod accipere a proximo ultra rem mutuatam.

Symonia est quando homo vendit aut emit rem sacram, vel annexum [*sic*] rei sacre vel spirituali.

Sacrilegium est quando homo furatur aliquid sacrum ut calices vel aliquid non sacrum in loco sacro.

Ista sunt peccata cum suis speciebus et ramis de quibus debent sacerdotes interrogare penitentes.

Preterea poterit inquirere ad maiorem cautelam, de decem preceptis legis quasi recapitulando ea que iam requisivit circa peccata mortalia ne errore aliquid omiserit interrogare.

Finaliter inquirat si omnibus parcis.

Item si proponit emendare vitam suam. Quibus sic factis, poterit eum absolvere sub ista forma.

Forma absolvandi.

Misereatur tui omnipotens Deus, et perducat te in vitam eternam. Amen. P1728

Indulgentiam et remissionem omnium peccatorum tuorum tribuat tibi omnipotens et misericors Dominus. Amen. P1713

460   CHAPITRE XII

Dominus noster I. C. qui est summus sacerdos ipse te absolvat, et ego te absolvo a peccatis tuis. In nomine Patris, et Filii et Spiritus Sancti. Amen. P1683

Auxerre 1536

[François II de Dinteville]
Sequitur confessio. De penitentia
[**Examen de conscience sur les sept péchés mortels**]

P1380   **Auxerre 1536**
f. 92-93v sign. m3v-m5v
... Et quando confitens dixerit ea que fecit maiora sua peccata, sacerdos interroget eum super peccatis mortalibus gradatim.

Et primo **de Superbia** que mater et radix est omnium viciorum.

Si te extulisti et elevasti super alios corde, ore et opere, ut puta de divitiis, bonis temporalibus, amicis, nobilitate, progenie, scientia, vel sensu, vel alia gratia tibi data, ut de pulchritudine corporis vel fortitudine.

Si propter opera tua laudem appetivisti humanam, si peccasti inani gloria, si inobediens fuisti preceptis maiorum tuorum, ut puta parentum, prelatorum, et magistrorum, si certificaveris aliquod falsum tanquam verum, malum tanquam bonum, et sic de aliis.

De Invidia

Si de adversitate aliorum gaudens fuisti, si de prosperitate et felicitate aliorum doluisti, si opere, concilio, auxilio, aut quolibet alio modo fama proximi minuisti, si seminator discordie fuisti, si in aperto vel in occulto per tuam linguam aliquem detraxisti celando bonum quod in eo est, et mala et turpia de ipso declarando, si bonam famam alterius in sua propria persona aliquibus presentibus deturpasti, qui bone fame erat improperando ei aliquod detestabile quam bonam famam in presentia existentium ad sui personam teneris reparare: et sic de aliis.

De Ira

Si rancorem in alio habuisti et diu tenuisti, si aliquem ad odium et iram provocasti, si Deum, beatissimam Mariam, sanctos sanctasque blasfemasti, negando, maledicendo: et despiciendo que solita et consueta sunt quod est mirum his modis predictis et aliis enormibus.

Si clericum vel sacerdotem sine causa percussisti vel lesisti, si vindictam mortem vel dampnum alterius desiderasti, si propter iram non

EXAMENS DE CONSCIENCE (1506-1580)

designatus es communicare vel loqui cum aliquo, nec petere veniam si offenderit in illum.

Si propter iram iniuriatus es aliquem, aut maledixisti quem non poteras vincere ratione.

Si non obediendo parentibus ut decebat fuisti causa ire et iuramentorum eorundem, et si qua sunt similia.

De Avaricia

Si retines rem alterius latenter et violentia, de qua scis ipsum non esse contentum, si te periurasti vendendo, affirmandoque rem esse bonam que paucis valoris erat.

Si commodasti aliquid sperando habere lucrum super mutuum [emprunt], si in venditione pondus et mensuram emptori non dedisti, si coram iudice alicui tenebaris et posuit in tua conscientia et iurasti quod nichil ei debebas, duo mala facis, periurium incurris remissum episcopo, et ad restitutionem obligaris quod prohdolor est pluribus commune hodie.

Si in diebus dominicis vel in festis operatus fuisti, vel famulos tuos operari iussisti: et si qua sunt similia.

De accidia

Si symbolum vel orationem dominicam singulis diebus dixisti, vel horas vel psalmos neglexisti dicere.

Si tempus a Deo datum tibi vane in fabulis et verbis turpibus exposuisti.

Si aliqua vota in infirmitate vel in periculo positus pro liberatione fecisti et non redidisti.

Si tempus et opportunitatem pro salute anime tue habuisti, ut facere elemosinas, et alia pauperibus congrua vane et nihil operando exposuisti, et sic de aliis.

De gula

Si ante horam bibere vel comedere ardenter consuevisti.

Si ieiunia ab ecclesia ut vigilias, quatuor tempora anni et quadragesimam, et alia ab ecclesia constituta sine causa legitima fregisti et non servasti.

Si nimium comedisti et bibisti et aliquid vomisti: et in ebrietatem taliter incidisti quod usum rationis perdidisti.

Si tempore dominice festorum et vigilias eorum frequentasti.

Ludos tabernas et alia inepta quod servitium divinum perdidisti: et sic de aliis.

De luxuria

Si maritatus cognovisti aliam uxorem quam tuam, et si cognovisti unam vel plures, solutam vel non.

Si mulier te preparasti in vestitu et pulchretudine ad aliquos quos concupiscebas, ut deciperes.

Si tempore sacro et loco sancto modo non debito cognovisti uxorem tuam vel alias cum quibus peccasti.

Et alia multa habemus de interrogatione prefati peccati quod est periculum modo explanare, et de aliis etiam peccatis alias interrogationes a predictis facere : quas discretioni dominorum meorum ecclesiasticorum relinquo peragere.

Circunstantie aggravantes peccata sunt memorie commendande, ut patet in hoc versu.

Quis. utrum masculus vel feminam, iuvenis vel senex.

Ubi. In loco sacro vel prophano, vel tempore sacro.

Cur. Coacte vel sponte, modo agendi vel patiendi.

Quid : adulterium vel fornicationem.

Quotiens : semel vel plures.

Quando : tempore sacro vel non.

Quomodo poterit : Sacerdos dicat hec et similia tua penitentia opportet quod tria habeat.

Primo quod habeas magnam contritionem de peccatis sic confessis, de offensis in Dominum nostrum factis continue, et in memoria quando habeas peccata sic dicta in recordatione si possibile esset semper.

Secundo quod omnia peccata tua interrogata et non dicta nichil retinendo secundum tuum posse confessa.

Tertio satisfacere omnibus si alicui teneris faciendo penitentiam iniunctam cum magnis gemitibus.

[Conseils au pénitent. Pénitences]

Deinde moneat sacerdos ut doleat de peccatis suis, intendendo quod amplius in illa non revertetur, habundet in omne opus bonum, deinceps exercendo divinum officium peregre progrediatur, fugiat consortia malorum fugienda, perseverando in bonum inceptum quoniam qui perseveraverit usque in finem salvus erit.

Finaliter confitenti det absolutionem iniungendo non magnam penitentiam bene contritis, et aliis secundum suam discretionem, ut expediens sibi videbitur orationes unicum vel duo aut plus, ieiunia secundum quod illa observaverunt ab ecclesia instituta, elemosinas et cetera.

EXAMENS DE CONSCIENCE (1506-1580)   463

Lyon 1542

[Hippolyte d'Este]

*Confessio generalis per quam necessaria omnibus curatis et vicariis curam
animarum habentibus*[14]

La majeure partie de cet examen de conscience est très proche du *Modus confitendi* de André de Escobar édité à la fin du rituel de Saint-Brieuc [1506][15]. Addition à la fin des péchés procédant des sept péchés capitaux et d'un aide-mémoire de foi catholique P2854.

P1381   **Lyon 1542**

f. 89 Quoniam sacerdotem oportet scire que a penitentibus (quorum auditurus est confessionem sacramentalem) sunt inquirenda et examinenda, ne cecus ceco ducatum prestans, in foveam sese cum penitente precipitem faciat, adiunximus huic libello generalem hanc confessionem compendiosam et utilem, non tantum sacerdoti ipsi ac debite inquirendum, et interrogandum, sed et cuilibet confiteri volenti, ut in ea, tanquam in speculo, videat, que, quot, et quanta commiserit peccata, quorum integram et salutarem suo sacerdoti confessionem facere habeat.

Confessio generalis. Facto imprimis signo sancte crucis, dicet penitens coram suo sacerdote.

[*Confiteor*]
Ego reus, et peccator maximus confiteor Deo omnipotenti et beate Marie semper virgini... P1617

f. 89-93 [Examen de conscience très proche de Saint-Brieuc 1506, P1378]
De cogitatione. Primo peccavi cogitatione, quia carnis delitias, gulas, luxurias, seculi pompas, honores, et divitias habere cogitavi...

f. 93 [*Confiteor* développé]
Quandocunque et qualitercunque ego infelix peccator, peccavi contra omnia predicta, et singula... P1618

f. 93v [Absolutions]
Finita confessione dicat sacerdos Misereatur etc. [comme Saint-Brieuc 1506]

f. 93v-94v [Péchés procédant des sept péchés capitaux]
[Nouveau formulaire, absent de Saint-Brieuc]

---

[14]   Titre pris à la table des matières.
[15]   *Voir supra* Saint-Brieuc [1506] (P1378).

Superbie species quatuor. Prima. Cum quis existimat se habere bonum aliquod a se, non a Deo.

ii. Si bonum quod habet a Deo, credit se habere suis meritis et non ex gratia Dei.

Tertia. Quando quis se iactat habere bona que non habet.

Quarta. Quando quis ceteris despectis vult singularis videri.

Superbie filie. Ambitio. Presumptio. Ingratitudo. Curiositas. Adulatio. Derisio. Iudicium temerarium. Iactantia. Presumptio novitatum. Hypocrisis. Pertinacia. Discordia. Contentio. Inobedientia. Immodestia in vestitu. Schisma. Infidelitas. Irreverentia. Erubescentia.

Avaritie species tres. Iniusta acquisitio. Nimia retentio, et nimius aut inordinatus amor bonorum temporalium.

Avaritie filie. Obduratio vel inhumanitas, Violentia vel rapacitas, Inquietudo: id est nimius appetitus lucri, Fallacia, Periurium, Fraus, Proditio: Simonia, Usura, Rapina: Iniusticia, Fraus et dolus negociatorum, Idolorum servitus, Iniquitas.

Luxurie species. Fornicatio simplex soluti cum soluta, Adulterium cum coniugatis, Stuprum virginum, Raptus contra voluntatem vel sui vel parentum, Incestus cum consanguineis, Sacrilegium cum Deo sacratis et peccatum contra naturam: quod zodomiticum dicitur, et est triplex, Bestialis, Zodomia, Mollicies.

Luxurie filie. Cecitas mentis, Inconsideratio, Precipitatio, Inconstantia, Amor sui, Odium Dei, Affectus presentis seculi, Desperatio future glorie, Turpiloquium, Scurrilitas, Stultiloquium, Pollutio nocturna.

Invidie filie. Odium, Exultatio in adversis et tristitia in prosperis proximi, Susurratio, Detractio.

Gule species quinque. i Nimis comedere vel bibere, aut sepius quam oportet. ii Nimis laute vel delicate comedere vel bibere. iii Nimis preciosa cibaria querere. iiii Nimis avide sumere cibum, vel potum. v. Horam debitam prevenire.

Gule filie. Hebetudo mentis, Inepta leticia, Scurrilitas, Multiloquium, Immunditia, Ebrietas, Lascivia, Vomitus.

Ire filie. Indignatio, Murmuratio, Tumor mentis, Clamor, Blasphemia, Contumelia, Rixa, Maledictio, Incendium, Odium, Homicidium.

Acedie species quatuor. Remissio, Tarditas, Ociositas, Tepiditas.

Acedie filie. Desperatio, Pusillanimitas, Torpor, Rancor, Evagatio mentis, Inquietudo, Somnolentia, Negligentia, Tedium, Indevotio.

EXAMENS DE CONSCIENCE (1506-1580)

f. 94-94v [Aide-mémoire de foi catholique]
Versus. Sis humilis…
Decem precepta Decalogi.
Quinque sensus.
Opera misericordie corporalia.
Opera misericordie spiritualia.
Septem sacramenta[16].

Paris [1552], [1559], 1574, 1581, 1601, 1615, 1630
Bourges 1588, 1593. Nevers 1582. Noyon 1631
Saint-Malo 1617[17].Toul 1559. Verdun 1554

[Paris 1552 : Eustache du Bellay]
Exposition doctrinale des commandemens de Dieu
Exposition briefve des commandemens de Dieu à partir de Paris 1574
[Faux-titre :] *Recommendationes fiende diebus dominicis*[18]

Cette *Exposition* des dix commandements est l'un des premiers essais de catéchisme en français pour les adultes d'après Hézard[19]. Elle est reprise avec quelques variantes d'orthographe ou de vocabulaire à partir de 1574 et jusqu'en 1630 dans les rituels parisiens (Paris 1630 seconde partie, f. 108v-114) où sont ajoutés à la fin, à partir de 1574, les commandements de l'Eglise 1 *Toutes les festes sanctifieras…*[20]

Six autres diocèses au moins l'adoptent également.

Le second commandement (*Dieu en vain ne jureras*) est le plus longuement commenté, avec une *Instruction pour eviter les juremens*, puis le troisième commandement (*Les dimanches tu garderas*). Les moins commentés sont les septième, neuvième et dixième.

P1382 **Paris [1552]** f. A4v-C2
Si vis ad vitam ingredi, serva mandata. Matthei XIX c.
Se tu veulx entrer en la vie eternelle, garde les commandemens de Dieu. Lesquelz pourras facilement retenir en la maniere qui s'ensuyt.

---

[16] *Voir infra* chapitre XXVI : *Aides-mémoire*, P2853.

[17] Saint-Malo 1617 : prône p. 14-21 : formulaire de Paris 1601 f. 171-176 sans les commandements de l'Église.

[18] ou *Commendationes faciende diebus dominicis*, selon les exemplaires, avec minimes différences de texte. Cf. Molin Aussedat n° 859. Ce formulaire fait suite au Prône dominical dans les éditions Paris 1552-1615, et fait suite au Prône du dimanche des Rameaux en 1630. Il est toujours suivi d'une Confession générale. *Voir supra* n° 1213.

[19] Hézard, *Histoire du catéchisme*, Paris 1900, p. 407-408.

[20] *Voir* volume II/6 : *Prônes dominicaux. Commandements de l'Église*, Paris 1574.

CHAPITRE XII

Car nous sommes obligez à Dieu nostre souverain seigneur. Pareillement et à nostre prochain, en tant qu'il est creé pour estre saulvé comme nous.

A Dieu nous debvons trois choses. Fidelité, Reverence, et Service. C'est assavoir quand au premier commandement, qui est, un seul Dieu tu adoreras, et aymeras parfaictement. Debvons fidelité en le recognoissant seul et souverain seigneur. Et ne donner point l'honneur de souveraineté à creature. Ainsi qu'il a commandé. *Non habebis deos alienos coram me.* Exo. xx a. Tu n'auras point autres dieux devant moy. Et ne les adoreras, ne leur porteras l'honneur qui me appartient. Car je suys Ton seigneur, Ton Dieu tout puissant, zelateur. Qui punis les iniquitez de ceulx qui me hayent[21]. Et pareillement faiz misericorde a ceulx qui me ayment et gardent mes commandemens.

Par ce **premier commandement**. Te est commandé aymer Dieu de tout ton coeur, et de toute ton ame. C'est à dire, Que tu ne dois vouloir scientement[22] aymer quelque creature plus que Dieu. Mais plus tost doys vouloir perdre l'amour de toutes creatures que[23] l'amour de Dieu.

Et ce commandement icy d'aymer Dieu sur toutes choses pourras facilement garder[24]: si tu observes la loy de Dieu, et par effect et oeuvres, accompliz les autres commandemens. Que si tu peche mortellement, tu transgresses ce premier commandement. Car tu preposes ta volunté, à la volunté divine.

Tu feroys aussi contre ce commandement. Se murmures contre sa volunté, justice, et misericorde. Si en tes necessitez, ou maladies vouldroys recourir aux devins, sorciers, et supersticieux, et user de leur conseil. Se ne croys fermement, ce que l'Eglise croyt.

Quand au **second commandement** qui est: Dieu en vain ne jureras, ne aultre chose pareillement, debvons à Dieu reverence. C'est à dire. Que ne commettons choses injurieuses contre sa majesté, et à l'encontre de son sainct nom. Ainsi qu'il est escript. *Non assumes nomen Dei tui in vanum.* Exo. xx.v. *Tu ne prendras point le nom de ton Dieu en vain.* C'est à dire. Tu ne jureras chose, laquelle tu scauras estre faulse. Car autrement tu seroys parjure. Comme ceulx qui jurent assertive-

---

[21]   hayent] haïssent Paris 1630.
[22]   scientement] sciemment Paris 1601-1630.
[23]   Vouloir … que] postposer l'amour de toutes creatures à Paris 1601-1630.
[24]   Et ce … garder] Et tu pourras facilement garder cecy, d'aymer Dieu sur toutes choses Paris 1630.

EXAMENS DE CONSCIENCE (1506-1580)

467

ment[25] : ce qui est faulx, et non veritable, et l'afferment par jurement comme vray[26]. Et semblablement ceulx qui promettent à aultruy ce qui est juste et licite, et n'ont intention d'accomplir leur promesse, et ceulx qui jurent soy venger, nuyre à aultruy, ou faire aucun mal. Telz pechent grandement. Et ne doyvent garder telz juremens. Mais plustost les rompre.

Exemple. Tu as juré, que tu te vengeras de ton voisin, et que luy feras quelque desplaisir. Garde toy bien d'accomplir tel jurement. Car tu pecheroys doublement. Et en ne l'acomplissant point, tu ne es point parjure, mais seulement tu as peché en jurant. Et aussi ceulx qui blasphement le nom de Dieu : en jurant Le sang, La mort, La vertu, et passion de nostre seigneur, et choses semblables. Comme aultres juremens execrables en parlant deshonnestement[27] de Dieu, et de ses sainctz. Qui donnent leur ame au diable, ou autruy, en jurant. Item jurent en vain marchans et marchandes : qui par couvoitise[28] de gaigner jurent facilement, et souvent se parjurent. Et ceulx qui pour une chose de nulle ou petite utilité[29] jurent : affin que on les croye. Et aussi jurent en vain qui sans propos, sans raison, sans necessité, et sans utilité jurent. Car de prendre le nom de Dieu et de ses sainctz ainsi legerement et sans cause raisonnable. C'est faire grande irreverence à son sainct nom que on ne doibt nommer. Fors[30] en le priant devotement, remerciant humblement, Le louant magnifiquement. Et sur tout, en craincte et grande reverence.

Il appert donc par les choses dessusdictes. Que soy accoustumer à jurer, et en faire mestier, est deffendu par ce commandement icy. Tu ne jureras donc point par Dieu,[31] Par nostre Dame, ne Par les saincts, Par ta foy, Par ton ame, ou ainsi me vueille Dieu ayder[32], Je en appelle Dieu à tesmoing, Par le ciel qui nous esclaire. Et semblables juremens. Que si tu es contrainct de jurer, et necessité urgente le requiere ou publicque utilité. Garde sur toutes choses ce qui est escript en Hieremie le prophete : Au quart chapitre. *Jurabis, Vivit dominus, in veritate, et in judicio et in justitia.* Hiere. iiij. a. C'est à dire Tu jureras en verité[33]. Hoc est. Que ce que tu jureras, soyt veritable. Et que pour

[25]   assertivement] *om.* Paris 1581. – et afferment Paris 1601-1630.
[26]   Et l'afferment ... vray] *om.* Paris 1601-1630.
[27]   deshonnestement] contumelieusement Paris 1581-1630.
[28]   couvoitise] convoitise Paris 1601-1630.
[29]   utilité] consequence Paris 1574-1630.
[30]   Fors] sinon Paris 1601-1630.
[31]   aussi vray que Dieu] *add.* Paris 1601-1630.
[32]   ou ainsi me vueille Dieu ayder] *om.* Paris 1581-1630.
[33]   discretion et justice] *add.* Paris 1630.

chose du monde tu ne affermes par jurement ce que congnoistras estre faulx.

Secondement. Quant tu jureras, que ayes jugement de[34] discretion. C'est à scavoir, que ne jure [*sic*] legerement comme dit est. Mais par grande discussion de raison[35]. Et que tu regardes si tu peulx accomplir ce que jures, et si tu le doibs faire. Et quel bien ou quel mal il en peult advenir. Et que consideres le lieu et le temps. Et si la cause, pourquoy tu jures, est juste, raisonnable, et necessaire. Puis apres se il fault que tu jures, que ce soyt reveremment et devotement. En tant que tu prens et invoques le nom de Dieu en tesmoing.

Tiercement.[36]Ce que tu jureras et promettras soyt licite, expedient, et juste, et que le puisses accomplir. Car autrement, qui jure sans verité, discretion, et justice, Il offence tousjours[37] Dieu et mortellement. Par especial, quant il scayt que ce qu'il jure n'est vray ne juste. Et en jurant, de ce est bien adverty[38].

Instruction pour eviter les juremens

Tous chrestiens doyvent sur toutes choses soy garder de jurer en façon quelconque, et ne soy acoustumer de jurer[39]. Car par telle acoustumance, facilement ilz se parjurent, qui est ung grand et grief peché. Avec ce que nostre Seigneur a ordonné et mis peines contre ceulx qui prennent si legerement son nom en vain. Ainsi qu'il est escript en Exode au.xx b. chapitre. *Nec enim habebit insontem dominus eum, qui assumpserit nomen Dei sui frustra.* Si tu jures en vain et sans cause raisonnable ainsi que dit est. Tu ne seras reputé innocent envers Dieu. Mais coulpable et digne de punition.

Et finablement ung chascun chrestien doibt eviter les juremens pour les maux qui en viennent. Ainsi qu'il est escript en L'Ecclesiastique au. XXIII chapitre.

Iurationis non assuescat os tuum. Multi enim casus in illa...

Vir multum iurans implebitur iniquitate. Et non discedet a domo illius plaga.

C'est à dire. Garde bien que ta bouche ne se acoustume à jurer. Et que tu ne soyes assidu, ou ayes appetit de jurer legerement, et sans

---

34 de] et Paris 1574-1630.
35 Par ... raison] avec discretion et raison Paris 1601-1630.
36 Il faut que tu regardes que] *add.* Paris 1601-1630.
37 tousjours] *om.* Paris 1574-1630.
38 Et en jurant ... adverty] *om.* Paris 1581-1630.
39 soy garder ... de jurer] se garder de s'accoustumer à jurer Paris 1630.

EXAMENS DE CONSCIENCE (1506-1580)   469

cause, comme dit est. Car tu pourroys cheoir en beaucoup d'inconveniens par ceste mauvaise accoustumance.

Nommer le nom de Dieu en jurant, ne soit point assidu en ta bouche
(Trop bien, en le reverant et priant comme dit est) Et ne te accoustumes
point a jurer frequentement par le nom des Sainctz. Car tu ne seroys
point immune de leur offense[40].

Toute personne, qui souvent jure faulsement et inutilement[41] sera
remplie d'iniquité. Car injustement et iniquement il jure[42]. Parquoy la
playe de la vengence de Dieu ne yra point hors de son corps et de sa
maison. On peult veoir par beaucoup de hystoires, combien de maulx
sont venuz sur le peuple, et viennent de jour en jour pour les blasphemes assiduz, et accoustumez juremens et parjuremens.

Oultre quand au. III **commandement** qui est, les dimanches tu
garderas en servant Dieu devotement. Nous devons à Dieu service :
A cause des benefices qu'il nous donne. Specialement à cause de la
creation, gubernation[43] du monde[44] : Redemption et glorification eternelle. *Memento, ut diem sabbati sanctifices.* Exo. xx b. Ayes memoire de
sanctifier le sabbat. C'est à dire les dimenches, et festes commandées de
l'Eglise. Et se[45] demandes, que c'est à dire sanctifier les festes.

Responce. Premierement ung chascun chrestien le jour du dimenche, et autres festes commandées, est obligé de venir à l'eglise, et
ouyr messe, s'il ne survient quelque empeschement legitime.

Secondement lesdictz jours : ung chascun se doyt garder de labourer, marchander, ou faire autres oeuvres laborieux[46], selon la coustume
du pays ou il demoure : Et laquelle coustume le prelat, ou ceulx, a qui
il appartient, congnoissans[47], ne la prohibent point.

Tiercement[48], ung chascun ausditz jours des festes doyt examiner
et discuter sa vie et conscience, des crimes et pechez qu'il a faitz contre
Dieu. En luy demandant humblement indulgence et pardon. Doyt aussi
recongnoistre les benefices que Dieu luy a faitz, en luy rendant graces.
Doyt ouyr devotement la parole divine et la messe. Doyt mettre devant

---

40   Immune ... offense] sans punition Paris 1581-1630.
41   et inutilement] *om.* Paris 1601 – faulsement et inutilement] *om.* Paris 1630.
42   Car injustement ... il jure] Car indiscrettement et sans respect elle jure Paris 1630.
43   gubernation] gouvernement Paris 1581-1630.
44   pour le benefice de la conservation qu'il fait de nous] *add.* Paris 1630.
45   se] si tu Paris 1581-1630.
46   laborieux] serviles Paris 1601-1630.
47   la cognoissant] Paris 1601-1630.
48   il est fort à propos qu'] *add.* Paris 1630.

CHAPITRE XII

ses yeulx, qu'il doyt mourir, et plus tost qu'il ne pense ; et qu'il fault, qu'il soyt sauvé, ou damné. Doyt aussi se il a charge d'aultruy, enseigner ses enfans et sa famille que es dictz jours des festes, ilz facent le semblable, car en les delaissans sans les admonester ne seroit pas sans offenser Dieu[49]. Contre ce commandement pechent griefvement ceulx qui empeschent la predication et le divin service. Ceulx aussi qui font irreverence au sainct sacrement de l'autel et aux aultres sacremens.

Pareillement ceulx qui a certaine feste de l'année, font plusieurs irreverences et dissolutions abominables. Et ceulx qui les conseillent faire et ne les empeschent point quand ilz doyvent, et pevent empescher. Pechent contre ce commandement ceulx qui les dimenches font leurs marchandises, ou exercent aultres negotiations mechaniques et serviles, [50]ayent memoire de celuy dont est faict mention en l'Escripture saincte. Numerorum .xv.d. Qui seulement pour avoir cueilly quelque peu de boys le jour du sabbat, fut par le commandement de Dieu, lapidé de tout le peuple, et mis à mort.

Les commandemens qui sont au prochain. Premierement ceulx ausquelz sommes obligez specialement, sont peres et meres[51].

Quant au **quatriesme commandement** qui est : pere et mere honoreras, affin que vives longuement. *Honora patrem tuum et matrem tuam,* etc. Exodi. xx c. Honore pere et mere, si tu veulx vivre longuement.

Ce commandement ne s'entend pas seulement des parens charnelz. Mais aussi des prelatz, et curez, qui sont parens spirituelz. Et generalement de tous superieurs, Maistres, Biensfaicteurs, et princes terrestres[52]. Semblablement des[53] trespassez se peult entendre, quant à ce que sommes obligez de prier[54] pour eulx.

Contre ce commandement pechent griefvement ceulx qui n'ont point pitié de leurs parens, en ne les honorant, ne subvenant à leurs necessitez. Semblablement à ceulx qui sont de leur sang[55]. Ceulx aussi pechent, qui desirent la mort de leurs peres et meres. Affin d'avoir leurs heritages et estre hors de leurs subjection et obeissance, et ceulx qui les mauldissent et parlent mal d'eulx. Pareillement ceulx qui sont

---

49   Car ... Dieu] *om.* Paris 1601-1630.
50   Qu'ils] *add.* Paris 1630.
51   Les commandemens ... meres] Les commandemens qui concernent le prochain Paris 1581-1630.
52   terrestres] terriens Paris 1601-1630.
53   parens] *add.* Pa. 1581-1630.
54   Dieu] *add.* Paris 1601-1630.
55   Semblablement ... sang] *om.* Paris 1630.

EXAMENS DE CONSCIENCE (1506-1580)
471

inhumains a leurs poures parens, et ne leur subviennent en tant qu'il est en eux[56].

Au surplus pechent griefvement contre ledit commandement, qui mauldissent et parlent mal des prelatz et gens d'Eglise. Transgressent et contemnent les sentences d'excommunication, et les jeusnes ordonnées de l'Eglise, sans cause raisonnable. Et generalement[57] les commandemens de nostre mere saincte Eglise. Pareillement ceulx qui violent et enfraignent la liberté de l'Eglise. Et finablement tous ceulx qui sont inobediens[58] aux commandemens de leurs superieurs, et ne veulent acquiescer au conseil des saiges et sainctz docteurs, et sont ingratz des benefices des peres et meres, superieurs et biensfaicteurs[59].

Quant aux autres prochains. Nous sommes obligez de ne leurs faire aucune nuysance ou tort[60]. De oeuvre, ne de parole. Ne de coeur. Et en ces troys poinctz sont contenuz six commandemens envers le prochain.

Nous pouvons nuyre en troys manieres à nostre prochain par oeuvre exterieuse[61]. Premierement, quand à sa personne : [62]ou en mutilant ses membres ou en luy ostant la vie. Laquelle chose Dieu deffend au v **commandement** qui est homicide point ne seras de faict ne voluntairement quand il dit *Non occides.* Exo. xx c. Tu ne occiras personne. C'est à dire. De ton auctorité privée particuliere, par voye de faict. En delaissant la voye de justice et de equité. Par ce commandement sont defenduz toutes haines, rancunes, desirs et appetit de soy venger, et de la mort d'autruy, mauvais conseil, et inique consentement au detriment d'autruy, lesion, ou sa mort.

Contre ce commandement pechent ceulx qui par haine ou rancune principallement, ou par appetit de vengence, se mettent en procés, pour destruire l'ung l'autre et n'ont esgard observer l'ordre et zele de justice.

Au surplus, contre ce commandement pechent : envieux du bien d'autruy, et qui se resjoyssent[63] de leur mal, qui ne veulent point pardonner à leurs ennemys, qui detractent et mettent inimitiés par leurs susurrations[64] entre parens, et entre l'homme et la femme. Et finable-

---

[56] Pareillement ... eux] *om.* Paris 1630.
[57] tous ceux qui mesprisent] *add.* Paris 1601-1630.
[58] inobediens] desobeïssans Paris 1630.
[59] et sont ingratz... biensfaicteurs] *om.* Paris 1630.
[60] leurs faire ... tort] leur faire aucun tort Paris 1581-1630.
[61] exterieuse] exterieure Paris 1581-1630.
[62] en blessant] *add.* Paris 1630.
[63] resjoyssent] resjouyssent Paris 1574-1630.
[64] susurrations] faux rapports Paris 1630.

CHAPITRE XII

ment ceulx qui sont cause par malice ou par negligence, d'empescher le fruict de la femme, estaindre, ou de l'abortir[65].

Secondement. Nous pouvons nuyre par oeuvres exteriores a nostre prochain[66], quand hors mariage nous abusons de luy, ou de la personne qui luy est conjoincte par mariage, ou de consanguinité. Contre laquelle nuysance Dieu a dit. *Non mechaberis.* Exodi. xx c. Qui est au. vi commandement[67]. C'est assavoir Luxurieux point ne seras de corps ne de consentement. Sur peine de damnation eternelle. Tu n'auras compaignie de femme quelconque. Ne toy femme d'homme quelconque, hors la loy et sacrement de mariage.

Et par ainsi par ce commandement, est deffendu tout adultere, qui est entre les mariez. Toute luxure[68], qui est entre les non mariez, et soluz. Tout stupre[69] de vierges. Tout inceste avec parentes. Tout sacrilege avec personnes hommes et femmes sacrez à Dieu, comme[70] gens d'eglise. Aussi pareillement avec filles spirituelles, et commeres[71]. Et autre pechez enormes indignes de nommer.

Est defendu aussy par ce commandement tout atouchement impudicque sur soy, et sur autruy, tant baisers, que embrassemens, parolles impudicques, et lubricques. Par lesquelz atouchemens et parolles la personne vouldroyt et entendroyt incliner aultruy, et soy mesmes à ces pechez[72].

Et pource que luxure est ung peché qui regne fort. Le principal remede pour soy en garder, avec ce qui est dit dessus. C'est sobrieté, et abstinence de vivre. Eviter la compaignie des mauvais, et oysiveté. Repeller[73] bien tost ces mauvaises pensées de ce peché. De tout son pouvoir retourner à Dieu, à la vierge Marie. Aux sainctz, et aux sainctes par devotes prieres. Divertir ses pensées ailleurs quant les mauvaises viennent. Prendre aucunesfoys voluntairement aucune peine sur soy. Et soy exerciter et occuper souvent en bonnes oeuvres.

Tiercement[74]. Nous povons par oeuvres exteriores nuyre à nostre prochain : en ses biens et possessions. Contre quoy nostre Seigneur

---

[65] Estaindre ... l'abortir] l'esteindre ou de l'avorter Paris 1601-1630.
[66] en son corps et en sa personne] *add.* Paris 1630.
[67] Qui est au vi commandement] *om.* Paris 1581-1630.
[68] luxure] fornication Paris 1630.
[69] stupre] violement Paris 1601-1630.
[70] Hommes ... comme] sacrez à Dieu par voeux et ordre de religion, et avec Paris 1601-1630.
[71] commeres] celles dont on a tenu les enfans sur les fonts Paris 1630.
[72] Vouldroyt ... pechez] est provoquée, ou provoque autruy à tels pechez. Paris 1630.
[73] Repeller] Repoulser Paris 1581 ; Repousser Paris 1601-1630.
[74] Tiercement] Secondement Paris 1615-1630.

EXAMENS DE CONSCIENCE (1506-1580)

473

dit. *Non furtum facies.* Exodi. xx c. Tu ne feras point de furt[75], ne seras larron. Conformement au **vii precepte** qui est, l'avoir d'aultruy tu n'embleras, ne retiendras à ton escient. Larrecin est prendre ou retenir le bien d'aultruy, non content celuy à qui il est[76].

Par ce commandement cy, est deffendu toute injuste marchandise. Tout labeur et culture infidele et fraudulente, tant de terres que de vignes. Tout artifice, tant de maisons que d'autres oeuvres, qui ne sont point justes. Tout labeur faint[77] de ceulx qui sont à journée. Toutes sophistications de drogues et marchandises, qui les empireroient[78]. Vendre plus que juste prix, ou à injuste[79] mesure. Ravir les biens d'aultruy par force. Detenir les cens et les biens des seigneurs et de tous aultres.[80] Retenir le salaire des serviteurs et ouvriers. Usures, Symonies. Trouver choses perdues et esgarées, et les retenir[81]. Tout cecy est contre le commandement de Dieu[82]. Et generalement toutes fra003des, dolositez[83] et tromperies. Qui se font pour avoir le bien d'aultruy.

Le **huistiesme commandement** est, Faulx tesmoignage ne diras ne mentiras aucunement. *Non falsum testimonium dices.* Exodi. xx c. Tu ne porteras faulx tesmoignage contre ton prochain.

Par ce commandement. Nous est defendu de nuyre à nostre prochain par parolles[84]. Et generalement est prohibé, par cedit commandement, toute menterie pernicieuse. C'est assavoir, qui est au detriment du prochain, ou en jugement, ou hors jugement. Parolles aussi injurieuses, tant de l'ame, que du corps, dictes à son prochain, pour le courroucer, et diffamer. Menaces, comminations, noises contentions, detractions, en ostant la renommée d'autruy. Susurrations en nourissant[85] discorde entre amys. Irrisions pour confondre autruy. Maledictions tant de l'ame, que du corps, ou aux biens de son prochain. Mentir en confesse. Celer, ou taire ung peché scientement en confession. Accuser ung autre iniquement. Prester les ouyes[86] aux diffamateurs,

---

[75]   furt] larcin Paris 1581-1630.
[76]   non content ... est] contre la volunté de celuy à qui il apartient Paris 1581-1630.
[77]   faint] feinct Paris 1601-1630.
[78]   qui les empireroyent] pour decevoir ton prochain Paris 1581-1630.
[79]   Vendre ... injuste] Vendre beaucoup plus que juste prix, ou à injuste poids et Paris 1630.
[80]   Retenir les lots et ventes] *add.* Paris 1630.
[81]   sans en faire perquisition] *add.* Paris 1630.
[82]   Tout cecy ... de Dieu] *om.* Paris 1581-1630.
[83]   dolositez] *om.* Paris 1581-1630.
[84]   qui est la troisiesme maniere de luy faire tort, à sçavoir en sa renommée] *add.* Paris 1630.
[85]   Susurrations en nourissant] Accusations occultes ou calomnies pour nourrir Paris 1630.
[86]   ouyes] aureilles Paris 1581-1630.

qui prennent audace de mal parler, pource que on les escoute. Juger temerairement du[87] mal d'autruy, et interpreter leurs paroles, ou faictz, en mal.

Le **neufviesme commandement** qui est l'euvre de la chair ne desireras qu'en mariage seullement. Prohibe et deffend le desir et appetit par lesquel on peult nuyre a son prochain, en la personne, qui luy est conjoincte[88]. *Non concupisces uxorem proximi tui*. Exodi. xx c. Tu ne desireras, ne appeteras la femme de ton prochain, par concupiscence charnelle.

Par le septiesme[89] commandement, nostre Seigneur deffend l'oeuvre exteriore. Par ce neufviesme. Il deffend le desir et appetit interieur, qui gist au cueur.

Et par ce commandement, te est deffendu appeter[90] la femme d'aultruy, sa fille, chamberieres, parentes. Et generalement toutes femmes mariées, vierges, veufves, ou corrumpues, tant aux hommes que aux femmes, hors mariage[91].

Sont prohibez aussi tous regardz, signes provocatifz à mal faire. Messagers, Lettres, Presens : Par lesquelz, on se estudie à faire consentir autruy à mal faire. Est aussi prohibé plein consentement et deliberé. Par lequel on se delecte à charnelles pensées, et cogitations, là où on ne peult acomplir l'acte exteriore.

Le. **x commandement** qui est Les biens d'aultruy ne convoiteras pour les avoir injustement, prohibe le desir et appetit, par lequel on peult[92] nuyre a son prochain, en ses biens. *Non concupisces rem proximi tui*. Exodi. xx c. Tu ne convoiteras point injustement les biens de ton prochain[93]. Ne machineras par voyes obliques et iniques de les avoir et occuper.

Et par ce mesme commandement. Est prohibé toute mauvaise volunté d'avoir les biens d'aultruy. Laquelle est reputée envers Dieu pour le faict. Et consequemment contre ce commandement, pechent ceulx qui retiennent les oeuvres de misericorde tant corporelles, que spirituelles. Et les aulmosnes. Et l'execution des testamens. En ne subvenant

---

[87] du] et Paris 1630.
[88] par mariage] *add.* Paris 1630.
[89] septiesme] sixiesme Paris 1615-1630.
[90] appeter] appeller Paris 1601 ; appeter Paris 1630.
[91] hors mariage] *om.* Paris 1630.
[92] on peult] on voudroit Paris 1630.
[93] Tu ne convoiteras ... prochain] *om.* Paris 1630.

EXAMENS DE CONSCIENCE (1506-1580) 475

point aux poures indigens, quant la faculté se donne et offre, et quant l'evidente necessité survient[94].
In custodiendis illis retributio multa. Ps. XVIII

Chartres 1580

[Nicolas de Thou]
Du Sacrement de Penitence
[Péché originel. Péché personnel : péchés mortels, péchés véniels.
Vertus contraires aux péchés mortels][95]

1383 **Chartres 1580**
f. 165-165v **Que c'est que peché dont convient se confesser**
Peché est transgression de la loy divine, et desobeïssance aux saincts commandemens de Dieu... Il est originel, ou personnel. ...
L'originel est une desordonnée disposition de nature, à cause de la prevarication des premiers parens...
Le penitent n'est tenu se confesser de ce peché : par ce qu'il ne l'a commis, ains est attiré de la contagion desdits premiers parens. ...
Le personnel, autrement dict actuel, est celuy que l'homme commet de soy mesme, et est ou veniel, ou mortel.
Le veniel, est faulte commise plus par simplicité, erreur ou ignorance, qu'autrement, et qui a son pardon annexé avec soy. ...
Le mortel, est offense commise contre Dieu : pour laquelle l'homme encourt damnation eternelle, s'il ne se reconcilie avec luy...

f. 165v-173v **Qui sont les pechez mortels, desquels convient se confesser, avec leurs especes, branches et rameaux.**
Les pechez mortels sont sept en nombre, compris en latin souz ceste diction Saligia. Sçavoir, Superbia, Avaritia, Luxuria, Invidia, Gula, Ira, Acedia.

Orgueil est desir desreglé et perverty de paroistre, et exceller sur tous autres, au mespris d'autruy. Il est commencement de tout peché, hay de Dieu et des hommes, et cause des maux à plein mentionnez par l'Ecclesiaste. L'on luy attribue cinq especes : sçavoir, *vaine gloire, presomption, ingratitude, inobedience, et hypocrisie.*

---

94 Laquelle ... survient] toute machination pour les avoir et occuper par voyes iniques et obliques, ce qui est reputé envers Dieu pour le faict : et consequemment contre ce commandement, comme aussi contre le septiesme pechent ceux qui retiennent les aumosnes, et les executions des Testamens Paris 1630. – En ne subvenant ... survient] *om.* Paris 1615.
95 Nombreuses références marginales bibliques et patristiques.

Vaine gloire est, quand l'homme veut estre loué de ce qu'il n'a point, ou estimé de ses meffaicts, ou prisé de ses biens mondains. ...

Presomption est, quand l'homme pense tenir de soy les biens, graces et dons qu'il a, et en estre digne, sans les reconnoistre de Dieu aucteur d'iceux. De la provient toute arrogance, fast, jactance, ambition, mespris d'autruy, obstination, curiosité, et toute effrenée licence. ...

Ingratitude, est mescognoissance des biensfaicts receuz de Dieu duquel l'homme doit recognoistre tenir sa vie, estre, mouvement, et en luy seul mettre sa confiance, et appuy...

L'*inobedience* comprend toute contravention aux saincts commandemens de Dieu, et l'infidele desloyauté de ceux qui ne sentent de luy, comme appartient en toute humilité et reverence : ou ne croyent de luy, qu'en tant qu'ils peuvent comprendre par humaine raison : ou qui disputent par curiosité des articles de la foy, sans se vouloir arrester aux resolutions de l'Eglise...

Hypocrisie est simulation, desguisement, et dissimulation, que l'homme faict en pensées, dicts, faicts, habits, gestes, conversation, et tout autre comportement, pour couvrir ses faultes et paroistre meilleur qu'il n'est.

J. C. la mauldit en toutes sortes, et admoneste de s'en donner garde soigneusement. Plus offense l'Hypocrite, que celuy qui peche manifestement, et à visage descouvert. ...

Avarice est insatiable cupidité d'avoir, qui croist de tant plus qu'elle abonde en biens, et si tousjours luy defaut ce qu'elle tient. Il n'y a rien de plus sceleré au monde : elle desvoye l'homme de la foy, et l'enveloppe d'infinies douleurs, voire est la racine de tous maux. Elle a cinq especes. Sçavoir, *fur, rapine, sacrilege, symonie, et usure.*

... Par le *fur,* est entenduë toute injuste usurpation, cupidité, et affectation du bien d'autruy.

De ce peché sont coulpables tous imposteurs, calomniateurs, sordides magistrats, exacteurs de daces [ceux qui exigent le payement d'implôts]illicites, voleur, larrons, pyrates, vendeurs à faux poix et mesures...

Ce peché ne se remet que par l'entiere restitution de ce qu'a esté mal pris, si faire se peut... S'il ignore à qui doit la restitution estre faicte, l'aumosnera aux pauvres et indigens.

... Qui prohibe le larcin, ne permet la *rapine,* espece d'iceluy, ny aucune illicite usurpation, cupidité, et contrectation du bien d'autruy. ...

Sacrilege se commet, quand l'on desrobbe ce qu'est desdié à Dieu, en quelque lieu que ce soit, ou ce qu'est prophane en lieu sacré. ...

EXAMENS DE CONSCIENCE (1506-1580)

Symonie, est desir improuvé de vendre ou achepter choses spiri-tuelles. …

Usure, est tout surcroist exigé outre le fort principal du prest faict au prochain, en quelque chose que la surabondance consiste, soit en argent, marchandise, ou victuailles, voire en pommes…

Luxure, est appetit desordonné de volupté libidineuse et charnelle, qui deprave les plus sages et advisez. Elle a sept especes. Sçavoir, *fornica-tion, stupre, adultere, excez conjugal, inceste, rapt, sodomie.* Tout oeuvre de la chair, hors l'estat de Mariage, est impur, deshoneste, et illicite.

Fornication, est terme general, comprenant toute illicite conjonc-tion… Afin de reprimer l'incontinence, et empescher le cours des tentations du diable, est le Mariage ordonné: qui se doit sainctement garder, sans macule, contamination, et mespris. …

Stupre promiscüement se prend pour adultere, probre deshonneur, flagice [action honteuse], et toute illicite cohabitation charnelle, sans pre-cedente paction [convention] conjugale. … Il se commet, quand l'on at-tente à l'honneur des veufves bien vivantes, ou à la pudeur des vierges…

Adultere se commet entre gens mariez, se fourvoyans contre la foy et loyauté promise en face de saincte Eglise. …

Excez conjugal est, quand le mary et la femme, qui se doibvent de bonne foy et inviolablement garder loyauté en toute chaste pudicité, commettent en leur conjonction chose indigne de la temperance et honesteté conjugale. … Ores que l'amour soit honneste, l'ardeur et ex-cez le denigre et rend difforme. …

Inceste se commet entre parens et affins [parents], entre lesquels ne peut subsister Mariage. … Ce crime d'inceste est plus grief que l'adul-tere, et doit estre exemplairement puny. …

Rapt, est plustost circonstance aggravant le peché de Luxure, qu'es-pece d'icelle. … Le ravisseur encourt infamie perpetuelle, outre les censures de l'Eglise…

Sodomie se commet, quand l'on peche contre l'ordre et usage de nature, en autres parties qu'elle n'a ordonné pour procreer, soit en soy-mesme seul, soit en autre pareil sexe, ou divers, soit avec brutes. … Ce diabolique peché est appellé luet, par ce que l'on en doibt sobrement parler, pour n'infecter les esprits innocens, et non encor contaminez.

Envie, est tristesse conceuë du bien et prosperité d'autruy… Ce vice surpasse tous autres, ainsi que charité excelle toutes vertuz… L'on luy attribue quatre especes. Sçavoir, *hayne, detraction, esjouïssance des ad-versitez du prochain, tristesse de sa prosperité.*

Hayne, est quand par rancune l'on ne veut aymer son prochain, le frequenter, ny parler à luy...

Detraction se faict, quand l'on denigre la renommée d'autruy... Non seulement les detracteurs sont coulpables, mais ceux qui leur prestent l'aureille...

L'esjouyssance du mal d'autruy, et la tristesse de sa prosperité est propre à l'envieux, ainsi qu'est contenu en ce vers : *Invidus adversis gaudet, moeretque secundis.* ...

Glotonnie, est concupiscence desordonnée de manger et boire... La refection moderée est tousjours plaisante et salutaire... L'excez est cause de toute indisposition...

Ire, est appetit desordonné de vindicte... L'on luy donne quatre especes. Sçavoir, *blaspheme, indignation, contumelie, rixe...*

Blaspheme se commet, quand l'on parle irreveremment de la majesté divine. ...

Toute *indignation, contumelie, et rixe* doit cesser entre Chrestiens.

Paresse, est pusillanime nonchallance et ennuy de bien faire, provenant d'oysiveté, et d'un supin [nonchalant] desir de fayneant repos, contre le naturel de l'homme, nay au travail... Elle a trois especes. Sçavoir, *pusillanimité, lascheté de courage, desespoir.* ...

f. 174 Exemple des pechez veniels

Ces pechez se commettent plus par humaine fragilité que de propos deliberé, et sont pour ce appellez menus et quotidians. L'exemple en est és saincts Decrets.

Sçavoir, quand l'homme ... se charge au manger et boire plus qu'il n'est necessaire.

Se taist plus qu'il n'est expedient.

Rudoye les pauvres, demandans l'aumosne par importunité.

Veut manger sans occasion, quand les autres jeusnent.

Est paresseux de venir à l'Eglise pour y prier Dieu.

Cognoist sa femme charnellement hors le desir d'avoir lignée.

Visite trop tard les prisonniers et malades.

Neglige d'appoincter ceux qui sont en discord, ayant moyen de ce faire.

Est par trop doux ou aspre à sa femme, enfans, serviteurs et prochains.

Flate volontairement les grands.

Faict delicieusement banqueter les pauvres affamez.

S'occupe en paroles ocieuses, tant en l'Eglise que dehors.

EXAMENS DE CONSCIENCE (1506-1580)

Se parjure voire és serments temerairement faicts, sans y avoir pensé : ou par raillerie, ou par contraincte.

Mesdict par facilité ou temeraire licence et non par aucune haine.

Est immoderé en risée, et peu curieux de son mesnage, train, et famille.

f. 176v-177v Des vertuz contraires ausdicts pechez

Elles sont sept directement, et en pareil nombre opposées ausdicts pechez. Sçavoir.

Humilité, contre Orgueil.
Liberalité, contre Avarice.
Chasteté, contre Luxure.
Charité et dilection, contre Envie.
Sobrieté, contre Gourmandise.
Patience, contre Ire.
Diligence, contre Paresse.

Humilité[96]

Humilité est mere, source, racine, fondement et lien de toute vertu et penitence. Elle ne gist tant au mespris des honneurs et louanges, qu'en la cognoissance que l'homme a de sa fragile et imparfaite exiguité, se representant estre inutile, ores qu'il essaye par tout faire son devoir, conformément à la remonstrance faicte par J. C. à ses disciples.

Liberalité

Liberalité consiste en bien-faicts, et aumosnes : la vertu et efficace desquels est à plein expliquée par sainct Jean Chrysostome. Celuy qui veut faire misericorde au prochain, regardera, pour la bien employer : *Cui, quid, cur, quantum, quo tempore, quove loco det.*

Chasteté

Chasteté, est habitacle du sainct Esprit. Dieu a tousjours esté amateur, comme il est aussi aucteur de continence. Elle a deux degrez : l'un est la sincere virginité de corps et d'esprit : l'autre est le fidele mariage et chaste dilection d'iceluy. Virginité est chose plus angelique qu'humaine. Ores que la pureté des Anges soit tres heureuse, l'integrité des vierges est plus forte : par ce que les Anges de nature sont vierges, et les hommes le sont par leur vertu et continence. L'une et l'autre chasteté, soit virginale ou conjugale, a son merite et loyer envers Dieu.

---

[96] Références marginales pour l'explication des vertus à s. Jean Chrysostome, s. Jérôme, s. Basile, s. Bernard, à l'Ancien et au Nouveau Testament.

480 CHAPITRE XII

Charité et dilection

Charité est accomplissement de la loy, dont procede tout succés à l'homme. Par ceste marque il est comme disciple de J. C., discerné entre tous autres. Si elle defaut, rien ne profitte [*sic*], voire la foy mesme. Partant sainct Paul instamment exhorte les Ephesiens de marcher en dilection, qu'il nomme la voye plus excellente. [Cf. Eph. 3, 17; 4, 15; 5, 2]

Sobrieté

Il n'y a rien qui ayt plus d'efficace pour remedier aux concupiscences charnelles, que la sobrieté et continence. L'homme doit à cest effect avoir tousjours en bouche, selon l'advis de sainct Basile, ce vers du Psalme: *Quae utilitas in sanguine meo, dum descendo in corruptionem?* (Ps. 29)

La gourmandise est commencement de toute lasciveté et brutale intemperance. Plus est le corps chargé de cuisine, moins a l'esprit de liberté. Tant est la sobrieté prisée, que les Ethniques mesme remarquent, en la salive de l'homme estant à jeun, ceste proprieté de faire mourir les serpens, venimeux sur tous autres. Ainsi que l'homme par friandise a esté exilé de paradis, aussy y est il restably et remis comme par restitution postliminaire, en gardant l'abstinence.

L'ebrieté estoit mescogneuë jusques à Noë, espris du fruict par luy planté: qui a causé maux infinis. Loth s'y oublia de la façon recitée en Genese. La faute de l'un et l'autre doit exciter un chacun à la sobrieté, pour n'encourir mesme inconvenient.

Patience

Patience, est equanime tolerance du tort et injure que l'on reçoit. L'on la nombre entre les oeuvres du sainct Esprit, et est vertu fort seante aux Chrestiens, à l'imitation de leur chef, ayant souffert toute ignominie jusques à la croix, encor qu'il fust sans dol et peché. Elle s'exerce diversement: car l'homme en encourt l'ire de Dieu, ou est travaillé par son prochain, ou tenté du diable. Il doit constamment porter toutes tribulations, et s'y esjouyr, sçachans qu'elles luy sont envoyées pour espreuve de son esperance, qui ne peut apporter aucune confusion. Le comportement de sainct Paul en tels accidens servira d'exemple à un chacun, pour prendre addresse au pere de misericorde et consolation, afin d'en eschapper au salut de l'ame.

Diligence

De tant plus qu'on vitupere l'oysiveté, (nouerque[97] des vertueuses actions,) l'allegre diligence est prisée et estimée envers tous. Icy suffi-

---

[97] Noverque: belle-mère (E. Huguet, *Dictionnaire de la langue française du seizième siècle*, t. 5 (1961), p. 460).

EXAMENS DE CONSCIENCE (1582-1615)   481

ra l'exemple des Vierges entrées en nopces avec l'espoux, pour avoir d'heure pourveu à leurs lampes: et retiendra le lecteur ce que dict sainct Chrysostome, que l'on doit imputer à nonchalance et paresse ce qu'est malfaict és actions humaines, sans en blasmer le corps, que l'on peut domter à plaisir, avec l'ayde de Dieu.

Angoulême 1582
[Charles de Bony]
[Péchés contre le Décalogue. Péchés mortels]

Les questions sur le premier commandement sont beaucoup plus développées que les autres. Elles reprennent, en les développant, celles du Manuel de Denis Peronnet[98] (additions *en italiques* ici). Les autres questions diffèrent de Peronnet.

1384   **Angoulême 1582 p. 290-297**
Et premierement sera interrogé sur le Decalogue...
Sur le premier Commandement. *Je suis ton Dieu, qui t'ay tiré de la terre d'Egypte, de la maison de servitude: Tu n'auras point de Dieux estranges [sic] devant moy.*
Soit doncq' interrogé le penitent, en la maniere qui s'ensuit.
S'il croit fermement en *un seul et vray* Dieu, *le Pere, le Filz, et le Sainct Esprit, un en essence, puissance, et volonté, et trine en personnes non divisées ne separées, mais distinctes seulement par une proprieté relative.*
S'il ne croit pas que ce Pere de misericorde et de toute consolation aye faict le Ciel et la Terre, avec tout ce qui est en iceux par son verbe tout puissant qui est son Filz naturel J. C. nostre Seigneur, et qu'il conduise, et regisse le tout par son sainct Esprit.
S'il ne mect pas tout son appuy et espoir en luy, et s'il ne le reclame pas à son ayde et besoing.
S'il ne tient pas pour certain et resolu, tout ce qui est contenu aux sainctes escritures, et aux Symboles.
S'il ne veut pas suyvre pour l'interpretation d'icelles le sens de l'Eglise Catholique, et Romaine? et des Docteurs orthodoxes, et s'arrester à ce qui a esté determiné par les sainctz Conciles generaux.
S'il est point curieux de demander, ou mouvoir des questions touchant la foy, sans se vouloir arrester à ce qui en a esté resolu esdictz Conciles.

---

[98] *Manuel general et Instruction des curez et vicaires...* Paris, 1574, f. 183-184. Sur Denis Peronnet, voir *infra* Auteurs cités, p. 1943.

CHAPITRE XII

S'il ne dispute point desdictz articles de la foy, ne voulant croire si non qu'il peut comprendre par raisons naturelles.

S'il sent de Dieu, et des choses divines comme il faut en toute humilité et reverence.

S'il espere la remission des pechez par les Sacrements, la vie eternelle, et la resurrection de la chair.

S'il ne croist pas avec l'Eglise qu'il y aye sept Sacrements en nombre, correspondentz aux sept dons du sainct Esprit, et qu'ilz conferent la grace de Dieu: à sçavoir le Baptesme, Confirmation, l'Eucharistie, Penitence, Mariage, l'Ordre, et Extreme-unction.

S'il ne differe point à servir Dieu pour la craincte des hommes, ou bien il le sert en ypocrisie, et faintise, pour estre loué d'iceux: ou de tout son coeur, et entiere devotion.

S'il n'a jamais nié ou desadvoué la foy, et religion chrestienne et catholique, de faict, ou de parolle.

S'il n'a point invoqué le maling esprit, et eu de familiarité avec luy, par art magique, sorcellerie, ou autres moyens illicites et defenduz, estudiant aux arts diaboliques des charmeurs, sorciers, enchanteurs, devins, necromantiens, et autres semblables; s'il n'y a point eu recours en sa necessité, portant sur soy par superstition billetz, caracteres, ou oraisons d'enchanteurs, pensant par tel moyen d'eviter quelque danger, ou bien d'acquerir quelque bien, honneur, ou autre chose semblable[99].

S'il n'a point esté nonchalant d'*aller à l'Eglise, pour la assister au sainct Sacrifice de la Messe, et autre service divin qui s'y faict,* de dire son Oraison dominicale, la salutation Angelique, et le Symbole; et s'il ne s'est point quelque-fois trouvé aux assemblées et ceremonies des heretiques, des Juifs, sorciers, et autres mescroyans, pour participer avec eux.

Sur le second Commandement de la Loy, qui n'est selon S. Augustin qu'un avec le premier Sçavoir

Tu ne te tailleras ou feras aucune image, ny semblance de ce qui est la hault au ciel, de ce qui est ça bas en la terre, ne de ce qui est ez eaux soubz la terre: tu ne les adoreras point, n'y [sic] ne leur feras hommage: Je suis le Seigneur ton Dieu, le for [sic], jaloux, visitant les iniquitez des peres sur les enfans, jusques à la troisiesme et quatriesme generation de ceux qui me hayssent, et qui fay misericorde jusques à mil generations de ceux qui m'ayment, et gardent mes commandemens.

---

[99] Suppression par rapport au texte de Peronnet de: S'il n'a point murmuré contre Dieu, quand ses affaires ne luy ont succedé à souhait.

EXAMENS DE CONSCIENCE (1582-1615)

S'il ne croit pas fermement que l'Eglise de Dieu n'a aucunement erré, de ordonner que és Temples et oratoires des Chrestiens, il y auroit des images du crucifix, de la vierge et des saincts, pour servir d'escripture aux simples gens, et pour une souvenance de ceux qu'elles representent; et qu'il ne faille pas leur porter honneur et reverence; non à cause de l'or, argent, pierre ou bois, ou autre matiere de quoy elles sont faictes, mais à cause de ceux qu'elles nous representent, desquelz il nous faut imiter la vie; et s'il n'a pas en detestation, la faulse et erronée opinion, des iconomaches enciens [sic] heretiques, qui impugnoint les images, comme encores font les heretiques de ce temps: car Dieu n'a point absolument defendu de faire des images ou semblances, veu que depuis il commanda à Moyse de bastir des images des Seraphins, Cherubins, et de les colloquer au propiciatoire, lieu du Tabernacle, appellé *Sansta sanctorum* [sic]: et qu'il a trouvé bon (quand Salomon bastit ce beau temple en Jerusalem à son sainct Nom) que oultre lesdictes ymages des Seraphins, et Cherubins, mises au propiciatoire, iceluy Salomon fist enlever en bosse, et graver des semblances de beufz, pour soutenir et faire le soubassement du grand l'Avoir [sic], (appellé Mare) qui estoit audit Temple, et des semblances de Lyon [sic] posées ailleurs pour servir d'ornement audit Temple.

Sur le troisiesme Commandement. *Tu ne prendras point le nom de ton Dieu en vain, car le Seigneur ne tiendra poinct incoupable, celuy qui prendra le nom de son Dieu en vain.*

S'il n'a point affermé faulsement en jurant Dieu, ou ses saincts, ou autre chose, abusant du nom de Dieu inreveremment, comme par jeu, ou par coustume de jurer.

S'il ne s'est point parjuré, promettant et vouant chose illicite, et à mauvaise fin et intention; et s'il a accomply les veux qu'il a faictz.

Sur le quatriesme Commandement. *Souvienne toy de sanctifier le jour du Sabbath: Tu travailleras six jours, et feras toutes oeuvres; le septiesme jour, est le Sabbath du Seigneur ton Dieu: tu ne feras point tout [sic] oeuvre en iceluy, n'y ton filz, n'y ta fille, ton serviteur, ta servante, ta beste, n'y l'estranger qui est entre tes portes. Dieu a faict en six jours le ciel, la terre, et la mer, et tout ce qui est en iceux, et se reposa au septiesme jour, partant le Seigneur ton Dieu a benist le jour du Sabbath, et l'a sanctifié.*

S'il n'a pas solemnizé et gardé le jour du Sabbath, sçavoir du repos, qui est le sainct dimanche, appellé le jour du Seigneur, et les autres festes commandées par l'Eglise de Dieu, vacquant à toutes bonnes oeuvres de pieté, et s'il n'a pas delaissé esdictz jours le travail servile et manuel; s'il n'a point commandé à d'autres de travailler, s'il n'a point assisté au sermon et divin service, esdictz jours, s'il n'a point passé le temps inutillement en oysiveté, jeux, ou parolles vaines, devisé de ses affaires et negoces, ou contracté ou marchandé durant le divin service.

Sur le cinquiesme Commandement. *Honore ton pere et ta mere.*
S'il a porté honneur et respect à ses Pere et Mere comme il doit et à ceux qui les representent, et tiennent leur lieu, s'il n'a point desiré leur mort, ou procurée, affin d'estre hors de leur subjection; s'il n'a point esté impatient à leurs remonstrances, reprehensions et corrections, leur respondant rudement et fierement; s'il ne les a point mal traictés ou mal parlé d'eux, s'il ne les a pas secouruz à leur besoing, quand il les a veu en necessité, priant Dieu pour eux, qui les luy preste longuement.

Sur le sixiesme Commandement. *Tu ne tueras point.*
S'il n'a point commis homicide, et en la personne de qui, s'il n'a point porté haine à son prochain, desiré vengeance de ceux qui l'ont offensé, s'il ne s'est point resjouy du mal d'autruy, ou bien s'il n'a point esté marry de son bien, s'il n'a point temerairement jugé de son prochain, blessé en sa renommée, frappé sa personne, tourmenté, ou injustement emprisonné, presté faveur, ou donné ayde contre luy, s'il l'a point incité à mal faire, ou empesché de faire bien, abregeant le cours de sa vie à son escient par gourmandise, yvrongnerie ou autrement.

Sur le septiesme Commandement. *Tu ne paillarderas point.*
S'il n'a point eu mauvaise affection ou volonté de paillarder; s'il a point regardé par convoitise hors le mariage, la femme ou fille d'autruy; s'il a point pris peine de debaucher la femme ou la fille du prochain, soit par beau parler, presentz ou autrement; s'il n'a point eu de part impudique, ou attouchement, et acte de la chair hors mariage; s'il n'a point cohabité avec la femme de son prochain, ou avec la fille, ou parante, avecq' la religieuse ou nonain, ou bien avec une qui seroit ja debauchée, et femme publique.

Sur le huictiesme Commandement. *Tu ne desroberas point.*
S'il n'a point par avarice desiré le bien d'autruy, ou prins peine de l'avoir, s'il ne l'a point de faict desrobé, et prins par force, par cautelle [ruse], tromperie, par usure, et simonye. Vendu à faux poix, et faulse mesure, usant de fraude, soit vendant ou acheptant; s'il n'a point faictz contracts usuraires, ou presté à usure; s'il n'a point retenues [*sic*] les choses trouvées sçachant à qui cela estoit. S'il n'a point joué par avarice, et jouant usé de tromperie pour gaigner, s'il ne s'est point appropriez le bien commun. S'il n'a point exigés [*sic*] peages qui n'estoint pas deuz;

EXAMENS DE CONSCIENCE (1582-1615)

s'il n'a point esté inventeur de nouveaux subsides; s'il n'a point retenu ou retardé le salaire de ceux qui ont travaillé pour luy, soint [sic] serviteurs, ou mercenaires; ou si estant loué par autruy, il s'est acquitté fidellement de la charge à lui commise, s'il a eu pitié du pauvre, et iceluy secourru de son pouvoir, ou s'il n'a point mandié sans necessité.

Sur le neufviesme Commandement.
Tu ne porteras pas faux tesmoignage contre ton prochain.

S'il n'a point porté faux tesmoignage contre son prochain, soit en jugement ou dehors, practiqué, ou suborné faux tesmoins; s'il n'a point affermé comme veritables les choses, ou qu'il sçavoit n'estre pas telles, ou d'ont [sic] il n'estoit pas certain; s'il n'a point mal parlé et fausement d'autruy. Scandalizant ou diffamant son prochain; s'il ne s'en est point mocqué par jeu ou autrement, ou usé de parolles picquantes qui le peuvent offenser; s'il n'a point menty à son escient, au scandalle ou prejudice du bien honneur [sic] ou la personne du prochain. S'il n'a point menti en vendant ou acheptant pour tromper autruy, et s'il a dit la verité en jugement en estant requis.

Sur le dixiesme Commandement. *Tu ne convoiteras point la maison de ton prochain, ny ne desvieras d'avoir sa femme, son serviteur, sa servante, son beuf, son asne, ne tout ce qui est à luy.*

S'il n'a point souhaitté la maison ou autre heritage du prochain, sa femme, serviteur, ou servante, son beuf, ou autre chose qui fust à luy, desirant sa mort pour en jouyr. Et s'il n'a point chery plus la femme d'autruy que la sienne, ou desiré ou procuré la mort de sa femme pour en avoir une autre; s'il n'a point souhaitté telle necessité à son prochain, qu'il fust contrainct de vendre son bien pour s'en accommoder; s'il n'a point sollicité ou suborné les serviteurs et servantes du prochain pour les tirer à son service; et s'il n'a point mis peine d'avoir les biens d'autruy par moyens illicites.

p. 297-299 **Sera aussi interrogé le penitent sur les sept pechez mortelz**
Et premierement sur le peché d'Orgueil. S'il ne presume point de soy d'avantage qu'il n'est, s'il ne s'estime point plus que son prochain, s'il n'a point appeté le premier rang, soit à parler, estre escouté, ou assis le premier és assemblées, s'il n'a point esté ambitieux d'honneur, dignitez, ou prelatures. S'il n'a point rejecté les corrections, ou advertissemens de ses Superieurs; s'il ne s'est point glorifié en ses biens, en sa beauté, force, sçavoir, parents, ou favoris; s'il n'a point esté excessif en habits, se glorifiant en iceulx. S'il ne s'est point glorifié en la suitte de serviteurs; s'il n'a point obmis par orgueil à porter honneur reverence

et obeissance, où il la devoit. S'il n'a pas rendu graces à Dieu des biens qu'il a receus de luy, les recognoissant d'iceluy.

Sur le peché de Gourmandise. S'il n'a point esté trop curieux d'avoir des viandes delicates ; s'il n'a point esté curieux de se faire apprester et assaisonner les viandes par volupté et friandise. S'il n'a point mangé ou beu oultre mesure ; s'il n'a point excedé en quantité de vivres. S'il ne s'est point en-yvré par trop boire, et s'il n'a pas rendu graces au Seigneur Dieu apres le repas.

Sur le peché de Paresse. S'il n'a point esté paresseux ou negligent, à faire des bonnes oeuvres, de prier, servir et recognoistre son Dieu, visité son sainct temple et maison d'oraison, pour ouyr sa parolle, et y assister à son service ; de travailler en son estat tant pour soy, sa famille, que pour avoir de quoy donner aux pauvres, de visiter les malades et prisonniers, et de les secourir et consoler selon sa puissance et sçavoir, et d'ayder son prochain à son besoing et necessité.

Sur le peché d'Ire, ou Courroux. S'il n'a point esté transporté de courroux, moyennant lequel il aye meurtry, battu, injurié, ou infamé son prochain.

Sur le peché d'Envie. S'il ne porte point d'envie à son prochain, pour raison des biens et dignitez d'iceluy, estant marry de sa prosperité, ne le pouvant à ceste cause regarder de bon oeil.

Sur le peché d'Avarice. S'il se contente des biens que Dieu luy a departis, sans souhaitter ceux du prochain, et pratiquer de les avoir par voye injuste, et n'estre jamais assouvy d'en amasser.

Sur le peché de Luxure. S'il n'est point adonné à la paillardise, debauchant la femme ou fille de son prochain, et qu'il les aye souhaitté d'avoir pour en abuser contre les commandements de Dieu.

Angoulême 1582

[Examen de conscience pour les enfants]

Voir infra chapitre VII. Confession des enfants, P1756.

Strasbourg 1590

[Jean de Manderscheidt]

Methodus examinandi conscientiam

P1385 **Strasbourg 1590**

p. 8 In primis doceat peccatorem tam diu Dei gratia privatum, ad aeternam haereditatem accessum habere non posse, quam diu in pec-

EXAMENS DE CONSCIENCE (1582-1615)

cato manet. Quare per poenitentiam in gratiam cum Deo redire festinet. Ad cognitionem autem peccatorum suorum iuvabitur, si propositis Decalogi, Ecclesiae ad maiorum praeceptis, variisque peccatorum speciebus recogitet, quaenam ex illis praetergressus fuerit; id autem futurum est, si praeteriti temporis partes; si loca et conversationis occasiones discutiat.

Cahors 1593, 1604, 1619

[Cahors 1593: Antoine Hébrard de Saint-Sulpice]
[Péchés contre les commandements de Dieu. Péchés mortels]

Long examen de conscience sur les dix commandements et les péchés mortels, reproduisant le *Manuel* de Denis Peronnet[100].

P1386 **Cahors 1593**

f. 177-182v ... Et premierement l'interrogera **sur les commandemens de Dieu**...

Le premier commandement de Dieu est:
Un seul Dieu tu adoreras et aymeras parfaictement.
Soit donc interrogé le Penitent, S'il croit fermement en Dieu.
S'il tient pour certain et resolu tout ce qui est contenu aux sainctes escritures, et au Symbole.
S'il est point curieux de demander[101]...

Sur le 2. Commandement. *Dieu en vain ne jureras.*
S'il a point affermé faussement en jurant Dieu, ses saincts, la foy, ou autre chose.
S'il a point abusé du nom de Dieu irreveremment, comme par jeu ou par coustume de jurer.
S'il ne s'est point parjuré.
S'il n'a point promis et voüé chose illicite et a mauvaise fin et intention.
S'il a accomply les voeux qu'il a faict.

Sur le 3. Commandement. *Les Dimanches sanctifieras et les festes de commandement.*

---

[100] Sur Denis Peronnet, voir *infra* Auteurs cités, p. 1943.
  Dans les éditions Cahors 1604 et 1619 (*Manuale proprium parochorum cadurcensium*), la formulation des commandements reprend le texte de l'Exode, comme Angoulême 1582.
[101] *Voir supra* Angoulême 1582 (P1384), reprenant en les développant les questions sur le premier commandement de Denis Peronnet.

S'il a point faict oeuvres serviles, et manuelles, en travaillant les jours des festes, ou dimanches.

Ou s'il a point commandé de travailler a tels jours.

S'il a faict devoir d'assister au service divin, tant le soir que le matin.

S'il a point devisé, ou jasé ou parlé de ses affaires temporelles ou contracté ou marchandé durant le divin service.

S'il a escouté la parole de Dieu en toute reverence.

S'il a point usé des viandes deffendues aux jours de jeusnes.

S'il a jeusné aux jours que l'Eglise avoit ordonné, comme aux quatre temps, vigiles, et le Caresme.

S'il s'est confessé, et s'il a communié au temps ordonné de l'Eglise.

Sur le 4. Commandement. *Pere et Mere honoreras.*

S'il a point desiré la mort des parens, pour avoir leurs biens.

S'il a point desiré la mort des superieurs pour estre hors de subjection.

S'il a point esté impatient aux remonstrances, reprehensions, ou correction des parens et des superieurs.

S'il a point rudement et fieremant respondu, ou parlé aux parens, et aux superieurs.

S'il a point mal parlé d'eux en leur absence.

S'il les a point mal et rudemant traictez.

S'il les a secouruz en leur necessité.

S'il a prié Dieu pour eux.

S'il a acomply les testamens, desquels il a esté chargé.

S'il a point commandé choses contre les commandemans de Dieu.

S'il a point donné mauvais exemple a ses enfans, ou domestiques.

Sur le 5. Commandement. *Homicide point ne seras.*

S'il a point hay son prochain.

S'il a point desiré vengeance de ceux qui l'avoyent offensé.

S'il s'est point resjouy de la mauvaise fortune ou adventure de son prochain.

S'il a point esté marry de son bien.

S'il a point temerairement jugé son prochain.

S'il l'a point blessé, ou frapé.

S'il a point tué.

S'il a point presté faveur et ayde, ou donné conseil aux homicides, ou a ceux qui font mal au prochain.

S'il l'a point des-bauché, ou incité à mal faire.

S'il l'a point empesché de bien faire.

EXAMENS DE CONSCIENCE (1582-1615)

489

Si par gourmandise, ou yvrongnerie, ou autrement a son escient, il a point abregé le cours de sa vie.

Sur le 6. Commandement. *Luxurieux point ne seras.*
S'il a point eu mauvaise affection, et volonté de paillarder.
S'il a point regardé par convoitise hors le mariage, la femme ou fille du prochain.
S'il a point prins peine de desbaucher la femme, ou fille du prochain, soit par signes, ou par presens, ou autrement.
S'il a point eu de paroles impudiques.
Si attouchement, et acte de la chair, hors le mariage.
Si avec la femme mariée (qui seroit adultere)
Si avec la fille non corrompue (qui seroit rapt)
Si avec la parente (qui seroit inceste)
Si avec la religieuse (qui seroit sacrilege)
Si avec la desbauchée (qui seroit fornication, pour les non mariez, mais adultere aux mariez).

Sur le 7. Commandement. *Les biens d'autruy tu n'embleras, ny retiendras à escient.*
S'il a point par avarice desiré les biens d'autruy.
S'il a point pris peine de les avoir.
Si de faict il a desrobé le bien d'autruy : et combien.
S'il a point acquis injustement des biens comme par cautelle [ruse], ou tromperie, ou fraude, ou par usure, ou simonie, ou par force.
S'il a point vendu a faux poix, et faulse mesure.
S'il a point faict fraude en vendant ou achetant.
S'il n'a point faict de contracts usuraires.
S'il n'a point presté a usure.
S'il n'a point retenu les choses trouvées, scachant a qui les rendre.
S'il n'a point joué seulement par avarice.
Si en jouant il n'a point usé de fraude, et tromperie pour gaigner le bien d'autruy.
S'il ne s'est point approprié les biens communs.
S'il n'a point exigé peages, qui n'estoyent pas deus.
S'il n'a point esté inventeur de nouveaux subsides.
S'il n'a point detenu ou retardé le salaire de ceux qui ont travaillé pour luy, comme de mercenaires, serviteurs, ou chambrieres.
Si estant loué pour travailler pour autruy il a fidellement faict ce qu'il estoit tenu de faire, et sans fraude.

490 CHAPITRE XII

S'il a donné l'aumosne aux pauvres selon son pouvoir.
S'il a point mendié sans necessité.

Sur le 8. Commandement. *Faux tesmoignage ne diras, ny mentiras a escient.*
S'il a point mal parlé, et faulcement du prochain.
S'il a point scandalisé, ou diffamé.
S'il a point esté mocqueur, ou railleur, usant de paroles piquantes, qui peuvent offenser le prochain.
S'il a point menty a son escient, au scandale ou prejudice du bien, de l'honneur ou de la personne de son prochain.
S'il a point menty, en vendant ou achetant pour tromper le prochain.
S'il a dict la verité en jugement, quand il en a esté requis.
S'il a point porté faux tesmoignage.
S'il a point solicité ou suborné faux tesmoings. S'il a point esté trop prompt a parler, et sans discretion.
S'il a point affermé comme veritables, les choses desquelles il n'estoit pas certain.

Sur le 9. et 10. Commandemens.
Femme tu ne convoiteras, qu'en mariage seulement.
Biens d'autruy ne convoyteras, pour les avoir injustement.
S'il a point souhaité la mort du prochain, l'emprisonnement, ou grandes affaires, aux fins d'abuser de sa femme.
S'il a point chery et tenu plus grand compte de la femme d'autruy, que de la sienne, dont il luy en ait donné occasion de scandale.
S'il a point souhaité ou desiré la mort de sa femme, pour en avoir une autre.
S'il a point souhaité telle necessité au prochain, qu'il fust contrainct de vendre son bien, pour en estre accommodé.
S'il a point sollicité ou suborné les serviteurs ou chambrieres du prochain pour les avoir a son service.
S'il a point desiré ou mis peine d'avoir les biens d'autruy par moyens illicites : comme par jeu, par fraude, par force, ou autrement.

f. 181v-182v **Sur les sept pechez mortelz**
Et premierement sur le peché d'Orgueil. S'il s'est point estimé plus qu'il n'est. … [très proche d'Angoulême]
Sur le peché de Gourmandise. S'il a point esté trop curieux d'avoir viandes delicates. S'il n'a point esté curieux de se faire apprester… [comme Angoulême]

EXAMENS DE CONSCIENCE (1582-1615)

S'il a point esté tant adonné a la gourmandise, qu'il ait beu et mangé sans servir et recognoistre Dieu, sans dire l'oraison dominicale, et autres semblables.

S'il a point excedé en multitude de viandes.

S'il a point prins des viandes plus que nature ne demandoit, ou pouvoit porter.

S'il ne s'est point enyvré et privé de l'usage de raison, par excez de boire ou de manger.

Sur le peché de paresse. S'il a point esté paresseux de prier, servir et recognoistre Dieu. … [très proche d'Angoulême]

Les autres quatre pechez mortelz, qui sont Ire, Envie, Avarice, Luxure, ont esté discourus aux interrogations des commandemens de Dieu.

Cahors 1593, 1604, 1619
[Examen de conscience pour les enfants]

Voir infra Chapitre XVI. Confession des enfants, P1756.

Bâle 1595
[Jacques-Christophe Blarer de Wartensee]
De interrogationibus ipsius confessionis
[Péchés contre les dix commandements. Orgueil, gourmandise, paresse]

Formulaire reprenant celui de Trèves 1574 p. 79-83

P1387 **Bâle 1595** p. 112-119

Circa primum praeceptum

Corde vel ore negans, errore aut schismate ductus
Anceps, blasphemus, qui tentat, qui male cultor.
Quemque superstitio gravat, aut cum Daemone pacta
Desperans, male confitens, mundique timore
Recta sinens, propriae ignorans praecepta salutis.
Terrenis haerens nimium, ac divina perosus.

Circa singula praecepta ordo servetur, ut primo de cogitationibus; secundo de verbis; tertio de operibus; quarto de omissionibus fiat interrogatio.

Circa primum ergo praeceptum interrogandum est de fide Catholica, spe et charitate: de Haeresi et libris haereticorum an legat, an habeat. Item de desperatione, praesumptione, quando sine poenitentia venia speratur, aut differtur emendatio in senectutem. De tentatione

Dei, qua miracula non necessaria expetuntur. De blasphemia Dei ac sanctorum. De murmuratione contra Deum vel sanctos. De divinis, sagis, maleficis, qui de rebus amissis vel furto sublatis consuluntur. Item qui remediis superstitiosis, febres, aliosque morbos hominum et pecorum per incantationes curant. Hûc etiam pertinent peccata eorum, qui nimis affecti sunt ad temporalia.

Et peccata per omissionem, quando timore oblocutorum et irridentium omittit quis debitam Dei cultum, vel non audet se ostendere Catholicum : abstinere à carnibus diebus statutis : vel quando ignorat quae sunt necessaria ad salutem, ut decem praecepta legis, quinque Ecclesiae ; Credo ; Pater noster.

Circa secundum praeceptum

Qui violat promissa Deo : quique asserit audax
Iurando falsa : aut temerè, quique improba vovit.
Iuravitque, alios nec ad id traxisse veretur.
Hîc peccant, qui scienter affirmat falsum.

Item qui promittendo iurant, nec intendunt servare.

Item qui iurant facere quod peccatum est, vel non facere quod bonum est.

Item qui temerè, irreverenter in rebus levibus per iocum et sine causa iurant.

Item qui vouent rem illicitam vel licitam propter malum finem, qui votum violant. Et in summa devotis et iuramentis atque promissionibus hîc sunt poenitentes interrogandi.

Circa tertium praeceptum

Quicquam operor vetitum ; iniussum : et ieiunia linquo
Non persolvo preces : vetitis me immisceo sacris.
Cum teneor non accedo : loca polluo sacra :
Sacratas violo res : personasque prophanus.

Specialiter tum peccatur contra hoc praeceptum, quando violantur festa per opera servilia, vel id fieri mandatur. Item qui consumunt dies festos in vanis : qui abutuntur sacramentis vel rebus sacris.

Per Omissionem.

Qui Missam et Conciones negligunt, vel irreverenter audiunt. Qui non servant ieiunia praecepta : qui utuntur cibis prohibitis. Qui non dicunt horas ad quas tenentur ; vel vagantur mente vel interim se aliis occupant.

EXAMENS DE CONSCIENCE (1582-1615)

Circa quartum praeceptum

Non veneror; non morigeror: non adiuvo patrem.
Coniunctosve pius foveo: aut humanus egenos
Cui teneor parêre: et quem observare recuso.
Proque bonis saepe ingratus contraria reddo.

Hîc peccant qui cogitationibus, verbis, aut factis parentes, et quosvis alios superiores offendunt, non honorant, non subveniunt in necessitatibus: qui optant mortem eorum, indignantur sanguine iunctis.

Qui contra testamenta, contra principes, contra statuta faciunt. Ingrati contra benefactores, sive vivos sive mortuos: negligentes erga filios, domesticos, famulos, in his maximè, quae ad Dei cultum, ad Missam, ad Conciones, ad salutem pertinent. Item inhumani adversus pauperes.

Circa quintum praeceptum et octavum

Exodio mortem; vel corporis infero damna.
Quaero inimicitias: pugnans: iniustasque bella.
Invideo: accuso falsò: malè detraho famae.
Vindictam iratus meditor: convicia: rixas.
Ad peccata alium induco: me sponte periclis
Offero: me caedo impatiens: mortemve peropto.

Huc pertinent procuratio sterilitatis, vel abortus; homicidia; bella iniusta; punitionis et correctiones innocentum vel gravius vel levius, quam delicta merentur, irae, vindictae, ultiones.

Omissione peccant, qui non iuvant alios quando tenentur.

Circa sextum praeceptum et nonum

Extra coniugium veneri qui cedit iniquae.
Alterius violare thorum qui mente paratus.
Qui loquitur lasciva: animo qui turpia versat.
Per visus, nutus, tactus malè tendit adulter
Ad scelus: incestum admittit cum sanguine iuncta.
Cumque viro intacta stuprum: Christoque dicatam
Sacrilegus violat: scelera his adiunge nefanda.

Hîc peccatur cogitatione, et delectatione interiore, quando non repelluntur turpes cogitationes.

Diligenter sunt à cogitationibus pravis poenitentes deterrendi, ex quibus tanquam exfonte verba et facta turpia oriuntur. Ad verborum turpitudinem pertinent litterae, internuncii, cantilenae obscenae.

Ad opera, aspectus inhonesti, nutus munuscula, ornatus corporis ad malum finem, oscula, tactus impudici, in quibus omnibus extra matrimonium est peccatum mortale.

Peccatum omissionis est, non armare sese contra tentationes carnis, non vitare occasiones.

Circa septimum praeceptum et decimum

Rem cupio alterius: damnum fero: fraude, rapina
Usurpo, aut teneo: non sum satiabilis; opto
Perfas, atque nefas ditari: usura; malique
Contractus: et lucra placent inhonesta: propinqui
Montior in damnum: male ludo: sumque profusus.

Prohibetur avaritia, et inordinata cupiditas habendi, vel retinendi tam temporalia quam ecclesiastica bona. Primum in cogitationibus et voluntate sola. Postremo in factis, ut sunt furta, simonia, fraudes in emendo, vendendo, rapinae, adulterinae monetae, iniqua pondera, mensurae, damnum proximorum, retentio rerum inventarum, lusus lucri causa tantum, fraus in lusu, infidelitas famulorum et operariorum, qui conducti non fideliter laborant: mendicatio eorum, qui non egent. Item usurae.

Omissione peccant tenaces, et qui thesaurizant, quae aliis communicare oportebat.

[Péchés mortels]

De Superbia

Non accepta Deo refero bona: vel mea certè
Ob merita accepisse reor: saepe arrogo quae in me
Non sunt: aut certè videor praecellere cunctis:
Ambitione tumens: verum impugnare paratus
Atque obstinatus proprium defendere sensum:
Nec solitas proprias ulla in re agnoscere culpas.
Iudico: contemno: derideo resque hominesque.
Scire volo et facere aggredior superantia vires.
Peccandi haud timeo, fretus virtute, pericla.

De Gula

Sollicitus paro lautitias, et tempus edendi
Praevenio: vetitis, crebro, cupideque, nimisque.
Delector: ventri demum omnem defero cultum.

EXAMENS DE CONSCIENCE (1582-1615)

De Acedia

Non bene ago: sed et acta dolent, me adversa repente
Dejiciunt: et dona Dei mihi tradita temno.
Virtutisque labor gravis est: magis otia pigrum
Delectant: refugit mens ardua: saepe vagatur:
Spirituale bonum taedet curare: remissus
Ad bona quae teneor: divina exhorreo iussa.

De aliis capitalibus, ut Ira, Invidia, Luxuria, Avaritia, dictum est in decem praeceptis.

Ad haec quae dicta sunt, possunt omnia peccata referri, ut non sit necesse de peccatis alienis, clamantibus in caelum: de peccatis in Spiritum sanctum speciatim confiteri, aut interrogare: nec de operibus misericordiae neque de articulis fidei, et caeteris quae dici solent.

Tamen pro statu et conditione ipsius confitentis prudens Confessarius accommodatè debet quaedam interrogare, quia quaedam sunt propria mercatorum, alia agricolarum, alia puerorum, alia adultorum, et sic de similibus.

Limoges 1596

[Henri de La Marthonie]
Formula examinis iuxta decem praecepta Decalogi

Le septième commandement est le plus détaillé; les troisième, sixième, neuvième, et surtout le dixième commandement sont les plus brefs.

P1388 **Limoges 1596 p. 22-27**

Contra primum praeceptum, *et primo contra Fidem.*
An de aliquo articulo fidei dubitaverit, an adhuc dubitet?
An haereticorum libros legerit, et quoties?
An conciones haereticas audiverit, et quoties?
An consuluerit eos, qui cum daemone negotium habent. Quoties?
An mediis usus fuerit inventis à daemone, ut superstitiosis chartis, scripturis, signis, etc. Quoties?
Secundo, contra Spem.
An de Dei misericorida desperaverit, vel nimis praesumpserit.
An nimis fisus sit sibi, ingenio, divitiis, meritis, nobilitati, etc.
Tertio, contra Charitatem.
An praetulerit amorem temporalis rei, amori Dei.
An raro de Deo cogitarit, veluti vix semel in die, septimana, aut mense.
An de bonis fortunae, vel animi, et corporis superbierit? …

Contra secundum praeceptum

An sciens iuraverit falsum, et quoties.

An iuramento confirmarit id, de quo dubitabat, quoties?

An novis iuramentis sit usus, velut per vulnera, sanguinem, passionem Christi, etc. aut similibus, quae non sunt usitata in Scripturis, aut Ecclesia.

An sine necessitate, aut reverentia iuraverit.

An Deum blasphemaverit, hoc est, an aliquid de Deo affirmaverit vel optaverit, quod ei non convenit, ut, Deus hoc ignorat, non gerit curam mei: utinam hoc ignoraret Deus?

An aliquid cum Deo comparaverit, veluti: hoc est tam verum, quam Deus, aut quam Deus est in coelo, vel in sacramento, etc.

An de Deo murmuraverit, eiusque facta reprehenderit.

An Deum tentaverit, veluti: expetiar [*sic* pour experiar?], an Deus hoc faciat, aut facere possit.

An res sacras prophanaverit.

An verba sacrae Scripturae ad facetias applicaverit.

An peccata sua Scriptura sacra excusaverit, vel facto aliquo Dei, aut alicuius Sancti.

An in conviviis temerè de rebus sacris disputaverit.

An aliquod votum Deo factum violaverit, et quoties?

An promissa, maxime iuramento confirmata, non servaverit, quoties?

Contra tertium praeceptum

An aliquod opus servile die sacro egerit, quoties?

An tali die lucrosa officia exercuerit: veluti, vendens, aut emens aliquid non necessarium ad victum, quoties?

An illis diebus tabernas frequentaverit.

An sacrum omiserit, aut non integrum audierit, aut in eo data opera attentus ad Deum orandum non fuerit, ut potè fabulans, aut prophana legens, etc. quoties?

An ad conciones vel templum accesserit alia ex causa, quam ad id agendum, ad quod templum est institutum: veluti, an iverit ad spectanda turpia, ambulandum, fabulandum, etc.

An peculiari ratione Deum coluerit diebus sacris.

Contra quartum praeceptum

An parentes odio prosecutus sit, iratus illis fuerit.

An verbo, vel cogitatione aliquid mali ei imprecatus fuerit: quale malum, et quoties?

An eis obmurmuraverit, vel asperius locutus fuerit.

An eos irritaverit, aut contristaverit.

EXAMENS DE CONSCIENCE (1582-1615)

An torvè eos aspexerit, aut irriserit. …
An pro eis oraverit.
An fratribus, sororibus, et aliis consanguineis amorem exhibuerit. …
An senes etiam pauperes riserit, aut contempserit, quoties?

Contra quintum praeceptum
An aliquem occiderit, non solum apertè, sed etiam occultè. Quoties?
An de prosperitate proximi per invidiam contristatus fuerit, vel de adversitate gavisus? Quoties?
An nimia crapula, vel ebrietate sibi morbum acquisiverit. Quoties?
An alium ad nimium potum coëgerit, aut induxerit. Quoties?
An pugnaverit, aut percutiendo aliquem laeserit. Quoties?
An alios ad pugnam excitaverit. Quoties?
An percusserit clericum, qui primam habebat tonsuram. Quoties?
An cum tali peccato, si sacerdos sit, celebraverit, et quoties, nam percutiens clericum est excommunicatus: et celebrans in excommunicatione, sit irregularis.
An fratres, aut consanguineos percusserit. Quoties?
An ad alicuius laesionem consilium dederit.
An alicui sit mala imprecatus, ut pestem, mortem, aut similia mala.
An litigans agnomina dederit, aut convitia iecerit.
An defectum corporis, aut paupertatem, aut simile exprobraverit.
An odium in corde, aut iram foverit, mortemque aut malum alicui optaverit.

Contra sextum praeceptum
An turpia, et obsoena [sic]locutus fuerit.
An turpes cantiones cecinerit, an turpia legerit.
An habeat obscoenos libros.
An inhonesta choreas duxerit, quoties?
De turpibus osculis, aliisque contractibus, quoties?
De turpibus aspectibus, et lusibus, quoties?
De occasionibus libidinis non devitatis, quoties?
De pollutionibus nocturnis, aut diurnis in somnis, aut vigilia, procuratis, aut non procuratis: et quoties?

Contra septimum praeceptum
An aliquid clam furto sustulerit, quantum, et quoties?
An vi aliquid ab alio abstulerit, quantum, et quoties?
An inventa retinuerit, aut alteri quam domino dederit? Quoties, et quantum?

498 CHAPITRE XII

An aliorum hortis, agris, domibus, aut aliis bonis damnum intulerit. Quantum, et quoties, si fuerit notabile?
An debita creditoribus, quando potuit, not solverit. Quoties?
An mercedem operariis detraxerit. Quoties, et quantam?
An eam sovere, cum potuit, distulerit.
An dona, quae accepit distribuenda aliis, iustè et fideliter distribuerit, quoties non?
An officium ad ministerium, ad quod conductus fuit, aut ad quos mercedem accepit, fideliter praestiterit.
An horas canonicas aliquando omiserit, si sacris est initiatus, aut si habet beneficium ecclesiasticum, et quoties?
An chorum frequentaverit, sacra celebraverit, et alia fecerit, ad quae ex officio tenebatur. Quoties non?
An ratione mutui aliquid acceperit (quod est usura) quantum, et quoties?
An pro beneficio ecclesiastico, quod habet, pecuniam dederit, aut aliquid aliud vel dederit, vel fecerit, quod pecunia aestimari poterat: quod est simonia.
An parentes eius, vel alius quispiam ipsius nomine aliquid simile pro suo beneficio dederint, aut fecerint.
Quam diu tale beneficium simoniacè acquisitum habuerit?
An pro beneficii resignatione pecuniam, aut quod pecunia aestimari poterat, acceperit? Quoties?
An alteri in contractu simoniaco cooperatus sit. Quoties?
An plura beneficia habeat, quam multa, et quam diu?
An in mercedibus fraudem fecerit, aut in alia ulla re. Quoties?
An paratus sit restituere omnia bona illicite servata, aut accepta: Qui enim restituere recusat, non potest in confessione absolvi, aut peccatorum remissionem accipere, iuxta illud B. Augustini: *Non dimittitur peccatum, nisi restituatur ablatum*[102].

Contra octavum praeceptum
An falsum testimonium contra aliquem dederit in iudicio. Quoties?
An superiori, aut praeceptori de proximi peccato roganti mentitus falso, vel excusando, vel accusando fuerit. Quoties?
An alicuius famam absentis laeserit. Quoties?
An aliquid mali de aliquo dixerit. Quale, et quoties? si fuerit notabile malum.

---

[102] Citation non identifiée chez s. Augustin, mais attribuée à cet auteur par Thomas d'Aquin, *Summae theologiae secunda secundae*, quaestio 62, art. 2.

An occultum proximi peccatum revelaverit alia intentione, quam iuvandi. Quale peccatum, et quoties?

An inter amicos seminaverit discordias.

An in malam partem facta alterius obscuraverit, diminuendo eius bona.

An laudes alterius obscuraverit, diminuendo eius bona.

An detrahentes libenter audierit: an, cum potuisset, non eos represserit.

An audita de aliis mala, aliis retulerit.

An temerè alios iudicaverit.

An adulando aliquem laudaverit.

An aliquod mendacium protulerit, non solum pernitiosum, quod alicui nocet: sed etiam iocosum, aut efficiosum, quod alicui prodesse poterat, et nemini nocere. Nam omne mendacium est peccatum, perniciosum autem est mortale peccatum, si damnum sit alicuis momenti, quod proximo infertur.

An proximum frigidè commendaverit, cum ad ipsius utilitatem commendatio fecisset.

Contra nonum praeceptum

An turpes cogitationes habuerit, an iis diu haeserit.

An eas accersiverit, eisque delectatus fuerit. Quoties?

An ad actum turpem consensum praebuerit, etiam si eum non perfecerit. Quoties?

An in solam delectationem consenserit. Quoties?

Contra decimum praeceptum

An proximi bona desideraverit.

An in furtum aliquod consensum dederit.

An ad furtum perficiendum occasiones quaesierit, aut cogitaverit. Quoties?

Paris 1601

[Henri de Gondi]

Praefatio pro Poenitentia

[Aide-mémoire de foi catholique utilisé comme examen de conscience]

1389 Paris 1601

f. 57-60 Si vero viderit (confessarius) ignarum poenitentem, ut modum confitendi nesciat, illum iuvabit … interrogando ita ut sequitur.

De Decem praeceptis
Non habebis Deos alienos coram me, neque facies tibi sculptile.
Non assumes nomen Domini tui in vanum.
Memento ut diem Sabathi sanctifices.
Honora patrem tuum, et matrem tuam, ut sis longaevus super terram.
Non occides.
Non moechaberis.
Non furtum facies.
Non loqueris contra proximum tuum falsum testimonum.
Non concupisces uxorem proximi tui.

De Praeceptis Ecclesiae
Festa colas presens sacro.
Ieiunia serves.
Confessio annualis.
Tempore Paschae sumes corpus Christi.

De tribus virtutibus Theolog.
Fides Deo assentiendo.
Spes in Deo confidendo.
Charitas, Deum summè amando.

De virtutibus Cardinalibus
Fortitudo in adversis.
Temperantia in prosperis.
Iustitia in praecavendis insidiis, et in electione rerum [fr]agibilium
Prudentia.

De septem donis Spiritus sancti
Timor Dei. Consilium. Sapientia. Fortitudo. Intellectus. Pietas.
Scientia.

De octo operibus corporalibus misericordiae
Esurientibus cibum dare.
Sitientibus potum dare.
Nudum vestire.
Aegrotos visitare.
Mortuos sepelire.
Captivos redimere.
Peregrinos hospitari.
Omnibus miseris subvenire.

De septem operibus spiritualibus misericordiae
Peccantes corrigere.
Ignorantes docere.
Dubitantibus recte consulere.
Pro salute proximi orare.
Moestos [*sic*] consolari.
Iniurias ferre.
Delinquenti ignoscere.

De septem peccatis mortalibus
Septem peccata continentur sub hoc nomine Saligia. S. denotat Superbiam. A denotat Avaritiam. L. denotat Luxuriam. I denotat Invidiam. G denotat Gulam. I denotat Iram. A denotat Accediam.

1. **Superbia** habet filias 12 quae sunt.
Ambitio. Praesumptio. Arrogantia. Pertinacia. Curiositas. Ingratitudo. Iudicium temerarium. Irrisio. Tentare Deum. Adulatio. Inobedientia. Hypocrisis.

2. **Avaritia** habet filias octo, quae sunt.
Simonia. Usura. Furtum. Rapina. Fraus. Periurium. Inquietudo mentis. Immisericordia.

3. **Luxuria** habet capita novem, quae sunt.
Fornicatio. Adulterium. Incestus. Stuprum. Raptus. Polutio. Peccatum contra naturam. Excessus in actu coniugali.

4. **Luxuria** habet filias quinque, quae sunt.
Caecitas mentis. Inconstantia. Praecipitatio. Amor sui. Amor huius seculi.

5. **Gula** habet filias quinque quae sunt.
Inepta laetitia. Scurrilitas. Immunditia. Multiloquium. Hebetudo sensuum.

6. **Invidia** habet filias quinque, quae sunt.
Odium. Susurratio. Detractio. Exultatio in adversitate proximi. Afflictio in prosperitate proximi.

7. **Ira** habet filias sex, quae sunt.
Rixa. Tumor mentis. Contumelia. Clamor. Indignatio. Blasphemia.

8. **Accedia** habet filias sex, quae sunt.
Pusillanimitas. Torpor circa praecepta.
Ad has duas filias referuntur **duodecim alia vitia**, quae sunt.
Taepiditas. Mollicies. Somnolentia. Dilatio. Tarditas. Negligentia. Imperseverantia. Remissio. Iniuria. Ignavia. Indevotio. Taedium.

Reliquae filiae accediae. Malitia. Desperatio. Vagatio mentis erga illicita. Otiositas.

Oppugnantia. Superbia contra Humilitatem. Avaritia contra Liberalitatem. Luxuria contra Continentiam. Invidia contra Charitatem. Gula contra Sobrietatem. Ira contra Patientiam. Accedia contra Diligentiam.

De novem peccatis alienis

Iussio. Consilium. Consensus. Laudatio seu Adulatio. Defensio. Participatio. Tacere. Non obstare seu impedire peccata. Non manifestare peccata.

De quatuor peccatis generalibus

Cordis. Oris. Operis. Omissionis.

Peccata contra Deum vindictam clamantia

Homicidium. Peccatum sodomiticum. Pauperum oppressio. Mercedis detentio.

De peccatis in Spiritum sanctum

Desperatio. Praesumptio de misericordia Dei. Obstinatio. Finalis impoenitentia. Invidentia fraternae gratiae. Impugnatio veritatis agnitae.

De circunstantiis peccatorum

Locus, sacer an prophanus.
Tempus, dies festus, dominicus an ferialis.
Persona, ecclesiastica, religiosa an saecularis.
Conditio, superior an subditus, an in dignitate.
Socii, cum patre, consanguineo, cum multis, an paucis.
Finis, qua intentione fecerit.

De quinque sensibus exterioribus qui sunt.

Visus. Auditus. Odoratus. Gustus. Tactus.

In his omnibus prudentem et cautum sacerdos se demonstrabit, habita ratione aetatis, sexus et conditionis personarum.

Exposition briefve des Commandemens de Dieu
f. 171-176 *Si vis ad vitam ingredi… Voir supra* Paris 1552, P1382.

EXAMENS DE CONSCIENCE (1582-1615)

Cambrai 1606
[Guillaume de Berghes]
Catalogus peccatorum graviorum, quibus inquinati, sacram communionem
(nisi prius rite confessi fuerint) recipere non debent...
[Péchés contre les commandements de Dieu et de l'Eglise
Péchés capitaux. Coopération aux péchés d'autrui]

Liste à lire le troisième dimanche de l'Avent, le premier dimanche de Carême, et le dimanche de la Passion. Les péchés contre les commandements de l'Eglise font ici leur première apparition.

1390 **Cambrai 1606**
p. 158-165 Chrestiens. Ce sainct temps des Advents (ou de Quaresme) nous incite à penser à noz consciences, et les purger de tous les pechez, qu'avons commis contre les commandements de Dieu, et de son Eglise... Premierement ne doibvent reçevoir le S. Sacrement de l'autel sans repentance, confession, et amendement :

[Péchés contre les Commandements de Dieu]
Contre le premier Commandement. Ceux qui estans en eage de discretion, ne veulent apprendre Le *Pater noster, Ave Maria,* les articles de la Foy, les Commandements de Dieu, et de l'Eglise.

Ceux qui ne croyent tout ce que l'Eglise catholicque, apostolicque, romaine, nous enseigne, et commande de croire, soit qu'il fust escrit, ou non.

Ceux aussi, qui doubtent opiniatrement de quelque poinct de la Foy.
Ceux qui ont, ou lisent livres contenants [*sic*] choses contre la Foy.
Ceux qui desesperent, ou presument de la misericorde de Dieu.

Les sorciers et sorcieres, ceulx qui par billetz pendus au col, par signes, paroles ou enchanterie, guerissent les bestes, les yeux, les dents, et semblables choses.

Aussi les lieurs d'esguillettes, pour empescher l'acte de mariage.
Ceux qui vont aux devins, font danser le tamis, et qui apprennent arts defendus.

Contre le 2. Ceux qui blasphement Dieu, ou les Saincts, ceux qui jurent par Dieu, par le sang, par la teste, par le ventre, par la mort de Dieu, etc.

Ceux aussi qui jurent faulsement, en mentant, par telle chose que ce soit.
Ceux qui font voeux, de faire choses defendues.

504 CHAPITRE XII

Ceux qui n'accomplissent, ou empeschent les aultres, d'accomplir les voeux et promesses, qu'ils ont deuement faict à Dieu, ou aux Saincts.

Contre le 3. Ceux qui par contemnement et mespris ont besoigné, et faict oeuvres manuels és jours de festes et dimenches; ou n'ont ouy la Messe entiere, ny la predication, et n'y ont envoyé leurs enfans, serviteurs et servantes, sans excuse legitime, et ceux qui allants dehors, ont laissé d'ouyr la Messe, et predication.

Ceulx qui employent les jours de festes et dimenches, à jeux, danses, bancquetz, et yvrongneries, etc.

Ceux qui en l'Eglise ont voluntairement empesché la devotion des aultres, par caqueter, parler sans necessité, laissé crier leurs enfans.

Contre le 4. Ceux qui avec mespris notable ont respondu, ou desobey aux peres, meres, maistres, maistresses, et autres superieurs, qui leur commendoient choses raisonnables.

Ceux qui leur ont desrobé choses notables.

Ceux qui n'ont secouru peres et meres en leurs necessitez notables, et qui les ont battus [sic], ou maltraicté, ou mesmes ne les ayment, comme ils doivent.

Les magistrats, et autres superieurs, qui par leur negligence ont esté cause de quelque mal advenu à la Republicque.

Les peres, et meres, maistres, maistresses, et superieurs, qui n'ont instruict, ou faict instruire en la foy, et en bonne vie leurs enfans et subjects; ou leur ont donné mauvais exemple, ou enseigné, et exhorté de mal faire, ou ne les ont reprins et chastié quand ils offensoient.

Ceux qui les ont desbauchez, par les traiter trop rigoureusement.

Ceux qui ne les ont nouris [sic], et entretenus comme il appartient, dont ils se sont mis à mal faire.

Ceux qui ne leur ont fait apprendre quelque industrie, ou mestier.

Les hommes qui ont traicté trop rigoureusement leurs femmes, ou au contraire leur ont donné trop grand licence de se trouver es lieux mal seants, ou les ont toleré en offensant.

Les femmes, qui n'ont eu soing de leur mesnage, leurs maris, et enfans; et par ce moyen ont estez cause de grands inconvenients.

Les serviteurs, et servantes, ou aultres ouvriers, qui n'ont pas fidellement, et comme leur propre, faict le service, et les besoingnes [sic] de leurs maistres, et maistresses, dont en est advenu interest notable.

Ceux qui sont negligents de faire baptizer, ou confirmer leurs enfans, en temps deu.

EXAMENS DE CONSCIENCE (1582-1615)

Peres, et meres, par la negligence desquels, les enfans sont suffoquez, ou noyez.

Les enfans, ou heritiers, qui n'accomplissent les testaments de pere et mere ; ou ne restituent, ce qui est à restituer.

Contre le 5. Ceux qui ont tué, ou blessé notablement quelqu'un, se povants aultrement guarantir de la mort, ou de blessure.

Ceux qui ont provocqué l'un l'aultre au combat de duel.

Ceux qui par batre [*sic*] trop rigoreusement les enfans, leur apportent une blessure, maladie, ou aultre interest notable.

Ceux qui empeschent la generation par herbes, beuvrages [*sic*], ou aultrement, ou font avorter quelque femme.

Les medecins, et chirurgiens, lesquels par faulte de science ou d'experience, ou par negligence, ou malice, ont causé la mort, ou aultre interest notable, aux malades.

Ceux qui par gourmandise, ou yvrongnerie, se sont apporté à eux mesmes, ou aux aultres, un notable interest de santé.

Ceux qui ont nouris [*sic*] haines, rancunes, querelles, et qui par haine, ou malice, ont desiré ou procuré, la mort, ou aultre mal notable, à leur prochain.

Ceux qui n'ont pas assisté celuy, qui estoit en extreme necessité.

Ceux qui par colere, querelles, etc. ont chargez leurs prochains d'injures, ou de maledictions.

Ceux qui ont mesprisé leur salut, et cestuy d'aultruy ; ou qui ont faict quelque chose, contre leur conscience.

Contre le 6. Ceux qui ont proferé parolles, chanté chansons, leu livres salz, et impudicques ; qui ont eu des pensées, attouchements, et baisers deshonnestes.

Ceux qui ont commis le peché de la chair, ou eux seuls, ou bien avec filles vierges, ou femmes libres, mariées, parentes à ceux, ou à celles, qu'ils ont cogneu, religieuses, ou vouées à Dieu, avec hommes ou bestes ; ou ont fait l'acte abominable, que font les sorciers et sorcieres avec leurs demons familiers.

Les filles, ou femmes, qui se sont coiffées et parées mondainement, à intention de tromper quelqu'un ; ou bien croyantes vraysemblablement, qu'elles induiroient quelques uns en tentation.

Gens mariez, qui sans cause, et avec interest de leur partie, se fraudent et privent l'un l'aultre de la debte de mariage, ou qui usent de leur mariage desordonnement, et aultrement qu'il n'appartient.

Les macquereaux et macquerelles. Et en general tous ceux qui donnent occasion suffisante, de commettre aulcuns des susdicts pechez.

Tout ce qui s'est dict des hommes, s'entend aussi des femmes: et au contraire.

Contre le 7. Ceux qui ont desrobé quelque chose d'importance, appertenante [*sic*] à leur prochain.

Ceux qui se remboursent d'eux mesmes, des debtes qu'on leur doibt, sans les conditions requises. [*Conditiones sunt istae: 1 Quod si vere debitum. 2 Quod non possit via Iuris commodè reperi. 3. Quod non plus retineatur quam debetur. 4 Quod retineatur, sine periculo infamiae propriae. 5 Quod caveatur indemnitati debitoris.*]

Ceux qui retiennent le salaire de leurs serviteurs, servantes, ouvriers, laboureurs, etc.

Ceux qui reçoivent des dons, de ceux qui ne peuvent donner; comme des enfans, des serviteurs, servantes, et semblables, qui sont soubs la puissance d'aultruy.

Ceux qui despendent [dépensent] largement, et ne font cas et diligence de payer leurs debtes.

Ceux qui n'ont payé la disme deue, ou ne l'ont payé, comme elle est deue.

Ceux qui ayant trouvé quelque chose perdue, ne la restituent, à qui elle appartient; ou aux pauvres, quand on ne sçait à qui elle appartient.

Ceux qui ayant reçeu quelque faulse piece d'or ou d'argent, l'employent plus avant scientement, encor qu'ilz fussent estez trompez.

Ceux qui font quelque tort à leur prochain, ou à ses biens.

Ceux qui açhatent [*sic*] les choses desrobées.

Ceux qui par fraudes ou aultrement, retiennent les biens ou lettraiges [titres] de l'Eglise.

Ceux qui ayants des terres, oultrepassent les bornes, et limites, usurpans sur les terres de leurs prochains.

Les marchants et aultres, qui en vendant, achetant, ou aultrement, trompent leurs prochains.

Les hosteliers, cabaretiers, et aultres vendeurs, qui ne livrent mesure et poix juste, ou vendent marchandises mauvaises et gastées.

Tous ceux qui baillent leur argent à gaignage usuraire, iceluy demourant en leur puissance.

Les juges qui par faveur, ignorance de leur office, ou aultrement, ont donné faulse sentence.

Les advocats, qui par ignorance, negligence, ou aultre leur faulte, sont cause que la partie, qui a droict, perd son procés.

Ceux qui meinent des procés, injustement intentez, s'ils le scavent.

Les advocats, procureurs, grieffiers [sic], notaires, et aultres, qui retiennent les papiers, instruments et productions des parties, dont ils perdent leurs procés.

Ceux aussi, qui retiennent testaments, et autres donations.

Les greffiers, notaires, hommes de fiefs, etc. qui forment, ou sont presents [sic] ou se font instruments faulx, contracts illicites, ou notoirement usuraires.

Ceux qui falsifient testaments, chirographes, obligations, ou à propos scientement, laissent à y coucher clauses necesaires.

Ceux qui apposent peines, amendes pecuniaires aux contracts de mariage, dont la liberté d'iceluy est empeschée.

Les receveurs et commis, qui font payer plus qu'on ne doibt.

Les maistres et maistresses d'escoles ou d'apprentifs [sic], qui n'enseignent leurs enfans, ou apprentifs, comme il convient.

Les bergiers negligens de garder et soigner leurs troupeaux.

Les magistrats, tuteurs, receveurs des orphelins, qui ne font le prouffit des pupils et mineurs.

Ceux que dessus, oultre le peché mortel, sont obligez à restitution.

Contre le 8. Ceux qui interrogez, selon l'ordre de droict, pour dire tesmoignage en jugement, ne le disent pas, ou le disent faulsement.

Ceux qui mentent, au prejudice de l'honneur ou bien d'aultruy.

Ceux qui imposent choses faulses à leurs prochains.

Ceux qui jugent temerairement des actions de leurs prochains.

Ceux qui les detractent, directement ou indirectement, revelants leurs pechez mortels secrets. Et s'ils en endurent quelque interest, les detracteurs sont tenus à la restitution, non seulement de l'honneur, mais aussi, du dommage et interest spirituel ou temporel.

Ceux qui prestent l'oreille pour escouter, et qui rapportent les detractions.

Ceux qui par se mocquer et railler d'aultruy, ont diminué et revallé [sic] son honneur ou renommée.

Ceux qui ont promis à leur Confesseur, de restituer et reparer l'honneur et renommée de ceux lesquelz ils ont detracté, et ne l'ont pas faict.

Contre le 9 et le 10. Ceux qui ont deliberement desiré, d'avoir à faire à quelque fille, femme, vierge, vefve, mariée, parente, religieuse, etc.

Ceux qui se sont representez l'oeuvre de la chair passé, ou à venir, prendant plaisir d'un plain consentement, en la memoire de telle chose.

Ceux qui par convoitise desmesurée, desirent d'avoir injustement les biens d'aultruy.

p. 165 Contre les Commandements de l'Eglise

Ceux qui n'ont pas jeusné les jours de Quatretemps, et vigiles, n'ayant excuse legitime, de maladie, de trop grand labeur, etc.

Ceux qui estants legitimement excusez, ont neantmoins publicquement mangé, et par ce donné scandal [sic] aux aultres.

Ceux lesquels jeusnants ont faict des collations excessives.

Ceux qui ne se sont confesséz tous les ans, au moins une fois.

Ceux qui estants, ou se mettans, en hazard de leur vie, ne se sont pas confesséz.

Ceux qui n'ont faict leur confession entiere, recelant aulcuns pechez volontairement, par honte, ou aultrement : et tels sont obligez à repeter leurs confessions.

Ceux qui se sont confessé sans repentance, ou avec haine, rancune, et intention de retourner à leurs pechez : comme sont souvent les yvrongnes [sic], paillards, usuriers, etc.

Ceux qui n'ont pas reçeu leur createur à Pasques.

Ceux qui l'ont reçeu avec inimitié et rancunes, ou en peché mortel.

p. 166-168 Sensuyvent le(s) Pechez Capitaux

Par Orgueil offensent, Ceux qui estiment que les biens exterieurs, de nature et de grace, viennent d'eux, et non de Dieu ; ou qui estiment bien les avoir de Dieu, mais par leurs merites.

Ceux qui estiment avoir, ce qu'ils n'ont point ; ou s'ils l'ont, le pensent avoir seuls.

Ceux qui veulent estre prisez, de ce qu'ils n'ont point ; ou de leurs pechez, ou des biens de ce monde ; ou bien, ayment plus la gloire du monde, que la grace de Dieu, et les bonnes oeuvres.

Ceux qui s'enorgueillent de leurs bonnes oeuvres, bon renom, noblesse, parentage, estat, richesses, honneurs, vestemens, science, bon esprit, degré [sic], santé, beauté, voix, force, amis.

Les presomptueux, arrogants, vanteurs, ambitieux, opiniastres, curieux des affaires d'aultruy, inobedients, ingrats, hypocrites, singuliers, ceux qui cheminent pompeusement, qui ont honte d'estre humbles et abjects, etc.

EXAMENS DE CONSCIENCE (1582-1615)

Par Avarice offensent, Ceux qui desirent trop ardemment conquerre les biens de ce monde; qui prennent trop grand plaisir aux richesses; les chiches et pres tenans; les reteneurs du bien d'aultruy, et qui sont trop soigneux, pour l'advenir.

Par Gloutonnie offensent, Ceux qui mangent devant le temps, trop souvent, avec exces, et voracité, viandes trop exquises, ou trop curieusement assaussées, trop grand nombre de metz, viandes defendues, ou nuysibles à la santé.

Par Envie offensent, Ceux qui se resjouissent des adversitez d'aultruy, et sont tristes de leur prosperité.

Ceux qui murmurent contre Dieu, ou contre leurs superieurs; ou machinent du mal à leur prochain.

Ceux qui demeurent chez eux, ne veuillants hanter avec aultres, craignants de leur aporter quelque proufit, ou bon conseil.

Par Couroux offensent, Ceux qui desirent la punition de celuy, qui ne l'a merité; ou s'il l'a merité, desirent qu'il soit puni plus qu'il ne l'a merité, ou pour en estre vengez, ou aultrement qu'il n'appartient.

Ceux qui par couroux cerchent [*sic*] des moyens de se venger, ou crient et injurent leur prochain; luy font mal, le haissent, et le jugent indigne de pardon, ou ne luy veullent pardonner.

Par Paresse offensent, Ceux qui par faulte de courage, ne veullent entreprendre choses, qui leur seront proufitables, et aux aultres, pource qu'il y a de la paine.

Ceux qui ne veullent accomplir les commandements de Dieu, ou le font lachement.

Ceux qui haissent lesdicts commandements de Dieu, et les detestent.

Ceux qui desesperent.

Ceux qui se couroucent contre ceux, qui leur conseillent le bien.

Les curieux de veoir et ouir choses mondaines.

Les impatiens éz adversitez; les oiseux, ou à demi endormis en leurs besoignes; ceux qui rejectent les bonnes oeuvres à aultre temps, les negligens.

Ceux qui ne perseverent, ou bien, qu'ils ont encommencé, et se laissent aller à bride avallée à leurs desirs.

Ceux qui ayment mieux rien avoir, que travailler.

Les maldevots. Ceux qui se lassent de vivre, ou se laissent vaincre des tribulations.

Ceux qui estants obligez de faire quelque chose, et la pouvants faire, ont laissé de faire.

p. 168 **Les manieres par lesquelles nous sommes coulpables du peché d'aultruy**

Quand nous commandons, conseillons, incitons, consentons, à aultruy, de faire quelque peché.

Quand nous advovons [*sic*] et approuvons le peché commis.

Quand nous reçevons le larcin, pour exemple, ou avons part au peché.

Quand nous n'advertissons pas cestuy, qui peult empescher le peché, ayant espoir qu'il seroit empesché.

Quand nous mesmes ne l'empeschons pas, le pouvants et devants empescher.

Quand nous excusons, ou recelons les pechez.

En ces cas, nous sommes aultant coupables, que ceux qui commettent les pechez.

Voilà, Chrestiens, les plus communs et grands pechez, esquels beaucoup de gens tombent au temps present. Ceux d'entre vous, qui s'en sentiront coulpables, rendront [*sic*] peine de les mettre en mémoire, et s'en souvenir: affin de les confesser avec une vraye repentance, et ferme propos et intention d'amendement; esperant en la misericorde de Dieu, qui se rendra favorable, et pitoyable, en vostre endroict, voyant le desir qu'aurez de vous en garder, apres les avoir vrayement confessez: et faict ce que le Prestre Confesseur vous aura ordonné et conseillé, Dieu vous en face la grace; et sa saincte benediction soit avec vous. Amen.

Omittetur autem in posterum generalis illa confessio hactenus usitata; ob multiplices abusus, qui ex ea emerserunt, et quibus occurri vix potest etiam à vigilantissimis Parochis.

Hunc Catalogum peccatorum prae oculis semper habeant Confessarii omnes, quo paenitentes ignaros, timidos vel obliviosos, iuvare et examinare faciliùs possint, eorumque saluti consulere. In quo, si negligentiores fuerint, certo sciant, se suae negligentiae, Deo poenas gravissimas daturos.

EXAMENS DE CONSCIENCE (1582-1615)

Évreux 1606, 1621, 1706
Coutances 1618. Lisieux 1608, 1661. Meaux 1617

[Évreux 1606 : Jacques Davy du Perron]
De examine faciendo a Sacerdote poenitentium confessiones excipiente
[Péchés contre les huit premiers commandements de Dieu.
Orgueil, gourmandise, envie[103]]

1391 Évreux 1606 f. 15v-17v
Circa primum praeceptum Decalogi. *Unicum Deum adorabis, ac summe diliges.*

1. An in his, quae ad fidem pertinent, ab Ecclesia dissenserit, oppositum cum pertinacia credendo? Is autem pertinax est, qui suum errorem defendit, sciens Ecclesiam contrarium tenere.

2. An fecerit aliquem exteriorem actum infidelitatis, vel haeresis : nempe verbo, signo, vel opere aliquo, haeresim profitendo, etiamsi non mente, licet ex timore fecisset : ut caeremonias haereticorum proprias exercendo, sub utraque specie communicando, vel carnes cum haereticis prohibito tempore comedendo?

3. An dubitaverit pertinaciter de aliqua fidei veritate : quales non sunt dubitationes quaedam, quae voluntatem in veritate firmam contristare solent?

4. Si non sensit de rebus divinis piè, ut de Sacramentis, aut divino cultu?

5. An nimiam cum haereticis familiaritatem habuerit : cum probabili periculo in haeresim incidendi?

6. An legerit, vel apud se retinuerit scienter libros prohibitos?

7. An incantationes, vel maleficia exercuerit, vel divinos consuluerit?

8. An artes magicas didicerit, vel earum libros apud se retinuerit?

9. An valde negligens fuerit, in addiscendis necessariis ad salutem : Ut sunt decem praecepta Decalogi, et praecepta Ecclesiae, ad quae erat obligatus, et Articuli fidei?

10. An de consequenda aeterna salute, vel de Dei misericorida, aliquando desperaverit?

11. An per amorem, ita adhaeserit alicui creaturae, ut paratus potius fuerit, divinam legem transgredi, quam ab ea divelli.

Circa secundum praeceptum. *Non assumes nomen Dei in vanum.*
… Circa praeceptum haec discutienda.

---

[103] Voir aussi *infra* chapitre XXVI : *Enseignement de la foi*, Évreux 1606, *Brevis catechismus ad parochos*, P2929.

1. An mendacium aliquod, etiam officiosum, iuramento firmaverit: aut id de quo dubitabat, an esset verum.

2. An nimis praecipitanter iuraverit, non discutiendo, verumne esset, aut falsum, quod iuravit.

3. Si non servavit iuramentum, quod servare tenebatur.

4. Si iuravit, se aliquod malum mortale patraturum.

5. An iuraverit se aliquid facturum, non intendens iuramentum implere?

6. An dixerit aliquam blasphemiam? Est autem blasphemia, dicere contra Deum vel sanctos, aliquid contumeliosè: ut, quando quis Deo, vel sanctis maledicit, vel asserit Deum esse iniustum, vel non curare humana, aut cum quis indignatus Christi, vel sanctorum membra contumeliosè nominat. Possunt autem haec solo corde commoti. Si vota Deo non reddidit, tempore debito?

Circa tertium. *Memento ut diem Sabbati (seu potius Dominicum, festosque dies) sanctifices.*

1. An festos dies violaverit, servilia in eis opera exercendo per multum temporis sine necessitate? Servilia autem opera vocantur, quae ad artes mechanicas pertinent.

2. Si non audivit Sacrum festis diebus: vel notabilem partem omisit, sine excusatione legitima?

3. An in festis, per magnam Missae partem, data opera fuerit mente distractus, vel confabulatus?

4. Huc pertinent, quae contra Ecclesiae fiunt praecepta, vel sacramenta, qualia sunt sequentia: Si non fuerit semel in anno confessus?

5. An omiserit Communionem, tempore Paschatis, postquam ad eam venit aetatem, in iudicio Confessarii, communicare iam posset?

6. An comederit carnes, in quadragesima, vigiliis, et aliis diebus interdictis, etiam si propter aetatem ieiunare non teneretur?

7. An post completum 21. annum, ieiunia Ecclesiae coenando violaverit, quamvis à carnibus abstinuerit?

8. Peccat etiam mortaliter, qui aliis prohibito tempore haec ipsa ministrat, vel cibo illos, quibus ieiunium solvant, nisi legitima esset causa.

9. An peccatum mortale, sciens in confessione subticuerit?

10. An confessus aliquando fuerit absque proposito mortalia omnia vitandi?

11. An receperit aliquod sacramentum, cum conscientia mortalis peccati? Si non dixit officium divinum, ad quod tenebatur: aut si in parte eius notabili, ex proposito distractus fuit?

EXAMENS DE CONSCIENCE (1582-1615)

12. An fecerit aliquid, cui sit annexa excommunicatio?

13. An iniecerit violentas manus in Clericum, etiam primae tonsurae?

Circa quartum. *Honora patrem tuum et matrem tuam.*

1. An parentibus maledixerit, contumeliam intulerit, eos contempserit, vel absentibus detraxerit, aut eis mortem, aliudque grave malum optaverit?

2. An illis debitum honorem, aut subsidium denegaverit?

3. An ex contemptu, vel in rebus maioris momenti, eis obedire noluerit?

4. Utrum senioribus insultaverit, illosque irriserit.

5. An aliquid fecerit ex praedictis, in praeceptores, superiores, vel in dignitate constitutos?

6. An aliquid istorum, mente desideraverit, etiam si opere non perfecerit.

Circa quintum. *Non Occides.*

1. An occidere aliquem attentaverit?

2. An quempiam vulneraverit, percusserit, vel ad id consilium, aut auxilium praestiterit?

3. An ex ira, vel odio desideraverit proximo suo, aliquod grave damnum animae et corporis, honoris, famae, rerum, etc.

4. An gavisus sit deliberatè, de calamitate aliena?

5. An graves discordias, inter aliquos seminaverit, alterum concitando?

6. Explicanda est etiam diuturnitas iracundiae vel odii, quando magnam in eo moram protraxit.

7. Notandum praeterea, circa hoc quintum praeceptum: quod restitutio fieri debeat, ad arbitrium boni viri, si quod damnum proximo allatum fuit.

8. Huc pertinet peccatum scandali, quo quis ad peccatum mortale provocat alterum, verbo, vel opere aliquo, quod natura sua praebet occasionem ruinae: et explicandum est ad quam speciem peccati induxerit.

Circa sextum. *Non Moechaberis.*

1. An in aliquam luxuriae speciem sit lapsus: quales sunt, Fornicatio, adulterium, stuprum, incestus, sacrilegium, mollities et vitium contra naturam: de quibus peccatis Apostolus in 1. Cor. 6. ita scribit: *Nolite errare, neque fornicarii, neque idolis servientes, neque adulteri, neque molles, neque masculorum concubitores, etc. Regnum Dei possidebunt:* et ad Ephes. 5. *Fornicatio autem, et omnis immunditia, aut*

514 CHAPITRE XII

avaritia, nec nominetur in vobis, sicut decet sanctos, aut turpitudo, aut stultiloquium, aut scurrilitas.

2. An cum persona aliqua, impudica oscula, tactus, vel amplexus habuerit: quae sane tunc sunt peccata mortalia, quando fiunt anima fruendi delectatione carnali, quae ex tali actu nascitur: ut vocatur ab Apostolo loco citato ad Ephe. immunditia.

3. An aliquid ex praedictis voluntate commiserit: etiamsi opere non sit exequutus, et species explicet.

4. An voluntariè delectatus sit in lacivis cogitationibus: etiamsi opere perpetrare noluerit. Est enim talis delectatio peccatum mortale, et vocatur delectatio morosa, et debet etiam explicari species.

5. An se exposuerit periculo consentiendi, vel committendi aliquod praedictorum?

6. An turpia verba, vel cantilenas protulerit, maximè praesentibus aliis?

7. An libros legerit lasciva continentes, cum probabili periculo peccandi.

Circa septimum. *Non Furtum facies.*

1. An aliquid furto abstulerit, quod non solum confitendum, sed etiam restituendum est.

2. An ex parentum bonis quidpiam acceperit contra voluntatem ipsorum; et est ipsis restitutio facienda, secus esset si de parentum voluntate constaret.

3. An in emptionibus, venditionibus, aut etiam ludis fraudem admiserit, cum notabili proximi detrimento? et debet damnum restitui.

4. An lucratus sit in ludis, etiam sine fraude, ab his qui pecunias exponere non poterant: vel si fuit causa, ut aliquis bona parentum dissiparet? et in his etiam duobus casibus, ad restitutionem tenetur.

5. An aliquid ex praedictis, deliberatè concupierit?

6. Utrum aliquam rem casu invenerit, nec tamen reddiderit? hîc etenim locum habet illud D. August. sermo. 19. de verbis Apostoli, *Quod invenisti, et non reddidisti, rapuisti. Debet autem restitutio fieri domino rei, si post diligentiam adhibitam invenitur: alioqui pauperibus.*

Circa octavam. *Non loqueris contra proximum tuum falsum testimonium.*

1. An alicuius famae detraxerit, grave aliquod crimen, vel ignominiosum quidpiam alicui falso imponendo? Et tenetur retractare coram eis, quibus praesentibus, famam alterius laesit.

EXAMENS DE CONSCIENCE (1582-1615)

2. An peccatum grave alicuius, verum quidem, sed occultum, aliis manifestaverit, mala intentione, vel cum gravi famae detrimento? quo etiam casu famam resarcire tenetur, non quidem asserendo se fuisse mentitum, sed laudando saepe coram eis virtutes ipsius.

3. An alteri corporis deformitates per iniuriam exprobraverit?

4. An aliquem contumeliis lacessiverit? et tenetur illum sibi reconciliare, et si infamia apud alios inde consecuta est, resarcire eam.

5. An verbis aut cachinnis, vel signo aliquo, alios irriserit turpiter? quod peccatum tanto est gravius, quanto maior debetur reverentia iis, qui ridentur, et ad idem tenetur ad quod in casu praecedenti.

6. An sibi, vel aliis maledixerit? Est autem maledicere, malum aliquod sibi vel aliis imprecari: nempe mortem, infamiam, diras, etc. ut si se, vel alterum tradat, vel commendet Diabolo. Est autem maledictio, mortale peccatum, quando serio et ex animo profertur.

7. An dicta vel facta alicuius, sine ullis, aut cum levibus coniecturis, in malam partem acceperit: certo ac definitivè apud se statuendo, illum peccasse mortaliter: est enim hoc temerarium iudicium, et peccatum mortale: si autem tantum fuit suspicio, ut cum quis de alterius bonitate, ex levibus indiciis dubitat, solum est peccatum veniale.

8. An detractoribus aures accommodaverit, ex odio illius, cuius famae detrahebatur, vel si detrahentes cum detrimento notabili proximi, non prohibuit: si tamen facilè prohibere potuit.

9. An perniciosa mendacia protulerit, in notabile detrimentum alterius.

10. Reliqua duo praecepta, *Non concupisces uxorem, aut rem proximi tui,* in sexto et septimo discussa sunt.

[Péchés mortels ou plutôt capitaux]

Non erit opus excurrere per septem illa peccata, quae vulgo mortalia, à doctoribus vero et melius capitalia nominantur. Nam quae in his mortalia sunt (aliqua enim frequentius sunt venialia) exposita sunt in praeceptis: tantum haec videantur, circa tria illorum, quae sequuntur.

Circa Superbiam

Circa superbiam, quae est inordinatus appetitus propriae excellentiae, an per affectum, ita immoderatè adhaeserit excellentiae propriae, ut propter eam paratus fuerit, transgredi praecepta divina? An superbierit, cum notabili proximi detrimento, aut contemptu?

516 CHAPITRE XII

Circa Gulam

1. An finem ultimum, in cibo et potu aliquando constituerit? quod tunc fit, quando homi sic cibo, vel potu afficitur, ut propter illum paratus sit transgredi praeceptum Dei.

2. An se aliquando inebriaverit, aut alios data opera ad ebrietatem induxesit?

Circa Invidiam

Utrum deliberato animo, doluerit de bono aliquo notabili proximi: scilicet, scientia, honore, fama, divitiis, sanctitate, etc. Invidere autem in rebus parvis, tantum est veniale.

[Confession d'autres péchés mortels. Confession des péchés véniels]

Cum variae sint hominum functiones, varia studia, examen suprapositum vix omnibus omnino sufficiet. Ideo si quis, dum in se discutiendo elaborat, conscientiam adhuc suam aliquo mortali peccato hîc non expresso, gravari sentit, ad illud etiam in confessione aperiendum se obligari scire debet. ... Notandum quoque hîc tantum posita esse peccata graviora, quae vel aperte mortalia sunt, vel de quibus an mortalia sint, dubitatur. Quod si Poenitens de venialibus post mortalia confiteri velit, vel etiam sine mortalibus sola venialia in confessione aperiat, utpote vel quia se à mortalibus per Dei gratiam pro virili immunem reddit, vel quia frequenter ad Poenitentiae Sacramentum accedit et sic non ita facilè in mortalia praeceps ruit, ea Confessarius benignè excipere debet, cum veniale peccatum sit materia sufficiens, licet non necessaria, Sacramenti Poenitentiae.

Rouen 1611/1612
Avranches 1613. Bayeux 1627. Sées 1634, 1695. Soissons 1622

[Rouen 1611/1612 : François de Joyeuse]

De Sacramento Poenitentiae

[Péchés contre les commandements de Dieu et de l'Église.
Péchés mortels[104]]

Les questions les plus développées concernent les premier et septième commandements ; les moins longues, les neuvième et dixième.

---

[104] Voir aussi *infra* chapitre XXVI : *Enseignement de la foi*, Rouen 1611/1612, *Exposition de la Doctrine chrestienne*, p. 277-353, P2874.

EXAMENS DE CONSCIENCE (1582-1615)

P1392 **Rouen 1611/1612 p. 64-67; Sées 1634 p. 28-33.** *Interrogationes.*

Circa primum mandatum

An crediderit in Deum, secundum fidem Ecclesiae Romanae.

An vero aliquem errorem huic fidei contrarium defenderit, aut approbaverit.

An haereticorum coetibus interfuerit, et communicaverit malignis operibus eorum, aut libros prohibitos legerit, vel apud se retinuerit. Si vero aliquos retineat, ad Ordinarium deferantur.

An divinos et sortilegos et magos sectatus fuerit, eorumque opera usus fuit, ad investigandum aliquid, aut ad maleficium peragendum, seu tollendum, morbosque sanandos.

An rebus sacris, et maxime verbo Dei, abusus sit ad illicita et profana.

An desperaverit in adversis, aut contra Deum murmuraverit, aut cultum eius neglexerit.

Circa secundum mandatum

An iuraverit frustra, et absque probabili necessitate, per Dei nomen, vel Sanctorum: et maxime per mortem, vel sanguinem, vel corpus Dei, quod multo gravioris est culpae, nec sine contemptu fieri solet.

An periurium admiserit, falsa iurando scienter, aut iuramenta licita non servando.

An blasphema verba protuerit contra Deum vel Sanctos.

Circa tertium mandatum

An dies festos violaverit, opera servilia exercendo.

An illis diebus ludo potius, aut comessationibus, aut choreis, quam divino cultui vacaverit.

Circa quartum mandatum

An Parentes laeserit verbis contumeliosis, atque despexerit, aut non subvenerit eorum necessitatibus.

An eis inobediens fuerit, in re alicuius momenti.

An Sacerdotes, qui sunt patres spirituales, offenderit per contemptum, vel per detractionem.

An Superioribus suis, tam Ecclesiasticis quam temporalibus, honorem debitum non reddiderit.

Circa quintum mandatum

An sit reus homicidii, vel occidendo, vel consentiendo morti alicuius, vel causam praebendo.

An mortem alicuius optaverit, aut procurare voluerit, aut percusserit, aut vulneraverit.

An abortus procurandi causam, vel consilium dederit.

An parcere nolit inimicis, nec reconciliari cum eis, odium retinens in corde suo.

Circa sextum mandatum

An peccatum aliquod luxuriae commiserit, aut fornicationem cum solutis, aut stuprum cum virgine, aut sacrilegium cum personis religiosis et Deo dicatis, aut incestum cum affinibus vel consanguineis, aut peccatum contra naturam in casibus non exprimendis, cuiusmodi sunt, mollicies, sodomia, bestialitas, extraordinaria pollutio.

Nec tamen particulariter de his interrogabit, sed cautè et in genere de luxuriae peccato: neque circa haec immorabitur, nisi quantum necesse est, ad exprimendam veram confessionem, habita ratione personarum et conditionis.

An voluntariè seipsum oblectaverit aspectibus vel cogitationibus impudicis.

Circa septum mandatum

An furatus sit vel rapuerit aliena, vel possideat iniustè, quae nisi restituere velit cum primum potuerit, non est absolvendus.

An deceperit et fraudaverit aliquem in venditionibus, aut aliis contractibus, aut etiam ludo, ad pecuniae lucrum.

An peccatum usurae commiserit, lucrum ex mutuo quaerens, absque damno emergente, vel lucro cessante.

An Simoniae labem contraxerit, pro ecclesiasticis beneficiis aliquid dando, vel accipiendo.

Et in his omnibus restitutio necessaria est, quia non dimittitur peccatum, nisi restituatur ablatum: Sic tamen fieri debet, ut consulatur famae poenitentis.

An Ecclesiae bona possederit iniustè, nec potuerit facere fructus suos, cum illa retineret.

Circa octavum mandatum

An falsum testimonium protulerit, in iudicio, vel extra iudicium.

An mandacia dixerit, quae alteri damnum afferent.

An alicuius famam notabiliter laeserit, etiam vera dicendo.

An detractores libenter audierit, vel consenserit eorum detractionibus.

Circa nonum mandatum

An voluntatem habuerit committendi aliquod peccatum luxuriae, iam enim maechatus est in corde suo.

Circa decimum mandatum

An voluntatem habuerit aliena rapiendi, vel possidendi iniustè.

p. 67 De praeceptis Ecclesiae

An dies festos aliquos non servaverit, aut illis diebus non audierit Missam integre, et cum attentione.

An Quadragesimae diebus, aut vigiliarum, aut quatuor temporum non ieiunaverit, cum ieiunare possit.

An feria sexta vel sabbato carnes comederit, aut in diebus Ieiunii.

An saltem in Paschate, sacram communionem acceperit.

An peccata sua integre, saltem semel in anno confessus sit.

p. 67-69 De septem generibus peccatorum

Si alterum ordinem interrogandi tenere voluerit Sacerdos de septem peccatis, scire debet ea non semper esse mortalia, sed plerumque venialia. Tunc enim censentur esse mortalia, si fiant ex deliberatione animi, contra Dei, vel Ecclesiae mandata, vel contra charitatem erga Deum, et proximum, in re notabili. Sunt autem venialia propter materiae levitatem, aut propter imperfectionem actus, ut si quis furetur obolum, vel ira commotus, eum, à quo iniuriis afficitur, subito percusserit.

De Superbia. Igitur Superbia est peccatum mortale si quis Dei mandata contempserit, vel Parentum, vel Superiorum, propter inobedientiam.

Si quis de suis operibus, gloriam et honorem sibi tantum arrogaverit, aut de suis meritis praesumpserit.

Si aliquos irriserit et despexerit insolentius.

Si per ambitionem aliis praeesse voluerit.

Si nimium ingratus fuerit erga benefactores.

De Avaritia. Avaritiae peccatum est mortale, si quis aliena concupierit, et malis artibus possidere tentaverit, aut usurpaverit.

Si divitias nimis ardenter expetiverit, tanquam in eis ultimum finem constituendo, vel praeferendo eas animae saluti.

Si eleemosynas facere noluerit, vel certè pauperibus extrema necessitate laborantibus non subvenerit.

De Luxuria. Luxuriae peccatum est mortale semper in illis actibus quos supra commemoravimus, sed in quibusdam est multo gravius quam in aliis.

Nam adulterium est gravius fornicatione, sacrilegium est gravius adulterio, incestus est gravior sacrilegio, peccatum contra naturam gravissimum est omnium : nisi propter aliquas circonstantias, ea quae sunt graviora suo genere, leviora reddantur.

Mortale est etiam luxuriae peccatum in tactibus impudicis, et lascivis aspectibus, qui referuntur ad libidinem provocandam.

In verbis autem lascivis et cogitationibus impudicis aliquando mortale est, aliquando veniale.

De Ira. Irae peccatum est mortale, si quis temere et sine causa irascitur fratri suo, ut Math. 5 [5, 22] Dominus ostendit.

Si quis etiam iusta de causa irascens, appetitum vindictae retineat potius quam zelum iustitiae.

Si contumeliosa verba protulerit.

Si nimium et diutius iracundiae frena laxaverit.

De Gula. Gulae peccatum est mortale, si quis ebrietatis et comessationibus deditus fuerit, ut docet Apostolus.

Si quis Ecclesiae mandata neglexerit, ut gulae serviat, nec ieiunaverit.

Si quis adeo in curam ventris incumbat, ut finem ultimum in eo constituisse videatur.

Si quis potu et cibo repleat se, cum detrimento propriae valetudinis, in eo nimis excedens modum.

De Invidia. Invidiae peccatum est mortale, si quis oderit fraternam charitatem, et discordias inter alios seminaverit.

Si gavisus fuerit de malo alterius, quatenus est malum ipsius, et non quatenus est bonum alterius.

Si doluerit de bono alterius, quatenus est bonum ipsius, et non quatenus est impedimentum boni alterius.

De Acedia vel Negligentia. Negligentiae peccatum est mortale, si quis Dei et superiorum mandata servare neglexerit.

Si tempus omne, quo debet operari, nimis otiosè traduxerit.

Si ea quae facere tenetur, secundum statum et conditionem suam, omiserit propter desidiam.

Si invitus et coactè fecerit opus suum, et non ex animo.

EXAMENS DE CONSCIENCE (1582-1615)

Regula[105].
Caveat autem Sacerdos, ne singula ista quaerat ex omnibus: Imo brevitati studeat, et de illis tantum interroget, quae ad uniucuiusque conscientiam explorandam necessaria videbuntur. …
Quod attinet ad gravitatem peccatorum. Sciendum est omne mortale peccatum esse grave, quia tollit gratiam, et animae mortem affert, ac reos facit damnationis aeternae. Sed omne veniale peccatum est leve, in comparatione mortalis, quod infinitis partibus gravius est. Peccatorum vero mortalium gravitas attenditur. I. Aut ex genere suo, ut homicidium est adulterio gravius. II. Aut ex voluntate peccantis, ut gravius est ex certa malitia peccare, quam ex infirmitate, vel ignorantia. III. Aut ex qualitate peccantis, nam peccata Sacerdotum, et Religiosorum graviora sunt peccatis Laïcorum et secularium. IV. Aut ex circunstantia loci, vel temporis, ut in diebus festis et in locis sacris peccata graviora censentur. V. Aut ratione damni quod afferunt, ut si quis percusserit mulierem gravidam. VI. Aut ratione personarum quae laeduntur, ut multo gravius est patri, quam extraneo colaphum impingere.

Rouen 1611/1612
Avranches 1613. Le Mans, 1647, 1662, 1680[106]
Sées 1634, 1695. Soissons 1622

[Rouen 1611/1612 : François de Joyeuse]
Exposition de la Doctrine chrestienne[107]

P1393 **Rouen 1612** p. 324-329 ; **Sées 1634** p. 302-307, et 320-321. *De la Confession. Des sept pechez mortels.*

Rouen 1612 p. 325 … Lors il (le pecheur) declarera tous ses pechez, avec un certain ordre, ou selon le temps qu'ils ont esté fais, ou selon qu'il a transgressé les commandemens de Dieu, et de l'Eglise… ou bien il pourra tenir l'ordre des sept pechez, qui s'appellent mortels, encor qu'ils ne soient pas tousjours mortels, car bien souvent ils ne sont que veniels, pour la legereté de la matiere, c'est à sçavoir Orgueil, Avarice, Luxure, Courroux, Envie, Gourmandise, et Paresse.

Ces pechez sont mortels, quand on les fait de certaine malice, et de propos deliberé en chose d'importance contre la loy de Dieu, ou contre l'ordonnance de l'Eglise, ou quand on a seulement une volonté bien resoluë de les faire.

---

[105] § absent de Sées.
[106] Seul figure dans les rituels du Mans le début du formulaire (p. 325-330 de Rouen).
[107] Enseignement à lire par parties à la suite du prône dominical.

Mais ils sont veniels, quand la matiere est fort legere, ou quand on les fait par une soudaine tentation, sans avoir eu loisir d'y bien penser…

p. 327-329 Sur le peché d'**Orgueil**. Premierement … on se doit accuser d'avoir mesprisé Dieu, et de n'avoir pas eu crainte de l'offencer, et de ne s'estre pas humilié devant luy. D'avoir plus cherché l'honneur du monde, et la vaine gloire en ses actions, que la gloire de Dieu.

Aussi d'avoir esté desobeïssant à ses Pere et Mere, à son Maistre, et à ses Superieurs en choses d'importance, ou avec un mespris de leurs commandemens.

D'avoir mesprisé les autres en se mocquant d'eux, ou bien en leur faisant quelques indignitez, et principalement les Ecclesiastiques, ausquels on doit porter honneur et reverence.

D'avoir ambitieusement recherché la preseance qui n'estoit pas deuë, ou les honneurs qu'on ne meritoit pas.

D'avoir usé d'ingratitude envers ses bien-faicteurs.

D'avoir fait quelques bonnes oeuvres par hypocrisie.

Sur le peché d'**Avarice**. On se doit accuser d'avoir pris et retenu le bien d'autruy injustement, et doit-on avoir intention de le restituer, si on a le moyen de ce faire et la puissance. Mais si on ne cognoist point ceux ausquels on est tenu de restituer, il faut donner la valeur aux pauvres.

On se doit accuser d'avoir trop aimé les biens temporels, et d'y avoir mis toute son affection, toute son esperance, comme au souverain bien.

D'avoir presté de l'argent ou de la marchandise à usure.

D'avoir commis un peché de Simonie, en prenant ou donnant quelque recompense temporelle pour un benefice.

D'avoir usé de quelque tromperie ou fraude en toute sorte de convention.

D'avoir retenu les choses trouvées, sans les restituer, ou les donner aux pauvres, si on ignore celuy qui les auroit perdus.

De n'avoir pas fidelement payé ses dismes, et autres choses deuës à l'Eglise.

De n'avoir pas donné l'aumosne selon ses moyens, ni secouru les pauvres en leur grande necessité.

Sur le peché de **Luxure**. On se doit accuser d'avoir commis le peché de Luxure, avec telle et telle sorte de personne, sans toutesfois les nommer ou designer.

EXAMENS DE CONSCIENCE (1582-1615)

D'avoir fait quelque attouchement deshonneste, et provoquant à luxure.

D'avoir jetté des regards lascifs par un mauvais desir, de commettre le peché de Luxure avec telle personne.

D'avoir pris son plaisir volontairement à penser aux choses lascives, impudiques, et deshonnestes.

Sur le peché de **Courroux**. On se doit accuser d'avoir desiré la vengeance contre ses ennemis.

D'avoir hay quelque personne, et de l'avoir outragé de fait ou de parolles.

D'avoir usé d'imprecations et maledictions, et donné les personnes au diable.

De s'estre mis en cholere trop excessivement, et sans bon sujet.

De ne se vouloir point reconcilier avec ses ennemis, et de garder quelque rancune ou mal-veillance contre son prochain.

Sur le peché de **Gloutonnie**. On se doit accuser d'avoir fait excez de boire et de manger, qui soit notable, et qui soit cause d'une indisposition de l'esprit et du corps.

D'avoir esté subjet à l'yvrongnerie, et hanté les tavernes, pour boire sans necessité.

D'avoir trop aimé les banquets, les viandes delicates, et d'avoir mis son principal estude à manger et boire.

De n'avoir pas gardé les jeusnes commandez en l'Eglise.

Sur le peché d'**Envie**. On se doit accuser d'avoir esté marry du bien et de la prosperité d'un autre, sans occasion, ains seulement par une malveillance.

D'avoir procuré du mal à quelqu'un, avec intention de luy nuire et l'incommoder.

Sur le peché de **Paresse**. On se doit accuser d'avoir negligé les commandemens des Superieurs.

D'avoir passé le temps oisivement, sans faire les oeuvres que chacun est tenu de faire en son estat.

D'avoir obmis et negligé le divin service.

De n'avoir point esté soigneux d'exercer les oeuvres de misericorde spirituelles et corporelles. Comme enseigner et bien instruire ceux desquels on a la charge, visiter les malades et les prisonniers, et secourir les pauvres en leur necessité.

524 CHAPITRE XII

(p. 330) … Nul ne doit esperer l'**Absolution**, s'il n'a ferme propos de renoncer à tout peché mortel, et de s'en abstenir, et delaisser toutes les occasions du peché, que son Confesseur et Pere spirituel ordonne devoir estre delaissées, et principalement s'il ne veut restituer le bien d'autruy qu'il a pris et retient injustement, ou s'il ne veut se reconcilier avec ses ennemis.

De la Satisfaction. Pour la Satisfaction… on doit accomplir la Penitence qui est enjointe … si elle semble trop difficile et rigoureuse, on doit prier son Confesseur de la moderer…

Au surplus vous estes admonnestez, que c'est chose merveilleusement utile et salutaire … de faire une **Confession generale**, au moins une fois en sa vie à un prestre sçavant et bien discret… Pour mettre sa conscience en repos…

p. 343-344 **Des vertus et des vices**
p. 344-345 **Les pechez contre le saint Esprit**
p. 345-346 **Les quatre pechez crians au ciel…**[108]

Paris 1615

[Henri de Gondi]

De Sacramento Poenitentiae

Formulaire de Paris 1601 f. 57-60 en partie modifié:

P1394 **Paris 1615** f. 64-67

De decem Praeceptis Dei

1. Ego sum Dominus Deus tuus. Non habebis Deos alienos coram me. Non facies tibi sculptile, neque omnem similitudinem quae est in caelo desuper, et quae in terra deorsum, nec eorum quae sunt in aquis sub terra. Non adorabis ea, neque coles.

2. [comme Paris 1601]

3. Memento ut diem sabathi sanctifices: quam lex gratiae in Dominicam mutavit.

4, 5, 6, 7, 8, 9 [comme Paris 1601]

10. Non desiderabis domum proximi tui, non agrum, nec universa quae illius sunt.

De Praeceptis Ecclesiae

[Addition de] 5. Decimas solves bona fide.

---

[108] *Voir infra* chapitre XXVI: *Enseignement de la foi*, Rouen 1611/1612, P2874.

EXAMENS DE CONSCIENCE (1616-1646)

De virtutibus Cardinalibus
[Liste simplifiée :] Fortitudo. Temperantia. Iustitia. Prudentia.

De septem operibus corporalibus misericordiae
[Suppression de] Omnibus miseris subvenire.

Peccata ad Deum vindictam clamantia
[Titre légèrement modifié : *ad Deum* remplaçant *contra Deum*].

Paris 1615

Exposition briefve des Commandemens de Dieu

f. 209v-214v *Si vis ad vitam ingredi...*
Voir supra Paris 1552, *Exposition doctrinale des commandemens de Dieu*,
P1382.

Toulouse 1616[109], 1621[110], 1628[111], 1653

[Toulouse 1616 : Louis de Nogaret de La Valette]
Sommaire de la Doctrine chrestienne[112]
Des choses requises pour faire une bonne Confession

P1395 Toulouse 1621 p. 47. Pour bien examiner sa conscience, avant que de se présenter à la confession ; il faut penser depuis quel temps on ne s'est pas confessé ; apres si on a rien oublié en sa derniere confession, quels pechez on a fait depuis **contre les Commandemens, ou sur les sept pechez mortels, et sur les cinq sens de nature**... il faut aussi penser quels affaires [*sic*] on a traicté, avec quelle compagnie on a esté, en quel lieu on a demeuré, et ainsi à ce qui s'est passé depuis le jour de la derniere confession. ...

p. 49 Les sept pechez capitaux sont, Superbe, Avarice, Luxure, Colere, Gourmandise, Envie, et Paresse. ... Ils sont pechez mortels quand on les commet volontairement, et en chose d'importance...

---

[109] L'édition du *Sommaire de la Doctrine chrestienne* de 1616, dont il ne subsiste pas d'exemplaire, est connue grâce à l'approbation et au permis d'imprimer datés 1616 de l'édition 1621.

[110] *Sommaire de la Doctrine chrestienne* 1621, relié à la suite du rituel de Toulouse 1616.

[111] *Sommaire de la Doctrine chrestienne* 1628, relié à la suite du rituel de Toulouse 1632.

[112] *Sommaire de la Doctrine chrestienne* : premier catéchisme connu pour le diocèse de Toulouse, formant supplément aux rituels toulousains imprimés de 1616, 1632, 1653. Le seul exemplaire connu de l'édition du rituel de Toulouse 1641 ne comporte pas le *Sommaire de la Doctrine chrestienne*.

CHAPITRE XII

Cambrai 1622, 1659

[Cambrai 1622: François-Henri Van der Burch]
Catalogus peccatorum graviorum. Dominica tertia Adventus, et prima Quadragesimae, ac etiam Dominica Passionis per Parochos, vel eorum Vicarios Capellanos, è suggestu singulis annis legendus.
[Péchés contre les commandements de Dieu et de l'Eglise
Coopération aux péchés d'autrui]

P1396 **Cambrai 1622** p. 233-240
[Le catalogue des péchés **contre les commandements de Dieu** est légèrement abrégé par rapport à Cambrai 1606[113]. Sont supprimés:]

Contre le troisième commandement: ceux qui en l'Eglise ont volontairement empesché la devotion des aultres...

Contre le 4: Ceux qui (peres, meres, maistres, maistresses) ne leur ont fait apprendre [à leurs enfants ou sujets] quelque industrie, ou mestier. Les femmes, qui n'ont eu soing de leurs maris, et enfans; et par ce moyen ont estez cause de grands inconvenients.

Contre le 5: Ceux qui ont mesprisé leur salut, et cestuy d'aultruy...

Contre le 6: Ceux qui ont commis le peché de la chair... avec hommes ou bestes; ou ont fait l'acte abominable, que font les sorciers et sorcieres avec leurs demons familiers. Les filles, ou femmes, qui se sont coiffées et parées mondainement, à intention de tromper quelqu'un... Gens mariez, qui sans cause, et avec interest de leur partie, se fraudent et privent l'un l'aultre de la debte de mariage... Les macquereaux et macquerelles...

Contre le 7: Ceux qui apposent peines, amendes pecuniaires aux contracts de mariage, dont la liberté d'iceluy est empeschée.

[Sont ajoutés à la liste de ceux qui ne doivent pas recevoir l'eucharistie sans confession: (Péchés contre le premier commandement):] ceux qui portent les hauts-noms[114].

p. 239 **Contre les commandements de l'Eglise**
[Liste différente de Cambrai 1606]
Ceux qui ne jeusnent pas le Quaresme, les Quatre temps, et vigiles ou mangent de la chair, des oeufs en temps deffendu, n'ayant excuse legitime.
Ceux qui mangent publiquement avec scandal [*sic*], encor qu'ils soient legitimement excusez de jeusner ou s'abstenir des viandes alors deffenduës.

---

[113] Quelques autres remaniements dans le catalogue des péchés contre les Commandements de Dieu de Cambrai 1659.
[114] Ceux qui portent les hauts-noms: signification non trouvée.

EXAMENS DE CONSCIENCE (1616-1646)   527

Ceux lesquels jeusnans font des collations excessives.
Ceux qui ne se confessent tous les ans, au moins une fois.
Ceux qui sont, ou se mettent en hazard de leur vie, sans se confesser.
Ceux qui ne font leur confession entiere, recelant volontairement ou par faute d'examen necessaire de leur conscience, aucuns pechez mortels par honte, ou autrement: et tels sont obligez à repeter leurs confessions.
Ceux qui se confessent sans repentance, sans intention de ne retourner à leurs pechez, ou eviter les ocasions [sic] qui ordinairement y font retomber: comme sont souvent les paillards, usuriers, etc.
Ceux qui ne reçoivent leur Createur à Pasques.
Ceux qui le reçoivent avec inimitié et rancunes, ou en péché mortel.

[Le catalogue des péchés capitaux (p. 166-168 de 1606) est supprimé.]

p. 240 **Les manieres par lesquelles nous sommes coupables du peché d'autruy**
[Liste différente de Cambrai 1606]
Qui commande de faire un peché, comme de battre, tuer, desrober, etc.
Qui donne conseil à quelqu'un de mal faire.
Qui consent au peché d'autruy.
Qui flate et applaudit ou louë celuy qui fait mal, au lieu de le reprendre.
Qui reçoit, favorit [sic], recele et prend en sa protection les malfaicteurs, larrons, voleurs, homicides, etc.
Qui participe au peché, au larcin, ou assiste à le faire.
Qui recele et dissimule le peché quand il le peut et doit dire.
Qui n'empesche le mal quand il le peut et doit empescher.
Qui ne declaire pas l'offense, ne manifeste pas la chose desrobée, ne dit la verité en jugement ou autrement, quand il y est tenu.

Arras 1623, 1644
[Arras 1623: Hermann Ortemberg]
[Péchés contre les commandements de Dieu et de l'Église. Péchés capitaux Coopération aux péchés d'autrui. Péchés véniels pouvant devenir mortels]

P1397   **Arras 1623** Pars secunda, p. 301-319. *Sequitur Catalogus peccatorum*
Arras 1644 p. 306-322. *Index peccatorum ad informandam fidelium conscientiam concinnatus*

[Catalogue de péchés à lire chaque année par parties au prône, durant le Carême.

528 CHAPITRE XII

Le commandement le plus développé est le quatrième [péchés des enfants contre leurs parents, des parents contre leurs enfants, péchés contre les supérieurs, péchés des maîtres et maîtresses contre les serviteurs et servantes, et vice-versa]; viennent ensuite les premier, troisième et septième commandements.]

Arras 1623

p. 302 Chrestiens, comme ce sainct temps nous invite à faire penitence, et purger nos consciences par le sacrement de confession, et que d'ailleurs vous avez assés entendu, que pour la confession estre vaillable, elle doit estre entiere… nous ferons maintenant par l'ordonnance de nostre Reverendissime Evesque d'Arras, un bref recit des pechez, qui se commettent ordinairement contre les saincts commandemens de Dieu et de l'Eglise. Soyez donc attentifs.

Tunc accepto de manu ministri libro, legit ut sequitur, nonnulla si videbitur addendo vel demendo, aut etiam uberius, explanando, prout ad populum captum et ad praesentem necessitatem, visum fuerit expedire.

[Péchés contre les commandements de Dieu]
Peccata contra primum praeceptum

Le premier Commandement est, *Adore un seul Dieu.*

Contre lequel offensent ceux qui ne veulent croire, ou doutent volontairement de quelque article de la Foy, selon qu'icelle nous est proposée et enseignée, par la saincte Eglise, Romaine Catholique, et Apostolique.

Comme aussi ceux qui disputent trop curieusement des choses de la Foy, ou escoutent volontiers des discours malsentans contre icelle. Ou qui par curiosité vont à la presche des Heretiques, ou sont presens aux Sacremens et ceremonies d'iceux. Qui ont ou lisent des livres heretiques, et autres defendus. Voire ceux, qui sans congé de l'Evesque, lisent le vieil ou nouveau Testament en langue vulgaire : non qu'ils ne soient tres-bons livres, comme estant la saincte Escriture, mais pour ce qu'ils se rencontrent bien souvent falsifiez par les heretiques; et que d'ailleurs plusieurs pour n'estre capables de les entendre, se peuvent fourvoyer en la lecture d'iceux, principalement si elle est faicte par curiosité, et sans humilité requise.

Offensent encore ceux, qui pour quelque maladie ou autre adversité vont aux devins; qui demandent la bonne adventure; qui usent de certaines parolles, ou billets superstitieux ou d'autres ceremonies inutiles, pour guerir les fiebvres et autres maladies, d'hommes ou de bestes; qui portent les hauts-noms[115]; qui font tourner le tamis pour

---

[115] « qui portent les hauts-noms » : signification inconnue.

sçavoir quelque secret; qui par ligature d'esguillettes ou autre malefice empeschent le mariage. Et faut noter, que semblables gens usans de superstitions et arts diaboliques, outre le peché qu'ils commettent, sont et demeurent excommuniez, jusques à ce que legitimement ils se fassent absoudre.

Offensent aussi ceux, qui desesperent de la grace et misericorde de Dieu, se persuadans que Dieu ne les veut pas ayder; ou qui par presomption contraire, estiment entrer en Paradis sans vouloir faire les oeuvres à ce requises; ou bien qui tellement s'affectionnent à ceste vie et aux biens presens, qu'ils ne voudroient autre Paradis.

Ceux aussi, qui par negligence, comme pour rendre assés diligens d'assister au Catechisme et aux Predications, ignorent les choses necessaires à salut.

Semblablement offensent ceux, qui ne se soucient de prier, recognoistre, et remercier Dieu leur createur és temps necessaires, comme es jours de Dimanches et Festes, et journellement au matin et au soir, ou autres occasions requises.

Specialement contre ce commandement offensent les sorciers et sorcieres: puisque quittans le vray Dieu, et renonçans à J. C., ils adherent au diable, pour luy rendre l'honneur, qu'appartient à Dieu seul, et pour s'adonner à toutes sortes de meschancetez et abominations.

Contra 2. Praeceptum.

Le deuxiesme Commandement est: *Ne prens point le nom de ton Dieu en vain.*

Contre lequel offensent ceux, qui disent des blasphemes contre Dieu ou les Saincts, ou parlent irreveremment d'iceux, et des choses sacrées; soit par mespris, par cholere, ou passetemps. Comme aussi ceux qui legierement et à tout propos prononcent le sainct nom de Jesus, sans reverence et devotion.

Ceux encore qui appliquent les parolles de la saincte Escriture aux gosseries [sic] et passetemps, ou qui plus est, à la mesdisance.

Ceux qui jurent contre la verité, ou sans necessité, encore que vray; soit pour s'excuser, soit pour mieux vendre leur marchandise, ou autrement.

Ceux qui font voeu ou jurent de faire choses illicites. Et tels voeux ou juremens ne doivent estre accomplis.

Finalement ceux qui n'accomplissent les voeux legitimement faicts à Dieu, ou qui empeschent les autres de ce faire.

Contra 3. Praeceptum.

Le troisiesme Commandement est, de *sanctifier les Dimenches et jours de Festes.*

Contre lequel offensent ceux, qui à tels jours negligent d'ouyr la Messe entiere ; ou ne le font pas avec la reverence et devotion requise ; ains plustost regardans ça et là, devisans, et par leur irreverence empeschans la devotion des autres. Et semblablement ceux, qui negligent d'assister à la predication, pour entendre la parolle de Dieu.

Ceux aussi, qui à tels jours travaillent ou font travailler es oeuvres manuelles ; ou exercent marchandise vendant ou achetant, sauf és cas permis et tolerés. Ou qui par avarice et sans necessité different leurs voyages jusques aux jours de festes, laissans en arriere le sainct service divin.

Offensent pareillement ceux, qui s'occupent la pluspart des jours dediés au service de Dieu, en yvrogneries, jeux, danses, banquets, et autres choses vaines et dissoluës.

Ceux encore, qui mesprisent les choses sainctes, ou qui se moquent de la devotion des autres, ou bien les retirent du service de Dieu.

Finalement ceux, qui abusent des Sacremens, les recevans en estat de peché mortel, ou sans la devotion requise. Nommément quant au Sacrement de Confession, ceux qui s'y presentent sans avoir premierement examiné leur conscience, ou sans regret d'avoir offensé Dieu, ou sans un ferme propos de s'amender : qui recelent à escient quelque peché mortel, ou quelque circonstance necessaire. Qui negligent d'accomplir la penitence, ou de faire la restitution enjoincte par le Confesseur : qui cherchent à dessein des Confesseurs ignorans, ou tels, qui laissent couler legerement les pechez sans les examiner ny reprendre, comme il est requis pour le salut et amendement du penitent. Comme aussi ceux, qui à mauvaise fin changent de Confesseur, soit par curiosité, hypocrisie, ou pour n'estre contraincts de quitter quelque meschante occasion de peché, en laquelle ils veulent demeurer, au grand prejudice de leur salut.

Mais sur tout, c'est un sacrilege enorme, de s'approcher de la saincte Table avec une mauvaise conscience, ou nourrissant en son coeur quelque haine ou inimitié contre son frere chrestien.

Convient pareillement noter quant au Sacrement de Mariage, que ceux là offensent, qui se marient en estat de peché mortel ; ou pour leur plaisir, plustost que pour les fins ausquels il a esté sainctement ordonné. Ceux aussi, qui pour obvier aux malefices, qui se font quelquefois par art diabolique contre le Mariage, au lieu d'avoir recours à Dieu, prac-

EXAMENS DE CONSCIENCE (1616-1646)

tiquent quelque superstition, ou font quelque autre chose illicite. D'où vient, que Dieu justement irrité, au lieu de benediction, descharge bien souvent sa malediction sur tels mariages.

Contra 4. praeceptum.

Le quatriesme Commandement. [*Honore ton Pere et ta Mere, afin que tu vives longuement sur la terre, laquelle le Seigneur Dieu te donnera.*]

Contre quoy offensent ceux, qui se rendent des-obeyssans aux commandemens et bonnes remonstrances de leurs parens ; qui leur causent de l'ennuye et de la tristesse ; qui leur parlent avec mespris, ou sans respect ; qui desirent leur mort, soit pour succeder à leurs moyens, soit pour vivre à leur liberté. Ceux qui leur desrobent quelque chose ; qui ne les veulent ayder en leur besoing ; qui les mescognoissent, pour estre pauvres, ou autrement ; qui contre la juste volonté d'iceux se marient à leur plaisir. Ceux encore, qui empescent [*sic*] leurs parens de faire testament, de restituer le bien mal acquis ; ou qui negligent d'accomplir leur derniere volonté.

Icy pareillement se raportent les pechez des Peres et Meres, qui n'ont soing de recommander à Dieu leurs enfans par des bonnes et ferventes prieres ; de les instruire et faire bien enseigner en la foy et bonnes moeurs ; qui leur donnent trop de liberté, ne les corrigeans de leurs mauvaises inclinations des leur bas aage ; qui par yvrogneries, juremens, noises, querelles domestiques, et autres dissolutions, leur donnent mauvais exemple ; qui les elevent avec trop de delicatesses, et de mignardises ; les accoustrent trop pompeusement, les accoustumans par tels excez à vanité et orgueil ; qui permettent à leurs filles trop de familiarité avec les jeunes gens, soit de jour en lieu sequestre [à l'écart], soit du soir et de nuict à la porte, et aux danses.

Au contraire offensent ceux, qui oublians l'affection qu'ils doivent à leurs enfans, les chargent de maledictions, ou les reprennent avec trop de rigueur, et par excez d'impatience. Dont arrive souvent que les enfans s'endurcissent, se desbauchent et perdent le courage. Ceux aussi, qui empeschent leurs enfans d'entrer en Religion, ou autrement se rendre au service de Dieu : ou bien, qui les y contraignent par force, menaces, circonventions, et autres voyes illicites ; ou les y induisent principalement pour agrandir et mieux partager les autres.

De plus, offensent contre ce commandement les Sujets, qui refusent l'obeyssance et le respect, qu'ils doivent aux Prelats et Pasteurs de l'Eglise, aux Roys, Seigneurs, Magistrats, et autres Superieurs ; mesprisent leurs ordonnances, mesdisent d'iceux, jugent sinistrement et controllent leurs actions. D'où vient, que par leur mesdisance et mauvais exemple, ils attirent les autres à un pareil mespris, et par tel moyen empeschent grandement le proufit que les Superieurs pourroient faire en l'administration de leur charge.

Mais d'ailleurs offensent les Superieurs, qui par negligence, et pour faire bonne jusice, sont cause de la dissolutions de leurs Sujets, ou de quelque mal advenu à la republique ; ou par mauvaise vie leur donnent sujet de scandal [*sic*] et de mauvais exemple. En un mot, qui postposans le bien commun à leur particulier interest, ne s'acquittent de leur charge avec soing et diligence requise.

Pareillement les Maistres et Dames, qui n'ont cure du salut de leurs serviteurs et servantes, leur permettans choses illicites, n'ayans soing de les faire aller à la Messe, les faire confesser et communier en temps opportun, ou qui les font travailler es jours de festes : qui les soulent par trop de travail, sans leur donner salaire convenable ; qui ne font estat de les outrager de faict ou de parolles, sans considerer que Dieu les a gratuitement ordonné pour leur service.

De mesme offensent les serviteurs et servantes, qui au lieu de se rendre prompts et obeyssans aux commandemens legitimes de leurs Maistres ou Maistresses, font les choses à contrecoeur et par desdain, les provoquans à colere, par rebellion et responses impertinentes ; ou qui retiennent et abusent de leurs biens, ou employent le temps de travail en oisiveté ; qui par rapports detractoires des-honorent la maison, ou autrement decelent les secrets d'icelle. Semblablement les ouvriers, laboureurs, et autres gens de louage, qui ne travaillent fidelement, selon la convention et promesse qu'ils en ont faict.

Contra 5. praeceptum.

Le cinquiesme Commandement : *Tu ne feras homicide.*

Contre lequel offensent ceux qui tuent, frappent, blessent, ou font quelque autre outrage au prochain en sa personne.

Ceux qui nourrissent des haines, querelles, et affections mauvaises contre autruy ; ou se resjouyssent de son mal-heur, et se contristent de son bon-heur ; qui le mesprisent, ou par desdain ne se veulent trouver en sa compagnie, ne luy veulent parler, ou le regardent mauvaisement ; qui font quelque chose pour le contrister, ou despiter ; qui luy desirent ou procurent quelque mal ; qui le chargent de maledictions et de propos injurieux ; qui le laissent en sa necessité, sans luy donner secours ; qui ne veulent se reconcilier avec luy, ny pardonner les injures.

EXAMENS DE CONSCIENCE (1616-1646)

Ceux aussi, qui par tristesse et autres passions desordonnées, ou par gourmandise et yvrognerie advancent leur mort; qui empeschent le fruict de la generation, font avorter quelque femme, et ceux qui couchent les enfans prés d'eux, avec peril de les estouffer.

Contra 6. praeceptum.
Le sixiesme Commandement. [*Tu ne commettras adultere.*]
Contre lequel offensent ceux, qui s'entretiennent volontairement en des pensées et representations deshonestes, ou tendantes à lubricité. Qui se plaisent en parolles, regards, chansons, danses, livres, tableaux, discours impudiques.

La fille, qui se farde, ou s'accoustre trop vainement, pour attirer à mauvaise convoitise, ou qui en donne l'occasion; comme aussi celle, qui se plaist d'estre aymée des-ordonnément, quoyqu'elle mesme ne soit portée de pareille convoitise.

Ceux qui hantent lieux et compagnies suspectes, ou autrement s'exposent au peril de tomber ou faire tomber autruy en quelque deshonesteté.

Et en general, quiconque (sauf en mariage legitime) desire, ou faict quelque chose tendante à plaisir charnel et des-honneste, luy seul, ou avec autruy, de divers ou mesme sexe. Ce qu'il faut pareillement specifier en sa confession, avec la condition et qualité des personnes.

Et quant au peché d'adultere, faut noter, que outre l'enormité de l'offense, il traine quant et soy l'obligation de recompenser tous les dommages et interests, faicts à la partie et aux enfans legitimes, avec plusieurs autres grands inconveniens.

Contra 7. praeceptum.
Le septiesme Commandement. [*Tu ne desroberas point.*]
Contre quoy offensent tous ceux, qui font quelque tort ou dommage au prochain en ses biens. A sçavoir, qui injustement prendent, retiennent, ou desirent le bien d'autruy; qui achetent ou reçoivent des choses desrobées, ou de ceux qui ne les peuvent donner; comme des enfans, serviteurs, servantes et semblables; qui participent au larcin, par conseil, ayde, receptation, ou autrement.

Ceux qui usurpent sur les terres de leur voisin; qui ne payent fidelement la disme; qui despensent leurs biens en superfluitez, se rendans par ce moyen incapables de satisfaire à leurs crediteurs; qui levent marchandises, sçachans qu'ils ne les pourront payer; qui ne se soucient de contenter leurs crediteurs en temps opportun, au prejudice d'iceux.

Qui retiennent le salaire des serviteurs et ouvriers, ou ne les recompensent selon leur merite; qui retiennent les biens et lettriages [lettres, titres] des Eglises, hospitaux et autres lieux pieux; qui ne rendent les choses trouvées à qui elles appartiennent; qui injustement empeschent le profit d'autruy; qui pressent leurs debteurs trop rigoureusement et sans necessité, dont ils sont contraints de vendre leurs biens à vil pris.

Les Marchans, qui font passer de la mauvaise marchandise pour bonne, encore qu'eux mesmes auroyent esté trompez au paravant; qui ne donnent le poids juste; qui vendent à plus haut pris que de raison; qui surfont pour surprendre l'acheteur; qui font monopoles ou accords par ensemble, pour faire rencherir ou abaisser les marchandises à leur proffit particulier, au prejudice des autres, ou du publique.

Les Entremetteurs ou Coultiers [Courtiers?], usans de mensonges et tromperies, pour ayder à vendre ou acheter injustement. Ceux qui baillent argent à usure, ou font contracts usuraires.

Ceux qui font et soustiennent des procés injustes; ou qui par quelque artifice sont cause, que la justice n'est faicte à qui elle appartient, et en temps opportun; qui ayans droict, ne produisent bien tost les merites de leur cause, à dessain de charger la partie de plus grands despens. Bref, quiconque par chiquaneries, subtilitez, et autres inventions, empesche la droicte et equitable administration de la Justice. Comme aussi les Juges, qui par faveur ou ignorance donnent sentence injuste.

Ceux qui retiennent ou falsifient les papiers, testamens, donations, schedules, obligations, et autres choses semblables, ou laissent malicieusement à y coucher les clauses necessaires.

Les Magistrats, Receveurs, Tuteurs, et autres commis à l'administration des biens publiques, ou privés, n'ayans soing de se descharger comme il appartient.

Les Maistres qui n'enseignent leurs apprentys comme il convient, et selon l'obligation à laquelle ils se sont soubmis. En somme, quiconque par quelque façon que ce soit, est cause, soit principale, soit adjoincte, que le prochain est injustement interessé en aucuns de ses biens.

Lesquels tous, outre le peché d'injustice qu'ils commettent, sont obligez à restitution et reparation de tous les dommages et interests advenus au prochain par leur occasion; voire encore qu'iceux n'en auroyent aucunement proffité.

Contra 8. praeceptum.
Le huitiesme Commandement: [*Tu ne diras faux tesmoignage contre ton Prochain.*]

EXAMENS DE CONSCIENCE (1616-1646)

Contre lequel offensent ceux, qui accusent à tort le prochain ou portent faux tesmoignage contre luy, soit en jugement ou ailleurs. Pareillement ceux, qui estans interrogez selon l'ordre de Justice, recelent neantmoins la verité; ou qui sçachans quelque meschanceté notable, qui se practique en la Republique, ou Communauté, ne font le devoir d'en advertir les Superieurs comme besoing est, pour y remedier.

Ceux aussi, qui jugent temerairement, c'est à dire, sans en avoir juste occasion, de la vie et actions d'autruy; qui sement les detractions, donnans à cognoistre les fautes et imperfections d'autruy sans juste necessité; et n'emporte que la chose recitée soit veritable, pourveu qu'elle ne soit encore publique.

Ceux qui escoutent volontiers les mesdisans : Ceux qui proferent mensonge, encore que fust pour s'excuser.

Bref, quiconque dit ou faict chose, qui peut apporter quelque confusion, blasme, ennuye, deshonneur, ou diminution de credit et de reputation au Prochain. Et ce, avec estroicte obligation de reparer les dommages et interests, qui de là peuvent ensuivre.

Or quant aux pechez contre le neufiesme et dixiesme Commandemens, qui sont de *ne point convoiter la femme ny les biens d'autruy*, ils ont esté rapportez cy dessus aux sixiesme et septiesme.

p. 315 **Contra praecepta Ecclesiae.**

Et pour le regard des Commandemens de l'Eglise ceux-là offensent, qui ne gardent les Festes ordonnées; qui n'assistent à la Messe entiere Festes et Dimenches; qui ne se confessent au moins une fois l'an; qui ne reçoivent la saincte Communion à Pasques; qui n'ayans excuse legitime, n'observent le jeusne du Quaresme, quatre-temps, et veilles commandées, comme il appartient.

p. 315-318 **Peccata Capitalia.**

S'ensuivent les pechez capitaux.

Et premierement par **Orgueil** offensent ceux, qui cherchent la vaine gloire des hommes, ou se glorifient en choses vaines; qui poursuivent les estats et dignités, desquelles ils ne sont capables; ou avec trop d'ardeur, et par voyes illicites; qui se vantent folement de leurs biens ou perfections, ou qui plus est, de leurs pechez. Ceux qui se plaisent tellement en eux mesmes, comme si ce qu'ils ont ne dependoit point de Dieu.

Ceux qui par presomption s'estiment estre ce qu'ils ne sont, ou font trop d'estat de leurs perfections; principalement, si cecy est joinct avec mespris ou peu d'estimation d'autruy; qui se fians trop en leur suffi-sance, ne veulent escouter ou prendre conseil des autres; qui ne veulent ceder à autruy, ny endurer d'estre enseignez ou repris.

Ceux qui par hypocrisie font semblant d'estre vertueux; qui par curiosité lisent les livres defendus; s'informent de la vie et actions d'au-truy; inventent des nouveautés; excedent leur estat en habits, festins et choses semblables.

Par **Avarice** offensent ceux, qui desirent desordonnément les biens temporels; qui les gardent avec trop de soing; qui se complaisent par trop en la possession d'iceux; qui les tiennent pour leur principal ap-puy; qui pour iceux mettent en oubly le service de Dieu; laissent les pauvres, ou leurs parens, ou eux mesmes en necessité; qui ont une crainte excessive du mauvais temps et de la disette, n'ayans assés de confiance en la providence de Dieu.

Au contraire, par prodigalité offensent ceux, qui consomment leurs moyens en jeux, yvrogneries, passe-temps, et autres excez, au prejudice des pauvres, au grand interest de leurs crediteurs; qui est une espece de larcin, comme a esté noté cy dessus; au grand detriment de leurs femme et enfans, qui par tel moyen sont pour l'ordinaire reduis en extreme misere, ce qui est un genre de cruauté, qui ne se peut assés exaggerer: au detriment encore du publique, qui en est grandement surchargé.

Quant aux pechez de **Luxure**, d'**Envie** et d'**Ire**, ils ont esté notez cy devant au sixiesme et septiesme Commandemens.

Par **Gloutonnie** offensent ceux qui boivent et mangent, non tant pour ayder la nature, que pour se remplire [*sic*], et satisfaire à l'ap-petit desordonné; ou hors de repas, sans necessité; ou qui prendent des choses nuisibles, ou se font accommoder les viandes trop deli-cieusement, et avec trop de frais, outre leur estat. Ceux qui s'adonnent excessivement à la boissons, iaçoit qu'ils ne viendroyent jusques à en perdre le jugement; comme aussi ceux, qui contraignent les autres à boire plus que de raison.

Finalement, par le peché de **Paresse** offensent ceux, qui ont à contre-coeur le service de Dieu; qui ne rendent peine de le louer et remercier comme il appartient; qui par inconstance laissent les bonnes oeuvres encommencées; qui employent inutilement le temps, principalement celui qui est assigné au service de Dieu, pour s'adonner aux jeux, dis-cours, recreations vaines, et oeuvres infructueuses. Ceux, qui font leurs

EXAMENS DE CONSCIENCE (1616-1646)

prieres et exercices de devotion froidement, laissans volontairement leur esprit vaguer ça et là aux choses impertinentes. Bref, quiconque cherche tellement ses aises, que pour n'endurer la peine, obmet de travailler à ce qui est de sa vocation.

p. 318 [Coopérations aux péchés d'autrui]

Si faut-il, touchant les pechez cy devant recitez et tous autres en general, remarquer deux poincts de doctrine necessaire. Le premier est, que nous pouvons estre coulpables des *pechez commis par autruy* et non par nous.

Ce qui arrive és cas suivans. A sçavoir lors que nous y cooperons par flaterie, ayde, conseil, ou commandement, ou par recevoir et soustenir ceux qui font mal. Lors aussi, que nous approuvons le peché d'autruy, et y donnons consentement ; ou que nous en donnons occasion, ou que nous ne l'empeschons, le pouvant bien faire. Et en ces cas, il se faut accuser de tels pechez, aussi bien que des siens propres.

p. 318-319 [Péchés véniels pouvant devenir mortels]

En second lieu il faut noter, que *ce qui de soy-mesme n'est que peché veniel, peut estre rendu mortel.*

Premierement, lorsqu'en le faisant, on l'estime estre tel, ou l'on en doute.

Secondement, le faisant à intention mortelle. Comme celuy qui dit des parolles oyseuses, pour attirer quelqu'un à deshonnesteté, ou pour luy nuire en quelque chose notable. Ce qui n'est de merveille, puisque par mesme façon, ce qui de soy n'est mauvais, voire est bon, devient peché mortel. Comme qui donneroit l'aumosne ou iroit à l'Eglise à semblable fin.

Tiercement, lors qu'on prevoit, que de là doit ensuivre quelque grand mal. Comme si l'on disoit une petite parolle à celuy, que l'on sçauroit en devoir prendre occasion de blasphemer, de tuer, et choses semblables.

[Pour qu'une confession soit valable, il suffit que le pénitent se confesse selon son coeur et sa mémoire]

Finalement, afin que la multitude des pechez susdits, et de plusieurs autres, qui n'ont esté specialement marquez, n'engendre perplexité et scrupules de conscience en matiere de confession, l'on doit entendre, que pour la confession estre vaillable, il suffit, que le penitent, apres avoir faict un examen de conscience selon la petite capacité de son esprit, dise fidelement ses pechez selon son coeur et sa memoire, pourveu

538 CHAPITRE XII

qu'il voudroit en dire d'avantage s'il le sçavoit, avec volonté de declarer autrefois le surplus, lors qu'il luy reviendra en memoire. Ce qui d'abondant s'entend des pechez mortels ; d'autant qu'il n'y a pas d'obligation de confesser au Prestre les pechez veniels, ains se peuvent pardonner par autres moyens divers.

Chartres 1627, 1639, 1640 [; 1680, 1689] additions[116]
Bayeux 1687 [remaniements][117]
Beauvais 1637 [remaniements et additions][118]
Paris 1630[119]. Noyon 1631[120]. Rouen 1640, 1651[121]

[Chartres 1627-1640 : Léonor d'Estampes de Valançay]
De examine faciendo à Sacerdote Poenitentium confessiones excipiente
[Péchés contre les dix commandements. Péché d'orgueil.
Coopération aux péchés d'autrui]

[Les commandements les plus développé sont le cinquième *Non occides*, le sixième et le neuvième *Non fornicaberis, et non concupisces uxorem proximi tui*, suivis par le premier et le troisième.]

P1398 Chartres 1639 p. 62-75
Circa I. *Praeceptum*, quod est, *Colere Deum super omnia.* Quaenam horum sint peccata mortalia ut [sic pour aut] venialia[122].
Circa fidem. An crediderit omnia, quae S. Romana Ecclesia credit, vel certè habuerit opinionem in aliqua re fidei Romanae contrariam ; et in qua re.
An verbis, vel signis externis infidelitatem aliquam vel haeresim prodiderit, vel probaverit, etiam solus nullo audiente, et contra quem fidei articulum.
An fuerit nimium curiosus in investigandis rebus fidei, et an de aliquo fidei articulo dubitaverit, et de quo.
An graves tentationes circa res fidei passus sit, et an negligens fuerit, eis resistendo, an etiam consenserit plenè aut semiplenè, et contra quem articulum.

---

[116] Chartres 1680, 1689 : *voir infra* P1404.
[117] *Voir infra* Bayeux 1687 (P1409).
[118] *Voir infra* Beauvais 1637 (P1400).
[119] *Voir infra* Paris 1630 (P1399).
[120] Noyon 1631 recopie Paris 1630.
[121] Rouen 1640 p. 66-78. Rouen 1651 pars II p. 116-131. – Rouen 1651 : addition de citations de Saint Augustin.
[122] Quaenam… venialia] *om.* Paris. Rouen.

An haereticorum concionibus et caeremoniis interfuerit.

An apud se habuerit, vel legerit libros haereticorum, aliosve libros ab Ecclesia prohibitos, et qua de re illi tractent.

An sciverit omnia ad salutem necessaria, ut sunt mandata Dei, et Ecclesiae, Dominica oratio, Credo, et mysteria principalia fidei, et etiam quae ad suum officium, statum, et genus vitae spectant.

An usus sit aliquo genere superstitionum, incantationum, et divinationum per se, vel alios.

An schedulas superstitiosas apud se habuerit ad sanitatem ; aliamve rem obtinendam, et an alios induxerit ad earum usum.

An fidem habuerit somniis vel auguriis, accipiendo illa pro regula actionum suarum.

An verbis scripturae sacrae aut caeremoniis Ecclesiae abusus sit in iocis et scurrilibus.

Circa spem. An nimium praesumendo de divina misericordia liberius commiserit aliquod peccatum, vel in malo perseraverit, differendo emendationem.

An diffidendo misericordiae divinae desperaverit de emendatione vitae, vel remissione peccatorum obtinenda, vel de propria salute, quasi esset de numero reproborum.

Circa charitatem. An murmuraverit contra Deum, conquerendo, quasi non esset iustus, vel reprehendendo eius providentiam, quia nos privat, aut non concedit quae optamus.

An exposuerit se evidenti periculo peccandi mortaliter, vel an complacuerit sibi in peccato olim commisso, et in quo, seu in quibus.

An persecutus sit, et calomniatus homines pios, vel detraxerit de bonis eorum operibus, et impedierit ne illa facerent, et sigillatim an sine causa rationabili impediverit aliquem, ne ingrederetur religionem.

An iudicaverit se bona quae habet corporis, animi, et fortunae non habere à Deo, sed à se et sua industria : aut siquidem iudicat se illa habere à Deo, sed tamen praesumit se propriis meritis, sine divina gratia accepisse, non dando per omnia gloriam Deo.

Circa 2. Praeceptum. *Non assumes nomen Dei in vanum.*

An iuraverit sine necessitate, sed cum veritate, et in re non mala[123].

An iuraverit falsum, sciens esse, vel certè dubitans esse mandacium, sive ioco factum sit, sive de re levi.

---

[123] An iuraverit sine necessitate … mala] *om.* Paris.

CHAPITRE XII

An iuraverit promittendo quod postea sine causa rationabili non observaverit, aut intentionem habuerit non servandi cum iuraret, etiam si fuerit in re levi.

An causam dederit alicui, ut falsum iuraret, vel non observaret iuramentum licitum.

An iuraverit adiuncta maledictione ; verbi gratia, auferat me diabolus, tale malum mihi eveniat, si non fecero, etc.

An iuraverit se aliquod peccatum, praesertim mortale, commissurum, aut nihil bonifacturum, vel non servaturum aliqua consilia Evangelica.

An iuraverit minando alicui, sine intentione exequendi iuramentum, etiamsi in re levi.

An in peccato mortali religionem iuramenti adiunxerit, v.g. crimen alterius occultum cum eius notabili infamia cum iureiurando revelaverit[124].

An in iudicio iuraverit falsum, vel iuridicè interrogatus non responderit conformiter intentioni Iudicis, vel consilium dederit aliis id faciendi : quo casu non solum peccat mortaliter, verum etiam obligatur ad restitutionem, si inde secutum est aliquod damnum proximi.

An iuraverit vel etiam habuerit consuetudinem iurandi, non curando, aut non considerando, num verè, vel falso iuraret.

An blasphemaverit Deum aut Sanctos, et an usus sit maledictione, execratione, contumelia in Deum et Sanctos.

An diaboli invocatione usus sit, eius auxilium ex animo poscendo.

An seipsum illi devoverit, corpus vel animam ei dederit, aut filios, servos et proximos.

An fecerit votum faciendi aliquod bonum, et non curarit exequi, vel executionem distulerit in longum tempus ? et idem dicendum de opere in quod votum aliquod commutatum est à Confessario habente potestatem.

An voverit aliquid cum intentione non adimplendi votum ?

An voverit se bonum aliquod non acturum, aut aliquid mali facturum, aut bonum quidem acturum, sed propter malum finem ?

An temere et cum superstitione voverit[125].

Circa tertium Praeceptum. *Memento ut diem Sabbati sanctifices.*
An dies festos violaverit, faciendo vel mandando aliis opera prohibita ab Ecclesia, vel consentiendo illis qui faciunt ?

---

[124] An in peccato mortali … revelaverit] *om.* Paris.
[125] An temere … voverit] *om.* Paris.

EXAMENS DE CONSCIENCE (1616-1646)   541

An omiserit audire Missam aut eius notabilem partem diebus festis, quae sunt in praecepto, sine causa legitima, vel periculo non audiendi se exposuerit, vel causam aliis dederit simile faciendi.

An per notabile temporis spatium in Missa diebus festis fuerit voluntariè distractus omnino, loquendo, ridendo, vel occupando se in rebus inanibus, absque debita attentione.

An curarit alios suae curae subiectos diebus festis interesse sacrificio Missae.

An inutilia itinera aggressus sit, exponendo se periculo non audiendi sacrum die festo, vel choreis, ludis, et deambulationibus vacando, et ad haec alios induxerit.

An officium divinum interturbarit clamoribus, colloquiis, aut deambulationibus in templo.

An confessus sit ut minimum semel in anno, aut non curarit, ut idem facerent omnes suae curae subiecti.

An confessus sit sine antegresso examine conscientiae, vel sine proposito deserendi aliquod peccatum mortale, vel ex pudore aliave de causa reticuerit aliquod peccatum mortale, vel ex negligentia seu defectu sufficientis examinis non integrè omnia peccata mortalia aperuerit in confessione.

An quovis anno, tempore Paschae communicarit, eaque dispositione, qua oportet.

An cum conscientia certa vel dubia peccati mortalis receperit, vel administrarit aliquod Sacramentum Ecclesiae.

An ieiunaverit per Quadragesimam, et Vigilias, et Quatuor Tempora cum est obligatus: quisque autem est obligatus sub peccato mortali anno 21. expleto, nisi causa rationabilis eum excuset; et an iis diebus usus sit cibis prohibitis; aut aliis dederit causam idem faciendi.

An propter gulam non curarit transgredi aliquod praeceptum, et an intemperantius comederit, vel biberit cum notabili damno sanitatis, et an spontè se inebriaverit.

An violaverit Ecclesiam aliquo peccato carnis, vel effusione sanguinis.

An incurrerit aliquam excommunicationem, vel excommunicatus particeps fuerit alicuius Sacramenti, aut interfuerit officio divino.

An Censuram aliquam Ecclesiasticam incurrerit; aut ea irretitus, contrarium quid ac prohibitum admiserit; de irregularitate similiter.

An contumelia aliqua, vel irreverentia affecerit imagines, reliquias Sanctorum, aliasve res sacras, ut Sacramenta et Ecclesiae caeremonias.

542 CHAPITRE XII

An obligatus ad recitandum breviarium omiserit recitare, sive totum, sive partem et quotam partem, et an recitando illud fuerit voluntariè distractus absque debita attentione, et num in notabili parte officii.

An ex pigritia vel taedio rerum spiritualium, bonum aliquod opus, quod facere tenebatur, omiserit.

Circa quartum Praeceptum. *Honora Patrem et Matrem.*

An offenderit vel etiam contempserit illos factis vel verbis contumeliosis, aut etiam detractoriis.

An maledixerit Patri vel Matri, vel in eorum absentia eos execratus sit, et dedecore affecerit?

An Parentes ad iracundiam provocaverit aut constristarit.

An eos odio habuerit, temerè de iis iudicarit, vel suspicatus sit, an inimicitias, et rancorem adversus eos retinuerit et quamdiu.

An obediverit parentibus vel superioribus Ecclesiasticis aut secularibus in rebus iustis, vel in rebus quae cedere poterant in damnum notabile vel domus, vel animae propriae, vel communitatis.

An parentibus in necessitate existentibus, cum posset, subvenerit?

An deliberatè optaverit eorum aliquod damnum grave vel etiam mortem ad obtinendam haereditatem?

An executus sit testamenta, et ultimas voluntates defunctorum?

An ex nimio parentum amore parvipenderit offendere Deum?

An non observaverit leges iustas et statuta superiorum?

An detraxerit, vel malum aliquod dixerit de superioribus Ecclesiasticis, vel secularibus, aut etiam de Religiosis, Sacerdotibus, et quid mali inde sequutum sit.

An non subvenerit, cum posset pauperibus, maximè in extrema vel gravi necessitate, et an durus nimis fuerit, et crudelis erga eos, tractando eos asperè vel verbis vel factis.

An parentes maledixerint suis filiis?

An educaverint eos sicut debent, instituendo eos in oratione et doctrina Christiana, reprehendendo quoque illos et castigando, maximè in materia peccati, occupando etiam illos honesto exercitio, ne sint ociosi, et vias ingrediantur malas.

Quod dicitur de filiis, intelligitur quoque de servis et aliis domesticis, quorum curam habere Domini eorum tenentur; ut nempe discant necessaria, et observent mandata Dei atque Ecclesiae.

Filii, servi, et subditi significare debent.

An fuerint inobedientes, queruli, et murmuratores contra iusta praecepta Parentum, Dominorum, et superiorum.

An contra, iussis eorum obedierint, evidenter contrariis Dei et Ecclesiae matris praeceptis[126].

Circa quintum Praeceptum. *Non occides.*

An aliquem habuerit odio, cum desiderio vindicandi se, et an graviter et quanto tempore in eo perseveraverit.

An optaverit alicui mortem, vel aliud malum grave, et damnum corporis, famae, honoris, bonorum, tam temporalium, quam spiritualium.

An irâ commotus fuerit in aliquem cum intentione nocendi illi, vel vindictam sumendi, et an graviter: vide dicta hoc cap. part. 8.

An homicidium perpetrarit vel opere, vel voluntate, sortilegiis, venenis, aut aliter.

An causam dederit abortus vel infanticidii, non adhibita debita diligentia in vita puerorum tuenda.

An contendendo cum aliis verberaverit aliquem, vel vulnerarit, vel occiderit, aut comiserit aliis ut facerent, vel quod suo nomine ab aliis erat factum, approbaverit, vel ad id dederit auxilium, consilium, aut favorem, ubi inquirendum de qualitate personarum laesarum, an sacrae fuerint, an laïcae; an consanguineae et affines, an non; percutiens enim iniuriosè clericum est excommunicatus.

An noluerit veniam petere, vel pacem inire cum iis quos offendit, vel pro iniuria illata non sufficienter satisfecerit.

An noluerit condonare iniuriam ab aliis illatam, et reconciliari id petentibus, et iustam satisfactionem offerentibus.

An ex odio omiserit alloqui, vel salutare aliquem; vel sine odio quidem, sed cum ipsius ac proximi scandalo negarit ei signa consueta amicitiae et urbanitatis.

An in rebus adversis, et infortuniis optaverit mortem, aut ex furore et ira seipsum verberaverit, vel maledixerit, vel diabolo tradiderit, et num ex animo, an solum ore tenus.

An maledixerit aliis, tam vivis quam defunctis, et qua intentione.

An peccandi contra alios causam praebuerit alicui, consilio, auxilio, etc.

An seminaverit lites, discordias, et inimicitias inter alios, et quod malum inde secutum sit, et inter quos, dominos, subditos, parentes, etc.

An ex odio voluntario vel invidia, tristitia affectus fuerit de prosperitate aliorum, tam temporali quam spirituali, et an gavisus fuerit de aliquo malo, vel damno notabili aliorum.

---

[126] Filii, servi … praeceptis] *om.* Paris.

544 CHAPITRE XII

An ex ira offenderit alios verbis iniuriosis et contumeliosis.

An aliis sit adulatus, laudendo eos in re, quae erat peccatum, vel eos defendendo.

An malo suo exemplo vel consilio, vel laudando mala, vel detestando bona, causam dederit, ut aliquis bonum opus quod faciebat omitteret, vel incitaverit ad commitendum aliquod peccatum, aut ad perseverandum in illo, retrahendo eum à poenitentia.

An correxerit eos, qui in sua praesentia iurabant, quando ad id tenebatur.

An omiserit admonere aliquem de peccato probabiliter sciens, sua admonitione emendandum.

An hospitio exceperit extorres et homicidas, vel consilio, favore, aliisve rebus illis subvenerit[127].

An mali aliquid dixerit de proximo patefaciendo sine iusta causa v.g. aliquod eius peccatum occultum vel alium aliquem occultum eius defectum, cum infamia vel damno illius, dicatur an peccatum quod revelatur vere fuerit commissum, an confictum, an referatur, asserendo, dubitando vel ex auditu aliorum qui fide parum digni sint; an multorum vel unius tantum peccatum enuncietur; an apud unum tantum vel multos referatur; si inde notabilis aut levis infamia vel damnum aliud sequutum sit.

Circa sextum et nonum Praeceptum. *Non fornicaberis, et non concupisces uxorem proximi tui.*

An habuerit cogitationes inhonestas et immundas, in iisque voluntariè haeserit et delectatus fuerit; et an non solum cogitationibus, sed etiam rebus turpibus cogitatis delectatus sit: dicendum quibus rebus cogitatis delectatus sit; an peccato cum coniugata, vel religiosa, etc. nec sufficit dicere, delectatus sum rebus turpibus.

An protulerit verba lasciva et inhonesta, et an solum ex ira, aut alia simili causa; an vero talia loquutus fuerit vel audierit delectando se illis verbis, et an solum verbis inhonestis delectatus fuerit, an vero etiam rebus ipsis turpibus significatis per talia verba quae protulit vel audivit; et quibus rebus turpibus sit delectatus, an peccato cum coniugata, etc.

An legerit libros vel historias impudicas et inhonestas, et an talibus delectatus fuerit propter inhonestatem, an ipsa etiam recogitata per lectionem se delectarit, et qua, et num forsan pollutio vel motio aliqua carnis inde secuta fuerit.

---

[127]   An hospitio ... subvenerit] *om.* Paris.

EXAMENS DE CONSCIENCE (1616-1646)

[128]An usus sit verbis inhonestis cum intentione peccandi, vel provocandi alios ad peccatum, et quod peccatum illud fuerit.

An voluntariè, etiam si brevissimo solum temporis spatio desideraverit peccare cum aliqua, vel aliquo : quod peccatum eiusdem speciei est cuius opus ipsum ; itaque dicendum, an cum coniugate, religiosa[129], etc.

An polluerit seipsum ; et an se polluendo personae alicuius copulam concupierit, et cuius personae, num coniugatae, consanguineae, etc. nam tunc praeter peccatum pollutionis, est alterum desiderii, illudque diversae speciei pro qualitate personarum concupitarum, idem dicendum est de quovis attactu in honesto cum talibus desideriis[130].

An pollutus fuerit in somno, vel vigilia, an causam aliquam pollutioni[131] dederit, an in ea voluntariè delectatus fuerit ; an quae venerat in somno, post somnum propter delectationem placuerit.

An impudicè attigerit foeminas vel adolescentes, aut permiserit se tangi ab aliis, et deamplexibus, osculis impudicis, etc. et quo fine.

An animo peccandi miserit nuncia, literas, vel munera, aut mediator fuerit in inducendis aliis ad peccandum, vel de malis consiliis, auxiliis, an ad peccandum mediatore usus sit.

An adierit, vel transierit locum aliquem cum mala intentione aspiciendi foeminas, et an solo visu se oblectare voluerit, an etiam peccato cogitato cum illis, et de periculis peccandi, quibus se exposuit.

An amore carnali affectus fuerit ad aliquam personam ; insequendo eam animo peccandi, et quanto tempore in eo perseveraverit : et num propter ipsum persona illa notata fuerit aliqua infamia ; deque variis actibus, et peccatis, quae accidunt iis, qui tali modo se amant.

An fuco, odoribus, musica, choreis, et similibus sit usus ut ad luxuriae peccatum incitaret.

An actu peccaverit cum foemina, idque cum virgine, vel coniugata, an cum consanguineis, vel affinibus, etc.

An peccaverit cum personis Deo consecratis, vel per ordinem, vel per votum, aut an qui peccat habuerit ordines sacros, vel votum castitatis.

An violentia, metu, aut dolo, vel promissione ficta matrimonii, an vero blanditiis et precibus, cum aliqua peccarit.

An iactarit se de tali vel tali peccato, et personas in partuculari nominarit, cum quibus occultè peccarat, et quam grave damnum famae vel bonorum sequutum sit.

---

[128] An domi retinuerit, vel luxuriosè aspexerit picturas et imagines impudicas] *add.* Paris.
[129] religiosa] religiosa, virgine Paris.
[130] idem quoque dicendum de foeminis] *add.* Paris.
[131] An pollutus ... pollutioni] An caussam [*sic*] aliquam pollutioni in somno Paris.

CHAPITRE XII

An commiserit peccatum contra naturam, quod Sodomia dicitur, cum aliqua persona.

An inhonestè attigerit bestias, vel aliud peccatum cum iis commiserit.

An fuerit aliis causa peccandi, consilio, auxilio, vel alio modo; et quo peccato, quotque personis.

An occasiones proximas peccati incurrendi non evitaverit, et adhuc in illis maneat.

Qui sunt coniugati se examinabunt in particulari; an mente, cogitando de aliis mulieribus; vel etiam actibus; aliisque modis extraordinariis, aliquod peccatum commiserint contra usum et finem matrimonii.

In peccatis carnis explicanda est tum conditio personae peccantis, an Sacerdos sit, etc. tum personae cum qua peccatur, an coniugata, etc.[132].

Circa septimum, et decimum Praeceptum. *Non furtum facies. Non concupisces rem proximi.*

An rem alienam sustulerit per fraudem, per rapinam, explicando quantitatem furti, et in specie, an sustulerit rem sacram, vel de loco sacro.

An damnum intulerit alicui, et quantum, et num restituerit.

An rem alienam retinuerit, sine voluntate domini, et non restituerit cum potuerit, et quanto temporis spatio.

An iura aliquorum impedierit illegitimis viis.

An cum[133] non sit solvendo suis creditoribus, hi inde damnum aliquod[134] passi sint.

An inventa re aliqua, eam abstulerit animo retinendi pro se. Idem censendum est de rebus, quae ad manus eius venerunt: si eas non restituerit suis dominis, sciendo esse alienas[135].

An deposita amiserit culpa sua, vel commodata, et locata detrimento affecerit.

An emendo, vel vendendo fraudem fecerit, aut in mercatura, aut in pretio, aut pondere et mensura.

An emerit ab iis qui potetatem vendendi non habent, ut à servis, et filiis familias.

---

[132] Interrogentur etiam coniugati utrum malitiosè impediverint conceptionem prolis.] *add.* Paris.

[133] An cum] An suâ culpa Paris.

[134] Hi ... aliquod] itant [= latin. tantum?] hi inde damnum aliquod grave Paris.

[135] An inventa ... alienas] An inventâ re aliquâ notabili eam non restituerit suo Domini si eum noverit Paris.

EXAMENS DE CONSCIENCE (1616-1646)   547

An emerit res quas sciebat, vel dubitabat esse furto sublatas, et sciendo, aliquid de huiusmodi rebus consumpserit.

An habuerit voluntatem determinatam accipiendi si posset, vel retinendi rem alienam: vel etiam, an habuerit animum deliberatum acquirendi, et congerendi opes, ut dicitur per fas et nefas.

An commiserit aliquam usuram, vel fecerit aliquem contractum usurarium, vel societatem iniustam, in mercatura.

An accepta solutione vel salario ad gerendum officium, vel opus peragendum, non bene et fideliter illud gesserit.

An ministros suos vel operarios fraudaverit mercede sua, aut cum damno ipsorum distulerit solutionem.

An litem moverit contra iustitiam, vel in lite iusta usus sit fraude aliqua, et deceptione, ad vincendum.

An ludis vetitis usus sit[136], an per fraudem in ludo aliquid lucratus sit, vel luserit cum iis qui non possunt res suas alienare, ut cum filiis familias, etc.

An simoniam aliquam commiserit quocunque modo.

An Ecclesiam privaverit decimis, et aliis quae ei debebat.

An per media illicita, vel malas informationes obtinuerit rem aliquam quae nullo iure ei obveniebat, vel an alios impediverit iniustè, quo minus bonum aliquod lucrum consequerentur, aut beneficia Ecclesiastica.

An auxilium vel consilium dederit, vel alio quoque modo participaverit cum raptoribus rei alienae, vel cum posset et deberet, non manifestaverit, nec impediverit latrocinium, et an cibo, potu vel aliis consumpserit bona furto sublata, per se, vel alios.

Circa octavum Praeceptum. *Non loqueris falsum testimonium.*

An falsum testimonium dederit, in iudicio, vel extra, vel alios ad illud induxerit.

An iniuste, aliquem accuserit, vel eius crimen detulerit, an sententiam iniquam tulerit iudex vel arbiter.

An mentibus sit cum praeiudicio et damno notabili proximi, an vero iocosè solum, aut officiosè.

An in re gravi murmuraverit de vita aliorum, maximè hominum honoratorum, ut sunt Praelati, religiosi, et honestae foeminae?

An secretum sibi commissum revelaverit, vel an revelaverit quod in secreto vidit, vel audivit?

---

[136] An ludis … sit] *om.* Paris.

548 CHAPITRE XII

An aliorum litteras aperuerit, et an malo fine.

An temerarium aliquod iudicium habuerit de factis vel dictis proximi, interpretando in deteriorem partem, quod poterat accipi in bonam, et condemnando eum in corde suo de peccato mortali, an vero solum male de illo suspicatus fuerit.

An animo obligandi se, aliquid alteri promiserit, et postea sine causa legitima promissionem non servaverit, quod est peccatum mortale, quando res quae promittitur, est notabilis, et promissio acceptata fuerat, aut propter defectum promissionis, consequitur aliquod damnum notabile proximi.

p. 75-76 De peccato Superbiae[137]

An iudicaverit se bona quae habet, corporis, animi, et fortunae, non habere à Deo, sed à se, et sua industria ; aut si quidem iudicat se illa habere à Deo, sed tamen praesumit se propriis meritis, sine divina gratia accepisse, non dando per omnia gloriam Deo.

An vanè existimaverit se habere virtutem, quam non habet, vel se esse, qui non est, vel plus esse quam est, contemnendo alios tanquam sibi inferiores.

An gloriatus sit in re aliqua quae sit peccatum mortale, vel quod se vindicaverit, vel aliud peccatum patrarit.

An, ut magnifieret, iactaverit se de aliquo bono, vel de aliquo malo à se perpetrato, idque (sive verum sit sive falsum) cum injuria Dei, aut proximi.

An fuerit ambitiosus, inordinatè desiderando honores et dignitates, et idcirco quaedam fecerit quae non debebat.

An, ne parvi fieret ab aliis, fecerit aliquid quod non debebat, cum scandalo proximi, aut omiserit facere quod debebat, ut corrigere vel reprehendere alios, conversari cum bonis, confiteri, aliaque opera Christiana exercere.

An pertinaciter veritatem impugnaverit, vel ne se humiliaret aut videretur victus, manserit obstinatus in defendendis contra conscientiam erroribus manifestis.

An per arrogantiam alios contempserit, faciendo aliquid in eorum dedecus et contemptum.

An ex fastu et superbia nimios sumptus fecerit in vestiendis famulis, et in aliis vanitatibus suo statui non convenientibus.

An inviderit aliis, et quomodo.

---

[137] Le formulaire « De peccato superbiae » est présent dans les seuls rituels de Chartres.

EXAMENS DE CONSCIENCE (1616-1646) 549

De aliis peccatis mortalibus nihil dicetur, quod satis de iis dictum est in Decalogo.

p. 76 Praeter hec omnia, qui habent aliquod officium, gradum, vel exercitum particulare, se examinabunt de defectibus et peccatis, quae tali statui vel exercitio sigillatim possunt contingere, secundum obligationem quam quisque in eo habet.

p. 76-77 **Modi quibus homo participat peccatis alienis, his versibus continentur**[138]

Consulo, praecipio, consentio, provoco, laudo.
Non retego culpam, non punio, non reprehendo.
Participo, protegoque, meum in caput ista redundant.

Hoc est, an malum dederit consilium vel author fuerit alteri ut malum committeret.

An praeceperit vel coëgerit aliquem committere aliquod peccatum.

An consenserit peccatis aliorum, eaque approbarit.

An provocaverit alios ad peccandum.

An adulando iis qui male agunt, vel laudando ipsa opera mala, author fuerit aliis peccandi.

An, cum posset et deberet, non manifestarit aliorum peccata, iis quorum officium erat ea corrigere.

An puniendo, vel removendo occasionem, ut debebat, non impediverit aliquod peccatum.

An omiserit reprehendere vel admonere peccantes, cum deberet et posset facere.

An fuerit socius, vel quocunque modo particeps peccati aliorum.

An hospitio receperit, foverit, vel defenderit homines mala agentes.

p. 77-80 **De numero et circumstantiis peccatorum inquirendis**[139]

Diximus supra aliquoties, numerum in peccatis, maxime mortiferis inquirendum. Sed quia causantur nonnunquam poenitentes, legem hanc duram ac impossibilem videri, aliquot hîc observationes adiecimus, quibus muniti confessarii, viam ipsis eo in negotio praeire, ac complanare possint. Primo, si verus occurrat numerus...

---

[138] Formulaire repris à Paris 1630-1654, Beauvais 1637, Rouen 1640-1651, Périgueux 1651, Laon 1671-1782, Rodez 1671, Langres 1679 (*Super peccata aliena in genere*), Bayeux 1687.

[139] Formulaire repris à Rouen 1640-1651, Paris 1646-1777, Périgueux 1651-1680, Laon 1671-1782, Rodez 1671, Chartres 1680-1689. Différent à Bayeux 1687. Formulaire différent à Paris 1601-1630 et Noyon 1631 : voir Paris 1601 *De circunstantiis peccatorum* (P1389).

550 CHAPITRE XII

Paris 1630[140]
Noyon 1631

[Paris 1630 : Jean-François de Gondi]
Examen faciendum à Sacerdote poenitentium confessiones excipiente

P1399 **Paris 1630** f. 70-77v : Examen de conscience reprenant Chartres 1627-1640 avec quelques variantes[141], et sans *De peccato Superbiae* et *De aliis peccatis mortalibus…*

Addition à la suite :
f. 77 Unum deinde interrogare debet Confessarius poenitentem, utrum aliquam fecerit confessionem invalidam et sacrilegam, quod maxime contingit quando poenitens, vel non praemiserit examen suae conscientiae, saltem pro suo captu, vel nullum dolorem de peccatis conceperit, vel aliquod peccatum mortale scienter reticuerit, vel habuerit voluntatem adhuc peccandi, aut non relinquendi proximam peccati occasionem, aut inimicitias, nec restituendi bona vel famam proximi quam abstulit, vel tandem absolutus aliquando fuerit ab eo qui non habebat in eum iurisdictionem : In his enim casibus Confessio est nulla proindeque iteranda.

Nota quod supradictae interrogationes non sunt omnes et singulae proponendae confitentibus, sed habendam esse rationem status eorum, et aetatis.

Praeter haec omnia, qui habent aliquod officium, gradum, vel exercitium particulare, se examinabunt de defectibus et peccatis, quae tali statui vel exercitio sigillatim possunt contingere, secundum obligationem quam quisque in eo habet. [comme Chartres 1627-1640, p. 76]

f. 77v-78 *Modi quibus homo participat peccatis alienis*
Formulaire de Chartres 1627-1640.

f. 78 *Circumstantiae peccatorum…*
Formulaire de Paris 1601 avec addition à la fin de :
Pleniorem de circumstantiis peccatorum intelligentiam quae necessaria est repetat ex libris.

[Seconde partie] f. 108v-114 *Exposition briefve des Commandemens de Dieu.*

---

[140] Le rituel de Paris imprimé en 1630 semble avoir été rédigé en 1626 et serait donc peut-être antérieur au rituel de Chartres de 1627 : le mandement de l'archevêque J. Fr. de Gondi date du 26 décembre 1626 ; la table temporaire des fêtes mobiles débute en 1627.

[141] Voir les variantes à Chartres 1627 (P1398).

EXAMENS DE CONSCIENCE (1616-1646)   551

Formulaire de Paris 1552-1615 avec quelques variantes[142].

Beauvais 1637
[Augustin Potier]
Examen faciendum a Sacerdote poenitentium confessiones excipiente
[Péchés contre les commandements de Dieu. Orgueil, gourmandise, envie.
Coopération aux péchés d'autrui. Péchés criant au ciel.
Péchés contre le S. Esprit. Oeuvres de miséricorde]

P1400 **Beauvais 1637** p. 83-94. Examen de conscience sur les dix commandements relativement proche de Chartres 1627-1640 et Paris 1630.

Contra 1. Praeceptum, quod est. *Colere Deum super omnia.* ...[143].

p. 94 **Circa Superbiam**
Circa Superbiam, quae est inordinatus appetitus propriae excellentiae, an per effectum ita immoderate adhaeserit excellentiae propriae,
ut propter eam paratus fuerit transgredi praecepta divina. An superbierit cum notabili proximi detrimento, aut contemptu.
Circa Gulam
An finem ultimum in cibo et potu aliquando constituerit. Quod
tunc fit, quando homo sic cibo, vel potu afficitur, ut propter illum paratus sit transgredi praeceptum Dei. An se aliquando inebriaverit, aut
alios data opera ad ebrietatem induxerit.
Circa Invidiam. Utrum deliberato animo doluerit de bono aliquo
notabili proximi, scilicet scientia, honore, fama, divitiis, sanctitate etc.
Invidere autem in rebus parvis, tantum est veniale.

p. 94-96 **Modi quibus homo participat peccatis alienis...** Consulo,
praecipio... [voir P1398, p. 76-77]
Circumstantiae peccatorum. Locus, sacer an profanus... [voir
P1389]

Quinque peccata in coelum clamantia. Homicidium volunta-
rium...
Sex peccata in Spiritum sanctum. Desperare. Invidere...
Septem opera spiritualia misericordiae. Docere ignorantem...
Septem opera misericordiae corporalia. Pascere esurientem...
[quatre formulaires de Reims 1585-1621][144]

---

142 *Voir supra* Paris 1552 (P1213). Formulaire supprimé dans les rituels parisiens à partir de 1646.
143 *Voir supra* Chartres 1627 etc. (P1398).
144 *Voir infra* chapitre XXVI : *Enseignement de la foi*, Reims 1585-1621, P2859.

552 CHAPITRE XII

Rouen 1640, 1651

Rouen 1640, p. 65-78. *Voir* Chartres 1627-1640.

Orléans 1642
[Nicolas de Nets]
De Sacramento Poenitentiae
[Péchés contre les commandements de Dieu. Péchés capitaux]

Examen de conscience à lire par parties au prône dominical selon les indications données p. 384-388 du rituel. Les péchés contre le premier commandement sont les plus développés, suivis par le cinquième et le huitième.

P1401 **Orléans 1642 p. 91. Methode pour l'examen.**
Tout ce qui est faict, dict, ou pensé, contre les commandements de Dieu ou de l'Eglise, est peché : il faut donc que le confesseur… ou le penitent… commence par ces commandements, pour par apres parcourir les sept pechés capitaux, les circonstances, et autres choses necessaires en ceste sorte. …

p. 91-104 **Examen sur les Commandements de Dieu**
Sur le Premier
Le premier commandement, est exprimé dans l'Exode quand il est dict, *Je suis le Seigneur ton Dieu…* (Exod. 20, v. 2. Deut. 5, v. 6. Deut. 6 v. 5) et ailleurs. *Tu aymeras le Seigneur ton Dieu…* Deut. Ce que nous exprimons ordinairement en ce vers. *Un seul Dieu tu adoreras, et aymeras parfaictement.*
Contre ce commandement, sont les péchés opposés aux vertus theologales…
Sur la Foy. Si on a esté negligent de sçavoir avec connoissance distincte les articles de la foy, qui apartiennent aux mysteres de la Trinité et de l'Incarnation.
Si on a manqué d'aprendre le Symbole des Apostres appelé vulgairement le *Credo*, en latin ou en françois.
Si on a creu avec obstination, chose contraire à la foy catholique.
Si on a mal interpreté l'Escriture saincte, ou contre le sens determiné par l'Eglise.
Si par paroles ou signes exterieurs, on a tesmoigné ou approuvé quelque infidelité ou heresie.
Si on a esté trop curieux aux choses de la foy, et douté obstinement de quelque article.

EXAMENS DE CONSCIENCE (1616-1646)

Si on a eu de fortes tentations contre la foy, auxquelle on a pleinement consenty, ou esté notablement negligent de resister, s'en apercevant.

Si on a assisté aux presches et ceremonies de heretiques, et principalement si on a faict la Cene.

Si on a leu les livres des heretiques, ou autres livres defendus par l'Eglise.

Si par soy ou par autruy, on s'est servy de sortilege, art magique, enchanteries, et autres superstitions ou malices de devins et persones semblables.

Si on a porté sur soy des billets superstitieux, pour guerir de maladies, ou obtenir quelque chose: ou si on a induit les autres à en porter.

Si on a adjousté telle foy aux songes ou augures, qu'on les ait pris pour regles de ses actions.

Si de propos deliberé on a abusé des paroles de l'escriture sainte, ou des ceremonies de l'Eglise, en choses de raillerie, et avec mespris.

Si on a eu telle familiarité avec les Heretiques, qu'il y ait eu danger probable de tomber en leur heresie.

Si de propos deliberé on a creu que les Infideles ou heretiques, vivants bien moralement, pûssent estre sauvés dans leur secte d'infidelité ou d'heresie.

Sur l'Esperance. Si par une trop grande presomption de la misericorde de Dieu, on a commis quelque peché, ou perseveré dans le mal.

Si par une trop grande deffiance de la mesme misericorde, on a desesperé de s'amender, ou d'obtenir la remission de ses péchés, ou mesme de pouvoir estre sauvé...

Sur la Charité. Si on a manqué d'aymer Dieu sur toutes choses, preferant quelque creature à luy...

Si estant obligé de faire un acte d'amour de Dieu, ou de contrition, qui ne peut estre sans cet amour, on y a manqué. *On a cet' obligation quand on se trouve en danger de mort, naturelle ou violente, et toutes et quantes fois, qu'estant coupable de peché mortel, on veut recevoir ou administrer les sacrements. ...*

Sur le II. Commandement. Ce second est ainsi exprimé dans le Decalogue. *Tu ne prendras point le nom de ton Dieu en vain.* Ce que nous disons ordinairement en cette sorte. *Dieu en vain tu ne jureras, ne autre chose pareillement.*

Or c'est jurer en vain. 1. de jurer faux. 2. De jurer indiscretement et sans estre assuré de la verité. 3. De jurer n'en estant pas requis, ou à

CHAPITRE XII

persone qui n'a point de droict d'exiger le serment, et pour chose de peu d'importance. On a donc contrevenu à ce commandement.

Si on a juré faux, sçachant bien, ou se doutant qu'on disoit un mensonge encore que ce fut en riant, ou que la chose fut legere.

Si on a esté cause qu'un autre ait juré de cette sorte.

Si on a juré precipitamment, indiscretement, et sans necessité.

Si on a juré par le Diable, ou avec malediction, disant le Diable m'emporte, ou faisant semblable serment.

Si on a juré chose licite, avec intention de ne la point accomplir ; ou si ayant intention de l'effectuer on y a pourtant manqué.

Si on a promis avec serment, de faire chose illicite avec intention de l'accomplir.

Si de propos deliberé on a juré avec equivoque, entendant autrement ce qu'on juroit, que celuy à qui on juroit ne le devoit entendre.

Si en faisant un peché mortel, on a adjousté le serment, comme par exemple, en descouvrant le peché secret de quelqu'un.

Si en jugement on a juré faux, ou estant interrogé juridiquement, on n'a pas respondu conformement à l'intention du juge ; ou si on a donné conseil aux autres de ce faire. *Auxquels cas, non seulement il y a peché mortel, mais aussy obligation à restituer, si le prochain en a souffert quelque dommage.*

Si on a blasphemé, ou proferé quelque malediction, execration, injure, contre Dieu ou les Saincts.

Si on a invoqué le Diable, l'appelant tout de bon à son secours.

Si on s'est donné à luy, le corps, l'ame, les enfants, les serviteurs, ou d'autres prochains.

Si on a voüé chose mauvaise et illicite.

Si ayant faict voeu de chose bonne et licite, on ne l'a pas accomply.

Si on a manqué de faire quelque oeuvre, ordonné par le confesseur, au lieu du voeu commué.

Si on a faict des voeux riricules, superstitieux, ou avec mauvaise fin.

Si on s'est faict dispenser de quelque voeu, soubs pretexte de quelque faux exposé.

Si on a mis ses enfants dans un monastere où l'on vit licentieusement, afin qu'un jour ils y fussent receus.

Sur le III. Commandement. Par cetuy la est enjoinct. *Qu'on se souvienne de sanctifier le jour du Sabbat.* Ce que nous disons d'ordinaire ainsi. *Les Dimanches tu garderas, en servant Dieu devotement.*

EXAMENS DE CONSCIENCE (1616-1646)

Et d'autant que les commandements de l'Eglise, ne regardent, que la sanctification de ce jour du Sabbat, qui est à present de dimanche ; ou le service de Dieu, qui y a quelque rapport. Pour ce subject, afin de ne point estre obligé à des redites, on a coustume, en examinant sur ce troisiesme commandement, de considerer ce qui a esté commis contre ceux de l'Eglise, et remarquer sur tous ensemble, qu'on a peché.

Si on a violé les jours de festes et dimanches, faisant des oeuvres serviles, y employant les autres, ou consentant qu'ils y fussent emploiez, lors qu'on pouvoit et devoit les empescher.

Si à tels jours on a omis d'ouïr la messe, ou notable partie d'icelle, sans excuse legitime.

Si en y assistant aux mesmes jours, on a volontairement et par expres esté distraict, ou passé le temps à deviser, rire, badiner, ou faire autre chose semblable.

Si on n'a pas esté soigneux de faire oüir la messe à ses enfants et domestiques aux mesmes jours de festes et dimanches.

Si on a entrepris des voiages non necessaires aux jours de festes, en s'exposant à un danger probable de ne pas oüir la messe.

Si on a mesprisé sa messe de paroisse, ou destourné les autres d'y aller.

Si aux jours de festes, au lieu d'assister au service divin, pendant qu'on le celebroit, on a emploié le temps, aux danses, aux jeux, aux tavernes, et autres semblables occupations.

Si on a troublé le service, criant, devisant, ou se pourmenant [promenant] dans l'Eglise.

Si on a manqué de se confesser au moins une fois l'an ; ou de faire confesser ceux qu'on avoit en charge.

Si on s'est confessé sans avoir examiné sa conscience, ou sans propos de quitter quelque peché mortel. Ou bien si par honte, negligence notable, ou defaut d'un suffisant examen, on ne s'est pas entierement confessé de tous ses pechés mortels.

Si on n'a pas communié à Pasques.

Si se sentant coupable de peché mortel, ou en doutant, on a reçeu ou administré quelque sacrement.

Si on n'a pas jeusné le Caresme, les jours de Vigiles, et quatre temps, comme on y est obligé sur peine de peché mortel, apres vingt et un ans passez, s'il n'y a quelque cause raisonable qui en excuse.

Si on a mangé des viandes defenduës, ou excité les autres à en manger : ou bien si on en a administré.

556 CHAPITRE XII

Si estant obligé à la recitation du Breviaire, on a manqué de le dire, en tout ou en partie : ou si en le disant on a eu des distractions volontaires.

Si on a traité avec mespris et irreverence les images et reliques des Saincts, ou autres choses sacrées, comme les Sacremens, et ceremonies de l'Eglise.

Si on a encouru excommunication ou autre censure de l'Eglise, et estant excommunié ou interdict, on n'a pas laissé d'assister au service divin, et de recevoir ou administrer les sacrements.

Sur le IV. Commandement.

Par ce 4. Commandement il est enjoinct d'honorer son Pere et sa Mere ; c'est à dire non seulement les Pere et Mere charnels qui nous ont mis au monde : mais aussi tous les Superieurs, et Peres spirituels. Cet honneur consiste. 1. à les reverer et respecter. 2. à leur obeir. 3. à leur subvenir et les nourrir, s'ils tombent en necessité. Ce precepte est compris en ce vers. *Honore ton Pere et ta Mere, afin que vives longuement.*

A quoy on a contrevenu.

Si on a porté quelque hayne, ou desiré du mal, à ses Pere, Mere, Maistres, ou Superieurs, tant ecclesiastiques, que seculiers, et constitués en dignité.

Si on les a offencé de faict, ou de paroles, en les frappant, maudissant, injuriant, en detractant, les mesprisant, desdaignant, irritant, deshonorant, affligeant, ou leur faisant quelque autre mauvais traictement.

Si on a accusé son pere ou sa mere de quelque crime : horsmis d'heresie, et de leze majesté.

Si on leur a desobey en chose d'importance, qui regardoit le gouvernement de la famille.

Si on s'est marié contre leur volonté, au desadvantage de la maison, et contre les loix.

Si on ne les a point assisté de secours spirituels, dans les maladies perilleuses ; principalement si on a manqué de leur faire administrer en cet estat les Sacrements.

Si eux estants en necessité, on a manqué (le pouvant) de les assister de secours temporel.

Si les voiants en extreme ou grande necessité, on est entré en religion ; ou si y estant desja, on a manqué d'en sortir, pour les assister.

Si les Peres ou Meres ont exposé leurs enfants aux portes de quelque hospital ou ailleurs.

EXAMENS DE CONSCIENCE (1616-1646)

S'ils les ont mis en danger probable d'estre estoufez, en les faisant coucher avec eux.

S'ils n'ont pas esté soigneux de leur faire aprendre le Symbole des Apostres, l'oraison Dominicale, les Commandements de Dieu et de l'Eglise, estants en aage.

Si quand leurs enfants ont esté en aage, ils n'ont pas eu soing de les faire estudier, ou leur faire aprendre mestier, en ayants moien.

Si par force, tromperies, ou menaces, ils ont faict entrer leurs enfants en Religion.

S'ils leur ont permis de frequenter mauvaises compagnies : ou de se farder, et parer à mauvaise fin.

Ce qui se dit du soing des enfants, se doit estendre, par proportion, à celuy qu'il faut avoir pour les serviteurs, et autres inferieurs.

Sur le V. Commandement. Le 5. commandement est tel. *Tu ne tueras point.* Ou bien, comme nous disons d'ordinaire. *Homicide point ne seras, de faict, ne volontairement.*

A quoy se raportent toutes les haynes et inimitiez : et ainsi faut examiner sur ce precepte.

Si on a hay quelqu'un, avec desir de se venger : quelle a esté la hayne, quel le desir, et combien de temps ils ont duré.

Si on a souhaité a quelqu'un la mort, ou quelque grand mal, ou dommage, en son corps, en sa reputation, en son honneur, ou en ses biens tant spirituels que temporels.

Si on s'est mis en colere contre quelqu'un avec intention de luy nuire, et d'en tirer vengeance.

Si on a commis quelque homicide, de faict, ou de volonté, par sortilege, par poison, ou autrement.

Si on s'est pleu en la pensée de quelque homicide pour le plaisir ou le profit qui en arriveroit.

Si on a esté cause d'avortement, ou de la mort de quelque enfant pour n'en avoir pas eu assés de soing.

Si en se disputant avec quelqu'un, on l'a frappé, tué, ou blessé, ou donné charge aux autres de ce faire, ou approuvé ce que les autres avoient faict comme de sa part et en son nom, ou si on y a donné ayde, secours, conseil, faveur, *sur quoy il faut prendre garde à la qualité des personnes offencées, si elles sont sacrées ou non ; proches ou non. Qui bat un clerc est excommunié.*

Si on a refusé de demander pardon à ceux qu'on a offencé ou de s'accorder avec eux ; ou de leur faire suffisante satisfaction.

558 CHAPITRE XII

Si on n'a pas voulu pardonner à ceux desquels on a esté offencé, quand ils ont recherché la reconciliation, et offert de satisfaire.

Si par hayne on a omis de parler à quelqu'un et le saluer : ou mesme sans hayne, mais avec scandale du prochain, on luy a denié les signes d'amitié et de civilité qu'on avoit accoustumé de luy rendre.

Si dans les adversités et revers de fortune, on s'est à soy mesme souhaité la mort; si on s'est battu, ou maudit, ou donné au Diable : et si ça esté tout de bon, ou de bouche seulement.

Si on a maudit les autres, vivants ou morts, et à quelle intention.

Si on a donné subject à quelqu'un, ou ayde, ou conseil, de pecher contre les autres.

Si on a semé de la discorde entre les autres, causé des querelles et inimitiés. Quel mal s'en est ensuivy, et entre quelles sortes de persones. Si parents, si maistres, si serviteurs, etc.

Si par hayne ou envie, on s'est attristé de la prosperité des autres, soit temporelle, soit spirituelle. Ou si on s'est resjouy de leur mal, ou dommage notable.

Si on a tué ou blessé la beste d'autruy en despit de luy. *Faut faire restitution.*

Si par colere on a offencé les autres de paroles injurieuses.

Si par flaterie, on a loüé quelqu'un d'une chose qui estoit peché, ou entrepris de le defendre pour avoir faict une mauvaise action.

Si par le mauvais exemple ou conseil qu'on a donné, en loüant le mal, ou detestant le bien, on a esté cause que quelqu'un a quitté le bien qu'il faisoit; ou bien on l'a incité à commettre quelque peché, ou à y perseverer l'empeschant de faire penitence.

Si on n'a pas faict la correction à ceux qu'on a veu pecher en sa presence, quand on estoit tenu de les corriger.

Si on a manqué d'advertir quelqu'un de son peché, quand on a sçeu probablement, qu'en l'advertissant il s'amenderoit.

Sur les VI. et IX. Commandements. Le sixiesme commandement est tel; *Tu ne paillarderas point.* et le 9. *Tu ne convoiteras point la femme de ton prochain.*

Le 6. *Luxurieux point ne seras, de corps, ne de consentement.*

Le 9. *L'oeuvre de chair ne desireras, qu'en mariage seulement.*

Ils contiennent la defence de toute copule charnelle hors les bornes du mariage, et mesme de tous actes d'impudicité, de baisers tendants à deshonesteté, attouchements, oeillades, discours lascifs, paroles sales, desirs, delectations, consentements, morosités, et generalement toutes

EXAMENS DE CONSCIENCE (1616-1646)   559

pensées, paroles, et actions contraires à l'honesteté. Il faut donc sur ces commandements examiner :

Si on a eu des pensées deshonestes ; si on s'y est arresté volontairement ; si on y a pris plaisir, et si non seulement aux pensées, mais aux choses qu'on pensoit, auquel cas est besoin de scavoir, si cete chose dont la pensée plaisoit, estoit un peché, avec persone mariée, ou religieuse, ou parente, etc.

Si on a dict des paroles sales et deshonestes, et par quel motif ; si en colere ; si par mauvaise habitude, si par un dessein de causer aux autres quelques mauvaises pensées.

Si on en a dit à double sens, qui pouvoient signifier quelque chose deshoneste ; et en ce cas, si par raillerie, ou par quelque autre dessein.

Si on a volontiers escouté ceux qui ont dit telles paroles ; si on a pris plaisir de ce qu'elles signifioient, si cete delectation qu'on y a pris, a esté à quelque peché avec personne mariée, ou religieuse, ou parente, etc.

Si on a leu des livres sales et deshonestes ; si on y a pris plaisir ; si cete lecture n'a point causé des mouvements desreglés en la partie inferieure, ou si on ne s'est point volontairement exposé à tels mouvements, en prevoiant le danger qu'il y avoit de lire ces livres.

Si on a desiré de pecher avec quelqu'un ou quelqu'une et de quelle espece a esté ce peché ; sçavoir si desiré avec parente, ou femme mariée, etc.

Si on a commis fornication ou adultere, ou inceste, ou sacrilege, ou stupre, ou rapt, ou les autres pechés contre nature, dont ny les noms, ny les explications ne sont point necessaires icy, se retrouvants assez ailleurs : outre que quelques uns seront plus bas, parmy les cas reservés.

Si on a eu baisers, attouchemens, embrassements, de propos deliberé avec affection de joüir du plaisir charnel qui se rencontre en tels actes.

Si on s'est vanté de tel ou tel peché de la chair, nommant en particulier les persones avec qui on a peché en cachete ; et quel dommage cela a causé aux biens ou à l'honneur et reputation.

Si à dessein de pecher, on a envoié lettres, messages, presents ; ou si on s'est emploié à rechercher pour les autres les moiens de commettre le peché de la chair ; si pour cet effect on a donné de mauvais conseils, ou fourny quelque assistance.

Si on a esté exprés en quelque lieu, pour regarder avec mauvaise intention des femmes ; si ça esté en Eglise ; si pendant le service divin.

Si on a sollicité quelque persone de pecher charnellement; si les poursuites ont duré longtemps, et combien; si la persone a esté pour cela notée de quelque infamie.

Si on a concubine chez soy. *En ce cas on n'est pas capable d'absolution auparavant la separation, et volonté de ne plus sejourner ensemble.*

Si on a usé de fard, de parfums, de musique, de danses, de bals, ou autres choses semblables, pour attirer à luxure.

Si on a abusé de quelqu'une soubz promesse de mariage.

Si on n'a pas evité les occasions prochaines de tomber en ce peché; ou esté cause que les autres sont demeurés dans les mesmes occasions.

Si estants mariés, on a usé de voies extraordinaires dans les actions de mariage.

Il faut que le confesseur, supplée d'ailleurs aux choses qu'expres nous omettons icy par honesteté, mais surtout qu'il interroge avec grande prudence, en cete matiere, et ne demander que les choses qui sont necessaires.

Sur les VII. et X. Commandements. Le septiesme commandement est tel. *Tu ne desroberas point,* et le dixiesme. *Tu ne convoiteras point le bien de ton prochain.*

7. *L'avoir d'autruy tu n'embleras, ne retiendras à ton escient.*

10. *Les biens d'autruy ne convoiteras, pour les avoir injustement.*

Par lesquels commandements est defendu de faire ou vouloir faire aucun tort à son prochain en ses biens. En quoy on peut avoir peché.

Si on a pris ou voulu prendre, par force, ou fraude, ou larcin, le bien d'autruy. Faut exprimer la quantité de la chose mal prise et desrobée, et si c'estoit chose sacrée, ou si elle a esté prise en lieu sacré.

Si on a causé quelque perte et dommage à son prochain.

Si on a retenu le bien de quelqu'un contre sa volonté.

Si on a empesché par des voyes illegitimes que quelqu'un ne jouïst de ce qui luy apartenoit.

Si ayant trouvé quelque chose notable, et sçachant à qui elle apartenoit, on ne l'a pas restituée.

Si on a mis de l'or ou de l'argent faux, le sçachant bien.

Si on a receu chose notable de celuy à qui on sçavoit qu'elle n'apartenoit pas.

Si on a contrefaict le pauvre, ou religieux devot, ne l'estant pas, pour extorquer notables aumosnes de ceux qui ne les eussent pas voulu faire, s'ils eussent sçeu la verité.

Si par sa faute on a perdu, gasté, ou endommagé, ce qu'on avoit emprunté ou receu pour gage.

Si en vendant ou acheptant on a commis fraude et tromperie notable, par mensonge, supposition de marchandise, faux poids, fausses mesures, ou faux compte.

Si on a achepté de quelqu'un qu'on sçavoit ne pouvoir vendre, comme d'un Religieux sans permission de son superieur, de serviteur, d'enfant de famille.

Si on a achepté ce qu'on sçavoit ou doutoit avoir esté desrobé.

Si on a presté argent à usure, ou faict quelque contract usuraire, ou entré en societé injuste pour marchandise.

Si ayant receu payement et salaire pour exercer quelque office, on ne s'en est pas acquité fidelement.

Si on a frustré les mercenaires ou serviteurs de leur salaire, ou payé trop tard, contre leur volonté, et à leur dommage.

Si on a intenté proces à quelqu'un, encore qu'on sçeut qu'il fut injuste: ou en plaidant usé de fraude et chicanerie, pour empescher qu'il ne fut faict justice à sa partie.

Si on a commis quelque simonie ou confidence.

Si on a refusé de payer les dismes, et autres choses deuës à l'Eglise, comme on a sçeu qu'elles avoient accoustumé estre payées.

Si on a par fraude et tromperie, gaigné quelque chose au jeu; ou joué avec ceux qui ne peuvent disposer de leur bien, ce qui par les loix est hors de leur disposition, comme avec enfans de famille.

Si à ceux qui joüent à des jeux qui sont pechés mortels, on a presté maison, table, chandelle, ou autre chose necessaire pour joüer.

Si on a donné secours, ou conseil, ou en quelque façon participé avec ceux qui ont pris le bien d'autruy; ou manqué de les descouvrir, ou empesché lors qu'on l'a pû et deu.

Nota que pour tous ces pechés commis en prenant, recevant, ou retenant le bien d'autruy, on est obligé à restitution: et que le Confesseur ne peut absoudre, si le penitent ne promet de la faire au plus tost qu'il luy sera possible.

Sur le VIII. Commandement. Pour huictiesme commandement, nous avons la defence de porter faux tesmoignage, exprimée par ce vers. *Faux tesmoignage ne diras, ne mentiras aucunement.*

Ce qui comprend une defence de faire aucune declaration verbale contre raison, soit en mentant, soit en mesdisant, soit en raillant, ou murmurant, ou en quelque autre maniere. Et ainsy, on a contrevenu à ce precepte.

Si on a porté faux tesmoignage, en jugement ou dehors; ou bien si on a induict les autres à le porter.

Si on a accusé quelqu'un injustement, ou rendu jugement inique.

Si on a menty au prejudice de quelqu'un, ou sans prejudice par gayeté seulement, ou pour faire plaisir.

Si on a menty en matiere de foy, ou de la saincte Escriture, cachant ou corrompant la verité.

Si en preschant on a allegué de faux miracles, les connoissant tels.

Si afin de nuire à quelqu'un, on a faict de bonnes oeuvres pour paroistre homme de bien, ne voulant pourtant pas l'estre.

Si en chose d'importance on a faict courir de mauvais bruicts de la vie des autres ; principalement des Prelats, et autres Superieurs.

Si on a revelé le secret d'autruy qu'on a receu en depost : ou ce qu'on a veu ou ouy secretement.

Si on a ouvert les lettres d'autruy, n'en ayant pas droict ; et si ça esté à mauvaise fin.

Si on a descouvert le peché, defaut de nature, ou peine d'autruy, ou bien si on luy a reproché, pour le faire rougir et luy faire honte.

Si on a descouvert le peché secret, avec dommage notable et infamie. *Il faut prendre garde si le peché descouvert est vray ou supposé ; si on l'a dict en l'assurant, ou en doutant ; si sur le raport de gens peu dignes de foy ; si c'est le peché d'un seul, ou de plusieurs ; si dict à plusieurs, ou à un seul, à peu ou à beaucoup.*

Si on a faict jugement temeraire, et iceluy declaré, interpretant en mauvaise part, ce qui pouvoit estre pris en bonne part.

Si on a faict libelles diffamatoires.

Si on a descouvert son propre peché, prodiguant sa renommée avec dommage notable de son propre salut, ou de sa vie, ou de son honneur, ou de ses biens, ou de ceux de son prochain.

Si on a oüy detracter, y consentant directement, en induisant à la detraction, ou interrogeant exprés, ou y prenant du plaisir. Ou bien indirectement seulement, ne l'empeschant pas, quoy qu'on le pût empescher.

Si ayant promis quelque, chose, on a manqué à sa promesse la pouvant executer. *Ou faut prendre garde, si la chose promise est de consequence, et si manquant à la promesse, on a causé notable dommage à son prochain.*

p. 104-108 Sur les sept Pechez Capitaulx.

Il y sept pechés capitaulx, appelés communement les sept pechés mortels, qui sont comme les principaux, auxquels les autres se raportent. …

EXAMENS DE CONSCIENCE (1616-1646)

... 1. **Sur la Superbe**, qui est *un appetit desordonné de sa propre excellence*, si on s'est attribué des perfections qu'on n'a pas; ou creu ne pas tenir de Dieu, celles qu'on a ... Si par presomption... Si par ambition... Si par vaine gloire...

7 filles de vaine gloire... jactance... curiosité... hypocrisie... pertinacité... discorde... contention... desobeissance...

2. **Sur l'Envie**, qui est *une tristesse desordonnée du bien d'autruy en tant qu'il diminue notre propre excellence*. Faut considerer, si on a envié aux autres leur [*sic*] sciences, honneurs, richesses, ou autres biens.

5 filles d'Envie. ... hayne... detraction... susurration... Si on s'est resjouy de l'adversité de son prochain, ou attristé de sa prosperité...

3. **Sur la Colere**, qui est *un appetit desordonné de vengeance*. Faut sçavoir si on a desiré une vengeance injuste; ou mesme une juste, mais par moien injuste...

6 filles de Colere. ... noise... tumeur (qu'on appelle communement *avoir le coeur gros*)... contumelie (si on a offencé quelqu'un en luy disant des paroles injurieurses et contre son honneur)... clameur ou crierie... indignation... blaspheme...

4. **Sur l'Acedie** que nous appelons paresse, qui est *une tristesse du bien spirituel divin, en tant qu'il est divin*. Faut prendre garde, si on s'est ennuyé de vouloir ce que Dieu veut, et si ça esté de propos deliberé.

6 filles d'Acedie. ... malice... rancune... pusillanimité... desespoir... endormissement ou pesanteur... divagation d'esprit...

5. **Sur l'Avarice**, qui est *un appetit desordonné d'avoir de l'argent, ou ce qui s'estime par argent*. Faut sçavoir si on a acquis ou desiré desordonnement des biens contre droict et justice par mauvaise voie, ou si les ayant justement on s'y est trop attaché...

7 filles d'Avarice. Prodition ou trahison. ... fraude... dol et fallace ou tromperie... parjure... violence... inquietude... dureté de coeur...

6. **Sur la Gourmandise**, qui est *un appetit desordonné de boire et de manger*. Faut sçavoir si on a beu ou mangé par excés...

5 filles de Gourmandise. ... stupidité d'esprit... folle joye et desreglée... trop de propos... bouffonerie... immondicité...

7. **Sur la Luxure**, qui est *un appetit desordonné du plaisir de la chair*. Faut examiner, si on a commis de faict, ou de volonté quelqu'une de ses especes, qui sont la simple fornication, l'Adultere, l'Inceste, le Stupre ou defloration, le Rapt, le Sacrilege, le peché contre nature.

564 CHAPITRE XII

8 filles de Luxure. … aveuglement d'esprit… inconsideration… inconstance… precipitation… amour de soy mesme… amour du monde… hayne de Dieu… aversion du siecle futur…

Paris 1646, 1654
Coutances 1682. Langres 1679[145].
Laon 1671, 1782[146].
Périgueux 1651

[Paris 1646 : Jean-François de Gondi]
Forma examinis, quo Sacerdotis poenitentium confessiones
excipientis memoria iuvari possit
[Péchés contre les commandements de Dieu.
Participation aux péchés d'autrui]

Examen de conscience sur les commandements de Dieu de Chartres 1627-1640 et Paris 1630, avec des additions. La liste présentée ici donne les seules additions aux formulaires de Chartres ; les additions au cours d'une accusation sont en italiques.

P1402 **Paris 1646**
p. 68-87 **Circa I. Praeceptum**, quod est, *Colere Deum super omnia. Circa fidem.* [Addition de :] An volens et sciens de aliquo fidei articulo dubitaverit, et de quo.

An frequenter versetur cum haereticis, et imprudenter cum eis disputet : an eis faveat.

An sciverit et etiamnum sciat omnia ad salutem necessaria, ut sunt praecipua mysteria fidei, nempe *Trinitatis, et Incarnationis Domini nostri I. C.,* et mandata Dei, et Ecclesiae…

An interfuerit publicis instructionibus quae festis ac Dominicis diebus fiunt in Ecclesia parochiali, in quibus ea omnia exponuntur et docentur.

An usus sit aliquo genere superstitionum, incantationum, divinationum, *et maleficiorum,* per se, vel alios.

An fidem habuerit somniis vel auguriis, *vel sortibus illegitimis,* accipiendo illa pro regula actionum suarum.

An faustorum, infaustorumque dierum observatione, liminis calcatione, caeterisque huiusmodi vanis observationibus sit usus, aut ad earum usum alios induxerit.

Circa charitatem.

---

[145] Langres 1679: voir *infra* P1406.
[146] Laon 1671, 1782: voir *infra* P1403bis.

EXAMENS DE CONSCIENCE (1616-1646)

An in quempiam odium habuerit, et quanto tempore in eo perseveraverit.

An eleemosynas dederit, cum deberet.

An correptionem fecerit, ordinemque debitum servaverit.

An aliquam acediae speciem admiserit.

An invidus fuerit.

An exercuerit discordiam, contentionem, rixam, seditionem.

An in bello iniusto stipendium fecerit.

An scandalum dederit.

An superbus fuerit.

Circa 2. Praeceptum. *Non assumes nomen Dei tui in vanum.*
[Addition de:] An iuraverit verum, sed sine necessitate.

An iuraverit ... num verè, vel falso iuraret. *om.*

An temere et cum superstitione voverit.

Circa 3. Praeceptum. *Memento ut diem Sabbati sanctifices.*
[Addition de:] An venerit in Ecclesiam malo animo, verbi gratia, ad videndum aliquos, vel cum iis colloquendum, pravâ intentione, et an malum aliquid in ea commiserit.

An contempserit aut neglexerit interesse Missae Parochiali, Vesperis, Concionibus, ac Catechismis: et curaverit ut sibi subditis iis interessent.

An solvendo mercenariis stipendio, et saecularibus eiusmodi rebus[147] debitum festo cultum violaverit.

An obligatus ad recitandum Breviarium... *Quod si beneficium Ecclesiasticum habeat, praeter reatum peccati mortalis, quod incurrit, maiorem divini Officii partem ex sua culpa omittendo, tenetur ad restitutionem fructuum.*

Circa quartum Praeceptum. *Honora Patrem, et Matrem.*
[Addition de:] An executus sit testamenta ... defunctorum, *aut eas absque legitima causa nimium distulerit, quo in casu tenetur ad reparandum damnum illatum.*

Quod dicitur de filiis... Ecclesiae; *tenentur etiam servis suis atque ancillis aegrotantibus pro viribus subvenire.*

Circa 5. Praeceptum. *Non occides.*
An optaverit vindictam ex livore vel malivolentia[148].

---

147 An solvendo ... rebus] An vacando saecularibus rebus Pa. 1654.
148 Remplace: An aliquem habuerit odio...

566 CHAPITRE XII

[Addition de:] An hospitio exceperit extorres et homicidas; vel consilio, favore, aliisve rebus illis subvenerit[149].

Circa 6. et 9. Praeceptum. *Non fornicaberis…*
[Addition de:] An coniugale debitum petenti reddiderit.

Circa 7. et 10 Praeceptum. *Non furtum facies. Non concupisces proximi.*
[Addition de:] An inventa re aliqua notabili eam abstulerit animo retinendi pro se. Idem est censendum de rebus quae ad manus eius venerunt; si eas non restituerit suo Domino sciendo esse alienas[150].

Ad rem aliquam pluris vendiderit, vel minoris emerit quam valeat: aut pluris vendere vel minoris emere studuerit.

Ad rem unam pro alia praestantiori.

Ad vitiatam pro sana et incolumi.

An rei vendendae occultum vitium emptori reticuerit.

An aliquem ad usuram induxerit, aut consenserit.

An ludis vetitis usus sit, an etiam per fraudem…

An Simoniam commiserit *vendendo, vel emendo rem spiritualem aut spirituali annexam, vel alio* quocumque modo.

Circa octavum Praeceptum. *Non loqueris falsum testimonium.*
[Addition de:] An mali aliquid dixerit de proximo, patefaciendo sine iusta causa, v.g. aliquod eius occultum peccatum vel defectum cum infamia et damno illius: dicatur à poenitente an peccatum quod revelatur vere fuerit commissum, an confictum, an referatur, afferendo, dubitando vel ex auditu aliorum qui fide parum digni sint; an multorum vel unius tantum peccatum enuncietur; an apud unum tantum vel multos referatur; si inde notabilis, aut levis infamia vel damnum aliud sequutum sit.

p. 87-88 **Modi, quibus homo participat peccatis alienis.** *Consulo, praecipio…*
Formulaire de Chartres 1627-1640, Paris 1630, Beauvais 1637…

p. 88-91 **De numero et circumstantiis peccatorum explicandis.**
Formulaire de Chartres, différent de Paris 1615-1630.

L'*Exposition briefve des commandemens de Dieu* des rituels parisiens depuis 1552 est supprimée.

---

[149] An seminaverit lites, discordias… An ex ira offenderit alios…, An aliis sit adulatus…, sont déplacés au huitième commandement. – Suppression de: An correxerit eos…, An omiserit admonere aliquem…– An hospitio…subuenerit] *om.* Pa. 1654.

[150] Remplace: An inventa re aliqua… si eum noverit.

EXAMENS DE CONSCIENCE (1651-1778)

Périgueux 1651

Formulaire de Paris 1646.

Cambrai 1659

Catalogus peccatorum graviorum

Voir Cambrai 1622.

Alet 1667, 1677, 1771

[Alet 1667 : Nicolas Pavillon]
Examen, ou demandes à faire sur les Commandemens de Dieu

[Formulaire spécialement développé, reproduit seulement en partie ici[151] ;
le quatrième commandement est le plus détaillé, suivi par le premier.]

1403 **Alet 1667** première partie p. 139. *Observation sur l'Examen suivant*
Le Confesseur ne doit se servir de l'Examen qui suit qu'avec discretion et prudence, en reglant les demandes qu'il fera sur l'estat, la capacité, et la disposition des penitens ; estant mesme à remarquer que sur ce qui regarde le premier commandement, et principalement sur la charité, il y a des pechez fort spirituels, et qui peuvent estre fort legers, sur lesquels il ne seroit pas à propos d'interroger toutes sortes de personnes ; parce que le commun du monde n'est presque pas capable de s'examiner sur ces fautes, qui ne sont considerées que par des ames plus avancées et plus parfaites.

p. 139-142 **Sur le premier commandement**, *du culte et de l'amour de Dieu.*
Touchant la Foy. S'il a cru tout ce que croit la sainte Eglise catholique, apostolique, et romaine.
S'il a eu quelque opinion contraire à la foy de l'Eglise, et sur quel article.
S'il a examiné les matieres de foy avec trop de curiosité.
S'il a volontairement douté de quelque chose qu'il sçavoit estre article de foy, et s'il y a consenti, et quel est cet article.
S'il a esté negligent à resister aux tentations qu'il a eües contre la foy, et s'il y a consenti, et sur quel article.

---

[151] Le rituel d'Alet est numérisé sur Google.

S'il a assisté aux presches, et aux ceremonies des heretiques, et à quel dessein.

S'il a beaucoup de communication avec les heretiques; s'il dispute imprudemment avec eux des choses de la religion, ou s'il les favorise.

S'il a retenu, ou leu des livres d'heretiques, de magie, ou autres mechans livres; et quelles sont les choses dont ces livres traittent.

S'il a eu soin de s'instruire de toutes les choses qui sont necessaires au salut, comme des principaux mysteres de la foy, sçavoir le mystere de la Trinité, et celuy de l'Incarnation de Nostre Seigneur J. C.; des Commandemens de Dieu, et de l'Eglise, du Symbole, de l'oraison dominicale, et de tous les devoirs de son estat, et de sa profession.

S'il a assisté aux instructions publiques qui se font les dimanches et les festes dans les eglises paroissiales, où l'on exlique, et où l'on enseigne toutes ces choses.

S'il a eu soin de penser souvent aux devoirs où il est engagé comme chrestien, ou à ceux de sa condition particuliere, et de regler sa vie et ses actions selon les maximes de la foy.

… S'il n'a pas eu soin de travailler comme Dieu nous l'ordonne, en recherchant l'employ auquel il l'appelloit.

S'il s'est servi de quelque espece de superstition, d'enchantemens, de divinations, et de malefices, soit par soy-mesme, ou par le ministere d'autres personnes. …

Touchant l'Esperance. Si presumant trop de la misericorde de Dieu, il s'est plus facilement laissé aller à quelque peché, ou a perseveré dans le mal en differant de se corriger.

Si se deffiant de la misericorde de Dieu, il a desesperé de l'amendement de sa vie, ou du pardon de ses pechez, ou mesme de son propre salut, comme estant du nombre des reprouvez. …

Touchant la Charité. S'il a plus aimé Dieu que toutes les choses de cette vie.

Si dans les occasions il a preferé les prieres de ses parens, ou de ses amis, ou ses propres interests, et sa satisfaction, à la gloire de Dieu, et à ce qu'il demandoit de luy.

S'il a murmuré contre Dieu…

p. 142 **Sur le second commandement**, *De ne point prendre le nom de Dieu en vain.* …

S'il a juré sans necessité, et quel a esté ce jurement. …

… S'il a eu honte de confesser le nom de Dieu. S'il a renié Dieu.

EXAMENS DE CONSCIENCE (1651-1778)

… S'il a invoqué le diable, en implorant veritablement son secours.
S'il s'est donné à luy…
S'il a fait profession d'estre devin, conjureur, ou sorcier; ou s'il a eu
recours à ces sortes de personnes. …

p. 142-144 **Sur le troisiéme commandement,** *De la sanctification
du Sabbat.* …
S'il a violé les jours de festes, en faisant, ou en faisant faire des actions
qui sont deffendues par l'Eglise, ou en consentant qu'elles se fissent. …
… S'il a mesprisé, ou negligé d'assister à la messe de parroisse, au
prosne, à vespres, au sermon, et au catéchisme; et s'il a eu soin que les
personnes qui luy sont soumises y assistassent. …

p. 144-147 **Sur le quatrième commandement,** *D'honnorer son pere
et sa mere.*
Sur les devoirs des enfans envers leurs parens.
S'il a meprisé son pere ou sa mere, et ne leur a pas rendu tout le
respect, et toute l'amitié qu'il leur devoit. … S'il s'est marié contre leur
volonté. … Si après la mort de son pere ou de sa mere il a fait prier
Dieu pour eux, et a executé leur testament, et leur derniere volonté…

Sur les devoirs des peres et des meres envers leurs enfans.
S'ils ont eu soin d'elever leurs enfans dans la pieté, et de les retirer
de toutes les occasions de debauche et de dereglement.
S'ils les ont instruits, ou fait instruire de la doctrine chrestienne, et
des regles de l'Evangile; et s'ils leur ont appris à prier Dieu.
… Si avant que de porter leurs enfans à quelque estat, ils ont exa-
miné si Dieu les y appelloit.
… S'ils ont mis coucher avec eux leurs enfans depuis qu'ils ont com-
mencé à avoir du discernement; et s'ils ont permis que les freres et les
soeurs couchassent ensemble.
… S'ils les ont occupez à quelque exercice honneste, pour leur faire
eviter l'oisiveté, et les empescher de se corrompre.
S'ils ne les ont point habillez trop superbement.
… S'ils les ont pourveus honnestement lorsqu'ils ont esté en âge.
S'ils les ont pressez d'entrer dans une condition à laquelle ils
n'avoient point de vocation.
S'ils ont esté négligens à gagner leur propre vie, et la subsistance de
leur famille.
S'ils ont dissipé au cabaret ou au jeu ce qu'ils ont gagné.

Sur les devoirs des personnes mariées les unes envers les autres. S'ils font bon menage l'un avec l'autre.

S'ils s'entresupportent dans leurs mauvaises humeurs: s'ils s'entre-battent, ou se disent l'un à l'autre des paroles injurieuses; s'ils se sont refusé l'un à l'autre le devoir.

Au mary. S'il a mesprisé sa femme; s'il a eu de l'inclination pour une autre, et s'il a fait paroistre cette inclination… S'il a souffert qu'elle receust des visites suspectes dans l'esperance de quelque gain, ou de quelque avantage.

A la femme. Si elle a aimé son mary pour Dieu. Si elle a eu pour luy des complaisances criminelles. Si elle lui a donné de l'ombrage ou de la jalousie. Si elle n'a point eu de l'inclination pour un autre; et si cette inclination ne l'a point portée à desirer la mort de son mary, et mesme à y contribuer. … Si elle luy a gardé la fidelité qu'elle luy devoit. Si elle l'a endetté par ses trop grandes dépenses. …

Sur les devoirs des Seigneurs envers leurs vassaux. S'ils ont mal-traitté les vassaux. S'ils les ont contraints de marier leurs filles à telle personne qu'il leur a plu… S'ils ont donné protection aux pauvres, et aux personnes qui sont opprimées…

Sur les devoirs des Juges, des Consuls et des Magistrats des villes. S'ils ont eu soin de s'instruire de leurs devoirs, en étudiant les loix selon lesquelles ils doivent juger, et s'instruisant exactement des affaires dont ils sont juges…

Sur les devoirs des inferieurs envers les superieurs. S'ils ont rendu aux Seigneurs, et aux Magistrats l'honneur et les devoirs qui leur sont deus. S'ils ont médit d'eux… S'ils ont excité des troubles et des sedi-tions … S'ils ont porté les armes contre le Roi …

Sur les devoirs des maistres envers leurs serviteurs. Il faut faire aux maistres à l'egard de leurs serviteurs les mesmes demandes à peu prés qu'aux peres à l'egard de leurs enfans, puisqu'ils sont obligez d'en avoir le mesme soin; et il faut de plus interroger: S'ils leur ont payé leurs gages avec fidelité… s'ils les ont assistez autant qu'ils ont pu dans leurs maladies…

Sur les devoirs des serviteurs envers leurs maistres. S'ils ont rendu à leurs maistres et à leurs maistresses les services qu'ils devoient. S'ils les ont meprisez, ou mal parlé d'eux; et ne leur ont pas rendu tout le respect, et toute l'obeïssance qu'ils leur devoient. S'ils leur ont donné l'occasion de se fâcher. S'ils leur ont fait quelque tort en leurs biens, et s'ils ne les ont pas conservez avec la fidelité qu'ils devoient.

p. 147-148 **Sur le cinquiéme Commandement,** *De ne point tuer.*

S'il a desiré de se venger: si ç'a esté par haine, et pour contenter sa passion; ou par vanité, et de peur de paroistre meprisable aux yeux du monde.

S'il a desiré à quelqu'un la perte de la vie, de l'honneur, de la santé, de la reputation, des biens spirituels ou temporels.

S'il s'est mis en colere contre quelqu'un avec dessein de luy nuire, et si ç'a esté notablement.

S'il a commis un homicide; ou s'il a eu dessein de le commettre; ou s'il l'a procuré par ses conseils, par poison, par sortilege, ou par quelque autre maniere que ce soit.

S'il a donné occasion à quelque avortement, ou à la mort de quelques enfans, faute d'apporter le soin qu'il devoit à la conservation de leur vie. S'il a suffoqué ses enfans. Si avant l'an et jour il les a mis coucher avec soy dans le lit.

A des femmes enceintes. Si elles se sont blessées par leur faute, ou ont causé quelque dommage à leur fruit, soit en portant des fardeaux trop pesans, ou en prenant des recreations trop violentes, ou en quelque autre maniere que ce soit.

… S'il a appellé, ou fait appeller quelque personne en duel, et s'il a contribué au duel en quelque maniere que ce soit. …

S'il a causé des querelles, ou des divisions entre des amis, entre des familles, ou entre des communautez, et si de là il s'est ensuivi quelque batterie.

S'il n'a pas voulu demander pardon à ceux qu'il a offensez, ou se reconcilier avec eux; et s'il n'a pas fait une satisfaction proportionnée à l'injure qu'il avoit faite.

S'il n'a pas voulu pardonner une injure aux personnes dont il l'avoit receüe, et se reconcilier avec elles, mesme lorsqu'elles l'ont demandé, et qu'elles ont offert de le satisfaire.

… Si dans les malheurs, et les adversitez qui luy sont arrivées il a desiré de mourir: ou si la fureur et la colere l'ont porté à se frapper soy mesme, ou à se maudire, ou à se donner au diable, luy, sa femme, ses enfans, ou quelque autre personne; et si ç'a esté de coeur, ou seulement de bouche.

S'il a maudit des personnes vivantes, ou mortes.

… S'il a eu soin de corriger son prochain, et si en le faisant il a gardé l'ordre, et la moderation qu'il devoit. …

p. 149-150 **Sur le sixième, et neuvième commandement**, De ne point commettre de fornication; et de ne point desirer la femme de son prochain.

S'il s'est plu, et arresté volontairement à des pensées impures et deshonnestes, ou à toute autre sorte de pensées mauvaises, ou vaines et inutiles; et s'il a consenti. …

… S'il a usé de fard, d'odeur, de musc, de danses, de nuditez corporelles, et d'autres choses semblables, qui peuvent porter les personnes au peché…

Sur quoy il faut particulierement interroger les femmes, leur demandant si elles ont porté les bras nuds, ou la gorge decouverte… Si elles ont paru dans l'eglise avec ces nudités, et avec cet exterieur peu chaste, ou peu modeste. Si dans l'eglise, ou ailleurs elles ont tâché à se faire regarder, et à attirer les yeux des assistans sur elles.

Les personnes mariées s'examineront en particulier si elles ont commis quelque peché contre l'usage, et la fin du mariage.

Il faut aussy les interroger s'ils ont vescu dans le mariage avec la retenue, et la chasteté à laquelle ce sacrement les oblige.

S'ils ont malicieusement empesché la conception: s'ils ont usé de quelque artifice pour empescher la grossesse; ou si la grossesse s'en estant ensuivie, ils ont procuré l'avortement par quelque effort, par quelque breuvage, ou par quelque autre maniere.

On rapporte aussy à ce commandement les excés de bouche. Sur quoy on peut demander au penitent:

S'il a commis quelque excés dans le manger, ou dans le boire, avec un dommage notable de sa santé. …

p. 150-152 **Sur le septième, et le dixième Commandement**, *De ne point derober; Et de ne point desirer le bien d'autruy.* …

… Si par sa faute il est devenu insolvable, en sorte que ses creanciers en ayent receu un notable dommage. *Mais comme il y a des fautes d'ignorance, d'imprudence, et d'indiscretion … le Confesseur doit bien discerner ces choses…*

… S'il a frustré ses serviteurs, ou ses ouvriers de leur salaire; ou si en differant de les payer, il leur a causé quelque dommage.

S'il s'est prevalu de leur necessité pour avoir leur travail à trop bon marché.

Mais ce n'est pas un peché, de prendre des ouvriers à meilleur marché que l'ordinaire, lorsqu'ils ne trouvent personne qui les fasse travailler, et qu'on n'a pas beaucoup besoin de leur travail, les employant plutost pour subvenir à leur necessité.

S'il a injustement intenté un procés, ou si dans une cause juste il a usé de fraude, de tromperie, ou de fausseté pour le gagner. …

S'il a donné l'aumosne autant qu'il devoit, en vivant dans la modestie chrestienne, et se retranchant les choses vaines et inutiles.

S'il a privé l'Eglise des dixmes, et des autres droits qui luy sont deus.

… Il faut en particulier demander aux Seigneurs, et aux Officiers de justice :

S'ils ont pris pour leurs vacations, et pour leur salaire plus qu'il ne leur estoit deu. …

A ceux qui ont esté Consuls, Maires, Echevins, ou autres chefs de communautez.

S'ils ont administré le bien de la Communauté avec le soin, et la fidelité qu'il devoient. …

A ceux qui ont esté marguilliers, sacristains, ou procureurs scyndics dans les eglises.

S'ils ont administré le bien de l'Eglise avec le soin, et la fidelité qu'ils devoient. …

Aux femmes, et aux enfans de famille.

S'ils ont pris quelque chose à l'insçeu du mary, et du pere de famille, et contre leur volonté, et combien.

S'ils ont payé les dettes de la succession qui leur est venue.

S'ils ont acquitté les legs pieux, ou autres donations.

p. 153 **Sur le huitiême Commandement**, De ne point porter faux témoignage.

…

p. 153-154 Enfin le Confesseur doit demander à son penitent, s'il n'a point fait quelque confession invalide, et sacrilege : ce qui arrive particulierement faute d'examiner suffisamment sa conscience avant que de se confesser ; ou lorsqu'on se confesse sans douleur de ses pechez ; ou que l'on cache volontairement quelque peché mortel ; ou que l'on conserve la volonté de pecher, ou de demeurer dans les occasions prochaines ; ou que l'on demeure en des inimitiez ; ou que l'on ne restitue pas le bien, ou la reputation de son prochain, aprés que l'on luy a ravi ; ou que l'on ignore les devoirs de la vie chrestienne, et ceux de son estat particulier ; ou encore lorsqu'on a esté absous par un prestre qui n'avoit pas de jurisdiction sur nous. Car tous ces defauts

574 CHAPITRE XII

en particulier rendent la confession nulle, et l'on doit par consequent la reïterer. …

p. 154-160 **Examen des pechez des Ecclesiastiques**
Ordres. … Benefices. … Fonctions des curez. … Collateurs des Benefices. … Employ des revenus ecclesiastiques. … Obeïssance à l'Evesque. … Chanoines. … Predicateurs. …

Laon 1671, 1782

[Laon 1671 : César d'Estrées]

P1403bis **Laon 1671** Pars tertia, p. XXVIII-XLI, *Forma examinis, quo sacerdotis poenitentium confessiones excipientis memoria juvari poterit.*

[Formulaire de Paris 1646 avec des additions, particulièrement au quatrième commandement, concernant les devoirs des parents envers leurs enfants, et les devoirs des époux entre eux.

La liste présentée ici donne les additions au formulaire de Paris 1646 ; les additions au cours d'une accusation sont en italiques.]

Circa spem.
An ideo salutem suam neglexerit.
Circa Caritatem.
An amori Dei super omnia defuerit, praeferendo creaturam Deo et legi ejus, vel habendo voluntatem praeferendi.
An exposuerit se *proximo* periculo…
An correptionem *fraternam* fecerit, ordinemque debitum *in ea* servaverit.
An aliquam acediae speciem admiserit, *negligendo ea quae ad salutem aut proprium statum pertinent.*
An exercuerit, *aut excitaverit* discordiam…
An scandalum dederit, *proximum verbo aut exemplo ad malum excitando, vel à bono retrahendo.*
Circa secundum Praeceptum.
An juraverit *comminando* alicui sine intentione…
Circa tertium Praeceptum.
An per notabile temporis spatium in Missa… fuerit voluntarie distractus[152], loquendo…

---

[152] omnino] *om.* Laon.

EXAMENS DE CONSCIENCE (1651-1778)

An solvendo mercenariis…violaverit] *An vacando saecularibus rebus, verbi gratiâ, laborando, emendo, vendendo, actus judiciales vel contractus exercendo, nundinis vacando,* debitum festo cultum violaverit.

Circa quartum Praeceptum.

An iis [parentibus] invitis vel insciis Matrimonium inierit.

An Parentes sustentationis, caeterisque necessitatibus filiorum, pro facultatibus suis providerint.

An eos educaverint, sicut debent… *bonis exemplis praelucendo…*

Num iis maledixerint.

Num asperitate nimia eos ad desperationem, aut ad odium et irreverentiam sui provocaverint.

Num eos ad malum pravis exemplis, putà blasphemiis, ludis, aut ebrietatibus induxerint.

Num permiserint eos periculosis artibus exerceri ; vel prava consortia, spectacula, choreas, similiaque saluti pernitiosa frequentare ; aut luxu nimio vestimentorum uti.

Num eos ad statum aliquem amplexandum, putà Religionis aut Matrimonii per vim, vel sine vocatione divina induxerint, seu etiam coegerint.

Num iis causam odii vel invidiae dederint plus amoris uni exhibendo quàm alteri.

Num altero conjugum mortuo filiorum bona injustè surripuerint, aut dilapidaverint.

An Heri curam famulorum, caeterorumque domesticorum habuerint, ut nempe noverint necessaria ad salutem, observentque mandata Dei et Ecclesiae ; an iis aegrotantibus pro viribus subvenerint ; an persolverint debitam iis mercedem.

An famuli vicissim et ancillae dominis suis fidem servaverint in omnibus ; debitumque iis obsequium et honorem reddiderint.

An conjuges amorem mutuum, fidemque conjugalem servaverint.

An habuerint inter se pacem et concordiam, supportantes invicem, et adjuvantes in infirmitatibus suis.

Num sese mutuò verbis injuriosis affecerint.

Num maritus uxorem percusserit.

Num uxor mariti sui mortem concupierit ; an ex animo vel ore tenus.

Num eum culpâ suâ ad indignationem aut blasphemias provocaverit.

576 CHAPITRE XII

Num bona communia invito vel inscio marito comsumpserit, aut aliquo modo diverterit ea dando, vel luxui vestium rebusque inutilibus impendendo.

Hîc inquirendum etiam de officiis Dominorum, Magistratuum, Pedagogorum, caeterorumque Superiorum erga inferiores sibi subditos, et vicissim inferiorum erga Superiores.

Circa quintum Praeceptum.

An hospitio exceperit…] *om.* Laon

p. XLI-XLIII : **Modi quibus homo participat peccatis alienis. Circumstantiae peccatorum…**

Formulaires de Chartres 1627-1640.

Besançon 1674, 1705

[Besançon 1674 : Antoine-Pierre de Grammont]

De Sacramento Poenitentiae

[Péchés capitaux. Péchés criant au ciel. Péchés contre le S. Esprit Péchés contre les préceptes du Décalogue et de l'Eglise]

Listes très détaillées s'inspirant en partie de la doctrine d'Antoine Lulle[153], donnant pour chacun des péchés mortels ses sources scripturaires, sa définition, ses « filles », et des conseils pour lutter contre.

Ces listes sont reprises en 1705 légèrement abrégées.

P1404 **Besançon 1674** *Pars prima*, p. 62-97. *De peccatis.*

p. 65-72 *De septem peccatis Capitalibus*

Ex doctrinâ D. A. Lulli. … Superbia… Invidia… Ira… Gula… Luxuria… Pigritia… Avaritia…

p. 72-73 *Peccata clamantia in caelum*

… In sacris literis [*sic*] quatuor invenies. Sunt haec, **homicidium voluntarium, peccatum sodomiticum, oppressio pauperum, merces operarii retenta**… (73) Quintum … nonnulli ponunt **Usuram**…

p. 74 *De peccato in Spiritum Sanctum*

… 1. **Praesumptio** : qualis Haereticorum, qui putant se absque ullis meritis salvari, Deo justitiam detrahentes.

2. **Desperatio de misericordia Dei** : qualis Judae proditoris, et Cain.

3. **Impugnatio veritatis agnitae** : qualis fuit Judaeorum qui opera Christi manifestissima tribuebant principi daemoniorum. …

---

[153] Antoine Lulle, vicaire général de Claude de La Baume, archevêque du diocèse de 1545 à 1584.

EXAMENS DE CONSCIENCE (1651-1778)

4. **Invidia fraternae gratiae.** Hac primus Cain diabolum, cujus invidia peccatum in mundum introivit, imitatus est...

5. **Obstinatio in peccato**: ut qui perseverant in peccato, et statuunt ab eo non desistere in futurum...

6. **Finalis impoenitentia.** Haec nunquam de peccato poenitere statuit, ut qui gloriantur cum malefecerint, et exultant in rebus pessimis. ...

p. 75-84 *De Praeceptis Decalogi*
... Haec decem precepta Dei in veteri Testamento data fuerunt Moysi et populo... in duabus ... tabulis lapideis ...
Primae Tabulae Praecepta.
Primum. Ego sum Dominus Deus tuus. Non habebis Deos alienos coram me. Non facies tibi sculptile neque similitudinem, etc. Non adorabis ea, id est, ut adores ea.
II. Non assumes nomen Dei tui in vanum.
III. Memento ut diem sabbati sanctifices.
Secundae Tabulae Praecepta.
IV. Honora Patrem tuum, et Matrem tuam, ut sis longaevus super terram.
V. Non occides.
VI. Non moechaberis.
VII. Non furtum facies.
VIII. Non loqueris contra proximum tuum falsum testimonium.
IX. Non concupisces uxorem proximi tui.
X. Non domum, non agrum, non servum, non ancillam, non bovem, non asinum, et universa quae illius sunt.

p. 76-77 Primum Praeceptum declaravit Christus : *Dominum Deum tuum adorabis, et illi soli servies. ...*
[Chacun des préceptes est longuement commenté, en particulier le premier et le troisième]

p. 78 Secundum Praeceptum Decalogi. *Non assumes nomen Domini tui in vanum. ...*

p. 78-80 Tertium Praeceptum Decalogi. *Memento ut diem Sabbati sanctifices. ...*
[Chacun des préceptes est longuement commenté, en particulier le premier et le troisième]

p. 76-77 Primum Praeceptum *declaravit Christus: Dominum Deum Tuum adorabis, et illi soli servies. ...*

p. 78 Secundum Praeceptum Decalogi. *Non assumes nomen Domini tui in vanum.* …

p. 78-80 Tertium Praeceptum Decalogi. *Memento ut diem Sabbati sanctifices.* …

p. 80-81 Quartum Praeceptum Decalogi. *Honora Patrem tuum, et Matrem tuam, ut sis longaevus super terram, quam Dominus Deus tuus dabit tibi.* …

p. 81 Quintum Praeceptum Decalogi. *Non occides.* …

p. 82 Sextum Praeceptum Decalogi. *Non moechaberis.* …

p. 82-83 Septimum Praeceptum Decalogi. *Non furtum facies.* …

p. 83 Octavum Praeceptum Decalogi. *Non loqueris contra proximum tuum falsum testimonium.* …

p. 84 Novum Praeceptum Decalogi. *Non concupisces uxorem proximi tui.* …

Decimum Praeceptum Decalogi. Non domum, non agrum, non servum, non ancillam, non bovem, non asinum, et universa quae illius sunt. …

p. 85-97 **De Praeceptis Ecclesiae.** Ex Lullo et Concilio Trident.
(85-94) Primum Ecclesiae Praeceptum.
[Obligation d'assister à la messe le dimanche et jours de fête]
De Missa Parochiali audienda. …
(87-94) Explication des ceremonies de la sainte Messe. …
(94) Secundum et Tertium Praeceptum Ecclesiae.
Sacerdoti proprio annis saltem singulis peccata tua confitetor, et sacro-sanctam Eucharistiam, ad minimum semel in anno, circa festum Paschae sumito. … [Obligation de se confesser et de communier au moins une fois par an aux alentours de la fête de Pâques]
(94-95) Quartum Praeceptum Ecclesiae, de Festis.
[Fêtes d'obligation dans le diocèse]
(96-97) Quintum Praeceptum Ecclesiae. De Jejunio.
[Jours de jeûne dans le diocèse]

Limoges 1678, 1698

[Limoges 1678 : Louis de Lascaris d'Urfé]
Forma brevis examinis
[Péchés contre les commandements de Dieu et de l'Église. Péchés mortels]

Les péchés les plus développés portent sur le premier, les sixième et neuvième commandements.

EXAMENS DE CONSCIENCE (1651-1778)

¹1405 Limoges 1678 *Pars prima*, p. 126-132

Circa I. Praeceptum. An Fidei, Spei, Charitatis, ac Religionis actus, urgente earum praecepto, elicuerit.

Circa Fidem.

1. An omnes fidei articulos crediderit, vel de iis dubitaverit, aut haeresi vel errori adhaeserit.

2. An verbis, vel signis, haeresin [*sic*], aut serio, vel etiam simulando asserverit, aut aliter fidem negarit.

3. An perversionis periculo se exposuerit, libros haereticorum legendo, eorum caeremonias et conciones frequentando, vel cum iis disputando, et conversando.

4. An fidei mysteria, aliaque necessaria ad salutem addiscere neglexerit.

Circa Spem.

1. An de salute, peccatorum remissione, vitae emendatione, desperaverit.

2. An de Divinâ Misericordiâ praesumens, liberius peccaverit, vel in peccato perseraverit.

Circa Charitatem Dei.

1. An Deum oderit, vel contra ejus Providentiam murmuraverit.

Circa Religionem.

1. An magiâ, incantationibus, divinationibus, sortilegio, aut maleficio, vel mediis superstitiosis ac vanis observationibus, ad sanitatem aliamve rem obtinendam usus sit, vel eos qui iis utuntur consuluerit.

Circa 2. Praeceptum

1. An Deum aut sanctos blasphemaverit.

2. An contra veritatem, vel sine necessitate juraverit, vel res illicitas se facturum juramento asserverit.

3. An cum execratione juraverit, idque contra veritatem.

An cum juramento promiserit se aliquid facturum, quod nolebat implere.

4. An vota emissa impleverit, aut violaverit, vel an ea exequi nimium distulerit.

Circa 3. Praeceptum

1. An singulis diebus dominicis, vel festis ab operibus servilibus abstinuerit.

2. An hisce diebus Missam integram, reverenter, atque attento ad rem animo audierit.

3. An Concioni, Catechismo, et officiis divinis interfuerit, vel an choreis, ludis, comestationibus etc. hos dies impenderit.

Circa 4. Praeceptum

1. An filii Parentes oderint, verbis asperioribus, aut contumeliosis contristarint, an ipsis non obedierint in rebus quae ad salutem Animae, vel ad familiae regimen pertinent, demum an eos in necessitate sublevarint.

2. An Parentes filios oderint, vel durius, quam par sit, aut verbis, aut actione tractaverint, malum exemplum dederint, aut corrigere neglexerint.

Circa 5. Praeceptum

1. An aliquem oderit, et malum ei optaverit, an vindictam meditatus sit, an ex odio cum proximo colloqui, vel ipsi injuriam condonare, aut reconciliari recusaverit, et an qui proximum offendit veniam petere noluerit.

2. An laeserit in personâ, percutiendo, mutilando, occidando.

3. An verbis vel exemplis proximo scandalum dederit.

Circa 6. et 9. Praeceptum

1. An in cogitationibus obscoenis voluntarie immoratus sit.

2. An et quae turpia desideria conceperit.

3. An verba lasciva, aut turpes cantilenas protulerit, vel audierit.

4. An actiones inhonestas commiserit, ut sunt aspectus, oscula, tactus impudici ; aut se ab aliis turpiter tangi vel aspici permiserit. Aut etiam an actu peccaverit, cum foeminâ, idque cum virgine, aut aliâ solutâ, cum conjugatâ, aut consanguineâ vel affine, aut cum personâ Deo dicatâ per votum castitatis, aut ordinem sacrum, et an ipse sit conjugatus, aut Deo dicatus, etc.

5. An violentiâ, metu, dolo, vel sub promissione verâ, aut fictâ matrimonii, cum aliquâ peccaverit.

6. An peccatum contra naturam, scilicet sodomiam cum aliquâ personâ, vel bestialitatem cum bestiâ commiserit, vel seipsum polluerit.

7. An alicujus turpis peccati periculo sese exposuerit, legendo libros impudicos etc. ; vel occasiones proximas illius peccati non evitaverit, et an adhuc in illis maneat.

8. An in hujusmodi peccato mediator fuerit, litteras, vel munera deferendo : et an ipse mediatore usus sit ad peccandum.

9. An conjugatus, vel mente cogitando de aliis mulieribus, vel etiam actibus, aliisque modis extraordinariis aliquod peccatum commiserit

EXAMENS DE CONSCIENCE (1651-1778)

contra usum et finem matrimonii ; et an malitiosè conceptionem prolis impedierit, vel conjugale debitum petenti negaverit.

Circa 7. et 10

1. An alteri damnum inferre, vel res ejus tollere, aut ipso invito retinere voluerit.

2. An res ejus furto vel rapinâ abstulerit, aut injustè detinuerit, vel in iis quâlibet ratione damnum intulerit, aut quocunque modo cooperatus sit, jussu, vel consilio, etc. etiamsi nihil indè lucri reportaverit. Praesertim vero an res et bona Ecclesiae rapuerit, vel injustè detinuerit, aut instrumenta ipsius bonis recuperandis necessaria celaverit, etc.

3. An proximi jura violaverit, vel fraudibus, aut iniquis contractibus proximo damnum intulerit.

Circa 8

1. An temerè de aliquo judicaverit.

2. An falsum testimonium tulerit.

3. An contumeliâ, irrisione, detractione aut calumniâ, maledictione, aut susurratione proximum offenderit.

4. An instrumenta quaedam falsificaverit, vel iis usus fuerit.

5. An mendacia protulerit.

6. An sententiam iniquam Judex vel Arbiter tulerit, vel injustitiae patrocinium dederit, ut Advocatus, Procurator, Litigans, etc.

7. An secretum aliquod sibi commissum revelaverit.

p. 131 Circa Praecepta Ecclesiae

1. An festis diebus ab operibus servilibus abstinuerit, et sacrificio Missae interfuerit.

2. An Confessionis annuae, et Communionis Paschalis praecepto satisfecerit.

3. An à carnibus abstinuerit diebus vetitis, vel an diebus ab Ecclesiâ praescriptis jejunaverit.

4. An decimas accurate solverit.

Circa Peccata Capitalia

Circa Superbiam. 1. An propriam gloriam inordinatè appetierit, et an ob causam, illicita dixerit, aut perpetrarit, aut proximum contempserit, vel se de rebus vanis, aut malus jactaverit.

2. An officia, dignitates, beneficia indignus ambierit.

Circa Avaritiam. 1. An divitias amore inordinato amaverit, et propterea quae ad propriam salutem pertinent neglexerit.

CHAPITRE XII

2. An ex nimiâ tenacitate proximo in necessitate constituto eleemosynam dare omiserit.

3. An e contra ex nimiâ prodigalitate bona sua in ludis, comessationibus, etc. dilapidaverit.

Circa Luxuriam. Quae ad illud peccatum pertinent vide in examine 6. praecepti.

Circa Gulam

1. An se inebriaverit.

2. An se cibis nimium ingurgitaverit, vel demum an temperantiae regulam in cibo et potu transgressus fuerit.

Circa Iram. An impatiens fuerit, et an irâ commotus, vel contra Deum murmuraverit, aut blasphemaverit, etc., vel homines convitiis et contumeliis affecerit, aut sibi vel alteri mortem optaverit.

Vide reliqua in examine 5. praecepti.

Circa Invidiam. An ex livore de bono proximi contristatus fuerit: vel an de ipsius damno gavisus fuerit.

Circa Acediam. An ex tepore et negligentiâ salutem suam et quae proprii sunt officii neglexerit.

Admonitio

Cum hîc praecipua tantum examinis capita recenseantur, prudentis erit Confessarii alias interrogationes adhibere, ubi expedire judicaverit: praesertim vero examinabit Poenitentes, si opus sit, de peccatis quae in proprio ipsorum statu committi solent.

Langres 1679

[Louis-Marie-Armand de Simiane de Gordes]
Forma examinis, ad sublevandam confessariorum memoriam
[Péchés contre les dix commandements. Péché d'orgueil.
Coopération aux péchés d'autrui]

P1406 **Langres 1679** deuxième partie

p. I-X **Circa I. Praeceptum Decalogi inquiri potest**

An poenitens crediderit omnia quae S. Romana Ecclesia credit, vel certè habuerit opinionem in aliquâ re fidei Romanae contrariam, et in qua re? … [très proche de Paris 1646].

p. X-XI **Circa Peccatum Superbiae.** An judicaverit se bona quae habet corporis… [comme Chartres 1627-1640]

p. XI-XII **Circa peccata aliena in genere.** An malum dederit consilium… [comme Chartres 1627-1640]

EXAMENS DE CONSCIENCE (1651-1778) 583

Chartres 1680, 1689

[Ferdinand de Neufville de Villeroy]
De examine faciendo a Sacerdote Poenitentium Confessiones excipiente
[Péchés contre les dix commandements. Péchés capitaux.
Participation aux péchés d'autrui]

P1407 Chartres 1680 p. 91-109

L'examen de conscience de Chartres 1627-1640 est développé ; les additions sont en grande partie présentes dans l'examen de conscience de Paris 1646.

Circa 1. Praeceptum
[Addition de :] An frequenter versetur cum haereticis, et imprudenter cum eis disputet, an eis faveat (p. 92).

An interfuerit publicis instructionibus quae festis ac dominicis diebus fiunt in Ecclesia parochiali, in quibus ea omnia exponuntur et docentur. (p. 93)

An faustorum, infaustorumque dierum observatione, liminis calcatione, caeterisque hujusmodi vanis observationibus sit usus, aut de earum usum aliquos induxerit. (p. 93)

An eleemosynam dederit cum deberet.

An scandalum dederit.

An aliquam acediae speciem admiserit, An superbus fuerit aut invidus (p. 94).

Circa 3. Praeceptum
[Addition de :] An venerit in Ecclesiam malo animo, verbi gratia ad videndum aliquos, vel cum iis colloquendum, prava intentione, et an malum aliquid in ea commiserit.

An contempserit aut neglexerit interesse Missae parochiali, Vesperis, Concionibus, ac Catechismis, nec curaverit ut sibi subiti iis interessent (p. 96).

An non habita ratione aetatis aut alterius legitimi impedimenti, Quadragesimali tempore, aut alio quo indictum sit ab Ecclesia jejunium, indiscriminatim omnibus domesticis et aliis ampliorem coenam offerat, sinatve offerri : aut matutinis horis cibos ingerat ante consuetum tempus (p. 96-97) etc.

Périgueux 1680

Absence d'examen de conscience.

Coutances 1682

Formulaire de Paris 1646.

p. 107-109 **Circa Peccata capitalia**
[Le péché le plus développé est le premier]
De Peccato Superbiae. An per vanam gloriam, honorari voluerit ob bona quae non habet; aut quae etiam si habeat dignum honore non faciunt, ut sunt bonae fortunae, forma corporis, vestium ornatus, et similia.

An per arrogantiam judicaverit se bona quae habet, sive animi, sive corporis aut fortunae non habere à Deo, sed à se, et sua industria...

An vane existimaverit se habere virtutem, quam non habet...

De Avaritia, vide circa septimum Praeceptum.

De Luxuria, vide circa sextum Praeceptum.

De Peccato Gulae. An nimium comederit; an lautius, an frequentius. An avidius, et ad delectationem potius quam ad sustentationem. ... Vide etiam circa tertium praeceptum.

De Peccato Invidiae. An ex proximi malis gaudium; an ex prosperis moerorem conceperit. Plura vide circa 5. et 8. Mandatum.

De Peccato Irae. An adversi impatiens ira commotus fuerit. An rixas moverit, convicia protulerit, blasphemaverit. Caetera vide circa 2um. 5um. et 8um. Praeceptum.

De Acedia. An segni otio tempus consumpserit. An ea ad quae ratione status et officii tenebatur, adimplere neglexerit. An rerum divinarum et spiritualium taedium ceperit. ... Vide circa tertium Praeceptum.

Huc quoque referri possunt Peccata omissionis in singula Praecepta.

Modi quibus homo participat peccatis alienis...

De numero et circumstantiis peccatorum inquirendis. [formulaires de Chartres 1627-1640].

EXAMENS DE CONSCIENCE (1651-1778)   585

Amiens 1687

[François Faure]
Forme d'examen, qui pourra servir à soulager la memoire des Confesseurs
[Péchés contre les dix commandements. Confessions invalides]

Questionnaire relativement proche de celui de Chartres 1627-1640. Les péchés contre les premier, troisième et quatrième commandements sont les plus développés.

P1408 **Amiens 1687 p. 594-608**
Sur le premier Commandement. *Du culte et de l'amour de Dieu. Touchant la Foy.*
S'il a crû tout ce que croit la Sainte Eglise catholique, apostolique et romaine.
S'il a eû quelque opinion contraire à la foy catholique, et sur quel article.
S'il a examiné les matieres de foy avec trop de curiosité.
S'il a volontairement douté de quelque chose qu'il sçavoit être article de foy, et s'il y a consenti; et quel est cet article.
S'il a été negligent à resister aux tentations qu'il a euës contre la foy, et s'il y a consenti, et sur quel article.
S'il a assisté aux prêches et ceremonies des Heretiques; et à quel dessein.
S'il a beaucoup de communications avec les Heretiques; s'il dispute imprudemment avec eux des choses de la Religion, ou s'il les favorise.
S'il a retenû, ou lû des livres d'Heretiques, de magie ou autres mechans livres; et quelles sont les choses dont ces livres traitent.
S'il a eû soin de s'instruire de toutes les choses qui sont necessaires au salut; comme des principaux misteres de la Foy, sçavoir le mistere de la Trinité, et celui de l'Incarnation de Nôtre Seigneur J. C.; des Commandemens de Dieu, et de l'Eglise, du Symbole, de l'Oraison dominicale, et de tous les devoirs de son êtat et de sa profession.
S'il a assisté aux instructions publiques qui se font les dimanches et les fêtes dans l'Eglise paroissiale où on enseigne toutes ces choses.
S'il s'est servi de quelque espece de superstition, d'enchantement, de divination, et de malefices, soit par soi-même, soit par le ministere d'autres personnes.
Touchant l'Esperance.

CHAPITRE XII

Si présumant trop de la misericorde de Dieu, il s'est plus facilement laissé aller à quelque peché, ou a perseveré dans le mal en differant de se corriger.

Si se deffiant de la misericorde de Dieu il a desesperé de l'amendement de sa vie, ou du pardon de ses pechez, ou même de son propre salut, comme étant du nombre des réprouvez.

Si à cause de cela, il a negligé son salut.

Touchant la Charité.

S'il a manqué d'aimer Dieu sur toutes choses en preferant la creature à Dieu et à sa loi, ou aiant la volonté de la preferer.

S'il a murmuré contre Dieu en se plaignant de sa justice ou de sa providence; de ce qu'il nous prive des choses que nous desirons, ou qu'il ne nous les accorde pas.

S'il s'est exposé a un peril évident de pecher mortellement, et s'il a eû de la complaisance pour un peché qu'il a autrefois commis.

S'il a eû de la haine contre quelqu'un, et combien de temps il a perseveré dans cet état.

S'il a fait les aumônes, ausquelles il étoit obligé.

S'il a fait la correction fraternelle, et s'il y a gardé l'ordre qu'il y devoit garder.

S'il est tombé dans le peché de paresse, et en quelle maniere, comme s'il a negligé les choses qui concernent son salut, ou son état particulier.

S'il a porté envie à quelqu'un.

S'il s'est engagé dans des disputes, dans des querelles et dans des inimitiez; et s'il a excité des troubles et des seditions.

S'il a porté les armes dans une guerre injuste.

S'il a donné du scandal [sic], en portant son prochain au mal par son mauvais exemple, ou par son conseil, ou en ne l'en détournant pas.

S'il a persecuté ou calomnié des gens de bien; s'il a parlé desavantageusement de leurs bonnes oeuvres, ou s'il les a empêchées, et s'il a detourné quelqu'un sans une cause raisonnable, d'entrer en Religion.

S'il a été orgueilleux.

S'il a crû n'avoir pas recû de Dieu tous les biens qu'il a, soit d'esprit, soit de corps, soit de fortune; mais qu'il les a acquis par son travail, et par son industrie; ou si avoüant qu'il les a reçûs, il croit que c'est pour ses merites et on par grace.

Sur le second Commandement. *De ne point prendre le nom de Dieu en vain.*

S'il a juré sans necessité.

S'il a juré pour asseurer une chose qu'il sçavoit être fausse, ou dont il doutoit, même en une matiere de peu d'importance.

S'il a violé sans une raison legitime la promesse qu'il avoit faite avec serment, ou si en jurant il n'avoit pas dessein de la tenir, quoi que ce soit une chose de peu d'importance.

S'il a juré sans se mettre en peine, et sans considerer si ce qu'il juroit êtoit vrai ou faux ; et s'il est dans cette habitude.

S'il a donné occasion à quelqu'un de faire un faux serment, ou de violer un serment licite et legitime.

S'il a juré avec des imprecations ; en disant, par exemple, le diable m'emporte, que je perisse sur l'heure, ou autres semblables imprecations, si je ne fais telle ou telle chose.

S'il a juré qu'il commettroit quelque peché, et quel est ce peché ; ou qu'il ne feroit pas quelque bien, ou qu'il n'observeroit pas quelqu'un des conseils evangeliques.

S'il a fait quelque faux serment devant les juges ; ou si êtant interrogé juridiquement il n'a pas répondu selon l'intention de celui qui l'interrogeoit ; ou s'il a conseillé à d'autres de ne le pas faire : et en ce cas non seulement il peche mortellement, mais il est encore obligé à restitution, si le prochain en a reçû du dommage.

S'il a blasphêmé contre Dieu et contre les Saints, et s'il a usé de malediction, d'execration, et d'outrages contre leur honneur.

S'il a invoqué le diable, en implorant veritablement son secours.

S'il s'est donné à lui, son corps, ou son ame, ou ses enfans, ou ses serviteurs, ou son prochain.

Si aiant fait voeu de faire quelque bien, il ne l'a pas executé, ou s'il en a beaucoup differé l'execution : ce qui se doit aussi entendre des oeuvres dans lesquelles un voeu a été changé par un Confesseur qui en avoit le pouvoir.

S'il a fait quelque voeu avec intention de ne le point accomplir.

S'il a fait voeu de ne pas faire quelque bien, ou de faire quelque mal, ou de faire à la verité quelque bien, mais pour une mauvaise fin.

S'il a fait des voeux temeraires, et superstitieux.

Sur le troisiéme Commandement. *De la sanctification du Sabbat.*
S'il a violé les jours de Fêtes, en faisant, ou en faisant faire des actions qui sont défendues par l'Eglise, ou en consentant qu'elles se fissent.

Si sans une cause legitime il a manqué les dimanches, et les fêtes ordonnées par l'Eglise d'entendre la Messe en tout ou en partie.

CHAPITRE XII

Si en assistant à la Messe les dimanches et les fêtes, il a êté volontairement distrait pendant un espace de temps notable, en passant le temps à parler, à rire ou à s'occuper volontairement l'esprit de choses vaines et inutiles, ou mauvaises.

S'il est venu à l'Eglise avec une intention mauvaise et criminelle; par exemple, pour y voir quelques personnes, et s'entretenir avec elles; et s'il y a commis quelque mal.

S'il a méprisé ou negligé d'assister à la Messe de Paroisse, au Prône, à Vespres, au Sermon et au Catechisme; et s'il a eû soin que les personnes qui lui sont soûmises y assistassent.

S'il a eû soin que les personnes qui lui sont soûmises entendissent la Messe les fêtes et dimanches.

S'il s'est occupé les jours de dimanches et fêtes à des choses seculieres. S'il a passé des contracts ces jours-là, s'il a travaillé, voituré et conduit des marchandises; s'il a vendu ou acheté quelque chose sans necessité.

S'il a interrompu l'Office divin en s'entretenant, en se promenant, ou en faisant du bruit dans l'Eglise.

S'il s'est confessé au moins une fois l'an, et si ç'a êté à son propre pasteur; et s'il a eû soin que toutes les personnes qui lui sont soûmises aient satisfait à ce devoir.

S'il s'est confessé sans avoir auparavant fait l'examen de sa conscience; et si faute de l'avoir fait comme il faut, il a ômis dans la confession quelque peché mortel; s'il en a caché quelqu'un par honte, ou pour quelqu'autre raison.

S'il a communié tous les ans au temps de Pâques dans sa paroisse, et s'il l'a fait avec les dispositions necessaires.

Si se sentant coupable de quelque peché mortel, ou craignant avec fondement de l'être, il a reçû quelque sacrement.

S'il a observé le jeûne du Carême, des Vigiles et des Quatre-Temps y êtant obligé; et si pendant ces jours-là, il a sans grand besoin ou sans dispense usé de viandes défenduës; ou s'il a donné occasion à d'autres d'en user.

Si par gourmandise il a transgressé quelque commandement.

S'il a commis quelque excez dans le manger ou dans le boire avec un dommage notable de sa santé.

S'il s'est enyvré volontairement, et a invité ou même pressé les autres à le faire.

S'il a violé l'Eglise par quelque peché de la chair, ou par quelque effusion de sang causée par quelque violence.

S'il a encouru quelque excommunication, ou si êtant excommunié il a participé à quelque sacrement.

S'il a encouru quelque Censure ecclesiastique ; ou si en aiant encouru quelqu'une il l'a violée, et a fait quelque action qui lui êtoit défenduë. *Les mêmes demandes se doivent faire touchant l'irregularité.*

S'il a traité avec outrage, ou avec irreverence, les Images, les Reliques des Saints, et les autres choses sacrées, comme les Sacremens et les ceremonies de l'Eglise.

Si êtant obligé au Breviaire il a manqué à le reciter en tout ou en partie, et quelle est cette partie, et si en le recitant il a êté distrait volontairement, et si c'est dans une partie notable de l'office. S'il a un benefice ecclesiastique, outre les peché mortel qu'il a commis en ômettant de reciter la plus grande partie de l'office, il est obligé à la restitution des fruits.

Si par paresse, ou par dégoust des choses spirituelles il a manqué de faire quelque bonne oeuvre qu'il êtoit obligé de faire.

Sur le quatriéme Commandement. *D'honnorer* [sic] *son pere et sa mere.*

S'il les a offensez par des actions ou par des paroles outrageuses, par des medisances ou par des railleries.

S'il les a maudits ; et si pendant leur absence il a fait des imprécations contr' eux, et les a deshonnorez.

S'il leur a donné sujet de se mettre en colere, ou de s'affliger.

S'il les a haïs ; s'il en a fait des jugemens, ou en a eû des soupçons temeraires : s'il n'a point eû d'amitié pour eux, et a conservé contr' eux quelque ressentiment, et durant combien de temps.

S'il a obey à ses parens, et aux superieurs ecclesiastiques ou seculiers des choses justes, ou qui regardent l'interêt du public, ou celui de leur famille ou de leur personne.

S'il a assisté ses parens dans leur necessité, êtant en état de le faire.

S'il s'est marié contre leur volonté.

Si de propos déliberé il leur a soûhaité quelque mal considerable, ou même la mort pour posseder leurs biens.

Si aprés la mort de son pere ou de sa mere il a fait prier Dieu pour eux, et a executé leur testament et leur derniere volonté ; ou si sans une cause legitime il a trop differé de les executer ; auquel cas il est obligé de reparer le dommage qui s'en est ensuivi.

Si par un amour immoderé envers son pere ou sa mere il ne s'est pas soucié d'offenser Dieu.

590 CHAPITRE XII

S'il a observé les loix et les ordonnances des Superieurs.

S'il a parlé mal des Superieurs ecclesiastiques ou seculiers, comme aussi des prêtres et des religieux, et quel mal il s'en est ensuivi.

[Devoirs des parents envers leurs enfants]

Si les peres et meres ont donné à leurs enfans la subsistance qui leur êtoit necessaire.

S'ils ont eû soin de les élever comme ils doivent, leur apprendre à prier Dieu, et les instruisant de la Doctrine chrêtienne, les reprenant aussi et les chatiant principalement lors qu'ils ont commis quelque peché, en leur donnant bon exemple; et les occupant à quelque exercice honnête, pour leur faire éviter l'oisiveté; et les empécher de se corrompre.

S'ils ne les ont point maudits.

Si en les maltraittant sans sujet ou avec excez, ils ne les ont porté au desespoir, ou ne leur ont donné occasion de les haïr, ou de leur manquer de respect.

S'ils leur ont donné mauvais exemple par leurs débauches, et par leurs juremens.

S'ils leur ont permis de s'emploier à des occupations dangereuses; de frequenter de mauvaises compagnies; d'aller au bal ou à la comédie, et autres choses semblables dangereuses pour le salut; et s'ils ne les ont point habillé trop superbement.

S'ils les ont pressé ou contraint d'entrer dans une condition à laquelle ils n'avoient point de vocation.

S'ils n'ont point causé de jalousie envers leurs enfans, en témoignant aux uns beaucoup plus d'affection qu'aux autres.

[Devoirs des maîtres et des domestiques]

Si les Maîtres ont eu soin de leurs domestiques; comme de leur faire apprendre les choses necessaires au salut; de leur faire observer les Commandemens de Dieu et de l'Eglise; s'ils les ont assistez autant qu'ils ont peu [*sic*] dans leurs maladies, et s'ils leur ont payé leurs gages avec fidelité.

Si les serviteurs et servantes ont été fidelles à leurs maîtres et maîtresses, et leur ont rendu le service et l'honneur qu'ils leur doivent.

EXAMENS DE CONSCIENCE (1651-1778) — 591

[Devoirs des personnes mariées]

Si les personnes mariées ont fait bon ménage l'un avec l'autre, s'entre-supportant dans leurs mauvaises humeurs, et s'entr-aidant dans leurs infirmitez.

S'ils se sont gardé l'amour et la fidelité conjugale.

S'ils se sont dit l'un à l'autre des paroles injurieuses.

Si le mari a mal-traitté sa femme.

Si la femme a desiré la mort de son mari; et si ç'a été tout de bon, ou de paroles seulement.

Si par sa faute elle lui a donné occasion de s'emporter ou de jurer.

Si malgré son mari ou à son insceu, elle a consumé ou diverti les biens de la communauté, en les donnant à d'autres, ou en faisant trop de dépenses en habits, ou en d'autres choses inutiles.

Il faut aussi interroger ici sur les devoirs des Maîtres, des Magistrats, des Precepteurs, et autres Superieurs envers ceux qui leur sont soûmis, et reciproquement sur les devoirs des inferieurs envers leurs Superieurs.

Sur le cinquiéme Commandement. *De ne point tuer.*

S'il a desiré de se venger; si ç'a été par haine, et pour contenter sa passion.

S'il a desiré à quelqu'un la perte de la vie, de l'honneur, de la santé, de la reputation, des biens spirituels ou temporels.

S'il s'est mis en colere contre quelqu'un avec dessein de lui nuire, et si ç'a été notablement.

S'il a commis un homicide; ou s'il a eû dessein de le commettre; ou s'il l'a procuré par ses conseils, par poison, par sortilege, ou autrement.

S'il a donné occasion à quelque avortement, ou à la mort de quelques enfans, faute d'apporter le soin qu'il devoit à la conservation de la vie.

Si dans les contestations il a frapé [*sic*] ou blessé quelqu'un, ou s'il a donné ordre à d'autres de le faire; si cette violence aiant été faite en son nom, il l'a approuvée; ou si generalement il a eû part à une action semblable par son conseil, par son secours, et par sa protection. *Sur quoi il faudra interroger le Penitent de la qualité des personnes offensées, si elles êtoient sacrées ou laïques; parentes, alliées, ou non: car celui qui frappe avec outrage un Clerc est excommunié.*

S'il n'a pas voulu demander pardon à ceux qu'il a offensez, ou se reconcilier avec eux; et s'il n'a pas fait une satisfaction proportionnée à l'injure qu'il avoit faite.

S'il n'a pas voulu pardonner une injure aux personnes dont il l'avoit reçûë, et se reconcilier avec elles, même lorsqu'elles l'ont demandé, et qu'elles ont offert de lui satisfaire.

Si par haine il a manqué de salüer quelqu'un, ou de lui parler, et de lui rendre les autres marques de la civilité et de l'amitié : ou si n'aiant pas en effet d'aversion pour lui, il a ômis de lui rendre ces marques ordinaires et ces devoirs communs de la civilité et de l'amitié, en sorte qu'il ait été blessé, et le prochain scandalisé.

Si dans les mal-heurs, et les adversitez qui lui sont arrivées il a desiré de mourir ; ou si la fureur et la colere l'ont porté à se frapper soi-même, ou à se maudire, ou à se donner au diable ; et si ç'a été de coeur, ou seulement de bouche.

S'il a maudit des personnes vivantes ou mortes.

Si par haine ou par envie il a eû de la douleur et de la tristesse des avantages soit spirituels, soit corporels de son prochain, et s'il s'est ré-joüy des mal-heurs qui lui sont arrivez.

Si par son conseil ou par son mauvais exemple, ou en loüant le mal, ou en blâmant le bien, il a été cause qu'une personne ait cessé de faire une bonne oeuvre qu'elle faisoit auparavant, ou s'il l'a portée à commettre quelque peché, ou a y demeurer en la detournant d'en faire penitence.

S'il a dit quelque mal de son prochain, découvrant sans sujet un peché, ou défaut caché, dont il a reçû du dommage ou de l'infamie.

Il faut que le Penitent exprime si le peché qu'il a revelé êtoit veritable ou non : s'il en avoit une connoissance certaine, ou s'il en doutoit seulement, s'il l'a rapporté comme une chose douteuse, ou assûrée.

Il faut aussi exprimer le nombre et la qualité des personnes contre qui la medisance a été faite, et si le dommage et l'infamie qu'elles en ont reçû a été considerable.

Sur le sixiéme, et neuviéme Commandement. *De ne point commettre la fornication ; Et de ne point desirer la femme de son prochain.*

S'il s'est plû et arrêté volontairement à des pensées impures et deshonnêtes, ou à toute autre sorte de pensées mauvaises et s'il y a consenti.

S'il a proferé des paroles lascives, ou s'il s'est plû à en entendre proferer : à quel dessein il les a dites, si ç'a été par impudicité, et pour porter les autres au peché, ou seulement par legereté : s'il a pris plaisir non seulement aux paroles deshonnêtes, mais même aux choses signifiées par ces paroles qu'il a proferées, ou entendu proferer ; et si la chose à laquelle il a pris plaisir, êtoit un peché avec une personne mariée, parente, ou consacrée à Dieu, etc.

EXAMENS DE CONSCIENCE (1651-1778)   593

S'il a lû des livres et des histoires deshonnêtes, et s'il y a pris plaisir à cause des choses deshonnêtes qui y êtoient contenuës; et s'il s'en est ensuivi quelque mouvement déreglé.

S'il a eû des peintures et des images deshonnêtes: s'il s'est arrêté à les considerer.

S'il a desiré de commettre quelque peché deshonnête, et avec quelle personne, mariée, parente, ou d'Eglise.

S'il a commis quelque impureté avec des personnes de l'un ou de l'autre sexe.

Il faut que le Penitent exprime quelle a été l'espece de son peché, quelles ont été les personnes avec qui il a peché ou a eu dessein de le faire: si ç'a été avec une parente ou alliée, une fille, ou une femme mariée, ou avec une personnes consacrée à Dieu. S'il a sollicité cette personne ou si elle êtoit déja corrompuë. Combien de temps il a demeuré dans ce peché ou dans la volonté de le commettre. Si le lieu ou il a commis son peché êtoit sacré, ou non. *Toutes ces circonstances se doivent exprimer à l'égard de tous les pechez d'impureté. Il doit aussi dire s'*il avoit auparavant fait le voeu de chasteté.

On ne dira rien de particulier ici des divers pechez contre la chasteté, que l'on ômet tout exprés par honnêteté, étant facile aux Confesseurs d'y suppléer par d'autres voies.

S'il a envoié des messages, des lettres ou des presens à mauvais dessein; s'il s'est servi de l'entremise de quelque personne pour commettre le peché, ou s'il a lui-même servi de mediateur à d'autres, ou s'il a contribué au peché par son conseil, par son secours ou par quelqu'autre voye.

S'il a été en quelque lieu ou s'il y a passé à dessein d'y regarder des femmes; et si cette vûë ne tendoit pas à de plus mauvaises actions, et generalement s'il ne s'est point exposé à quelque peril de peché.

S'il a eu un amour deshonnête pour quelque personne, et s'il le lui a témoigné, et l'a poursuivie à dessein de pecher avec elle, et combien de temps il a demeuré en cet amour; et s'il s'est ensuivi des desordres, comme l'infamie de la personne, des querelles, des jalousies.

S'il s'est servi d'artifices, de promesses, de violence, de fraude, ou d'autres voies pour gagner cette personne.

S'il l'a diffamée lui-même, en se vantant du peché qu'il a commis avec elle.

S'il a usé de fard, d'odeur, de musique, de danses, de nudités corporelles, et d'autres choses semblables, pour porter quelque personne au peché.

594 CHAPITRE XII

S'il n'a pas évité les occasions prochaines de tomber dans ce peché ; et s'il y est encore actuellement.

Les personnes mariées s'examineront en particulier, si elles ont commis quelque peché contre l'usage, l'honnêteté, et la fin du mariage.

Il faut aussi les interroger s'ils ont malicieusement empêché la conception, ou usé de quelque artifice pour empêcher la grossesse.

Sur le septiéme, et dixiéme Commandement. *De ne point dérober; Et de ne point desirer le bien d'autruy.*

S'il a commis quelque larcin, et quelle est la chose qu'il a prise.

S'il a derobé une chose qui êtoit sacrée, ou dans un lieu sacré.

S'il a causé quelque dommage à quelqu'un ; si ce dommage a été grand, et s'il en a fait la restitution.

S'il a retenu le bien d'autruy contre la volonté de celui à qui il appartenoit, et ne l'a pas restitué l'aiant pû faire ; et durant combien de temps.

S'il a empêché quelqu'un de joüir de ses droits.

Si par sa faute il est devenu insolvable, en sorte que ses creanciers en aient reçû un notable dommage.

Si aiant trouvé quelque chose d'une valeur considerable, il l'a prise à dessein de la retenir pour soi. *Il faut lui faire la même demande touchant les choses qui sont tombées entre ses mains,* si sçachant à qui elles appartenoient, il ne les a pas renduës.

Si par sa faute il a perdu les dépôts qui lui avoient été confiez ; et s'il a rendu en mauvais êtat les choses qui lui avoient été prêtées ou loüées en bon êtat.

Si en vendant ou en achetant il a commis quelque fraude, soit dans la substance de la marchandise même, ou dans le prix ou dans le poids, ou dans la mesure.

S'il a acheté de personnes qui n'avoient pas le pouvoir de vendre, comme de serviteurs, et d'enfans de famille.

S'il a plus vendu une chose, ou l'a moins achetée qu'elle ne valoit ; et s'il a tâché de vendre plus ou d'acheter moins que le juste prix.

S'il a vendu une chose pour une autre qui êtoit meilleure, ou une qui êtoit defectueuse pour une autre qui ne l'êtoit pas.

Si en vendant une chose il a caché des défauts importans qui eussent empêché de l'acheter.

S'il a acheté des choses qu'il sçavoit ou qu'il doutoit avoir êté derobées ; et s'il a consumé une partie.

S'il a eû une volonté determinée de prendre le bien d'autruy s'il le pouvoit, ou de le retenir.

EXAMENS DE CONSCIENCE (1651-1778)

S'il a commis quelques usures ou fait quelques contracts usuraires ou des societez injustes dans le commerce.

S'il a porté quelqu'un à l'usure, ou s'il y a lui-même consenty.

Si aiant reçû payément, ou salaire pour faire quelque chose, il ne s'en est pas fidellement acquitté.

S'il a frustré ses serviteurs, ou ses ouvriers de leur salaire; ou si en differant de les payer, il leur a causé quelque dommage.

S'il a injustement intenté un procez, ou si dans une juste cause il a usé de fraude, de tromperie, ou de fausseté pour la gagner.

S'il a joüé à des jeux défendus; ou si dans le jeu il a gagné quelque chose par fraude; ou s'il a joüé avec des personnes qui ne peuvent pas aliener leur bien comme avec des enfans de famille.

S'il a commis quelque simonie en vendant, ou en achetant une chose spirituelle, ou qui est annexée à une chose spirituelle, ou par quelqu'autre maniere.

S'il a privé l'Eglise des dixmes, et des autres droits qui lui sont dûs.

Si par des moyens illicites, par des faux actes, ou de fausses informations, il a obtenu une chose sur laquelle il n'avoit point de droit veritable, ou empêché d'autres personnes de faire quelque gain honnête, ou d'obtenir un benefice ecclesiastique.

S'il a participé à quelque larcin, ou en le commandant, ou en le conseillant, ou en y consentant, ou en le favorisant; ou faute de le relever, et de l'empêcher, lorsqu'il l'a pû et l'a dû faire.

S'il a consumé ou aidé à consumer en quelque maniere que ce soit les choses qu'il avoit prises lui-même, ou qu'il sçavoit venir de vol.

Sur le huitiéme Commandement. *De ne point porter faux témoignage.*

S'il a porté faux témoignage en jugement ou en d'autres rencontres; et s'il a excité d'autres personnes à le faire.

S'il a semé des procez, des divisions et des inimitiez, et entre quelles personnes, et quel mal il s'en est ensuivy.

S'il a injustement accusé quelqu'un, ou si êtant juge ou arbitre, il a prononcé une sentence injuste.

S'il a menti au préjudice de son prochain, et en lui causant un dommage notable; ou si au contraire ç'a été pour lui rendre office, ou seulement par raillerie.

S'il a offensé quelque personne par des paroles injurieuses et offensantes, et si ç'a été dans la colere.

S'il a dit quelque mal de son prochain, découvrant sans sujet, par exemple, un peché ou un défaut caché, et s'il en a reçû du dommage ou de l'infamie. *Il faut que le Penitent exprime* si le peché qu'il a revelé êtoit veritable, ou non : s'il en avoit une connoissance certaine, ou s'il en doutoit seulement : s'il l'a rapporté comme une chose assûrée, ou douteuse, ou qu'il avoit oüi dire à des personnes peu dignes de foi. *Il faut aussi exprimer* le nombre et la qualité des personnes contre qui la medisance a été faite, et si c'est devant une seule personne ou plusieurs que l'on a fait la medisance ; et si le dommage ou l'infamie qui s'en est ensuivie a été notable.

Si dans des choses de consequence il a murmuré contre la conduite des autres, et particulierement des personnes qualifiées, comme sont les prêlats, les prêtres, les religieux, et autres personnes de consideration.

S'il a revelé un secret qui lui avoit été confié, ou s'il a découvert ce qu'il a vû et entendu en secret.

S'il a flaté des personnes en les loüant de choses qui êtoient criminelles, ou en justifiant le mal qu'elles faisoient.

S'il a ouvert les lettres des autres, et à quel dessein.

S'il a fait quelque jugement temeraire des actions ou des paroles de son prochain, interpretant mal ce qui pouvoit se prendre en bonne part ; ou s'il a seulement eu de mauvais soupçons.

S'il a promis quelque chose avec intention de s'obliger, et n'a pas ensuite gardé sa promesse, n'aiant point d'excuse legitime de ne la pas garder.

p. 608 Enfin le Confesseur doit demander à son Penitent s'il n'a point fait quelque confession invalide, et sacrilege : ce qui arrive souvent faute d'examiner suffisamment sa conscience avant que de se confesser ; ou lorsqu'on se confesse sans douleur de ses pechez ; ou que l'on cache volontairement quelque peché mortel ; ou que l'on conserve la volonté de pecher, ou de demeurer dans les occasions prochaines ; ou que l'on demeure en des inimitiez ; ou que l'on ne restituë pas le bien, ou la reputation de son prochain, aprés que l'on lui a ravi ; ou que l'on ignore les devoirs de la vie chrêtienne, et ceux de son état particulier ; ou encore lorsqu'on a été absous par un prêtre qui n'avoit pas de jurisdiction sur le penitent : car tous ces défauts en particulier rendent la confession nulle, et l'on doit par consequent la réïterer.

... Les Curez, principalement ceux de la campagne, pourront lire quelquefois durant le Carême à leurs paroissiens l'Examen ci-dessus, afin de leur faciliter la connoissance de leurs pechez pour la Confession de Pâques.

EXAMENS DE CONSCIENCE (1651-1778)

Bayeux 1687

[François de Nesmond]
Forma examinis quo sacerdotis poenitentium confessiones
excipientis memoria juvari poterit
[**Péchés contre les dix commandements.**
Coopération aux péchés d'autrui[154]]

*1409 Bayeux 1687 p. 63-78 ... Interrogationes. Circa primum mandatum,
quod est colere...
Circa Fidem. An crediderit...
[reprend principalement Chartres 1680-1689, parfois Paris 1646-1654;
quelques additions]

p. 79 **Modi quibus homo participat...** *Consulo, praecipio...* Id est.
An malum dederit consilium... [comme Chartres 1627-1689 etc.]

p. 80-81 **De numero et circunstantiis peccatorum explicandis.** In numero et circunstantiis... [différent de Chartres 1627-1689 et Rouen 1640]

Agen 1688

[Jules Mascaron]
Le Sacrement de Penitence

*1410 Agen 1688 p. 75 ... Pour faire une confession utile, il faut ... s'examiner
sur les commandemens de Dieu et de l'Eglise, sur les pechés capitaux,
et sur les engagemens de sa condition et de son état. ... [Absence d'examen de conscience]

Nevers 1689

[Edouard Vallot]
Devoirs generaux des Prêtres et des Curés
sur lesquels ils doivent quelque fois s'examiner[155]

*1411 Nevers 1689 p. 65-69 ... tout Ecclesiastique ou Curé doit sçavoir
qu'étant entré dans les Ordres d'une maniere legere et de son propre
mouvement pour chercher quelqu'employ par une vûë purement hu-

---

[154] Le chapitre *Circa Peccata capitalia* de Chartres 1680-1689 est absent à Bayeux.
[155] Certains exemplaires du rituel de Nevers (Autun, Bibl. mun. etc.) présentent sous le titre:
Examen particulier pour les Prêtres et autres Ecclesiastiques, un texte probablement remanié.
Voir infra pour comparaison avec Nevers les cas réservés aux péchés commis par des prêtres
au chapitre XXV, *Cas des péchés réservés aux évêques*: Bâle 1595, Metz 1605-1622, Vannes
c. 1680-1717, Oloron 1720, Quimper 1722.

maine et interessée, doit consulter quelqu'homme sage et prudent, selon l'avis duquel il puisse rectifier une aussi grande faute dont il fera penitence.

Il doit declarer à ce même Directeur s'il a reçu les Ordres d'un autre que de son Evêque, ou avant l'âge, ou étant lié de quelque censure.

… s'il a cherché avec empressement des benefices ayant charge d'ames, et s'il en a reçu qui ont tenu lieu de recompense pour quelques services rendus. …

Il ne peut recevoir un benefice dans le dessein d'en tirer seulement pension ou de s'en défaire dans un certain tems, et joüir cependant des revenus de ce benefice.

Il n'est pas permis de permuter son benefice dans la vûë seulement d'un interest temporel ; sur tout lorsqu'il y a charge d'ames.

Ni moins encore avec un homme que l'on sçauroit peu capable de s'acquiter des charges qui y sont annexées.

On ne doit pas s'être reservé quelque pension sur ce benefice sans ces trois conditions qui permettent cét usage ; à sçavoir d'avoir long-tems desservi le benefice, d'être par infirmité tombé dans l'impuissance de le desservir davantage, et de n'avoir pas de quoy subsister ailleurs.

Il ne doit pas abandonner sa Parroisse, hors de laquelle il est défendu de coucher ; lors surtout s'il y a des malades, ny s'en absenter la plus grande partie de la semaine, à moins d'y être forcé par quelqu'affaire pressante ; et alors il doit en avoir chargé quelqu'un.

Dans la résignation qu'on a faite de quelque benefice, c'est peché de n'avoir en vûë que les sentimens de la chair et du sang, et non pas le merite de la personne et l'utilité de l'Eglise.

Comme aussi, d'avoir excedé le tiers du revenu du benefice sur lequel on tire une pension.

D'avoir fait du bien à ses parens de celui qu'on auroit amassé dans un benefice ; s'ils ne sont dans lêtat de pauvreté.

C'est peché de reciter son Breviaire d'une maniere courante et fort imparfaite, il y a de plus obligtion de restituer si on y a quelque fois entierement manqué.

D'avoir honte de porter la tonsure d'une grandeur convenable à son Ordre, et d'être vêtu d'une maniere qui pour être depuis peu en usage parmi quelques autres Ecclesiastiques mondains, s'eloigne des regles que l'Eglise a prescrittes touchant l'habit des Clercs.

De s'être défait imprudemment de son benefice entre les mains d'un homme de la conduite duquel, faute d'avoir assez examiné les moeurs et la capacité, on doit répondre devant Dieu.

D'avoir fait un mauvais usage de ses revenus ecclesiastiques sur lesquels on a pris au delà de ce qui êtoit necessaire pour un entretien honnête et moderé.

D'avoir pris pour modele de sa conduite sur cela les Ecclesiastiques ausquels les gens un peu bien sensés dans le monde reprochent avec raison la bonne chere, le jeu, les divertissemens, les meubles superflus, ausquels ils employent le bien de l'Eglise qu'ils êtoient obligés de donner aux Pauvres aprés en avoir pris ce qui leur êtoit precisément necessaire.

D'avoir êté cause faute de ce bon usage du bien d'Eglise que plusieurs pauvres ayent souffert la faim, la nudité et les autres miseres de la vie ; et sur tout que des personnes se soient miserablement abandonnées à beaucoup de vices, pour y trouver leur subsistance qu'elles devoient avoir trouvée dans la charité d'un Pasteur et d'un Curé qui eût mieux mênagé son revenu.

On ne peut tésauriser [sic] ni reserver une somme d'argent considerable sous prétexte de maladies ou d'infirmités dans la vieillesse, sans en avoir communiqué à l'Evêque ou à un Directeur éclairé.

On ne peut, lorsqu'on prêche, avoir plus d'êgard au gain et à l'intérêt temporel qui en revient, qu'à l'instruction et l'êdification des peuples.

C'est peché de flater les auditeurs ou de leur déguiser de certaines verités, soit par crainte de ses les attirer pour ennemis, ou par envie de gagner leurs bonnes graces.

On ne doit pas exiger avec rigueur les droits dûs aux Pasteurs, sans être touché de la pauvreté de ceux qui ne peuvent les payer.

C'est peché, même contre la Justice, de n'avoir point eu de regles sur cela, et d'avoir tiré des peuples tout autant qu'on a pû : au delà du reglement qui en doit être fait.

D'avoir celebré la Messe en sorte qu'on ne l'eût pas dite, sans qu'on en devoit recevoir quelque retribution.

On ne doit pas faire de conventions pour être payé, soit avant de celebrer la Messe ou d'administrer quelques sacremens.

C'est un peché d'avarice aux Prêtres de faire inserer dans un testament quelqu'article en leur faveur ou de quelqu'autre personne qui les touche, ou, ce qui est encore pire, de s'attribuer les restitutions qu'ils ont fait faire aux Penitens.

Comme aussi d'enterrer les pauvres sans prieres ni la moindre ceremonie, afin de les obliger à faire quelqu'effort pour leur donner quelque salaire.

600 CHAPITRE XII

D'avoir renversé l'ordre et l'usage prescrit par l'Eglise pour celebrer des messes autres que les rubriques le permettent, par crainte d'en perdre la retribution.

C'est un peché contre le devoir principal et l'obligation d'un Curé d'administrer simplement les sacremens à un malade, et de le laisser ensuite sans l'exhorter de tems en tems pour le préparer à la mort.

De preferer les riches aux pauvres dans les visites qu'il est obligé de leur rendre ; où il doit observer cét ordre : d'aller toujours au plus pressé ; ou à ceux ausquels il juge devant Dieu être le plus necessaire.

D'omettre certaines prieres marquées par l'Eglise dans l'administration des sacremens, soit par negligence, soit manque d'avoir pris le tems necessaire pour cela.

De négliger la visite frequente des malades, faute de quoy il en meurt quelque fois sans quelqu'un des sacremens qu'on ne leur administre même souvent, que lors qu'ils n'ont plus assez de presence et de force d'esprit pour les recevoir avec connoissance et devotion.

C'est un peché … de recevoir au sacrement de Penitence des gens qu'il sçait n'en avoir aucunement les sentimens, ni la disposition necessaire pour y être admis.

D'avoir lâchement donné l'absolution à ceux qu'il reconnoissoit encore engagés à des pechés d'habitude, ou dans des occasions prochaines, ou dans une insensibilité de coeur qui devoit faire juger du peu d'usage qu'ils feroient des avis et conseils qui leur étoient donnés pour quitter leurs pechés.

D'avoir par la même négligence et lâcheté manqué d'interroger ses penitens sur un détail de fautes, par l'impatience qu'il a euë d'achever de les entendre : se rendant ainsi coupable des désordres dans lesquels ils ont persévéré.

De n'avoir pas imposé des penitences salutaires et propres aux pechés qu'ils avoient entendus.

En un mot de n'avoir pas fait usage de tous les avis qu'on a essayé de donner pour la conduite des Pasteurs dans tout ce rituel, et particulierement dans ce chapitre de la Penitence.

Si tout un Curé doit prendre garde à l'usage de son tems sur lequel il doit extrêmement s'examiner ; d'autant qu'il ne lui en doit rester que tres-peu pour employer à quelque divertissement innocent, soit de la promenade, de quelques visites d'amis, ou d'autres choses semblables ; dont encore ne doit-il user que sobrement et avec reserve, et que comme d'une grace qui est accordée à la necessité naturelle de prendre quelqu'heure de relâchement d'esprit qui ne pourroit fournir à une occupation et à un travail continuel.

Cette occupation des Curés outre la priere, est de vaquer à l'étude, à l'administration des sacremens, aux instructions ordinaires; de choisir quelque jour de la semaine pour faire la visite de leurs parroisses, allant dans les maisons les unes aprés les autres, et dans le tems qu'on sçaura que les familles sont assemblées; afin de s'informer, si l'on y fait regulierement la priere le soir et le matin; si les enfans y sont instruits, s'il n'y a point de differents et de demêlés dans cette famille; si elle n'a point de mauvais bruit, afin de l'en avertir secrettement et avec prudence; si on assiste regulierement le dimanche à la Messe, à Vêpres et aux Instructions; si on approche souvent des sacremens; s'il y a quelqu'image de devotion dans cette maison etc.

Cambrai 1707, 1779

[Cambrai 1707: François de Salignac de La Mothe-Fénelon]
Catalogus peccatorum graviorum, Dominica tertia Adventus, et prima Quadragesimae, ac etiam Dominica Passionis… singulis annis legendus
[Péchés contre les commandements de Dieu et de l'Eglise
Coopération aux péchés d'autrui]

1412 **Cambrai 1707** p. 253-260
Formulaire de Cambrai 1606, 1611, 1659 en partie remanié.

Chrétiens, ce saint tems des Advents [ou de Carême] nous engage à penser à nos consciences, et à les purifier de tous les pechez que nous avons commis contre les commandemens de Dieu et de son Eglise pendant tout le cours de nôtre vie, et specialement depuis notre derniere confession…

[Contre les commandements de Dieu]

[La liste la plus développée concerne le septième commandement; les moins longues: les neuvième et dixième.]

Contre le 1. Commandement

Premierement. Ceux qui étant en âge de discretion, negligent d'apprendre l'Oraison dominicale, la Salutation angelique, les Articles de la Foi, les Commandemens de Dieu, et de l'Eglise.

Ceux qui ne croyent pas tout ce que l'Eglise catholique, apostolique, et romaine nous enseigne et commande de croire, soit qu'il soit écrit en la sainte Escriture ou non.

CHAPITRE XII

Ceux qui doutent opiniatrément de quelque article ou point de foi, ceux qui ont ou qui lisent des livres contenans des choses contraires à la foi, les sorciers, ceux qui employent des billets, des paroles, ou autres signes superstitieux, qui usent d'invocation du demon ou enchantemens, qui font des malefices, qui recourent aux devins, et en general tous ceux qui veulent obtenir certains effets par des voyes qui semblent enfermer un pacte ou sortilege, en ce qu'elles n'ont aucun rapport naturel à cet effet qu'ils en attendent.

Contre le 2. Ceux qui blasphement le nom de Dieu ou des Saints. Ceux qui jurent en vain, ou qui font de faux sermens, même pour les moindres choses.

Ceux qui font voeu de faire des choses défendües.

Ceux qui n'accomplissent, ou qui empêchent les autres d'accomplir leurs voeux.

Contre le 3. Ceux qui travaillent les jours de fêtes et dimanches.

Ceux qui negligent d'ouïr la messe entiere les fêtes et dimanches : et qui empêchent leurs enfans, serviteurs et servantes de l'ouïr, à moins qu'ils n'ayent quelque excuse legitime.

Ceux qui negligent d'assister à la Messe, et aux instructions de la Paroisse.

Ceux qui n'entendent pas la Messe avec modestie et l'attention requise.

Ceux qui employent les jours de fêtes et dimanches en jeux, danses, banquets, en yvrongneries, etc.

Contre le 4. Ceux qui desobéissent à leur pere, mere, maîtres, maîtresses, et autres superieurs, en choses raisonnables.

Ceux qui les battent, les haïssent, ou les maltraitent avec mépris.

Ceux qui ne secourent pas leur pere et leur mere dans leurs necessitez.

Les Magistrats, et autres superieurs, dont la negligence a causé quelque dommage au public.

Les peres, les meres, les maîtres, les maîtresses, et superieurs qui negligent l'instruction de leurs enfans ou domestiques ou inferieurs pour la foi, ou pour les moeurs chrétiennes, ceux qui leur donnent mauvais exemple, les portent au mal, ou ne les corrigent point.

Les peres et meres qui traitent trop rigoureusement leurs enfans, ou qui refusant de les entretenir d'une maniere convenable, les jettent dans le desespoir et dans la débauche.

EXAMENS DE CONSCIENCE (1651-1778)

Les maîtres ou maîtresses qui traitent trop rudement leurs domestiques, ou qui refusent de payer leurs salaires.

Les maris qui traitent mal leurs femmes, ou qui leur laissent trop de liberté.

Les femmes, qui manquent de respect pour leurs maris, ou qui leur donnent occasion de se jetter dans la débauche.

Les domestiques et les ouvriers qui ne font point exactement le service de leurs maîtres ou maîtresses.

Ceux qui sont negligens à faire baptiser ou confirmer leurs enfans.

Peres et meres, sages femmes, nourrices et autres, par la negligence desquels les enfans sont suffoquez ou noyez.

Les enfans heritiers et autres, qui n'accomplissent les legs pieux, restitutions ordonnées, et dernieres volontez des peres et meres, ou autres testateurs.

Contre le 5. Ceux qui tuent, ou blessent quelqu'un injustement.

Ceux qui s'appellent les uns les autres en duel.

Ceux qui en corrigeant trop rudement les enfans, les blessent ou les rendent malades.

Ceux qui empêchent la generation ou font avorter quelque personne.

Les medecins, ou chirurgiens, qui par ignorance, negligence, ou malice, nuisent à la santé de leurs malades.

Ceux qui par excez de boire ou manger nuisent à leur santé ou à la santé d'autrui.

Ceux qui entretiennent des haines, rancunes, ou querelles, et qui desirent ou procurent la mort, ou aultre mal à leur prochain.

Ceux qui refusent d'assister leur prochain dans une extrême necessité.

Ceux qui donnent à leur prochain des maledictions.

Contre le 6. Ceux qui proferent des paroles, ou chantent des chansons, ou lisent des livres sales et impudiques, ou qui font des attouchemens, ou baisers deshonnêtes.

Ceux qui commettent le peché d'impureté en leur particulier, ou avec d'autres.

Les personnes qui se parent pour exciter en autrui des desirs deshonnêtes.

Ceux qui contribuënt volontairement à ces sortes de pechez.

Contre le 7. Ceux qui dérobent même à leurs pere et mere, ou autres parens.

Ceux qui retiennent le salaire de leurs serviteurs, servantes, ouvriers, laboureurs, etc.

Ceux qui retiennent quelque chose des personnes qui n'ont aucun droit de la donner; comme de la femme, enfans, serviteurs, et servantes, et semblables, contre la volonté de celui en la puissance duquel ils sont.

Ceux qui par une dépense excessive se mettent hors d'estat de payer leurs dettes, et tous ceux qui negligent de les payer.

Ceux qui ne payent point la dixme sur le pied ou elle est dûë.

Ceux qui ne restituent pas au proprietaire ce qu'ils ont trouvé, ou qui ne font pas la diligence necessaire pour decouvrir le proprietaire.

Ceux qui debitent quelque fausse monoye, la connoissant pour fausse, même sous pretexte d'avoir été trompez en la recevant.

Ceux qui causent quelque dommage aux terres, maisons, ou meubles de leur prochain.

Ceux qui achettent avec connoissance les choses dérobées.

Ceux qui retiennent les biens ou les titres de l'Eglise, ou du prochain injustement.

Ceux qui usurpent sur les terres de leur prochain, en changeant ou en outrepassant les bornes de leurs champs.

Les marchands et autres, qui en vendant, en achetant, ou en eschangeant trompent leur prochain.

Les marchands, hôtes, cabaretiers, et autres vendeurs, qui ne livrent point avec des mesures et un poids juste, ou qui vendent de mauvaises marchandises.

Ceux qui prêtent de l'argent à usure.

Les juges qui par faveur, ou ignorance donnent une sentence injuste.

Les avocats, qui par negligence, ou ignorance, ou autre faute, sont cause que la partie qui a bon droit, perd son procez.

Ceux qui intentent, conseillent, ou poursuivent des procez injustes en les connoissant tels.

Les advocats, procureurs, greffiers, notaires, et autres qui retiennent ou perdent par negligence quelque papier, instrument et productions de parties, en sorte qu'ils perdent leurs procez, et aussi ceux qui retiennent les testaments, ou autres donations.

Les greffiers, notaires, hommes de fief, etc. qui forment, ou qui sont presens quand on forme des instruments faux, contracts illicites, ou notairement usuraires.

Ceux qui falsifient les testaments, chirographes, et obligations sciemment, et de mauvaise foy, ou qui negligent d'y mettre les clauses necessaires.

Les receveurs ou commis, qui font payer plus qu'il n'est dû.

Les maîtres et maîtresses d'écoles ou d'artisans, qui n'enseignent pas leurs enfans, ou apprentifs [*sic*], avec soin et fidelité comme ils le doivent.

Les bergers qui negligent leurs troupeaux.

Les magistrats, tuteurs, receveurs des orphelins, qui ne font pas le profit des pupilles ou mineurs.

Il faut remarquer que tous ceux qui causent quelque dommage à leur prochain, outre le peché qu'ils commettent, sont encore obligez à restitution.

Contre le 8. Ceux qui étant interrogez juridiquement ne disent point la verité.

Ceux qui étant interrogez selon l'ordre du droit pour rendre témoignage en jugement, ne le rendent pas suivant ce qu'ils savent, ou le rendent faussement.

Ceux qui mentent au prejudice de l'honneur ou du bien d'autrui.

Ceux qui imposent des choses desavantageuses à leur prochain.

Ceux qui font des jugemens temeraires contre leur prochain.

Ceux qui par leurs medisances nuisent à la reputation du prochain, sont tenus à la restitution tant pour l'honneur que pour le bien.

Ceux qui prêtent l'oreille à des medisances, ou qui les rapportent.

Contre le 9 et le 10. Ceux qui ont des desirs deshonnêtes ou qui s'arrêtent volontairement à des pensées d'impureté.

Ceux qui desirent injustement le bien d'autrui.

p. 259 **Commandemens de l'Eglise**

Contre le 3. Ceux qui ne jeûnent pas le Carême, les Quatre-temps, ou les vigiles, ou qui mangent de la viande, ou des oeufs dans le temps défendu, sans permission.

Ceux qui dans leurs jeûnes font des collations excessives.

Ceux qui ne se confessent pas, au moins une fois l'an.

Ceux qui ne se confessent point, quand ils sont, ou qu'ils vont se mettre en peril de mort.

Contre le 4. Ceux qui ne font pas leur confession entiere, taisant volontairement par honte, ou par faute d'examen necessaire quelque peché mortel, sont obligez à repeter leur confession.

Contre le 5. Ceux qui se confessent sans repentir, sans un ferme propos de ne plus retomber dans leur peché et d'éviter les occasions de rechutes.

Ceux qui ne communient pas au moins à Pasques.

Ceux qui communient indignement.

p. 260 **Les manieres par lesquelles nous sommes coupables du peché d'aultrui**

[Liste très proche de Cambrai 1622, 1659]

Ceux qui commandent de faire un peché, comme de battre, tuer, dérober etc.

Ceux qui donnent à quelqu'un le conseil de mal faire.

Ceux qui consentent au peché d'autrui.

Ceux qui flattent ou qui applaudissent, ou qui louent l'homme qui fait mal, au lieu de le reprendre.

Ceux qui favorisent, ou recelent un vol et qui prennent en leur protection les malfaicteurs, larrons, homicides, etc.

Ceux qui participent au peché, ou qui aident à le commettre.

Ceux qui cachent un peché quand ils peuvent ou le doivent dire.

Ceux qui n'empêchent point le mal quand ils peuvent et doivent l'empêcher.

Ceux qui ne declarent point l'offense, qui ne decouvrent point la chose dérobée, et qui ne disent point la verité en jugement ou dans les autres cas dans lesquels ils y sont tenus.

[**Conclusion**] Voilà Chrétiens, les pechez les plus ordinaires. Ceux d'entre vous, qui sentiront qu'ils en sont coupables, doivent s'en confesser avec un vrai repentir, et un ferme propos de s'en corriger. Vous devez d'ailleurs examiner vôtre conscience sur les autres pechez qui ne sont pas ici, par rapport à vôtre genre de vie et à vôtre état particulier.

Hanc Catalogum peccatorum prae oculis semper habeant Confessarii omnes, quo poenitentes ignaros, timidos vel obliviosos, juvare et examinare facilius possint, eorumque saluti consulere. In quo, si negligentiores fuerint, certo sciant, se suae negligentiae Deo poenas gravissimas daturos.

EXAMENS DE CONSCIENCE (1651-1778)

Beauvais 1725

[François de Beauvilliers de Saint Aignan]
De Poenitentiae Sacramento
[Péchés contre les commandements de Dieu et de l'Église.
Péchés criant au ciel
Péchés contre le Saint-Esprit. Oeuvres de miséricorde]

1413   Beauvais 1725

p. 86-107: Examen de conscience reprenant la confession générale de Paris 1697 p. 538-563[156].

p. 108-109: Listes provenant de Beauvais 1637, et donc de Reims 1585-1621 (P2859):

Quinque peccata in coelum clamantia.
Sex peccata in Spiritum Sanctum.
Septem opera spiritualia Misericordiae.
Septem opera misericordiae corporalia.

Cum autem variae, sint hominum functiones, et studia diversa, examinis supra positi omnes; et singulae interrogationes non sunt omnibus confitentibus proponendae, sed eorum statûs, conditionis, et aetatis habenda est ratio, et super peccatis, quae eorum statui, et conditioni annexa sunt, interrogandi.

Orléans 1726

[Louis-Gaston Fleuriau d'Armenonville]
[Péchés contre les commandements de Dieu et de l'Église. Péchés capitaux]

1414   Orléans 1726

p. 71 **Methode pour l'Examen**
L'Examen se doit faire sur les articles suivans. 1. Sur les Commandemens de Dieu et de l'Eglise. 2. Sur les sept Pechez capitaux, appellez communément les sept pechez mortels. 3. Sur le nombre et les circonstances des pechez. 4. Sur les censures qu'on peut avoir encouruës, en commettant des pechez ausquels elles peuvent être attachées. 5. Sur les Cas reservez.

p. 71-82 **Examen sur les Commandemens de Dieu**
[Formulaire très proche d'Orléans 1642.]

---

[156]   *Voir supra* Confessions générales, Paris 1697 (P1219).

608 CHAPITRE XII

Sur le premier Commandement
Le premier Commandement est contenu dans l'Exode, en ces termes : *Je suis le Seigneur vôtre Dieu, qui vous ai tiré de l'Egypte…* [Ex. 20, 2] et dans le Deutéronome, *Vous aimerez le Seigneur votre Dieu de tout vôtre coeur…* [Deut. 6, 5] ce qui est exprimé dans les vers suivans. *Un seul Dieu tu adoreras, et aimeras parfaitement.*
Pour s'examiner sur ce Commandement, il faut voir quels pechez on a commis contre la Foi, l'Esperance, la Charité et la Religion…

p. 82-85 **Sur les sept Pechez capitaux**
[Formulaire d'Orléans 1642 avec quelques remaniements : *la Superbe* est appelée *Orgueil*, l'*Acédie* est appelée *Paresse*. …]

… Après avoir fait son examen sur les Commandemens de Dieu et de l'Eglise, on doit encore parcourir ses pechez, et voir.
1. **Sur l'Orgueil**, qui est *un desir déréglé de sa propre excellence.* …
2. **Sur l'Envie**, qui est *une tristesse déréglée du bien d'autrui, en tant qu'il diminuë notre propre excellence.* …
3. **Sur la Colere**, qui est *un desir déreglé de vangeance* [sic]. …
4. **Sur la Paresse**, qui est *une tristesse, ou dégoût dans ce qui regarde le service de Dieu, et son propre salut.* …
5. **Sur l'Avarice**, qui est *un desir déreglé d'amasser des richesses.* …
6. **Sur la Gourmandise**, qui est *un desir déréglé de boire et de manger.* …
7. **Sur la Luxure**, qui est *un desir dereglé du plaisir de la chair.* …

Clermont 1733
[Jean-Baptiste Massillon]
[Péchés contre les sixième et neuvième commandements]

P1415 **Clermont 1733**
p. 211-221 **De l'examen de Conscience**
Tous ceux qui ont péché mortellement après le Baptême étant obligez… de déclarer en confession tous les pechez mortels dont ils sont coupables, et l'oubli d'un seul péché mortel[157] rendant la confession nulle, il est nécessaire que les Penitens ne s'approchent de la confession qu'après avoir serieusement examiné leur conscience…
… la Confession génerale que nous avons mise ci-dessus pour être recitée publiquement au Prône du jour de Pâques, peut servir

---

[157] Clermont 1733 p. [309] *Eclaircissemens … du nouveau Rituel. Sur le Sacrement de Pénitence.* p. 211 : après ces mots : l'oubli d'un peché mortel, il faut ajouter ceux-ci : « faute d'examen ».

EXAMENS DE CONSCIENCE (1651-1778)

aux Confesseurs pour aider leurs Penitens à faire cet examen[158]. Nous ajouterons ici en latin un examen plus exact sur les pechez qu'on peut commettre contre le sixiéme et neuviéme commandement. ...

p. 212-222 Accuratius examen circa sextum et nonum praeceptum Decalogi

... De Fornicatione. Fornicatio simplex est soluti cum soluta commixtio, quae praecipue in usu mulierum corruptarum, putua viduarum, meretricum et concubinarum intelligitur.

Fornicatio cum meretricibus, sive mulieribus palam omnibus ad libidinem expositis, gravior est, propter graviorem quae nasciturae proli infertur injuriam. Idem dicendum est de ea quae fit cum concubina...

De Stupro. Stuprum est quando virgo defloratur, et virginalis integritas corrumpitur. Gravius est fornicatione simplici, propter injuriam quae vulgo fit, et virgini, et ejus parentibus: virgini quidem, quia per stuprum impeditur à legitimo matrimonio, et semel amisso virginitatis signaculo in via meretricandi, ut ait Sanctus Thomas, ponitur: parentibus autem ejus, quia cura virginis illis incumbit...

De Raptu. Raptus admittitur cum mulier quaecumque vel invita ad concubitum opprimitur, vel invita rapitur, etsi in concubitum postea consentiat, vel denique invito parente, marito, vel custode corporis ejus, ipsâ licet consentiente...

De Adulterio. Adulterium quo nempe fit ad alienum thorum accessio, triplex est pro vario personarum cum quibus committitur discrimine. Vel enim est conjugati cum soluta, vel soluti cum conjugata, vel conjugati cum conjugata. Postremum aliis duobus praeponderat, quia in eo peccatum congeminatur. ...

De Incestu. Circa Incestum qui est conjunctio cum persona intra gradus prohibitos conjuncta, exponendum est Sacerdotibus quo propinquitatis, vel affinitatis gradu persona cum qua quis peccavit, corruptorem suum attingat, quo conjunctior enim est, eo gravius peccatum existit.

Triplex autem est cognatio: carnalis, legalis et spiritualis. ...

De Sacrilegio. Sacrilegium in genere luxuriae admittitur cum persona sacra, vel per votum, vel per ordinem, vel locus Deo dicatus per actum venereum polluitur. Quatuor autem modis fit aliquis reus sacrilegii. 1°. Si persona sacra consentiat in actum venereum... 2°. Si persona non sacra in actum venereum cum sacra consentiat. 3°. Si utraque sacra sit. 4°. Si actus venereus fiat in loco sacro...

---

[158] *Voir supra* Confessions générales, Clermont 1733 (P1276).

610   CHAPITRE XII

De vitio contra Naturam. Vitium contra naturam illud est ex sancto Augustino Lib. 3 *contra Julian.* cap. 20 quod fit praeter eum usum, unde humana natura potest nascendo subsistere. Pluribus modis contingere potest. …

De aliis peccatis in genere Luxuriae. Praeter has autem Luxuriae species jam enumeratas huc referri possunt quaecumque ad perfectum inconcessae libidinis actum disponunt, aut quomodocumque inducunt, aut inducere nata sunt; cujusmodi sunt oscula, tactus, oculus impudicus, scurrilitas, turpiloquium…

De peccatis Conjugatorum. Cum multa sint, quae à conjugibus in usu conjugii peccari possunt nonnulla hîc enumeramus.

1°. Quidem ex scripturis et sanctis Patribus constat duos tantum esse casus, quibus sine omni peccato, immo et meritorie actus conjugalis fieri potest. Prior est, dum fit generationis causâ. Posterior, quando conjugi petenti debitum redditur. Venialem itaque habet culpam actus conjugalis, quando fit solius voluptatis causâ, nec alia adest circumstantia mortalem culpam inducens. … 2°. Habere venialem culpam, quoties fit tantum vitandae fornicationis causâ, seu generaliter in remedium incontinentiae…

Nantes 1776

[Jean-Augustin Fretat de Sarra]

De Sacramento Poenitentiae

P1416   **Nantes 1776** p. 93-114 [Instruction de Nantes 1733-1755 avec addition:] *Argumenta exhortationum pro administratione Sacramenti Poenitentiae.*

Citations tirées de l'Ecriture, des Pères, ou d'autres sources:

Contra peccatum in genere, Contra peccatum mortale, Contra peccatum veniale, Contra recidiva peccata, Contra Superbiam, Contra Avaritiam…

Soissons 1778

[Henri-Joseph-Claude de Bourdeilles]

Des Péchés[159]

[Péché mortel et péchés capitaux]

P1417   **Soissons 1778** p. 235-242

---

[159] Chapitre faisant partie de l'*Abrégé de la Doctrine Chrétienne*, p. 189-272 du *Manuel du Diocèse de Soissons*, de 1778 (P2904).

I. Du Péché et de ses différentes especes

… Il y a deux sortes de péchés ; savoir, le péché originel et le péché actuel.

Le péché originel est un péché que nous apportons tous en venant au monde… Et le péché actuel, est celui que nous commettons par notre propre volonté… savoir, par pensées, par paroles, par actions, et par omission. …

On distingue deux sortes de péchés actuels : le péché véniel et le péché mortel. … Un péché est véniel quand il est en matiere peu considérable, ou que le consentement de la volonté est imparfait. …

II. Du Péché Mortel, et des Péchés Capitaux

Le **péché mortel** est un péché qui donne la mort à notre ame, et qui mérite l'enfer. …

Outre ces différentes especes de péchés, il en est encore qu'on appelle capitaux, parce qu'ils sont la source de beaucoup d'autres péchés.

Les **péchés capitaux** sont au nombre de sept que voici : l'Orgueil, l'Avarice, la Luxure, l'Envie, la Gourmandise, la Colere, et la Paresse.

L'**Orgueil** est un amour déréglé de soi-même qui fait qu'on présume de soi, qu'on se préfere aux autres, et qu'on veut s'élever au-dessus d'eux. Ce vice en produit plusieurs autres. Les plus ordinaires sont l'estime de soi-même, la présomption, le mépris du prochain, la vanité, l'ambition, l'hypocrisie, et la désobéissance. Rien n'est plus opposé à l'orgueil que l'humilité…

III. Suite des Péchés Capitaux

L'**Avarice** est un amour déréglé des biens de la terre, et principalement de l'argent. Les effets que produit l'Avarice sont 1.° d'user de mensonge et de tromperie pour s'enrichir. 2.° De s'occuper tellement des richesses qu'on en néglige son salut. 3.° D'épargner jusqu'au nécessaire pour amasser du bien. …

La vertu opposée à l'avarice, consiste dans le détachement des biens temporels, l'amour de la pauvreté, et l'inclination à soulager ceux qui sont dans le besoin.

La **Luxure** est une affection déréglée pour les plaisirs contraires à la pureté. Pour éviter de tomber dans ce péché honteux, il faut 1.° beaucoup prier. 2.° Veiller exactement sur soi-même. 3.° Fréquenter dignement les Sacremens. 4.° Aimer le travail et l'occupation. 5.° … 6.° … 7.° … 8.° …

Il n'est point de vertu plus opposée au péché de Luxure que la Chasteté…

L'**Envie** est un déplaisir que nous ressentons des avantages soit spirituels, soit temporels de notre prochain. … La vertu opposée à l'Envie, est l'amour du prochain. …

IV. Autre suite des Péchés Capitaux

La **Gourmandise** est un amour déréglé du boire et du manger. De toutes les gourmandises la plus dangereuse est l'ivrognerie… Point de vertu qui soit plus opposée à la gourmandise que la sobriété…

La **Colere** est un mouvement violent de notre ame qui nous porte à nous venger, ou à nous soulever contre ce qui nous déplaît. …

V. Troisieme suite des Péchés Capitaux

… De toutes les vertus il n'en est point de plus opposée à la colere que la douceur…

Enfin la **Paresse** est un dégoût et une négligence volontaire des devoirs de son état, et particulierement de ceux de la Religion… L'amour de nos devoirs et l'activité pour les remplir sont les vertus opposées à la paresse.

VI. Du Scandale

Le Scandale est une parole, ou une action, ou une omission qui porte au péché celui qui en a connoissance.

Il y a quatre manieres de commettre le Scandale. La premiere, lorsqu'on offense Dieu en présence du prochain… La seconde, quand on enseigne le mal à quelqu'un. La troisieme, lorsqu'on conseille de faire quelque mauvaise action. La quatrieme enfin, lorsqu'on donne au prochain occasion de pécher…

Le Scandale augmente beaucoup le péché qui en est la cause, et souvent il est lui-même un crime énorme… 1.° Parce que celui qui scandalise le prochain devient responsable de tous les crimes qu'il lui fait commettre. 2.° Parce qu'il est très-difficile et quelquefois impossible de reparer le Scandale, et d'en arrêter les suites. 3.° Parce que le Scandale est le crime le plus en horreur à J. C. …

Laon 1782

Voir Laon 1671.

CHAPITRE XIII

INSTRUCTIONS SUR LA CONTRITION, LE DÉLAI ET LE REFUS D'ABSOLUTION

1. Présentation

Le concile de Trente rappelle la distinction entre contrition parfaite et contrition imparfaite ou attrition (sess. XIV, cap. IV. *De contritione*) mais ne mentionne pas de délai ou de refus d'absolution :

> **La contrition, qui tient la première place parmi les actes du péni-tent** dont il a été parlé, est une douleur de l'âme et une détestation du péché commis, avec la résolution de ne pas pécher à l'avenir. En tout temps ce mouvement de contrition a été nécessaire pour obtenir le pardon des péchés ; dans celui qui est tombé après le baptême, il prépare encore à la rémission des péchés s'il est joint à la confiance en la miséricorde divine et au désir de faire tout le reste requis pour recevoir ce sacrement comme il convient. Le saint concile déclare donc que cette contrition comporte non seulement l'abandon du pé-ché, le propos et le début d'une vie nouvelle, mais aussi la haine de la vie ancienne…
>
> Le saint concile enseigne en outre que, même s'il arrive parfois que cette contrition soit rendue parfaite par la charité et réconci-lie l'homme avec Dieu avant que ce sacrement ne soit effectivement reçu, il ne faut néanmoins pas attribuer cette réconciliation à cette seule contrition sans le désir du sacrement, désir qui est inclus en elle.
>
> La contrition imparfaite, qu'on appelle attrition, parce qu'on la conçoit en général ou bien en considérant la laideur du péché ou bien par crainte de l'enfer et des châtiments, si elle exclut la volonté de pécher jointe à l'espoir du pardon, le saint concile déclare que non seulement elle ne fait pas de l'homme un hypocrite et un plus grand pécheur, mais qu'elle est aussi un don de Dieu, une impulsion de l'Esprit Saint qui, n'habitant pas encore le pénitent, mais le mou-vant seulement, lui vient en aide pour qu'il prépare pour lui-même le chemin vers la justice. Et bien que sans le sacrement de pénitence

CHAPITRE XIII

elle ne puisse par elle-même conduire le pécheur jusqu'à la justification, elle le dispose cependant à obtenir la grâce de Dieu dans le sacrement de pénitence[1].

Le **catéchisme du concile de Trente** (1566) prescrit le délai d'absolution lorsque le pénitent ne regrette pas ses fautes, et demande aux prêtres, pour les pénitents n'ayant pas une vraie contrition de leurs péchés, qui cherchent à s'en excuser, qui n'osent pas s'en confesser, ou qui sont négligents, de s'efforcer de leur en montrer la gravité, pour qu'ensuite ils la demandent à la miséricorde de Dieu :

> Si Sacerdos intellexerit eum qui velit confiteri, adeo peccata sua non dolere, ut vere contritus dicendus sit : conetur magno contritionis desiderio eum afficere, ut deinde huius praeclari doni cupiditate incensus, illud a Dei misericordia petere et efflagitare in animum inducat.
>
> … Quare si sacerdos hujusmodi homines prorsus imparatis esse cognoverit, humanissimis verbis a se dimittet, hortabiturque, ut ad cogitanda peccata aliquod spatium sumant, ac deinde revertantur[2]…

Le **rituel romain de 1614** conseille au confesseur d'instruire brièvement s'il en a le temps un pénitent ignorant des rudiments de la foi chrétienne. Il ne mentionne ni la contrition ni l'attrition, mais prescrit un délai ou un refus d'absolution quand le pénitent ne manifeste aucun regret, quand il ne veut pas se réconcilier avec son prochain, qu'il ne veut pas restituer le bien d'autrui s'il le peut, quitter une occasion prochaine de péché, ou qu'il est cause de scandale public :

> Si vero Confessarius, pro personarum qualitate, cognoverit poenitentem ignorare Christianae Fidei rudimenta, si tempus suppetat, eum breviter instruat de articulis Fidei…
>
> … Videat autem diligenter Sacerdos, quando, et quibus conferenda, vel neganda, vel differenda sit absolutio, ne absolvat eos qui talis beneficii sunt incapaces : quales sunt qui nulla dant signa doloris, qui odia et inimicitias deponere, aut aliena, si possunt, restituere, aut proximam peccandi occasionem deserere, aut alio modo peccata derelinquere, et vitam in melius emendare nolunt : aut qui publicum scandalum dederunt, nisi publice satisfaciant, et scandalum tollant : neque etiam eos absolvat, quorum peccata sunt Superioribus reservata.

---

[1] Cf. *Les Conciles œcuméniques*, t. II-2. *Les Décrets. Trente à Vatican II*. Texte original établi par G. Alberigo. Édition française sous la direction de A. Duval, Paris, Le Cerf, 1994, p. 1434-1435.

[2] Catéchisme tridentin, *De Sacramento Poenitentiae*, 49-50. *Modus agendi confessarii cum indispositis, qui se excusant, vel erubescunt, vel negligentes sunt : dimittendi vel disponendi.*

INSTRUCTIONS SUR LA CONTRITION

A. LE COURANT RIGORISTE

Le milieu du XVIIe siècle marque en France, dans la pastorale sacramentaire, le début d'une ère nouvelle, caractérisée par un durcissement très sensible dans l'attitude des confesseurs : les cas où l'on doit retarder ou refuser l'absolution, et les dispositions requises pour communier dignement, sont l'objet des principales polémiques.

Ce rigorisme n'est pas spécifiquement janséniste ; il est une réaction contre le laxisme, dont les Assemblées du Clergé, à partir de 1645 et durant tout le XVIIIe siècle, signalent le danger. On peut le définir comme une « évolution notable de la pratique sacramentaire... évolution qui se transmet et se propage sous le couvert d'un enseignement équivoque et incertain »[3].

Deux écrits du grand Arnauld publiés en 1643 sont à l'origine de cette sévérité : la *Théologie morale des Jésuites*, et le *Traité de la fréquente communion*. Les *Provinciales* de Pascal, parues en 1655-1657 vont dans le même sens.

Par ailleurs, les évêques français, ayant en grande vénération saint Charles Borromée, décident, dans l'Assemblée du Clergé tenue en 1655-1657, de faire imprimer les *Instructions aux confesseurs* de l'archevêque milanais, pour faire barrage au laxisme de certains.

Malheureusement, ces *Instructions*, exploitées déjà par Arnauld dans son *Traité de la fréquente communion* pour justifier ses thèses sur la pénitence publique et sur le délai d'absolution, vont être parfois utilisées pour justifier une sévérité excessive, et alimenter ainsi le courant rigoriste.

En 1700, les décisions de l'Assemblée du Clergé, dominée par Bossuet, assurent la victoire du rigorisme, et « instaurent une mentalité et des usages particuliers, qui resteront ceux de l'Eglise de France pendant plus d'un siècle[4] : le délai ou le refus d'absolution, ainsi que les conditions strictes pour communier, sont présentés comme le moyen normal d'amener les chrétiens à une authentique conversion.

Les rituels sont parmi les principaux témoins de l'établissement du rigorisme en France, avec les manuels utilisés dans les séminaires[5], les guides ou directoires destinés aux confesseurs, sans oublier les innombrables ordonnances et mandements.

---

[3] J. Guerber, *Le ralliement du clergé français à la morale liguorienne. L'abbé Gousset et ses précurseurs, 1785-1832*, Rome, 1973 (Analecta Gregoriana, 193), p. 80.

[4] *Id.*, p. 46.

[5] J. Guerber, *Le ralliement du clergé français à la morale liguorienne. L'abbé Gousset et ses précurseurs, 1785-1832*, Rome, 1973 (Analecta Gregoriana, 193), p. 52-84, étudie le délai d'absolution dans plusieurs de ces manuels.

616 CHAPITRE XIII

Pour la confession, et spécialement pour les refus ou délais d'absolution, ils suivent presque toujours – rigoristes ou modérés – les positions de saint Charles[6] : l'absolution est refusée ou différée, en plus des prescriptions du rituel romain, à ceux qui sont dans l'habitude d'un péché mortel, qui, malgré l'avertissement de leur confesseur, ont négligé d'apprendre les articles de la foi et autres choses nécessaires au salut, ou qui, malgré le blâme de leur confesseur, ne se sont pas appliqués à corriger leurs habitudes vitieuses, blasphématoires, luxurieuses, etc.

Un certain nombre les complètent par les conseils de saint François de Sales dans ses *Instructions aux confesseurs* (Béziers 1638, Bourges 1666, Alet 1667…)

Mais on constate, dans les rituels les plus rigoristes, que le sens de certains passages des *Instructions* des deux prélats a été forcé ou altéré dans le sens d'une plus grande sévérité, ou même totalement dénaturé : l'accent est toujours mis sur la disposition intérieure, beaucoup plus que sur l'effet propre du sacrement.

B. Contrition et attrition

Le problème de savoir si le pénitent a une véritable contrition fait couler beaucoup d'encre, au point que le chapitre traitant du sujet présente des rédactions différentes selon les exemplaires des rituels à Amiens 1687 et à Nevers 1689.

La crainte née de la considération de ses péchés ou des peines de l'enfer (attrition ou contrition imparfaite) est considérée comme insuffisante, même par les rituels dans lesquels la tendance rigoriste est la plus atténuée, et la contrition fondée sur l'amour exigée : il faut un amour de Dieu au moins imparfait et commencé : Alet 1667, Reims 1677, Agen 1688, Nevers et La Rochelle 1689, Verdun 1691, Toul 1700, Metz 1713, Auxerre 1730, Rouen 1739, Lyon 1787…

Le terme « attrition » pour désigner la contrition imparfaite, cité dans le chapitre du décret *De contritione* du concile de Trente, fait son apparition dans les rituels de Rouen 1611/1612, Bourges 1616, Toulouse 1621…

Dans de nombreux rituels à partir de celui d'Alet en 1667, la contrition n'est pas « véritable » si elle n'est pas aussi « intérieure, souveraine, universelle, et surnaturelle » : Chartres 1680-1689, Périgueux 1680-1763,

---

[6] Les *Instructions aux confesseurs* de saint Charles sont reproduites dans les rituels rigoristes de Châlons-sur-Marne 1649 (p. 82-96) et Troyes 1660 ; elles sont citées dans les rituels rigoristes de Bourges 1666, Alet 1667, Besançon 1674, Langres 1679, Nevers 1689, Verdun 1691, Lyon 1724, Blois 1730, Meaux 1734, Rouen 1739, Évreux 1741, Auch 1751, Carcassonne 1764… et dans les rituels modérés de Toulouse de 1670 à 1736, Limoges 1678…

Amiens 1687, Verdun 1691, Metz 1713, Auxerre 1730, Clermont 1733, Toulon 1749-1790, Soissons 1753, Périgueux 1763, Lyon 1787...

Certains rituels ajoutent qu'elle doit être aussi accompagnée de la résolution sincère de ne plus pécher (Amiens 1687, Verdun 1691-1787, Besançon 1705); d'autres qu'elle doit être « efficace » (Périgueux 1680-1763, Verdun 1691).

Nevers 1689 demande qu'elle soit « intérieure et sincère, générale, surnaturelle ».

Auxerre 1730 veut qu'elle exclue toute affection au péché; la résolution de ne pas pécher à l'avenir doit être sincère, universelle, perpétuelle, efficace.

Lyon 1787 ajoute qu'elle soit « accompagnée de l'espérance du pardon ».

c. Délai et refus d'absolution

La question du délai ou du refus d'absolution est mentionnée dès 1488 à Bâle : celui qui se confesse doit être « vere penitens » pour la recevoir.

Angoulême 1582 y ajoute le cas de mauvais examen de conscience ; Bordeaux 1588, la restitution d'un bien, si c'est possible ; Cahors 1593, le tort fait au prochain sans réparation ; Bâle 1595, une profession ne pouvant être exercée sans pécher, la possession de livres hérétiques, etc.

Ces cas deviennent plus détaillés à partir des rituels d'Arras 1623 et Tournai 1625.

Charles Borromée prescrivait de différer l'absolution aux récidivistes jusqu'à ce que l'on voie « quelque » changement.

Dans les rituels les plus sévères reviennent presque toujours, en plus des péchés cités par le rituel romain, les péchés mortels d'habitude, le défaut de vraie contrition, l'ignorance de la Religion, les professions ne pouvant être exercées sans pécher, le tort fait au prochain sans réparation... Le cas des parents n'instruisant pas leurs enfants et domestiques des principes de la foi fait apparemment son apparition en 1724 dans le rituel de Lyon.

Et l'absolution est considérée comme inutile pour le pécheur qui ne se corrige pas : Bourges 1666, Alet 1667, Rodez 1671, Amiens 1687, Verdun 1691, Toul 1700, Metz 1713, Auxerre 1730, Clermont 1733, Toulon 1749, Soissons 1753, Lyon 1787, Verdun 1787...

À partir de 1649 (Châlons-sur-Marne), une quinzaine de diocèses présentent des instructions très rigoristes : attrition insuffisante, et (ou) très nombreux cas d'absolution différée ou refusée dont péchés d'habitude, ignorance de la religion, profession ne pouvant être exercée sans pécher.

618 CHAPITRE XIII

Six diocèses connaissent des instructions plus souples : instructions à tendance rigoriste prescrivant un délai ou un refus d'absolution dans des cas un peu plus nombreux que dans le rituel romain.

Au XVIIIe siècle, trente-neuf diocèses présentent des instructions très rigoristes ; vingt-six autres, situés surtout dans le nord, en Normandie, et dans le sud-ouest sont plus souples.

Certains rituels sont particulièrement durs. Parmi ces derniers :

– Le rituel d'Anne de Lévy de Vantadour pour Bourges en 1666.

– Le rituel de Nicolas Pavillon pour Alet en 1667, réimprimé en 1677 et 1771.

– Le rituel d'Hippolyte de Béthune pour Verdun en 1691.

– Le rituel de Henry de Thyard-Bissy pour Toul en 1700, réimprimé en 1760.

– Le rituel de Henri-Charles du Cambout de Coislin pour Metz en 1713.

– Le rituel de François de Neuville pour Lyon en 1724.

– Le rituel de Charles de Caylus pour Auxerre en 1730.

– Le rituel de Jean-Baptiste Massillon pour Clermont en 1733.

– Le rituel d'Henri-Pons de Thyard de Bissy pour Meaux en 1734.

– Le rituel de Pierre-Jules de Rochechouart pour Évreux en 1741.

– Le rituel de Frédéric-Jérôme de La Rochefoucauld pour Bourges en 1746.

– Le rituel de Louis-Albert Joly de Choin pour Toulon en 1749-1750[7].

– Le rituel de François de Fitz-James pour Soissons en 1753-1755.

– Le rituel de Barthélemy-Louis-Martin de Chaumont pour Saint-Dié en 1783.

– Le rituel d'Antoine Malvin de Montazet pour Lyon en 1787 et 1788.

D. Instructions rigoristes et non rigoristes après la publication du rituel romain[8]

– Sont *en caractères italiques* les rituels comportant les instructions romaines.

– Sont en caractères normaux les instructions non rigoristes, différentes (ou en partie différentes) du romain.

– Sont en **caractères gras italiques** les instructions à tendance rigoriste.

– Sont en **caractères gras** les instructions très rigoristes.

---

[7] Trois rééditions en 1778, 1780, et 1790, pour les diocèses de Toulon et Mâcon.

[8] Les éditions ne figurant pas dans la liste ne comportent pas d'instructions : Narbonne 1736-1789, Avranches 1742-1769, Besançon 1773-1789, Toulouse 1782, Albi 1783, Reims 1783, Lavaur 1788, Nevers 1792 ; rituels bretons (sauf Vannes 1631), etc.

INSTRUCTIONS SUR LA CONTRITION

Agen *1688*
Aire 1720, *1776*
Albi 1647
Alet **1667, 1677, 1771**
Amiens **1687, 1784**
Angers 1620, 1626, 1676[1], 1735
Arras *1623, 1644*, **1757**
Auch c. *1616*[2], c. *1642, 1678* et province (Couserans c. *1642*, Lescar c. *1642*, Oloron c. *1644, 1679*, Tarbes c. *1644*)
Auch 1701 et province (Bazas 1701, Dax 1701[3], Comminges c. 1728, Oloron 1720, Tarbes 1701 et c. 1746)
Auch *1751* et province (Bayonne, Bazas, Comminges, Couserans, Dax, Lectoure Lescar, Oloron, Tarbes)[4]
Auxerre *1631*, **1730**
Avranches 1613

Bâle 1665, 1700-1739
Bayeux 1627, 1687, *1744*
Bazas 1701, *1751-1752*
Beauvais 1637, 1725, *1783*
Besançon 1619, 1674, *1705*
Béziers *1638*
Blois **1730**
Bordeaux *1620-1672*, 1707, 1728
Boulogne 1647, **1750, 1780**
Bourges 1616, **1666, 1746**

Cahors *1620*
Cambrai 1622, 1659, *1707, 1779*
Carcassonne **1764**

Chalon-sur-Saône 1653, **1735**
Châlons-sur-Marne **1649, 1776**
Chartres 1627-1640, *1680, 1689*
Clermont 1656, **1733**
Comminges [*1648*]
Coutances 1618, 1682, *1744, 1777*

Elne 1656
Évreux 1621, *1706*, **1741**

Genève *1632, 1643, 1674, 1747*
Glandève *1751*
Grenoble 1691, 1700

Langres **1679, 1786**[5]
Laon 1621, **1671, 1782**
La Rochelle **1689, 1744**
Limoges 1678, 1698, **1774**
Lisieux 1608, 1661, 1742, *1744*
Lodève *1744*, **1773**
Luçon **1768**
Lyon 1667, *1692*, **1724, 1787**
Le Mans 1647, 1662, 1680, **1775**

Mâcon **1778, 1780, 1790**[6]
Meaux 1617, *1645*, **1734**
Mende 1686, **1790**
Metz 1631, 1662, 1686, **1713**
Montauban **1785**

Nantes *1617*, 1665, 1733, 1755, *1776*
Nevers 1622, **1689**
Noyon 1631

Orléans 1642, 1726

---

[1]   Angers 1620-1676 : instructions très proches du rituel romain.
[2]   Aucun exemplaire conservé de ce rituel publié par l'archevêque Léonard de Trappes. Cf. Molin Aussedat n° 117.
[3]   Dax 1701, cité par P. Coste, « Histoire des Cathédrales de Dax », *Bulletin trimestriel de la Société de Borda*, t. 34 (1909), p. 81.
[4]   Sont indiquées ici les éditions diocésaines connues ; plusieurs éditions disparues.
[5]   *Instructions sur le Rituel de Langres… Besançon* [1790]. Le rituel n'a jamais paru par suite de la Révolution.
[6]   Rituels édités pour Toulon et Mâcon.

620 CHAPITRE XIII

Paris 1615, 1630, 1646, 1654, 1697, 1701, 1777, **1786**
Périgueux 1651, **1680**, **1763**
Poitiers *1619*, *1637*, *1655*, 1712, 1714, 1766

Reims **1677**
Rieux **1790**
Rodez **1671**, **1733**
Rouen 1640, 1651, *1739*, *1771*

Saint-Dié **1783**
Saint-Malo *1617*
Saint-Omer *1641*, *1727*
Sarlat 1701, 1708, **1729**
Sées 1634, **1695**, *1744*

Senlis 1585, *1764*
Sens *1694*
Soissons *1622*, **1694**, **1753**
Strasbourg *1670*, *1742*

Toul *1616*, *1638*, *1652*, 1700, **1760**
Toulon **1749**, 1778, 1780, 1790
Toulouse *1616*, *1632*, *1641*, *1653*, 1670, 1712, 1725, 1736
Tournai *1625*, *1721*, *1784*
Tours **1785**
Troyes **1660**, **1768**

Vabres 1650, *c. 1729*, *1763*, *1766*
Vannes *1631*
Verdun **1691**, 1787

2. Formulaires

Bâle 1488

[Gaspar zu Rhein]
De sacramento penitentie
[Nécessité d'une vraie contrition pour recevoir l'absolution]

P1418 **Bâle 1488** f. f1-f2 Confessione peccatorum diligenter audita adhibitisque ceteris que ad confessorem pertinent, animadvertat confessor si confitens sit vere penitens et ex hoc dispositus ad absolutionem percipiendam, quia si expresse perceperit eum non esse vere penitentem, tunc non absolvat. Hortetur tunc eum ut memor sit sue salutis, quam absque penitentia consequi non possit, et ita ad penitendum eum pro posse inducat.

Iniunctio satisfactionis. Si vero fuerit penitens, tunc satisfactio ante absolutionem debet iniungi ut vult rex, in Cle[mentinae][7] dudum De Sepul[turis] iuncta glo[sa] in [libro] V. audire quia secundum doctores ibidem non potest debita forma apponi per ministrum donec materia sit integre disposita que consistit in tribus scilicet cordis contricione, oris confessione et operis satisfactione saltem affectu.

---

[7] Clementinae: Constitutions clémentines: recueil de lois du pape Clément V.

INSTRUCTIONS SUR LA CONTRITION

Saint-Brieuc [1506]
Rennes c. 1510, 1533

[Saint-Brieuc [1506] : Christophe de Penmarch ou Olivier du Châtel]
[La contrition a pour principal motif l'amour de Dieu]

Les rituels de Saint-Brieuc et de Rennes sont les premiers connus à donner une instruction sur les actes du pénitent malade qui doit se préparer à bien mourir et donc à se confesser.

P1419 **Saint-Brieuc** [1506] f. 34 … Et quant[8] que nous venons a ceste mort, suppose que soyons viateurs et pelerins, il est expedient que nous [nous] recongnoissons pecheurs avecquez le poure publicain et indignes de la misericorde de Dieu, non pas par desespor, ne par presumption et orgueil nous reputer dignes de retribution comme le pharisien, en cheminant par bonne humilité par trois journées qui sont contricion, confession et satisfaction.

La premiere doncques est contrition, qui est desplaisance voluntairement prinse pour cause des pechiez qu'on a commis contre la loy de Dieu, avec propos ferme d'en fere confession et satisfaction en temps et en lieu. *Nota bene.* Et pour l'amour de Dieu principallement, et non pas principallement pour fouir les peines d'enfer, ou pour avoir seullement paradis.

La seconde est confession qui vient apres celle contrition. Car apres qu'on a prins ainsi desplaisance de ses pechiez qui est le principal, il ne reste sinon en temps et en lieu opportuns faire confession verbale au prestre, en luy disant tout ce dont on a memoire, et de ceulx de quoy il ne souvient avoir desplaisance qu'il n'en souvient, et proposer de bon coeur que tres voluntiers on les diroit si on les scavoit, et prier Dieu qu'il luy plaise de sa grace, bonté, pitié, et misericorde en donner congnoissance, ou les pardonner et remettre. Car si on fait aussi grant diligence de ramener ses pechiez en memoire pour les confesser, comme on fait pour trouver aucunne chose temporelle perdue ou adirée [égarée] qu'on aymoit beaucoup, et on n'en peult avoir memoire, Dieu de sa grande clemence et pitié les pardonne et l'en [*sic*] n'en sera point damné.

---

[8]   quant] avant Rennes.

622 CHAPITRE XIII

Senlis 1525 [1526 n.st.]

[Artus Fillon]

[L'absolution supplée une contrition insuffisante]

Le rituel de Senlis reproduit presque entièrement le dernier de la série des traités sur les sacrements du *Speculum curatorum* de l'évêque du diocèse Artus Fillon: *Tractatus De sacramento Penitentie in quo clare videbitur quomodo curati debent se habere in confessionibus audiendis*[9]. La contrition est à peine abordée.

P1420 **Senlis 1526 f.** BB5 Notandum est circa secundam partem poenitentie quae dicitur contritio quod absolutio facta a sacerdote in forma predicta super penitentibus qui non habent sufficientem displicentiam [déplaisir] supplet vicem contritionis, et de illa modica displicentia quam habent, per adventum absolutionis sacramentalis fit contritio que delet peccatum quantumcumque fuerit.

Autun 1545

[Jacques Hurault]

De Poenitentia, exhortatoria instructio

[Exhortation à une vraie contrition]

P1421 **Autun 1545** p. 34-36. Il est bien utile, et necessaire, que le Curé enhorte souvent ses parrochiens a penitence, et resipiscence, laquelle resjouyt les anges, justifie les pecheurs, rameine les biensfaictz, et invite a vie eternelle.

Mes freres (dira le curé) vous pouvez congnoistre combien nostre nature est fragile... Et afin que ne venions en desespoir, quand apres nostre baptesme nous pechons, nostre Seigneur J. C. nous ha laissé le sainct sacrement de penitence, pour tollir [ôter] noz pechés, en nous confessant... avec propos de non plus pecher, mais de soy amender et vivre en l'amour et crainte de Dieu... Et c'est ce que l'on appelle vraye penitence, laquelle est partye en trois, c'est a scavoir, contrition, confession, et satisfaction.

Contrition est une voulenté desplaisante d'avoir offensé Dieu, avec une hayne du peché qui nous ha separé de Dieu, et nous ha amené l'ire

---

[9] É. Picot, *Artus Fillon, chanoine d'Évreux et de Rouen, puis évêque de Senlis*, Évreux, 1911, p. 21 et 50-55, énumère les diverses éditions du *Speculum curatorum* parues entre 1506 et 1530, d'abord à Rouen, puis à Paris, Lyon et Troyes (treize éditions connues, les dernières sous le titre *Eirudictionum atque Directorium curatorum.*)

INSTRUCTIONS SUR LA CONTRITION

et fureur de Dieu. Aussi avoir propos, moyennant la grace de Dieu, de non plus l'offenser mortellement, et de soy confesser, et satisfaire, en temps, et lieu. Quand vous venez en telle meditation, qui ne vous est suggerée par la chair, mais par l'esprit de Dieu, il est necessaire, que ne demeuriez en l'apprehension de vostre peché seulement, de peur de tomber en desespoir: mais il fault par la foy entendre, et congnoistre le moyen d'avoir Dieu pacifié. Et bien tost la foy nous donnera à entendre, que Dieu nous a donné son filz J. C., pour la satisfaction du peché. Et que par luy il est rapaisé [sic]. Parquoy incontinent de cueur et affection te fault aymer... nostre seigneur J. C., qui liberallement presente sa grace a tous ceulx qui la demandent. ... Que si tu as le cueur vuyde de toute rancune, envye, malveillance, et courroux, c'est signe que tu es preparé, et que Dieu infailliblement te pardonne tes pechés. ...

Cambrai 1562

[Maximilien de Berghes]

Brevis de septem sacramentis Ecclesiae Catholicae instructio pro sacris initiaturis[10]

[La vraie contrition est fondée sur l'amour de Dieu]

P1422 **Cambrai 1562** f. 9-9v *De sacramento Poenitentiae. Quid contritio.*
Contritio (ut definiunt Doctores) est dolor de peccatis praeteritis voluntarie assumptus ob Dei offensam, cum proposito ea confitendi, et satisfaciendi, atque illa iterum non admittendi propter Deum super omnia dilectum. ... contritio incipit à timore servili, et terminatur in amore filiali. Et quamvis Magister et plerique doctores communiter asserant, quod vera contritione deletur peccatum antequam ore confiteatur, hoc tamen intelligendum est de contritione quae charitate informata est, qua presente culpa quidem remittitur, et homo si moriatur eo in statu, salvabitur: attamen extra necessitatem manet communiter reus et poena obnoxius, ita ut iuste Deus posset eam infligere, si benignae eius promissiones non obstarent: hic autem reatus in absolutione ipsa tollitur.

---

[10]   Recueil de 32 f. reliés à la suite du rituel de 1562 et imprimés la même année.

624   CHAPITRE XIII

Arras 1562, 1564, 1599
Vienne 1578, 1587

[Arras 1562 : François Richardot]
[Nécessité d'une vraie contrition]

L'évêque François Richardot insère à la suite du rituel d'Arras de 1563 ses Ordonnances synodales parues en 1562 à Arras chez Claude de Buyens ; le rituel de 1600 est une simple réédition de 1563[11].

P1423 **Arras 1599** Ordonnances, p. **XXIII-XXV**. Exhortation aux Penitens. Vienne 1578, *De administratione Sacramenti poenitentiae*, p. 27-29.

... notre Seigneur J. C. a mis[a] en son Eglise le Sacrement de Penitence, pour nous asseurer qu'il y a lieu de misericorde et de grace pour le pecheur quand il se repent. Mais il faut bien que vous notez[b], que la vraye penitence, qui est aggreable devant Dieu, doibt estre avec une grande detestation des pechez commis...

... Pour tant faut il ... que vous concevez en vous une ardente et profonde **contrition**, et que vous ayez un douloureux regret, et desplaisir d'avoir peché, non seulement pour crainte de la peine, mais aussi pour l'amour de Dieu. Et faut que cestre vostre contrition[c] vous touche tellement le coeur, que vous aiez ferme propos de faire mieux pour l'advenir, et de commencer une nouvelle vie, et que vous chastiez par longue penitence, par pleurs, jeunes, aumosnes, et bien faicts, voz iniquitez en vostre personne. Non que Dieu soit difficile à prendre à mercy, et à pardonner le peché[d], mais par-ce qu'en chastiant vostre peché en vous mesmes, comme dict est[e], vous viendrez à tant mieux le detester, et tant plus le hayr, et au contraire à tant plus aymer le bien[f] : et vous servira ceste discipline de penitence pour fortifier vostre amour en Dieu ... je vous admoneste ... sur tout vous consoler, et prendre bon espoir en la bonté et charité de Dieu, vous appuyer sur ses promesses, et sur le merite de nostre redempteur J. C. ...

Variantes Vienne. [a] mis] institué. – [b] notez] entendiez et notiez. – [c] ceste vostre contrition] cela. – [d] le peché] noz offenses. – [e] comme dict est] *om.* – [f] mieux... bien] plus le detester, hair, et fuir ; et au contraire à tant plus aymer et suivre le bien.

---

[11]   Arras 1563 : édition disparue, dont on sait qu'elle différait très peu de celle de 1600 et qu'elle était suivie du même supplément. Cf. É. Fournier, « L'impression des livres liturgiques dans les diocèses d'Arras et de Thérouanne aux XVe et XVIe siècles », *Bulletin historique et philologique du Comité des travaux historiques et scientifiques*, 1907, p. 61-64. – Arras 1564 : réédition des *Ordonnances* sous le titre : *Reigle et Guide des Curez et Vicaires... Par... Messire François Richardot, Evesque d'Arras. A Paris, Chez Nicolas Chesneau... 1564* (Paris, SG, 8°D4582 inv. 5523, pièce 6). – Arras 1599 : réédition des *Ordonnances. A Arras, de l'imprimerie de Guillaume de La Riviere, M.D.XCIX*, à la suite du rituel d'Arras 1600.

INSTRUCTIONS SUR LA CONTRITION

Chartres 1580

[Nicolas de Thou]

[La contrition parfaite]

P1424 **Chartres 1580** f. 157v-158 *De la contrition*

… le penitent doit non seulement estre contrit et desplaisant de son peché qui l'a eslongné de la grace de Dieu, mais le detester et haïr, avec ferme propos de s'amender, et s'en confesser au prestre, legitime ministre de l'Eglise, et selon ses injonctions faire satisfaction en temps et lieu à son pouvoir, en foy et esperance d'obtenir remission par le merite de J. C., au sang duquel est faicte la reconciliation du genre humain… La parfaite contrition se discerne en ceste sorte, d'entre celle des meschans et pervers.

Chartres 1581

[Nicolas de Thou]

[La vraie contrition est fondée sur l'amour d'un Dieu miséricordieux]

Premières instructions se référant aux décrets du concile de Trente.

P1425 **Chartres 1581** f. 25-25v *De Penitentia*

… Est autem penitentia, peccatoris ad Deum ex intimo corde conversio cum proposito deinceps non peccandi, sed eo adiutore vitam in melius commutandi. …

De contritione.

Contritio est intimus dolor conscientie, que sentit Deum irasci peccatis, et se propter eum graviter dolet peccasse cum voto vitam emendandi. Habet sua preambula, antequam perfecta sit, incipit enim à timore servili, cum peccatori letu pene displicent peccata. Si hîc consistat peccator, in desperationem adigitur.

Perficitur autem fide et timore filiali, cum peccator detestatur peccata ex amore Dei, quem credit misericordem, et super omni malitia prestabilem: sic ut et si nullus immineat supplicii metus, nolit tamen sciens ea rursus admittere, ne illum offendat. Deus peccatorem in hoc dolore constitutum clementer respicit, et complacet super timentem, et in misericordia eius sperantem.

626   CHAPITRE XIII

Angoulême 1582
[Charles de Bony]
Du s. Sacrement de Penitence
**[La vraie contrition. Délai d'absolution pour mauvais examen
de conscience et défaut de contrition]**
Instruction traduite du catéchisme du concile de Trente.

P1426   **Angoulême 1582**

p. 257-258 [La contrition] ... Les Peres assemblez au Concile de
Trente, en ont baillé ceste definition : Contrition est une douleur de
coeur, et une detestation du peché commis, avec un propos de ne pecher plus doresenavant. ... Par ainsi il (le mouvement de contrition)
prepare à la remission des pechez, s'il est joint avec un'asseurance de la
misericorde de Dieu, et un ferme propos de faire toutes autres choses,
qui sont requises à recevoir ce sacrement, ainsi qu'il appartient.

p. 262 ... Deux choses en premier lieu sont requises à contrition,
à sçavoir, douleur ou desplaisance du peché commis, et l'intention ou
ferme propos de ne plus retomber en pareil cas à l'advenir.

p. 274 ... les Curez et Prestres en premier lieu prendront bien garde
au penitent s'il a vraye contrition et desplaisance de ses pechez, et s'il a
arresté et deliberé de s'abstenir d'oresnavant de mal faire et pecher. ...

p. 275 ... Mais s'il advient que le Confesseur apperçoive [*sic*], que
celuy qui veut se confesser, n'ait telle contrition et desplaisance de ses
pechez, qu'on le puisse dire vrayement contrit et penitent : qu'il s'efforce de l'induire et éguillonner du desir de contrition, afin que... il se
propose et delibere le demander et requerir de la misericorde de Dieu.

p. 276-277 [Le délai d'absolution]
... Il y en a ... pource qu'ils n'ont prins peine d'examiner leurs
consciences ne sçavent declarer leurs fautes par confession, ne par quel
bout il faut commencer : lesquels faut asprement accuser et reprendre,
et tout premierement les advertir ... qu'il faut tacher par tous moiens
d'avoir contrition de ses pechez, et que cela ne se peut aucunement
faire, si on ne met peine, et s'estudie à les recognoitre et reduire en
memoire l'un apres l'autre. ...

... si le Confesseur ... juge, que le penitent, qu'il a ouy en confession, ait esté diligent à declarer ses fautes, et desplaisant de les avoir
commises, il le pourra absoudre : mais s'il connoit qu'il n'ait esté ne
diligent, ne desplaisant, il lui conseillera et l'enhortera d'estre plus di-

INSTRUCTIONS SUR LA CONTRITION

ligent… à sonder et examiner sa conscience : et l'ayant traité le plus doucement que faire se pourra, le renvoyera. …

Poitiers 1587, 1594
[Geoffroy de Saint-Belin]
Exhortation au Sainct Sacrement de penitence…
[La contrition sans la confession à un prêtre « ne nous sert à salut »]

P1427 **Poitiers 1587** f. T5v … le Sainct Sacrement de Penitence requiert trois choses à ce qu'il soit parfaict : c'est à sçavoir, contrition, confession, et satisfaction : Car d'autant que le coeur, comme nous enseigne nostre Seigneur, est la source de tout mal, d'autant fault il que chacun commence à faire sa Penitence par ces partie … afin que … il en soit faict … un temple de Dieu. Ce que moyennant la grace de Dieu … nous pourrons obtenir par grande douleur et tristesse d'avoir offencé Dieu…

f. T7 La contrition doncques apres la grace de Dieu, avec la foy et charité, est le premier fondement de penitence mais, toutes fois il faut entendre que si par negligence ou mespris, nous laissons à venir diligemment à [négligeons de] confesser nos pechez devant ce vicaire de J. C., quelque contrition que nous ayons, eussions nous rompu nostre coeur de tristesse et de jeusne … le tout ne nous sert à salut. Car combien que Dieu sçait bien [ce] qu'il y a dedans le coeur de l'homme, qu'il a formé : toutefois il luy a donné la parolle pour le dire appertement…

Bourges 1588, 1593
[Renaud de Beaune]
Exhortation sommaire à la Pénitence
[Nécessité d'une vraie contrition pour obtenir le pardon des péchés]

P1428 **Bourges 1588** f. XI … il n'y a d'autre remede pour appaiser l'ire de Dieu et le peril de damnation eternelle que nous acquiert le peché, sinon que par la penitence, laquelle … impetre pardon et absolution de Dieu … mais ceste penitence doit estre vraye et non fainte, et accomplie de toutes ses parties. Premierement par une vraye repentance… Et que cette repentance engendre une contrition et humiliation de coeur, voire abjection et oubliance de soy-mesme, par pleurs, jeusnes, et tous autres actes de penitence interieure et exterieure. …

628   CHAPITRE XIII

Cahors 1593

[Antoine Hébrard de Saint-Sulpice]
De Sacramento Poenitentiae
**[Délai d'absolution pour défaut de vrai contrition
et tort fait au prochain sans réparation]**

Canons du concile et du catéchisme tridentins, suivis de leur traduction.

P1429 Cahors 1593 f. 159-163. *Canones Sacramenti Poenitentiae. Les mesmes canons traduits en langue vulgaire.*

... 10. Si le preste cognoist que celuy qui vient à luy pour se confesser, n'aye pas une telle contrition de ses pechez, qu'il puisse estre appellé vray contrit, se parforcera, exposant la gravité de ses pechez, luy en imprimer une grande affection, afin qu'estant apres enflammé du desir de ce grand don de Dieu, il se persuade en son esprit le demander à sa misericorde, et se destourne doresnavant de perpetrer ces pechez.

14. Les Recteurs exhorteront leurs parroissiens à nettoier l'ame par frequente confession...

20. Que personne ne nie la Penitence publique devoir estre enjointe au peché public, par ce qu'elle offence beaucoup les yeux des Chrestiens... Toutesfois ce genre de penitence publique pourra estre changé en autre secret, eu esgard à la qualité des lieux, des choses, des personnes, et des temps. ...

21. Que le Prestre se prenne soigneusement garde avant donner l'absolution au penitent, que s'il a rien osté du bien ou renommée du prochain, le recompence avec plene et ample satisfaction: car personne ne doit estre absous, qui ne promette au prealable restituer et rendre à un chascun ce que luy appartient.

22. Les Penitens mettront peine d'accomplir diligemment les oeuvres de satisfaction... et embrasseront avec toute pieté et devotion les pardons et indulgences qu'on a accoustumé conceder pour l'expiation et purgation des pechez.

f. 183v-185v *Comment se doit comporter le confesseur envers le penitent qui est tenu a restitution.*

Apres que le prestre aura ouy la confession du penitent, et cogneu sa repentence, s'il le trouve chargé d'avoir prins du bien d'autruy, luy remonstrera que le peché ne peut estre pardonné si la satisfaction n'est precedente, et le renvoyera sans luy bailler l'absolution, jusques a ce que le Penitent aura rendu, ou promis infalliblement rendre ce qu'il detient injustement... Mais en extreme necessité ne sera differée aucunement ladicte absolution.

INSTRUCTIONS SUR LA CONTRITION

Et si le Penitent avoit diffamé son prochain par malice, ou legereté de parler, le Confesseur ordonnera qu'il demande pardon a celuy qui est offensé : et s'il l'a diffamé devant tesmoings, faudra qu'il les aille trouver…

Que s'il y a quelque penitent si obstiné a la vengence, qu'il ne vueille pardonner a son ennemy, et remettre toute l'offense et la vengence à Dieu … le confesseur … le renvoyera sans luy donner l'absolution…

Apres que le Confesseur aura donné l'absolution au Penitent, luy commandera de mieux recognoistre Dieu et garder ses commandemens à l'advenir … et excitera par saintes remonstrances, increpations [*sic*] et prieres, a instituer tellement sa vie, qu'il ne retourne plus en peché mortel, si faire se peut, afin qu'il ne luy advienne pis.

Bâle 1595
[Jacques-Christophe Blarer de Wartensee]
De Sacramento Poenitentiae
**[Refus d'absolution pour défaut de contrition
et occasions prochaines de pécher]**

Instruction provenant en majorité du rituel de Trèves 1574.

▶1430   **Bâle 1595** p. 106. *De contritione* [Définition du concile de Trente]

p. 121 *Quando absolutio a confessario neganda sit : Aut si detur, erit irrita, et sine fructu et proinde iteranda confessio.*

… Si deest contritio et dolor cum proposito abstinendi : huiusmodi sunt usurarii, concubinarii, scienter tenentes rem alienam, nec volentes restituere cum possint, habentes plura beneficia incompatibilia, non residentes sine legitima causa … habentes libros haereticos, et generaliter, quicumque habent propositum ac voluntatem peccandi mortaliter. …

p. 145 *In confessione duo quoque sunt observanda.*

1. Post generalem confessionem latino vel vernaculo sermone, dictam usque ad illam partem (Ideo precor) sinat ea confitentem per se dicere, quae meminit, vel interroget pro qualitate et conditione confitentis, secundum ordinem Decalogi, Praeceptorum Ecclesiae et peccatorum mortalium, maxime superbiae, gulae et accidiae, quia alia in decem praeceptis continentur.

2. Post confessionem pro dispositione poenitentis consoletur eum spe veniae, vel obiurget, et gravitatem peccatorum ostendat. Et in primis inquirat an sit paratus relinquere statum peccati, ut concubinam, usuram, artem quamvis illicitam, odia, inimicitias, furta, etc. quia si nollet haec relinquere, vel satisfacere damnis rei, vel famae, etc. nullo modo esset absolvendus.

630 CHAPITRE XIII

Cahors 1604
Coutances 1618. Évreux 1606. Lisieux 1608, 1661. Meaux 1617

[Cahors 1604 : Siméon-Etienne de Popian]
De observandis ante Confessionem
[Nécessité d'un grand désir de contrition pour recevoir l'absolution]

Instruction provenant des *Ordo baptizandi* romano-vénitiens[1].

P1431 Cahors 1604 p. 19. Sin adeo neque in excutienda conscientia, et in peccatis numerandis diligentiam, neque in detestandis dolorem adhibuisse iudicaverit (sacerdos), prorsusque imparatum esse cognoverit, conetur magno contritionis desiderio eum afficere, ut deinde huius praeclari doni cupiditate incensus, illud à Dei misericordia petere, et efflagitare in animum inducat, humanissimisque verbis à se dimittet, hortabiturque, ut ad cogitanda peccata aliquod spatium sumat, ac deinde revertatur.

Metz 1605, 1631, 1662, 1686

[Metz 1605 : Charles II de Lorraine]
De Sacramento Poenitentiae
[Nécessité d'une vraie contrition pour recevoir l'absolution]

P1432 Metz 1605 p. 38. Sacramentum poenitentiae (quae est secunda post naufragium tabula) pro materia habet luctus poenitentis, videlicet contritionem, confessionem, et satisfactionem...

p. 42 Noverint autem (Sacerdotes) discernere inter species et differentias peccatorum, quoniam alia sunt venialia, alia vero mortalia, et inter haec, alia aliis graviora, ut adulterium gravius est simplici fornicatione, incestus gravior adulterio, sacrilegium simplici furto, parricidium simplici homicidio, blasphemia, aut periurium, simplici iuramento.

De maioribus peccatis presbiteri non absolvant peccatores, sicut de homicidio, de sortilegiis, de iniectione manuum in parentes, clericos, et cuiuscunque religionis conversos, et pluribus aliis enormibus peccatis summo Pontifici, seu Episcopo reservatis...

p. 43 ... Et quoniam non debet quis gaudere se conversum, si non doluerit se perversum fuisse, debet Sacerdos quaerere à confitente, utrum doleat de commissis, et proponat ulterius non peccare, et si respondeat se à peccatis abstinere non posse, vel nolle, vel quod ab aliquibus vult abstinere, et ad aliqua reverti, debet nihilominus eius confessione audita de peccatis ei consilium praebere : Et si nequiverit

---

[1] Molin Aussedat n° 1499, 1502, 1512 etc.

INSTRUCTIONS SUR LA CONTRITION

ad veram poenitentiam inducere, non debet à peccatis eum absolvere: Irrisor enim est, et non poenitens, qui adhuc agit quod poenitet. Provideat tamen quantum poterit, ne in desperationis periculum illum inducat, sed exhortetur eum ad ieiunium, orationes, eleemosinas, et alia bona, ut per eiusmodi opera dignetur dominus cor poenitens, et vere contritum illum tribuere. ...

Rouen 1611/1612
Avranches 1613

[Rouen 1611/1612: François de Joyeuse]
De Sacramento Poenitentiae
**[Le pénitent peut devenir contrit par la vertu du sacrement
Refus d'absolution proches du rituel romain]**

ʾ1433 **Rouen 1612**
Regulae.
p. 62 Contritio est dolor de peccatis commissis propter offensam Dei. Cum enim dolor ille de peccatis commissis, nascitur ex alia causa, quam ex amore et timore Dei, non est Contritio, sed Attritio dicitur, quamvis ex attrito, poenitens fieri possit contritus virtute sacramenti. ...

De actibus Poenitentis.
Poenitens ut vere contritus esse possit, ante confessionem tempus et otium sumat ad recolenda peccata, quorum sibi conscius est, ac singularum foeditatem, numerum, gravitatem expendat. Indulgentiam Dei erga se, bonitatemque summam, et beneficia recordetur, quibus indignum se praebuit, et spatium temporis sibi concessum ad agendam poenitentiam, quo abusus est. Imminens etiam periculum damnationis aeternae, nisi convertatur et audiat vocem Dei clamantis assiduè, Confitemini ad me in toto corde vestro. ...

p. 73-74 *De absolutione sacramentali.*
Post iniunctam poenitentiam Sacerdos absolutionem impendat, si deneganda non est: Hanc autem denegabit.
I. Primo sententiae excommunicationis innodatis, à qua non possit absolvere. ...
II. Absolutio deneganda est iis, qui nolunt aliana restituere, si possint.
III. Concubinariis, qui nolunt dimittere concubinas.
IIII. Aliis etiam peccatoribus, qui nolunt occasiones peccatorum valde periculosas relinquere.
V. IIs qui reconciliari nolunt cum inimicis, nec iniurias dimittere.

Rouen 1611/1612, 1640, 1651
Avranches 1613. Le Mans 1647, 1662, 1680.
Sées 1634. Soissons 1622

[Rouen 1611/1612 : François de Joyeuse]
Des sept Sacremens[2]. *De la Contrition*
[On accède à une vraie contrition par la foi,
la crainte, l'espérance, et la charité]

P1434 **Rouen 1612 p. 322-324. Sées 1634 p. 300-302.**

Pour la contrition vous noterez que c'est une douleur interieure, et une repentance d'avoir offencé [*sic*] Dieu, et ceste douleur ne vient pas seulement d'une crainte d'en recevoir la punition en ce monde, ou en l'autre : car ce ne seroit qu'une attrition[(a)] : Mais ceste douleur vient d'une [*sic*] amour et d'une reverence que l'homme doit porter à Dieu son createur. … Ces trois considerations font concevoir une crainte, qui doit estre suivie d'une esperance en la bonté de nostre Dieu, qui ne demande point la mort, mais la conversion des pecheurs … Apres cela si le pecheur est atteint en son coeur d'un traict d'amour et charité [*sic*], qui le face repentir d'avoir commis toutes ses offences contre la volonté d'un si bon Dieu, il a une vraye contrition, à laquelle on monte par ces quatre degrez : c'est à sçavoir par la Foy, par la Crainte, par l'Esperance, et par la Charité.

Variante Rouen 1640 et 1651. [(a)] attrition] qu'une imparfaite Contrition, que l'on appelle communément Attrition.

Rituale Romanum 1614
Ordo ministrandi Sacramentum Poenitentiae
[Délai et refus d'absolution]

P1435   Videat autem diligenter Sacerdos, quando et quibus conferenda, vel neganda, vel differenda sit absolutio, ne absolvat eos, qui talis beneficii sunt incapaces : quales sunt, qui nulla dant signa doloris[3], qui odia et inimicitias deponere, aut aliena, si possunt, restituere, aut proximam peccandi occasionem deserere, aut alio modo peccata derelinquere, et vitam in melius emendare nolunt ; aut qui publicum scandalum dederunt, nisi publicè satisfaciant, et scandalum tollant ; neque etiam eos absolvat, quorum peccata sunt Superioribus reservata.

---

[2]   Chapitre faisant partie de l'*Exposition de la Doctrine chrestienne*, à lire par parties au Prône dominical.

[3]   Aucune autre allusion à la contrition dans le rituel romain.

INSTRUCTIONS SUR LA CONTRITION

Si vero quis confiteatur in periculo mortis constitutus, absolvendus est ab omnibus peccatis, et censuris quantumvis reservatis…

Bourges 1616

[André Frémiot]

Du salutaire sacrement de Penitence. Qu'est-ce que Penitence?

[L'attrition ou contrition doit être générale, et comporter la volonté d'éviter tous les péchés et de s'en corriger]

1436 **Bourges 1616** f. 27-27v *De la douleur necessaire au Sacrement de Penitence*

… L'Attrition ou Contrition sont requises pour la valeur de ce sacrement [référence marginale au concile de Trente]; et faut qu'elles soient generales, et qu'elles s'estendent à tous pechés, car si on se plaist soit mortellement à un seul, ce ne seroit pas Contrition, n'Attrition [*sic*] requise, pour la validité de ce Sacrement; de plus il faut avoir un propos ferme et deliberé, d'eviter tous pechés, et notamment les passés, et toutes les occasions prochaines et urgentes qui nous pourroient induire à y retomber, et de faire la penitence et autres choses necessaires … selon l'advis d'un prudent Confesseur.

Que les Prestres efficacement, à la fin de la Confession, et avant que de donner l'Absolution, proposent les motifz d'Attrition et Contrition aux penitens, principalement quand ilz sont gens rudes et grossiers; Et alors il semble bon de commencer par les propositions des peines d'Enfer, et autres chastimens rudes et terribles…

f. 30-30v *Divers cas esquelz la confession est nulle, et la faut refaire*

La Confession, et consequemment l'Absolution donnée, peult estre nulle, pour diverses causes… Elle est nulle de la part du penitent, lors qu'il n'a eu repentance de ses pechez, ni propos ferme de s'en corriger, ou de quitter les occasions prochaines et urgentes d'i [*sic*] retumber; retenant des inimitiez, bien d'autruy injustement, perseverant en concubinage, usure, et autres tels pechez. De plus si malicieusement, il a celé quelque peché en sa confession, alors elle est nulle…

f. 36-36v *De l'Absolution*

… que le Prestre advise si le penitent luy semble assez contrit et repentant de ses pechez, et s'il le voit peu repentant, qu'il l'excite à cette repentance necessaire … ce qu'il doit faire principalement aux jeunes gens, et aux plus grossiers…

Aussi l'on pourra avant l'absolution, donner les advis et remedes necessaires, pour surmonter ou eviter certains pechez, si on ne l'a faict

624 CHAPITRE XIII

auparavant. Enseigner aussi le mystere de la saincte Trinité à ceux qui l'ignorent, leur expliquant ce que tous communement sçavent, *In nomine Patris*... Les advisant briefvement qu'ilz nomment trois personnes ... qu'il n'y a qu'un seul Dieu...

Toulouse 1616[4], 1621, 1628, 1653

[Toulouse 1616: Louis de Nogaret de La Valette]
Sommaire de la Doctrine chrestienne[5]
Des choses requises pour faire une bonne Confession,
où est traicté de la Contrition
[L'attrition suffit pour recevoir l'absolution sous trois conditions]

P1437 **Toulouse 1621** p. 45-46 ... Pour faire une bonne Confession, il faut faire quatre choses. La premiere, il faut bien examiner sa conscience avant que d'aller à confesse. La seconde, il faut avoir repentance et contrition, ou à tout le moins une bonne attrition de ses pechez. La 3. il faut aller confesser à une personne qui soit approuvée pour ouyr les confessions. La 4. il faut confesser tous ses pechez, sans en laisser aucun qui soit mortel, et faut aussi dire les circonstances necessaires. Si on ne garde ces quatre conditions, la confession n'est pas bonne, et l'absolution ne sert de rien.

... Pour avoir une parfaicte contrition, quatre conditions sont necessaires. La premiere, qu'on soit marry d'avoir offensé Dieu, pour l'amour de luy principalement... La 2. Condition ... est, qu'on aye une bonne volonté de s'amender... La 3. condition, qu'on aye la volonté de confesser tous ses pechez. Et la 4. qu'on aye volonté de satisfaire à tout ce qu'on est obligé à cause de ses pechez.

... Attrition est une contrition imparfaicte, et un regret qui vient de la crainte de perdre la gloire de Paradis, ou bien de crainte de l'enfer, ou de quelqu'autre peine. Et ceste attrition est suffisante pour effacer les pechez; à la charge qu'on les confesse, et qu'on en reçoive l'absolution, et que la personne aye bonne volonté de s'amender et satisfaire: mais il est tousjours beaucoup meilleur d'avoir la contrition. ...

---

[4] L'édition de 1616, dont il ne subsiste pas d'exemplaire, est connue grâce à l'approbation et au permis d'imprimer de l'édition de 1621, datés 1616.

[5] *Sommaire de la Doctrine chrestienne*: premier catéchisme connu pour le diocèse de Toulouse, formant supplément aux rituels toulousains imprimés en 1616, 1628, 1653. Molin Aussedat n° 1307, 1310, 1314. Le seul exemplaire connu de l'édition du rituel de Toulouse 1641 ne comporte pas le *Sommaire de la Doctrine chrestienne*.

INSTRUCTIONS SUR LA CONTRITION

635

Meaux 1617

[Jean de Vieuxpont]

De Sacramento Poenitentiae

1438 **Meaux 1617** p. 39. *Tres Poenitentiae partes.* Contritio, Confessio, et Satisfactio.

Contritio, est animi dolor ac detestatio de peccato commissa, cum proposito non peccandi de caetero.

Confessio, est integra peccatorum accusatio eo suscepta, ut virtute clavium veniam impetremus.

Satisfactio, est poenae impositae à sacerdote in sacramento poenitentiae cum proposito vitae emendandae persolutio.

[références marginales au concile de Trente]

Cambrai 1622, 1659[6]

[Cambrai 1622 : François Van der Burch]

De Sacramento Poenitentiae

[Délais ou refus d'absolution plus nombreux que dans le rituel romain]

1439 **Cambrai 1622** p. 53-54 … Demum videat diligenter Sacerdos, quando, et quibus danda, vel neganda, vel differenda sit absolutio.

Nunquam absolvat sub conditione futura contingentis : nam id invalide faceret.

Non absolvat, quando dubitat an possit absolvere (nisi poenitens valde doctus iudicet eum posse :) sed poenitenti benignè persuadeat ut alias redeat, donec libris aut aliis se doctioribus caute consultis, intellexerit quid agendum sit. Et tunc cum iis, et modo tali consulat, ut nullatenus possit peccati author deprehendi aut in suspicione venire.

Si poenitens sit contrariae opinionis, et illa sit probabilis, quamvis Confessoris opinio sit probabilior; tenetur eum absolvere si eius confessionem audivit.

Non absolvat eos quibus rationis plenitudo deest, quales sunt pueri nondum doli capaces, amentes, phrenetici, dum sunt in amentia, nisi mors immineat, et antea contritionis indicia, et confitendi desiderium ostenderint. Neque etiam eos in quibus aut nulla materia reperitur (quales sunt qui quantumcumque à confessario examinati, ne unius quidem venialis peccati se accusant, licet dicant in genere se peccasse,

---

[6] Absence d'instruction sur la contrition et sur les refus d'absolution dans le rituel de Cambrai 1606.

et dolere) aut idonea materia non reperitur. Item qui nulla dant signa doloris, qui peccata, aut eorum proximam occasionem deserere, vitam emendare, odia et inimicitias deponere, aliena si possunt restituere nolunt.

... Si in periculo mortis constitutus confiteatur, absolvendus est ab omnibus peccatis et censuris (cessat enim tunc omnis reservatio)...

Arras 1623, 1644
Saint-Omer 1641, 1727

[Arras 1623 : Hermann Ortemberg]
De Sacramento Poenitentiae
[Refus d'absolution pour défaut de vraie pénitence,
persévérance dans le péché mortel...]

Le rituel d'Arras 1623 est le premier à donner des instructions aussi développées sur la pénitence (44 p.). Les cas où il faut refuser l'absolution sont plus nombreux que dans le rituel romain. Si l'absolution est refusée, le confesseur donnera une simple bénédiction.

P1440 **Arras 1623 [1° partie] p. 53-54.** *Quando Poenitenti deneganda sit absolutio.* Arras 1644 p. 53-54. Saint-Omer 1641 p. 390-391

... 1. Igitur remittendus est, propter defectum iurisdictionis Confessarii circa illum.

2. Propter casus reservatos...

3. Quando non potest adduci ad veram Poenitentiam. Quia scilicet vult perseverare in aliquo peccato mortali, aut saltem non vult relinquere occasiones eius propinquas. Occasiones autem propinquae dicuntur, quae tales sunt, ut Poenitens credat, aut circumstantiis bene perpensis, credere debeat, se nunquam, aut raro illis usurum, absque peccato mortali[7].

4. Quando non praemisit examen ad Confessionis integritatem sufficiens, cum temperamento videlicet paulo supra posito.

5. Item, quando Confessarius deprehendit, Confessiones praeteritas, iterandas esse. Ad quarum proinde iterationem, opus sit discussione praevia. Intellige cum moderamine ut supra.

---

[7] Saint-Omer 1727 p. 369-370 développe ce § : ... Occasiones autem propinquae dicuntur, quae tales sunt, ut vel per se et ex naturâ suâ ad peccatum inducant, vel ex speciali infirmitate seu fragilitate Poenitentis, qui in ea occasione positus ita peccare consuevit, ut probabile sit ex eo pessimo habitu in eadem peccata lapsurum, si in eâ occasione amplius perseveret.

INSTRUCTIONS SUR LA CONTRITION

6. Denique, quando Poenitens ex praecepto Confessarii debebat facere aliquam restitutionem, vel ejicere concubinam, relinquere usuras etc. non absolvatur ulterius, quantumvis id praestiturum se promittat, donec (si tempus et necessitas permittat) id ad quod obligatus erat, opere compleverit.

7. Hic autem diligenter observandum, ut quotiescunque absolutio deneganda est, ita Confessarius id praestare conetur, ut Poenitentem non prodat circumstantibus. Quare non mox cogat eum recedere ; sed potius bonis admonitionibus tantisper detineat, et loco absolutionis, aliquam benedictionem precatoriam adhibeat, puta dicendo, *Misereatur tui. Indulgentiam etc.* manu extenta, et signo crucis adhibito, dicens, *In nomine Patris etc.* Unde ob hanc etiam causam, consultum est, formam absolutionis cum precibus eam comitantibus, submissiore [*sic*] semper voce pronunciare.

Arras 1623 p. 54-56. *Quibus casibus confessio debeat iterari.* Arras 1644 p. 54-56. Saint-Omer 1641 p. 391-392

… Primo, ex defectu Ministri idonei…

Secundo, ex parte Poenitentis Confessio iterari debet[8] propter defectum Contritionis vel integritatis necessariae[9] : praesertim quando Poenitens eiusmodi defectum ex intentione admisit, aut quasi ex intentione. Censetur autem quasi ex intentione admittere, quando ex negligentia crassa, et quasi affectata non advertit, sibi deficere alterutrum ex dictis : puta, quia nihil aut parum curat, se ad absolutionem disponere. Secus autem, quando Poenitens bona fide processit, existimans se officium suum praestare. Tunc enim ex parte ipsius, Confession non est iteranda.

Hinc deducitur, quod pueri, qui grandiores facti agnoscunt se aliqua peccata mortalia omisisse in praecedentibus confessionibus (ut quia nesciebant talia esse, vel putabant non necessario confitenda, et ignorantia non fuerit affectata aut affectatae aequivalens, sed bona fide processerint) non tenentur ad dictas confessiones iterandas. Sufficit enim in hoc et similibus casibus peccata alias omissa confiteri. …

---

[8]   iterari debet] iteranda est Saint-Omer 1651, 1727.
[9]   propter… necessariae] si Contritio, quae ad substantiam Sacramenti pertinet, cum emendationis proposito defuerit. Item propter defectum integritatis necessariae Saint-Omer 1727.

638 CHAPITRE XIII

Arras 1623

[Hermann Ortemberg]
Instructio ad plebem de sacramento Poenitentiae ritè suscipiendo
[Conditions d'une confession valable]

P1441 **Arras 1623** *Pars secunda*, p. 298-301[10]. [Instruction à lire au prône de préférence les premiers dimanches de l'Avent et du Carême.]

p. 299-300 Pour deuëment se disposer à la reception du Sacrement de penitence, et se confesser comme il appartient, il faut en premier lieu croire certainement, et tenir pour article de Foy, que ce sainct Sacrement a esté institué et ordonné par nostre Seigneur J. C. comme tous les autres Sacrements de la saincte Eglise…

D'où se tire un autre article de foy: A sçavoir que le Sacrement de Confession est necessaire à tous ceux qui, apres le Baptesme sont tombés en quelque peché mortel: de sorte que sans la Confession, ou à tout le moins (en cas de necessité de Prestre) sans un vray desir d'iceluy, il ne peut estre sauvé.

En troisiesme lieu, il faut sçavoir, que pour la Confession estre vaillable [*sic*], trois choses sont necessairement requises. A sçavoir la repentance d'avoir offensé Dieu, un ferme propos de ne plus jamais retourner à peché; et une declaration entiere de tous les pechez mortels, desquels apres diligente recherche l'on se peut souvenir … qui se confesse sans repentance, ou sans bon et ferme propos de s'amender, non seulement il ne reçoit pas l'absolution; ains peche mortellement de nouveau…

Tournai 1625

[Maximilien Villain de Gand]
Quando paenitenti deneganda sit absolutio
[Délai ou refus d'absolution pour persévérance dans le péché mortel]

Les instructions s'inspirent en partie d'Arras, mais les refus d'absolution à ceux qui ne veulent pas éviter les occasions de pécher sont beaucoup plus développés.

P1442 **Tournai 1625** p. 74-75. Videat diligenter Sacerdos quando et quibus danda, vel neganda, vel differenda sit absolutio.

---

[10] Saint-Omer 1641, *Instructiones variae ad Populum*, p. 446-450, et Arras 1644 p. 301-305 s'inspirent de près d'Arras 1623 (P1445).

INSTRUCTIONS SUR LA CONTRITION

1. Non potest igitur Confessor absolvere paenitentem qui non fecerit debitum conscientiae examen de quo sup. nisi forte sit simplex aut talis qui facile possit instrui…

2. Non solum ille qui est in affectu mortali, vel absque proposito abstinendi de caetero, sed etiam qui propinquiores peccandi occasiones non evitat, absolvi non potest. Qualis est concubinam cubiculariam, ancillam, cognatam, aut quamcumque aliam cum qua peccavit, in eadem domo, aut alio loco ad peccandum accomodato retinere.

Item officium aliquod aut artem quae vel in se mortale peccatum est, vel saltem absque mortali vix exerceri potest suscipere aut exequi.

Item consortia et contubernia impiorum, luxus gratia, frequentare; usurarios, latrones, homicidas, lenones, meretrices et similes, suis domibus recipere.

Denique qui hoc aut illo genere delitiarum aut rerum delectabilium utuntur eo fine, ut peccent, vel quando per experientiam advertunt, vel advertere debent se ex tali occasione frequenter recidivasse, et corruisse et adhuc probabiliter corruituros: itaque occasio propinqua à qua abstinendum est necessario, ut quis possit absolvi est omnis, et sola illa quae vel mortale peccatum est in se, vel talis occasio peculiaris, qua confessarius, vel paenitens credit, vel credere debet se nunquam vel raro usurum, quin circumstantiis bene perpensis mortaliter peccet.

3. Quando Poenitens ex praecepto confessarii debebat facere aliquam restitutionem, vel eijcere concubinam, vel relinquere usuras etc. non absolvatur, licet millies emendationem promittat, donec promissionem suam ad effectum perducere conetur.

4. Si autem absolutio deneganda sit, id ita caute et prudenter Confessarius praestare conetur, ut paenitentem non prodat circumstantibus. Quare non statim cogat eum recedere; sed potius bonis admonitionibus tantisper detineat, et loco absolutionis, aliquam benedictionem precatoriam adhibeat, videlicet dicendo, *Misereatur tui. Indulgentiam etc.* et signo crucis adhibito, dicens, *In nomine Patris etc.* Unde ob hanc etiam causam, consultum est, formam absolutionis cum precibus eam comitantibus, submissiore semper voce pronunciare.

[proche d'Arras]

640 CHAPITRE XIII

Chartres 1627, 1639, 1640
Clermont 1656[11]. Rouen 1640, 1651

[Chartres 1627-1640 : Léonor d'Estampes de Valançay]
Brevis expositio Sacramenti Poenitentiae, quae utilis erit ad fideles monendos,
feriâ quartâ Cinerum, et feria quinta in Coena Domini, aliisque temporibus,
ut peccatorum confessionem caeterasque poenitentiae partes serio
adimpleant.
[Une confession entière faite avec l'attrition obtient l'absolution
et la grâce de Dieu]

P1443 Chartres 1639 p. 92-96 ... Le sacrement de penitence n'est pas moins necessaire au salut pour celuy, qui apres le baptesme est tombé au peché mortel, que le baptesme à ceux qui n'ont pas esté regenerez. Au moyen de quoy la penitence est fort bien appellée par sainct Hierosme, une seconde table apres le naufrage. ...

... la douleur conceuë en l'ame à cause du peché[(a)], doit avoir pour motif[(b)] l'amour de Dieu... Toutefois ... la force du Sacrement est telle, que le fidelle, qui avec l'attrition faict une confession entiere, et obtient l'absolution du prestre, devient contrit, et[(c)] reçoit la grâce de Dieu. C'est en quoy nous sommes advantagés par dessus les Anciens, qui ont vescu avant l'Incarnation...

Variantes Clermont 1656. [(a)] pour estre Contrition parfaite] *add.* –[(b)] principal] *add.* – [(c)] devient contrit, et] *om.*

Beauvais 1637

[Augustin Potier]
De Materia, et Forma Poenitentiae
[Contrition et attrition. L'attrition sans le sacrement de pénitence
ne justifie pas le pécheur]

P1444 Beauvais 1637 p. 73-74 ... Contritio 1 [prima] pars, est summus animi dolor spontaneus et voluntarius de peccato mortali commisso, eiusque detestatio vehementissima, propter summum Dei amorem, quatenus ille tali peccato gravissime offenditur, adiuncto tamen proposito confitendi, ac numquam mortaliter peccandi in posterum. Illa autem imperfecta contritio, quae Attritio dicitur, quoniam vel ex turpitudinis peccati consideratione, vel ex gehennae et poenarum metu communiter concipitur, cum aliquo tamen supernaturali amore Dei

---

[11] Clermont 1656 p. 52-56 : instruction de Chartres avec quelques variantes.

INSTRUCTIONS SUR LA CONTRITION

imperfecto, qui poenam magis quam culpam metuat... Et quamvis sine Sacramento poenitentiae per se ad iustificationem perducere peccatorem nequeat, tamen eum ad Dei gratiam in Sacramento Poenitentiae impetrandam disponit. *Ex Concilii Tridentini Doctrina Sess. 14. cap. 4.* ...

Saint-Omer 1641
Arras 1644

[Saint-Omer 1641 : Christophe de France]
Instructiones ad populum. De Sacramento Poenientiae rite suscipiendo
[Conditions d'une confession valable]

[Instruction à lire au début du carême ou à un autre moment plus opportun, très proche d'Arras 1623 *Pars secunda*, p. 298-301, avec addition d'une définition de la contrition]

P1445 **Saint-Omer 1641** p. 446-450. **Arras 1644** Pars prima, p. 301-305 [minimes remaniements].

p. 447 Pour deüment se disposer à la reception du Sacrement de penitence, il faut premierement croire et tenir pour article de Foy, que c'est un Sacrement ordonné par nostre Seigneur J. C. comme tous les autres Sacrements de l'Eglise. ...

D'où s'ensuit en second lieu que la Confession est necessaire à tous ceux qui, apres le sainct Baptesme sont tombés en quelque peché mortel : tellement que sans la Confession, ou pour le moins en cas de necessité, sans un vray desir d'icelle, ils ne peuvent estre sauvés. ...

Or pour la Confession estre vaillable et legitime, trois choses sont necessaires. La premiere un regret d'avoir offensé Dieu ; la seconde un ferme propos de fuir le peché, et les occasions d'iceluy ; la troisiesme une declaration naifve et sincere de tous les pechez mortels, dont apres une serieuse et diligente recherche on se peut souvenir. ...

p. 449 ... la contrition ... consiste ... en la resolution de la volonté, par laquelle on desavoue le peché commis, et on voudroit ne l'avoir jamais fait ... nonobstant que le coeur semble demeurer sans ressentiment, et comme endurcy. ...

642   CHAPITRE XIII

Orléans 1642

[Nicolas de Nets]

De la Penitence en general, et de la Contrition

**[La vraie contrition peut suffire pour la rémission des péchés
L'attrition seule sans confession est inutile]**

P1446   Orléans 1642 p. 88 … La Contrition est le regret d'avoir offensé Dieu. Que
si le penitent a seulement pour motif de ce regret, la crainte d'estre puny,
ou le desir d'estre sauvé, cela est imparfaict, et se nomme attrition; s'il
est poussé à ce regret par la consideration de la bonté de Dieu infiniment
aimable, la douleur est parfaite, et est proprement appellée Contrition.

… l'attrition n'estant qu'imparfaicte, est inutile si l'on ne reçoit efffec-
tivement le Sacrement de Penitence, au lieu que la Contrition renfermant
en soy un amour de Dieu sur toutes choses, suffit pour la remission des
pechez à celuy qui ne peut se confesser en ayant la volonté.

… La force du sacrement est telle que le Chrestien qui avec l'attrition fait une confession entiere, et obtient du prestre approuvé l'absolution, devient contrit, et reçoit avec la grace de Dieu la remission de
ses pechez.

Albi 1647

[Gaspard de Daillon du Lude]

Petit catechisme familier[12]

**[L'attrition avec la confession et l'absolution obtient la rémission des
péchés]**

P1447   Albi 1647 p. 484. *Qu'appellez-vous Attrition?* R. C'est une douleur qui
vient de crainte de perdre les biens eternels, ou bien d'encourir la mort
eternelle.

Qu'appellez-vous contrition? R. C'est une douleur, qui provient de ce
que l'on a offensé Dieu, en tant qu'il est la bonté essentielle, et digne d'estre aymé et chery de toutes creatures. … L'Attrition est suffisante avec la
confession et l'absolution du Prestre, pour avoir remission de nos pechez.
Quant est de la contrition, elle est fort desirable à un chacun.

Que faut-il se representer pour se disposer à la contrition? R. Il faut
considerer que Dieu est une bonté infinie, infiniment digne d'estre
aymée, honorée et servie.

---

[12]   Petit catéchisme en dix-sept leçons, faisant partie du rituel d'Albi de 1647. Les leçons XV à
XVII sont consacrées à la Pénitence. *Voir infra* chapitre XXVI: *Enseignement de la foi*, Albi
1647 (P2882).

INSTRUCTIONS SUR LA CONTRITION 643

Le Mans 1647, 1662, 1680

[Le Mans 1647: Emeric-Marc de La Ferté]
De Sacramento Poenitentiae. De Prudentia (Ministri)
[Refus et délais d'absolution proches du rituel romain]

²1448 **Le Mans 1647** p. 94-95. Eiusdem virtutis est dignoscere quibus, quo tempore differenda, neganda, conferanda absolutio. Neganda quippe iis qui mortales cum sint, inimicitias immortales nutriunt, nec volunt reconciliari proximo, et dimittere de cordibus suis; qui scandalo publico quod pepererunt, satisfacere recusant pertinaciter; qui tenaciter alienum quod involarunt et rapuerunt, restituere nolunt; nec domesticam, familiarem et proximam peccandi occasionem relinquere; nihil doloris pro peccato commisso concipiunt; nihil dispositionis habere se perhibent ad absolutionem; imo statim probantur poenitentiam acturi quod poenitentiam egerint, vel potius inchoarint.

Differenda, offerente se censura, vel casu aliquo reservato, donec fuerit absolvendi facultas obtenta.

Conferenda cuilibet poenitenti in extremis posito, et peccata sua per confessionem Ecclesiae subjicienti...

Comminges [1648]

[Gilbert de Choiseul]
Advertissements pour ce qui regarde le Sacrement de Pénitence, et d'Eucharistie
[La confession doit être différée pour les pénitents trop ignorants
Importance d'une véritable contrition]

Comminges [1648]: édition du rituel d'Auch [1642] sauf quelques cahiers, dont les p. [84]-[96] concernant le sacrement de pénitence: cas réservés, etc., et ces *Advertissements* commentant le chapitre romain *Du Sacrement de Pénitence*. On sait que Gilbert de Choiseul fut mêlé aux premières luttes jansénistes[13].

48bis **Commminges [1648]** p. n. ch. avant la p. 95
Premierement, l'article qui regarde l'instruction des principes de la Foy, pour la digne administration des Sacremens... doit s'entendre pour ceux à qui manqueroit la cognoissance de quelque chose de ce qu'on doit sçavoir par necessité de precepte... Car pour ceux la, il faudroit... differer la Confession jusques à ce que le penitent fust suffi-

---

[13] Ch. Higounet, «Comminges», *Dictionnaire d'histoire et de géographie ecclésiastiques*, t. 13 (1956), col. 395.

644 CHAPITRE XIII

samment instruict; En suitte de quoy, le Confesseur le doit porter à une confession generalle pour reparer les manquements des autres.

Secondement, le Confesseur charitable doit dés le commencement exciter son penitent, à une veritable et serieuse douleur de ses pechés et resolution de n'y plus retomber, avant mesme qu'il les déclare; afin qu'il les expose dans l'amertume de son cœur, et dans la disposition d'une solide penitence, et qu'il ne les raconte pas simplement comme une histoire. Ce qui n'empeschera pas qu'apres la declaration desdits pechés, il n'exhorte encore le mesme penitent à concevoir de nouveau cette douleur, et le bon propos; ainsi qu'il est plus expressement porté dans l'instruction pour l'administration de ce Sacrement...

Châlons-sur-Marne 1649
Troyes 1660
[Châlons-sur-Marne: Félix Vialart de Herse]
De Sacramento Poenitentiae
[Délais ou refus d'absolution pour défaut de vraie contrition, ignorance des articles de la foi, péchés d'habitude...]

Le rituel de Châlons est le premier de tendance vraiment rigoriste: sont ajoutés aux cas de refus ou de délai d'absolution du rituel romain l'ignorance des articles de la foi nécessaires au salut et les péchés d'habitude (blasphème, luxure etc.).

La contrition et l'attrition ne sont pas mentionnées dans les canons cités du concile de Trente (p. 79-82, *De Satisfactionis necessitate et fructu*; *De Reformatione*); par contre, de larges extraits des *Instructions* de S. Charles Borromée aux confesseurs (Act. Eccl. Mediol. parte 4) sont reproduits (p. 82-96), ainsi que des sentences des Pères de l'Eglise *De legitimo Poenitentiae usu* (p. 75-78).

Troyes 1660 supprime les canons du concile de Trente et les sentences des Pères de l'Eglise.

P1449 **Châlons** p. 68-69. Videat autem diligenter Sacerdos quando et quibus conferenda, vel neganda, vel differenda sit absolutio, ne absolvat eos qui talis beneficii sunt incapaces; quales sunt, qui nulla dant signa veri et supernaturalis doloris, et vitam in melius emendare nolunt, qui odia et inimicitias ex corde non deposuerunt, et omnem ad quodvis peccatum mortale affectum, qui in confessione admoniti, articulos Fidei et alia ad salutem necessaria ediscere neglexerunt, aliena, cum possent, non restituerunt, qui proximam peccandi occasionem actu non deserverunt, qui vitiosos habitus puta blasphemiae, luxuriae, etc.

INSTRUCTIONS SUR LA CONTRITION

645

à Confessoribus correpti, corrigere non studuerunt; aut qui publicum scandalum dederunt nisi publice satisfaciant, et scandalum tollant, iuxta praescriptum nostrum, neque etiam eos absolvat, quorum peccata sunt Superioribus reservata. …

Chalon-sur-Saône 1653

[Jacques de Neuchèze]
De l'absolution
[Délais ou refus d'absolution plus nombreux que dans le rituel romain]

P1450 Chalon-sur-Saône 1653 p. 43-44. [Sont ajoutés aux catégories romaines de personnes auxquelles le prêtre doit refuser l'absolution :]

Ceux qui ne sont pas de sa jurisdiction, les concubinaires, filles de joye, basteleurs et autres gens semblables.

Elne 1656

[Chapitre d'Elne, le siège épiscopal vacant]
Quid Poenitentia sit quae eius materia, quae forma,
et simul quot et quid sint eius partes
[Contrition et attrition]

P1451 **Elne 1656** p. 57-58 … Contritio, est dolor de peccatis propter Deum, cum proposito non peccandi de caetero, et confitendi, et satisfaciendi.

Differt Contritio ab attritione eo quod Contritio sit dolor peccatorum praecisse propter Deum : Attritio vero sit dolor eorundem propter creaturam, ut propter metum inferni, propter desiderium gloriae, etc.

Attritio est duplex : naturalis una, supernaturalis altera : Illa est imperfectissimus peccatorum dolor propter creaturam, viribus naturae consequtus, qui nec satis hominem disponit ad gratiam, nec ad susceptionem Sacramenti. Haec, etsi respectu contritionis sit dolor imperfectus, tamen viribus naturae non acquiritur sed donum Dei, et Spiritus sancti impulsus est, si voluntatem peccandi excludat, cum spe veniae : adeo ut iuxta communiorem doctorum opinionem ipsa, si existimetur contritio, sufficiat ad susceptionem cuiuslibet Sacramenti, et ipsa scita sit satis ad receptionem Sacramentorum baptismi et Poenitentiae, quae Sacramenta mortuorum sunt. …

646 CHAPITRE XIII

Bourges 1666

[Anne de Lévis de Ventadour[14]]
[Délai ou refus d'absolution pour défaut de vraie contrition,
ignorance des principaux mystères de la Religion, péchés d'habitude, …]

Un an avant le rituel d'Alet, dont le jansénisme va soulever tant de tempêtes, les instructions très détaillées de Bourges sur la pénitence (80 p.), souvent proches de celles d'Arras 1623 et 1644, développent une tendance rigoriste s'inspirant des instructions du cardinal Charles Borromée et de saint François de Sales, mais sans l'ouverture et la souplesse de ceux-ci; cependant, «la Contrition imparfaite que l'on appelle Attrition» est mentionnée au chapitre de la contrition (p. 204). Neuf cas de refus d'absolution sont développés.

P1452 **Bourges 1666**

p. 205-206 *De la Contrition*

De cete [*sic*] doctrine … (du concile de Trente) on collige qu'il y a deux sortes de Contrition, la parfaite et l'imparfaite, que l'une et l'autre est une douleur de coeur, libre et volontaire, surnaturelle…

Secondement, que cete Contrition parfaite ou imparfaite doit estre jointe et enfermer en soy un ferme propos, ou plûtost une volonté resolüe et constante de ne plus commettre aucun peché…

Troisiémement, que cét acte de douleur … soit conceu devant ou dans le temps de l'absolution du Prestre, ou autrement on ne recevroit point le sacrement.

Quatriémement, que cette Contrition parfaite ou imparfaite estant un don de Dieu luy doit estre demandée avec instance et prieres ferventes, avant que d'aller à confesse…

p. 215-216 *Des cas où la confession est nulle, et pour lesquels il la faut refaire.*

… Ceux de la part du Penitent sont cinq.

Le premier quand le Penitent n'a pas eu une douleur telle qu'il faut avoir devant l'Absolution.

Le second, quand il n'a pas eu desir, ou resolution de s'amander, quiter [*sic*] ses vices, ou d'en éviter les occasions prochaines.

Le troisiéme, quand sans aucune raison legitime il a celé un peché mortel à confesse.

---

[14] Le rituel de Bourges 1666 est publié par l'archevêque Jean de Montpezat, mais préparé par son prédécesseur Anne de Lévis de Ventadour, mort en 1662.

INSTRUCTIONS SUR LA CONTRITION

Le quatriéme, quand il a obmis de confesser un péché mortel, pour n'avoir fait son examen de conscience, avec la diligence requise.

Le cinquiéme, quand le Penitent a choisi volontairement un Confesseur ignorant.

Dans tous ces cas il faut recommancer [*sic*], non seulement la Confession que l'on a mal faite, mais toutes les autres que l'on a fait depuis la mauvaise.

p. 255-264 *Quels sont les cas ausquels il faut suspendre ou refuser l'absolution.*

… le defaut de contrition, c'est à dire, de douleur veritable, et de ferme propos de s'amender de ses pechez. …

… quand le pénitent étant en querelle et inimitié contre son prochain, ne veut pas se reconcilier de coeur avec luy…

… le defaut de restitution, ou de reparation du tort fait à autruy, quand on l'a pû, pour tout, ou du moins pour partie…

… quand le penitent est dans l'occasion prochaine du peché, et qu'il ne veut point la quitter…

… le scandale public

Quand le penitent a quelque cas reservé, pour lequel on le doit renvoyer au Superieur, excepté à l'article de la mort

… l'ignorance des principaux mysteres de nôstre Religion

… le peché d'habitude, comme de jurement, d'impureté, de travailler festes et dimanches, de gourmandise, de colere, de larcin…

… les personnes mariées qui vivent en dissention et separation l'une d'avec l'autre, sans cause legitime … les Ecclesiastiques mal pouvûs de leurs benefices, ou qui en sont d'incompatibles…

[L'absolution n'est donnée que] si le pénitent a le ferme propos de ne plus retourner à ses pechez: premierement, s'il est disposé d'éviter toutes les occasions prochaines du péché, comme le lieu, le temps, les employs, les personnes qui l'y font tomber d'ordinaire. Secondement, quand il veut bien se reconcilier avec ses ennemis, qu'il renonce à la haine et au desir de vengeance charité dans les occasions. Troisiémement, quand ayant fait du tort à son prochain, il est prest de le reparer en la maniere qui luy sera prescrite… (p. 256)

p. 259-260 [Les occasions prochaines de péché. Sont citées parmi d'autres:]

… les filles ou femmes qui portent la gorge decouverte et ne veulent s'en abstenir, comme encore les peres, meres, ou maris qui y

648 CHAPITRE XIII

consentent, … ceux qui ont des livres heretiques, ou d'amour impudique, … ceux qui connoissant que les danses, les comedies ou bateleurs, seroient occasion de tomber ordinairement dans les pechez d'impureté, ne voudroient s'abstenir d'y aller. Ceux, en fin, qui sont dans des métiers ou des conditions qu'ils disent ne pouvoir exercer sans peché mortel, à moins de quitter ce métier … comme sont à plusieurs la Guerre, la Marchandise, les Offices d'Avocat, Procureur, Sergent[15], etc.

p. 265 *Ce que doit faire le confesseur pour rendre ce refus ou delay d'absolution profitable aux penitens* : … lorsqu'il se trouve des penitens qui viennent souvent à confesse sans reconnoître en eux aucun amandement, et sans avoir fait aucun effort de leur part ; on peut prudemment leur suspendre ou refuser le benefice de l'absolution, pour les obliger d'estre plus sur leur garde ; principalement si ce sont des pechez d'attache ou d'habitude…

Alet 1667, 1677, 1771

[Alet 1667 : Nicolas Pavillon]

[La vraie contrition doit être intérieure, souveraine, universelle, surnaturelle. Délai ou refus d'absolution pour ignorance des principaux mystères de la foi, tort fait au prochain, profession ne pouvant être exercée sans pécher, péchés d'habitude…]

Le rituel d'Alet est considéré comme le chef de file de la pastorale sacramentelle janséniste[16]. Les pages les plus importantes, les plus nombreuses, et les plus critiquées, se rapportent aux sacrements de pénitence[17] et d'eucharistie. Elles sont si sévères et décourageantes que l'ouvrage est condamné un an plus tard par le pape Clément IX. Vingt-neuf évêques de France néanmoins signent une protestation en 1669, dont cinq pour la seule province de Narbonne.

Il n'est pas question d'attrition. L'absolution est inutile entre autres pour ceux qui sont dans l'habitude du péché mortel et ne s'en corrigent pas.

---

[15] Ces métiers sont cités par Charles Borromée.

[16] Le rituel d'Alet 1667 a fait l'objet de plusieurs études. Voir en particulier le chapitre de Paul Broutin consacré aux «Instructions du rituel d'Alet», in *La réforme pastorale en France au* XVIIe *siècle*, II, p. 399-411. Voir aussi l'article de Fr. Henri Reusch in *Der Index der verbotenen Bücher*, Bonn, 1883-1885, p. 455-456, et, pour mémoire, les pages très partiales de dom Prosper Guéranger dans *Institutions liturgiques*, II, Le Mans, 1847, p. 59-66.

[17] La dernière instruction sur la pénitence contient un rituel d'imposition de la pénitence publique, suivi de la réconciliation des pénitents. Les rituels de Nevers 1689, Toul 1700, Lyon 1787-1788… donneront aussi ce rite. (P4, P5, P6…)

INSTRUCTIONS SUR LA CONTRITION

P1453 **Alet 1667 p. 104-108. *De la Contrition***

… Quelles sont les conditions qui doivent accompagner la contrition pour la rendre veritable? Il y en a quatre, asçavoir qu'elle soit interieure, qu'elle soit souveraine, qu'elle soit universelle, et qu'elle soit surnaturelle. (p. 104)

… Quel est le principal motif de la contrition?

C'est l'amour de Dieu, n'y ayant point de vraye contrition sans cet amour, et la contrition estant plus ou moins parfaite, selon que cet amour est plus ou moins grand. … (p. 105)

… Par quels moyens peut-on acquerir une veritable contrition? Il faut la demander à Dieu par beaucoup de prieres… Voici un exemple de ces actes de contrition. *Mon Dieu, je vous demande tres humblement pardon de tous les pechez que j'ay commis; je m'en repens de tout mon coeur pour l'amour que je vous porte; et je me propose moyenant [sic] vostre grace de ne vous offenser jamais à l'avenir, et de faire une serieuse penitence.* (p. 106)

p. 114 *Quels sont les cas les plus ordinaires ausquels le Confesseur est obligé de differer, ou de refuser l'absolution?*

Il y en a cinq. Le premier est, lorsque les penitens ignorent les principaux mysteres de nostre foy, le *Pater*, l'*Ave*, le *Credo*; les Commandemens de Dieu et de l'Eglise; et que l'on reconnoist que cette ignorance est une marque de leur peu d'affection pour ce qui regarde leur salut; ou que ce sont des personnes si grossieres, que l'on ne peut les instruire sur le champ.

Le second est, lorsque le penitent a causé quelque tort à son prochain en son bien, ou en son honneur, et ne le veut pas reparer presentement selon son pouvoir en tout, ou en partie.

Le troisième, quand il a quelque inimitié, et qu'il ne veut pas se reconcilier avec ses ennemis.

Le quatrième, quand il est dans l'occasion prochaine de quelque peché mortel, par exemple d'impureté, ayant chez soy, ou en sa disposition la personne avec laquelle il a eu un commerce criminel, et ne la veut pas congedier; ou bien quand il se trouve dans une compagnie dangereuse pour luy, par exemple de juge, d'avocat, de soldat, ou autre semblable, dans laquelle eu egard à ses dispositions, et à l'experience que l'on a de sa vie passée, il luy est moralement impossible de s'empescher d'offenser Dieu mortellement, et qu'il ne la veut point quitter.

La cinquième, quand il est dans quelque habitude de peché mortel, et qu'il ne s'en corrige pas.

650   CHAPITRE XIII

p. 116 *Doit-on donner l'absolution à un penitent aussy-tost qu'il a quitté l'occasion de son peché?*

Non pas toujours, quoyqu'il l'ait veritablement quittée: mais il faut que le Confesseur juge qu'il n'y a pas sujet de craindre qu'il ne s'y engage de nouveau quand il aura receu l'absolution: et s'il trouve qu'il y ait fondement d'apprehender, il doit prendre un temps raisonnable pour l'éprouver.

Si le penitent assure qu'il aura assez de force et de courage, et se promet que Dieu luy fera la grace de ne plus retourner dans le peché quoyqu'il demeure dans l'occasion, ne peut-on pas luy donner l'absolution?

Non, et il faut faire entendre à ce penitent que son esperance est une vaine confiance, et une presomption orgueilleuse; et que c'est tenter Dieu que de penser eviter le peché, lorsqu'on demeure volontairement dans l'occasion, le Saint-Esprit ayant dit que celuy qui aime le peril y perira, et Dieu ne donnant sa grace qu'aux humbles et à ceux qui se deffient d'eux-mêmes.

Laon 1671, 1782

[Laon 1671: César d'Estrées]

De Poenitentiae Sacramento

[Délai ou refus d'absolution pour défaut de vraie contrition, ignorance des articles de la foi, péchés d'habitude…]

L'instruction *De Poenitentiae Sacramento* (p. 115-150) cite la bulle d'Urbain VIII de septembre 1628, le synode diocésain de 1667 (p. 116), les conciles de Trente et de Reims 1583, et le rituel diocésain de 1538 (p. 136). Les cas de refus ou de délai d'absolution sont légèrement plus développés que dans le rituel romain.

P1454   **Laon 1671 p. 122. *De materia Poenitentiae***

… Ac primo quidem cum dolor de peccatis commissis prima sit et praecipua poenitentiae pars, videbit etiam atque etiam Confessarius, utrum poenitens verum ac supernaturalem habuerit de peccatis omnibus dolorem, seu contritionem, animumque deliberatum, divinâ adjuvante gratiâ, in posterum non peccandi. Quid si talem abesse dolorem intellexerit, verbis quantum poterit efficacibus eum in animo poenitentis excitare conabitur; si vero adverterit eum his omnibus parum moveri, nec ullum verae contritionis, vel attritionis, ut vocant, seu contritionis minus perfectae signum dederit, ac propositi deinceps non

INSTRUCTIONS SUR LA CONTRITION

peccandi, minime absolvet; sed tamen salutaribus consiliis, ac bonis operibus praescriptis adjuvabit, ac remittet in aliud tempus, si forte Deus miserebitur illius…

p. 130-133 *De forma Poenitentiae seu absolutione.*

… Videat autem diligenter Sacerdos, quando et quibus conferenda vel neganda vel differenda sit absolutio, ne absolvat eos qui talis beneficii sunt incapaces; quales sunt qui nulla dant signa veri et supernaturalis doloris, et vitam in melius emendare nolunt; qui articulos fidei et alia ad salutem necessaria addiscere negligunt; Item qui odia et inimicitias deponere atque ex animo reconciliari; aut aliena si possunt restituere; aut proximam peccandi occasionem deserere nolunt; aut qui in habitu peccati mortalis versantur abjecto omni correctionis studio; vel qui publicum scandalum dederunt nisi satisfaciant ut par est, et causam scandali tollant; aliique, de quibus supra mentio facta est. …

Rodez 1671
Langres 1679[18]

[Rodez 1671: Gabriel de Voyer de Paulmy]
Quid sit observandum à prudente Confessario ad rite administrandum
Poenitentiae sacramentum

[Délai ou refus d'absolution pour péchés mortels d'habitude,
ignorance des articles de la foi, mauvaises habitudes non corrigées…]

P1455 **Rodez 1671** p. 113-114 … Videat autem diligenter Sacerdos, quando, et quibus conferenda, vel neganda, vel differenda sit absolutio, ne absolvat eos qui talis beneficii sunt incapaces: quales sunt qui nulla dant signa veri et supernaturalis doloris, et vitam in melius emendare nolunt, qui odia et inimicitias ex corde non deposuerunt, et omnem ad quodvis peccatum mortale affectum, qui in Confessione admoniti, Articulos fidei et alia ad salutem necessaria ediscere neglexerunt, aliena cum possunt non restituerunt, qui proximam peccandi occasionem actu non deserverunt, qui vitiosos habitus puta [*sic*] Blasphemiae, Luxuriae, etc. à Confessoribus correpti corrigere non studuerunt, aut qui publicum scandalum dederunt, nisi publice satisfaciant, et scandalum tollant, juxta praescriptum nostrum, neque etiam eos absolvat, quorum peccata sunt superioribus reservata, neque etiam eos absolvat, quorum peccata sunt superioribus reservata.

---

[18] Langres 1679, *Regulae de Sacramento Poenitentiae*, p. 48. Ce chapitre (p. 43-51) reprend en partie celui de Rodez 1671.

652 CHAPITRE XIII

Si vero quis confiteatur in periculo mortis constitutus, absolvendus est ab omnibus peccatis et censuris quantumvis SS. D. nostro Papae, vel Episcopo reservatis: Cessat enim tunc omnis reservatio, sed prius, si potest, cui debet satisfaciat; ac si periculum evaserit, superiori à quo alias esset absolvendus, cum primum poterit se sistat, quicquid debet praestiturus, quod de eo intelligendum qui à censuris, non qui à peccatis, quantumvis reservatis, quibus annexa censura non erat, ante fuerat, absolutus. …

Rodez 1671

[Instruction rédigée par Louis Abelly,
prédécesseur de Gabriel de Voyer de Paulmy]
Du Sacrement de Penitence
[Cas de refus ou de délai d'absolution]

P1456 **Rodez 1671 p. 384** … si celuy qui se confesse ne vouloit point quitter l'état ou l'occasion prochaine du peché, comme par exemple s'il ne vouloit point restituer le bien d'autruy qu'il retient injustement, ou reparer le dommage qu'il luy a causé en son honneur ou en ses biens: ou s'il ne vouloit point pardonner à ceux qui l'ont offencé ou se reconcilier avec ses ennemys, ou se retirer d'une conversation dangereuse qui le porte ordinairement au peché, ou enfin s'il ne témoignoit aucun veritable regret de ses pechez, ou s'il ne vouloit prendre une entiere resolution de ne les plus commettre, ou de faire cesser le scandale qu'il donne: en tous ces cas il faut refuser l'absolution, ou du moins la differer s'il y a sujet d'esperer que le penitent veüille quitter ce mouvais [*sic*] état, et satisfaire à son devoir.

Il faut dire le méme [*sic*] de ceux qui sont dans l'ignorance des choses necessaires à salut, que le Confesseur doit instruire avant que de les absoudre: comme aussi de ceux qui sont en certaines habitudes de pechez, comme de juremens, d'impuretés qu'ils commettent fort souvent, et dont ils ne se mettent en aucune peine de se corriger…

Besançon 1674

[Antoine-Pierre de Grammont]
De Contritione
**[L'attrition dispose à accueillir la grâce de Dieu
dans le sacrement de pénitence]**

Les instructions sur la pénitence, très développées (p. 55-151), entièrement rédigées en latin, font référence majoritairement au concile de Trente et à

INSTRUCTIONS SUR LA CONTRITION

Antoine Lulle[19]. La tendance rigoriste est perceptible, même si l'attrition est acceptée. Il n'est pas question de délai ou de refus d'absolution.

P1457 **Besançon 1674** [première partie]p. 57 … Docet praeterea (sancta Synodus) etsi contritionem hanc aliquando perfectam charitate esse contingat, hominemque Deo reconciliare priusquam hoc sacramentum actu suscipiatur; ipsam nihilominus reconciliationem ipsi contritioni, sine sacramenti voto, quod in illa includitur, non esse adscribendam. Illam vero contritionem imperfectam, quae attritio dicitur, quoniam vel ex turpitudinis peccati consideratione, vel ex gehennae et poenarum metu communiter concipitur, si voluntatem peccandi excludat cum spe veniae, declarat, non solum non facere hominem hypocritam, et magis peccatorem, verum etiam donum Dei esse, et Spiritus sancti impulsum, non adhuc quidem inhabitantis, sed tantum moventis, quo poenitens adjutus viam sibi ad justitiam parat. Et quamvis sine sacramento poenitentiae per se ad justificationem perducere peccatorem nequeat; tamen eum ad Dei gratiam in sacramento poenitentiae impetrandam disponit. … *Ex. Conc. Trid. sess. 14. cap. 4.*

Reims 1677
La Rochelle 1689, 1744. Soissons 1694[20]

[Reims 1677: Charles-Maurice Le Tellier]
Du Sacrement de Penitence
[Refus ou délai d'absolution pour profession ne pouvant être exercée sans pécher,faux témoignages, péchés d'habitude…]

P1458 **Reims 1677**
De la Contrition, p. 73-74. [Les conditions de la contrition sont classiques et citent le concile de Trente. L'attrition n'est pas mentionnée.

Les conditions de l'absolution, inspirées en partie de Charles Borromée, sont plutôt strictes; nombreux sont les cas où on doit la refuser ou la différer:]

De l'Absolution, p. 89-91. Et afin que le Prêtres qui administrent le Sacrement de penitence sous nôtre autorité … puissent faire un bon usage de ce pouvoir tout divin … nous leur avons donné les regles suivantes:

La premiere, de n'accorder point l'absolution à ceux qui font une profession qu'on ne peut exercer sans peché; jusqu'à ce qu'ils ayent

---

[19] Antoine Lulle, vicaire général de Claude de La Baume, archevêque du diocèse de 1545 à 1584.
[20] Soissons 1694 reprend Reims avec minimes remaniements.

renoncé à cette profession : comme sont les magiciens et sorciers, les farceurs, et ceux qui servent à des plaisirs infames.

Il faut aussi refuser l'absolution à ceux qui étant d'une profession qui est bonne d'elle-même, et permise, en font ordinairement un mauvais usage, et la corrompent par des actions d'iniquité ; comme les Marchands qui vendent à faux poids et à fausse mesure, qui mêlent de mauvaise marchandise avec de la bonne, qui vendent et garantissent bon ce qui ne l'est pas ; les Avocats qui employent leur industrie pour défendre de mauvaises causes qu'ils connoissent telles, et qui engagent volontairement les parties en des procès injustes ; les Juges qui se laissent corrompre par des presens, ou par d'autres voyes ; et generalement tous ceux qui font mauvais usage de leur profession, et qui abusent des talens que Dieu leur a donnez. ...

Il faut aussi refuser à ceux qui ne donnent aucun signe de douleur, qui ne promettent point de quitter leurs pechez, et qui ne veulent point changer de vie.

Il ne la faut point donner à ceux qui ne veulent point pardonner les injures, qui conservent la haine et l'inimitié dans le coeur, et ne veulent pas se reconcilier avec leurs freres.

Il la faut refuser à ceux qui ne veulent point restituer le bien d'autruy lorsqu'ils en ont le pouvoir, ou qui ne promettent pas d'y satisfaire quand ils le pourront ; et à ceux qui ne veulent pas rétablir la reputation qu'ils ont ôtée injustement à leur prochain par leurs calomnies et médisances.

Il ne la faut point donner à ceux qui au mépris des Monitoires qui sont publiez par l'Ordonnance de l'Evêque... ne revelent point ce qu'ils sçavent, lorsqu'ils y sont obligez, et causent par ce silence criminel grand préjudice à leur prochain.

Il la faut aussi refuser à ceux qui ayant porté faux témoignage contre leur prochain, luy ont causé quelque perte notable en ses biens, ou en sa reputation, s'ils ne veulent auparavant desavoüer publiquement leur témoignage, s'ils le peuvent sans courir risque de perdre la vie... Il la faut aussi refuser à ceux qui ne veulent point quitter l'occasion prochaine du peché...

La seconde, de différer l'absolution à ceux qui ont croupy long temps dans l'habitude de quelque peché mortel, et qui ont promis plusieurs fois de le quitter sans aucun effet.

La troisiéme, de ne refuser l'absolution à aucun pecheur, quelques crimes qu'il ait commis, lors que le Confesseur aura reconnû en luy les veritables dispositions d'un penitent...

INSTRUCTIONS SUR LA CONTRITION

La quatriéme … qu'… il doit … admettre à la participation de la sainte Eucharistie le pecheur, aussitost qu'il aura reconnû qu'il a quitté son peché, et que son coeur est veritablement changé ; de peur que par un trop long delay, il ne le contristast à la mort, et ne luy donnast occasion de continuer sa vie passée, et de s'éloigner des Sacremens.

[Il est conseillé au prêtre, comme à Alet, de dire *Misereatur* et *Indulgentiam*… sur le fidèle auquel est refusée ou différée l'absolution] « afin que ce refus ne vienne point à la connoissance de ceux qui sont presents. »

Ensuite il luy donnera la benediction, apres l'avoir averty, qu'il ne luy donne point l'absolution de ses pechez, mais seulement une benediction…

Chartres 1680, 1689
[Ferdinand de Neufville de Villeroy]
Brevis expositio Sacramenti Poenitentiae, quae utilis erit ad Fideles monendos feria quartâ Cinerum, et feria quintâ in Coena Domini, aliisque temporibus…

L'instruction de Chartres 1627-1640 est remaniée et développée dans un sens plus rigoriste ; l'attrition est mentionnée. Absence de liste de refus d'absolution.

P1459   **Chartres 1680** p. 127-133. Tous les Chrestiens qui depuis leur Baptesme sont tombez dans le peché mortel, ont besoin du Sacrement de Penitence pour eviter la damnation éternelle et r'entrer dans la grace de Dieu. …

… La matiere consiste dans les actes du Penitent, qui sont la Contrition, la Confession, et la Satisfaction. … Il y a donc trois choses requises… La premiere est la Contrition. … Pour détester veritablement le peché il faut en concevoir une haine et une aversion qui nous donne en même temps de la douleur pour ceux qu'on a commis, et de l'horreur pour ceux qu'on pourroit commettre.

… Cette douleur doit avoir quatre conditions. Premierement il faut qu'elle soit interieure… Secondement il faut que la contrition soit surnaturelle…

[La] contrition imparfaite s'appelle ordinairement Attrition. Or cette attrition ne peut d'elle-méme donner la grace ny justifier le pécheur, mais étant appuyée sur la foy et animée de l'esperance du pardon, si elle exclud toute affection pour le peché, elle le dispose à s'approcher du Sacrement de Penitence et y recevoir l'absolution et la grace qui rendra la contrition parfaite.

… la troisième condition nécessaire à la contrition … (est) qu'elle soit souveraine … la quatrieme condition … est qu'elle soit universelle, c'est à dire qu'elle soit pour tous les pechez mortels que l'on a commis… p. 131 … afin que la Confession soit valable, il faut qu'elle soit entiere et sincere. …

Périgueux 1680, 1763
Coutances 1682

[Périgueux 1680 : Guillaume Le Boux]
Reflexions sur la Penitence
[La contrition doit être intérieure, souveraine,
universelle, surnaturelle, efficace.
Refus ou délai d'absolution pour profession ne pouvant être exercée
sans pécher, pour ceux qui donnent aux autres occasion de pécher,
péchés d'habitude,
ignorance des principaux mystères de la foi…]

P1460 **Périgueux 1680** p. 77. *De la Contrition*
… Cette douleur (de l'ame) doit avoir plusieurs qualitez et conditions pour être veritable. Elle doit être interieure … souveraine … universelle … surnaturelle … efficace… Cette resolution ferme et constante de ne plus pecher, doit necessairement porter le pecheur à éviter avec soin le peché, et les occasions du peché…

p. 78-79 De l'Absolution
[La liste des refus d'absolution s'inspire en partie de Reims 1677. Celle-ci est refusée ou différée:]

1. … à ceux qui font une profession qu'on ne peut exercer sans peché, jusqu'à ce qu'ils ayent renoncé à cette profession.

2. … à tous ceux qui étant d'une profession qui est bonne d'elle-même, et permise, en font ordinairement un mauvais usage, comme les marchands qui trompent au poids ou à la mesure, les Avocats qui deffendent des causes qu'ils connoissent mauvaises, les Juges qui se laissent corrompre ou qui vendent la justice, etc.

3. … à tous ceux qui ne donnent aucun signe de douleur, qui ne veulent point changer de vie et se convertir sincerement.

INSTRUCTIONS SUR LA CONTRITION

4. … à ceux qui ne veulent point pardonner les injures, qui conservent la haine et l'inimitié dans le coeur, et ne veulent pas se reconcilier avec leurs ennemis.

5. … à tous ceux qui pouvant restituer le bien d'autrui qu'ils retiennent injustement, ne veulent pas s'acquitter de ce devoir.

6. … à ceux qui étant dans l'occasion prochaine du peché ne veulent pas la quitter. …

7. … à ceux qui donnent aux autres occasion de pecher, s'ils n'ôtent cette occasion, tels sont ceux qui tiennent brelan, ou autres assemblées dans lesquelles on commet des blasphemes, des débauches, des libertez licentieuses. Ceux qui ont des tableaux, ou representations lascives, les femmes et filles qui portent la gorge découverte, lors qu'elles ont été averties du mal qu'il y a dans ces modes scandaleuses.

8. … à ceux qui sont engagés dans l'habitude du peché mortel, jusqu'à ce qu'on reconnoisse en eux des marques de leur amendement.

9. … aux Ecclesiastiques qui étant dans les Ordres sacrez, ou possedant quelque benefice ne portent point la soutane et la tonsure ecclesiastique, qui sont mal pourvûs de leurs benefices, ou qui en ont d'incompatibles, ou qui ne resident pas…

10. … à ceux qui ignorent les principaux mysteres de nôtre Foi, lors qu'on voit que cette ignorance vient de ce qu'ils sont peu affectionnez pour leur salut, ou qu'on ne pourroit alors les instruire sur le champ à cause de leur extrême grossiereté. …

Aucun Confesseur ne doit absoudre des Cas reservez au Pape ou à Monseigneur l'Evêque, s'il n'en a reçu un pouvoir special, excepté en l'article de la mort.

Il en est de même des Censures reservées aux Superieurs…

p. 105-106 *Quibus conferenda, neganda, vel differenda sit absolutio.* [Instruction romaine de 1651.]

Amiens 1687

[François Faure]
**[Contrition et Attrition. Refus ou délai d'absolution
pour défaut de contrition, péchés d'habitude,
profession ne pouvant être exercée sans pécher…
Les confessions invalides]**

Le rituel d'Amiens présente deux états différents du chapitre *De la Contrition*, selon les exemplaires de l'ouvrage.

658 CHAPITRE XIII

P1461 **Amiens 1687**
[Premier état: exemplaire Paris, Bibl. Sainte-Geneviève, p. 113-118:]

[L'attrition peut « impétrer » la grâce dans le Sacrement de Pénitence]

p. 115 … l'Eglise croit et enseigne qu'un pecheur est veritablement et suffisamment disposé à recevoir la grace du Sacrement, quand il a une veritable douleur d'avoir offensé Dieu, faisant abstraction de quel motif elle procede, ou de celui de l'amour, ou de celui de la crainte, pourvû que ce motif soit surnaturel; car quelle que soit cette douleur parfaite ou imparfaite, il suffit qu'elle soit sincere et veritable, accompagnée d'une veritable resolution de ne le plus offenser.

Et cette contrition ou douleur interieure, est tellement necessaire, et essentielle à la Penitence, qu'elle ne peut être suppleée par aucune autre action du penitent…

p. 117 … Nous souhaiterions avec tous les Saints Pères de l'Eglise, que tous les Pénitens fussent animez d'une *parfaite Contrition*, qui est sans contredit la meilleure et la plus excellente; mais nous admettons de bonne foi cette *Contrition imparfaite*, et nous la recevons sous le nom d'*Attrition*, comme une disposition pour impeter la grace dans ce Sacrement, ainsi que le Concile le declare…

[Deuxième état, exemplaires Paris, BnF, p. 113-115, 118[21]:]

[L'attrition doit exclure la volonté de pécher et renfermer l'espérance du pardon. La contrition, parfaite ou imparfaite, doit être intérieure, souveraine, universelle et surnaturelle, et accompagnée de la résolution de ne plus pécher]

p. 113 … La *Contrition parfaite* par la charité, est celle qui n'aiant d'autre motif que celui de l'amour d'un Dieu infiniment bon, reconcilie le pecheur auparavant qu'il ait reçu le Sacrement…

La *Contrition imparfaite* ou *Attrition*, est celle qui est conçuë communement par la laideur du peché ou par la crainte de la damnation éternelle. Cette crainte … pourvû qu'elle exclue la volonté de pecher, et qu'elle renferme l'esperance du pardon, (elle) nous dispose à recevoir la grace dans le Sacrement, sans lequel elle ne seroit pas suffisante.

p. 114-115 … Or cette *Contrition* ou *douleur interieure*, soit qu'elle soit *parfaite* par la charité, soit qu'elle ne soit qu'*imparfaite*, est tellement necessaire, et essentielle à la Penitence, qu'elle ne peut être sup-

---

[21] La pagination saute de 115 à 118 sans lacune de texte.

INSTRUCTIONS SUR LA CONTRITION

pleée par aucune autre action du penitent. ... Surquoi il faut encore remarquer que la *Contrition*, soit qu'elle soit *parfaite*, soit qu'elle soit *imparfaite* doit avoir quatre qualitez.

Elle doit être interieure, souveraine, universelle et surnaturelle.

Interieure, c'est à dire, veritable et sincere... Souveraine, c'est à dire, qu'on doit être plus fâché d'avoir offensé Dieu, qu'on ne le seroit de toute autre chose. ... Universelle, c'est à dire, qu'elle doit s'étendre sur tous nos pechés... Surnaturelle, c'est-à-dire ... qui soit excitée dans le coeur par le Saint Esprit et fondée sur les considerations que la foi nous enseigne: par exemple, la bonté de Dieu pour tous les hommes, sa providence...

Mais une des veritez sur lesquelles on doit plus insister ... c'est cette resolution ferme et sincere de ne plus pecher...

[Tous exemplaires] p. 131-133. *De l'absolution*
... La regle generale ... est de ne refuser jamais l'absolution à ceux qu'ils jugent étre veritablement touchez de la douleur de leurs pechez, et sincerement resolus de ne les plus commettre à l'avenir...

Mais voici des regles particulieres, sur lesquelles le Confesseur peut se fonder pour refuser, ou differer d'absoudre le pecheur.

La premiere, de refuser l'absolution. 1°. Quand il ne voit en lui aucune marque de veritable douleur, ni aucune resolution sincere de quitter son peché, et de changer de vie.

2° Quand il ne veut pas pardonner à son ennemi, ni se réconcilier avec lui.

3°. Quand il ne veut pas restituer le bien d'autrui, s'il en a le pouvoir, ni retablir autant qu'il le peut, la reputation qu'il a ôtée à son prochain par ses médisances, et par ses calomnies; ou s'il ne promet sincerement d'y satisfaire, quand il le pourra.

4°. Si le Penitent est dans une occasion prochaine de peché mortel, et qu'il soit en son pouvoir de le quitter, il ne doit pas être absous, jusqu'à ce qu'il l'ait quittée; et s'il n'est pas en son pouvoir de la quitter, on doit suspendre l'absolution, jusqu'à ce qu'on ait des marques de son amendement. ...

La seconde, le Confesseur doit differer l'absolution à celui qui aiant croupi lontemps dans l'habitude d'un peché, a souvent promis de le quitter, et ne l'a pas fait...

La troisiéme, il ne faut pas donner l'absolution à ceux qui font une profession qui est illicite, et qu'on ne peut exercer sans peché; jusqu'à

660 CHAPITRE XIII

ce qu'ils aient renoncé à cette profession : comme sont les magiciens et sorciers, et ceux qui servent à des plaisirs infames. …

La quatriéme, le Confesseur ne doit pas absoudre, ni oüir les confessions des personnes, des pechez desquelles il a été participant ou complice. …

Agen 1688

[Jules Mascaron]

Du Sacrement de Penitence

[Contrition et attrition. Refus d'absolution pour défaut de vraie contrition.

Utilité des confessions générales]

P1462 **Agen 1688** p. 74-75. La Contrition est une douleur de l'ame, et une detestation des pechez commis, avec une ferme resolution de ne les plus commettre à l'avenir. Quand cette contrition est animée d'une charité ardente et parfaite, elle efface les pechés, même avant l'absolution du Prêtre, pourvu que l'on souhaite de recevoir le sacrement ; mais si elle est seulement excitée par des motifs surnaturels d'esperance, de crainte ou d'horreur du peché avec quelque sentiment d'amour par lequel on commence à aimer Dieu comme source de toute justice ; alors elle s'appelle l'attrition, et quoy qu'elle ne justifie pas le penitent toute seule ; Elle le dispose neanmoins à recevoir la justification par la vertu des clefs de l'Eglise. Ce que les Pasteurs doivent sur tout recommander aux fideles en cette matiere, c'est … de s'exciter à la douleur du peché dés qu'ils s'en reconnoissent coupables ; et de former des resolutions si fortes de ne plus offenser Dieu, qu'ils rompent toutes les attaches, et quittent au plutôt toutes les occasions qui pourroient les faire retomber dans le crime.

p. 77-78 Il est aussi de la prudence et de la charité d'un confesseur de juger en quelle occasion il doit differer l'absolution à ses penitens ; affin [*sic*] qu'il ne profane pas indignement le sang de J. C., et qu'il ne perde pas les ames par une cruelle indulgence. … Ainsy l'on doit renvoyer tous ceux que l'on juge incapables d'absolution, tels que sont les pecheurs qui ne donnent point de marque d'une douleur qu'on peut estimer veritable, ceux qui ne veulent pas se reconcilier avec leurs ennemis, rendre le bien ou l'honneur qu'ils detiennent injustement, quitter l'occasion prochaine, commencer efficacement une nouvelle vie. …

Il est à remarquer qu'il y a tres grand nombre de penitens, qui ont besoin de faire des confessions generales, soit parce qu'ils ont fait leurs

INSTRUCTIONS SUR LA CONTRITION

confessions passées sans aucune douleur de leurs pechés, et sans une veritable resolution de changer de vie, soit parce que … ils ont omis de s'accuser de quelque peché mortel, soit parce qu'ils ont receu l'absolution de ceux qui ne pouvoient pas la leur donner, faute d'avoir eu jurisdiction sur eux, ou le pouvoir d'absoudre des censures et des cas reservés au Pape ou à l'Evêque. …

Nevers 1689

[Edouard Vallot]
[L'attrition pour être valable doit être intérieure et sincère, générale, et surnaturelle.
Refus d'absolution pour professions ne pouvant être exercées sans pécher, péchés mortels d'habitude, ignorance des principaux mystères de la foi…]

Le début du chapitre *De la Contrition* (p. 33-35) diffère légèrement selon les exemplaires de l'ouvrage, certains exemplaires se référant davantage au concile de Trente. Un premier (?) état du chapitre débute par une curieuse définition de l'attrition :

P1463 **Nevers 1689**

p. 33 [Exemplaire Autun, Bibl. mun.] [**Curieuse définition de l'attrition**] … Les deux conditions essentielles à la Contrition sont donc la douleur qu'a l'ame d'avoir offensé Dieu, et la résolution sincére où elle est de ne le plus faire. Or comme selon l'expression du concile de Trente et de son catéchisme, la parfaite contrition est un acte de charité formé par la crainte filiale, laquelle contrition ne laisse pas d'être véritable et effective, encore qu'elle ne soit pas dans ce dernier degré de perfection : aussi la Contrition imparfaite qu'on appelle Attrition, est formée, lorsque les pécheurs passant de la crainte de la Justice divine, et du châtiment dû au peché, jusqu'à la considération de la misericorde de Dieu, ils s'élévent à la confiance qu'il [*sic*] leur sera propice pour l'amour de J. C., et commencent à l'aimer lui-même, et à detester leurs pechez.

Cette contrition pour être valable doit être 1° intérieure et sincére, 2° generale ; l'attache à un seul peché étant un obstacle à la vraye contrition. 3° … surnaturelle, c'est-à-dire inspirée par le S. Esprit, et non pas fondée seulement sur des motifs humains et interessez…

p. 33 [Exemplaires Paris, BnF et Sainte-Geneviève] [**Le principal motif de la vraie contrition est l'amour de Dieu. L'attrition seule est insuffisante**]

... Les deux conditions essentielles à la Contrition sont donc la douleur qu'a l'ame d'avoir offensé Dieu, et la résolution sincere où elle est de ne le plus faire. Or le principal motif de cette Contrition est l'amour de Dieu, qui êtant parfait et par dessus toutes choses, forme en nous une veritable Contrition, qui au contraire êtant foible, imparfait et meslé d'autres motifs, ne forme en nous qu'une Attrition qui seule ne suffit pas pour nous justifier.

Cette contrition pour être véritable doit être 1° Interieure et partir d'un coeur sincerement touché d'avoir perdu l'amour de Dieu, dont il a au contraire encouru la haine. 2° Elle doit s'étendre sur tous les pechés : d'autant que celui qui sentiroit quelqu'attache et quelque complaisance pour un seul péché mortel, quelque douleur qu'il eût pour les autres, n'auroit pas une vraye contrition. 3° Cette Contrition doit être surnaturelle : c'est à dire inspirée par le S. Esprit, et non pas fondée seulement sur des motifs humains et interessés, et sur la seule crainte des peines d'enfer, qui quoyque bonne et utile pour disposer le coeur du pecheur à la justice, ne le détache pas de la créature, s'il n'intervient de l'amour de Dieu...

[Tous exemplaires] p. 35 ... Car encore que la crainte qu'on conçoit assez ordinairement par la consideration de l'ênormité du péché ou des peines de l'enfer, soit, comme on le vient de dire, un don de Dieu et un mouvement du S. Esprit qui êbranle utilement le coeur du pecheur en le disposant à la justification : néanmoins cette crainte seule et sans un amour au moins imparfait et commencé qui le fait appeler attrition, ne detache pas tout-à-fait le pecheur de la creature. ...

p. 47-51 *De l'Absolution*
p. 48 ... Le Prêtre ... [doit] ne délier que ceux que Dieu juge dignes de pardon par la douleur qu'ils témoignent avoir de leurs pechés passés. Voici les regles à peu près qu'on doit suivre.

1°. De n'accorder point l'absolution à ceux qui font une profession qu'on ne peut exercer sans peché, jusqu'à ce qu'ils l'ayent entierement quittée, comme sont les sorciers, les farceurs, ceux ou celles qui servent à des plaisirs infames, etc.

2°. A ceux qui étant dans une profession bonne d'elle-même et permise, ne peuvent s'empêcher d'y commettre des pechés dont ils se sont depuis long tems [*sic*] accusés : comme sont les Marchands qui sont de mauvaise foy ... les Avocats qui engagent leurs parties dans des procés injustes ... les Juges qui se laissent corrompre...

INSTRUCTIONS SUR LA CONTRITION

3° A ceux qui ne donnent aucun signe de douleur, et ne veulent pas se soumettre aux avis qu'on leur donne pour éviter leurs péchés.

4° A ceux qui conservent de la haine dans le coeur, et ne veulent point pardonner les injures qui leur ont été faites.

5° A ceux qui depuis long tems n'ont pas restitué le bien dont ils ont fait tort à leur prochain, ou la reputation qu'ils lui ont ôtée par leurs calomnies, ou qui ne veulent pas quitter l'occasion qui fait tomber ordinairement dans le péché.

6° ... à ceux qui sont depuis long tems dans l'habitude de quelque peché mortel, quoy qu'ils eussent déja promis de le quitter.

7° Lorsque les Penitens ignorent les principaux mysteres de la foy, les commandemens de Dieu et de l'Eglise, l'oraison dominicale etc.

Verdun 1691

[Hippolyte de Béthune]

[La contrition véritable doit être intérieure, surnaturelle, souveraine, universelle, efficace, et accompagnée d'un bon propos. La contrition imparfaite est insuffisante. Refus ou délai d'absolution pour ignorance des principaux mystères de la Religion, profession ne pouvant être exercée sans pécher, péchés d'habitude...]

1464 **Verdun 1691**

p. 12-15 *De ceux à qui il faut administrer ou refuser les Sacremens.*

Ne sont pas admis à recevoir les sacrements ceux qui ne temoignent pas «par la modestie de leurs habits, et par tout leur exterieur bien composé, le respect et la devotion qu'ils ont pour nos mysteres», en particulier les «femmes qui s'en approchent le sein et les épaules découvertes», les ecclésiastiques «s'ils ne sont habillés conformement à leur etat» avec cheveux courts, tonsure et soutane, ceux qui ne sont pas «instruits, particulierement de leur excellence (des sacrements) et de leurs effets», et les pécheurs publics.

p. 14 [Sont ajoutés à la liste romaine des pécheurs publics les hérétiques, sorciers, ivrognes, bateleurs et farceurs, filles ou femmes debauchées, ainsi que «ceux qui vivent dans les inimitiés et qui ne veulent pas se reconcilier... ceux qui retiennent injustement le bien d'autrui, ou qui lui aiant fait tort... refusent de lui satisfaire, et generalement tous ceux qu'on sçait être engagés dans quelque crime».

Du Sacrement de Penitence

[Les instructions, inspirées d'Alet, sont très strictes.]

p. 116-121 *De la Contrition*

p. 116 La contrition … pour être suffisante et veritable, il faut necessairement qu'elle ait cinq qualitez, et qu'elle soit 1. Interieure, 2. Surnaturelle, 3. Souveraine, 4. Universelle, 5. Efficace.

p. 117 … Elle doit être efficace, et accompagnée d'un bon propos, qui ne soit point oisif, mais qui tout de bon fasse prendre aux penitens les moiens de se corriger et de satisfaire à Dieu.

p. 119 … la vraie contrition des péchés véniels, doit au moins produire ces bons effets. 1. Que nos chutes soient moins frequentes. 2. Que quand l'occasion de pecher se presente, ou nous la fuyons quelquesfois, ou nous n'y soions pas toûjours vaincus, ou si nous y succombons, que ce soit plûtost par foiblesse, que de propos deliberé.

[La contrition imparfaite est insuffisante :]

La crainte des peines de l'enfer est bonne, elle est quelquesfois un mouvement surnaturel du Saint-Esprit ; mais elle ne suffit pas même dans le sacrement, à moins qu'elle n'excluë la volonté de pecher. Or elle ne l'excluë pas.

p. 120 [*Le pécheur doit demander instamment à Dieu*]

… la grâce d'aimer la vertu qu'il a persecutée jusques à present, et tenir pour certain que sans cette disposition, il ne peut être justifié ; car comment declarer juste celui qui est ennemi de la Justice ? Comment se reconcilier avec Dieu, pendant qu'on a une volonté contraire à la sienne, et qu'on fait la guerre à la vertu ? …

p. 139-141 [*L'absolution ne doit être donnée qu'avec beaucoup de précaution* :]

L'absolution est de la nature de ces grands remedes, qui deviennent des poisons mortels à ceux qui les prennent sans y avoir été préparés. Car encore qu'elle ait la vertu d'effacer toutes sortes de pechés, et de faire revivre la grace et les vertus, néanmoins si on la reçoit mal disposé, elle est non seulement inutile, mais funeste et pernicieuse. C'est pourquoi le confesseur comme medecin des ames, ne la donnera qu'avec beaucoup de precaution, il examinera auparavant par les regles precedentes, si le penitent a les dispositions necessaires ; s'il lui paroît evidemment que non, il la lui refusera, quand même il seroit à l'article de la mort.

[Elle doit être refusée ou suspendue dans un certain nombre de cas :]

1. Quand le pecheur ne donne aucune marque de douleur, excusant ses fautes, ou les rejettant sur autrui …

INSTRUCTIONS SUR LA CONTRITION

2. Quand il ignore les principaux mysteres de la Religion ou qu'aiant été averti d'apprendre le Symbole des Apôres, l'Oraison dominicale, les Commandemens de Dieu et de l'Eglise, il a négligé de le faire. Il faut garder la même conduite à l'égard des Peres de famille, qui n'ont pas soin de faire apprendre ces choses à leurs enfans, ou à leurs serviteurs et servantes, ou qui les empêchent d'assister à la Messe et aux instructions les Dimanches et Fêtes.

3. Quand il conserve de la haine et de l'inimitié dans le coeur, qu'il refuse de pardonner et de se réconcilier...

4. Quand il ne veut ni restituer, ni reparer les dommages causés...

5. Quand il ne veut pas renoncer à une profession qu'il ne peut exercer sans peché, comme sont les Magiciens, ceux qui usent de Superstitions, les Farceurs, et ceux qui servent à des plaisirs infames, ceux qui sont mal pourvûs de leurs Benefices, etc.

6. Il ne faut pas non plus absoudre ceux qui veulent demeurer dans les occasions prochaines du péché... Ceux ... qui font un mauvais usage de leurs mêtiers ou conditions ... plusieurs gens de Guerre ; Les Juges qui se laissent corrompre par les presens... Les Avocats, qui emploient leur industrie, pour défendre des causes qu'ils sçavent être injustes... Les Marchands, qui vendent à faux poids et à fausses mesures... Les Artisans, et autres Ouvriers, qui ne travaillent pas fidellement. Les Magistrats, et les Officiers, qui sont accoûtumés de violer les sermens, qu'ils ont fait en entrant en charge...

7. Il faut user du même délai envers ceux, qui êtant engagés dans des habitudes criminelles, comme d'ivrognerie et de blasphême, n'ont point encore travaillé à s'en corriger...

Sens 1694

[Hardouin Fortin de La Hoguette]
Du Sacrement de Penitence
[Délai ou refus d'absolution aux pécheurs d'habitudes criminelles]

Instructions romaines traduites en français avec des additions pour les cas de refus de l'absolution. Sont ajoutés aux catégories du rituel romain :

1465   Sens 1694 p. 58-59 (les) pecheurs ... qui refusent de changer de vie ; qui sont engagés dans quelque habitude criminelle, en qui on ne voit aucun amandement, et lorsqu'il est probable, quoyqu'ils disent et qu'ils promettent de quitter le peché, qu'ils ne le quittent pas néanmoins ; ou qui estant retombés souvent dans les mêmes desordres n'ont point eu soin de s'en corriger.

666   CHAPITRE XIII

Sées 1695

[Mathurin Savary]
Formulaire du Prosne. De la Contrition

P1466 **Sées 1695** Le chapitre *De la Contrition* p. LVI-LVIII reprend Reims 1677, contrairement à la presque totalité du chapitre *Du Sacrement de Penitence* qui continue à reproduire le formulaire de Rouen 1611/1612.

Toul 1700, 1760

[Toul 1700 : Henri de Thyard de Bissy]
**[Règles pour bien juger de la contrition d'un pénitent.
Délai ou refus d'absolution pour défaut de vraie contrition,
ignorance de la doctrine chrétienne, péchés d'habitude…]**

Les longues instructions concernant la pénitence (p. 69-151) s'inspirent souvent d'Alet et de Verdun. L'absolution est fréquemment différée ou refusée[22]. Le confesseur doit imposer « des pénitences convenables et salutaires ». Les anciens canons pénitentiaux sont, comme dans beaucoup d'autres rituels, donnés en exemple, et la pénitence publique proposée[23].

P1467 **Toul 1700** *L'instruction que les curez et vicaires doivent donner aux fidéles sur le sacrement de pénitence.*

p. 76 La contrition est une douleur d'esprit, et une détestation des pechez qu'on a commis, avec resolution de ne plus pecher à l'avenir. …

Il y a deux sortes de contrition ; l'une parfaite, et l'autre imparfaite que l'on appelle l'attrition. La premiere est une douleur du peché conçüe par le motif de l'amour de Dieu, qui nous fait haïr et détester tout ce qui lui déplait. La seconde est une douleur du peché conçüe, ou par la considération de sa laideur, ou par le motif de la crainte de l'enfer… La contrition imparfaite, ou autrement l'attrition, est une disposition suffisante, pourvû qu'elle exclue la volonté de pecher, et qu'elle renferme. 1. Une véritable haine de la vie passée. 2. L'esperance du pardon. 3. Un commencement d'amour de Dieu, comme source de toute justice, par lequel le penitent se porte à haïr et détester ses pechez. …

p. 93 *Le confesseur doit s'assurer de la contrition du penitent.*
La contrition est si necessaire dans le sacrement de penitence, que rien n'en peut suppléer le défaut ; si elle manque il est nul et non seu-

---

[22]   Sur le jansénisme à Toul, voir R. Taveneaux, *Le jansénisme en Lorraine, 1640-1789*, Paris, 1960.
[23]   *Voir supra* Pénitence publique (P6).

lement le pecheur ne reçoit pas la rémission de ses pechez, mais il commet un sacrilége. ...

p. 98 *Regles pour bien juger de la contrition du penitent.*

1. On doit juger *certainement* qu'un pecheur qui se confesse, n'a pas la contrition, quand il refuse de se soûmettre à ce que le confesseur luy ordonne pour son salut : par ex. de pardonner à ses ennemis ; de se reconcilier avec eux ; de quitter les occasions prochaines du peché, dans lesquelles il est volontairement engagé ; de réparer le scandale qu'il a commis ; et de faire enfin ce qu'un vray penitent doit faire selon Dieu, pour se mettre en état de recevoir la rémission de ses pechez. Parce que la contrition, quand elle est veritable, renferme la volonté de faire tout ce qui est nécessaire pour une veritable penitence.

2. On doit faire le même jugement des pecheurs, qui s'accusent des plus grands crimes, et qui n'en témoignent cependant aucune douleur...

[L'attrition est jugée insuffisante ; le confesseur doit s'assurer de la véritable contrition du pénitent :]

p. 100 ... Les marques les plus assurées ... d'une véritable contrition, sont ... 1° N'être pas retombé dans ses pechez depuis un tems considerable... 2° Avoir résisté avec beaucoup de force et de courage aux tentations qui se sont presentées. 3° Fuir et eviter soigneusement toutes les occasions de chute. 4° Mener une vie sainte et pénitente. 5° Avoir une grande soumission aux ordres du confesseur, et une grande déférence à ses avis...

Le confesseur, pour être moralement assuré que la contrition du penitent est veritable, doit examiner le motif par lequel il hait et déteste ses pechez, et le porter à les haïr et détester par un motif d'amour de Dieu, et non pas seulement par un motif de crainte des peines de l'enfer ... il n'est pas certain que la douleur de nos péchez conçue par le seul motif des peines de l'enfer, sans aucun mouvement ny commencement d'amour de Dieu, suffise pour en recevoir la rémission dans le sacrement de pénitence. ...

p. 122-137 *Donner, differer ou refuser l'absolution à propos.*

p. 123 ... il est évident. 1. qu'on doit donner l'absolution à ceux de la bonne disposition desquels on est moralement assuré. 2. Qu'on la doit refuser à ceux qu'on voit certainement n'avoir pas les dispositions nécessaires pour la recevoir utilement. 3. Qu'on doit la différer à ceux desquels on a sujet de douter si leur conversion est sincere. 4. Que néanmoins on ne doit pas la leur refuser, quand ils sont en danger de mort.

668 CHAPITRE XIII

[Les cas de délai d'absolution sont:]
p. 125-134 1. L'ignorance de la doctrine chrétienne. 2. L'habitude du peché. 3. La rechute dans le peché. 4. L'occasion prochaine du peché.
p. 135-137 Les autres cas où l'absolution doit être différée: 1. Etre au prochain occasion de peché. 2. L'obligation de restituer les biens (et la réparation du tort qu'on a fait au prochain, sauf quand c'est impossible). 3. Les inimitiez. 4. Le scandale. 5. Cas difficiles. …

[Les pécheurs d'habitude font l'objet d'un long examen:]
p. 26-129 … Quelque grande que paroisse leur contrition et quelques protestations qu'ils fassent, on doit s'en défier jusqu'à ce qu'on les ayt éprouvez et exercez pendant un tems suffisant…
… Il vaut bien mieux mourir sans recevoir l'absolution, pendant qu'on se met en état de la bien recevoir, que de la recevoir sans y être bien disposé.

Auch 1701
Bazas 1701. Comminges [1728]. Dax 1701[24]. Oloron 1720[25] Sarlat 1708. Tarbes 1701, [1746]

[Auch 1701: Anne-Tristan de La Baume de Suze]
[L'attrition « dispose à recevoir la grâce de la justification ». Les pécheurs d'habitude doivent se confesser souvent. Cas de refus d'absolution]

P1468 **Auch 1701**
De la Contrition
p. 114 … l'attrition, ou contrition imparfaite … bien que d'elle même elle ne justifie pas le pecheur, néanmoins quand c'est un don de Dieu, et un mouvement du S. Esprit, qu'elle exclut la volonté de pecher, et qu'elle renferme un sentiment d'amour, par lequel le penitent commence à aimer Dieu comme la source toute justice, pour lors elle dispose à recevoir la grace de la justification…
p. 114-115 Comme la contrition est un pur don de la misericorde de Dieu, que pour l'ordinaire il n'accorde que quand on la luy demande par de frequentes prieres, il faut que le pecheur … s'adresse à ce Dieu de bonté, pour le supplier … de luy donner ce precieux don… Et quoy

---

[24] [Rituel romain à l'usage du diocèse de Dax. Par Mgr Bernard d'Abbadie d'Arboucave, evesque de Dax.] P. Coste, « Histoire des Cathédrales de Dax », *Bulletin trimestriel de la Société de Borda*, t. 34 (1909), p. 81.
[25] *Rituel romain à l'usage de la province ecclésiastique d'Auch. Reimprimé par l'ordre de Monseigneur … Joseph de Revol Evêque d'Oleron. A Pau, chez Jérôme Dupoux … M.DCC.XX.* Oloron, Bibl. mun.; Toulouse, Bibl. univ.

INSTRUCTIONS SUR LA CONTRITION

qu'absolument le pecheur ne soit pas tenu d'abord, aprés être tombé dans le peché, de recourir ainsi à Dieu pour luy demander cet esprit de componction et de penitence; cependant comme cette pratique est sainte et salutaire, et que plusieurs theologiens la croyent d'obligation, les curez doivent souvent la recommander aux fideles de leurs paroisses, en les instruisant de la maniere dont ils doivent faire les actes de contrition qu'ils pourront juger être veritables, quand ils fuiront les occasions qui les ont fait tomber, ou qui pourroient les faire tomber dans les mêmes pechez.

De la Satisfaction
p. 118-119 … Les Confesseurs … pour tenir un juste milieu entre la severité et la douceur qu'ils doivent pratiquer à leur égard [les pénitens] … doivent d'un côté se souvenir de la rigueur de la penitence que l'Eglise imposoit à ses pecheurs, lorsque sa discipline étoit en vigueur, et de l'autre, s'accommodant à la douceur que cette bonne mere pratique dans ces derniers temps, tenir par une sage conduite ce juste milieu entre une trop grande severité qui pourroit les precipiter dans le desespoir, et une trop grande indulgence…

p. 120 A l'égard de ceux qui se confessent rarement, et le plus tard qu'ils peuvent et qui retombent frequemment dans leurs pechez, il sera tres-utile de leur conseiller de se confesser souvent, comme une fois le mois; outre les festes solennelles, mais les Confesseurs ne les obligeront pas à se confesser à eux.

De l'administration du Sacrement de Penitence
p. 138-139 Avant que le Confesseur donne l'absolution au Penitent, il faut qu'il juge qu'il en est digne … ils (les Prêtres) ne doivent l'accorder qu'à ceux qui sont véritablement repentans de leurs pechez; et la differer ou refuser aux pecheurs qu'ils ne jugent pas dignes de cette grace … il doit par consequent la refuser à tous ceux qui ne donnent aucune marque de douleur de leurs fautes passées, et qui témoignent vouloir perseverer dans leurs pechez; tels que sont les pecheurs qui ne veulent pas se reconcilier avec leurs ennemis, mais continuer dans la haine, et l'inimitié qu'ils ont contre eux. Tels sont encore ceux qui refusent de restituer quand ils le peuvent, le bien de leur prochain dont ils jouissent injustement. Tels encore les pecheurs qui ne veulent pas quitter l'occasion prochaine qui les fait tomber dans le peché; tels enfin ceux, qui ayant scandalizé publiquement les fidelles, ne veulent pas se mettre en état de reparer le scandale qu'ils ont causé.

670 CHAPITRE XIII

Besançon 1705

[François-Joseph de Grammont]
[L'attrition sans le sacrement est insuffisante.
La contrition doit être intérieure, surnaturelle, générale, souveraine,
renfermer un propos ferme de se corriger. Délai ou refus d'absolution
pour ignorance des rudiments de la foi,
professions ne pouvant être exercées sans pécher...]

Le chapitre *De Contritione* est développé par rapport à Besançon 1674, et laisse planer un doute sur l'effet de la contrition imparfaite :

P1469 **Besançon 1705** p. 46-47 ... Illam vero Contritionem imperfectam, quae Attritio dicitur ... tamen eum ad Dei gratiam in Sacramento Poenitentiae impetrandam disponit. [comme Besançon 1674]

... colligitur duplicem distingui dolorem, sive Contritionem, ad obtinendam à Deo peccatorum veniam, unam perfectam, alteram imperfectam, quae etiam dicitur Attritio. Primus concipitur ex motivo perfecti amoris Dei. ... Et hic dolor, qui simpliciter Contritio nuncupatur, justificat, etiam extra Sacramentum.

Alter vero dolor imperfectus, qui dicitur Attritio, ex motivo minus perfecto conceptus, veluti ex metu poenarum, vel amissionis gloriae, quamvis aliquo amore non careat, tamen sine Sacramento justificare nequit.

Uterque autem dolor, tam imperfectus quam perfectus, has habere debet qualitates, ut sufficiat ad deletionem [*sic*] peccati, etiam cum Sacramento. 1a. Ut sit interior... 2a. Ut sit supernaturalis... 3a. Ut se extendat ad omnia peccata, saltem mortalia. 4a. Ut sit summus...

Denique Contritio vera esse non potest, nisi firmum ac stabile emendationis propositum complectatur. ...

p. 116-117 *Casus in quibus differenda aut neganda est Absolutio.*
[Nouveau chapitre reprenant la liste romaine avec des additions :]

... 1°. Quando Poenitens ignorat rudimenta Fidei.
... 6° Cum aliis peccandi occasionem praebet. Tales sunt qui ludos et conventicula in domibus suis patiuntur, in quibus Deus graviter offenditur per blasphemias, ebrietates, impudicitias, detractiones, etc. Qui picturas et imagines inhonestas, turpes et ad peccatum provocantes exponunt, pingunt vel venales habent. Qui libros et scripturas Fidei et Religionis Catholicae adversantes, aut aliqua obscoena conti-

INSTRUCTIONS SUR LA CONTRITION 671

nentes, componunt, in lucem edunt, vendunt, aut aliter disseminant. Denique Foeminae quae discooperto sinu vel scapulis incedere solent.

7° Qui aliquam artem exercent, cui vacare sine periculo peccandi non possunt.

8°. Qui peccata relinquere et vitam in melius emendare non student : quales sunt, qui à Confessariis correpti pravos habitus blasphemiae, ebrietatis, luxuriae et alios hujusodi non deponunt.

9° Qui peccatis publicis addicti, scandalum aliis praebent.

10°. Qui usuras exercent, seu qui aliquod interesse ex mutuo exigunt.

Évreux 1706

[Jacques Potier de Novion]
De l'administration des Sacremens[26]
[Délai ou refus d'absolution pour défaut de vraie contrition]

1470 Évreux 1706 p. 13-14. *Sur le delay ou le refus de l'absolution*
Que pour recevoir utilement l'absolution, il faut y être necessairement disposé par la detestation du peché qu'on doit haïr, et par la charité dont on doit avoir au moins quelques degrés. Qu'il est de la prudence d'un medecin de ne pas donner à son malade un remede qu'il sçait luy devoir être mortel. Que c'est avec douleur qu'il est obligé de la differer et de la refuser. Qu'il ne le fait que que pour le salut de son ame, et pour ne pas trahir son coeur et son ministere. Qu'une absolution donnée à contre-tems ne sert qu'à lier plus étroitement le pecheur, et à rendre le confesseur plus criminel. ...

Bordeaux 1707, 1728
Lodève 1773. Sarlat 1729

[Bordeaux 1707 : Armand Bazin de Besons]
[Conditions d'une contrition véritable. Délai ou refus d'absolution pour péchés d'habitude, tort fait au prochain, ignorance des principaux mystères de la foi...]

1471 **Bordeaux 1707**
De la Contrition, p. 119-120 ... Il faut que le Pecheur ... haïsse le peché plus que tous les maux du monde, et qu'il soit disposé de perdre à l'avenir ses biens, sa reputation et sa vie même, s'il est necessaire, plutôt

---

[26] *De l'administration des Sacremens.* Supplément de 60 p. ajouté à la suite du rituel de 1706.

672 CHAPITRE XIII

que de le commettre. ... cette douleur ne doit pas être causée par un mouvement naturel, et fondée sur des considerations humaines; mais inspirée et formée par le Saint Esprit, et excitée par les motifs surnaturels que la Foi nous découvre.

... Neanmoins ... si elle exclud [*sic*] la volonté de pécher, si elle est accompagnée de l'espérance du pardon, et qu'elle renferme un commencement d'amour, par lequel le Penitent se tourne vers Dieu... cette douleur que les Theologiens appellent attrition, ou contrition imparfaite, dispose le pecheur à recevoir la grace de la justification...

p. 130-131 *De l'Absolution, qui est la forme du Sacrement de Penitence*
... Les Confesseurs ... sont obligez de la refuser, ou plûtôt de la différer aux Pecheurs qui sont indignes de cette grace...

Ceux qui se presentent dans un état immodeste et indécent, ou qui ne donnent aucune marque de douleur de leurs pechez...

ceux qui sont engagez dans quelque habitude du peché mortel, comme d'impureté, de blaspheme, ou d'yvrognerie, etc. ...

ceux qui se trouvent dans une occasion prochaine du peché, qu'aprés qu'ils l'ont quittée...

ceux qui ne veulent pas pardonner les injures, ou qui conservent de la haine pour quelqu'un...

ceux qui doivent et peuvent restituer le bien d'autrui, ou reparer la reputation qu'ils lui ont ôtée injustement ... principalement lors qu'ils l'ont déja promis dans quelque confession précedente, et qu'ils n'ont pas effectué leur parole.

ceux qui par une négligence criminelle ignorent les principaux mysteres de la foi...

Cambrai 1707, 1779
Tournai 1721, 1784

[Cambrai 1707: François de Salignac de La Mothe-Fénelon]
De Sacramento Poenitentiae
[Refus ou délai d'absolution pour ignorance des rudiments de la foi et péchés d'habitude]

Addition de deux cas à la liste romaine des refus ou de délai d'absolution:

P1472 **Cambrai 1707** p. 52-53. Demum videat diligenter Sacerdos, quando et quibus conferenda, vel neganda, vel differenda est absolutio, ne absolvat eos qui talis beneficii sunt incapaces; quales sunt...

INSTRUCTIONS SUR LA CONTRITION

2. Qui Christianae fidei rudimenta et Orationem Dominicam, Salutationem Angelicam, Symbolum Apostolorum, Praecepta Dei et Ecclesiae, numerum Sacramentorum, aliaque scitu necessaria non noverunt.
5. Qui corrigendae pravae peccandi consuetudini nullatenus[a] incubuerunt.
Quamobrem ejusmodi poenitentes Sacerdos salutaribus adversus peccata monitis, et in eadem relapsos suaviter instruat…

Variante Tournai 1721-1784. [a] nullatenus] nondum.

Metz 1713

[Henri-Charles du Cambout de Coislin]
De Sacramento Poenitentiae
[**La vraie contrition doit être sincère, humble,**
universelle, surnaturelle, « suprema »
Délai d'absolution pour péchés d'habitude, métiers « illicites »,
ignorance des mystères de la foi, torts faits au prochain[27]]

?1473 Metz 1713 p. 98-99. *Verae Contritionis signa.*
… Vera contritio sincera esse debet, et omnis simulationis expers; ita ut sit humilis, peccatorem pudore suffundens; sit universalis, et omnia peccata nullo excepto complectatur; sit ex motivo supernaturali, et propter Deum offensum; sit suprema, et ex toto corde, ita ut major sit de peccatis dolor, quam de quovis alio malo.
p. 103-105 *Contritio perfecta et imperfecta.*
Imperfecta autem contritio, quae vulgo attritio vocatur, ex metu servili conspicitur. Haec ad justificationem disponit, nisi amori Dei super omnia, saltem imperfecto sit conjuncta, et tunc justificat cum Sacramento (p. 104).
p. 132-134 *Non omnibus concedenda Absolutio.*
Non omnibus concedenda est absolutio, sed solum rite paratis. Sacerdotes enim, qui facilius absolutionem concedunt, poenitentes decipiunt, in errorem inducunt et in damnationem. Iis igitur qui non sunt rite dispositi, absolutionem differre debent; verique poenitentes absolutionis dilationem non aegre ferant. …
p. 134-136 *Quibus debet differri Absolutio.*
Iis differenda est absolutio, qui sufficientem de peccatis dolorem efficaciter non demonstrant; qui à peccatis non abstinent; qui conve-

---

[27] Sur le jansénisme du rituel de Metz, voir R. Taveneaux, *Le jansénisme en Lorraine, 1640-1789*, Paris, 1960, p. 232-235.

674 CHAPITRE XIII

nientem satisfactionem adimplere recusant; qui artes profitentur illicitas; qui praecipua fidei mysteria, Dei et Ecclesiae praecepta, aliaque ad vitam juxta Evangelium pie ducendam necessaria ignorant, sicut et ea quae ad obeunda status sui munia necessaria sunt; qui obeundi muneris sui sunt incapaces; qui illatum proximo, sive in bonis, sive in famâ, detrimentum reparare negligunt; qui debita non solvunt; qui inimicitias exercent, et reconciliari nolunt; qui aliis sunt scandalo; quales sunt mulieres cultu immodesto ornatae, fuco, minio etc. faciem adulterantes, aut corporis aliquid indecenter nudantes.

Aire [1720]

[Joseph-Gaspard de Montmorin de Saint-Herem]
[**Nécessité d'une vraie contrition après un péché mortel**]

L'instruction sur la contrition modifie dans le sens d'une plus grande rigueur l'instruction d'Auch 1701, que reprend par ailleurs dans sa majeure partie le rituel d'Aire:

P1474 **Aire** [1720] p. 93 … Plusieurs Theologiens soûtiennent que dès qu'un homme a commis un peché mortel, il est obligé sous peine de commettre un nouveau peché mortel, de recourir à Dieu pour luy demander un esprit de componction, et une vraye douleur de sa faute: Il n'est pas necessaire de traiter cette question, mais il est necessaire d'avertir les fidéles que leur negligence pour se reconcilier avec Dieu, lorsqu'ils ont perdu sa grace, est une faute que les pecheurs doivent craindre qu'elle ne soit mortelle, et par consequent qu'ils doivent s'exciter à avoir une veritable douleur de leurs pechez, et la demander à Dieu; et pour leur en faciliter le moyen, les curés doivent soigneusement apprendre à leurs paroissiens la maniere de faire les actes de contrition.

Lyon 1724

[François de Neuville]
[**Refus d'absolution pour profession ne pouvant être exercée sans pécher, méconnaissance des principaux mystères de la foi, négligence des parents à faire apprendre ceux-ci à leurs enfants et domestiques, ignorance des obligations de son état...**]

P1475 **Lyon 1724** [Le petit rituel lyonnais de 1724 résume la mentalité des rituels les plus sévères de l'époque, insistant pour que le prêtre distingue les personnes qui « profitent » des sacrements d'avec celles qui en « abusent » :]

INSTRUCTIONS SUR LA CONTRITION

qu'il ait soin [le prêtre] de ne pas livrer le Saint aux chiens, (c'est-à-dire) l'Eucharistie à des indignes, et de ne point accorder par une trop grande facilité l'absolution, cette fausse paix… qui est également funeste à ceux qui la donnent, et inutile à ceux qui la reçoivent… [Préface du rituel, non signée]

p. 146-147 *De la contrition*. [Instruction d'Alet abrégée]

p. 198-205 *Cas ordinaires où les confesseurs doivent refuser ou differer l'absolution.*

[Commentaire des cas donnés par le rituel romain, avec addition d'autres catégories, parfois très proches d'Alet, faisant référence aux *Instructions de S. Charles aux confesseurs*, mais durcissant celles-ci:]

p. 200-201 Il ne faut pas accorder l'absolution à ceux qui donnent occasion aux autres de pecher, s'ils n'otent cette occasion, et ne remedient autant qu'ils peuvent au mal qu'ils ont causé… [Référence aux *Instructions de S. Charles aux confesseurs*]

… Il ne faut pas donner l'absolution à ceux qui sont dans quelque profession ou mêtier qu'ils reconnoissent par experience leur être moralement impossible d'exercer sans offenser Dieu, s'ils ne promettent de le quitter. [Référence au concile de Latran]

[Est ajoutée par rapport à Alet dans les causes de refus d'absolution la méconnaissance des sacrements:]

p. 202 Il ne faut pas absoudre ceux qui ignorent les principaux mysteres de la Foy, le *Pater*, le *Credo*, les commandemens de Dieu et de l'Eglise, les Sacremens qu'ils doivent ou veulent recevoir, et les dispositions necessaires pour s'en approcher dignement… [Référence aux *Instructions de S. Charles aux confesseurs*]

On doit aussi refuser l'absolution aux peres et aux meres de famille qui negligent de faire apprendre les principaux articles de la Foy à leurs enfans et domestiques qui les ignorent, ou qui souffrent par negligence dans leurs familles, qu'on transgresse les Commandemens de Dieu et de l'Eglise. [Référence aux *Instructions aux confesseurs* de S. Charles.] … à ceux … qui sont dans l'ignorance des obligations de leur état, ou qui negligent notablement de s'en acquitter… [Référence à S. Thomas d'Aquin, S.Th. 1a-2ae, q. 67, art. 2, in corp.]

p. 203 Il faut renvoyer les Notaires qui les jours de dimanches et fêtes commandées, stipulent sans necessité, ou pour le gain; les Barbiers qui font le poil ou la barbe ces jours là; les Marchands qui ouvrent leur boutique…, les particuliers qui font des voitures [?], ou qui vont aux

676   CHAPITRE XIII

foires ou aux marchés, ou qui en ces saints jours employent le temps
aux danses, ou au jeu, ou à la chasse, ou dans le cabaret... [Référence
à S. Charles]

Il faut aussi renvoyer ceux qui prennent des interêts à simple prêt,
ou qui entretiennent quelque autre commerce usuraire... [Référence
au concile de Milan]

p. 204 On doit refuser l'absolution aux Ecclesiastiques qui ... ne
portent pas l'habit convenable à leur état, la tonsure et la couronne
conforme à leur ordre, à ceux qui sont mal pourvûs de leur Benefice, ou
qui en ont d'incompatible, ou qui ne resident pas sans cause legitime...
ou qui n'employent pas les revenus de leur Benefice selon les regles des
saints Canons, ou qui font mêtier de ne point dire l'Office. [Référence
à S. François de Sales, *Avertissement aux confesseurs*]

... Les Confesseurs ne doivent pas absoudre ni entendre les confessions des personnes, des crimes desquelles ils ont été eux-mêmes participans ou complices. [Statuts du diocèse de l'an 1705]

Orléans 1726

[Louis-Gaston Fleuriau d'Armenonville]
De la Pénitence en général, et de la Contrition
[La vertu du sacrement de pénitence obtient la rémission des péchés]

P1476   Orléans 1726 p. 68-69 ... La Contrition est une douleur d'avoir offensé Dieu; si elle a seulement pour motif la difformité du peché,
la crainte des peines, ou le desir de la recompense eternelle, elle est
encore imparfaite, et se nomme Attrition; mais si elle a pour motif la
bonté de Dieu infiniment aimable en lui-même, elle est alors parfaite,
et s'apelle [*sic*] proprement Contrition. L'Attrition étant une douleur
imparfaite, ne justifie le pecheur que dans le sacrement de Penitence;
et la contrition parfaite étant toûjours animée par la charité, justifie
hors du sacrement le pecheur qui ne peut se confesser et qui en a la
volonté. ...

... sa vertu (du Sacrement de Penitence) est telle, que celui qui, avec
l'attrition accompagnée d'un commencement d'amour de Dieu, comme
source de toute justice, fait une confession sincere, et reçoit d'un Prêtre
aprouvé l'absolution, devient contrit, et obtient avec la grace de Dieu
la remission de ses pechez.

Aucune instruction n'est consacrée aux conditions de l'absolution.

INSTRUCTIONS SUR LA CONTRITION

Saint-Omer 1727

[François de Valbelle de Tourves]
Instructiones ad populum[28]. *Du Sacrement de Penitence*
[La contrition consiste dans la haine de tout péché et doit être universelle,
intérieure et sincère]

Le chapitre sur la pénitence, beaucoup plus développé qu'en 1641, concerne essentiellement la contrition.

P1477 **Saint-Omer 1727** p. 506-509. *De la Contrition...* Premierement la nature et le fond pour ainsi dire de la Contrition, consiste dans la haine et detestation du peché, dans le regret de l'avoir commis, dans la volonté de n'y plus retomber. ...

Secondement ce n'est pas assez de haïr le péché, il faut le haïr plus que tout autre chose. ...

Troisiémement il faut haïr le péché mortel plus que tout autre chose, mais il faut les haïr tous. Car la Contrition doit être universelle. ...

Quatriémement ce regret d'avoir offensé Dieu doit être interieur et sincere. Il doit être dans le coeur...

Cinquiemement ... il sera utile de penser attentivement à tous les maux que le péché fait à nôtre ame...

Sixiemement, ... [le repentir de chacun] qui ... doit renfermer la haine du péché [doit naître] aussi de l'amour de Dieu, au moins de quelque commencement d'amour qui joint au Sacrement peut suffire pour la remission des péchés.

Le chapitre sur les conditions de l'absolution reprend Saint-Omer 1641 et donc Arras 1623-1644.

Auxerre 1730

[Charles de Caylus]
[La contrition véritable doit être intérieure, souveraine, universelle, et surnaturelle ; elle doit exclure toute affection au péché et comprendre par dessus tout au moins un début d'amour de Dieu. La résolution de ne pas pécher à l'avenir doit être sincère, universelle, perpétuelle, et efficace. Très nombreux refus ou délais d'absolution]

P1478 **Auxerre 1730** p. 77-79. *De Contritione*
[Les conditions d'une vraie contrition sont identiques à celles d'Alet : elle doit être intérieure, souveraine, universelle, et surnaturelle (interna, summa,

---

[28]   Certains exemplaires présentent ce formulaire en flamand, paginé 449-463.

678 CHAPITRE XIII

universalis, et supernaturalis), exclure toute affection au péché et comprendre par dessus tout au moins un début d'amour de Dieu (amorem Dei super omnia saltem initialem includat).]

[La résolution de ne pas pécher à l'avenir doit être sincère, universelle, perpétuelle, efficace:]

Non secus ac dolor de peccato, ita et propositum non peccandi de caetero quatuor debet habere adiunctas dotes: debet enim necessario esse sincerum, universale, perpetuum, et efficax.

Primo, debet esse sincerum; non enim sufficit ut poenitens ore tenus dicat se in posterum non peccaturum, sed requisitus ut hoc in corde suo vere, sincere, et firmiter statuat.

Secundo, debet esse universale, idest, poenitens ita debet esse affectus ut proponat se in posterum omnia saltem mortalis peccata, date Dei gratiâ, vitaturum.

Tertio, debet esse perpetuum. Poenitens enim ita debet esse dispositus, ut statuat se non solum ad tempus, sed etiam toto vitae suae tempore peccata saltem mortalia non admissurum.

Quarto demum, debet esse efficax; non enim sufficit ut poenitens speculative proponat se in posterum non peccaturum, requiritur praeterea, ut media ad non peccandum necessaria assumat, et à via ad peccatum ducente declinet...» (p. 77-78)

p. 85-86 *De Absolutione.*
[Les conditions de l'absolution, inspirées en partie de Charles Borromée, sont strictes; nombreux sont les cas où on doit la refuser ou la différer:]

... Cum Sacerdos non Dominus, sed dispensator Mysteriorum Dei sit constitutus, diligenter attendat quibus concedenda, quibus deneganda, quibus differenda sit Absolutio.

... Censentur autem recte dispositi qui intimo doloris sensu tacti videntur: qui peccata in posterum vitare, novam et christianam vitam instituere, et tam Deo quam proximo satisfacere sunt parati.

Iis deneganda est Absolutio, qui nulla, aut levia tandem exhibent contritionis argumenta; qui odia et inimicitias ex corde nolunt deponere; qui ablata aut injuste retenta restituere, cum possint, injurias proximo illatas, famamque proximi laesam nolunt resarcire; qui damna proximo illata nolunt reparare; qui proximam peccandi occasionem actu non deserverunt; aut qui alio modo peccata derelinquere et vitam in melius emendare nolunt; qui libros obscoenos, aut haereticos, aut tabellas lascivas retinent; qui habitu inhonesto, nudato pectore, aut aliâ quâvis ratione scandalum dant proximo, et se emendare recusant.

INSTRUCTIONS SUR LA CONTRITION 679

Similiter nullo modo absolvendi sunt qui artem prohibitam profitentur, quales sunt Mimi, Comoedi, Histriones, Magi, Sortilegi, etc. nisi artem illam deponant, et scripto testentur se eam nunquam resumpturos; qui necessariâ ad Officium rite obeundum scientiâ sunt destituti, quales sunt Judices, Medici, etc. ii quibus ars sua, etsi aliunde licita, sit occasio peccandi, quales sunt, ut observat Sanctus Carolus, multi ex iis qui arma profitentur; Judices qui muneribus, aut aliis viis corrumpi se patiuntur; Causidici [avocats] et Procuratores qui causas injustas deffendunt, qui lites injustè protrahunt; Mercatores qui falsis ponderibus aut mensuris utuntur; caeterique qui in arte sua exercenda solent praevaricari; qui desidem et otiosam vitam agunt; ii qui publicum scandalum dederunt, nisi publicè satisfaciant et scandalum tollant juxta praescriptum nostrum; iis quorum peccata sunt Superioribus reservata, etc.

Iis differenda est Absolutio, de quorum debitis dispositionibus dubitatur, quales sunt qui proximis peccandi occasionibus sunt irretiti, donec ex iis se extricaverint, etsi promittant sese ab iis expedituros. Idem dicendum de iis qui in occasione proxima necessaria versantur quam non possunt deserere, v.g. de filio-familias qui in domo paterna peccandi occasionem habet. Tunc enim differenda est ei Absolutio, donec fuerit probatus, et monitis Confessarii salutaribus obtemperaverit.

Differenda est iis quoque Absolutio, qui pravis peccati habitibus detinentur, donec se emendaverint: v.g. luxuriae, ebrietatis, blasphemiae, detractionis, etc. iis qui ad restitutionem vel reparationem famae et damni illati tenentur, donec satisfecerint, si possint; iis qui à paucis diebus in gravissimum crimen prolapsi sunt, ut detur eis tempus sentiendi pondus peccati.

Item iis qui christianae fidei rudimenda ignorant, et alia ad salutem cognitu necessaria, donec sint sufficienter instructi; qualia sunt saltem praecipua Fidei Mysteria, Oratio Dominica, Symbolum Apostolorum, Praecepta Dei et Ecclesiae, et dispositiones requisitae ad Sacramenta quae recipi debent.

Item Parentibus et Dominis qui non edocent scitu necessaria ad salutem filios aut famulos, aut qui eos ad Catechismum mittere negligunt.

680 CHAPITRE XIII

Blois 1730

[Jean-François de Caumartin]
Instruction sur le Sacrement de Pénitence
[**Cas de refus ou de délais d'absolution. Attrition et Contrition.
Règles pour imposer les Pénitences**]

Le rituel de Blois inaugure une nouvelle famille de rituels de tendance
«dite néo-gallicane» et souvent rigoriste. Le plan du volume, et les titres des
nombreux chapitres, dont celui sur la Pénitence, sont repris dans les rituels
d'une quinzaine d'autres diocèses avec plus ou moins de remaniements, en
premier lieu par Meaux en 1734.

P1479 **Blois 1730 p. 90-92. *De l'Absolution***
… Voici les principaux cas dans lesquels on doit refuser ou différer
l'absolution.

1°. A tous ceux qui ignorent les principaux mysteres de la foi, les
commandemens de Dieu et de l'Eglise, les dispositions nécessaires
pour s'aprocher [*sic*] des sacremens, et les obligations de leur état…

2°. A ceux qui conservent des haines et des inimitiez, qui refusent
de pardonner et de se reconcilier, ou qui aïant déjà promis de le faire,
n'ont pas tenu leur promesse.

3°. A ceux qui ont causé quelque tort au prochain en son bien ou en
son honneur, et qui ne veulent pas le reparer selon leur pouvoir en tout
ou en partie. Il n'est pourtant pas nécessaire d'exiger avant l'absolution
une reparation actuelle; il suffit qu'on la promette, à moins que le pénitent aïant déja promis de le faire, y eut manqué sans aucune raison
pressante.

4°. Aux pecheurs publics jusqu'à ce qu'ils aient oté [*sic*] le scandale
par une satisfaction convenable: ce n'est pas assez pour eux d'une promesse, il faut une reparation actuelle.

5°. A ceux qui sont dans l'habitude de peché mortel jusqu'à ce qu'on
les ait éprouvez, et qu'ils soient notablement corrigez…

6°. A ceux qui sont dans l'occasion prochaine de peché mortel
jusqu'à ce qu'ils l'ayent quitté s'ils le peuvent; ou s'ils ne le peuvent,
jusqu'à ce qu'ils soient éprouvez et corrigez.

On entend par occasion prochaine de peché mortel toutes les circonstances qui le causent ordinairement … ainsi retenir auprès de soi
une concubine, fréquenter des compagnies ou demeurer dans des maisons où l'on tombe ordinairement dans le peché … retenir chez soi de
mauvais livres, des tableaux ou des representations lascives, s'adonner

au jeu quand on est sujet à y blasphemer, tromper ou quereller, s'habiller immodestement ... exercer des charges et des emplois où l'on est exposé continuellement à faire des fautes notables, soit par foiblesse, soit par le défaut de capacité...

7°. Enfin à tous ceux qu'on ne juge pas bien disposez, soit par défaut de contrition et de bon propos, soit par défaut de sincerité dans la confession, soit parce qu'ils refusent d'accepter une pénitence salutaire, convenable et proportionnée aux pechez dont ils s'accusent.

Lorsqu'on est obligé de differer l'absolution à un Pénitent, il faut lui representer avec douceur que le zele seul de son salut oblige à en user de la sorte, lui prescrire une pénitence et des remedes convenables, lui enjoindre de faire souvent des actes de contrition, lui marquer le tems auquel il doit revenir, qui ne doit pas être trop éloigné ; et pour qu'on ne s'aperçoive pas du refus ou délai, réciter sur lui quelques prieres, comme *Misereatur* et *Indulgentiam*, en lui donnant la bénédiction.

p. 93-94 *De la Contrition du Pénitent*
La Contrition est une douleur et une détestation du péché commis, avec une ferme résolution de ne plus pécher à l'avenir. Cette disposition est si nécessaire, qu'elle ne peut être supplée [*sic*] en aucun cas : c'est pourquoi, dit S. Charles dans ses Instructions, le Confesseur ne doit jamais absoudre un pénitent qu'il ne le voye sincérement touché du regret d'avoir offensé Dieu, et disposé à éviter le péché, et tout ce qui pourroit lui être une occasion d'y retomber.

Il y a deux sortes de Contrition, l'une imparfaite, ou attrition, qui se conçoit par la considération de la difformité du péché ou la crainte des peines de l'enfer ; l'autre parfaite, qui se conçoit par le motif de la charité et de l'infinie bonté de Dieu. Quoique l'attrition quand elle exclut la volonté de pécher, qu'elle renferme l'esperance du pardon et un commencement d'amour de Dieu comme source de toute justice, suffise avec le Sacrement pour obtenir le pardon des péchez, les Confesseurs néanmoins feront tous leurs efforts pour porter leurs pénitens à concevoir du regret de leurs fautes par le motif de la plus parfaite charité.

... Il (le confesseur) imitera... la conduite de Dieu qui commence ordinairement par la crainte, afin d'introduire ensuite son amour dans les ames. Ainsi d'abord il faut effrayer le pécheur par la vûë des jugemens de Dieu et des peines de l'enfer ... lui exposer ensuite les biens qu'il a perdus ... la grace et l'amitié de Dieu ... lui représenter l'injure qu'il a faite à un Dieu infiniment parfait...

682 CHAPITRE XIII

Si ces motifs ne faisoient pas d'impression sur des coeurs endurcis ... il faudroit en differant l'absolution à ces personnes, leur ordonner de demander souvent à Dieu la contrition...

p. 100-102 *Régles pour imposer les Pénitences*
Le concile de Trente, sess. 14. chap. 8. renferme en ce peu de mots le devoir des Confesseurs au sujet des pénitences qu'ils ont à imposer : *Debent Sacerdotes Domini quantum spiritus et prudentia suggesserit pro qualitate criminum et poenitentium facultate salutares et convenientes satisfactiones iniungere, ne si forte peccatis conniveant et indulgentius cum poenitentibus agant, levissima quaedam opera pro gravissimis delictis injungendo, alienorum peccatorum participes efficiantur.*
1°. Ils doivent avoir égard à la qualité des crimes, à l'espéce, au nombre, et aux circonstances qui les rendent plus ou moins griefs...
2°. Ils doivent avoir égard à l'état, au sexe, aux forces et à l'âge des pénitens...
3°. Le Confesseur qui fait en même tems la fonction de Medecin et de Juge doit imposer des pénitences salutaires et medecinales, c'est-à-dire qui expient en même temps le passé et qui servent de préservatif pour l'avenir...

Clermont 1733
[Jean-Baptiste Massillon]
Du Sacrement de Penitence
**[La contrition imparfaite doit être, comme la contrition en général,
surnaturelle,intérieure, universelle et souveraine.
Refus ou délais d'absolution très nombreux]**

Les instructions très développées et très strictes du rituel de Clermont paraissent s'inspirer de celles d'Alet 1667, Reims 1677, et Verdun 1691 ; elles citent les Déclarations de l'Assemblée du Clergé de 1700[29].

P1480 **Clermont 1733**
p. 206-207 *De la Contrition parfaite, et de l'imparfaite qu'on nomme Attrition*
Il y a selon le Concile de Trente deux sortes de Contrition ; l'une parfaite qu'on nomme simplement Contrition ; l'autre imparfaite, que les Théologiens nomment Attrition.

---

[29] Massillon, quoique adversaire des jansénistes, est un moraliste plutôt rigoureux et intransigeant sur les principes, mais en pratique doux, pacifique et conciliateur. Cf. P. Auvray, «Massillon (Jean-Baptiste)», *Catholicisme*, t. 8 (1979), col. 825-827.

... le Concile de Trente a défini que l'homme ne peut être justifié, s'il n'est prévenu par la grace; laquelle le fait passer par six degrés. Le premier est la Foy. Le 2. est la crainte. Le 3. est l'esperance et la confiance en Dieu, qu'il lui sera propice par les mérites de J. C. Le 4. est un commencement d'amour de Dieu comme source de toute justice. Le 5. est la haine et la détestation du péché. Le 6. est le dessein fixe d'avoir recours au Sacrement établi pour recevoir la rémission des péchez; de mener une vie nouvelle, et d'observer fidélement tous les Commandemens de Dieu et de l'Eglise. C'est ce que le Concile de Trente a declaré expressément par rapport à la justification...

Le Clergé de France a établi solidement la Doctrine que nous venons d'exposer ici. Voici comment il s'explique sur la matiére que nous traitons, dans l'Assemblée de 1700. *Quant à ce qui regarde l'amour de Dieu...*

C'est à quoy les Confesseurs doivent être extrèmement attentifs pour sonder le coeur des Pénitens dans l'administration du Sacrement de Penitence. Il faut aussi qu'ils fassent attention à ce que l'Attrition pour pouvoir operer la remission des pechez dans le Sacrement doit avoir les quatre conditions que nous avons expliquées en parlant de la Contrition en général qui renferme la Contrition tant parfaite qu'imparfaite. ... elle doit être surnaturelle, interieure, universelle et souveraine...

p. 208-210 *De la resolution de ne plus pécher, sans quoi la Contrition ou Attrition est fausse*

... Il faut se defier de la parole des Penitens qui sont dans l'habitude du peché mortel... A l'egard de ceux qui promettent de se corriger, et qui ne veulent pas quitter les occasions prochaines de peché, ils ne meritent aucune créance... Les personnes qui sont actuellement engagées dans des professions mauvaises par elles-mêmes ne doivent point être crûes par le confesseur, quand elles promettent de ne plus offenser Dieu, si elles ne quittent ces professions.

p. 244-249 *De l'Absolution. Des cas ausquels il faut la refuser, ou la différer, ou l'accorder*

p. 245-247 ... La premiere de ces règles est qu'il faut refuser l'absolution à ceux qui suivent.

1°. A ceux qui sont d'une profession qu'on ne peut exercer sans peché, ou qui est infame par les loix, comme sont les Magiciens et les Sorciers, ceux qui servent à des plaisirs infâmes; *Qui lenocinium* [le métier d'entremetteur] *exercent,* les Farceurs, les Bâteleurs, les Danseurs de corde, les Comédiens et Comédiennes, et ceux et celles qui montent sur le théâtre pour y chanter ou danser, ou comme disent les Loix : *Qui artis ludicrae, pronuntiandive causâ in sçenam prodierint* : tels sont les acteurs ou danseurs de l'Opera.

2°. A ceux qui étant d'une profession bonne d'elle-même et permise, en font ordinairement un mauvais usage ... comme les Marchands qui vendent à faux poids et à fausse mesure, qui mêlent de mauvaises marchandises avec de la bonne pour tromper... les Avocats qui employent leur industrie, pour défendre de mauvaises causes ... les Juges qui se laissent corrompre...

3° A ceux qui ne veulent point pardonner les injures ; qui conservent la haine et l'inimitié dans leur coeur...

4° A ceux qui ne veulent pas restituer le bien d'autrui, lorsqu'ils en ont le pouvoir...

5° A ceux qui ne veulent pas rétablir la réputation, qu'ils ont ôtée injustement à leur prochain par leurs calomnies ou leurs médisances.

6° A ceux qui au mépris des monitoires ... ne revélent point ce qu'ils sçavent ... et causent ... un grand préjudice à leur prochain.

7° A ceux qui ayant porté faux témoignage ... ne veulent pas désavouer publiquement leur témoignage...

8° A ceux qui menent une vie scandaleuse, ou qui sont une occasion de chûte pour leur prochain...

9° A ceux qui ne veulent pas quitter l'occasion prochaine du péché.

10°. Et généralement à tous ceux qui étant engagez dans le peché mortel, ne veulent pas promettre de changer de vie et de se corriger.

La seconde regle est qu'il faut differer l'absolution à ceux qui suivent.

1° A ceux qui ne sont pas suffisamment instruits des mysteres de la foy et des devoirs de leur etat...

2° A ceux qui sont dans l'habitude du péché, jusqu'à ce qu'ils s'en soient corrigez...

3° A ceux qui sont dans l'occasion prochaine du péché ... jusqu'à ce qu'ils s'en soient séparez.

4° A ceux qui doivent et peuvent restituer, jusqu'à ce qu'ils l'ayent fait effectivement...

5° A ceux qui ont promis de se réconcilier ... jusqu'à ce qu'ils aient exécuté leurs promesses.

6° A ceux que l'on juge n'être pas suffisamment préparez à recevoir le sacrement, jusqu'à ce qu'ils soient préparez comme il faut.

7° Et generalement à tous ceux de la contrition et du bon propos desquels on a lieu de se défier...

INSTRUCTIONS SUR LA CONTRITION

La troisieme regle, est qu'il ne faut refuser l'absolution à aucun pécheur … lorsque le confesseur aura reconnu en lui les veritables dispositions d'un pénitent…

Rodez 1733

[Jean-Armand de La Vove de Tourouvre]
**[La crainte de l'enfer ne suffit pas pour justifier le pécheur.
Nombreux refus ou délais d'absolution]**

P1481 **Rodez 1733 p. 125-126.** *De la contrition*
La Contrition est une douleur de l'ame, et une détestation du péché commis…

Cette contrition doit être dans le cœur … il faut que le pécheur soit pénétré d'une vive douleur et d'une profonde tristesse, qui succéde au plaisir criminel qu'il a goûté dans le péché.

La contrition doit être universelle ; c'est-à-dire, qu'elle doit s'étendre à tous les péchés mortels que l'on a commis…

Elle doit être souveraine ; c'est-à-dire, qu'il faut que le pécheur vraiment pénitent haïsse le péché plus que tous les maux du monde…

Elle doit être surnaturelle ; c'est-à-dire, excitée … par le mouvement du St. Esprit.

Elle doit renfermer une résolution ferme et constante de ne plus pécher…

Le principal motif de la contrition, c'est l'amour de Dieu par dessus toutes choses. Car quoyque la crainte qu'on conçoit ordinairement par la considération de l'énormité du péché, ou des peines de l'enfer, soit un don de Dieu et un mouvement du Saint Esprit … cette crainte néanmoins ne peut suffire, même avec le sacrement, pour justifier le pécheur, si l'affection au péché n'est en même tems exclue de son coeur, par un commencement d'amour de Dieu pour luy-même…

p. 138-140 *De l'Absolution*
… Les Confesseurs sont (donc) obligés de refuser l'absolution aux pécheurs, qui ne veulent point se mettre dans les dispositions nécessaires pour la recevoir.

Ils doivent la différer à ceux qui ne donnent point des marques suffisantes d'une véritable et sincére conversion ; tels sont entr'autres.

1°. Ceux qui ignorent les principaux mystéres de la Foy, le Symbole des Apôtres, l'Oraison Dominicale, la nature des Sacremens dont ils veulent s'approcher, les dispositions avec lesquelles on doit les recevoir, et les devoirs de leur état.

CHAPITRE XIII

2°. Ceux qui sont engagés dans quelque habitude de péché mortel, comme d'impureté, d'avarice, d'ivrognerie, etc. sur tout lors qu'ils ont déja été absous, et qu'ils ont negligé de mettre en pratique les avis qui leur ont été donnés pour s'en corriger...

3°. Ceux qui sont dans l'occasion prochaine du péché. On ne doit les absoudre qu'après qu'ils l'auront quittée, s'il est en leur pouvoir de le faire. ...

4°. Ceux qui ne veulent pas pardonner les injures, ou qui conservent de la haine pour quelqu'un ; aussi bien que les personnes mariées qui vivent en divorce sans cause légitime. ...

5°. Ceux qui ont fait tort au prochain dans sa personne, son honneur, ou ses biens ; lors qu'ils sont dans l'obligation et le pouvoir de réparer en tout ou en partie le tort qu'ils luy ont causé. ...

6°. Ceux qui ont donné un scandale public. ...

7°. Ceux qui n'ont point apporté toute la diligence et le soin nécessaires pour examiner l'état de leur conscience.

8°. Ceux en qui la trace du péché est encore toute récente, et qui n'ont encore fait que de legers efforts, pour acquerir une componction proportionnée à la griéveté de leurs crimes...

Enfin ceux qui refusent d'accepter la pénitence que le Confesseur juge leur être convenable, ou à l'égard desquels il a lieu de douter qu'ils l'accompliront fidélement, s'il les absout, en tout ou en partie. ...

Meaux 1734
Amiens 1784. Boulogne 1750, 1780. Bourges 1746
Carcassonne 1764. Évreux 1741. Limoges 1774
Luçon 1768. Le Mans 1775 Montauban 1785
Poitiers 1766. Rieux 1790. Troyes 1768[30]

[Meaux 1734 : Henri de Thyard de Bissy]
De l'Absolution
[Très nombreux cas de délais ou de refus d'absolution]

P1482 **Meaux 1734** p. 92-95. *De l'Absolution*

Ce chapitre, très proche de Blois 1730, précise que les professions de comédiens et de farceurs, les emplois de justice et de finance, et le trafic sont des occasions prochaines de péché.

Évreux 1741, imité par les autres rituels, ajoute au début la référence aux Instructions de saint Charles Borromée.

---

[30] Troyes supprime le § concernant l'absolution différée au pénitent en état de péché mortel, qui n'a pas été averti de quitter son péché.

INSTRUCTIONS SUR LA CONTRITION

… Voici les principaux cas dans lesquels on doit refuser ou différer l'absolution[31].

1°. A tous ceux qui ignorent les principaux mysteres de la foi, les commandemens de Dieu et de l'Eglise, les dispositions nécessaires pour s'approcher des sacremens, ou qui ne sont point suffisamment instruits de la Religion suivant leur obligation et leur capacité, et ne sont point disposées à s'en instruire au plutôt. S'ils promettent d'apporter les soins nécessaires pour s'en faire instruire, le Confesseur examinera s'ils n'ont point fait par le passé une semblable promesse … et reconnoissant qu'elle n'a point été accomplie, il differera de les absoudre jusqu'à ce qu'ils se soient mis en devoir de satisfaire à cette obligation; mais s'ils n'en ont jamais été avertis, il pourra leur donner l'absolution sur leur promesse, pourvû qu'ils sçachent les articles essentiels et absolument nécessaires.

Il sera facile de faire l'application de cette régle à ceux qui ignorent les devoirs de leur état, ou qui négligent de veiller à l'instruction de ceux dont ils sont chargés.

2°. A ceux qui conservent des haines et des inimitiez, qui refusent de pardonner et de se reconcilier… [comme Blois 1730]

3°. A ceux qui ont causé quelque tort au prochain en son bien ou en son honneur, et qui ne veulent pas le reparer… [comme Blois 1730]

4°. Aux pecheurs publics jusqu'à ce qu'ils aient réparé le scandale par une satisfaction convenable… [la suite comme Blois 1730]

5°. A ceux qui sont dans l'habitude du péché mortel jusqu'à ce qu'ils ayent donné des preuves et des marques véritables de leur amendement. …

On doit excepter de cette regle les pécheurs dont les habitudes sont tellement invéterées, que le confesseur a lieu de juger probablement qu'ils ne quitteront pas le péché, quelque promesse qu'ils en puissent faire. Telle est, dit S. Charles, l'habitude de certains jeunes gens oisifs, qui passen la plus grande partie du temps dans le jeu et la bonne chère… tels sont aussi ceux qui ont perseveré plusieurs années, et sont souvent retombés dans les mêmes pechés, sans avoir eu soin de se corriger…

6°. A ceux qui sont dans l'occasion prochaine du peché mortel. … On distingue deux sortes d'occasions prochaines du péché. Les une y portent par elles-mêmes et de leur nature, comme les professions

---

[31] (a) conformement aux regles que saint Charles prescrit dans ses Instructions aux Confesseurs] *add.* Évreux 1741, Bourges 1746, Boulogne 1750, Carcassonne 1764, Limoges 1774, Amiens 1784, Montauban 1785, Poitiers 1766.

688 CHAPITRE XIII

des Comédiens, Farceurs[a], etc. avoir chez soi la personne avec laquelle
on péche ordinairement, lire ou garder des mauvais livres, avoir des
peintures lascives, fréquenter des libertins, etc. Les autres ne portent au
péché qu'à raison de la foiblesse ou mauvaise disposition de certaines
personnes ... tels sont pour plusieurs les emplois de Justice et de Finance, le trafic, le jeu, etc. ...

... on ne peut absoudre ceux qui exercent des professions mauvaises
de leur nature, jusqu'à ce qu'ils y ayent renoncé... A l'égard des occasions du second genre, le confesseur ... [s' il] ne reconnoît en eux aucun
amendement, il les obligera par le refus de l'absolution de s'en séparer.

On doit enfin refuser l'absolution à tous ceux qu'on ne juge pas
bien disposés ; par défaut de contrition, qui n'ont pas donné le tems et
l'attention nécessaire pour s'examiner, dont la confession ne paroît pas
sincere, ou qui refusent d'accepter une pénitence salutaire et proportionnée aux péchés dont ils s'accusent. ...

Variante. [a] Farceurs] *om.* Bou., Lim., Mon. Poi. etc.

Meaux 1734
Amiens 1784. Boulogne 1750, 1780. Bourges 1746. Évreux 1741 Limoges 1774. Luçon 1768. Le Mans 1775. Montauban 1785 Poitiers 1766. Rieux 1790. Troyes 1768

[Meaux 1734 : Henri de Thyard de Bissy]
De la Contrition

Le chapitre *De la Contrition*, et les « Regles pour imposer les Pénitences »
sont très proches de Blois, mais Meaux, Évreux, Bourges ... suppriment tout
ce qui concerne l'attrition. Quelques variantes de texte à Bourges, Boulogne,
Limoges, Montauban...
Carcassonne 1764 diffère. *Voir infra* P1492.

P1483 **Meaux 1734** p. 95-96. *De la Contrition*
La Contrition est une douleur et une détestation du péché commis,
avec une ferme résolution de n'y plus retomber. Cette disposition est
d'une nécessité indispensable, et le Confesseur ne peut absoudre un
Pénitent, s'il ne le voit touché d'un regret sincére d'avoir offensé Dieu,
et s'il ne lui paroît bien résolu de s'abstenir du péché, et d'en éviter les
occasions.

... c'est pourquoi il (le confesseur) aura soin... de proposer à son
pénitent de la maniere la plus touchante qu'il lui sera possible, les mo-

INSTRUCTIONS SUR LA CONTRITION

tifs propres à lui faire concevoir ces sentimens de douleur et de componction.

Pour y parvenir, il imitera … la conduite de Dieu qui commence ordinairement par la crainte, afin d'introduire ensuite son amour dans les coeurs. Ainsi il effrayera d'abord le pécheur par la vûe des jugemens de Dieu… Puis il lui exposera les grands avantages dont le peché l'a dépouillé, la grace et l'amitié de Dieu … l'injure qu'il a faite à un Dieu infiniment aimable …

Si le pénitent étoit insensible à des motifs si pressans, il faudroit lui differer l'absolution, lui ordonnant de demander souvent à Dieu la contrition…

Pour s'assurer de la contrition du pénitent, il ne faut pas s'arrêter à ses paroles, ni même à ses larmes et à ses soupirs… Il faut examiner si c'est l'esprit de Dieu qui le touche … s'il a pris du temps pour s'exciter à la contrition ? s'il l'a demandée à Dieu ? s'il a un vrai desir de changer de vie…

Il est important … que tout Confesseur soit instruit de la conduite qu'il doit tenir à l'égard d'un malade qui a perdu la parole, et ne peut donner aucune marque de contrition, ni même se confesser. Le quatrième Concile de Carthage … et celui d'Orange … décident qu'on doit l'absoudre, s'il l'a demandé avant de tomber dans cet état, ou s'il témoigne le désirer par quelque signe. A l'égard de ceux qui ne l'auroient pas demandé, et ne pourroient exprimer leur desir par aucun signe certain, s'ils ont paru vivre chrétiennement, et s'il n'y a aucune raison suffisante de les juger actuellement impénitens … les confesseurs peuvent … accorder l'absolution, jusqu'à ce que l'Eglise en ait autrement décidé.

Chalon-sur-Saône 1735

[François de Madot]

[Refus d'absolution pour ignorance des principaux articles de la Religion, professions ne pouvant être exercées sans pécher, rechutes fréquentes]

Instructions de tendance rigoriste, entièrement remaniées par rapport à Chalon-sur-Saone 1653, beaucoup plus développées que celles du *Rituale romanum*; il n'est pas question d'attrition. Les refus d'absolution sont plus nombreux que dans le rituel romain.

P1484 **Chalon-sur-Saône 1735**
De la contrition du pénitent

690 CHAPITRE XIII

p. 49 … On doit douter de la sincerité du repentir d'un pécheur, lorsqu'il s'accuse de ses péchés, sans aucune marque extérieure de douleur, et lorsqu'il retombe souvent dans les mêmes fautes, et qu'il ne veut pas éviter les occasions du péché. Le Confesseur fera faire lui-même des actes de contrition au pénitent, principalement s'il est peu instruit, et qu'il ne soit pas accoutumé à se confesser.

De ceux à qui on doit refuser l'absolution
p. 51 Le Confesseur se souviendra qu'il ne peut, sans trahir son ministere, donner l'absolution, 1°. A ceux qui sont dans une ignorance grossiere des principaux articles de notre religion… 5°. Ceux qui … exercent des professions et des métiers qui les retiennent dans l'habitude et l'occasion prochaine du péché… 7°. Ceux qui sont liés de quelques censures, ou tombés dans quelques cas reservés… 8°. Tous ceux enfin qui ne paroissent pas avoir dessein de se convertir véritablement, et dans lesquels il (le confesseur) remarquera de fréquentes rechûtes.

Rouen 1739, 1771
Bayeux 1744. Beauvais 1783. Coutances 1744, 1777
Lisieux 1744. Lodève 1744. Sées 1744. Strasbourg 1742

[Rouen 1739 : Nicolas de Saulx-Tavanes]

P1485 **Rouen 1739** p. 102-103. *De Contritione*
Le chapitre *De Contritione* fait référence au concile de Trente et à l'Assemblée du Clergé de 1700 ; la contrition imparfaite ou attrition est admise ; le principal devoir du pénitent est au moins un début d'amour de Dieu. Les nombreux cas où l'absolution est différée ou refusée sont énumérés, avec références au Nouveau Testament, aux Pères de l'Eglise, et à Charles Borromée.

… Caeterum poenitentes suos admonere non cessent Confessarii, ne se putent securos in sacramenti Poenitentiae perceptione, si praeter fidei et spei actus, non incipiant diligere Deum tanquam omnis justitiae fontem, ut loquitur sacro-sancta Synodus Tridentina. Neque vero satis adimpleri potest isti Sacramento necessarium vitae novae inchoandae ac servandi mandata divina propositum, si poenitens primi ac maximi mandati quo Deus toto corde diligitur nullam curam gerat, nec sit saltem animo ita praeparato, ut ad illud exequendum divinâ opitulante gratiâ sese excitet ac provocet. …

p. 112-115 *De forma sacramenti Poenitentiae seu de Absolutione*
… Iis ergo differatur absolutio qui praecipua Catholicae Religionis mysteria, Dei et Ecclesiae praecepta, aliaque ad Christianè vivendum

INSTRUCTIONS SUR LA CONTRITION

necessaria ignorarent; aut qui liberos suos domesticosve iisdem fidei et morum rudimentis imbuere negligunt; qui artes profitentur illicitas; vel qui in statu honesto et professione licita muneris sui obeundi sunt incapaces, aut in eo obeundo negligentes; qui secretas vel publicas exercent inimicitias, renuuntque reconciliari; qui illatum in fama, vel in rebus proximo damnum reparare detrectant; qui debita non solvunt; qui aliis sunt scandalo et scandalum amovere refugiunt; qui in ipsa peccatorum declaratione minus sinceri videntur; qui nulla aut insufficentia demonstrant signa contritionis; qui nolunt occasionem peccandi proximam deferere, aut pravam consuetudinem corrigere, aut alio modo à peccatis abstinere, et vitam in melius emendare; vel qui praescriptam et peccatis convenientem satisfactionem recusant adimplere.

Iis omnibus denegetur absolutio, usque dum sincerae eorum conversionis moralem aliquam certitudinem consecuti sint Confessarii. …

Quantum autem ad eos qui in peccati lethalis occasione proxima versantur, perpendat Sacerdos utrum occasio illa ex se sit omnibus peccandi occasio, aut non; utrum sit evitabilis, necne. Qui sunt in ea peccati occasione quae ex natura sua quemlibet hominem ad peccatum impellit, non debent absolvi, nisi tali occasioni renuntiaverint: tales sunt qui concubinam suo vel alieno nomine apud se retinent; qui soli cum sola aliqua virgine vel muliere frequentia veniunt in colloquia; qui obscoenos libros, turpesve picturas aut statuas asservant; qui in coetibus, choreis, jocisve intersunt, in quibus vulgo periclitatur virtus et innocentia. …

Major est difficultas, ubi moraliter telli non potest occasio…

Circa peccatores in ultimis vitae confitentes hoc servandum erit, ut si impoenitentes sint, non absolvantur, quantumvis mors immineat…

Bourges 1746
Carcassonne 1764. Limoges 1774. Luçon 1768. Le Mans 1775 Montauban 1785. Poitiers 1766. Rieux 1790. Troyes 1768

[Bourges 1746 : Frédéric-Jérôme de Roye de La Rochefoucauld]
De la Confession

Chapitre développé par rapport à Meaux et Évreux, dans un sens plus rigoriste.

P1486 **Bourges 1746** p. 212-213 … On est obligé de déclarer dans la Confession tous les péchés mortels qu'on a commis : de là, la nécessité d'en faire auparavant un examen sérieux … il faut expliquer en particulier quelles

690 CHAPITRE XIII

sont ces fautes, et en détailler l'espéce, le nombre, les circonstances… Si
le péché n'est qu'intérieur, il faut s'en accuser, et quand on l'a effectivement consommé, il faut déclarer qu'on en est venu jusqu'à l'exécution.
Quand le péché est douteux, on doit le déclarer comme tel…

Si le Confesseur découvre que les confessions précédentes de son
pénitent ayent été nulles, il l'obligera de les réitérer, et même dans certains cas d'en faire une générale…

Toulon 1749-1790

[Toulon 1749 : Louis-Albert Joly de Choin]
[L'absolution est un acte judiciaire.
**Très nombreux refus ou délais d'absolution, dont le cas des parents
n'instruisant pas leurs enfants et domestiques des principes de la foi]**

P1487 **Toulon 1749**[32] p. 505. *De l'Absolution*
… L'Absolution sacramentelle du Prêtre est un acte judiciaire par
lequel il remet les péchés, comme J. C. lui en a donné le pouvoir ; et
non un simple ministere pour déclarer que les péchés sont remis à celui
qui les confesse. …

Les Confesseurs ne doivent pas accorder la grace de l'absolution
indifféremment à tous ceux qui se présentent à eux ; mais seulement
à ceux qu'ils en jugent dignes, et en qui ils reconnoissent les sinceres
dispositions dans lesquelles doivent être de véritables pénitents. …

Les sectateurs de la sévérité outrée ou du rigorisme, se cachent
à l'abri d'une apparence de régularité ; ils ne prononcent que des
anathêmes contre les pécheurs ; ils ne leur parlent que de discipline
ancienne, de délai d'absolution, de peines satisfactoires ; ils semblent
vouloir leur fermer la porte de la pénitence, et les précipiter dans le
désespoir. …

Les maximes du relâchement ne sont pas moins pernicieuses ; ceux qui
en sont les défenseurs, endorment le pécheur dans une fausse sécurité. …

p. 509-513 … Un ministre de la Pénitence doit avoir sans cesse sous
les yeux la Loi divine, les saintes Ecritures, les Canons des Conciles, et
les maximes des Peres. … ces saintes maximes … leur diront, que si on
ne doit pas attendre, pour absoudre un Pénitent, qu'il ait une contrition
parfaite, ou qu'il soit devenu presque impeccable, on doit attendre qu'il
paroisse vraiment converti ; et que si on ne doit pas imposer au pécheur
l'obligation de satisfaire avant l'absolution, on ne peut l'exempter du

---

[32] *Instructions du Rituel du Diocése de Toulon.* Toulon, 1749. Paris, BnF, B. 1701.

INSTRUCTIONS SUR LA CONTRITION

juste devoir d'assurer sa conversion par des oeuvres médicinales et préparatoires. ...

Les Confesseurs sont donc obligés de refuser, ou plutôt de différer l'absolution aux pécheurs qui sont indignes de cette grace ... Tels sont entr'autres:

1. Tous ceux qui ignorent les principaux mystères de la foi, les commandements de Dieu et de l'Eglise, les dispositions nécessaires pour s'approcher des sacremens; ou qui ne sont point suffisamment instruits de la Religion, suivant leur obligation et leur capacité. ...

2. Les péres et les méres, les maîtres et les maîtresses, qui n'instruisent pas, ou ne font pas instruire leurs enfans ou leurs domestiques des principes de la foi, et des choses nécessaires au salut; ou qui ne veillent point à leur conduite...

3. Ceux qui exercent les professions mauvaises de leur nature, qu'on ne peut exercer sans péché, ou qui sont infames par les loix, comme sont les Magiciens et les Sorciers; ceux qui servent à des plaisirs infames: *Qui lenocinium* [métier d'entremetteur] *exercent*; les Farceurs, les Bateleurs, les Danseurs de corde, les Comédiens et Comédiennes, et ceux et celles qui montent sur le théatre pour le divertissement du public, pour y chanter ou danser, ou, comme disent les Loix: *Qui artis ludicrae pronuntiandive causa in scenam prodierint*[33]. ...

4. Ceux qui conservent des haines et des inimitiés, qui refusent de pardonner et de se réconcilier. ...

5. Ceux qui ont causé quelque tort au prochain en son bien ou en son honneur, et qui ne veulent pas réparer selon leur pouvoir, ni promettre d'y satisfaire quand ils le pourront, s'ils ne le peuvent pas actuellement. ...

6. Les pécheurs publics, jusqu'à ce qu'ils aient réparé le scandale qu'ils ont donné, par une satisfaction convenable. ...

7. Ceux qui au mépris des Monitoires qui sont publiés par l'autorité de l'Eglise... ne révelent point ce qu'ils savent ... et causent par ce silence criminel un grand préjudice à leur prochain.

8. Ceux qui donnent aux autres occasion de pécher, s'ils n'ôtent cette occasion, et ne remédient, autant qu'il est en eux, au mal auquel ils ont donné lieu...

9. Ceux qui sont dans l'habitude du péché mortel, jusqu'à ce qu'ils aient donné des preuves, et des marques véritables de leur amendement...

p. 536-541 *Suite des Régles que les Confesseurs doivent suivre pour l'Absolution.*

---

[33] Ceux qui se produisent sur scène pour de l'argent. Cf. Justinien, *Pandectes*, Lib. III, tit. II, § 2.

694 CHAPITRE XIII

On ne doit point absoudre les Usuriers, qu'ils n'aient auparavant révoqué et annulé leurs contrats usuraires…

On doit encore refuser l'absolution à ceux dans lesquels le Confesseur ne voit aucune marque d'une véritable douleur d'avoir péché; à ceux qui n'ont pas donné le temps et l'attention nécessaire pour s'examiner; dont la confession ne paroît pas sincere; ou qui refusent d'accepter une pénitence salutaire et proportionnée…

Il ne faut refuser l'absolution à aucun pécheur, quelques crimes qu'il ait commis, lorsque le Confesseur aura reconnu en lui les véritables dispositions d'un Pénitent. …

p. 541-558 *De la Contrition du Pénitent*
… Cette douleur doit avoir plusieurs conditions indispensables… Elle doit être, 1. surnaturelle, c'est-à-dire, excitée dans le coeur par le Saint-Esprit… 2. … intérieure; c'est-à-dire, qu'il faut qu'elle soit dans l'ame et dans le fond du coeur… 3. … universelle; c'est-à-dire, que cette douleur doit s'étendre à tous les péchés mortels que l'on a commis… 4. … souveraine; c'est-à-dire, qu'on doit être plus fâché d'avoir offensé Dieu, qu'on ne le seroit de toute autre chose. …

Auch 1751
Bayonne, Bazas, Comminges, Couserans, Dax, Lectoure, Lescar, Oloron, Tarbes 1751
Glandève 1751 (province d'Embrun)

[Auch 1751: Jean-François de Montillet]
Instruction sur le Sacrement de Penitence
[Délai d'absolution pour habitude dans le péché mortel et ignorance « crasse » des principales vérités de la Religion]

Bien que l'évêque Jean-François de Montillet se soit montré adversaire déclaré des jansénistes[34], son rituel a une tonalité légèrement rigoriste.

P1488 Auch 1751 p. 104-105. *De la Contrition nécessaire dans le Sacrement de Pénitence*
[Instruction identique à Auch 1701, *De la Contrition*]

p. 107-109 *De la Satisfaction*
[Développement du dernier § concernant ceux qui se confessent rarement, les engageant à avoir un « Directeur » :]

---

[34] M. Bordes, *Les principaux aspects de l'épiscopat de M. de Montillet Archevêque d'Auch de 1742 à 1776*, Auch, 1979, p. 18-19.

INSTRUCTIONS SUR LA CONTRITION

p. 109 Par rapport à ceux qui se confessent rarement, et le plus tard qu'ils peuvent et qui retombent frequemment dans leurs péchés, un Confesseur doit user avec eux d'une grande reserve ; il est à craindre que ces sortes de Chrétiens n'apportent pas au tribunal de la pénitence toutes les dispositions nécessaires. Il ne faut pas cependant les rebuter ; mais pour guérir leurs plaies, il faut joindre la charité et la douceur à la force et à la fermeté. Il sera très utile de les engager à faire choix d'un Directeur, à recourir souvent à lui, et à se confesser une fois le mois, ou au moins aux Fêtes solemnelles ; mais les Confesseurs ne leur feront pas une obligation de revenir à eux.

p. 109-111 *De l'Absolution*
[Nouveau chapitre[35] faisant référence à S. Charles Borromée, et ajoutant deux cas supplémentaires de délai d'absolution à la liste romaine : l'«habitude dans le péché mortel», et l'«ignorance crasse des principales vérités de la religion» :]

Saint Charles Borromée … réduit les cas où le délai de l'absolution est nécessaire, à cinq principaux : celui de l'habitude dans le péché mortel, qui n'a pas été suffisamment retractée ; celui de l'occasion prochaine et volontaire d'offenser Dieu mortellement, quand on n'a pas fait ses efforts pour l'éloigner ; celui des inimitiés contre son prochain, avec qui on ne s'est pas sincérement réconcilié ; celui d'une personne, qui après avoir porté du préjudice à un autre, ou dans ses biens, ou dans son honneur, refuseroit de le reparer ; enfin le cas de ceux qui sont dans une ignorance crasse des principales vérités de la Religion sainte que nous professons. … (p. 110)

Soissons 1753

[François de Fitz-James]
[Marques d'une vraie contrition. Nombreux délais ou refus d'absolution]

Le tome I traduit en français les instructions latines de Metz 1713, avec un certain nombre de remaniements parfois inspirés d'Alet 1667. Ces instructions seront violemment critiquées comme jansénistes et protestantes. L'auteur du rituel est vraisemblablement le théologien janséniste Pierre Gourlin[36].

›1489 **Soissons 1753** p. 131. *De la Contrition*
… la contrition que Dieu exige du pécheur est une douleur qui brise le coeur, qui lui fasse changer d'affections, qui produise en lui un coeur

---

[35] En 1701, § sur l'absolution au chap. *De l'administration du sacrement de Pénitence*, p. 138-139.
[36] T. de Morembert, «Fitz-James (François de)», *Dictionnaire d'histoire et de géographie ecclésiastiques*, t. 17 (1971), col. 294.

696 CHAPITRE XIII

nouveau et un esprit nouveau, qui lui fasse haïr tout ce qui est contre l'ordre, et par conséquent la préférence criminelle qu'il a donnée à la créature sur le créateur...

p. 133 ... la contrition ... est une douleur intérieure, et une repentance d'avoir offensé Dieu ; et cette douleur ne vient pas seulement d'une crainte d'en recevoir la punition en ce monde ou en l'autre ; car ce ne seroit qu'une attrition ; mais cette douleur vient d'un amour et d'une révérence que l'homme doit porter à Dieu son créateur...

p. 139 Les marques ausquelles on reconnoît si un pécheur est véritablement contrit, sont, lorsqu'il change de conduite, qu'il renonce à tous les déréglemens de sa vie passée, qu'il cesse entierement de faire des chûtes mortelles, qu'il commence à mener une vie toute nouvelle par la pratique des vertus opposées aux vices ausquels il s'étoit livré, qu'il évite avec soin toutes les occasions qui pourroient le faire tomber, et qu'il embrasse les moyens capables de l'affermir dans ses bonnes résolutions. ...

p. 162-167 *De l'Absolution*
... Il faut différer l'Absolution à ceux qui ne renoncent pas au péché, ou qui ne prouvent pas par leur conduite qu'il en ayent une douleur suffisante ; qui exercent des professions illicites ; qui ignorent les principaux mystères de la foi, les Commandemens de Dieu et de l'Eglise, et les autres choses nécessaires pour mener une vie sainte et conforme à l'Evangile ; qui sont incapables de s'acquitter des devoirs de leurs charges ; qui négligent de réparer le tort qu'ils ont fait au prochain dans sa réputation ou dans ses biens ; qui ne payent pas leurs dettes ; qui conservent des inimitiés, et qui refusent de se réconcilier ; qui sont un sujet de scandale pour les autres, comme les femmes qui se parent d'une maniere immodeste.

On doit encore différer l'Absolution à ceux qui sont dans l'occasion prochaine du péché mortel. Or il y a deux sortes d'occasions prochaines : les unes le sont par elles-mêmes et pour tout le monde ; ce sont celles qui portent d'elles-mêmes au péché, comme les Livres qui inspirent l'impureté, les tableaux deshonnêtes, les statues immodestes, les entretiens suspects et tête à tête entre personnes de différent sexe... Il y a différents états dont les fonctions sont permises, et qui sont néanmoins pour quelques-uns ... des occasions du péché, parce qu'ils sont trop foibles pour s'abstenir d'y pécher. Ainsi la charge de Juge, les professions de Médecins, de Chirurgiens, d'Avocats, etc. ...

p. 165 L'habitude est le tyran le plus difficile à vaincre ; ainsi on doit différer l'Absolution à ceux qui sont dans l'habitude du péché mortel,

INSTRUCTIONS SUR LA CONTRITION

jusqu'à ce qu'ils se soient entiérement corrigés, sur-tout si ce sont des péchés d'impureté...

p. 166 ... on ne doit pas accorder l'Absolution à ceux qui sont prêts à s'en aller (en voyage), ni même à ceux qui partent pour la guerre, s'ils sont dans l'habitude ou dans l'occasion prochaine de pécher. ... Il faut ... leur dire ... qu'ils recevront l'absolution lorsqu'ils seront véritablement et entierement convertis. ... On doit différer l'absolution à un malade engagé dans une habitude criminelle, ou qui est dans l'occasion prochaine du péché, si sa maladie n'est pas mortelle; mais s'il est en danger de mort, il ne faut pas la lui différer. Quant aux pécheurs endurcis qui n'ont pas voulu renoncer à l'occasion prochaine, et aux impénitens, on doit absolument leur refuser l'absolution, même à la mort, puisque n'étant pas bien disposés, l'absolution ne leur pourroit être que nuisible. ...

Tome III p. 155-164. Dimanche de la Sexagésime. *Qu'est-ce que la Contrition?*

(156-158) ... C'est une douleur de l'ame. ... Elle doit être: 1° Intérieure. ... 2° Surnaturelle... 3° Souveraine... 4° Universelle...

(159-161) [Degrés par lesquels les adultes sont conduits à la justification selon le concile de Trente:] la foi ... la crainte ... l'esperance ... l'amour de Dieu ... la haine du péché...

Arras 1757
Senlis 1764

[Arras 1757: Jean de Bonneguise]

[Refus ou délai d'absolution pour ignorance des mystères de la foi, péchés d'habitude, tort fait au prochain sans réparation...]

Les instructions sont plus rigoristes que dans les éditions précédentes d'Arras 1623-1644, mais, comme celles-ci, ne traitent pas de la contrition.

1490 **Arras 1757 p. 100-102. *Quando poenitenti deneganda vel differenda sit absolutio***

[Additions et remaniements par rapport à 1623-1644:]

... Remittendus est (Poenitens): propter defectum jurisdictionis... [comme Arras 1623-1644]

Propter casus reservatos... [comme Arras 1623-1644]

Quando Poenitens ignorat praecipua fidei nostrae mysteria, quorum explicita fides est necessaria; Trinitatis scilicet, Incarnationis, Redemptionis. Pariter, cum ignorat Mandata Dei et Ecclesiae, Orationem dominicam, Salutationem angelicam, Symbolum Apostolorum.

698 CHAPITRE XIII

Quando, quas gerit in corde occultas cum proximo inimicitias, non vult deponere, juxta mandatum Christi : *Vade priùs reconciliari fratri tui.* Quando non potest adduci ad veram poenitentiam, quia ex inveterato habitu, in eadem peccata saepissime relabitur, aut versatur in proximâ peccandi occasione, nec eam vult deserere. In hujusmodi ergo occasione proximâ voluntarie positos non absolvat Confessarius, nisi ipsâ derelictâ : in involuntariâ autem, vel morali, vel physicâ, nisi emendatos, et quos peccato derelicto, judicat prudenter, nec facile, nec saepius peccaturos. Quodsi, remediis adhibitis, occasio illa involuntaria semper proxima appareat, deserere cogantur ; nihil quippe saluti praeferendum. Quando non praemisit examen... [comme Arras 1623-1644] Quando publicum scandalum, quod dedit Poenitens, v.g. usurarius publicus vel concubinarius, reparare renuit, aut ea pietatis ac poenitentiae officia, quae Sacerdos, velut salutifera remedia iniungit, contumaciter adimplere recusat.

Quando Poenitens non vult, aut plus aequo differt restituere, vel famam proximi quam laesit, vel rem alienam quam subripuit : *Non enim dimittitur peccatum, nisi restituatur ablatum.*

In his igitur, et aliis hujusmodi casibus, quos prudens Sacerdos dignoscet, deneganda est absolutio ; nisi temporis aut necessitatis ratio aliter suadeat, tametsi Poenitens afferat se de peccatis conteri ; quia nempe, valde dubius est, ac incertus ille dolor ; ac consequenter dubia et incerta Sacramenti materia. Porro in Sacramentis conficiendis vel conferendis, uti non licet materiâ dubiâ, ubi potest haberi certa. ...

Périgueux 1763

[Jean-Chrétien de Macheco de Prémeaux]
[Délai d'absolution pour les pécheurs
« engagés dans l'habitude du péché mortel »]

P1491 **Périgueux 1763**
p. 70-71 *De la Contrition*
[Formulaire de Périgueux 1680[37].]

p. 72-75 *De l'Absolution*
[Formulaire de 1680 avec additions inspirées apparemment du rituel d'Alet à propos des pécheurs « qui sont engagés dans l'habitude du péché mortel » : il faut leur différer l'absolution « jusqu'à ce qu'il y ait un véritable changement de moeurs, et lorsque le pénitent paroit s'occuper de bonnes oeuvres, sur-tout de

---

[37] Par contre, la communion fréquente est encouragée.

INSTRUCTIONS SUR LA CONTRITION   699

la priere, et donner par-là des marques efficaces qu'il y a en lui un commencement d'amour de Dieu» (p. 74).]

p. 75-76 *De Sacramento Poenitentiae Regulae*
[Nouveau chapitre. Quelques développements concernent la contrition parfaite et imparfaite ou « attritio » :]
… Contritio imperfecta seu Attritio, vel ex turpitudinis peccati consideratione, vel ex gehennae metu communiter concipitur ; si voluntatem peccandi excludat, et spem veniae habeat, non solum non facit hominem hypocritam, et magis peccatorem, verum etiam donum Dei est, et Spiritus sancti impulsus … et illa Contritio vera est et sufficiens dispositio ad justificationem in Sacramento consequendam, modo tamen poenitens incipiat diligere Deum, tanquam omnis justitiae fontem.
[L'absolution doit être refusée dans certains cas à un mourant (p. 85-86).]

Carcassonne 1764

[Armand Bazin de Bezons]
[**Conditions d'une véritable contrition**]

Instruction rigoriste différente de Bourges 1746 ; il n'est pas question d'attrition.

›1492   **Carcassonne 1764** *De la Contrition*
p. 204 Le Concile de Trente … définit la contrition [comme] *une douleur de l'âme et une détestation du péché, avec la ferme résolution de ne plus le commettre.* … [il] déclare encore que cette contrition doit renfermer quatre choses, *la cessation du péché, le bon propos, le commencement d'une vie nouvelle et la haine de la vie passée.*
p. 205 … Que cette haine, cette détestation du péché et de la vie passée, ce cœur nouveau et cet esprit nouveau … supposent un commencement d'amour de Dieu comme source de toute justice ; on ne pense pas qu'on puisse le révoquer en doute. La Déclaration du Clergé de France sur ce point est si formelle et tout à la fois si connue, qu'on ne croit pas devoir la rapporter ici. …
p. 206 Les marques auxquelles (les Confesseurs) pourront reconnoître que leur coeur (des Pénitents) est véritablement contrit, sont, lorsqu'ils changent de conduite, qu'ils renoncent à tous leurs déréglemens passés ; qu'on ne voit point en eux des chûtes mortelles ; qu'ils commencent à mener une vie toute nouvelle par la pratique des vertus opposées aux vices auxquels ils étoient sujets ; qu'ils évitent avec soin les occasions qui pourroient les faire tomber…

Senlis 1764

[Jean-Armand de Roquelaure]

[**La contrition doit être intérieure, surnaturelle, universelle, efficace et absolue, souveraine**]

P1493 **Senlis 1764** p. 61-65. *De Contritione*

… Jam vero ut Contritio talis sit qualem Deus exigit, debet esse, 1° Interna… 2°. Supernaturalis… 3°. Universalis… 4°. Efficax et absoluta… 5°. Appretiativè summa : Contritio appretiativè summa dicitur, cum Poenitens Deum suum rebus omnibus anteponit, atque in eâ est animi praeparatione ut malit rerum omnium, propriae etiam vitae, dispendium pati, quam peccatum patrare. …

… Si Attritio voluntatem peccandi excludat cum spe veniae, declarat Synodus Tridentina esse donum Dei et Spiritûs sancti impulsum, quo Poenitens adjutus viam sibi ad justitiam parat, et ad Dei gratiam in Sacramento Poenitentiae impetrandam disponitur. Ad caeteras Attritionis qualitates inchoatus Dei amor accedat necesse est ex Concilio Tridentino, sessione sexta, capite sexto, ubi agens de dispositionibus ad justificationem requisitis ait : « Illumque tanquam omnis justitiae fontem diligere incipiunt. »…

Quid sentiret de dilectione Dei in Sacramento Poenitentiae necessariâ exposuit Clerus Gallicanus in comitis anni 1700 : « Et quidem de dilectione Dei, sicut ad Sacramentum Baptismi in adultis, ita ad Sacramentum Poenitentiae, quae est laboriosus Baptismus, requisitâ, ne necessariam doctrinam omittamus, haec duo imprimis ex Synodo Tridentinâ monenda et docenda esse duximus. Primum, ne quis putet in utroque Sacramento requiri ut praeviam Contritionem eam, quae sit charitate perfecta, et quae cum voto Sacramenti, antequam actu suscipiatur, hominem Deo reconciliet. Alterum, ne quis putet in utroque Sacramento securum se esse, si praeter fidei et spei actus, non incipiat diligere Deum tanquam omnis justitiae fontem… ».

Quod ad praxim spectat, semper inducendi sunt Poenitentes ad eliciendum actum Contritionis perfectae, utpote Deo gratiorem, utiliorem Poenitenti, et parem supplendis defectibus qui partim possunt occurrere.

p. 128-130 *Quando Poenitenti deneganda, vel differenda sit absolutio.* [Instruction d'Arras 1757.]

INSTRUCTIONS SUR LA CONTRITION

701

Aire 1776
[Playcard de Raigecourt]

1494 **Aire 1776** p. 118-119. *De la Contrition nécessaire dans le Sacrement de Pénitence*

L'instruction d'Aire 1720 est développée dans un sens plus rigoriste :

… Quoiqu'on ne puisse décider que le pécheur soit tenu d'abord après être tombé dans le péché, de recourir … à Dieu pour lui demander cet esprit de componction et de penitence ; cependant comme cette pratique est sainte et salutaire, et que plusieurs Théologiens la croyent d'obligation, les Curés doivent souvent la recommander aux Fidéles de leurs Paroisses, en leur faisant sentir combien il est dangereux de demeurer un seul jour, qui peut être le dernier de leur vie, dans l'inimitié de leur Dieu. Ils les instruiront aussi de la manière dont ils doivent faire les actes de contrition, et il leur fera sentir que ces actes ne sont véritables que lorsque les pécheurs travaillent à se corriger, à reparer l'injustice et le scandale de leurs péchés, et à éviter les occasions qui les font tomber, ou qui pourroient les faire tomber de nouveau.

p. 120-121 *De la Satisfaction*
Instruction d'Auch 1751 sans le § concernant ceux qui se confessent rarement (p. 109 d'Auch), reporté à la fin du chapitre *De la Confession*, p. 120 d'Aire.

p. 122-123 *De l'Absolution*
Instruction d'Auch 1751 sauf minimes variantes.

Châlons-sur-Marne 1776
Paris 1786. Tours 1785
[Châlons-sur-Marne 1776 et Paris 1786 :
Antoine-Eléonor Le Clerc de Juigné]
De Sacramento Poenitentiae
[L'attrition suffit pourvu qu'elle soit animée d'un commencement d'amour.
Très nombreux cas de refus ou de délais d'absolution]

Les longues instructions sur la pénitence du rituel de Châlons publié en 1776 par Antoine Le Clerc de Juigné (240 p.), sont reprises par Tours en 1785,

702   CHAPITRE XIII

et en très grande partie par Paris en 1786 par le même évêque, devenu archevêque de la capitale. L'auteur est l'abbé Revel[38].

La morale est stricte, mais l'attrition ou contrition imparfaite est mentionnée (p. 358); l'absolution est facilement refusée ou différée.

Le *Pastorale Parisiense* de 1786 est l'objet de telles critiques[39] qu'il reste comme non avenu. On critique surtout, principalement du côté janséniste, la doctrine du Pastoral:

Une des plus graves inculpations que je vois faire … contre le nouveau rituel de Paris, c'est qu'on en trouve la doctrine, tantôt infectée de l'Ultramontanisme le moins équivoque, tantôt altérée par les nouvelles opinions théologiques, auxquelles on avoit le moins lieu de s'attendre[40].

P1495 **Châlons-sur-Marne 1776**
De Contritione, tum perfecta, tum imperfecta; et de praxi Contritionis in ordine ad suscipiendum Sacramentum.

Châlons-sur-Marne 1776 tome I, p. 357-362; Paris 1786 tome II, p. 17-23 [quelques remaniements].

Châlons p. 357-358 … Contritio imperfecta, seu Attritio, vel ex turpitudinis peccati consideratione, vel ex gehennae et poenarum metu communiter concipitur. (Conc. Trid. Sess. 14. cap. 4. De Cont.).

Quam quidem, «si voluntatem peccandi excludat, cum spe veniae, declarat (sacro-sancta Tridentina Synodus) Dei donum esse, et Spiritus sancti impulsum, non adhuc quidem inhabitantis, sed tantum moventis, quo Poenitens adjutus viam sibi ad justitiam parat. Et quamvis, sine Sacramento Poenitentiae, per se ad justificationem perducere peccatorem nequeat; tamen eum ad Dei gratiam in Sacramento Poenitentiae impetrandam disponit».

Poenitentes autem suos, juxta Cleri Gallicani doctrinam, admoneant Confessarii, « ne se putent securos in Sacramenti Poenitentiae perceptione, si, praeter fidei et spei actus, non incipiant diligere Deum,

---

[38] B. Plongeron, *Paris. Une histoire religieuse des origines à la Révolution*, Paris, 1987, p. 341 (coll. Histoire des diocèses de France).

[39] « Il faudroit faire un livre presque aussi gros que le pastoral, pour relever toutes les erreurs qu'on y a renfermées dans le traité du Sacrement de Pénitence … M. de Juigné paroît fort attaché à de faux principes. Il les avoit déjà enseignés dans le rituel qu'il a donné en 1776 au Diocese de Châlons-sur-Marne … » ([G.-N. Maultrot] *Examen des principes du Pastoral de Paris sur le Ministre du Sacrement de Pénitence, et son pouvoir*, s.l.n.d., p. 1.)

[40] *Lettre à l'auteur des Observations sur le nouveau Rituel de Paris* (s.l.n.d.) (A la fin:) 1er mars 1787. [par l'abbé A.-J.-Ch. Clément, depuis évêque de Versailles, d'après Barbier] p. 1.

INSTRUCTIONS SUR LA CONTRITION

tanquam omnis justitiae fontem. Neque vero satis adimpleri potest isti Sacramento necessarium vitae novae inchoandae ac servandi mandata divina propositum ; si Poenitens primi ac maximi mandati, quo Deus toto corde diligitur, nullam curam gerat, nec sit saltem animo ita praeparato, ut ad illud exequendum, divinâ opitulante gratiâ, sese excitet ac provocet ». (Declar. convent. Cleri Gall. an. 1700).

Scilicet, proprie dictae charitatis initium cum Attritione esse debere unanimiter docent potioris notae famaeque Theologi, nostrates maxime, idque eo rectius, quod inter actus qui peccatores ad consequendam justificationis gratiam disponunt, dilectionem hujusmodi initialem, quâ nempe Deum, tanquam omnis justitiae fontem, diligere incipiant, recenset Concilium Tridentinum (Sess. 6. cap. 6 de Justif.) ; quodque haec ipsa, fatentibus omnibus, in adultis ad Baptismum requiritur. …

De prudentia Confessarii in concedenda vel differenda Absolutione. Châlons 1776 tome I, p. 524-532. Paris 1786 tome II, p. 134-142 [quelques remaniements].

[L'absolution est facilement refusée ou différée]
Châlons p. 524. Quibusnam Absolutio statim concedenda. Antequam ullus Poenitens absolvatur, dignoscendum 1°. An sincere et integre sit confessus ; 2°. An vere et ex animo peccata doleat. Quibusnam signis adesse vel abesse judicetur legitima Contritio. Praeter Confessionis aut Contritionis vitia, causae deneganda vel differendi Absolutionem ad duodecim species revocantur.

[Très nombreux cas de refus ou de délais d'absolution]
p. 526-532 Praeter geminum deficientis verae Contritionis, et non legitimae Confessionis vitium, alii sunt Casus, in quibus Absolutionem negari aut suspendi oportet…

I.° Iis differenda est Absolutio, qui praecipuae Catholicae Religionis capita, quorum distincta cognitio ad salutem necessaria est, ignorant : nimirum sanctae Trinitatis, Incarnationis, et Redemptionis mysteria ; Orationem Dominicam, Salutationem Angelicam, Symbolum Apostolorum, Dei et Ecclesiae mandata, quatuor homini fines ; quae ad Sacramenta, praesertim ad legitimam et fructuosam Poenitentiae et Eucharistiae susceptionem pertinent…

II.° Iis quoque suspendatur Absolutio, qui peccati consuetudine vel occasione proximâ detinetur. …

III.° Neque Absolutione digni sunt, qui occultas publicasve inimicitias exercent, et reconciliari nolunt...

IV.° Iis etiam neganda est Absolutio, 1.° Qui proximo illatum, sive in personâ, sive in famâ, sive in possessionibus detrimentum pro viribus resarcire detrectant, vel male parta restituendi moras longius protrahunt. 2.° Qui, postquam linguae pessimae venenum in proximi famam distillaverunt, vel simplici detractione, vel pejori calumniâ illi dedecus inurentes, coram iisdem personis vel mendacia retractare, vel pro malo bonum de proximo loqui abnuunt. ...

V.° ... qui artibus commerciisque injustis, qui usuris, furtis, fraudibus, falsitatibus, monopoliis, usurpationibus, qui tandem viâ qualibet iniquâ, Ecclesiae, societati, vel privatis damnum intulerunt...

VI.° ... qui publicè et cum scandalo peccaverint, nec scandalum illatum condignâ et publicâ satisfactione sustulerint. ...

VII.° ... qui artes profitentur illicitas; qui vitae institutum sequuntur, vel commercium exercent, aut quaestum faciunt à Christianâ sanctitate alienum...

VIII.° ... qui mollem atque otiosam vitam in mundi oblectationibus, in spectaculis, in choreis, in epulis, in vanitate et luxu totam exigentes, animam suam, cujus aeternam salutem parviducunt, in vano accepisse videntur...

IX.° ... qui suâ culpâ quomodo aliis praebent occasionem peccandi; nisi, quantum in se fuerit, ei malo, cujus causa extiterint, medeantur, eamque omnino tollant occasionem. Tales sunt 1.° Patres et matres, heri et herae, qui, per vivendi rationem inordinatam, liberis et famulis pravo sunt exemplo... 2.° Parentes, quibus auctoribus vel consentientibus, diversi sexûs liberi, postquam sextum aut septimum aetatis annum attigere, in eodem cubili dormiunt... 3.° Mulieres sine verecundiâ et sobrietate sese ornantes... 4.° Qui libros Fidei vel moribus contrarios componunt, in lucem edunt, vendunt... 5.° Qui tabulas, picturas sculptasve imagines aut *effigies, quarum aspectus insensato dat concupiscentiam, penes se habent, conficiunt aut vendunt.* (Sap. 15.4.5.) 6.° Qui, ad circulos, ludosve aleatorios, in quibus Deum impiis blasphemisque verbis, turpium libidinum irritamentis, innumerisque aliis modis graviter offendi sciunt, domos suas aut alia quaelibet loca suppeditant. 7.° Caupones ... qui ... quando Missa Parochialis, Concio et Vesperae celebrantur vinum absque ullâ necessitate vendunt... 8.° Fidicines canentes fidibus apud ejusmodi coetus, in quibus peccata occasione faltationis committi non ignorant. 9.° Qui publicè, ac praesertim coram juvenibus, inhonesta canunt, vel *turpem sermonem* (Eccli. 31.38.), seu quae vulgus *horrenda* vocat, *juramenta*, ore scelesto evomunt.

INSTRUCTIONS SUR LA CONTRITION

X.° … qui, per conniventiam, peccatis alienis communicant, suamque hac in parte agendi rationem immutare nolunt. Tales sunt 1.° Qui, cum peccata, sive publica, sive privata impedire possint et debeant, non tamen ea impediunt; Magistratus … scandala non reprimentes… 2.° Domini et Dominae in Parochiis suo dominio subditis, qui Pastores in tollendis è medio scandalis, dissidiis … non adjuvant. 3.° Patres et matres-familiâs, qui, cum famulos et ancillas noverint in domo suâ non se gerere *sicut decet sanctos*, sed inter se licentius vivere, vel non reprimunt ejusmodi licentiam, vel, si nequeant, fontem alterutrum aut utrumque simul à se non dimittunt. …

XI.° … qui se, sponte suâ, graviter peccandi periculo committunt: quales sunt 1.° Mulieres praegnantes, quae non satis prudenter se gerunt ne abortum faciant. 2.° Matres vel nutrices, quae infantes ante biennium completum in suum cubile, cum oppressionis periculo, assumunt…

XII.° … Pastores qui animarum sibi commissarum curam negligunt…

Nantes 1776

[Jean-Augustin de Frétat de Sarra]
[Refus d'absolution pour les péchés d'habitude]

Instructions romaines avec des additions concernant les pénitences à demander aux pénitents, et l'absolution à différer dans certains cas:

P1496 **Nantes 1776** p. 89, *De actuali Sacramento Poenitentiae administratione*
Videat autem diligenter Sacerdos quando et quibus conferenda sit absolutio; ne absolvat eos, qui talis beneficii sunt incapaces, quales sunt … qui pravos peccandi habitus contraxerunt, puta luxuriae, perjurii, ebrietatis, etc. donec dignis penitentiae fructibus et assiduo remediorum sibi praescriptorum usu, eo tandem devenerint, ut tuto judicari possit ipsos à peccati consuetudine et affectu recessisse, et sincero ad Deum animo esse conversos, nec in eadem peccata, nisi forsan ex fragilitate, relapsuros. …

Soissons 1778

[Henri-Joseph-Claude de Bourdeilles]
[La contrition doit être surnaturelle, intérieure, universelle, souveraine]

P1497 **Soissons 1778** p. 249-250, *Des qualités de la Contrition*[41]

---

[41] Chapitre faisant partie de l'*Abrégé de la Doctrine Chrétienne*, p. 189-272 du *Manuel du Diocèse de Soissons*, de 1778.

706 CHAPITRE XIII

La Contrition pour être bonne doit avoir quatre qualités. Elle doit être 1°. surnaturelle., 2°. intérieure, 3°. universelle, 4°. souveraine.

La Contrition doit être surnaturelle, c'est-à-dire, qu'elle doit être excitée en nous par un mouvement du Saint-Esprit, et non pas seulement par un mouvement de la nature. Ainsi, celui qui auroit regret de ses péchés, parce qu'ils lui auroient fait perdre ses biens ou son honneur, n'auroit pas une bonne contrition, parce que cette contrition ne seroit qu'une douleur naturelle.

La Contrition doit être intérieure, c'est-à-dire, qu'il faut avoir la contrition dans le coeur, et ne pas se contenter d'en faire un acte du bout des levres.

Elle doit être universelle, c'est-à-dire qu'elle doit s'étendre à tous les péchés qu'on a commis, et particuliérement sur les péchés mortels: par consequent, celui qui auroit regret de tous ses péchés, hors d'un seul péché mortel, n'auroit pas une bonne contrition, puisqu'elle ne seroit pas universelle.

Enfin la Contrition doit être souveraine, ce qui signifie que nous devons être plus fâché d'avoir offensé Dieu, que de tous les maux qui pourroient nous arriver. Ceux qui retombent toujours dans les mêmes péchés n'ont pas un véritable regret d'avoir offensé Dieu, et sont indignes d'absolution. Pour la recevoir, il faut que le pécheur espere en la miséricorde de Dieu, qu'il ait la volonté de ne plus pécher, qu'il préfere Dieu et sa loi à toutes les choses du monde, et qu'il commence au moins à aimer Dieu, comme source de toute justice. Sans la Contrition, on ne peut jamais obtenir de Dieu le pardon des péchés qu'on a commis.

Formule d'un acte de Contrition. *Mon Dieu, j'ai un extrême regret de vous avoir offensé, parce que vous êtes infiniment bon, et que le péché vous déplaît; pardonnez-moi par les mérites de J.-C. Je me propose, moyennant votre sainte grace, de ne plus vous offenser jamais.*

Saint-Dié 1783

[Barthélemy-Louis-Martin de Chaumont]
[Refus ou délai d'absolution pour ignorance des principaux mystères de la foi, parents n'en instruisant pas leurs enfants et domestiques, professions mauvaises par nature, tort fait au prochain, péchés mortels d'habitude...]

P1498 **Saint-Dié 1783** p. 131-134, *De l'Absolution*

… Les Confesseurs sont donc obligés de refuser, ou plutôt de différer l'absolution aux pécheurs qui sont indignes de cette grâce, jusqu'à ce qu'ils se soient mis dans les dispositions nécessaires pour la recevoir. Tels sont entr'autres :

1°. Tous ceux qui ignorent les principaux mystères de la foi, les commandements de Dieu et de l'Eglise, les dispositions nécessaires pour s'approcher des sacrements ; ou qui ne sont point suffisamment instruites…

2°. Les pères et mères, les maîtres et maîtresses, qui n'instruisent pas ou ne font pas instruire leurs enfants, ou leurs domestiques, des principes de la foi et des choses nécessaires au salut ; ou qui ne veillent point à leur conduite ; qui les empêchent de s'acquitter des devoirs communs des chrétiens ; ou enfin qui ne veulent pas faire ce qui dépent d'eux pour les corriger des désordres dans lesquels ils les voient tomber. …

3°. Ceux qui exercent des professions mauvaises de leur nature, auxquelles on ne peut vaquer sans péché, ou qui sont infames suivant les lois…

4°. Ceux qui conservent des haines et des inimitiés, qui refusent de pardonner et de se réconcilier. …

5°. Ceux qui ont causé quelque tort au prochain en son bien ou en son honneur, et qui ne veulent pas réparer, selon leur pouvoir, ni permettre d'y satisfaire quand ils le pourront…

6°. Les pécheurs publics, jusqu'à ce qu'ils ayent réparé par une satisfaction convenable le scandale qu'ils ont donné…

7°. Ceux qui, au mépris des monitoires qui sont publiés pour avoir connoissance de quelque fait important, ne révélent point ce qu'ils savent…

8°. Ceux qui donnent aux autres occasion de pécher, s'ils ne détournent cette occasion, et ne remédient, autant qu'il est en eux, au mal auquel ils ont donné lieu.

9°. Ceux qui sont dans l'habitude du péché mortel, jusqu'à ce qu'ils ayent donné des preuves d'un amendement sincère, et qu'on les ait éprouvés pendant un temps suffisant…

10°. Les pécheurs de rechute ; mais il faut observer qu'on ne doit point confondre la rechute avec l'habitude…

11°. Ceux qui sont dans l'occasion prochaine du péché mortel…

p. 138-143 *Le confesseur doit s'assurer de la contrition du pénitent.*
Instructions reprenant presque textuellement Toul 1700-1760.

708 CHAPITRE XIII

Langres 1786[42]

[César-Guillaume de La Luzerne]
[La contrition doit être intérieure, surnaturelle, universelle, souveraine,
accompagnée d'un changement de vie…]

P1499 Langres [1786] p. 88-100 *De la Contrition*

p. 89 … La résolution de changer de vie et de s'abstenir du péché, ne
suffit point pour la Contrition, comme le déclare le saint Concile (de
Trente) : et de même un regret du péché, qui ne seroit pas accompagné
du ferme propos de n'y pas retomber … ne mériteroit pas le nom de
Contrition.

Toute contrition, pour être véritable et capable d'opérer la justification dans le Sacrement de Pénitence, doit avoir quatre qualités. Elle
doit être intérieure, surnaturelle, universelle et souveraine. …

(p. 98) Outre ces marques qui tiennent aux qualités nécessaires de
la Contrition, le Confesseur pourra encore quelquefois connoître que
celle du pénitent n'est pas suffisante, par la maniere dont est faite la
Confession. On voit des personnes se présenter … sans un examen
suffisant de leurs fautes, et sans s'être préparé et excité à la contrition …
sans en témoigner la moindre douleur… qui usent de dissimulation,
qui cherchent à les atténuer, à les rejetter sur d'autres. On ne peut pas
croire que ces personnes aient une vraie Contrition, et on ne doit point
leur accorder l'absolution de leurs péchés.

… Enfin la plus grande, la plus sûre marque d'une véritable Contrition, est le changement de vie. Lorsqu'on voit un pénitent faire des
efforts pour se convertir, retomber plus rarement dans ses péchés, on
doit croire à sa Contrition. …

p. 143-172 *De l'Absolution*

p. 147 Nous rangerons en huit classes les personnes à qui on doit
refuser ou différer l'Absolution dans l'état ordinaire et hors le cas de
maladie. Ce sont.

1°. Ceux qui font des confessions vicieuses, ou dont les confessions
précédentes ont été nulles.

2°. Ceux qui ignorent les principes de la Religion, les devoirs de
leur état, etc.

3°. Ceux qui conservent dans le coeur des haines et des inimitiés.

4°. Ceux qui ont fait quelque tort au prochain, et qui ne l'ont pas
réparé.

---

[42] L'exemplaire BnF, B. 2594, *Instructions sur le Rituel de Langres…* porte la date 1786 manus-
crite.

INSTRUCTIONS SUR LA CONTRITION

5°. Les pécheurs scandaleux.

6°. Les pécheurs d'habitude.

7°. Ceux qui restent dans l'occasion prochaine du péché.

8°. Ceux qui, par des cas difficiles, embarrassent le Confesseur et le mettent dans la nécessité de consulter.

Lyon 1787

[Antoine de Malvin de Montazet]

[La contrition doit être intérieure, surnaturelle, souveraine, universelle, accompagnée de l'espérance du pardon. L'attrition est insuffisante. Très nombreux refus ou délais d'absolution]

« Monsieur de Montazet était très lié avec les théologiens jansénistes … c'étaient eux qui avaient sa confiance et qui l'aidaient dans la composition de ses ouvrages. L'évêque changea tous les livres liturgiques de son diocèse et se mit en opposition avec la moitié de son clergé »[43].

P1500 **Lyon 1787** *De la Contrition*

p. 199 … Les caractères essentiels à une vraie contrition, sont d'être intérieure, surnaturelle, souveraine, universelle, accompagnée de l'espérance du pardon.

p. 202 … quoique la crainte, ainsi que l'espèce de contrition qu'elle inspire, appellée communément *pure attrition* soit bonne et utile … on n'en doit pas conclure qu'elle soit suffisante dans le sacrement.

Il n'y a que l'amour, qui change, qui convertisse le coeur, qui en bannisse l'affection au peché… Sans cet amour, nous sommes toujours indignes de Dieu, nous demeurons dans la mort, nous n'avons point l'esprit de J. C., cet esprit, qui seul peut rendre nos actions agréables à Dieu, et produire en nous la contrition nécessaire, pour être justifiés dans le Sacrement de pénitence.

p. 227 Pour recevoir « la grace de la justification, ce n'est pas assez de réformer ses moeurs, de renoncer au péché ; il faut encore l'expier par le jeûne, l'aumône, la prière, et les autres exercices d'une vie humble et pénitente. »

De l'Absolution

p. 247-258 … Il y a des règles et des principes d'après lesquels l'Absolution doit être accordée, différée, ou refusée. …

---

[43] « Montazet (Antoine Malvin de) », *Biographie universelle, ancienne et moderne*, Paris, t. 29 (1821), p. 462-464.

1°. ... les Confesseurs ... doivent ... joindre à une grande compassion pour les pénitens une juste fermeté. ...

2°. ... il n'est permis aux Confesseurs d'absoudre que ceux qui donnent des marques non équivoques d'une véritable conversion...

3°. ... les Confesseurs doivent fort considérer ... que de premiers desirs, de simples commencements de conversion, ne sont pas encore la conversion elle-même. ...

4°. ... la véritable conversion, surtout celles des pécheurs coupables de grands crimes ou d'habitudes invétérées, s'opère difficilement et avec lenteur...

5°. ... les protestations, et même les larmes des pénitens, ne sont pas toujours des marques suffisantes d'une solide conversion. ... Or, à quels fruits doit-on reconnoître un vrai pénitent ? C'est lorsqu'il a renoncé effectivement au peché...

6°. ... il n'y a guères de pécheurs moins disposés à recevoir dignement l'absolution, que ceux qui ne peuvent souffrir ni préparation, ni délai...

7°. ... on doit différer l'absolution à ceux qui ignorent les principaux articles de la Foi, les commandemens de Dieu et de l'Eglise, les obligations communes du Christianisme, celles qui sont particulères à leur état, et les dispositions nécessaires pour approcher des Sacremens de la Pénitence et de l'Eucharistie. ...

8°. ... l'Absolution doit être encore différée à tous les pécheurs publics, jusqu'après la réparation du scandale qu'ils ont donné; à ceux qui exercent des professions illicites, jusqu'à ce qu'ils les ayent abandonnées; à ceux qui sont pour le prochain une occasion de chûte ... à ceux qui retenant le bien d'autrui et pouvant le rendre ne le rendent point ... à ceux qui ont fait tort au prochain dans sa personne, dans son honneur ou dans ses biens, jusqu'à ce qu'ils l'ayent réparé; à ceux enfin qui conservent des inimitiés contre leurs frères, jusqu'à ce qu'ils ayent fait tout ce qui est en leur pouvoir pour se réconcilier.

9°. ... il faut différer l'absolution à ceux qui demeurent volontairement dans l'occasion prochaine d'offenser Dieu...

10°. ... l'absolution doit être pareillement différée à ceux qui sont encore dans des habitudes criminelles, et à ceux qui, après les Sacremens reçus, retombent de tems en tems dans le péché mortel...

11°. ... l'absolution ne doit pas être donnée, même à l'heure de la mort, aux pécheurs impénitens et endurcis...

12°. ... un Confesseur peut et doit accorder l'absolution aux mourans privés de toute connoissance, si avant que de perdre l'usage de la

INSTRUCTIONS SUR LA CONTRITION

parole et des sens, ils ont demandé les sacremens, ou s'ils ont marqué par quelque signe qu'ils désiroient les recevoir...

13°. ... l'indulgence de l'Eglise pour les pécheurs qui témoignent du repentir à l'article de la mort, n'autorise pas à croire qu'elle juge la conversion plus facile et plus sincère dans cette circonstance...

14°. Toutes les fois que les Confesseurs différeront l'absolution à un pénitent, ils lui feront comprendre que ce délai est absolument nécessaire à son bien spirituel. ...

15°. Lorsqu'un pénitent a été lié par un Confesseur, il ne doit pas être délié par un autre. ...

16°. Les Confesseurs ne peuvent absoudre que des pénitents qui sont actuellement présents. ...

Verdun 1787
[Henri-Louis-René Desnos]
[L'attrition suffit pourvu qu'elle soit animée d'un commencement
d'amour.
Nombreux refus d'absolution]

Les instructions sur la Pénitence, très développées et rigoristes (tome premier p. 170-261) paraissent reprendre en grande partie, en les traduisant le plus souvent, celles de Châlons 1776.

P1501 Verdun 1787, Tome premier p. 175-179. *De la Contrition*

p. 175 ... Cinq qualités sont nécessaires pour que la Contrition soit suffisante et véritable : elle doit être intérieure, surnaturelle, souveraine, universelle, accompagnée enfin d'un ferme propos de ne plus pécher.

p. 178 ... L'attrition, aussi bien que la contrition parfaite, doit ... être surnaturelle, renfermer un repentir sincere, une ferme résolution de ne plus pécher. (p. 178)

p. 179 ... mais ... le défaut de cette contrition parfaite ne le rend pas (le pécheur) incapable de recevoir la grace dans le sacrement. L'attrition lui suffit, pourvu qu'elle soit animée d'un commencement d'amour.

p. 179-181 *Des Regles que le Confesseur doit suivre pour s'assurer de la contrition du pénitent*

La contrition est tellement nécessaire dans le Sacrement de Pénitence, que rien ne peut l'y suppléer. ...

... 1°. Un pécheur s'accuse d'un péché mortel, mais dans lequel il ne tombe pas ordinairement : croyez à ses sentimens et à sa parole, si, avec les marques ordinaires de la contrition, il vous proteste de sa résolution ferme pour l'avenir. Si, cependant, il s'agissoit de l'un de ces péchés énormes, qui supposent... un entier oubli des moeurs et de la foi ... il faut ordinairement différer l'absolution. C'est l'un des moyens ... d'imprimer plus profondément dans l'ame du coupable ... l'horreur de son crime...

2°. N'imputez pas toujours au défaut de contrition les rechûtes dans les mêmes péchés véniels : elles ne sont souvent que l'effet ... d'une foiblesse, que Dieu laisse souvent aux justes... pour les humilier...

3°. Ne se confesser que des péchés véniels, et n'avoir sur aucun la contrition requise, c'est faire une confession nulle et sacrilege...

4°. Un pénitent n'accuse que des péchés véniels ; mais il conserve, ne fut-ce que pour un seul d'entre ces péchés, une affection constante et volontaire... Imposez-lui, par exemple, un examen tous les jours en particulier sur ce péché, une peine après chaque rechûte ... si rien ne réussit ... refusez, pendant quelque temps, l'absolution, et motivez ce refus.

5°. La rechûte, même dans un péché mortel, ne prouve pas toujours que la contrition ... n'a pas été vraie ... mais ... la douleur, quand elle est vraie, inspire, du moins, durant quelque temps, les précautions... Nulle foi donc à la douleur, ni aux protestations de ces pénitents, qui sont retombés, à la premiere occasion... Appliquez, à plus forte raison, ces principes aux pécheurs d'habitude. ...

6°. Lorsqu'un pénitent se présente ... sans émotion ... lorsqu'il cherche à chacune de ses accusations une excuse ... refusez inflexiblement l'absolution...

7°. Ne vous fiez que bien difficilement à la contrition de quiconque jouit actuellement du fruit de ses crimes...

8°. Surtout étudiez les mouvements divers de la contrition de votre pénitent ... est-il certain que la douleur conçue par le seul motif de la crainte, sans aucun commencement d'amour, suffise pour recevoir la rémission ? N'est-il pas, au contraire, assuré que la douleur conçue par le motif de la charité initielle [sic], est la disposition bonne et suffisante ?...

p. 204-205 *De l'Absolution*
L'Absolution est de la nature des grands remedes ; souverainement efficaces, quand ils sont appliqués à propos ; destructeurs, dès qu'ils ne sauvent pas. ... L'Absolution est une sentence portée et prononcée au nom du ciel, et que le ciel, à l'instant même, ratifie ou désavoue, selon les dispositions du pénitent. ...

... Ce délai (d'absolution) est indispensable, lorsque le Confesseur a lieu de douter des dispositions actuelles du pénitent, et qu'il a un juste sujet de craindre que sa foiblesse, malgré ses résolutions, ne le fasse succomber à de nouvelles tentations, qu'il pourroit éprouver.

CHAPITRE XIV

CONSEILS AUX PÉNITENTS
SELON LEUR ÉTAT DE VIE
OU LEUR CARACTÈRE

**Chartres 1490-1553, 1604
Agen 1564. Angers 1543, 1580. Autun 1503, 1523. Cambrai 1503
Châlons-sur-Marne 1569. Clermont-Saint-Flour 1506-1608
Limoges 1518. Maguelonne 1533. Meaux 1546
Orléans 1548, 1581. Périgueux 1536 [quelques variantes]
Sens 1500-c. 1580. Verdun 1554**

[Chartres 1490 : Miles d'Iliers]

De penitentia generalis instructio pro sacerdotibus

Formulaire présent dans les rituels de quinze diocèses entre 1490 et 1608.

Il donne des conseils essentiellement pratiques à huit catégories de pénitents selon leur âge ou leur état de vie. Les devoirs des femmes sont nettement plus développés que ceux des hommes au même âge ; les serviteurs doivent aimer et honorer leurs maîtres ; les pauvres sont invités à la patience et à ne pas désirer le bien d'autrui.

P1502 **Chartres 1490** f. 32v-33 Plebanus[(a)] in primis[(b)] diebus dominicis, presertim ante magnas solemnitates, populum sibi commissum habet admonere, ut sepius peniteant, precepta Dei et Ecclesie custodiant. Et in generali peccatores argueri[(c)], minari penas male agentibus, et premia recte viventibus polliceri.

Veniens autem quis ad penitentiam seu confessionem dicat presbitero. *Benedicite.* Et presbiter inquit. *Dominus sit vobiscum, et maneat in eternum. Amen. In nomine Patris, etc.*

[**Interrogatoire**] Sciat seu inquirat propriam conditionem, artem vel industriam, et modum vivendi, ut[(d)] facilius peccatis confitendis possit mederi. Diligenterque presbiter inquirat a confitente secundum persone varietatem peccata usitata sigillatim. Inusitata autem cum discretione, et non nisi a longe, per aliquam circunstantiam, ut expertius

714 CHAPITRE XIV

detur modus et materia confitendi, et eliciendi peccata, que habentur et latent in corde cuilibet generi confitentium.

[Conseils] Discat prudenter consulere et instruere.

[Les vieillards] Primo senibus, qui pro consuetudine habent sensus exercitatos ad discretionem boni et mali : ut sobrii sint et pudici, atque prudentes, et sani in fide, quia maledicitur puer centum annorum. Perseverantes in dilectione et pacientia.

[Les adultes] Robustioribus autem, ut timeant Deum, de crastino non confidant, paveant proiici in iehennam[e].

[Les jeunes] Iuvenibus simplicitatem servare, ocium fugere, iuvenilia desideria temperare, a turpiloquio abstinere, sobrios esse, tabernas abhorrere, pacem diligere, mores ad bonum convertere.

[Les enfants] Iuniores[f] disciplinam diligere, parentes amare, ac eis obedire, et honorem deferre, verecundos fore, ludos contempnere.

[Les femmes mariées] Mulieribus doceant viros suos diligere, reveri[g], et timere, verecundiam et sobrietatem observare, preciosas vestes, et inhonestas non apetere, domus curam gerere, non criminatrices[h] fore[i], castas et modestas existere.

[Les domestiques] Servis autem suadeant Deum timere, obsequiis[j] diligenter insistere, magistros honorare, diligere, et timere, fideles et sobrios esse, non rebelles sed patientes, humiles et obedientes fore[k].

[Les riches] Divitibus[l] non superbire sensu[m] vel verbo, nunquam superbe sapere, bonis operibus insistere, facile tribuere et communicare. Ne que[n] possident bona perdant et eterna.

[Les pauvres] Pauperibus aliena non concupiscere, sufficientiam et pacientiam habere, laborare, operari, et ut pueri[o] non sint[p]. Curam[q] gerere, fideles esse, et cum sint pauperes in terra, desiderent esse divites in celo.

[Tous] Summopere omnibus, peccata mortalia timere, causas et occasiones peccatorum fugere, virtutibus adherere, penas infernales horrescere, fraternitatem diligere, unicuique ius suum reddere, foresta[r] restituere, neminem ledere, nec verbo nec opere. Prelatum suum revereri. Iura ecclesiastica conservare, decimas solvere, dominis obedire, Deum timere, Ecclesiam diligere, Dei et Ecclesie mandata custodire, et gloriam sempiternam concupiscere[1].

Variantes. [a] Plebanus] Curatus seu eius vicarius Mea. Ve. –[b] im primis] *om.* Ve. – [c] argueri] arguere Ag. An. ChM. Pé. Sen. –[d] ut] et Aut. Cam. –[e] gehennam] Ag. An. Aut. Mea. Pé. Ve. –[f] junioribus] Ag. Aut. Cam. ChM. Pé. Sen. –[g] revereri] Ag.

---

[1] Suite de ce formulaire, voir *supra* Conseils aux prêtres, P1322.

An. Aut. Cam. ChM. Lim. Pé. Sen. Ve. –[h] criminatrices] carminatrices ChM. Lim.
Pé. Sen. –[i] fore] esse, id est detractatorie de aliis loquentes Ve. –[j] dominorum] *add.*
Ve. –[k] fore] esse Ve. –[l] Divitibus] Diutius (!) Ag. –[m] censu] Pé. –[n] que] qui Ag. –
[o] pueri] pigri Pé. –[p] et ut pueri non sint] *om.* Mea. Ve. –[q] domus sue] *add.* Mea.
Ve. –[r] foresta] forefacta Ag. Aut. Cam. Lim. Pé. Sen.

Grenoble 1549

Institution d'un bon Chrestien en la foy de Dieu,
et commandements de l'Eglise
[Conseils aux enfants, parents, époux, veuves, jeunes filles,
gens de la campagne, à tous les chrétiens en général]

Voir infra chapitre XXVII, Grenoble 1549, P2975.

Besançon 1561, 1581

Admonitiones particulares
[Conseils aux pères de famille, vieillards hommes et femmes,
maris, enfants, parents, serviteurs et servantes]

Voir supra Autres formulaires de Confession générale, Besançon 1561
f. A4v, P1254.

Cambrai 1562, 1606

[Cambrai 1562 : Maximilien de Berghes]
De Poenitentia generalis instructio. Admonitio ad Pastores,
quo pacto se gerere debeant erga Poenitentes

Les conseils à donner aux pénitents reprennent en les développant ceux
du formulaire commun à une quinzaine de diocèses au début du XVIᵉ siècle,
dont Cambrai 1503[2]. Ce sont les vieillards et les jeunes qui, cette fois, reçoivent
les conseils les plus développés, mais les femmes doivent aussi être prudentes
et prendre un soin fidèle de leur famille. Ces conseils sont supprimés dans les
éditions ultérieures de Cambrai.

P1503 **Cambrai 1562** f. 41v-42v

Deinde (sacerdos) poenitentem prout sua exigit aetas, vitae genus,
ac conditio, sui officii admonebit.

[**Les vieillards**] Senes (quia per longam rerum experientiam et usum
sensus exercitatos habent) ut quod restat vitae in Dei cultu consumant,

---

[2]   *Voir supra* Formulaire de Chartres 1490, P1502.

716 CHAPITRE XIV

et si quid in ante acta vita impiè vel contra proximum perversè ab eis factum fuerit, id piis operibus reparent; quae fert illa aetas incommoda, utpote aegritudines, virium debilitatem ac defectum, patienter ferant; sint sobrii, pudici, prudentes; aliis piae vitae exemplo, honestate, ac consilio prosint, dilectionem in Deum et proximum exerceant.

[Les adultes] Robustioribus consulet, ut super omnia Deum ament ac revereantur, ne in suo robore valde (ut humana sunt omnia) fragili spem inanem collocent, neque item de futuro nimis confidant, sed cum timore suam salutem operentur, dum tempus et vires ferunt, utentes suis viribus ad Dei honorem et suam ac proximi salutem.

[Les jeunes] Iuvenes admonebit modestiam servare, ocium fugere, iuvenilia desideria temperare, à turpiloquio abstinere, sobrios esse, pacem, atque disciplinam diligere, mores in melius commutare, parentibus, superioribus ac rectè monentibus, lubenter obedire, et eis honorem debitum deferre, super omnia vero pietatem exerceant, et iugum Domini ferre assuescant ab adolescentia.

[Les femmes] Mulieres instruat, ut viros suos diligant, reveantur, ac timeant; sint castae, prudentes, sobriae, verecundae, et modestae in moribus, sermone, ac ornatu; denique rerum domesticarum, et familiae fidelem diligentemque curam gerant.

[Les domestiques] Servis, praeter Dei cultum, consulet, ut obsequiis diligenter insistant, suos heros ac dominos venerentur, diligant et timeant; non sint rebelles vel oblocutores, sed in omnibus, quantum Dei cultus patitur, se fideles, patientes, sobrios, alacres et obedientes praebeant.

[Les riches] Divites hortabitur ne in suis opibus confidant, vel superbiant ad exemplum divitis illius epulonis[3] evangelici, sed animadvertant se Dei esse dispensatores, ideoque suis opibus pauperes ac egentes iuvent, ut sic fideliter administrantes terrena, tandem coelestia possideant.

[Les pauvres] Pauperes quoque monebit, ne aliena concupiscant, sed patientiam habeant, et sua forte contenti vivant, laborent, operentur, et cum hic in terris pauperes sint, cum Lazaro illo evangelico, in celis divites fieri expetant.

Et sic deinceps cum caeteris, prout uniuscuiusque postulaverit, aetas, status ac conditio, aget sacerdos, nempe ut super omnia Deum ament ac revereantur, eius atque Ecclesiae precepta sedulo observent, Dei honorem ac suam ipsorum salutem in omnibus concupiscant, pec-

---

3   Cf. la Parabole de Lazare et du mauvais riche, Luc 16, 19-31.

CONSEILS AUX PÉNITENTS

cata ac eorum causas et occasiones devitent: virtutibus adhaereant, neminem ledant, superioribus tam spiritualibus quam secularibus obediant, et ius suum cuique tribuant, denique charitatem in proximum exerceant.

Aix-en-Provence 1577

[Admonestations aux chefs de famille, malades, femmes enceintes, parents de jeunes enfants]

Voir infra chapitre XXVIII, Aix-en-Provence 1577, P2954.

Chartres 1580
Cahors 1593[4]

[Chartres 1580 : Nicolas de Thou]
Du Sacrement de Penitence. Injonction aux Curez

P1504   **Chartres 1580** f. 164v-165 ... Remonstreront aux **vieilles gens** de porter patiemment les incommoditez de leur aage, s'amander : et parachevant le cours de leur vie au service de Dieu, donner exemple et conseil aux autres, selon l'usage et longue experience qu'ilz ont des choses passées.

Conseilleront **les plus robustes**, de ne colloquer vainement leur esperance és forces corporelles, qui sont fragiles : ains de les employer à l'honneur de Dieu et leur salut, pendant qu'ils en ont le temps et commodité.

Admonesteront **les jeunes**, à fuir oysiveté (mere nourrice des vices) et s'exercer a tous actes de pieté, temperant les lascivetez et petulants desirs de leur aage, par toute sobrieté et modestie, avec l'honneur et obeyssance qu'ilz doivent a leurs parens et superieurs.

Enjoindront a **ceux qui sont en lien de mariage**, de s'entr'aymer, et en tout comporter selon les instructions apostoliques.

Ordonneront aux **fils de famille**, faire le pareil.

Exciteront les **maistres**, de faire à leurs serviteurs ce qu'est iuste et equitable : et eux de leur estre obeïssans et fideles.

Exhorteront les **riches**, de ne s'orgueillir et confier és biens caduques et incertains de fortune : ains de recognoistre qu'ils en sont simples dispensateurs, pour ayder et secourir les indigens au besoin.

---

[4]   Cahors 1593 *De Sacramento Poenitentiae. Advertissement aux Curez*, f. 185v-186 : formulaire de Chartres sans les conseils aux « plus robustes ».

718   CHAPITRE XIV

Destourneront les **pauvres** de convoiter l'autruy[5]: à ce que se contentant de leur sort, ilz travaillent a gaigner honnestement leur vie, en esperance de trouver lieu en fin avec le Lazare, au sein d'Abraham.

Inculqueront patience aux **affligez**, pour surmonter leur adversité.

Brief feront ainsi a toutes personnes, selon leur qualité et vocation : a ce que s'y comportans comme appartient, ils obtiennent de Dieu remission de leurs pechez, en la vertu des paroles et merites de J. C., par l'absolution sacramentelle, apres leur confession.

Nevers 1582

[Arnaud Sorbin]

Observations pour le Sacrement de Penitence

P1505   Nevers 1582 f. 23-24. Le Curé doit, tous les dimanches principalement; et les festes annuelles, exhorter son troupeau à penitence…

Exhortant **les anciens** à la sobrieté en toutes actions et au bon exemple.

Les jeunes, à aimer la pieté et la vertu, et surtout l'humilité, la discipline et bonnes moeurs.

Les parents, à aimer et bien instruire leurs enfans.

Les maistres, à aimer les serviteurs selon leur estat et condition.

Les serviteurs, à honorer les maistres, et leallement servir en leur charge.

Aux vierges, d'aimer la pieté et vertu, et surtout la chasteté.

Les femmes, à aimer et honorer les maris avec une reverence procedante d'amour non servile, les exhortant à estre honteuses, chastes, sobres, tant en ornements, qu'en maniere de vivre, ornées de modestie et de toute vertu, vrais ornemens des femmes chrestiennes.

Les pauvres, à porter patiemment leur pauvreté, comme estant la croix dont Dieu a voulu les honorer.

Les riches, à estre humbles et charitables, et sobres en despense, laborieux en la profession où Dieu les a appellez.

En general tout chacun, de n'offenser personne en son ame, par suggestion ou mauvais exemple, en son honneur par mesdisance, ny en ses bien par larcin, fraude, ou deception aucune. …

---

5   l'autruy] le bien d'autruy Cahors 1593.

CONSEILS AUX PÉNITENTS

Arras 1623, 1644, 1757[6]
Saint-Omer 1641, 1727[7]. Senlis 1764[8]

[Arras 1623 : Hermann Ortemberg]

De promptitudine, mansuetudine, et prudentia,
in tractandis Poenitentibus necessaria

Les catégories de pénitents sont en partie nouvelles : ignorants (« rudes »), grands pécheurs, enfants, femmes, malades, sourds, muets, vagabonds et étrangers, scrupuleux, impénitents, récidivistes, pusillanimes, non préparés… Les conseils les plus développés concernent les scrupuleux, les impénitents et les récidivistes.

P1506 **Arras 1623** [1° partie] p. 39-53

… **De Rudioribus**

In audiendis quoque et formandis rudioribus, caveat ne severiore verborum forma, animum eorum conturbet, dejiciat, atque ita ab huius Sacramenti frequentatione deterreat. Sed Christi mansuetudinem imitatus, conetur cum patientia, eorum infirmitatibus sese accommodare. Cumque eos ignorare fidei rudimenta deprehenderit ; si tempus ferat, eos breviter instruat de articulis fidei, et aliis ad salutem necessariis…

De magnis Peccatoribus

… in visceribus I. C. eum benignè amplectatur, ei condoleat, paternè admoneat, paucis sed gravibus verbis ei periculum exponat, in quo versatur : sciens quia potens est Deus, de lapidibus istis suscitare filios Abrahae. …

De Pueris. Sed et pueri blandiusculè suscipiendi sunt, et materno amore tractandi : ne horrorem aliquem Sacramenti Confessionis iam inde ab initio concipiant ; quem difficile sit postmodum curare. …

Neque vero gregatim simul audiendi sunt ; sed alius post alium. …

In quibus autem nullus rationis usus apparet ; loco absolutionis sacramentalis, poterit sacerdos, si videbitur, et tempus ferat, orationem convenientem super eos recitare[9]…

---

[6] Arras 1757 p. 84-100, *De mansuetudine, et prudentiâ erga Poenitentes necessariâ.* Quelques remaniements pour les enfants, les muets, sourds et aliénés, les impénitents. Petite addition concernant les femmes.

[7] Saint-Omer 1641 p. 378-390 et Saint-Omer 1727 p. 355-366 suppriment les conseils *De Pueris.*

[8] Senlis 1764 p. 111-119 reprend Arras 1757 avec quelques remaniements.

[9] *Voir infra* Confession des enfants, Arras 1623.

De Mulieribus. [Les femmes doivent être confessées dans un lieu visible et éclairé ; il faut veiller à ce que de fréquents colloques ne dégénèrent pas en sensualité puis en désir funeste].

Mulierum confessiones non audiantur, nisi in loco conspicuo, et si tenebrae sint, adhibito lumine. …

Prolixiora cum iis colloquia non misceantur, etiam specie pietatis… Alioqui certe metuendum, ne qui initio videbatur esse devotionis affectus, sensim ex frequenti colloquio, et nimia familiaritate in sensualitatem, sensualitas denique in damnosam libidinem degeneret.

De Infirmis

Infirmis utile erit persuadere, ut generalem confessionem instituant : praesertim quum [sic pour cum] de eorum vita metuitur et ad id videntur commode posse induci. …

Porro, si postquam infirmus confiteri coepit, deficiant ei vires, ut nequeat ulterius confiteri, dicatque multa restare, quae alis confiteri desiderat ; poterit nihilominus tuto absolvi. …

De Mutis et Surdis

Similiter potest absolvi mutus… Si quispiam omnino surdus se offerat, aut certe ita difficilis auditus… Parochus … absolvat ; dummodo contritus appareat…

De Vagabundis, et alienis

Vagabundi, quia nullibi certam habent sedem aut domicilium, possunt absolvi a Confessariis locorum, ubi eos esse contigerit. …

Quod vero ad alienos attinet … poterunt instar peregrinorum absolvi…

De Scrupulosis

Magna porro circa Scrupulosos opus est prudentia. Ac primo multum interest, ut Confessarius ante omnia sciat poenitentem scrupulosum, talem esse. Quo facile deprehendet, si viderit eum alioqui timoratum, suaeque salutis studiosum…

De Impoenitentibus et de modo reprehendi

Porro, dum quis peccata sua confitetur, non debet Confessarius ea tunc exaggerare, neque corripere Poenitentem ; sed potius ostansa benignitate eum animare, ut confessionem suam cum fiducia et sinceritate perficiat. Caeterum, confessione iam facta, si minus quam par est, ea aestimare, ac de iis minus dolere videatur ; tunc Sacerdos det operam ut cor eius adiuvante Dei gratia, ad veram contritionem emolliat. …

De Recidivis

CONSEILS AUX PÉNITENTS

Quod attinet ad eos, qui frequenter in eadem peccata recidunt, his quoque et similibus poterunt monitionibus adiuvari. Ut videlicet eis proponatur gravissimum recidivantium periculum: quod est, ne tandem Dei iuste iratus (ut plerumque sit) eos in peccato suo deserat...

Denique, subinde poterit absolutio ei denegari, atque in aliud tempus differri, etiamsi alioqui non repugnet, eum toties vere contritum esse, quoties ad confitendum accedit. ...[10].

De Pusillanimis

Quod si Poenitens, propter peccatorum, in quae alias ceciderit, gravitatem, vel ob quotidianos defectus, abundantiore tristitia absorbeatur, et desperabundus appareat; primo videndum est, an non habeat peccatum aliquod intus latens, quod necdum ausus sit confiteri, aut non satis explicate. Quod si deprehendatur, animandus est ut semel exacte confiteatur. Tum exponenda ei certissima fidei catholicae veritas de virtute Sacramenti Poenitentiae[11]: quae tanta est, ut si quis omnia omnium hominum admisisset peccata, certissimam nihilominus eorum absolutionem[12] consequeretur, per absolutionem sacerdotis...

Proponenda sunt exempla ac diligenter exponenda, Prodigi, Publicani, Magdalenae, Latronis et aliorum...

De Imparatis

Quando Poenitens accedit imparatus, id est, non discussa sufficienter conscientia; debet ... remitti, et ei constitui tempus, ut conscientiam suam examinet: suggesta etiam, si necessarium videatur, methodo, quam in examine faciendo servare debeat. ...

Tournai 1625, 1721, 1784

[Tournai 1625: Maximilien Villain de Gand]
De modo interrogandi poenitentem

P1507 **Tournai 1625 p. 64-73**

Formulaire s'inspirant d'Arras 1623 p. 39-53. Les conseils pour interroger les pénitents sont abrégés et relativement remaniés. Sont supprimés *De magnis peccatoribus, De Impoenitentibus et de modo reprehendi, De Recidivis, De Imparatis.*

---

[10] Denique...] § remanié à Saint-Omer 1641 et 1727.
[11] fidei catholicae... Poenitentiae] Dei misericordia Tournai 1625.
[12] absolutionem] remissionem Tournai 1625.

CHAPITRE XIV

Tournai 1721 supprime ces conseils.
Tournai 1784 reprend seulement le chapitre *De Mutis et Surdis*, et en partie le chapitre *De Scrupulosis*.

Bourges 1666

[Anne de Lévis de Ventadour]
De la prudence et adresse du Confesseur à traiter avec les penitens, conformément à leurs dispositions et conditions differentes

Conseils s'inspirant souvent d'Arras 1623-1644, tout en étant plus rigoristes.

P1508 **Bourges 1666 p. 239-246**
Comment il faut se comporter avec ceux qui ont de la honte à declarer leurs pechez. Il faut leur donner assurance, leur remôntrant que nous ne sommes pas des Anges non plus qu'eux, que nous sommes tous pécheurs, qu'on ne s'étonne pas d'entendre de grands pechez…
… **avec un effronté et qui est sans apprehension.** Il faut luy representer fortement, mais toûjours avec douceur, qu'il est devant Dieu…
… **avec un penitent craintif…** Il faut le relever et fortifier, luy remôntrant que Dieu a un tres-grand desir de luy pardonner…
… **avec un penitent qu'on voit en perplexité…** Il faut luy promettre son assistance, et l'assurer que moyennant l'ayde de Dieu, on ne laissera pas pour cela de luy faire faire une bonne et sainte confession. …
… **à l'égard des enfans.** Il faut en premier lieu les accüeillir gracieusement avec toute la tendresse possible, et les traitter et carresser [*sic*] avec un amour maternel, à l'exemple de nôtre Seigneur, pour ne leur donner pas de l'aversion de ce Sacrement.
Secondement, il ne faut jamais les entendre à trouppe … mais seul à seul…
… a ceux qui n'ont aucun usage de raison, encore qu'il soit tres-bon de leur faire toutes les demandes que l'on fait aux adultes, de leur faire dire le *Confiteor* … le Prêtre neanmoins ne doit pas leur donner l'absolution; mais en son lieu il pourra… leur donner la benediction qui est couchée dans le Manuel au titre de l'Ordre et Absolution des enfans[13]…
… **avec les femmes.** Il faut premierement poser pour fondement la maxime de saint François Xavier; *que la Confession des personnes de ce sexe, aussi bien que la conversation, est un pas chatoüilloux et glissant, là où on fait de tres-grandes pertes pour bien peu de gain.* …

---

[13]   Instruction proche de celles des rituels d'Arras 1623-1644.

CONSEILS AUX PÉNITENTS

… un muet. On peut luy donner l'absolution, même hors le cas de necessité, pourvû qu'il declare ses pechés en la meilleure façon qu'il poura [*sic*], par signe ; et qu'il témoigne en avoir regret.

… un sourd. … le Confesseur … doit oüir la confession de son penitent, et luy donner l'absolution quand il voit des marques de douleur…

… avec les personnes qui sont d'autre parroisse. Regulierement parlant, il ne faut pas les recevoir sans la permission de leur propre curé, ou de l'ordinaire : si pourtant il se rencontroit des personnes venuës de dehors … on pourroit leur accorder l'absolution en qualité de pelerins et de voyageurs.

… avec des personnes scrupuleuses. Il faut avant toutes choses que le confesseur reconnoisse que son penitent est frappé de cette maladie. Secondement, le mal étant découvert, il faut se donner de garde de devenir scrupuleux ; c'est à dire de traitter sa conscience avec doute et apprehension…

… quand il y a des restitutions à faire, et que les penitens s'y accordent. Il faut bien se garder de s'offrir à eux pour prendre la chose, et la restituer pour eux : mais leur dire qu'ils la doivent mettre entre les mains d'un homme de bien…

Alet 1667-1771

Examen, ou demandes à faire sur les Commandemens de Dieu
[Devoirs des enfants, des parents, des personnes mariées, des seigneurs, des juges, consuls et magistrats, des inférieurs, des maîtres, des serviteurs]

Voir supra Examens de conscience, Alet 1667 p. 144-147, P1403.

Toul 1700, 1760

[Toul 1700 : Henri de Thyard de Bissy]
Demandes à faire sur les principaux devoirs de chaque état

P1509 **Toul 1700 p. 85-93**

Aux gens mariez et peres de famille. 1. S'ils ont soin d'élever leurs enfans dans la pieté ; de leur aprendre à prier Dieu soir et matin ; de les envoyer à l'école, au catéchisme et au service divin ; et de les reprendre quand ils font mal.

2. S'ils vivent en paix avec leurs femmes, et les femmes avec leurs maris…

3. S'ils veillent sur leurs domestiques, valets et servantes, afin qu'ils vivent en bons chrétiens ; s'ils ne les font point travailler les dimanches et fêtes … s'ils leur payent fidelement leurs gages.

Aux enfans de famille. … 1. S'ils portent à leurs peres et meres l'honneur et le respect qu'ils leur doivent. 2. S'ils les assistent et les soulagent dans leurs besoins et leurs maladies… 5. S'ils ne cherchent point à se marier sans leur conseil et leur permission. 6. S'ils ne fréquentent point de mauvaises compagnies. 7. S'ils ne vivent point dans l'oisiveté et la débauche.

Aux ecclésiastiques et bénéficiers. … 1. Par quels motifs ils sont entrez dans l'état ecclésiastique et dans leurs benefices. 2. Quels moyens ils ont employé pour cela. …

Aux chanoines. … 1. S'ils font de longues absences sans une juste et pressante nécessité…

Aux curez. … 1. Si leur conscience leur rend témoignage qu'ils ont assez de capacité et de science pour gouverner une paroisse. …

Aux confesseurs. … 1. S'ils s'apliquent [*sic*] à acquerir la science si nécessaire pour être confesseur. …

Aux seigneurs des paroisses. … 1. S'ils n'éxigent point des servitudes qui ne leur sont pas dües. …

Aux capitaines. … 1. S'ils n'ont pas enrôlé des soldats par force ou par tromperie. …

A l'égard des soldats. … 1. Sur le jurement et sur le blasphême. 2. Sur les discours impies et libertins. …

Aux officiers de police, comme les maires et échevins, tant dans les villes que dans les villages.

… 1. S'ils ont mis l'ordre et la police nécessaires sur toutes les danrées [*sic*], et s'ils ont tenu la main à ce que les ordonnances de police fussent exécutées sans acception de personne. …

Aux magistrats et officiers de justice. 1. Si leur conscience leur rend témoignage qu'ils ayent la science nécessaire pour exercer l'office de juge. …

Aux avocats. 1. S'ils ne se sont point chargez de causes évidemment injustes. …

Aux procureurs. 1. S'ils ont servi fidélement leurs parties. …

Aux huissiers. 1. Si faisant plusieurs expéditions en un jour, ils ne se sont pas fait payer leur journée entiere pour chacune, comme s'ils n'en avoient fait qu'une. …

CONSEILS AUX PÉNITENTS

Aux personnes riches et aisées. 1. Si prétant leur argent par obligation, ils n'en tirent pas l'interêt, hors le cas du dommage naissant ou du lucre cessant. …

Aux marchands. 1. S'ils n'ont pas souvent vendu et délivré une marchandise pour une autre, ce qui est tromper dans l'espéce. …

Aux artisans. Il y en a de deux sortes; les uns qui ne fournissent que leur travail, comme les tailleurs, et ceux qu'on prend à journée, ou qui se chargent de certains ouvrages, moyennant une telle somme. Les autres qui fournissent la marchandise avec leur travail, comme les orfévres, les apoticaires, les cordonniers, les chapeliers, les charpentiers, les serruriers et autres.

Aux premiers il faut leur demander. 1. S'ils ont fait l'ouvrage d'autruy en conscience et comme pour eux. … Aux seconds. 1. S'ils n'ont pas donné de la mauvaise marchandise pour de la bonne…

Aux valets et servantes. 1. S'ils servent fidélement et avec affection. 2. S'ils n'affectent point de donner du chagrin à leurs maîtres et de les mettre en colere. …

Aux gens de la campagne. 1. Si dans leurs ouvrages ils ne s'impatientent pas. 2. S'ils ne jurent pas aprés leurs enfans et leurs bestiaux. …

Toulon 1749-1790

[Toulon 1749 : Louis-Albert Joly de Choin]
De quelle maniere le Confesseur doit se comporter à l'égard des différentes sortes de Pénitents

P1510   **Toulon 1749**[14] *Pars prima*, p. 453-454

Il y a des personnes qui ignorent le mal, mais qui ne savent guere non plus ce que c'est que de faire le bien. Elles ne sont jamais sorties de la voie droite, mais elles n'ont fait aucun pas pour y avancer. Si elles sont sans crimes, elles sont aussi sans vertus. … Comme ils n'ont point éprouvé dans eux-mêmes les effets de la foiblesse humaine, ils la voient dans autrui avec étonnement, ils ne conçoivent pas qu'elle puisse mériter autre chose que de l'indignation… supposé qu'ils continuent de vivre dans l'innocence … ils se tiendroit dans un certain milieu, où l'on est peu propre à recevoir les impressions de l'Esprit Saint.

p. 455-457 … les divers caracteres et défauts naturels des hommes, ausquels un Confesseur doit assortir sa conduite, naissent de leurs dif-

---

[14]   *Instructions du Rituel du Diocése de Toulon.* Toulon, 1749. Paris, BnF, B. 1701.

726 CHAPITRE XIV

férentes humeurs, qui sont, ou la mélancolie, ou le flegme, ou la bile, ou le sang, dont ils sont dominés.

Les mélancoliques en général sont renfermés dans eux-mêmes, et n'en sortent presque jamais pour se communiquer. ...

Le second caractere, est des **flegmatiques**. Ce sont des hommes tout de glace, d'un commerce insipide et fade...

Ceux en qui le sang domine, sont plus sensibles à l'attrait du vice, mais plus susceptibles aussi des impressions de la vertu. ...

Les gens bilieux demandent de grandes attentions, et des soins extrêmes. Ils sont coleres, brusques, actifs, fertiles en desirs ; opiniâtres à suivre leurs premieres idées, mais capables après cela de s'en repentir...

p. 462-482 *Des scrupules, et du remede qu'y doit apporter le Confesseur*

Les scrupules nuisent beaucoup pour l'ordinaire aux exercices de piété, et abattent quelquefois jusqu'à jeter presque dans le désespoir. ... Le scrupule est une maladie plus facile à connoître qu'à guérir ; les suites en sont fâcheuses. ...

p. 482 ... Ceux qui voudront s'instruire plus à fond de cette matiere, pourront lire les livres où il en est parlé exprès[15].

p. 482-488 *De la prudence du Confesseur à l'égard des Malades*

La maladie est le temps où les Fideles ont plus de besoin d'être secourus, à cause des tentations de toute espece qui mettent alors leur salut en danger. ... Il y a certains péchés mortels qui rendent difficile la confession d'un malade. Si ce sont des torts faits au prochain, il faut que le malade les répare, s'il le peut. ... Si ce sont des offenses commises contre quelqu'un, il faut qu'il en demande, ou en fasse demander pardon. Si ce sont des inimitiés, il faut qu'il pardonne, qu'il se réconcilie...

p. 489-492 *De la prudence du Confesseur à l'égard des Enfans*[16]

La prudence demande que l'on engage les petits enfans à venir se confesser...

---

[15] *Le traité de la paix intérieure*, par le P. Ambroise de Lombez, est un des meilleurs.] *add.* Toulon 1778-1790.

[16] *Voir infra* Confession des enfants (P1773).

CONSEILS AUX PÉNITENTS

Châlons-sur-Marne 1776

[Antoine-Eléonor-Léon Le Clerc de Juigné]
De prudentia Confessarii in concedenda vel differenda Absolutione

P1511 **Châlons-sur-Marne 1776** tome I, p. 520-523. *De prudentia Confessarii, praesertim in servando firmitudinis et mansuetudinis temperamento.*
p. 524-532. *De prudentia Confessarii in concedenda vel differenda Absolutione*[17].
p. 533-552. *De prudendia Confessarii erga* **Poenitentes ex consuetudine peccantes.**
p. 553-558. *De prudendia Confessarii erga* **vitiosos Poenitentes** *quos offendit Absolutionis dilatio; tum erga illos qui, contractâ duritiâ, in peccato perseverant.*
p. 559-566. *De prudendia Confessarii erga* **Poenitentes in peccati occasione proximâ constitutos.**
p. 566-571. *De prudentia Confessarii erga* **recidivos.**
p. 571-574. *De prudendia Confessarii erga* **Poenitentes diversae indolis.**
p. 575-588. *De prudendia Confessarii erga* **scrupulosos.**
p. 588-590. *De prudendia Confessarii erga* **mulieres.**

Paris 1786

[Antoine-Eléonor-Léon Le Clerc de Juigné]
De prudentia Confessarii…

P1512 **Paris 1786** tome I, p. 127-266.
Conseils très proches de Châlons 1776, sans le chapitre « *erga Poenitentes diversae indolis* », et avec addition des chapitre « *circa Confessiones generales* » (p. 182-187) et « *erga impuberes* » (p. 244-249).

---

[17] *Voir supra* Pénitence privée. Contrition. Délai et refus d'absolution. Châlons 1776 (P1495).

CHAPITRE XV

CONFESSION PRIVÉE

1. Premiers formulaires de confession

Avant la parution du rituel romain en 1614 le rite de la confession privée, relativement varié, est présent dans les rituels imprimés d'une quarantaine de diocèses, dont les deux tiers au nord d'une ligne allant d'Angoulême à Lyon; il est accompagné d'instructions plus ou moins abondantes[1].

À partir de 1615 le rite romain se généralise, sauf exceptions, avec, souvent, addition d'instructions, de prières à dire par le prêtre avant de confesser, et d'un dialogue initial avec le pénitent.

Bâle 1488

[Gaspar zu Rhein]

P1513 **Bâle 1488** f. f2 Posset etiam ante absolutionem dici oratio *Misereatur tui omnip. Deus…* P1727

Que oratio quamvis de necessitate non sit premittenda est tamen congrua et multe utilitatis. Addunt etiam aliqui non de necessitate sed congruitate et utilitate hoc quod sequitur

Merita domini nostri I. C. ac beatissime virginis Marie matris eius et omnium sanctorum humilitas confessionis ac omnia bona que feceritis… [rare] P1717

Pro speciali emenda et ampliori gratia consequenda dicatis hoc vel hoc etc. tot orationes dominicas vel detis tot elimosinas, vel ieiunetis tot diebus, etc. Et deinde cum intentione absolvendi dicat insuper.

Forma absolutionis sacramentalis. *Dominus noster I. C. te absolvat. Et ego absolvo te…* [rare] P1690

---

[1] Exceptions à Lyon 1498-c. 1527 et 1589 qui ne présentent pas d'instructions. Par contre, Paris 1497-1581 et Amiens 1509-1554 donnent des instructions sans le rite.

CHAPITRE XV

Chartres 1490-1553, 1604
Agen 1564. Angers 1543, 1580. Autun 1503, 1523. Cambrai 1503
Châlons-sur-Marne 1569. Clermont-Saint-Flour 1506-1608
Limoges 1518. Maguelonne 1533. Meaux 1546.
Orléans [1548], 1581.Périgueux 1536 [quelques variantes].
Sens 1500-c. 1580. Verdun 1554

[Chartres 1490 : Miles d'Iliers]

P1514 Chartres 1490 *De penitentia generalis instructio pro sacerdotibus*[2]
f. 33 Veniens autem quis ad penitentiam seu confessionem dicat
presbytero. *Benedicite.* Et presbyter inquit. *Dominus sit vobiscum, et
maneat in eternum. Amen. In nomine Patris* etc. P1607
f. 34... Et dicat penitens *Confiteor Deo.*
Presbyter *Frater, vel soror Misereatur tui omnipotens Deus...* P1723
Absolutio. *Indulgentiam absolutionem et remissionem omnium peccatorum, spacium vere penitentie, et emendationem vite...* P1707
Oratio. *Oremus. Dominus noster I. C. qui est verus absolutor omniumque criminum... te absolvat...* P1687
Tunc dicat *Amice* vel *domine, et magister* vel aliter. *In multis Deum
offendisti, et tuam salutem impedivisti...* P1739
Tamen pro speciali penitentia, quam levem secundum peccata tua
tibi imponam, tu dices sic et sic : et facies sic vel sic. Et iniuncta penitentia et a penitente suscepta, dicat presbyter
*Vade in pace, et noli amplius peccare, ne deterius tibi contingat, Deus
det tibi gratiam suam. Amen.* P1747

Strasbourg [1490]-1513

[Albert de Bavière]

P1515 Strasbourg [1490] f. 20-20v *Modus absolvendi quem tenere debent curati circa confessos*
Cum peccator dixerit peccata sua iuxta conscientiam, prudenter
interrogare debet eum presbyter, et fideliter docere viam salutis secundum quam arbitratus fuerit expedire. Si peccatorem bene dispositum
invenerit et absolutione dignum, dicat :

---

[2] Ce formulaire contient aussi des conseils aux pénitents selon leur état de vie et des conseils
aux prêtres. *Voir supra* P1322 et P1502.

CONFESSION PRIVÉE

Misereatur tui omnipotens Deus, dimittat tibi omnia peccata tua, custodiat te ab omni malo, conservet te in omni bono, perducat te in vitam eternam. Amen. [rare] P1721
Oremus. Indulgentiam et remissionem peccatorum tuorum tribuat tibi pius pater et misericors Dominus. Amen. P1714
Deinde imponat sibi penitentiam pro qualitate peccatorum et conditione persone salutarem. Qua imposita et a confitente suscepta absolvat eum. Primo ab excommunicatione minori, deinde a peccatis ita dicendo
Dominus noster I. C. per suam magnam misericordiam dignetur te absolvere. Et ego autoritate ipsius que ego fungor. P1664
Sequitur forma quam dicat cum intentione absolvendi. *Absolvo te a vinculo excommunicationis minoris si ligaris, et absolvo te a peccatis tuis. In nomine Patris…* P1664

Lyon 1498-[1527]

[Lyon 1498: Hugues de Talaru]

P1516 Lyon 1498 f. 12v *Ordo ad ministrandum sacramentum penitentie*
Et primo audiat et intelligat sacerdos diligenter penitentem. Et postquam confitens confessus fuerit omnia peccata sua integre cum signo vere contritionis dicat sacerdos. *Deo gratias. Misereatur tui omnipotens Deus…* P1727 Respondeat penitens. *Amen.*
Et post sacerdos caute corrigat, et penitentia sibi imposita salutari dicat. *Et super hoc dominus noster I. C., qui est verus et summus pontifex per merita sue passionis te absolvat…* P1704
Vade in pace, et noli amplius peccare. P1746

Saint-Brieuc [1506]. Rennes c. 1510, 1533

[Saint-Brieuc [1506] : Christophe de Penmarch ou Olivier du Châtel]

P1517 Saint-Brieuc [1506] f. 67-67v *Modus confitendi*
Confitens, genibus flexis ante sacerdotem, dicat: *Benedicite pater.* Et sacerdos dicat: *Deus sit in corde tuo et in labiis tuis ad confitendum omnia peccata tua. In nomine Patris…* P1607bis
Et peccatis confessis, dicat sacerdos: *Misereatur tui omnipotens Deus,* etc. *Indulgentiam, absolutionem et remissionem omnium peccatorum tuorum tribuat,* etc. P1708
Deinde dicat sacerdos: *Meritum passionis domini nostri I. C., beate Marie virginis et omnium sanctorum et sanctarum merita, suffragia*

CHAPITRE XV

sancte matris Ecclesie, bona que fecisti et que per Dei gratiam facies, sint tibi in remissionem omnium peccatorum tuorum. P1718
Postea iniungat penitentiam dicens. *Et pro penitentia speciali dices hoc: N. vel facies hoc. N.*
Postea absolvat eum dicendo:
Dominus noster I. C. qui est summus pontifex per suam piissimam misericordiam te absolvat. Et ego auctoritate michi concessa absolvo te, a sententia minoris excommunicationis si ligaris. Deinde ego absolvo te a peccatis tuis. In nomine Patris… P1674

Saint-Brieuc [1506]. Lyon 1542[3]

[Saint-Brieuc [1506] Christophe de Penmarch ou Olivier du Châtel]

P1518 Saint-Brieuc [1506] f. A5v-B3 *Modus confitendi optimus et compendiosus, sive generalis confessio, edita per … Andream Hyspanum sancte romane ecclesie penitentiarium* [André de Escobar, dit Andreas Hispanus[4]]…

f. A6 [*Confiteor*] Facto signo sancte crucis ante omnia dic primo: *Ego reus et peccator maximus. Confiteor Deo omnipotenti, et beate Marie semper virgini…* P1617
[**Examen de conscience**] *Voir* P1378.

[*Confiteor* développé] *Quandocumque et qualitercumque…* P1618

f. B3-B3v [**Absolutions**]
Finita confessione dicat sacerdos *Misereatur tui etc. Indulgentiam absolutionem etc.*
Postmodum imponat emendam sic dicendo:
Meritum passionis domini nostri I. C. Merita et intercessiones beate Marie semper virginis et omnium sanctorum, humilitas huius confessionis, bonum propositum quod habetis, et bona que per Dei gratiam facietis, ac mala que patienter sustinueritis prosint vobis in remissionem peccatorum vestrorum. P1718
Et hec vobis iniungo in generali. Pro speciali tamen penitentia dicetis hec et hec etc.
Quo dicto petat si velit facere huiusmodi penitentiam. …
Dicat igitur sic:
Dominus noster I. C. per virtutem et meritum sue amarissime passionis te absolvat. Et ego auctoritate ipsius, et sancte matris Ecclesie michi

---

3 Le formulaire de Lyon 1542 f. 89-93v (*Confessio generalis*) est très proche de celui de Saint-Brieuc. Lyon 1542 comporte deux formulaires de confession: P1518 et P1520.
4 Sur André de Escobar, voir *infra* Auteurs cités, p. 1941.

CONFESSION PRIVÉE

in hac parte commissa. Ego te absolvo a sententiis excommunicationis minoris si quas incedisti participando cum excommunicatis vel alias. Et restituo te sacramentis sancte matris Ecclesie et unitati fidelium. Et eadem auctoritate te absolvo ab omnibus peccatis tuis. In nomine Patris... P1668

Auxerre 1536
[François II de Dinteville]

P1519 **Auxerre 1536** f. 91v-93v sign. m3v-m5v *Sequitur confessio. De penitentia*

[Questions initiales]
Sacerdos confitentem benedictione ab ipso suscepta inte[rroget] super tribus.
Primo si a longo te[mpore] [fuerit] confessus.
Secundo si penitentiam sibi [inun]cta adimpleverit.
Tertio si quando recepit corpus dignissimum domini nostri I. C. in festo Pasche, vel alias sciens aliquod peccatum mortale in sua conscientia.

[Confession des péchés]
His interrogationibus factis, dicat sacerdos confitenti dulciter: dic peccata que fecisti, et in quibus magis contra dominum Deum nostrum offendisti. Audiendo sua peccata sacerdos poterit cognoscere cuius conditionis est confitens, et si non intelligat suum statum, interroget artem vel industriam et modum vivendi.
Et quando confitens dixerit ea que fecit maiora sua peccata, sacerdos interroget eum super peccatis mortalibus gradatim. ...[5].

[Absence d'absolutions]

Lyon 1542
[Hippolyte d'Este]

Le rite s'inspire en partie du *Sacerdotale* de Castellano[6].

P1520 **Lyon 1542** f. 9-9v *De Sacramento Poenitentie*

[Dialogue initial. Prière du prêtre. Conseils au pénitent]
Accessurus igitur Sacerdos ad audiendas confessiones, implorato primum divino auxilio, et facta oratione, accedet ad locum honestum

---

5   Examen de conscience, voir *supra* P1380.
6   Sur Castellano, voir *supra* Bibliographie sélective – sources, p. 23.

758 CHAPITRE XV

et decentem, et penitenti coram se inclinato dicet : *Frater, ad quid huc venisti ?*

Cui respondebit penitens : *Veni ad agendam penitentiam de peccatis meis.*

Vis, inquiet sacerdos, *emendare vitam tuam, et de cetero vitare peccata, quantum humana fragilitas permiserit ?*

Respondebit penitens. *Volo concedente domino.* [comme Castellano] P1613

Tunc sacerdos dicet.

Oratio. *Deus sub cuius oculis omne cor trepidat, et conscientie cuncte pavescunt, propitiare famuli tui, gemitibus, et cunctorum ei peccatorum et malorum medere languoribus, ut sicut nemo liber est a culpa, ita nemo sit alienus a venia. Per Christum dominum nostrum.* [comme Castellano] P1575

Deinde debet attendere Sacerdos circa penitentem, si decenter se habeat in genuflexione, et aliis exterioribus, et debet eum monere, et dulciter instruere, ut reverenter et verecunde, et cum omni humilitate accedat ad confessionem, et debet cavere ne convertat faciem suam ad vultum sacerdotis, et precipue id est advertendum circa mulieres.

[*Confiteor*. Interrogatoire du pénitent]

Deinde signabit se penitens signo crucis, dicens *In nomine Patris…*

Confiteor Deo omnipotenti, et beate Marie virgini, et omnibus sanctis, et tibi pater, quia peccavi nimis cogitatione, consensu, visu, verbo, mente, et opere, unde dico mea culpa, mea culpa, mea maxima culpa, et precor beatam virginem Mariam, omnes sanctos, et te patrem orare pro me. [rare] P1619

Si nescit penitens hanc confessionem, faciet sacerdos illi dicere verbis vulgaribus eandem, aut similem generalem confessionem, ut bene intelligat. Post hec interrogabit eum de statu suo, si est coniugatus, cuius exercitii, vel artis, si habet filios, et similia. Nec tamen omnia sunt ab omnibus inquirenda, et maxime cavendum est in iuvenculis, virginibus, et simplicibus pueris, ne inquirendo doceantur que nesciunt[7].

f. 10-10v [**Absolutions**]

Forma autem absolutionis generalis est.

Sacerdos dicat.

Misereatur tui omnipotens Deus, et dimittat tibi omnia peccata tua… P1727

---

[7] f. 9v-10 : interrogatoire du pénitent. *Voir supra* Conseils au prêtre, Lyon 1542 (P1328).

CONFESSION PRIVÉE

Postea imposita penitentia salutari, dicat.

Dominus noster I. C. qui est verus et summus pontifex, per merita sue passionis te absolvat, et ego auctoritate suorum apostolorum Petri et Pauli te absolvo a sententia minoris excommunicationis, si quam incurristi… et te restituo gremio sancte matris ecclesie. In nomine Patris… [rare] P1689

Vade in pace, et noli amplius peccare. P1746

Alia generalis absolutio in articulo mortis.

Dominus noster I. C., qui est verus et summus pontifex, per merita sue passionis te absolvat, et ego auctoritate beatorum apostolorum Petri et Pauli mihi commissa et tibi concessa, te absolvo a sententia excommunicationis… in quantum in hac parte claves sancte matris ecclesie se extendunt. In nomine Patris… [rare] P1688

Vade in pace. P1745

Metz 1543

[Jean de Lorraine]

P1521   **Metz 1543** f. 57v Imposita igitur prius confessis pro modo culpe penitentia salutari, et facta confessione generali Deo, dicat sic sacerdos imponendo manum super caput confessi.

Misereatur tui omnipotens Deus, et perducat te in vitam eternam. P1728

Indulgentiam, absolutionem, et remissionem omnium peccatorum tuorum tribuat tibi omnip. et misericors Dnus. P1708

Dominus noster I. C. qui est summus sacerdos ipse te absolvat, et ego te absolvo a peccatis tuis. In nomine Patris, et Filii et Spiritus Sancti. Amen. P1683

Subiungendo quod si postmodum reduxerit ad memoriam aliqua peccata que non sit confessus, redeat ad eum ut ea confiteatur.

Autun 1545

[Jacques Hurault]

De Poenitentia, exhortatoria instructio

Premiers conseils en français sur la façon de se confesser. Un bref avertissement en latin faisant référence à Jean Gerson explique que la formule *Ego absolvo te a peccatis tuis…* suffit pour absoudre les péchés.

736 CHAPITRE XV

P1522 **Autun 1545** p. 37-43

[Prière du pénitent[8]. Dialogue initial. Confession]
Quand on se veult confesser.

Tres doulx seigneur J. C., donne moy grace et congnoissance, de bien sçavoir congnoistre mes pechés… P1590

Lors estant advenue l'heure pour te confesser, avec toute humilité, et foy vive en Jesu Christ, mectz toy a genoux devant ton Curé, avec certaine fiance, que Dieu te pardonnera tes pechés, en recevant le benefice de l'absolution, et luy dis.

Mon pere spirituel, je vous demande benediction, car j'ay peché, et suis pecheur, qui desire, et demande misericorde à nostre seigneur Jesu Christ, et a vous son ministre absolution. P1593

Parochus dicat. *Dominus sit in corde tuo, et in labiis tuis, ad vere, et humiliter confitenda peccata tua. In nomine…* P1607ter

Lors le penitent commencera a dire ses pechés…

[Acte de contrition. *Confiteor*. Absolution]
Puis a la fin, pour oster tous scrupules et folles fascheries de la conscience, si aucunes en y ha, comme souvent advient a personnes scrupuleuses:

Aussi je me confesse, que ne suis venu avec si grande inquisition, et perscrutation en ma conscience, des maulx et pechés, que j'ay commis… P1620

Le curé dira: *Mon frere chrestien, l'absolution apres la confession faicte en vive foy, est tesmoignage certain… de la remission de vostre peché… Et c'est J. C., qui la vous donne, et vous absolut de tous vos pechez par moy son ministre, du tout de moy indigne, mais par sa saincte grace ordonné à ce ministere. Parquoy dictes vostre Confiteor…*

Doncques puis que je entendz par vostre confession, et expression de vostre volenté, et devotion, je vous veulx absouldre, suyvant l'institution de nostre seigneur J. C.

Ego absolvo te a peccatis tuis, in nomine Patris… P1699

Non desunt, qui huic formae absolutionis, sine hisce verbis absolutoriis, pleraque alia addunt. Sed ut Ioannes Gersonus, vir optimus, et homo doctus, recte… dixit, erat haec, quam iam retulimus verborum absolutionis, et brevitas, et simplicitas retinenda. …

---

[8] Autun 1545 est le seul rituel avec Bordeaux 1588-1596 à proposer une prière du pénitent avant la confession.

CONFESSION PRIVÉE

… Apres avoir donnée [*sic*] l'absolution, le confesseur consolera le penitent, le asseurant, qu'il est reconcilié à Dieu…

[**Pénitence**]
… c'est une chose accoustumée de l'eglise… que le confesseur enjoigne quelque peine au penitent, ou de jeusner, ou de faire frequentes prieres, ou quelque autre chose pitoyable…

… le Curé n'est digne d'office pastoral, s'il n'a ung cueur paternel envers ses parrochiens, envers lesquelz doibt estre misericordieux, a l'imitation du pere de misericorde, qui est J. C. …

Les **oeuvres satisfactoires**, qui doivent proceder de foy vive, sont Contrition, Confession, Vergongne [honte], et honte du peché, Detestation du peché, Aumosne, Jeune, Oraison, pour l'honneur de Dieu.

Cambrai 1562

[Maximilien de Berghes]

P1523 **Cambrai 1562**
f. 40 [**Dialogue initial. Confession**]
… Penitens dicat : *Benedicite.*
Tunc Sacerdos : *Dominus sit in corde tuo et in labiis tuis ad digne et humiliter confitendum peccata tua. In nomine Patris.* P1608
Postea enumeret Penitens peccata sua. …
f. 41-42 [**Conseils aux pénitents**]
Deinde poenitentem, prout sua exigit aetas, vitae genus ac conditio, sui officii admonebit. …[9].
f. 43-43v [**Absolutions**]
De absolutione. Postquam sacerdos penitentis confessionem audiverit, et de peccatis ipsius diligenter cognoverit, pro delictorum qualitate et quantitate salutarem penitentiam ei imponat, commendans illi opera pietatis et misericordiae, qualia sunt orationes, eleemosyne, ieiunia, et pie meditationes circa passionem Domini, deinde ad absolutionem hoc ordine procedat. Primo praemittat has orationes.
Misereatur tui omnipotens Deus, et dimissis omnibus peccatis tuis, perducat te cum gaudio ad vitam eternam. Amen. P1722
Indulgentiam et remissionem omnium peccatorum tuorum, spacium vere penitentie, cor contritum ac poenitens, finem bonum, ac vitam aeternam tribuat tibi omnip. pius pater, et misericors Dominus. Amen.
[rare] P1712

---

[9] *Voir supra* Conseils aux pénitents, Cambrai 1562 (P1503).

Deinde dicat. *Dominus noster I. C. per magnam suam misericordiam, et meritum sanctissime passionis suae, te a peccatis tuis emundare et liberare dignetur.* [rare]

Et sic tandem posita manu super caput penitentis, aut facta super ipsum cruce, cum intentione absolvendi simplicissimè enunciet hanc formam.

Et ego te absolvo à peccatis tuis, in nomine Patris... P1663

Quod si poenitens excommunicationis vinculo alligatus teneatur, sacerdos si potestatem habeat eum, ab huiusmodi vinculo absolvendi, utatur formula infra posita. ...

Vienne 1578, 1587

[Pierre de Villars]

P1524 **Vienne 1578 f. 29-30**

[Dialogue initial. *Confiteor*]

Sacerdos auditurus poenitentem, eum admoneat ut se primum muniat signo crucis dicendo: *In nomine Patris...* Et deinde ut dicat *Benedicite Pater.* P1592

Respondet sacerdos: *Dominus sit in corde tuo et in labiis tuis ad recte confitendum omnia peccata tua. Amen.* P1608

Postea poenitens dicat Latine, vel lingua communi, prout scit, et si nescit, praeeat sacerdos, et eum sequi faciat. *Confiteor Deo omnipotenti... verbo, opere et omissione.* Post haec verba poenitens enumerat singula peccata sua, deinde subiungat. *Et pro omnibus peccatis per me confessis et oblitis, dico, mea culpa, mea culpa...* P1620bis

[Absolutions]

Peracta confessione et iniuncta poenitentia pro arbitrio sacerdotis, si eum absolvendum iudicaverit, observet hanc, quae sequitur, absolutionis formam.

Misereatur tui omnip. Deus... P1722

Indulgentiam absolutionem et remissionem... P1708

Deinde manum super caput poenitentis elevans, dicit: *Dominus noster I. C., qui est summus pontifex, te absolvat...* P1676

Postea manum removens subdit: *Passio domini nostri I. C., merita beatae Mariae semper virginis...* P1729

Postremo dicat sacerdos: *Vade in pace, et amplius noli peccare.* P1746

CONFESSION PRIVÉE

Chartres 1580

[Nicolas de Thou]

P1525 **Chartres 1580** f. 182. *De la forme de ladicte absolution*

[Dialogue initial. Confession]

Le penitent au commencement de sa confession dira :
In nomine Patris… Amen. Benedicite pater, quia peccavi. P1594
Le confesseur respondra. *Deus sit in corde tuo, et in labiis tuis, ad vere poenitendum, et confitendum omnia peccata tua. In nomine Patris…* P1610
Le penitent ayant faict speciale enumeration de ses pechez, fera en fin confession generale, comme cy dessus a esté exprimé[10] : apres laquelle le confesseur dira :

[Absolutions]

Misereatur tui omnip. Deus, et dimittat tibi omnia peccata tua, liberet ab omni malo, conservet et confirmet in omni opere bono, et perducat ad vitam aeternam. [rare] P1726
Indulgentiam, absolutionem, et remissionem… P1708
Dominus noster I. C., qui est summus sacerdos, ipse te absolvat, et ego auctoritate ipsius, mihi licet indigno concessa, absolvo primo à sententia minoris excommunicationis, si et in quantum possum, et indigeas, deinde ab omnibus peccatis tuis eadem auctoritate absolvo te, in nomine Patris… [rare] P1682

Chartres 1581

[Nicolas de Thou]

P1526 **Chartres 1581** f. 28v-29v

[Dialogue initial. Confession. *Confiteor*]

In nomine Patris… Amen. Benedicite pater, quia peccavi. P1594
Sacerdos respondebit. *Dominus sit in corde tuo, et labiis tuis, ad vere penitendum, et syncere confitendum peccata tua. In nomine Patris…* [rare] P1610
Penitens sigillatim et in specie peccata sua mortalia, que conscientiam onerant, secreto recensebit sacerdoti in aurem…
Forma generalis confessionis.

---

[10] *Voir supra* Examens de conscience, Chartres 1580, P1383.

740

CHAPITRE XV

Confiteor… Ideo precor beatissimam virginem Mariam, omnes sanctos, et te pater, orare pro me miserrimo peccatore dominum Deum nostrum. … P1621

[Absolutions]
Forma precum.
Misereatur tui omnip. Deus, et dimittat tibi omnia peccata tua… P1726
Indulgentiam, absolutionem, et remissionem… P1708
De absolutione. Post eas preces sacerdos… procedet ad absolutionem…
Et ego auctoritate ipsius mihi, licet indigno, concessa, absolvo te imprimis à vinculo excommunicationis, in quantum possum, et tu ipse indiges: et eadem auctoritate absolvo te ab omnibus peccatis tuis, in nomine Patris… [rare] P1702

Angoulême 1582
[Charles de Bony]

P1527 **Angoulême 1582 p. 289**

[Dialogue initial. *Je me confesse à Dieu*]
Le penitent se presentera devant le Prestre la teste descouverte, et les deux genoux en terre; et sera adverty par le Confesseur, qu'il n'est point là pour rendre compte de sa vie devant un homme pecheur, ains devant Dieu… pour recognoistre son offence, et pour en demander pardon en toute humilité.
… In nomine Patris… Benedicite Pater, quia peccavi. P1594
Deus sit in corde tuo… P1610
Lors le penitent dira sa confession generale
Je me confesse à Dieu, et à la tres-glorieuse vierge Marie, à tous les benoists Anges… P1622
p. 290-297 [**Examen de conscience détaillé[11]**]
p. 299 [**conclusion de la confession. Absolutions**]
Je confesse que j'ay offencé mon Dieu en plusieurs autres manieres, dont je n'ay pas presentement souvenance… P1622
Amen. Precibus et meritis beatae Mariae semper virginis, beati Ioanni Baptistae, Petri, Pauli, et omnium sanctorum, et propter gloriam nominis sui, misereatur tui omnipotens Deus, dimittat tibi omnia peccata tua, liberet te ab omni malo, conservet te et confirmet in omni opere bono, et perducat ad vitam eternam. Amen. P1733

---

11 *Voir supra* Examens de conscience, Angoulême 1582, P1384.

CONFESSION PRIVÉE

Indulgentiam, absolutionem, et remissionem omnium peccatorum tuorum, tribuat tibi omnip. et misericors Dnus. Amen. Et dominus noster I. C., qui est summus pontifex, te absolvat ab omnibus peccatis tuis. Amen. [comme Peronnet[12]] P1709

Et ego authoritate ipsius mihi licet indigno concessa absolvo te in primis à censura ecclesiastica, et vinculo minoris excommunicationis (si quam incurristi) deinde absolvo te ab omnibus peccatis tuis, in nomine Patris… [comme Peronnet] P1703

Nevers 1582

[Arnaud Sorbin]
Observations pour le Sacrement de Pénitence

P1528 **Nevers 1582** f. 24-24
[Début du rite : voir *supra* Conseils aux prêtres. Nevers 1582, P1334]

f. 27 [**Absolutions**]
Misereatur tui omnip. Deus, et dimissis omnibus peccatis tuis, perducat te J. C. filius Dei vivi ad vitam eternam. Amen. P1723
Absolutio. *Indulgentiam, absolutionem, et remissionem omnium peccatorum tuorum, spatium vere penitentie, et emendationem vite, gratiam et consolationem sancti Spiritus paracleti…* P1707
Meritum passionis Domini nostri I. C., suffragia sancte matris Ecclesie, bona que fecisti et que per Dei gratiam facies… P1718
Et iniuncta penitentia, et a penitente suscepta, dicat sacerdos :
Dominus noster I. C., qui est summus pontifex, et verus absolutor omnium criminum, per suam piissimam misericordiam te absolvat. Et ego auctoritate ab eo mihi concessa, absolvo te primo a sententia minoris excommunicationis, si indigeas. Deinde absolvo te ab omnibus peccatis tuis. In nomine Patris… [rare] P1670

Reims 1585, 1621
Amiens 1586, 1607. Châlons-sur-Marne 1606. Laon c. 1585, 1621
Senlis 1585. Saint-Brieuc 1605

[Reims 1585 : Louis de Guise]
De sacramento Poenitentiae

P1529 **Reims 1585** f. 27v-28 Quemadmodum inter omnes functiones pastoris ecclesiastici, nulla magis fructuosa est, atque adeo necessaria… quam Poenitentiae sacramenti administratio…

---

12 Sur Denis Peronnet dont s'inspire le rituel d'Angoulême, voir *infra* Auteurs cités, p. 1943.

742 CHAPITRE XV

[Dialogue initial. Confession]
… Benedic pater. R. Deus sit in corde tuo, et in labiis tuis, ad verè et integrè confitenda omnia peccata tua… P1608

Quod si poenitens necdum scierit modum confitendi, iuvet illum, et tanquam manu ducat, diligenter interrogans super unoquoque mandato Dei, et Ecclesiae, super septem peccatis capitalibus, et eorum circunstantiis. Discutat item per duodecim articulos fidei. In quo prudenter se gerat, rationem habens aetatis, sexus, et conditionis personarum: ne forte imprudenter interrogando, doceat illos vitia quae nesciunt. …

[Absolutions]
Misereatur tui omnipotens Deus, et dimissis omnibus peccatis tuis perducat te I. C. … P1723

Indulgentiam, absolutionem… P1708

Tunc iniungat ei poenitentiam pro numero, qualitate, et gravitate peccatorum, et dicat manu extensa super caput penitentis:

Haec poenitentia, et meritum passionis Domini nostri I. C., suffragia sancte matris Ecclesiae, et bona quae fecisti, et per Dei gratiam facies, valeant tibi in remissionem omnium peccatorum tuorum. Et Dnus noster I. C., qui est summus sacerdos, per suam misericordiam te absolvat, et ego authoritate mihi ab eo concessa, absolvo te primum ab excommunicationis in quantum possum, et indiges, deinde ab omnibus peccatis tuis, in nomine Patris… [rare] P1705

Quae postrema verba dum profert, manu signat poenitentem.

Bordeaux 1588, 1596

[Bordeaux 1588: Antoine Prévost de Sansac]

P1530 **Bordeaux 1588** p. 48-52. *De ritibus et caerimoniis ad confessionem adhibendis*

Poenitens, sacramentum poenitentiae accepturus, humili, ac demisso animo, se ad pedes sacerdotis, flexis genibus, deiiciat, demisso vultu, et versa facie ad latus confessoris, maxime si sit mulier (quae velato capite, vir autem detecto) confiteatur. Sacerdos sedet, ut iudex, gerens Domini personam ac potestatem; audiat confessiones in ecclesia, vel alio loco honesto, indutus superpelliceo et stola, cum commode fieri poterit.

[Prière du pénitent avant la confession. *Confiteor*]
Cum sacerdos, facta interrogatione intellexerit, poenitentem sibi subditum esse in foro sacramentali, iure, aut privilegio, et discussisse

CONFESSION PRIVÉE

et examinasse suam conscientiam ; tunc ipse poenitens faciat signum crucis cum pollice manus dexterae, in fronte, ore, et pectore, dicens :
Per signum crucis, de inimicis nostris, libera nos, Deus noster. Et producens iterum signum crucis, manu dextera, à fronte ad pectus, et à sinistro humero ad dexterum, dicat, *In nomine Patris...* [rare] P1614
Confessarius muniat se signo crucis, et statim poenitens dicat. *Confiteor Deo omnipotenti... Dominum Deum nostrum.*
Vel dicat eandem confessionem lingua vulgari. *Je confesse a Dieu le Pere tout puissant...* P1623

[Interrogatoire du pénitent]
Deinde audiat confessionem illius, attente notans circums[tan]tias, numerum et gravitatem peccatorum. In progressu confessionis, nequaquam poenitentem deterrebit, quinpotius animum addet, et omnem occasionem vitiosi pudoris auferet, ut libere peccata sua detegat. Ubi poenitens dixit peccata, sacerdos adiiciat, si opus fuerit, nonnullas interrogationes, iuxta poenitentis qualitatem. Videat etiam, utrum sit aliquid restituendum, ut si de re, vel existimatione proximi detraxerit.

[Refus d'absolution pour cause de non restitution]
Nemo enim absolvendus est, nisi prius quae cuiusque fuerint restituere polliceatur. Quod si promissa non exolverint, cum facultatem habeant satisfaciendi, cogendi sunt, ut restituant prius. Deinde peccata obiurget, ita tamen, ut ad spem misericordiae, leniter, et suaviter peccatorem ducat, eumque ad peccatorum detestationem, et novae vitae emendationem, diligenter excitet.

[Pénitence. Absolutions]
His actis, satisfactionem, seu poenitentiam, secundum mensuram delicti, aut peccatorum gravitatem, iniungat, et illa opera imponantur, quae sui natura, dolorem, et molestiam afferant. Ad tria autem haec referuntur, orationem, ieiunium, et eleemosynam ; nonnunquam etiam significabit, quae poenae, quibusdam delictis, ex veterum canonum (qui poenitentiales dicantur) praescripto, statuantur.
Postremo (si nihil obstat) sacramentalem absolutionem impendat, in hunc modum.
Misereatur tui omnip. Deus, et dimissis omnibus peccatis tuis, perducat te ad vitam aeternam. Amen. P1723
Indulgentiam, absolutionem, et remissionem peccatorum tuorum, tribuat tibi omnip. et misericors Dominus. Amen. P1708

744 CHAPITRE XV

Dominus noster I. C. te absolvat, et ego auctoritate ipsius, qua fungor, te absolvo (in quantum possum) ab omni vinculo excommunicationis maioris, aut minoris, suspensionis, vel interdicti, si forte incurristi, et eadem auctoritate, ego te absolvo à peccatis tuis, in nomine Patris... [rare] P1695

Deinde pro temporis opportunitate, addat:

Passio Domini nostri I. C., et merita beatae Mariae semper virginis, et omnium sanctorum, et quidquid boni feceris, et mali sustinueris, sint tibi in remissionem peccatorum, in augmentum gratiae, et praemium vitae aeternae, vade, et iam amplius noli peccare. P1729

Attendat sacerdos quod in illis verbis *Ego te absolvo*, continetur forma sacramenti poenitentiae, in quibus tota vis sita est, et in casu necessitatis utatur hac forma:

Ego te absolvo à peccatis tuis, in nomine Patris...

[Octroi d'indulgences][13]

Si poenitens habeat facultatem eligendi confessarium, qui sibi conferat indulgentiam plenariam, sacerdos post formam absolutionis à peccatis, dicet:

Concedo tibi auctoritate mihi commissa, et tibi concessa, indulgentiam plenariam, in nomine Patris... [rare] P1736

Vel addet: *Concedo tibi plenariam indulgentiam peccatorum tuorum, facultate mihi concessa, et commissa, virtute bullarum tuarum.* [rare] P1737

Si poenitens habeat facultatem, ut sibi concedatur indulgentia plenaria, in mortis articulo, poterit sacerdos eam concedere, in ea confessione quam infirmus facit, ad recipiendum viaticum; vel cum accepturus est extremam unctionem, vel alias cum expedierit, et in fine adiiciat.

Si praesens mortis periculum (Deo favente) evaseris, sit tibi haec indulgentia reservata, pro vero mortis articulo. [rare] P1738

Lyon 1589

(*Sacra Institutio baptizandi*)
[Pierre d'Espinac]

L'archevêque de Lyon Pierre d'Espinac adopte pour son diocèse en 1589 le rituel romano-vénitien *Sacra Institutio baptizandi*[14]

---

[13] L'octroi d'indulgences est supprimé dans les éditions de Bordeaux 1602-1611.
[14] Cf. Molin Aussedat n° 1489 etc.

CONFESSION PRIVÉE

P1531   Lyon 1589 f. 7v *Absolutio, quam debent facere confessores, quando audiunt confessionem.*

> *Dominus noster I. C. per suam misericordiam te absolvat, et ego auctoritate ipsius qua fungor, absolvo te ab omnibus peccatis tuis, et vinculo excommunicationis, si quam incurristi, et à participatione cum excommunicatis, si teneris, in quantum auctoritas mea se extendit, et restituo te sanctis sacramentis Ecclesiae, et unitati fidelium. In nomine Patris...* [rare] P1666
>
> Vel faciant absolutionem sequentem.
>
> *Ego absolvo te ab omnibus peccatis tuis, quae mihi modo confessus es, et ab omnibus aliis, quorum memoriam non habes, et omnia bona, quae fecisti, et facturus es, sint ad laudem Dei omnipotentis, et mala omnia, quae patieris, et passus es, sint tibi in remissionem omnium peccatorum tuorum. In nomine Patris...* [rare] P1700

Strasbourg 1590

Voir P1336.

Tournai 1591

[Jean Vendeville]

Formulaire s'inspirant des canons du concile de Trente, très proche des formulaires d'Ypres 1576 et Malines 1589[15], identique à Vannes 1596 et Genève 1612, sauf les formules d'absolution.

P1532   Tournai 1591 p. 32-35. *Ratio servanda in confessione poenitentiali et forma absolutionis*

> Sacerdos confessiones auditurus, tanquam iudex sedeat in habitu honesto, idque in aperto aliquo templi loco, ut ab omnibus videri possit; unde si tenebrae sint, etiam lumen habeat apud se, ad tollendam omnem suspicionem. Confessurus autem sacerdotem accedens, utrumque genu coram eo tanquam Christi vicario flectat, et sic se collocet, ut eius faciem non aspiciat sacerdos, potissimum si mulier sit, sed averso paulisper vultu, auribus eius se praebeat, dicatque primum: *Benedicite* P1591, aut potius *Benedic Domine* P1596.
>
> Tunc subiungat sacerdos: *Dominus sit in corde tuo et labiis tuis, ad dignè confitendum peccata tua. In nomine Patris...* P1608

---

15   Voir aussi *infra* Vannes 1596 et Chalon-sur-Saône 1605.

[Interrogatoire du pénitent]

Quo dicto, sacerdos poenitentem patienter sua enumerantem peccata, sine interruptionem audiat usque ad finem. Et, si taceat, aut interrogari petat, ipsum ad peccatorum suorum explicationem moneat et inducat, suggerendo illud demum esse vere confiteri peccata sua: et neminem melius nosse peccata sua, quam eum qui commisit. Si autem Sacerdos, post huiusmodi monitionem, confitentem viderit adhuc nimis timidum, vel minus aptum, ad propria sua peccata explicanda, iuvabit eum, et examinabit iusta status et conditionis exigentiam. Ubi autem confitens cessaverit narrare, quae admisisse se putat, admonebit eum Sacerdos, si viderit expedire, ut bene ponderet gravitatem, multitudinem et assiduitatem suorum peccatorum, ut serio detestetur suas iniquitates, ad quem detestationem ingenerandam, proponat etiam ei suam in Deum ingratitudinem ac metuendum Dei iudicium. Si autem illum ex corde poenitere perspexerit, consolabitur eum, ostendendo infinitam Dei misericordiam, atque veracitatem in promissis, nec non pretiosissimi sanguinis Christi efficaciam. Deinde poenitentem monebit, ut vitam ac mores in melius commutet, ac voluntariè pro peccatis satisfaciat. Postremo… pro delictorum qualitate et quantitate, salutarem poenitentiam ei imponat, commandans ei opera pietatis et misericordiae, ut orationes, eleemosynas, ieiunia, et pias circa passionem Domini meditationes. …

[Absolutions]

… Sacerdos eundem absoluturus, primum dicat:

Misereatur tui omnip. Deus… P1722

Indulgentiam, absolutionem et remissionem omnium peccatorum tuorum… P1708

Post speciali vero poenitentia, leges aut facies hoc aut illud.

Deinde manum super caput poenitentis elevans, dicat:

Dominus noster I. C. te absolvat, et ego auctoritate ipsius, mihi, licet indigno, concessa, absolvo te imprimis ab omni vinculo excommunicationis minoris, si indiges, deinde absolvo te ab omnibus peccatis tuis. In nomine Patris… [rare] P1694

Passio Domini nostri I. C. et merita beatae Mariae semper virginis et omnium sanctorum, quicquid boni feceris et mali sustinueris, sit tibi in remissionem peccatorum, in augmentum gratiae, et praemium vitae aeternae. Amen. P1729

Caveat autem ne pluribus verbis utatur in impendenda absolutione, dicendo: *Absolvo te à confessis, contritis et oblitis,* quoniam haec verba non sunt de forma absolvendi necessitate, et convenit sacramentorum

CONFESSION PRIVÉE

formas esse simplicissimas, nec continere aliquid superfluum. Conveniens autem est, quamvis non sit omnino necessarium, ut absolvens manum suam imponat capiti poenitentis, quoniam inter caeteras impositionis manuum observationes, vetus Ecclesia impositione manuum uti solet in absolutione poenitentium.

Et dimittens confessum, dicat:

Vade, et iam amplius noli peccare. Io. 8., P1743

vel: *Ecce sanus factus es, iam noli peccare, ne deterius aliquid tibi contingat.* Io. 5. P1741

Cahors 1593, 1604[16], 1619

[Cahors 1593: Antoine Hébrard de Saint-Sulpice]

P1533 **Cahors 1593** f. 175v-183v; **Cahors 1604**, *Manuale proprium*, p. 31-41.
Ce qui est requis de la part du penitent venant à la confession.
[Formulaire très proche du *Manuel general* de Denis Peronnet[17], f. 182v sq.]

[Dialogue initial. *Confiteor*]

Le penitent… se presentera avec toute humilité… auquel sera incontinant demandé par le confesseur s'il est de sa parroisse… En apres sera adverti de faire le signe de la croix disant *In nomine Patris… Amen. Benedic Pater quia peccavi.* P1597

Le confesseur respondra. *Dominus sit in corde tuo et in labiis tuis, ad vere poenitendum et confitendum omnia peccata tua in nomine Patris…* P1610

Lors le penitent dira sa confession generale, comme s'ensuyt. *Confiteor Deo omnipotenti, beatae Mariae… verbo et opere.*

Si le penitent ne scait son *Confiteor*, le confesseur le luy aprendra, ou bien luy fera dire ainsi.

Je me confesse à Dieu le Pere tout puissant, à la benoite vierge Marie, à tous les saints et sainctes de paradis, et à vous mon pere spirituel, de tous les pechés que j'ay commis depuis ma derniere confession, que fut en tel temps N. P1625

[Confession]

---

16 Le rituel de Cahors 1604 comprend deux parties, la première reproduisant avec des additions l'*Ordo baptizandi* romano-vénitien (voir *infra* Bibliographie sélective – sources, p. 23), la seconde intitulée *Manuale proprium parochorum cadurcensium*, proche de l'édition diocésaine de 1593.

17 *Manuel general et Instruction des curez et vicaires*, Paris, 1574, f. 182 sq. Sur Denis Peronnet, voir *infra* Auteurs cités, p. 1943.

Et si le confesseur cognoit que le penitent soit en aage de communier, luy demandera depuis quel temps il a communié.

S'il luy est incogneu, luy demandera de quel estat il est, afin de l'interroger selon son estat. … Et apres luy avoir proposé la misericorde et bonté de Dieu… il l'exhortera de respondre avec toute humilité et contrition aux interrogations et demandes qui luy seront faictes…

Et premierement l'interrogera sur les commandemens de Dieu… *Un seul Dieu tu adoreras…*

… Sur les sept pechez mortelz. … Sur le peché d'Orgueil. … Sur le peché de Gourmandise. … Sur le peché de Paresse. … P1386

Les autres quatre pechez mortelz, qui sont Ire, Envie, Avarice, Luxure, ont esté discourus aux interrogations des commandemens de Dieu.

Apres que le penitent aura esté ainsi examiné, il sera adverti par le confesseur de dire à la fin de sa confession.

De tous ces pechez et autres desquelz je ne me souviens pas presentement… P1625

[Absolutions]

Le confesseur dira en apres.

Misereatur tui omnip. Deus… P1722

Indulgentiam, absolutionem et remissionem… P1708

Les susdictes oraisons achevées, sera par le confesseur enjointe la penitence… et fera promettre au penitent l'accomplir, et s'il dit ne le pouvoir, la luy changera en une autre plus facile, et cela fait dira

Dominus noster I. C. qui est summus pontifex, per meritum suae passionis te absolvat. Et ego… absolvo te… [rare] P1672

Passio Domini nostri I. C., merita beatae Mariae virginis et omnium sanctorum, et bona quae fecisti et facies, et mala quae sustinuisti et sustinebis, sint tibi in augmentum gratiae et praemium vitae aeternae. Amen. [rare] P1731

Advertissement aux curez. Seront advertis les curez et tous autres prestres … que l'absolution consiste seulement en ces parolles, *Ego te absolvo ab omnibus peccatis tuis, in nomine Patris…*

Bâle 1595

[Jacques-Christophe Blarer de Wartensee]

Formulaire de Trèves 1574 proposant au prêtre plusieurs prières à dire avant la confession. Le dialogue initial est développé et la traduction française ajoutée.

CONFESSION PRIVÉE

P1534 **Bâle 1595 p. 143-146**

[Prières du prêtre avant la confession]
Ante confessionem duo sunt agenda Sacerdoti parocho.

Cum ad confitendum homines accedunt, pastor cum detestatione suorum peccatorum in templo, superpelliceo et stola (nisi sit Religiosus) indutus, vel saltem veste talari, excitet in se desiderium et zelum erga salutem animarum per huiusmodi, aut similem orationem mentalem.

V. *Adiutorium nostrum…* V. *Domine exaudi…*

Oratio. *Domine Deus propitius esto mihi peccatori, et qui me indignum, propter tuam misericordiam ministrum fecisti…* P1580

Alia. *Deus propitius esto mihi peccatori.* P1572

Alia. *Deus, sub cuius oculis, omne cor trepidat…* P1575

[Dialogue initial]
Deinde poenitens depositis armis (si forte illis accinctus) nudo capite, iunctis manibus, facto signo crucis *In nomine Patris…* Flexis ambobus genibus ad latus confessarii (qui manu interposita mutuum aspectum impediat, nisi aliud sit inter ipsum et poenitentem) petit benedictionem, dicendo.

Benedicite pater, vel *Reverende pater, rogo, ut meam propter Deum velis audire confessionem.* Vel germanice: *Herr geben mir den heiligen Gegen.*

Gallicè. *Monsieur donnés moy la saincte benediction.*

Vel *Ehrwürdiger Herr, ich bitt euch ihr wollend umb Gottes willen mein Beicht anhoren.*

Gallice. *Reverend Seigneur, je vous prie me vouloir ouyr pour l'amour de Dieu, en confession.* P1598

Tunc confessarius benedicat confitenti et dicat

Dominus sit in corde tuo, et in labiis tuis ad benè confitendum peccata tua. In nomine Patris… P1608

[Conseils au prêtre]
In confessione duo quoque sunt observanda.

1. Post generalem confessionem latino vel vernaculo sermone, dictam usque ad illam partem (*Ideo precor*) sinat ea confitentem per se dicere, quae meminit, vel interroget pro qualitate et conditione confitentis, secundum ordinem Decalogi, Praeceptorum Ecclesiae et peccatorum mortalium, maxime superbiae, gulae et accidiae, quia alia in decem praeceptis continentur.

750 CHAPITRE XV

2. Post confessionem pro dispositione poenitentis consoletur eum spe veniae, vel obiurget, et gravitatem peccatorum ostendat. Et in primis inquirat an sit paratus relinquere statum peccati, ut concubinam, usuram, artem quamvis illicitam, odia, inimicitias, furta, etc. quia si nollet haec relinquere, vel satisfacere damnis rei, vel famae, etc. nullo modo esset absolvendus.

Post confessionem item duo, cum dixerit poenitens *Ideo precor beatissimam virginem Mariam*, etc. et petierit absolutionem ac poenitentiam pro qualitate peccatorum et personarum, quae eiusmodi esse debet, ut pro praeteritis peccatis satisfaciat, et ad futura cavenda sit accommodata.

[Absolutions]

Postremo absolutionem subiungat dicens:

Misereatur tui omnip. Deus et dimissis omnibus peccatis tuis perducat te ad vitam aeternam. R. Amen. P1722

Indulgentiam, absolutionem et remissionem omnium peccatorum tuorum tribuat tibi… P1708

Dominus noster I. C. te absolvat, et ego authoritate ipsius te absolvo ab omni vinculo excommunicationis minoris… P1698

Oratio. *Passio Domini nostri I. C., merita beatae Mariae virginis et omnium sanctorum…* P1729

Limoges 1596

[Henri de La Marthonie]

P1535 **Limoges 1596** p. 22-28. *Ritus, et forma confessionis, et absolutionis sacramentalis peragendae*

[Dialogue initial. *Confiteor*]

Ubi poenitens diligenter discusserit seorsum conscientiam, ad confessarium accedet, et eius pedibus advolutus genibus flexis, nudo capite, facie non ad vultum, sed ad latus confessarii conversa, signans se crucis signo dicet.

In nomine Patris… Benedicite Pater. P1592

Sacerdos. *Dominus sit in corde tuo et labiis tuis, ad vere poenitendum, et sincere confitendum peccata tua. In nomine Patris… R. Amen.* P1610

Deinde poenitens incipiendo confessionem, dicet.

Confiteor Deo omnipotenti, beatae Mariae semper virgini, beato Michaeli… quia peccavi nimis cogitatione, verbo, et opere.

CONFESSION PRIVÉE

[Confession]

Hic poenitens incipiet articulatim lingua vernacula enumerare omnia peccata quae recordabitur commisisse contra legem Dei, et sanctissimae eius sponsae Ecclesiae. Si vero ita simplex, vel morbo adeo conflictetur, ut confessionem suam emittere non valeat, sacerdos ipsemet illum examinabit.

Formula examinis iuxta decem praecepta Decalogi[18]...

f. 27 Peracta autem confessione poenitens ipsemet, si potest, vel alius loco sui, si non potest, morbo impedius subjiciet hanc clausulam generalem. *De his, et omnibus peccatis meis aliis, contra Deum, proximum, et meipsum, dico meam culpam...* P1624

Postea confessarius verba intercipiens sui paenitentis, excitabit illum ad detestationem suorum peccatorum... Praeterea consilia personae conditioni congruentia dabit, nec non satisfactionem convenientem imponet. Deinde dicet.

[Absolutions]

Precibus et meritis beatae Mariae semper virginis, beati Ioannis Baptistae, Petri, Pauli, et omnium sanctorum, et propter gloriam nominis sui, misereatur tui omnip. Deus, dimittat tibi omnia peccata tua, liberet te ab omni malo, conservet te, et confirmet in omni opere bono, et perducat ad vitam aeternam. R. Amen. P1733

Indulgentiam, absolutionem, et remissionem... P1708

Et Dominus noster I. C., qui est summus pontifex, te absolvat ab omnibus peccatis tuis. Amen. Et ego authoritate ipsius mihi licet indigno concessa, absolvo te imprimis à vinculo minoris excommunicationis (si quam incurristi) deinde absolvo te ab omnibus peccatis tuis. In nomine Patris... P1675

Vannes 1596

[Chapitre de Vannes, le siège épiscopal vacant]

P1536   **Vannes 1596** f. 163-164v *Ratio servanda in confessione poenitentiali, et forma absolutionis*

Formulaire d'Ypres 1576 et Malines 1589, très proche de Tournai 1591, sauf formules d'absolution différentes:

[Absolutions. Pénitence]

---

[18]   *Voir supra* Examens de conscience (P1388).

752 CHAPITRE XV

*… Misereatur tui omnipotens Deus, et dimittat tibi omnia peccata
tua, et perducat te in vitam aeternam. Amen.* P1725
*Indulgentiam, absolutionem, et remissionem omnium peccatorum
tuorum, tribuat tibi omnipotens Pater pius et misericors Dominus.
Amen.* P1708
… Hic iniungat sacerdos poenitentiam delictis congruam…
*Charissime frater, summa poenitentia est de peccatis commissis do-
lere, et à futuris cavere. Pro poenitentia tamen speciali dices ter Pater
noster, vel leges aut facies hoc, aut illud.* [rare]
Deinde subiungat. *Ista poenitentia, et meritum passionis Domini
nostri I. C., et merita beatissimae Dei genetricis virginis Mariae, et omnium sanctorum, omnia bona opera per te facta, et facienda, tibi cedant,
et valeant in satisfactionem et remissionem peccatorum tuorum.* [rare]
P1715
Absolutio. *Dominus noster I. C. per suam piissimam misericordiam
te absolvat. Et ego absolvo te à sententia excommunicationis minoris, si
quam incurristi, et ab omnibus peccatis tuis. In nomine Patris…* [rare]
P1667

Paris 1601
[Henri de Gondi]

[Premier rite de confession dans un rituel parisien]

P1537 **Paris 1601 f. 56v-62 *De Sacramento Poenitentiae***

[Dialogue initial. Confession]
Cum poenitens paratus fuerit peccata enarrare, iubebit imprimis sacerdos ut signo crucis munitus, capite nudo, manibus iunctis, instar deprecantis et genibus flexis dicat : *Benedic mihi pater, quia peccavi.* P1597
Tunc sacerdos praesidentis locum tenens in hoc foro poenitentiali,
dicat.
*Dominus sit in corde tuo, et in labiis tuis, ut vere et integre confitearis
omnia peccata tua in nomine Patris…* P1611
… Si vero viderit ignarum poenitentem, ut modum confitendi nesciat, illum iuvabit… interrogando ita ut sequitur[19].

[Absolutions]
… Facta integra peccatorum confessione, sacerdos ad absolutionem
poenitentis procedat hoc modo.

---

[19]   *Voir supra* Examens de conscience Paris 1601 (P1389).

CONFESSION PRIVÉE

Misereatur tui omnip. Deus… P1722

Indulgentiam, absolutionem, et remissionem… P1708

… Praeterea monebit confessarius poenitentem, ut omnia illa relinquat, sine quibus de peccato suo egredi non potest… caveat autem confessarius ne poenitentem absolvat, quin prius iniunxerit poenitentiam.

… Deinde absolvat hoc modo.

Ista poenitentia et meritum passionis Domini nostri I. C., suffragia sanctae matris Ecclesiae, et bona quae fecisti, quae per Dei gratiam facies, et mala quae sustinuisti, et valeant tibi in remissionem peccatorum tuorum, in augmentum gratiae, et praemium vitae aeternae. [rare] P1716

Absolutio. *Et Dominus noster I. C., qui est summus pontifex, per suam piissimam misericordiam te absolvat, et ego authoritate ipsius, mihi licet indignissimo concessa, absolvo te imprimis à vinculo excommunicationis, in quantum possim [sic] et indiges; deinde ego te absolvo ab omnibus peccatis tuis in nomine Patris et Filii et Spiritus Sancti. Amen.* [rare] P1673

Vade in pace, ora pro me, et noli amplius peccare. P1748

Bordeaux 1602, 1611

[Bordeaux 1602 : François d'Escoubleau de Sourdis]

P1538 **Bordeaux 1602** p. 68-73. *De ritibus et caerimoniis ad confessionem adhibendis*

Le Penitent qui veut estre absoubs de ses pechez et recevoir le Sacrement de Penitence, doit se mettre a genoux aux pieds du Prestre en tenant la teste baissée, et tournant la face à costé du Confesseur, mesmement si c'est une femme, qui aussi doit avoir la teste couverte ; mais non l'homme, lors qu'ils se confessent.

Le prestre estant assis doit ouyr les confessions dans l'Eglise, ou autre lieu honneste : et doit estre revestu d'un surpelis et d'un'estole, si cela se peut commodement faire. Et avant passer outre, doibt sçavoir si le penitent qui se presente est du nombre de ceux qu'il peut ouyr en confession, et si ce penitent ha [sic] bien examiné sa conscience avant se presenter. Cela faict, le penitent doit faire le signe de la croix avec le pouce de la main dextre sur le front, sur la bouche, et sur la poitrine en disant. *Per signum crucis, de inimicis nostris, libera nos, Deus noster.*

Puis faisant le signe de la croix du front a la poitrine et de l'epaule senestre vers la dextre il dira *In nomine Patris…* P1614

On le faict ainsi en quelques dioceses : mais le meilleur et plus ordinaire est, que le penitent s'estant mis à genoux à costé du Prestre faict le signe de la croix en disant, *In nomine Patris...* Puis demandant la benediction au Prestre dit, *Benedic Pater, quia peccavi.* P1597 Lors le Prestre dit : *Dominus sit in corde tuo, et in labiis tuis, ad vere confitendum omnia peccata tua, in nomine Patris...* P1608

Ce qu'estant faict, le penitent, avant commencer sa confession dict.

Confiteor Deo omnipotenti, beatae Mariae semper virgini... cogitatione, verbo, et opere. P1620bis

Et devant frapper sa poictrine, dire *mea culpa*, et poursuivre le reste, le Confesseur luy demandera le temps de sa derniere confession, et s'il a faict la penitence, qui luy avoit esté enjointe : item s'il a obmis sciemment a confesser quelque peché : et s'il se souvient de quelqu'un qu'il ait oblié [*sic*] a confesser. Puis le penitent declare les pechés qu'il sçait et pense avoir faicts, despuis sa derniere confesion : et le Prestre oyt la confession dudict penitent et nota attentivement les circonstances, le nombre et la gravité des pechez ; et se doit sur tout garder de deterrer et espouvanter le penitent durant sa confession, ains au contraire il le doit encourager et luy oster tout'occasion d'honte vitieuse, a ce qu'il confesse librement tous ses pechez.

Et si le penitent ne sçait s'accuser et declarer ses pechés, le Confesseur le doibt interroger sur la transgression des commandemens de Dieu, sur les pechés mortels, et sur les pechés, qui se font ordinairement par ceux de sa qualité et profession ; et non conditionelement luy disant, si vous avés fait tel peché, vous vous en confessés : mais luy doibt faire declarer absoluëment s'il ha fait ce qu'on luy demande.

Apres que le penitent a declaré tous ses pechés le Prestre s'estant enquis de sa qualité, l'interogera, s'il est besoin, sur certains poincts, et verra s'il est besoin qu'il restitue quelque chose : et s'il ha osté quelque chose du bien et renommée de son prochain. Car celuy, qui ha faict cela, ne doit estre absous, si premierement il ne promet de faire la satisfaction qui luy sera enjointe.

Puis il le reprendra et tançera des grieves et grosses fautes qu'il aura confessé avoir faictes ; en telle façon toutesfois que tout doucement il luy baille esperance de trouver misericorde en Dieu. Et l'incitera a detester ses pechez et a l'amendement de sa vie.

Quelquesfois aussi le Prestre faira entendre au penitent quelles peines sont ordonnées par les anciens Canons de l'Eglise a certains pechez.

CONFESSION PRIVÉE

Finalement apres que le confesseur aura ouy la confession de son penitent, et luy aura dict ce qu'il verra devoir estre particulierement representé, et enjoint la penitence convenable, il luy faira dire en frappant sa poitrine, *Mea culpa, mea culpa, mea maxima culpa… orâre pro me ad dominum Deum nostrum.* (P1620bis)

Puis le Prestre dira. *Misereatur tui…* P1723. *Indulgentiam…* P1708.

Cela faict il luy enjoindra la penitence et satisfaction selon la grandeur du delict et gravité des pechez, luy commandant de faire choses qui luy causent douleur et fascherie. Or les choses qui sont telles, sont trois, sçavoir est Oraison Jeune, et Aumosne.

Et estendant sa main vers le chef du penitent, il dira, *Dominus noster I. C. te absolvat…* P1693

Apres le Prestre retirant sa main, adjouste. *Passio domini nostri I. C., et merita…* P1729

Toutesfois en une simple et briefve reconciliation, il suffit de dire : *Dominus noster I. C. etc.* jusques à *Passio domini nostri,* et laisser le reste, renvoyant ainsi son penitent en paix en nostre Seigneur.

Le Prestre prendra garde, qu'en ces mots *Ego te absolvo,* est contenue la forme et force du Sacrement de penitence. Et par ce en temps de necessité et lors que le temps le presse, il pourra user de ceste forme, et seulement dire, *Ego te absolvo à peccatis tuis, in nomine Patris…* P1699

Rodez 1603
Vabres 1611

[Rodez 1603 : François de Corneillan]
Advertissement touchant au S. Sacrement de Penitence

P1539 **Rodez 1603**

[Conseils au prêtre]

p. 58-60 Aprés que le Penitent aura parachevé sa confession, le Confesseur… taschera par une briefve et charitable remonstrance premierement de luy faire haïr et detester le peché, puis recognoistre le danger eminent de la damnation eternelle auquel le vice l'avoit ja reduit, si Dieu par sa bonté et sa misericorde ne luy eust donné le loisir et moyen de se confesser et repentir. En aprés il l'adressera par ses bons et salutaires conseils au chemin de la vertu, et luy enjoindra la penitence qu'il jugera necessaire et convenable, ayant neantmoins en tout ce dessus esgard à la portée, qualité, et condition des personnes, en quoy il convient estre merveilleusement prudent et discret.

[Absolutions]

Cela faict le Confesseur dira a voix seulement intelligible au penitent, *Misereatur tui omnip. Deus, et dimissis…* P1722

Puis estendant la main droicte sur ou vers la texte du penitent dira :

Dominus noster I. C. te absolvat, et ego auctoritate ipsius, mihi licet indignissimo concessa, absolvo te in primis ab omni vinculo excommunicationis, et interdicti in quantum possum, et indiges. Deinde ego te absolvo ab omnibus peccatis tuis. In nomine Patris… P1693

Puis retirant sa main adjoustera : *Passio Domini nostri I. C., et merita beatae Mariae semper virginis… et quicquid boni feceris, et mali patienter sustinueris…* P1729

p. 60 [**Formules d'absolution à éviter**]

Que les confesseurs se donnent aussi garde de ne tomber en la faute plaine d'abus, et procedant de l'ignorance d'aucuns, lesquels adjoustent en l'absolution plusieurs inutiles et vaines conditions, disans : *Absolvo te, si poeniteris*, ou, *restitueris* ; ou bien, *Absolvo te à peccatis tuis ore confessis, corde contritis*, et autres semblables restrictions du tout intollerables.

Cahors 1604

(*Ordo baptizandi*)
[Siméon-Etienne de Popian]

Le rituel de Cahors 1604 est composé de deux parties, la première reproduisant un rituel romano-vénitien, dont les éditions se succèdent presque chaque année à Venise entre 1592 et 1614 : *Ordo baptizandi et alia sacramenta administrandi, ex Romanae Ecclesiae ritu. In quo complura curam animarum gerentibus utilia, copiosè tractantur[20]…*

P1540 **Cahors 1604, *Ordo baptizandi*.**

p. 16-27 *Ordo administrandi Sacramentum Poenitentiae.*

[Prière du prêtre avant la confession]

Presbyter quando ad fidelium audiendas confessiones vocatur, primo humiliare sese debet, et cum tristitae gemitu, lacrymisque orare non solum pro suis delictis, sed etiam pro fratris casu ; Ait enim Apos-

---

[20] Molin Aussedat n° 1516, 1517, 1520, 1521… La seconde partie, intitulée *Manuale proprium parochorum cadurcensium,* comprend aussi des exhortations et des règlements marqués par la reprise en main du clergé.

CONFESSION PRIVÉE

tolus: *Quis infirmatur, et ego non infirmor?* [2 Cor. 11, 29] Igitur se vocantem admoneat, ut tantisper oret, donec ipse infrascriptam, aut simul dicat orationem.

Quae decet sacerdotem orare, priusquam audiat poenitentes. Oratio. *Domine Deus omnip., propitius esto mihi peccatori: ut condigne tibi possim gratias agere…* P1578
De observandis ante Confessionem. …

[Absolutions]
p. 21-22 Forma autem absolutionis à peccatis, quam servare debet, haec est[21].
Oratio. *Misereatur tui omnip. Deus, et dimissis omnibus peccatis tuis…* P1723
Indulgentiam, absolutionem, et remissionem omnium peccatorum… P1708
Dominus noster I. C. te absolvat, et ego auctoritate ipsius te absolvo ab omni vinculo excommunicationis minoris… P1698
Oratio. *Passio Domini nostri I. C., et merita beatae Mariae semper virginis, et omnium sanctorum…* P1729
De iniungenda satisfactione.

Ut autem sciat qualem debeat unicuique crimini pro eorum gravitate satisfactionem imponere, notos habere debet veteres poenitentiales canones, ut ad eorum normam, quantum fieri poterit, sese accommodet; ne si forte peccatis conniveat, et indulgentius cum poenitentibus agat, levissima quaedam opera pro gravissimis delictis iniungendo, alienorum peccatorum particeps efficiatur. … (*Ordo baptizandi*)

Chalon-sur-Saône 1605
[Cyr de Thyard]

Formulaire d'Ypres 1576, Malines 1589-1598, et Vannes 1596 traduit en français; deux formules d'absolution diffèrent.

P1541 Chalon-sur-Saône 1605 p. 48-52. *Ce qu'il faut observer en la confession penitentielle et la forme de l'absolution*
Le prestre se proposant d'ouyr les confessions, qu'il soit assis comme un juge revestu d'un surplis avec une estole, et ce en quelque lieu eminent de l'Eglise affin qu'il puisse estre veu d'un chascun. Et s'il faict obscur qu'il aye de la lumiere aupres de luy pour oster tout soup-

---

[21] Formules d'absolution proches dans le rituel de Genève 1612.

çon. Mais celuy qui se voudra confesser, approchant du prestre, qu'il flechisse les deux genoux devant luy comme vicaire de J. C., et qu'il se pose en telle façon que le prestre ne regarde point sa face, principalement si c'est une femme, mais destournant un peu son visage, qu'il s'approche de ses aureilles et qu'il die en premier lieu.

Benedic Pater quia peccavi. Et le prestre dira. *Dominus sit in corde tuo...* P1608

[Interrogatoire du pénitent]

Ces parolles estant dictes, le prestre entendra patiemment et sans interruption jusques a la fin, le penitent racontant ses pechez. Et s'il se taist, ou s'il demande d'estre interrogé, il l'incitera à la declaration de ses pechez luy donnant à entendre que la vraye confession depend de sa propre accusation, et qu'il est impossible de mieux cognoistre la faute que par le moyen de celuy qui l'a commise. Mais si apres ceste remonstrance le prestre voit que le penitent soit encor trop craintif ou mal disposé pour raconter ses pechez, il luy aidera, et l'examinera selon l'exigence de son estat, et condition. Et ou le penitent cessera de declarer ce qu'il pensera avoir commis le prestre l'admonnestera (s'il treuve qu'il soit expedient) de bien peser la gravité, le grand nombre, de ses pechez, et la condition, que serieusement il deteste ses iniquitez : pour à quoy l'induire, qu'il luy propose la grande ingratitude de laquelle il use envers Dieu et son dernier jugement tant redoutable. S'il recognoist qu'il se repente de ses fautes de tout son coeur, il le consolera, luy mettant au devant la misericorde infinie de Dieu, la verité d'iceluy en ses promesses, comme aussi l'efficace du sang tres precieux de J. C. En apres il exhortera le penitent de changer ses moeurs et sa vie en une meilleure, et de satisfaire volontairement à ses offenses. Enfin... il luy imposera une penitence salutaire selon la qualité et quantité de ses delitz, et telle qu'eu esgard à sa qualité il n'en puisse recevoir scandale. Luy recommandant les oeuvres de pieté et de misericorde, a scavoir la priere, l'aumosne, les jeunes, et les devotes meditations sur la passion de nostre Sauveur et redempteur J. C.

[Absolutions]

... De la le prestre le voulant absoudre dira.

Misereatur tui omnip. Deus... P1722

Indulgentiam, absolutionem et remissionem omnium peccatorum tuorum... P1708

Adjoustant par apres. *Meritum passionis Domini nostri J. C. et merita beatissimae Dei genitricis...* P1719

CONFESSION PRIVÉE

Mais pour la penitence particuliere tu diras ou feras telle ou telle chose, luy ordonnant telle penitence qu'il jugera estre necessaire : car il est bien plus convenable d'ordonner au penitent oeuvres de satisfaction par avant l'absolution, que par apres : tant affin que le penitent recoive plus voluntairement la penitence qu'il luy pourra estre ordonnée ; que parce qu'en la primitive Eglise l'absolution se souloit [avait coutume de se] donner apres que la penitence estoit parachevée[22].

Pour l'absolution le prestre dira.

Dominus noster I. C. per suam misericordiam et meritum suae passionis te absolvat, et ego te absolvo à peccatis tuis, in nomine Patris… P1665

Que le prestre se donne garde d'user de beaucoup de parolles en donnant l'absolution disant *Absolvo te à confessis, contritis et oblitis*, car ces paroles ne sont point necessaires à la forme de l'absolution, estant bien seant que les formes des sacremens soyent tres simples et qu'elles ne contiennent rien de superflu ; mais il est bien convenable combien qu'il ne soit pas entierement necessaire, que le prestre en donnant l'absolution mette la main sur la teste du penitent d'autant que l'Eglise ancienne entre autres observations d'imposer les mains, elle a accoustumé d'user d'icelle en l'absolution des penitens.

Laissant aller les penitens il dira. *Vade, et iam amplius noli peccare…* P1743

Ou bien *Ecce sanus factus es…* P1741

Metz 1605, 1631

Voir P1341.

Cambrai 1606

[Guillaume de Berghes]

[Addition par rapport à Cambrai 1562 : récitation du *Confiteor* et nouvelles formules d'absolution, dont deux empruntées à l'*Ordo baptizandi* romano-vénitien. Les rituels de Cambrai conserveront ces formules d'absolution (très proches du *Rituel romain*) jusqu'au XIXe siècle]

P1542 **Cambrai 1606**

f. 40 [**Dialogue initial. Début du *Confiteor*. Confession**]

Cum coram confessario procubuerit poenitens, praemisso signo crucis, dicat : *Benedicite*, P1591 vel *benedic Pater*. P1595 Et statim subiungit sacerdos :

---

[22] Paragraphe absent de Tournai 1591.

CHAPITRE XV

Dominus sit in corde tuo, et in labiis suis, ut vere et humiliter confiteris peccata tua, in nomine Patris… P1611

Tum subiungat poenitens. *Confiteor…* P1626

Hic iam poenitens incipiat recensere… omnia peccata sua. Interimque sacerdos patenter audiat eum…

Si sacerdos poenitentem nimis timidum… hortabitur primum, ut ea saltem quae memoriae occurrunt, quaeque frequentius committit, sua sponte confiteatur. …

Imprimis autem inquirat de conditione poenitentis, quam artem, industriam, vel opificium exerceat…

f. 43-44 [**Conseils aux pénitents**]

Deinde poenitentem, prout sua exigit aetas, vitae genus ac conditio, sui officii admonebit. … [comme en 1562]

f. 45 [**Fin du *Confiteor*. Absolutions**]

Peracta confessione, et adhibitis… interrogationibus et monitionibus supradictis, iubeatur poenitens confessionem concludere, dicendo:

Mea culpa, mea culpa, mea maxima culpa. Ideo precor beatam Mariam semper virginem, beatum Michaelem archangelum, beatum Ioannem Baptistam… et te pater orare pro me ad Dominum Deum nostrum.

Tum subiungat confessarius: *Misereatur tui omnipotens Deus et dimissis omnibus peccatis tuis…* P1722

Indulgentiam, absolutionem, et remissionem omnium peccatorum tuorum tribuat tibi… P1708

Dominus noster I. C., qui est summus pontifex, te absolvat, et ego auctoritate ipsius, mihi licet indigno concessa, absolvo te imprimis à vinculo excommunicationis… P1677

Si vero in Ordinibus constituto beneficium absolutionis impendat sacerdos, dicat:

Dominus noster I. C., qui est summus Pontifex, te absolvat, et ego auctoritate ipsius, mihi licet indigno concessa, absolvo te imprimis à vinculo excommunicationis, suspensionis et interdicti… P1677

Demissa manu, si tempus patiatur, subiiciat sacerdos:

Passio Domini nostri I. C., merita beatae Mariae semper virginis et omnium sanctorum, quidquid boni feceris et mali sustuneris, sint tibi in remissionem peccatorum… P1729

CONFESSION PRIVÉE

Évreux 1606, 1621
Coutances 1609²³, 1618. Lisieux 1608, 1661. Meaux 1617

[Évreux 1606 : Jacques Davy du Perron]

Formulaire proche de l'*Ordo baptizandi* romano-vénitien adopté par Cahors en 1604.

P1543 **Évreux 1606 f. 13.** *De Sacramento Poenitentiae*
[Prière du prêtre. Dialogue initial. *Confiteor*. Confession]
De praeparatione sacerdotis antequam fidelium confessionem excipiat.
… Oratio. *Domine Deus omnip. propitius esto…* P1578
De observandis ante confessionem.
[Instruction des *Ordo baptizandi* romano-vénitiens.]
f. 14-15 De *observandis in ipso confessionis actu…*
Poenitens post discussa per conscientiae examen peccata et excitatam cordis contritionem, considerando magnitudinem, multitudinem, ac foeditatem peccatorum, perpendendo quis offenderit, quis offensus fuerit, quae bona perdita, quae incommoda inde orta fuerint, cogitando quibus Christi cruciatibus peccata expiari debuerint, accedet ad confessarium utrumque genu flectens, ac faciem ad eius latus vertens…
…In nomine Patris… Benedic pater quia peccavi. … Dominus sit in corde tuo et in labiis tuis ad vere confitendum omnia peccata tua. In nomine Patris… Confiteor… verbo et opere, mea culpa. [Confession des péchés]
Deinde dicet Poenitens, vel saltem quaeret ab eo Sacerdos ultimam confessionem peregerit et an iniunctam sibi poenitentiam expleverit, an legitimè tunc confessus fuerit nullum mortale peccatum sponte reticens, ac firmum habens propositum emendandi vitam, atque ab omni peccato mortali abstinendi. Tunc demum peccata sua clarè, distinctè, atque integrè exponet… Ut verò tam Confessarius, quàm Poenitens ipse ad clariorem peccatorum cognitionem pervenire possint, haec quatuor nosse proderit plurimùm. 1. Loca in quibus Poenitens habitavit. 2. Personas cum quibus conversatur. 3. Officia seu negotia in quibus exercetur. 4. Vitia ad quae magis est propensus. …
Finita autem confessione Poenitens … subiunget : *Mea culpa, mea culpa, mea maxima culpa, ideo precor…* P1626
f. 15-17v **[Examen de conscience. Cas réservés]**

---

²³ Coutances 1609 : rite d'Évreux avec addition du « *Je me confesse à Dieu…* » en français « si vero rudis et illeratus sit (poenitens) », et sans la formule « Si Poenitens in sacris sit constitutus… ».

757 CHAPITRE XV

De examine faciendo a Sacerdote poenitentium confessiones excipiente[24].

f. 17v-19v [Cas réservés au pape et à l'évêque]

f. 20-21v [Liste d'anciens canons pénitentiaux] P1340

f. 22-22v [**Absolutions**]

Forma absolutionis a peccatis quam quisque servare tenetur.

Misereatur tui omnip. Deus et dimissis peccatis tuis… P1724

Indulgentiam, absolutionem et remissionem omnium peccatorum tuorum… P1708

… Dominus noster I. C., qui est summus Pontifex te absolvat… P1677

Passio Domini nostri I. C., merita beatae Mariae semper virginis… P1729

Si Poenitens in sacris sit constitutus sequens forma ad cautelam super eum pronunciabitur.

Dominus noster I. C., qui est summus Pontifex te absolvat … in primis à vinculis excommunicationis, suspensionis et interdicti… P1677

In brevioribus confessionibus eorum qui saepius confitentur … *Dominus noster I. C., etc.*

Ego absolvo te ab omnibus peccatis tuis, in nomine Patris… P1699

Saint-Omer 1606

[Jacques Blase]

P1544   **Saint-Omer 1606** p. 54-65. *Modus administrandi Sacramentum Paenitentiae sanis*

Premier rituel proposant au prêtre les v. 12-16 du ps. 50 à dire avant la confession. Les conseils concernant l'interrogatoire du pénitent (p. 57-63) sont minutieux ; l'interrogatoire doit porter sur les dix commandements, les sept péchés mortels, et les neuf « aliena » (p. 61)[25].

[Prière du prêtre avant la confession]

… Accessurus autem Sacerdos ad audiendas confessiones… poterit dicere sequentem orationem cum his versibus ps. 50. [v. 12-16]

V. *Cor mundum crea in me Deus.* R. *Et spiritum rectum innova in visceribus meis.*

V. *Ne projicias me à facie tua.* R. *Et Spiritum sanctum tuum ne auferas a me.*

---

[24]   *Voir supra* Examens de conscience, Évreux 1606 (P1391).
[25]   Participations aux péchés d'autrui.

V. *Redde mihi laetitiam salutaris tui.* R. *Et spiritu principali confirma me.*

V. *Docebo iniquos vias tuas.* R. *Et impii ad te convertentur.*

V. *Libera me de sanguinibus Deus Deus salutis meae.* R. *Et exultabit lingua mea iustitiam tuam.* [rare] P1562

Oremus. Domine Deus omnip., propitius esto mihi peccatori... P1578

Vel dicat breviorem orationem pro ratione temporis et opportunitatis.

[Conseils au prêtre. Dialogue initial. Interrogatoire du pénitent]

p. 57 ... Si autem poenitens sit rudis, nec bene se habeat in genuflexione aliisque exterioribus, doceat eum sacerdos maxima qua poterit humanitate, ut reverenter se componat, confessionem Deo fieri, cumque magna verecundia et humilitate faciendam esse, ac proinde si poenitens comptus et indebitè ornatus aut indecentibus vestibus indutus sit, reprehendat eum ac moneat ne deinceps eo modo ad confessionem accedat. Si armis forte accinctus sit moneat ut ea submoveat.

Deinde dicat ei ut petat benedictionem dicendo: *Benedic pater.* P1595 Dataque benedictione, dicendo: *Dominus sit in corde tuo et in labiis tuis...* P1611

Doceat eum munire se signo crucis (nisi sponte faciat) et simul cum eo dicat generalem confessionem...

p. 58 ... Item, si sit simplex et idiota, an noverit articulos fidei, orationem dominicam, salutationem angelicam, praecepta Decalogi, et sanctae matris Ecclesiae, quae si ignoret, nec paratus sit quamprimum discere, remittendus est, ut qui non sit absolutionis capax, (nisi ob certas circumstantias...)

p. 61 ... Interrogatorium instituendum est certo ordine, procedendo secundum decem praecepta, septem peccata mortalia, et novem aliena.

Oportet autem incipiat interrogationes suas ab iis quae confessus est poenitens, nec tamen sufficienter declaravit, utpote, confessus est de peccato luxuriae, inquirendum an illud commiserit in seipso per mollitiem, an in alia persona... Si confessus sit se furtum commisisse, vel rem alienam detinere, vel damnum dedisse proximo, rogandus est de quantitate. Si dixit se mentitum, de specie mendacii, an perniciosum, iocosum, an officiosum. Si de pravis cogitationibus, rogandus est de qualitate earum, et an consenserit in actum, vel morosam in eis habuerit ac voluntariam delectationem. ... Et eousque [*sic*] semper procedere debet interrogatio, quoad noverit speciem peccati, et an mortale sit an

764 CHAPITRE XV

veniale. Et si mortale sit, quoties iteratum fuerit saltem probabiliter. Item, an tale sit ut requirat restitutionem. ...

p. 62 ... Si multum doleat poenitens, ante oculos ei ponet Sacerdos misericordiam Dei infinitam, meritum passionis Christi inexhaustum, exempla peccatorum conversorum de quibus scriptura meminit, declarabitque nullum tam grave, tam diuturnu esse peccatum, quin Christus suo sanguine mox velit obliterare.

p. 63 ... Si vero Sacerdos percipiat paenitentem **non habere veram contritionem**, proponet ei mortem instantem, iudicii et inferni timorem, deinde quod per singula peccata mortalia amittimus praemia aeterna...

Ubi autem paenitens responderit se multum dolere de peccatis commissis propter offensam Dei, seque dolere quod non magis de eis doleat, quodque nullam ob causam vellet denuo peccatum mortale committere, proponens illud omnino vitare, omnesque eius occasiones, cupiens restituere restituenda, reconciliationem facere cum proximo laeso, dimittere odium et rancorem, etc.

Tunc dicat ei Sacerdos, ut concludat suam confessionem, dicens : *Et de cunctis aliis vitiis dico meam culpam, et precor*, etc. usque ad finem confessionis generalis... P1627

... p. 64-65 [**Absolutions**]

Post iniunctam paenitentiam primum dicet hanc orationem. *Misereatur tui omnip. Deus...* P1722

Indulgentiam, absolutionem, et remissionem... P1710

Deinde pro absolutione. *Dominus noster I. C. qui est summus pontifex te absolvat. Et ego... absolvo te...* P1678

Ubi autem opus erit, dicet hoc modo :

Dominus noster, etc. ab omni vinculo excommunicationis, suspensionis et interdicti, etc.

Deinde subiunget : *Passio Domini nostri I. C. et merita beatae Mariae semper virginis et omnium sanctorum...* P1729

[Formules d'absolution à ne pas employer]

Caveat Sacerdos, ne in impendenda absolutione pluribus utatur verbis, utpote dicendo : *Absolvo te à peccatis tuis confessis, contritis et oblitis*, vel illis : *Absolvo te à peccatis tuis in quantum possum et indiges.* Aut his : *Absolvo te à peccatis tuis Deo et mihi confessis*, vel, *Absolvo te si restitueris et poenitentiam egeris.* Haec enim ad formam non pertinent, et oportet sacramentorum formas simplicissimas esse.

CONFESSION PRIVÉE

[Formules finales]

… Et dimittens confessum poterit dicere: *Vade, et iam noli amplius peccare,* P1743 vel *Ecce sanus factus es, iam noli peccare, ne deterius aliquid tibi contingat.* P1741

Rouen 1611/1612
Avranches 1613

[Rouen 1611/1612 : François de Joyeuse]

P1545 **Rouen 1612** p. 70-71. *Ordo in confessione servandus*
Poenitens coram sacerdote flexis genibus, et facto signo crucis, dicat. *Benedic Pater quia peccavi.* Tunc sacerdos respondeat. *Deus sit in corde tuo et in labiis tuis…* P1611
Deinde poenitens incipiat dicere *Confiteor,* usque ad *Mea culpa.* P1628
Tunc sigillatim confiteatur peccata sua, incipiens ab ultima confessione, nisi propter nullitatem eius repetenda sit, aut nisi confessionem generalem facere velit: et si opus est Sacerdos eum interrogabit ut supra. Post sufficiens examen conscientiae. Poenitens dicat. *Mea culpa, mea culpa, mea maxima culpa. Ideo precor, etc.*
Sacerdos vero sic orabit pro eo.
Miseratur tui omnip. Deus… P1723
Indulgentiam absolutionem et remissionem omnium peccatorum, tribuat tibi omnip. et misericors Deus. Amen. 1708

Rouen 1612 p. 74. *Forma absolutionis sacramentalis.* [second formulaire]
Si nullum huiusmodi fuerit impedimentum, propter quod absolutio deneganda sit[26], his verbis utatur sacerdos.
Dominus noster I. C. qui est summus Pontifex, ipse te absolvat… P1671
Passio Domini nostri I. C., et merita… P1730
Forma absolutionis pro sacerdotibus. *Dominus noster I. C. qui est summus Pontifex…* P1671

Genève 1612

[François de Sales]

P1546 **Genève 1612** *De Sacramento Poenitentiae. Canones administrationis sacramenti Poenitentiae*

---

[26]   *Voir Rouen 1611/1612, p. 73-74, De absolutione sacramentali* (P1433).

CHAPITRE XV

[p. 32-39 Instructions en grande partie identiques à celles de Tournai 1591 p. 32-34 et Vannes 1596 f. 163 ; additions, dont le conseil de se confesser et de communier chaque mois, ou au moins aux grandes fêtes :]

p. 38-39 Hortetur etiam poenitentem, ne in annum differat confessionem. Nam si considerabit turpitudinem peccati, quod semper insequitur imminens ira Dei, ac calamitates, et gravissima damna quae nobis adfert, quidque ratio salutis suae postulet, ob multa quae impendent vitae discrimina, profecto agnoscet, quam maxime decere, si singulis mensibus, vel saltem in maioribus Ecclesiae solennitatibus confiteatur, simulque divinum Eucharistiae sacramentum devotè percipiat. Et quemadmodum corpori in singulos dies alimentum subministrare necessarium putamus : ita spirituali pabulo animam frequentius reficere oportere.

[**Prière du prêtre. Dialogue initial.** *Confiteor.* **Confession**]
p. 34 *Oratio sacerdotis priusquam audiat Poenitentes.*
Domine Deus omnipotens, propitius esto mihi peccatori, et quia omnes homines vis salvos fieri… [rare] P1576

De observandis ante confessionem.
… Deinde poenitens facto signo crucis… dicat. *Benedic Domine,* P1596 vel *Benedicite.* P1591 … *Dominus sit in corde tuo…* P1608
Postea Poenitens dicat *Confiteor…* usque ad *mea culpa.*
… Deinde iniungat poenitentiam delictis congruam, iubeatque poenitentem prosequi *Confiteor* a *mea culpa*, ad finem usque.

[**Absolutions**]
p. 39 Forma autem absolutionis à peccatis quam servare debet, haec est.
Misereatur tui… P1724 *Indulgentiam, absolutionem…* P1708
Dominus noster I. C. te absovat, et ego autoritate ipsius te absolvo ab omni vinculo excommunicationis… [rare] P1696
Passio Domini nostri I. C., et merita B. Mariae semper Virginis… P1729

Rituale Romanum 1614

P1547 **Rituale Romanum.** *Ordo ministrandi sacramentum Poenitentiae*[27]

[*Confiteor.* **Confession. Absolutions**]

---

[27] Sur le rite de la pénitence privée dans le rituel romain de 1614, voir P.-M. Gy, *La pénitence moderne à partir du XIIIᵉ siècle* (A.-G. Martimort, *L'Église en prière, Introduction à la liturgie*, Paris-Tournai, 1961, p. 127).

CONFESSION PRIVÉE

... Tum poenitens confessionem generalem latinâ vel vulgari linguâ, dicat, scilicet: *Confiteor, etc.* vel saltem utatur his verbis: *Confiteor Deo omnipotenti, et tibi Pater.* Peccata sua exinde confiteatur... P1629

Absolutionis forma.

Cum igitur poenitentem absolvere voluerit, injuncta ei prius, et ab eo acceptata salutari poenitenia, primo dicit:

Misereatur tui omnipotens Deus, et dimissis peccatis tuis, perducat te ad vitam aeternam. Amen. P1724

Deinde, dextera versus poenitentem elevata, dicit:

Indulgentiam, absolutionem, et remissionem peccatorum tuorum tribuat tibi omnip. et misericors Dominus... P1708

Dominus noster I. C. te absolvat; et ego auctoritate ipsius te absolvo ab omni vinculo excommunicationis, suspensionis, et interdicti... Deinde: *Ego te absolvo a peccatis tuis, in nomine Patris...* P1697

Si poenitens sit laicus, omittitur verbum, *suspensionis.*

Passio Domini nostri I. C., merita beatae Mariae Virginis, et omnium Sanctorum... P1729

In confessionibus autem frequentioribus et brevioribus omitti potest, *Misereatur, etc.* et satis erit dicere *Dominus noster I. C., etc.* ut supra, usque ad illud, *Passio Domini nostri, etc.*

Urgente vero aliqua gravi necessitate in periculo mortis, breviter dicere poterit:

Ego te absolvo ab omnibus censuris et peccatis, in nomine Patris... P1701

Paris 1615, 1630[28]

[Paris 1615: Henri de Gondi]

Formules d'absolution proches du *Rituale romanum*[29].

P1548 **Paris 1615**

[Dialogue initial. Confession. Absolutions]

f. 63v ... *Benedic mihi pater, quia peccavi.* P1597

... *Dominus sit in corde tuo, et in labiis tuis, ut vere et integre confitearis omnia peccata tua in nomine Patris...* P1611

---

[28] Addition en 1630 avant le rite de confession de *Preces dicendae antequam Confessiones audiantur* (Ps. 50, 12-16; *Domine Deus omnipotens...* P1578), et, après le dialogue initial, du début de la récitation du *Confiteor (Je me confesse à Dieu)* jusqu'à *mea culpa (j'en dis ma coulpe).*

[29] Formules reprises jusqu'en 1777 sauf la formule *Dominus noster...* remaniée en 1615 et 1646.

768 CHAPITRE XV

f. 68v ... Facta integra peccatorum confessione, sacerdos ad absolutionem poenitentis procedat hoc modo.

Misereatur tui omnip. Deus, et dimissis omnibus peccatis tuis... Indulgentiam, absolutionem, et remissionem omnium peccatorum turum... P1708

f. 69 ... Peracta à poenitente integra, et omnibus numeris absoluta confessione, et iniuncta poenitentia, seu satisfactione, Sacerdos operto capite eum absolvat hoc modo.

Absolutio. *Et Dominus noster I. C., qui est summus pontifex, per suam piissimam misericordiam te absolvat, et ego authoritate ipsius, mihi licet indignissimo concessa, absolvo te imprimis à vinculo excommunicationis, et interdicti* (et si poenitens Clericus sit dicat Confessarius) *à vinculo excommunicationis, suspensionis et interdicti, in quantum possum et indiges; deinde ego te absolvo ab omnibus peccatis tuis in nomine Patris et Filii et Spiritus Sancti. Amen.* P1673

Deinde subjungat. *Passio Domini nostri I. C., merita B. Virginis et omnium sanctorum, suffragia sanctae Matris Ecclesiae, quidquid boni feceris, et mali sustinueris, valeant tibi in remissionem peccatorum tuorum, in augmentum gratiae, et praemium vitae aeternae.* P1732

Bourges 1616

[André Frémiot]

P1549 **Bourges 1616** f. 36v-39 *Methode pour bien et deüment administrer le Sacrement de Penitence*

[Il est conseillé au prêtre, avant de confesser, de prier le Saint-Esprit, la Vierge, les anges gardiens, les saints dont il est dévôt, et sainte Barbe. La confession doit porter sur les commandements de Dieu et de l'Eglise, les péchés mortels, et les oeuvres de miséricorde.]

[Prières du prêtre avant de confesser]

... Avant que de se mettre à ouïr les confessions, qu'il (le Prestre) s'examine soy-mesme, et demande pardon à Dieu des fautes qu'il peut avoir faictes, notamment depuis sa derniere confession, et luy demande la grace de se comporter deüment en la chose qu'il va faire, et qu'a cet effect tant pour soy, que pour le bien des penitens, lesquelz il doibt ouïr, qu'il dise l'Hymne, *Veni Creator Spiritus*, P1558 avec le V. *Emitte spiritum tuum* ... [rare] P1566

Puis l'oraison, *Deus qui corda fidelium.* P1573 etc. Priant la bien-heureuse Vierge, son Ange gardien, et ceux des Penitens, et autres sainctz desquelz il est devot (l'on a remarqué des graces speciales en saincte

CONFESSION PRIVÉE

Barbe vierge et martyre, pour la confession sacramentele,) à ce que par leur intercession la chose reüssisse à la plus grande gloire de Dieu, pour son salut et celuy des Penitens.

… Benedic Pater quia peccavi, Mon Pere benissez moy, car j'ay peché. P1597 *… R. Dominus sit in corde tuo et in labiis tuis…* P1608

Alors le penitent commencera son *Confiteor… quia peccavi nimis cogitatione, verbo et opere.*

[Confession des péchés. Absolutions]

En la confession le penitent s'accusant ou le Prestre l'interrogeant pourront suivre tel ordre, dire les pechez commis contre le premier commandement de Dieu, puis contre le second, et ainsi des autres suivans, contre ceux de l'Eglise; l'on peut aussi s'examiner ou accuser, suivant les sept pechez mortelz, Orgueil, Avarice, Envie, Gourmandise, Luxure, Ire, Paresse, et puis des oeuvres de misericorde corporelles ou spirituelles…

Quand le penitent s'est ainsi accusé … le Prestre le pourra alors exhorter à la contrition et repentance de ses fautes, s'il voit qu'il soit necessaire; pour l'ordinaire il semble bon de leur demander au moins qu'ilz se repentent d'avoir offencé Dieu; et qu'ilz luy requierent pardon, par l'efficace et merite de la mort douloureuse de son chez filz…

Puis le Prestre advisera le penitent d'achever le *Confiteor*, disant en frappant sa poitrine, *Mea culpa, mea culpa, mea maxima culpa. Ideo precor …* P1626 Aucuns disent le *Confiteor* en françois, ce qui n'est pas mauvais. Cecy estant fini le Prestre dira l'oraison.

Misereatur tui omnipotens Deus… P1724

Puis il imposera la penitence … Puis … donnera l'absolution…

Dominus noster I. C. qui est summus Pontifex te absolvat… P1677

Par apres le Prestre pourra dire cette oraison.

Passio Domini nostri I. C. … P1729

On peult obmettre cette oraison és briefves reconciliations, et quand il y a multitude de personnes à confesser.

Toulouse 1616, 1632, 1641, 1653

[Toulouse 1616: Louis de Nogaret de La Valette]

P1550 **Toulouse 1616** p. 82-89. *La façon d'administrer le Sacrement de Penitence*

[Formulaire romain traduit en français avec brève addition au début (p. 82-83):]

Et s'il (le Confesseur) se trouve chargé de quelque peché mortel, il se confessera plustost, si commodement faire se peut ; sinon, il taschera d'esveiller en soy la contrition.

La forme de l'absolution. [Formulaire romain.]

Vannes 1618

[Jacques Martin]

P1551 **Vannes 1618** Deuxième partie, p. LXXXII-LXXXV. *De la confession et absolution Sacramentale*

[Dialogue initial. *Confiteor*. Confession]

Le penitent apres avoir examiné sa conscience, se presentera au Confesseur, et à deux genoux la face tournée au costé, et non au visage du Confesseur, fera le signe de la Croix, disant, *Au nom du Pere…* ou en latin, *In nomine Patris…*, et *Benissez mon Pere* [sic] *parce que j'ay peché*, ou, *Benedic Pater quia peccavi.* P1599 Alors le Confesseur dira. *Dominus sit in corde tuo et in labiis tuis ut vere confitearis omnia peccata tua. In nomine Patris, etc.* P1611

Puis le penitent ayant dit la confession generale jusques à *mea culpa*, en latin, ou langue vulgaire, s'accusera de ses pechez, non confessez par le passé, selon qu'il aura faict l'examen de conscience sur les Commandemens de Dieu, et de l'Eglise, ou sur les pechez mortels sans en celer aucun à son escient. Cela fait poursuivra la confession generale depuis *mea culpa* jusques à la fin.

[Absolutions]

Lors le Confesseur dira immediatement. *Misereatur tui omnipotens Deus…* P1724 et ayant enjoint les penitences convenables à la nature des pechez et condition du penitent, estendant la main sur ou vers la teste du penitent donnera en ceste forme l'absolution.

Dominus noster I. C. te absolvat, et ego auctoritate ipsius, mihi licet indignissimo concessa… P1693

Puis retirant sa main il adjoustera. *Passio Domini nostri I. C. et merita b. Mariae semper virginis…* P1729

In reconciliationibus brevibus il suffira dire *Dominus noster I. C.* etc. jusque ad haec verba *Passio Domini nostri* exclusivè.

Que si le penitent est Prestre faudra dire *ab omni vinculo excommunicationis suspensionis et interdicti in quantum possum, etc.* ut supra.

Que s'il se gaigne quelque Jubilé ou Indulgence, il faut dire, *Dominus noster I. C. te absolvat, et ego auctoritate ipsius et sanctae sedis Apostolicae mihi in hac parte concessa, te absolvo, etc.* P1692

CONFESSION PRIVÉE

Voyla la forme ordinaire qu'il faut observer aux absolutions sacra-mentales, prenant garde de ne la changer ny alterer, par condition de preterit, present, ou futur. Vide plura apud Navarum. Toletum. Petrum Milhard[30] et alios, qui hac de re fusè scripserunt.

Quant à l'absolution qui se donne in foro exteriori, vide in Rituali Romano ac etiam apud eosdem auctores.

2. CHOIX D'EXHORTATIONS

Metz 1543

[Jean de Lorraine]
[Invitation à se confesser et à jeûner pendant le carême]

P1552 **Metz 1543** f. 82v-83 *Monition salutaire pour declarer au peuple. …*

A la descherge de ma conscience, et au salut de voz ames, je vous enhorte que au commencement de ceste saincte karesme vous vous confessiez bien et devotement, affin que les biens, et bonnes oeuvres que vous ferez soient aggreables a Dieu nostre createur, et profitables au sauvement de voz ames. Et devez scavoir que les jeusnes, et aul-mosnes, et autres biens, faictz en peché mortel, ne profitent rien au salut de l'ame directement. Et pour ce chascun se doit bien et deuement confesser.

En apres je vous enhorte que vous jeunez ceste saincte karesme, car l'Eglise la commande a jeuner sur peine de peché mortel a ceulx qui ont aage, s'ilz n'ont aucun empeschement legitime, comme de maladie, ou autre grande foiblesse. Et quant est de ceulx qui se excusent pource qu'ilz labourent, ou oeuvrent, ou sont occupez en leurs marchandises, il vauldroit mieulx qu'ilz prinsent moins de peine pour les biens de ce monde qui ne sont que transitoires, et qu'ilz obeissent aux comman-demens de Dieu et de l'Eglise pour le salut de leurs ames.

Pareillement il y a plusieurs d'entre vous, qui tous les ans attendent a soy confesser jusques au jeudi, vendredi, ou samedi de la grande sep-maine, et puis viennent tous ensemble, dont par la grande multitude, bonnement ne perfectement, on ne les peult confesser ne interroguer de leur conscience, si comme il leur seroit de besoing. Pource est il que vous enhorte, que devant la grande sepmaine, pour eviter ces in-conveniens, vous venez confesser, par especial ceulx qui n'y ont point

---

[30] Sur Navarro, Toledo, Pierre Milhard, voir *infra* Auteurs cités, p. 1942, 1943.

CHAPITRE XV

esté au commencement de ce karesme, vous advisans que ceulx qui differeront jusques au dit jour, s'ilz n'ont excusations fort raisonnables, seront chastiez et punis pour la dicte negligence et peresse d'une jeusne ou deux, ou autre oeuvre charitable, selon la qualité de la personne et des delitz.

Metz 1543

[Invitation à se confesser avant la Pentecôte, l'Assomption, la Toussaint et Noël]

P1553 **Metz 1543 f. 83v-84 (f. 84 ch. par erreur 83)**

Pource que dimenche prochain venant sera la benoiste feste et solemnité de Penthecoste, a laquelle nostre Seigneur envoya le benoist Sainct Esperit sur les apostres et disciples, affin que pareillement vueille yceluy Sainct Esperit descendre en voz cueurs, je vous enhorte et ammoneste que bien et devotement vous venez confesser, affin que les bonnes oeuvres que vous ferez doresnavant soient meritoires et profitables au salut de voz ames, car les biensfaitz en peché mortel sont mortifiez et ne sont point aggreables a Dieu, ne profitables au salut de voz ames. Pour ce ne plaignez point ung peu de peine a vous confesser, affin que les biens que vous ferez ne soient pas perdus.

Et pareillement soit fait au dimenche devant l'Assumption en disant:
Pource que tel jour prochain sera la benoiste feste de la glorieuse vierge Marie mere de nostre Seigneur, quant elle fut portée par les anges de Dieu en la gloire de paradis, et fut glorieusement couronnée a la dextre de son chier filz. A ces cause vous ammoneste charitablement que, a l'onneur d'icelle vierge Marie, vaisseau de toute pureté, et aussi pour le salut de voz povres ames, vous vous mettez en toute mundicité par le moyen de vraye confession.

Et pareillement soit fait a la Toussainctz et a Noel le dimenche precedant.

Beauvais 1557

[Odet de Coligny de Chatillon]
Admonitions pour les curez et vicaires[31]...

P1554 **Beauvais 1557 p. 9** ... Dieu est vostre pere, vous estes l'enfant, pire que le fuytif [*sic*] et prodigue. Retournez et venez hardiment à luy, il vien-

---

[31] Molin Aussedat n° 208.

CONFESSION PRIVÉE

dra au devant de vous, il vous receoit et accolle, si vous luy demandez mercy, et vous fiéz à sa parolle… Je vous advise que si c'est faintise ou coustume seulement: ce n'est pas moy que vous trompez, et perdez. C'est vous mesmes qui vous mettez au fond d'enfer et puissance de l'ennemy de vostre salut. Prenez donc courage, et vous humiliez devant vostre clement seigneur Dieu, qui se monstrera bon et misericordieux pere, si vous estes ung penitent enfans.

Besançon 1619

[Ferdinand de Rye]
Exhortatio ante Sacramentum Poenitentiae

P1555 **Besançon 1619** p. 45. Je ne crois point, peuple Chrestien, que l'Homme pecheur puisse jamais attendre, esperer, ou recevoir une meilleure nouvelle, plus joyeuse et heureuse, que celle qui lui est apportée de la part du Prestre au sacrement de Confession: *Ego te absolvo à peccatis tuis.* Je ne crois point que le Fils de Dieu ait jamais fait plus grande faveur à l'Homme, que lors qu'il a rompu la paix avec Dieu… donne la puissance à un autre homme de le reconcilier, et remettre en la grace de Dieu, le rappeller de la mort à la vie…

p. 48 … il est bon pour ceux qui ne se confessent pas si souvent, discourir sur les dix commandemens de Dieu, et les cinq de l'Eglise, considerer d'année en année, de mois en mois, de semaine en semaine, nos paroles, nos pensées, nos oeuvres, repasser par nostre memoire les lieux, les negoces, les personnes avec lesquelles nous avons traicté et conversé; cest examen doit estre suivy d'une grande detestation de nos pechez, et une grande douleur d'avoir offensé Dieu…

p. 51 … Si nous n'avions la confession de bouche, et qu'il fust seulement necessaire de se confesser interieurement à Dieu: Nous n'aurions pas une bride puissante pour nous retenir du peché, comme est la vergongne [honte] de nous confesser; nous n'aurions pas le merite que nous acquerons endurant quelque confusion … On ne feroit pas tant de restitution de biens, d'honneur, tant d'inimitiez ne seroient pas reconciliées, tant de contracts rompus; les penitents ne recevroient pas tant de bons conseils, et de remedes contre leurs pechez, et n'auroyent pas telle asseurance d'en estre absous…

Bourges 1666

[Anne de Lévis de Ventadour]
[avant l'absolution]

P1556   **Bourges 1666** tome 1, p. 289. Or sus je m'en vay vous donner l'absolution, voicy le moment dans lequel vous allez être reconcilié avec vôtre Dieu, que le sang de nôtre Seigneur J. C. vous va être appliqué, mettez vous au même état que si vous étiez au pied de la Croix, et recevez ce sang precieux avec douleur et avec confiance, demandant pardon à ce bon Dieu de vos pechez, qui ont été la cause de sa mort.

Nevers 1689

[Edouard Vallot]
Prière à faire dire à un *Pecheur coupable d'une faute mortelle et griéve*

P1557   **Nevers 1589** p. 64. Créez en moy, mon Dieu, un coeur nouveau et un coeur de grace, au lieu d'un coeur de peché que j'ai eu jusqu'à present. Renouvelez en moy cét esprit de justice que vous y aviez mis par le Baptême, et qui s'y est éteint par mes iniquités.

3. Prières du prêtre avant la confession

Au XVIᵉ siècle, deux rituels romano-vénitiens, *Sacerdotale* de Castellano et *Ordo baptizandi*, proposent au prêtre des prières à dire avant de confesser.

Lyon 1542 et Bâle 1595 reprennent une formule de Castellano : *Deus sub cuius oculis omne cor trepidat…*

Strasbourg 1590, Bâle 1595, Cahors 1604, Évreux et Saint-Omer 1606, Coutances 1609, Chartres 1627, Paris 1630… empruntent au même Castellano une autre formule avec parfois des variantes : *Domine Deus omnipotens propitius esto mihi peccatori…*

Saint-Omer 1606, Arras 1623, Tournai 1625, Chartres 1627, Paris 1630… ajoutent au début les versets 12-16 du ps. 50 : *Cor mundum crea in me Deus…*

Bourges 1616 se distingue en conseillant de prier le Saint-Esprit, mais aussi la Vierge, les anges gardiens, les saints dont le prêtre est dévôt, et sainte Barbe. *Voir* P1483.

Arras 1623, Saint-Omer 1641, Le Mans 1647, Périgueux 1651… prévoient de nouvelles oraisons.

CONFESSION PRIVÉE

Celles-ci continuent à se diversifier avec les rituels de tendance dite néo-gallicane : Paris 1697-1777 et Paris 1786 par exemple, donnent chacun trois nouvelles formules :

Paris 1697-1777 : *Deus qui corda fidelium sancti Spiritus illustratione docuisti…*
Ille nos igne, quaesumus Domine, Spiritus sanctus inflammet…
Deus qui nos reconciliationis ministros…
Paris 1786 : *Deus misericordiae, tu elegisti me judicem filiorum tuorum, et filiarum…*
Domine J. C., qui Poenitentiae sanctum et salutare Sacramentum ad abstergendas animarum labes misericorditer instituisti…
Illo nos igne coelesti, quaesumus, Domine, jugiter inflamma…

A. Antiennes, versets, répons (et autres formules)

P1558 [Hymne] Veni Creator

Bourges 1616.

P1559 A. Veni Sancte Spiritus : reple tuorum corda fidelium et tui amoris in eis ignem accende.

Le Mans 1647-1680. Lodève 1773. Nevers 1689.

P1560 [Séquence] Veni Sancte Spiritus.

Blois 1730.

P1561 V. Adjutorium nostrum in nomine Domini. R. Qui fecit coelum et terram.

Bâle 1595.
Réf. Absent de Deshusses.

P1562 V. Cor mundum crea in me Deus. R. Et spiritum rectum innova in visceribus meis.
V. Ne projicias me à facie tua. R. Et Spiritum sanctum tuum ne auferas a me.
V. Redde mihi laetitiam salutaris tui. R. Et spiritu principali confirma me.
V. Docebo iniquos vias tuas. R. Et impii ad te convertentur.
V. Libera me de sanguinibus Deus Deus salutis meae. R. Et exultabit lingua mea iustitiam tuam. [Ps. 50, 12-16]

Saint-Omer 1606-1727. Albi 1647-1783. Arras 1623-1757. Beauvais 1725. Besançon 1674-1705. Bordeaux 1707-1728. Boulogne 1647-1750. Bourges 1666-1746. Carcassonne 1764. Châlons/Marne 1649-1776. Chartres 1627-1680. Clermont 1733. Coutances 1682. Évreux

1741. Le Mans 1775. Lyon 1787. Meaux 1734. Metz 1713. Narbonne 1789. Oloron 1679. Paris 1630-1786. Périgueux 1651. Poitiers 1766. Reims 1783. Rodez 1733. Saint-Dié 1783. Saint-Omer 1641-1727. Sarlat 1729. Soissons 1753-1778. Toul 1700-1760. Toulon 1750-1790. Toulouse 1670-1782. Tournai 1625-1784. Tours 1785. Troyes 1660. Verdun 1691-1787. *Réf.* Andrieu I, 216 ; III, 565. Absent de Deshusses.

P1563 **V. Deus in adjutorium meum intende. Domine ad adjuvandum me festina. Ps. 69**

Arras 1623-1757. Albi 1783. Bordeaux 1707-1728. Boulogne 1647-1750. Châlons/Marne 1649-1776. Évreux 1741. Lyon 1787. Meaux 1734. Mende 1790. Narbonne 1789. Paris 1786. Reims 1783. Rodez 1733. Saint-Dié 1783. Saint-Omer 1641-1727. Sarlat 1729. Soissons 1753-1778. Toul 1700-1760. Toulon 1750-1790. Tournai 1625-1784. Tours 1785. Troyes 1660. Verdun 1691-1787.
Réf. Andrieu III, 465. Cf. PRG I, 122. Absent de Deshusses.

P1564 **V. Domine exaudi orationem meam. R. Et clamor meus ad te veniat.**

Bâle 1595. Albi 1783. Besançon 1674-1705. Boulogne 1647. Bourges 1746. Carcassonne 1764. Évreux 1741. Le Mans 1775. Lyon 1787. Meaux 1734. Narbonne 1789. Poitiers 1766. Rodez 1733. Saint-Dié 1783. Soissons 1753. Toul 1700-1760. Toulon 1750-1790. Troyes 1660. etc.
Réf. Absent de Deshusses.

P1565 **V. Dominus vobiscum. R. Et cum spiritu tuo.**

Bâle 1595. Boulogne 1647. Lyon 1787 etc.
Réf. Absent de Deshusses.

P1566 **V. Emitte spiritum tuum et creabuntur. Et renovabis faciem terrae.**

Bourges 1616.

P1567 **In nomine Patris, et Filii, et Spiritus sancti. Amen.**

Châlons/Marne 1776. Paris 1786. Reims 1783. Saint-Dié 1783. Saint-Omer 1641-1727.

P1568 **Kyrie, eleison. Christe eleison. Kyrie eleison.**

Évreux 1741. Meaux 1734. Soissons 1753. Lyon 1787. Paris 1786. etc.

P1569 **Pater noster…**

Évreux 1741. Meaux 1734. Soissons 1753. Lyon 1787. Paris 1786. etc.

B. Oraisons

P1570 **Actiones nostras quaesumus Domine aspirando praeveni et adjuvando prosequere, ut cuncta nostra oratio et operatio à te semper incipiat, et per te coepta finiatur. Per Christum Dominum nostrum. Amen.**

Nevers 1689.

CONFESSION PRIVÉE

P1571 Deus misericordiae, tu elegisti me judicem filiorum tuorum, et filiarum; mitte sapientiam tuam de coelis sanctis tuis, et à sede magnitudinis tuae, ut mecum sit, et mecum laboret, et disponam populum tuum justè. Sap. 9.

Paris 1786.
Réf. Absent de Deshusses.

P1572 Deus propitius esto mihi peccatori.

Bâle 1595.
Réf. PRG II, 21. Absent d'Andrieu, Deshusses.

P1573 Deus qui corda fidelium sancti Spiritus illustratione docuisti: da nobis in eodem Spiritu recta sapere, et de ejus semper consolatione gaudere. Per Christum.

Bourges 1616. Beauvais 1725. Clermont 1733. Lodève 1773. Lyon 1787. Le Mans 1647. Metz 1713. Nevers 1689. Paris 1697-1777.
Réf. Andrieu II, 360(24). Absent de PRG, Deshusses.

P1574 Deus qui nos reconciliationis Ministros in populo vocari voluisti, praesta quaesumus, ut hoc quod humano ore dicimur, in tuis oculis esse valeamus. Per Christum.

Paris 1697-1777. Beauvais 1725. Clermont 1733. Metz 1713.
Réf. Cf. PRG I, 290. Absent d'Andrieu, Deshusses.

P1575 Deus sub cuius oculis omne cor trepidat, et conscientie cuncte[a] pavescunt, propitiare famuli tui, gemitibus, et cunctorum ei peccatorum et malorum[b] medere languoribus, ut sicut nemo liber est a culpa, ita nemo sit alienus a venia. Per Christum dominum nostrum.

Lyon 1542. Bâle 1595. Besançon 1619-1705.
Réf. PRG II, 62, 236, 275. Andrieu II, 481. Darragon 2565, 2595, 2680, 2740 etc. Cf. Deshusses 2520. Castellano, *Sacerdotale*. Absent de Janini, Sac.
Variantes. [a] cuncte] cunctorum Ba. –[b] famuli tui… malorum] famulis et famulabus tuis, et cunctorum malorum, et peccatorum Ba.

P1576 Domine Deus omnipotens, propitius esto mihi peccatori, et quia omnes homines vis salvos fieri, et ad agnitionem venire veritatis, nec vis mortem peccatorum, sed ut convertantur, et vivant, suscipe orationem meam, quam fundo pro famulis et famulabus tuis, qui ad poenitentiam venerunt: ut des illis spiritum compunctionis, ut resipiscant a diaboli laqueis quibus astricti tenentur, et ad te per condignam satisfactionem revertantur. Per Christum Dominum nostrum. Amen.

Genève 1612.

CHAPITRE XV

P1577 Domine Deus omnipotens, propitius esto mihi peccatori, qui me indignum, sacerdotalis officii ministrum fecisti, exiguumque mediatorem ad dominum nostrum I. C. filium tuum, intercedendum constituisti[a] pro peccatoribus, et ad poenitentiam revertentibus : Ideoque dominator Domine, qui omnes homines vis salvos fieri, et ad agnitionem veritatis venire, qui non vis mortem peccatorum, sed[b] ut convertantur et vivant, suscipe orationem meam, quam pro famulis et famulabus tuis fundo, qui ad Poenitentiam veniunt, ut des illis spiritum compunctionis, ut resipiscant à Diaboli laqueis, quibus astricti tenentur, et ad te per condignam satisfactionem revertantur. Per eiusdem Christum dominum nostrum. Amen.

Coutances 1609-1618. Bayeux 1627-1687.

Réf. Castellano, *Sacerdotale.* Cf. PRG II, 14, 234. Absent d'Andrieu, Deshusses.

Variantes. [a] ad dominum… constituisti] ad intercedendum apud dominum nostrum I. C. filium tuum constituisti Bay. –[b] magis] *add.* Bay. 1687.

P1578 Domine Deus omnipotens, propitius esto mihi peccatori : ut condigne[a] tibi possim gratias agere, qui[b] me indignum propter tuam misericordiam ministrum fecisti officii sacerdotalis, et me exiguum, humilemque[c] mediatorem constituisti ad orandum, et intercedendum ad Dominum nostrum I. C. filium tuum pro peccatoribus, et ad poenitentiam revertentibus. Ideoque dominator Domine[d], qui omnes homines vis salvos fieri, et ad agnitionem venire veritatis : qui non vis mortem peccatorum, sed ut convertantur et vivant : suscipe orationem meam, quam fundo[e] pro famulis et famulabus tuis, qui ad poenitentiam venerunt[f] : ut des illis spiritum compunctionis, ut[g] resipiscant à diaboli laqueis, quibus astricti tenentur, et ad te per condignam satisfactionem revertantur[h]. Per eundem Christum.

Cahors 1604-1619. Albi 1647. Auch 1678. Beauvais 1637. Besançon 1674-1705. Bourges 1666. Chartres 1627-1680. Évreux 1606-1621. Lisieux 1608-1661. Meaux 1617. Oloron 1679. Paris 1630-1654. Saint-Omer 1606. Toulouse 1670-1736. Vabres c. 1729-1766.

Réf. Deshusses 3957 ; Castellano, *Sacerdotale ; Ordo baptizandi.* Cf. PRG II, 14, 234. Absent de Janini, Sac., Andrieu.

Variantes. [a] condigne] digne Bes. Bou. SOm. Tou. –[b] qui] quod SOm. –[c] sacerdotem] *add.* SOm. –[d] Domine] Deus SOm. –[e] ante conspectum clementiae tuae pro peccatis meis et] *add.* SOm. –[f] venerunt] veniunt Al. Ev. SOm. – aut venient] *add.* Bes. –[g] ut] quo Bou. –[h] et ad te… revertantur] ut ad te, corde contrito, per veram confessionem, et dignos poenitentiae fructus, revertantur Bes.

P1579 Domine Deus omnipotens qui omnes homines vis salvos fieri, et qui non vis mortem peccatorum, sed ut magis convertantur et vivant, sus-

CONFESSION PRIVÉE

cipe orationem meam, quam fundo pro famulis tuis qui ad poenitentiam veniunt, ut des illis Spiritum compunctionis, ut resipiscant, et per
veram conversionem ad te revertantur. Per Christum, etc.

Le Mans 1647-1680.
Réf. Absent de PRG, Andrieu, Deshusses.

P1580 Domine Deus[a] propitius esto mihi peccatori, et qui me indignum,
propter tuam misericordiam ministrum fecisti officii sacerdotalis,
quique omnes homines salvos vis fieri, non mortem volens peccatorum,
sed ut convertantur et vivant, suscipe orationem meam, quam fundo
ante conspectum clementiae tuae pro peccatis meis, et pro famulis ac
famulabus tuis, ad poenitentiam venientibus, ut des illis spiritum compunctionis, ut resipiscant à laqueis Diaboli[b], et ad te corde contrito[c]
per veram confessionem[d], et dignos poenitentiae fructus[e] revertantur.

Strasbourg 1590, 1670. Bâle 1595. Beauvais 1783. Besançon 1619-1705. Lisieux 1742.
Rouen 1739.
Réf. Cf. PRG II, 14, 234. Absent de Janini, Sac., Andrieu, Deshusses.
Variantes. [a] omnipotens] *add.* Lis. –[b] quibus astricti tenentur] *add.* Lis. –[c] corde
contrito] toto corde Bea. –[d] veram confessionem] veram contritionem, sinceram
confessionem Bea. –[e] corde... fructus] per condignam satisfactionem Lis.

P1581 Domine J. C., Fili Dei vivi, cui omne judicium à Patre traditum est, et
data omnis potestas in coelo et in terra; ecce ego, miser homo, pulvis
et cinis, ascendo tribunal misericordiae tuae, in quo tu, qui non mortem peccatoris, sed ejus conversionem quaeris, judicem me constituere
dignatus es, ut tuâ authoritate reos absolvam, et filios irae filios regni
faciam: Noli, quaeso Domine, peccata mea in statera tuae justitiae ap-
pendere, sed Spiritum sanctum tuum mihi infunde, qui et cor meum
purificet, et mentem meam illuminet, ut sancte tam sancto ministerio
fungi possim, ad gloriam nominis tui, Ecclesiae dignitatem, peccatorum emendationem, et meam salutem: ut una cum illis, in tremendo
tuo judicio à dextris collocari, et inter operarios inconfusibiles numera-
ri, et in aeternum cum Angelis sanctis tuis, sine fine te merear laudare,
te, cujus est regnum, et cui sit ab omni creatura, honor, benedictio, et
gloria in saecula saeculorum. Amen.

Saint-Omer 1727.
Réf. Absent de PRG, Andrieu, Deshusses.

P1582 Domine I. C., magne ac sempiterne pontifex, qui me indignum licet reconciliationis ministrum in populo tuo esse voluisti, exaudi preces humilitatis meae, ut gratiae tuae fretus auxilio, Poenitentiae Sacramentum

780 CHAPITRE XV

sanandis animarum vulneribus institutum, sancte et digne ministrare valeam. Da famulis et famulabus tuis veniam poscentibus, spiritum compunctionis, ut à laqueis Diaboli resipiscant, et ad te toto corde per veram contritionem, sinceram confessionem, et dignos poenitentiae fructus revertantur. Qui vivis.

Lyon 1787.
Réf. Absent de PRG, Andrieu, Deshusses.

P1583 Domine J. C., qui poenitentiae sanctum et salutare sacramentum ad abstergendas animarum labes misericorditer instituisti, et in me, licet indigno, posuisti verbum reconciliationis ; me ipsum, qui primus gratiâ tuâ indigeo, ab omni propitius culpae contagione purifica, ut mihi creditum sanguinis tui pretium dignè et cum fructu valeam dispensare. Suscipe etiam, Domine, quam pro famulis et famulabus tuis ad ministerium meum confugientibus, orationem in tuo conspectu effundo : quique omnes homines vis salvos fieri, et tuae voluntatis non esse testaris ut pereat peccator, sed ut convertatur et vivat ; da cunctis hoc tuae clementiae tribunal adeuntibus, ut ad te per veram cordis contritionem, per sinceram oris confessionem, et per strenuam operis satisfactionem revertantur. Qui vivis et regnas Deus.

Paris 1786.
Réf. Absent de PRG, Andrieu, Deshusses.

P1584 Domine I. C., qui sanctum hoc[a] Poenitentiae Sacramentum purificandis animabus misericorditer instituisti : respice preces humilitatis meae, meque qui primus gratia tua indigeo, ab omni peccati contagione purifica[b] : ut Sacramentum hoc[c] dignè[d] et cum fructu valeam ministrare. Suscipe etiam Domine humilem orationem, quam fundo pro famulis et famulabus tuis, qui ad Poenitentiam conveniunt[e], ut des illis spiritum verae compunctionis[f], integritatem purae[g] Confessionis, et studium dignae satisfactionis. Qui vivis...

Arras 1623-1757. Albi 1783. Boulogne 1647-1750. Bourges 1746. Carcassonne 1764. Châlons/Marne 1649-1776. Évreux 1741. Meaux 1734. Mende 1790. Narbonne 1789. Reims 1783. Saint-Omer 1641. Saint-Dié 1783. Soissons 1753-1778. Toul 1700-1760. Toulouse 1782. Tournai 1625-1784. Tours 1785. Troyes 1660. Verdun 1691-1787.
Réf. Absent de PRG, Andrieu, Deshusses.
Variantes. [a] hoc] *om.* Alb. Bou. Car. Ev. Mea. Nar. Toul. – et salutare] *add.* Bou. Boul. 1750. –[b] et conserva] *add.* SOm. –[c] Sacramentum hoc] illud Rei. –[d] Sacramentum... dignè] illud sanctè Alb. Bou. Boul. Car. Ev. Mea. Nar. Toul. –[e] qui... conveniunt] qui ad verendum hoc Poenitentiae tribunal accedunt Rei. –[f] conve-

CONFESSION PRIVÉE

niunt] accedunt Alb. Bou. Boul. Car. Ev. Mea. Nar. Toul. Ver. –[g] compunctionis] contritionis ChM. Rei. Trs. –[h] purae] sincerae Alb. Bou. Car. ChM. Ev. Mea. Nar. Rei. SOm. Toul. Trs. Ver.

P1585 Domine J. C., salvator mundi, qui sanctum et salutare Poenitentiae Sacramentum purificandis animabus instituisti, meque indignum propter tuam magnam misericordiam, ministrum illius fecisti, suscipe preces humilitatis meae ; et me ab omni peccati contagione purifica, atque famulis et famulabus tuis, qui ad poenitentiam accedunt, da Spiritum sincerae compunctionis, ut à Diaboli laquaeis erepti ; ad te per dignam satisfactionem revertantur. Qui vivis

Bordeaux 1707-1728. Rodez 1733. Sarlat 1729.
Réf. Absent de PRG, Andrieu, Deshusses.

P1586 Domine J. C., salvator mundi … (ut supra P1585) … purifica ; ut illud Sacramentum sanctè et cum fructu valeam ministrare. Suscipe etiam, Domine, humilem orationem quam fundo pro famulis et famulabus tuis qui ad poenitentiam accedunt, ut des illis spiritum verae compuncionis, integritatem sincerae confessionis, et studium dignae satisfactionis. Qui vivis et regnas, etc.

Toulon 1750-1780.

P1587 Ille[a] nos igne, quaesumus Domine, Spiritus sanctus inflammet, quem Dominus noster I. C. misit in terram, et voluit vehementer accendi. Qui tecum vivit…

Paris 1697-1777. Beauvais 1725, 1783. Clermont 1733. Lyon 1787. Metz 1713. Rouen 1739.
Réf. Deshusses 546. Cf. PRG II, 136, Absent de Andrieu.
Variante. [a] Ille] Illo Bea. 1725, 1783.

P1588 Illo nos igne coelesti, quaesumus, Domine, jugiter inflamma, quem salvator noster J. C. venit mittere in terram, et voluit in omnium cordibus vehementer accendi ; Qui tecum vivit et regnat Deus. Amen.

Paris 1786.
Réf. Absent de Deshusses.

P1589 Omnipotens sempiterne Deus qui filio tuo homini facto tantam gloriam tribuisti, ut eius dignissimo nomine, vel indignissimi peccatores, quorum primus ego sum, remissionis peccatorum ministerio fungerentur. Infinitam erga homines misericordiam adoro tuam, qua regenerationis extinctam gratiam, poenitentiae fletibus reaccendis. Indue me virtute filii tui iudicis vivorum et mortuorum constitute, ut in eius spiritu atque persona digne exerceam iudicium sanctum tuum ; Doce me ex aliorum lapsibus casus, formidare meos, et ex concessa per me illis abs [*sic* pour absque?] te venia, sperare indulgentiam mihi imprimis necessariam. Da ut qui non mea sed unigeniti filii tui Domini mei potestate utor, non assumam mihi quidquam in hoc tanto reconciliationis officio, sed tuo replear lumine tuaque sapientia, ne tuis unquam desim iuribus; tuaque erga filios recuperatos charitate ferveam, ut non per meam tepiditatem torpescant in suis sordibus, sed per arcanam Ministerii tui virtutem, à vitiis omnibus studiose resipiscant, et ad sanctam dilectionem tuam simul mecum excitentur. Per eundem Dnum nostrum I. C. …

Périgueux 1651. Coutances 1682.

Réf. Absent de PRG, Andrieu, Deshusses.

4. Prière du pénitent avant la confession

P1590 Tres doulx seigneur J. C., donne moy grace et congnoissance, de bien sçavoir congnoistre mes pechés, et resistence pour moy garder, et grande contrition, et repentance, et grace de souvent plorer en memoire et recordation de vostre benoiste passion pour mes pechés, et vueillez tourner du tout mon poure cueur en vostre amour, et en l'amour de mon prochain, et que soyez tousjours a mon ayde en tous mes faictz, et en toutes mes pensées, et en toutes mes affaires, et en toutes mes oeuvres spirituelles, et temporelles. Ainsi soit-il.

Autun 1545.

5. Dialogue initial
(en latin ou en français)

Le dialogue initial entre le prêtre et le pénitent varie peu entre 1490 et 1800.

Autun 1545 est le seul rituel à proposer au pénitent une formule uniquement en français.

Vannes 1618 et Angers 1620 sont les premiers à ajouter une traduction française de la formule *Benedic (mihi) Pater quia peccavi.*

A. Le pénitent
(ordre chonologique des formules)

P1591 **Benedicite.**

Chartres 1490. Agen 1564, Angers 1543. Cambrai 1562-1606. Châlons/Marne 1569. Clermont-Saint-Flour 1505-1608. Genève 1612. Limoges 1518. Maguelonne 1533. Meaux 1546. Orléans 1548-1581. Périgueux 1536. Sens 1500-c. 1580. Tournai 1591. Vannes 1596. Verdun 1554.

P1592 (a) **Benedicite Pater.**

Saint-Brieuc [1506]. Besançon 1674-1705. Limoges 1596. Nevers 1582. Vannes 1596. Vienne 1578.

Variante. In nomine Patris...] *add.* Bes. 1674-1705. Lim. Vi.

P1593 **Mon pere spirituel, je vous demande benediction, car j'ay peché, et suis pecheur, qui desire, et demande misericorde à nostre seigneur Jesu Christ, et a vous son ministre absolution.**

Autun 1545.

P1594 **In nomine Patris... Amen. Benedicite pater, quia peccavi.**

Chartres 1580-1581. Angoulême 1582.

P1595 **Benedic Pater**(a).

Reims 1585. Arras 1623-1757. Besançon 1619. Cambrai 1606. Metz 1605. Saint-Omer 1606-1727. Strasbourg 1590. Tournai 1625-1784. Vannes 1596.
Variante. (a) vel benedicite] *add.* Bes.

P1596 **Benedic Domine**(a).

Tournai 1591. Genève 1612.
Variante. (a) vel Benedicite] *add.* Ge.

P1597 (a) **Benedic mihi**(b) **pater quia peccavi**(c).

Cahors 1593. Bayeux 1687. Beauvais 1637. Bordeaux 1602-1611. Bordeaux 1707-1728. Bourges 1616. Chalon/Saône 1605-1735. Clermont 1733. Évreux 1606-1621. Lisieux 1608-1742. Lyon 1692-1787. Metz 1713. Paris 1615, 1630. Reims 1677. Rodez 1733. Rouen 1611. Sens 1694. Soissons 1622, 1753. Toul 1700-1760.
Réf. Absent de Deshusses.
Variantes. (a) In nomine Patris... Amen] *add.* Ag. Bea. Bor. Ca. Ev. Lis. Met. Rei. Rou. – (b) mihi] *om.* An. Bea. Bor. Bou. Cah. ChS. Ev. Lis. 1606-1661. Met. Pa. Rou. 1611-1651. Sen. Soi. 1622. Va. –(c) Mon Père benissez moy, car j'ay peché] *add.* Bou.

P1598 **In nomine Patris et Filii, et Spiritus sancti. Amen. Benedicite pater,** *vel* **Reverende pater, rogo, ut meam propter Deum velis audire confessionem.**

Vel Germanice: **Herr geben mir den heiligen Gegen.**

784   CHAPITRE XV

Gallice. Monsieur donnés moy la saincte benediction.

Vel

Ehrwürdiger Herr, ich bitt euch ihr wollend umb Gottes willen mein Beicht anhoren.

Gallice. Reverend seigneur, je vous prie me vouloir ouyr pour l'amour de Dieu, en confession.

Bâle 1595.

P1599   Au nom du Pere, et du Fils, et du Saint Esprit, benissez moy mon Pere parce que j'ay peché. [ou] ln nomine Patris… Benedic Pater quia peccavi.

Vannes 1618.

P1600   In nomine Patris…[a] Benedic[b] Pater, quia peccavi. [ou] Mon Pere, donnez moy[c] benediction, car[d] j'ay peché.

Angers 1620-1626. Agen 1688. Albi 1647. Auch 1701. Bayeux 1687. Beauvais 1637. Châlons/Marne 1649. Chartres 1627-1640. Clermont 1733. Limoges 1678. Lyon 1692. Orléans 1642. Paris 1646. Bordeaux 1707-1728. Reims 1677. Rodez 1733. Rouen 1640-1739. Verdun 1691.

Variante. [a] In nomine Patris…] *om.* Ver. – Au nom du Pere…] *add.* Ag. Lim. –[b] mihi] *add.* Ag. Al. Auc. Bay. ChM. Ch. etc. –[c] la] *add.* Ag. Al. Bor. ChM. Cha. Ly. Pa. Rei. Rod. Rou. Ver. – votre] *add.* Bay. Cl. Lim. Rom. –[d] car] parce que Lim. Rou.

P1601   Benedic mihi, Pater, quia peccavi. [ou] Mon pere donnez moy la[a] benediction s'il vous plaist[a], parce que j'ay peché.

Bourges 1666. Alet 1667.

Variante. [a] Mon pere, donnez-moi s'il vous plaist vostre benediction] Al.

P1602   In nomine Patris… Benedic mihi Pater, quia peccavi. [ou] Au nom du Pere… Mon Pere, benissez moy, parce que j'ay peché.

Langres 1679. Nantes 1733-1776.

P1603   Mon Pere donnez-moy s'il vous plaist vôtre benediction, parce que j'ai peché.

Nevers 1689.

P1604   In nomine Patris… Benedic mihi[a] Pater, quia peccavi. [ou] Au nom du Pere… Benissez moy Mon Pere, parce que[b] j'ay peché.

Paris 1697-1777. Blois 1730. Chalon/Saône 1735. Évreux 1741. Lisieux 1742. Lyon 1787. Meaux 1734. Metz 1713. Nantes 1735. Saint-Dié 1783. Soissons 1753.

Variantes. [a] mihi] *om.* An. –[b] parce que] car ChS. Mea.

P1605   Benissez-moi mon Pere car j'ay peché.

Toul 1700-1760.

CONFESSION PRIVÉE

P1606 Benedic mihi, Pater, quia peccavi ; (ou) Bénissez-moi, mon Pere, parce que j'ai péché.

Narbonne 1789.

B. RÉPONSE DU PRÊTRE
(ORDRE CHRONOLOGIQUE)

P1607 Dominus sit vobiscum[a], et maneat in eternum. Amen. In nomine Patris…

Chartres 1490-1553. Agen 1564. Angers 1543. Autun 1503. Cambrai 1503. Châlons/Marne 1569. Clermont 1505-1608. Limoges 1518. Maguelonne 1533. Meaux 1546. Orléans 1548-1581. Sens 1500-c. 1580. Verdun 1554.
Réf. Absent de PRG, Andrieu, Darragon, Deshusses.
Variante. [a] vobiscum] tecum Pé.

607bis Dominus sit in corde tuo et in labiis tuis ad confitendum omnia peccata tua. In nomine Patris…

Saint-Brieuc [1506]. Rennes c. 1510, 1533.

607ter Dominus sit in corde tuo et in labiis tuis, ad vere et humiliter confitenda peccata tua. In nomine Patris…

Autun 1545.

P1608 Dominus[a] sit in corde tuo et in labiis tuis, ad digne et humiliter[c] confitendum[d] peccata tua. In nomine Patris…

Cambrai 1562. Bâle 1595. Beauvais 1637. Besançon 1619. Bordeaux 1602-1611. Bourges 1616. Chalon/Saône 1605. Évreux 1606-1621. Genève 1612. Lisieux 1608, 1661. Meaux 1617. Metz 1605-1631. Reims 1585. Tournai 1591-1784. Vannes 1596. Vienne 1578.
Réf. Cf. PRG I, 334. Absent d'Andrieu, Darragon, Deshusses.
Variantes. [a] Dominus] Deus Met. Va. – [b] digne et humiliter] bene Bâle 1595. – recte Vi. – vere Bea. Bes. Bor. Bou. Ev. – et humiliter] *om.* Bes. Ch./S. Ev. Ge. Lis. Trn. Va. – vere et integre] Met. Rei. –[d] confitendum] confitenda Met. Rei. – omnia] *add.* Bea. Bor. Ev. Lis. Met. Rei. Vi.

P1609 Dominus sit in corde tuo et in labiis tuis, ut digne et competenter annuncies peccata tua. In nomine Patris…

Périgueux 1536.

P1610 Deus[a] sit in corde tuo et in[b] labiis tuis, ad vere poenitendum, et[c] confitendum omnia[d] peccata tua. In nomine Patris…

Chartres 1580-1581. Angoulême 1582. Cahors 1593-1604. Limoges 1596. Metz 1605-1631.
Réf. Cf. PRG I, 334. Absent d'Andrieu, Deshusses.

786 CHAPITRE XV

Variantes. [a] Deus] Dominus Cah. Ch. 1581. –[b] in] *om.* Ch. 1581. –[c] syncere] *add.* Ch. 1581. Lim. –[d] omnia] *om.* Ch. 1581. Lim.

P1610bis Dominus sit in corde tuo, et in labiis tuis, ut bene confitearis peccata tua. In nomine Patris…

Strasbourg 1590.

P1611 Dominus[a] sit in corde tuo, et in labiis tuis, ut vere et integre[b] confitearis omnia[c] peccata tua in nomine Patris…

Paris 1601-1777. Agen 1688. Albi 1647. Angers 1620-1735. Alet 1667. Arras 1623-1757. Bayeux 1687. Beauvais 1783. Besançon 1674-1705. Blois 1730. Bordeaux 1707-1728. Bourges 1666. Cambrai 1606-1779. Chalon/Saône 1735. Chartres 1627-1639. Clermont 1733. Évreux 1741. Langres 1679. Limoges 1678. Lisieux 1742. Lyon 1692-1787. Meaux 1734. Metz 1713. Nantes 1733-1776. Narbonne 1789. Nevers *1582*-1689. Orléans 1642. Reims 1677. Rodez 1733. Rouen 1611-1739. Saint-Dié 1783. Saint-Omer 1606-1727. Sens 1694. Soissons 1622, 1753. Toul 1700-1760. Tournai 1625. Vannes 1618-1631. Verdun 1691.

Variantes. [a] Deus] Ag. Al. Nan. Rei. Rou. 1739 Soi. 1622. –[b] vere et integre] contrito corde Bay. Cl. Lim. Rei. Rou. So. – digne] Al. Ne. SOm. – vere et humiliter Ar. Cam. 1606. SOm. – vere, integre et humiliter] Cam. 1622-1779. Trn. – recte An. 1735. Bl. Bou. Nar. Or. Rod. Sen. – digne et competenter Bes. – recte, et contrito corde Lim. 1678. – vere et contrito corde] Bay. Bea. Cl. Lim. Rei. Rou. Soi. – rite Ag. Bor. Nan. – et integre] *om.* Lis. Va. – contrito animo] *add.* Ly. –[c] omnia] o*m.* Ar. Rod. SOm. Trn.

[Autres dialogues]

P1612 Dic peccata que fecisti, et in quibus magis contra dominum Deum nostrum offendisti.

Auxerre 1536.

P1613 Frater, ad quid huc venisti? R. Veni ad agendam penitentiam de peccatis meis.

Vis emendare vitam tuam, et de cetero vitare peccata quantum humana fragilitas permiserit?

R. Volo concedente domino.

Lyon 1542.
Réf. Castellano, *Sacerdotale.*

[Autres façons de débuter la confession]

P1614 … ipse poenitens faciat signum crucis cum pollice manus dexterae, in fronte, ore, et pectore, dicens:

Per signum crucis, de inimicis nostris, libera nos, Deus noster.

CONFESSION PRIVÉE

Et producens iterum signum crucis, manu dextera, à fronte ad pectus, et à sinistro humero ad dexterum dicat In nomine Patris et Filii, et Spiritus sancti, Amen.

Bordeaux 1588, 1596, 1602, 1611[32].
Absent de PRG, Andrieu, Deshusses.

P1615 Faciat Poenitens signum Crucis cum police manus dexterae in fronte, ore, et pectore dicens.

Per lo senyal + de la sancta Creu, de nostres + enemies deslliurau nos + Senyor Deu nostre.

Et producens iterum signum Crucis manu dextera à fronte ad pectus, et à sinistro humero ad dexterum dicat. En nom del Pare, y del Fill + y del Spirit Sanct. Amen.

Muniat etiam se confessarius signo Crucis, et statim dicat poenitens confessionem generalem.

Io peccador me confes à Deu tot poderos, etc.

Elne 1656 (p. 64).

6. CONFITEOR ET ACTES DE CONTRITION

Le *Confiteor*, appellé parfois confession générale[33], précède ou encadre la confession des péchés.

La récitation du *Confiteor* par le pénitent, conseillée par le rituel romain, se généralise en France au XVIIe siècle. Le texte de la première partie, dite généralement avant *mea culpa* et la confession des péchés, évolue peu; la seconde partie présente souvent des variantes et se rapproche d'un acte de contrition[34]; elle est plus souvent récitée en français à partir de la seconde moitié du XVIIe siècle. À Paris, le *Confiteor* apparaît timidement en 1630 (première partie jusqu'à *mea culpa* et avant la confession); en 1646 est ajoutée la seconde partie en français, correspondant aux demandes de pardon des confessions générales.

La formulation de cette seconde partie évolue:

---

[32] Bordeaux 1602, 1611 (P1538) etc. Les rituels bordelais de 1588-1602 reprennent avec quelques additions le *Manuale* espagnol de 1585 (Molin Aussedat n° 2858).

[33] Autres formules de *Je me confesse à Dieu* dans les Absolutions générales (P441-P448) et les Confessions generales, chapitres VI-IX.

[34] A partir du XVIIe siècle, les actes de contrition apparaissent sous une forme plus stéréotypée dans les visites des malades, quelques formulaires de prône, et quelques conseils de dévotion. Par ailleurs, le prône dominical de Périgueux c. 1502 présente une formule de *Confiteor* développé en langue d'oc.

788 CHAPITRE XV

Les termes: «*si vous me jugez digne de la recevoir (l'absolution)*» apparaissent à Saint-Brieuc [1506] et Lyon 1542 (en latin, *Modus confitendi* de André de Escobar), puis à Reims 1677, Agen 1688, La Rochelle 1689, Soissons 1694...

Les termes: «*pour l'amour que je lui dois*» apparaissent à Châlons-sur-Marne 1649, puis Troyes 1660, Laon 1671...

Les termes: «Je m'en repens *veritablement*» apparaissent à Reims 1677, puis Chartres 1680, Amiens 1687, Agen 1688...

Les termes: «*J'en demande pardon à Dieu de tout mon coeur*» apparaissent à Toul 1700, puis Meaux 1734, Évreux 1741, Bourges 1746...

Le *Confiteor* est absent des rituels de Cambrai 1562, Chartres 1580, Nevers 1582, Reims 1585-1621 et province de Reims, Lyon 1589 (*Sacra Institutio baptizandi*), Tournai 1591, Vannes 1596, Rodez 1603, Cahors 1604 (*Ordo baptizandi*), Châlons 1605, Clermont-Saint-Flour 1608, Genève 1612, Paris 1601-1615...

Ordre chronologique des formules

P1616 Confiteor Deo.

Chartres 1490-1553, 1604. Agen 1564. Angers 1543, 1580. Autun 1503, 1523. Cambrai 1503. Etc.

P1617 Ego reus et peccator maximus. Confiteor Deo omnipotenti, et beate Marie semper virgini, et omnibus sanctis. Et tibi meo patri spirituali, quia peccavi nimis ad hora qua incepi peccare usque in presentem diem.

Mortaliter, criminaliter, venialiter[a], cogitatione, consensu, delectatione, deliberatione[b], consilio, locutione, visu, verbo, omissione, et opere.

Contra Deum patrem omnipotentem per nature infirmitatem.

Contra Filium Dei per anime ignorantiam et cecitatem.

Contra Spiritum Sanctum per maliciam, et obstinationem, desperationem, et voluntariam peccandi consuetudinem, tam cupiditate et amore inordinato, quam timore servili et mundano. Per impugnationem veritatis agnite[c]. Ac invidentiam caritatis fraterne. Et propositum non penitendi.

Et confiteor me peccasse, contra Deum meum. Tam cogitatione, et locutione, quam opere, et omissione. [André de Escobar, *Modus confitendi*][35].

Saint-Brieuc [1506] f. A5v. Lyon 1542 f. 89.

Variantes. [a] ad hora... venialiter] *om.* Ly. –[b] deliberatione] *om.* Ly. –[c] agnite] *om.* Ly.

P1618 Quandocunque et qualitercunque ego infelix peccator, peccavi contra beatitudines, et[a] contra omnia predicta, et singula, et ipsorum cir-

---

[35] Sur André de Escobar, voir *infra* Auteurs cités, p. 1941.

CONFESSION PRIVÉE

cunstantias. Scienter, vel ignoranter, dormiendo, vel vigilando, reddo me culpabilem Deo, et dico meam culpam. Et peto a Deo meo indulgentiam, et a vobis[b] patre absolutionem et penitentiam salutarem.

Petoque absolvi ab omnibus sentenciis excommunicationis, si[c] quas forsitan incidi participando cum excommunicatis vel alias, et ab omnibus peccatis meis[d]. Ideo precor beatissimam virginem Mariam, sanctos apostolos Dei Petrum et Paulum, et omnes sanctos et sanctas Dei, et te patrem, orare pro me ad Dominum I. C., ut parcat michi et remittat omnia peccata mea mortalia, criminalia, venialia, oblita, et neglecta, et per me confessa, et que libenter confiterer, si eorum memoriam haberem, et que a tempore quo incepi peccare usque in presentem diem. Cogitavi, dixi et feci, et opera que debebam facere omisi[e]. Et conferat michi gratiam ut in posterum consimilia peccata non faciam, et concedat mihi bonum finem vite mee, ac perseverantiam in bonis operibus, et hanc[f] animam meam ad celestem gloriam perducat. Vosque patrem meum requiro ex parte Dei omnipotentis, et sanctorum apostolorum Petri et Pauli, et sancte romane ecclesie et clavium auctoritate quatenus me absolvatis ab omnibus meis peccatis et delictis confessis, neglectis et oblitis, et a peccatis meis mortalibus commissis et omissis et venialibus. Et a quibuscunque aliis delictis, peccatis, et a penis aliis inferni et purgatorii que pro his peccatis merui. Item si sum excommunicatus, interdictus, aut suspensus, a iure vel ab homine, aut si fui aut essem suspensus vel interdictus, aut si participavi ignoranter vel scienter excommunicatis, supplico humiliter, quatenus dignemini me in forma ecclesie absolvere et participatione fidelium christianorum restituere[g]. [*Confiteor* **développé**] André de Escobar, *Modus confitendi*, P1378

Saint-Brieuc [1506] f. B3. Lyon 1542 f. 93.

Variantes Lyon 1542. [a] beatitudines et] *om.* –[b] vobis] te. –[c] si] in. –[d] propter Deum] *add.* –[e] et que a tempore… omisi] *om.* –[f] hanc] *om.* –[g] Vosque… restituere] *om.*

P1619 Confiteor Deo omnipotenti, et beate Marie virgini, et omnibus sanctis, et tibi pater, quia peccavi nimis cogitatione, consensu, visu, verbo, mente, et opere, unde dico mea culpa, mea culpa, mea maxima culpa, et precor beatam virginem Mariam, omnes sanctos, et te patrem orare pro me. [Confession des péchés]

Lyon 1542 f. 9.
Réf. Darragon 2432.

CHAPITRE XV

P1620 Aussi je me confesse, que ne suis venu avec si grande inquisition, et perscrutation en ma conscience, des maulx et pechés, que j'ay commis contre la souveraine majesté divine, comme je debvois, dont je en demande pardon. Aussi de la recidivation que j'ay faicte en telz pechés, dont je suis ingrat envers mon Dieu.

Aussi de tous les maulx et pechés par lesquelz j'ay offensé Dieu, dont il ne me souvient et que ne m'en suis confessé, que s'il m'en souvenoit je m'en confesserois volentiers…

Aussi j'ay bon propos moy amender, et vivre doresnavant comme ung bon chrestien doibt faire, selon mon estat, et vocation, moyennant la grace de Dieu ; auquel je me recommande, luy demandant pardon de tous les maulx et pechés, par lesquelz je l'ay offensé, et a vous penitence, et absolution. … Confiteor…

Autun 1545 p. 38-39 (voir P1522).

P1620bis Confiteor Deo omnipotenti, beatae Marie semper Virgini, beato Michaeli Archangelo, beato Ioanni Baptistae, sanctis Apostolis Petro et Paulo, omnibus Sanctis, et tibi Pater, quia peccavi nimis cogitatione, verbo, opere et omissione[a]. [Confession des péchés] Et pro omnibus peccatis per me confessis et oblitis, dico[b], mea culpa, mea culpa, mea maxima culpa. Ideo precor beatam Mariam semper virginem, beatum Michaelem archangelum, beatum Ioannem Baptistam, sanctos Apostolos Petrum, et Paulum, omnes sanctos, et te Pater, orare pro me ad dominum Deum nostrum.

Vienne 1578-1587. Bordeaux, 1602, 1611.

Variantes Bordeaux [a]opere et omissione] et opere –[b] Et pro … dico] *om.*

P1621 [Confession des péchés mortels suivie de] Confiteor Deo omnipotenti, b. Marie Virgini, omnibus sanctis, et tibi Pater : quia peccavi nimis cogitatione, verbo et opere, mea culpa, mea culpa, mea maxima culpa : Ideo precor beatissimam virginem Mariam, omnes sanctos, et te pater, orare pro me miserrimo peccatore dominum Deum nostrum.

Chartres 1581.

P1622 Je me confesse à Dieu, et à la tres-glorieuse vierge Marie, à tous les benoists Anges, à tous les saincts, et à vous mon Pere spirituel (lequel je recognois et advoue vicaire et lieutenant de Dieu au ministere de sa parolle, et des Sacrements) de tous les pechez que j'ay commis, depuis que j'ay usage de raison jusques a maintenant : et specialement depuis ma derniere confession, qui fust N. J'ay offensé mon Dieu, plusieurs foys, et en plusieurs manieres, par mauvaises pensées, par mauvaises

CONFESSION PRIVÉE

parolles, et par mauvaises oeuvres, par ommission et non-chalance, de faire ce qui m'estoit commandé : dont je m'accuse devant Dieu, et devant vous, demandant à Dieu pardon, et par vous absolution. [Confession des péchés]

Je confesse que j'ay offencé mon Dieu en plusieurs autres manieres, dont je n'ay pas presentement souvenance : mais me confiant à sa misericorde, je luy demande generallement pardon de toutes mes fautes, protestant d'amender ma vie, *moyennant sa grace*, pour laquelle impetrer je prie la glorieuse vierge Marie, et tous les saincts, et vous aussi mon pere spirituel, que vous intercediez et priez Dieu pour moy, à fin qu'il me face mercy, et qu'il me pardonne mes offences, pour la gloire de son sainct nom.

Angoulême 1582 p. 289 et 299 (formule de Denis Peronnet[36], *Manuel general… des curez*, Paris, 1574, f. 183 et 188).

P1623 Confiteor Deo omnipotenti, beatae Mariae semper virgini, beato Michaeli Archangelo, beato Ioanni Baptistae, sanctis Apostolis Petro et Paulo, omnibus sanctis, et tibi Pater : quia peccavi nimis cogitatione, verbo, et opere, mea culpa, mea culpa, mea maxima culpa. Ideo precor beatam Mariam semper virginem, beatum Michaêlem archangelum, beatum Ioannem Baptistam, sanctos Apostolos Petrum, et Paulum, omnes sanctos, et te Pater, orare pro me ad Dominum Deum nostrum.

(Vel) Je confesse a Dieu le Pere tout puissant, à la bien-heureuse Vierge Marie, au bien heureux sainct Michel l'Archange, à sainct Jean Baptiste, aux Apostres sainct Pierre et sainct Pol, et à tous les Saincts, et à vous mon Pere, que j'ay grandement peché en pensée, en parolle, et en oeuvre par ma faute, par ma faute, par ma tres-grande faute. A ceste cause je prie la bien-heureuse Vierge Marie, le bien heureux sainct Michel l'Archange, le bien-heureux S. Jean Baptiste, les Apostres S. Pierre et S. Pol, tous les Saincts, et vous mon Pere, qu'il vous plaise prier nostre Seigneur Dieu pour moy. [Confession]

Bordeaux 1588, 1596.

P1624 Confiteor Deo omnipotenti, beatae Mariae semper virgini, beato Michaeli… (P1623) quia peccavi nimis cogitatione, verbo, et opere. [Confession]

---

[36]   Sur Denis Peronnet, voir *infra* Auteurs cités, p. 1943.

792 CHAPITRE XV

De his, et omnibus peccatis meis aliis, contra Deum, proximum, et meipsum commissis[a], dico meam culpam, meam culpam[b], meam maximam culpam, et precor sacratissimam virginem Mariam, et omnes sanctos, et sanctas Dei, ut orent pro me ad Dominum Deum nostrum, et etiam te Pater, petoque absolutionem et salutarem[c] poenitentiam.

Strasbourg 1590. Limoges 1596.

Variantes Limoges. [a] commissis] *om.* –[b] meam culpam] *om.* –[c] salutarem] *om.*

P1625 Confiteor Deo omnipotenti… (P1623) quia peccavi nimis cogitatione, verbo, et opere. …

Je me confesse à Dieu le Pere tout puissant, à la benoite vierge Marie, à tous les saincts et sainctes de paradis, et à vous mon pere spirituel, de tous les pechés que j'ay commis depuis ma derniere confession, que fut en tel temps N. [Confession]

De tous ces pechez et autres desquelz je ne me souviens pas presentement, j'en demande à Dieu pardon, proteste d'amander ma vie moyennant son aide et sa grace, et a vous aussi mon Pere spirituel penitence et absolution disant, mea culpa, mea culpa, mea maxima culpa. Ideo precor beatam Mariam semper virginem, beatum Michaelum archangelum, beatum Ioannem Baptistam, sanctos apostolos Petrum et Paulum, et omnes sanctos, et te Pater, orare pro me ad Dominum Deum nostrum.

Cahors 1593, 1604, 1619 (*Manuale proprium*).

P1626 Confiteor Deo omnipotenti, beatae Mariae semper virgini, beato Michaeli Archangelo, beato Ioanni Baptistae, sanctis Apostolis Petro et Paulo, beato prothomartiri Stephano[a] omnibus sanctis, et tibi Pater: quia peccavi nimis cogitatione, verbo, et opere[b].[Confession]

Mea culpa, mea culpa, mea maxima culpa. Ideo precor beatam Mariam semper virginem, beatum Michaêlem archangelum, beatum Ioannem Baptistam, sanctos Apostolos Petrum, et Paulum, beatum prothomartyrem Stephanum[c] omnes sanctos, et te Pater, orare pro me ad Dominum Deum nostrum[d].

Metz 1605-1686. Arras 1623-1644. Besançon 1619-1705. Blois 1730. Bourges 1616. Cambrai 1606-1707. Coutances 1609-1682. Évreux 1606-1706. Lisieux 1608-1742. Meaux 1617. Narbonne 1736. Nevers 1689. Périgueux 1651-1763. Sées 1634. Tournai 1625-1784. Vannes 1618[37].

---

[37] La plupart de ces rituels citent uniquement *Confiteor etc.* … et *Mea culpa etc.*

CONFESSION PRIVÉE

Variantes. [a)38] beato prothomartiri Stephano] *om.* Ar. Bes. Bl. etc. – sancto N. (nominetur Patronus Ecclesiae) Trn. –[b)] mea culpa] *add.* Ev. 1606-1706. Lis. 1608-1661. –[c)] beatum Prothomartyrem Stephanum] *om.* Ar. Bes. etc. – sanctum N.] *add.* Ar. Trn. – atque B.N.] *add.* Bou. –[d)] Je me confesse à Dieu… si vero rudis et illeratus sit poenitens] *add.* Cou. – Aucuns disent le *Confiteor* en françois] *add.* Bou. – *Confiteor* soit en latin soit en françois] *add.* Ne. – Je confesse à Dieu tout – puissant…] *add.* Lis. 1742.

P1627 *(Sacerdos) simul cum eo (poenitente) dicat generalem confessionem [Confiteor etc.] usque ad haec verba.* [Confession des péchés] *Tunc dicat ei Sacerdos, ut concludat suam confessionem, dicens:* Et de cunctis aliis vitiis dico meam culpam, et precor, etc. *usque ad finem confessionis generalis…*

Saint-Omer 1606.

P1628 Confiteor *usque ad* mea culpa. [Confession] Mea culpa, mea culpa, mea maxima culpa. Ideo precor, etc.

Rouen 1611/1612. Bayeux 1627. Toul 1616-1652.

P1629 *Tum poenitens confessionem generalem latinâ vel vulgari linguâ, dicat, scilicet:* Confiteor, etc. *vel saltem utatur his verbis:* Confiteor Deo omnipotenti, et tibi Pater. *Peccata sua exinde confiteatur…* [Confession]

Romanum 1614. Auxerre 1631. Bâle 1665-1739. Béziers 1638. Bordeaux 1641, 1672. Cahors 1620. Chalon/Saône 1653. Clermont 1656. Genève 1632-1747. Meaux 1645. Nantes 1617. Poitiers 1619-1712. Saint-Malo 1617. Soissons 1622. Strasbourg 1670. Toulouse 1616-1736. Vabres 1766. Vannes 1631.

P1630 [a)] Je me confesse à Dieu, à la bien-heureuse Vierge Marie, au bien-heureux sainct Michel Archange, au bien-heureux sainct Jean Baptiste, aux bien-heureux Apostres S. Pierre et S. Paul[b)], à tous les saincts, et à vous mon pere spirituel[c)], de tous les pechez, que j'ay jamais[d)] faicts, soit en pensées, soit en paroles, ou en oeuvres: et specialement de ceux que j'ay faits depuis ma derniere confession, qui fut… [Confession]

Et generalement je m'accuse de tous autres[e)] pechez, que je pourrois avoir commis, dont je n'ay pas memoire[f)]: en demande pardon à Dieu, m'en repens, et propose de ne l'offenser plus moyennant sa grace, et vous demande absolution[g)].

Mea culpa, mea culpa, mea maxima culpa… Ideo precor beatam Mariam[h)]…

---

38 Sées 1695 omet le *Confiteor.*

CHAPITRE XV

Angers 1620-1676. Beauvais 1637. Chartres 1627-1640. Le Mans 1647-1680. Rouen 1640, 1651.

Variantes. (a) Confiteor Deo etc. aut] *add.* Bea. Rou. –(b) S. Pol] Rou. 1640 – au bien-heureux S. Romain] *add.* Rou. –(c) spirituel] *om.* Rou. –(d) jamais] *om.* Rou. 1651. –(e) autres] les Rou. –(f) dont je n'ay pas mémoire] dont il ne me souvient pas An. 1676. – pour le present; j'] *add.* Bea. –(g) vous demande absolution] Je vous demande avec soûmission comme à mon pere et à mon juge, penitence et absolution An. 1676. –(h) *aut vernaculè*: J'en dis ma coulpe, ma coulpe, ma tres-grande coulpe: Et partant je prie la bien-heurese Vierge Marie… le bien-heureux S. Romain… et vous mon Pere de prier le Seigneur nostre Dieu pour moy.] *add.* Rou.

P1631 Confiteor, *usque ad* mea culpa, *vel lingua vulgari,* Je me confesse à Dieu, *jusques à ces mots,* j'en dis ma coulpe(a). [Confession]

Paris 1630. Noyon 1631. Chalon/Saône 1653. Lyon 1692.

Variante Châlon. (a) Je me confesse… ma coulpe] Je me confesse à Dieu le Pere tout-puissant, et à vous mon Pere.

P1632 Confiteor Deo omnipotenti, Beatae Mariae semper Virgini, beato Michaëli Archangelo, beato Ioanni Baptistae, sanctis Apostolis Petro et Paulo, omnibus sanctis, et tibi Pater: quia peccavi nimis cogitatione, verbo, et opere.

Vel saltem utatur his verbis: Confiteor Deo omnipotenti, et tibi Pater. [Confession]

De his omnibus peccatis, et aliis quae memoriae non occurrunt, dico meam culpam, et precor beatam Mariam semper Virginem, beatum Michaëlem Archangelum, beatum Ioannem Baptistam, sanctos Apostolos Petrum et Paulum, omnes Sanctis, et te, Pater, orare pro me ad Dominum Deum nostrum.

Aut si malit, brevius dicet: De his omnibus peccatis dico meam culpam, et precor te, Pater, orare pro me.

Saint-Omer 1641-1727.

P1633 Confiteor Deo omnipotenti… verbo, et opere. [vel] Je me confesse à Dieu, à la bien-heureuse Vierge Marie, au bien heureux Archange sainct Michel… et à vous mon pere spirituel, de tous les pechez que j'ay jamais faits en pensées, en parolles, et en oeuvres: speciallement de ceux que j'ay faits depuis ma derniere confession. [Confession]

Mea culpa… et te pater orare pro me ad Dominum Deum nostrum.

Vel si vernaculâ confessione usus fuerit dicet, Et generalement de tous les autres pechez que je puis avoir commis; dont je n'ay pas memoire, en demande pardon à Dieu, m'en repens, et propose de ne plus l'offencer, moyennant sa grace, et vous demande absolution.

CONFESSION PRIVÉE   795

Orléans 1642.

P1634 Confiteor Deo, *usque ad* mea culpa; *vel* Je me confesse à Dieu, *usque ad haec verba j'*en dis ma coulpe[a]. [Confession]
Et generalement je m'accuse de tous[b] autres pechez que je pourrois avoir commis, dont je n'ay pas memoire[c], en demande pardon à Dieu, m'en repens[d], et propose ne l'offenser plus[e] moyennant sa grace, et vous demande penitence et absolution. … Mea culpa, mea culpa, mea maxima culpa; *vel vulgari linguâ illam absolvit generalem confessionem.*

Paris 1646, 1654, 1697, 1777, 1786. Albi 1647. Boulogne 1647. Châlons/Marne 1649. Troyes 1660.

Variantes. [a] je me confesse… ma coulpe] *om.* Alb. – j'en dis ma coulpe] c'est ma faute Pa. 1697-1786 –[b] les] *add.* Pa. 1697-1786 –[c] et dont je ne me souviens pas Pa. 1697-1786. –[d] pour l'amour que je luy dois] *add.* ChM. Tr. –[e] en demande… plus] j'en demande… je m'en repens, et je fais resolution de ne le plus offenser Pa. 1697-1777. – j'en demande pardon à Dieu, je fais resolution de ne les plus commettre Pa. 1786.

P1635 Io peccador me confes à Deu tot poderos, etc.

Elne 1656.

P1636 Confiteor *jusqu'à* mea culpa, *soit en latin soit en françois.* [Confession des péchés]
Mon pere, de tous ces pechez lesquels je viens de confesser, et ceux desquels je ne me souviens pas, et encore generalement de tous ceux de ma vie passée, j'en demande à Dieu pardon, et à vous pénitence et absolution, étant resolu de ne plus l'offencer, moyennant sa sainte grace. Mea culpa *jusqu'à la fin.*

Bourges 1666.

P1637 Confiteor *jusques à* mea culpa *exclusivement.* [ou au moins] Je me confesse à Dieu, à tous les Saints, et à vous, mon pere spirituel, de tous les pechez que j'ay commis; j'en dis ma coulpe. [Confession] [*Le pénitent achève le* Confiteor]

Alet 1667 p. 138 et 161.

P1638 Confiteor Deo, *usque ad* meâ culpâ, *vel* … Je me confesse à Dieu, *usque ad* … J'en dis ma coulpe. [Confession]
Et generalement je m'accuse de tous les autres pechez que je pourrois avoir commis, dont je n'ay point de memoire. Je demande pardon à Dieu, je me repens de l'avoir offensé pour l'amour que je luy dois, et je propose de ne l'offenser plus moyennant sa grace. … meâ culpâ,

meâ culpâ, meâ maximâ culpâ, etc. *vel vulgari linguâ illam absolvit confessionem generalem.*

Laon 1671, 1782.

P1639 Confiteor Deo omnipotenti, Beatae Mariae semper Virgini, beato Michaëli Archangelo, beato Ioanni Baptistae, sanctis Apostolis Petro et Paulo, omnibus sanctis, et tibi Pater: quia peccavi nimis cogitatione, verbo, et opere.

Je me[a] confesse à Dieu tout puissant, à la bien-heureuse Vierge Marie toujours vierge, au bien-heureux Saint Michel Archange, au bien-heureux Saint Jean Baptiste... et à vous mon pere, de tous les pechez que j'ay commis par pensées, par paroles, et par des actions; *(il ajoûtera)* et specialement de tous les pechez que j'ay commis depuis ma derniere confession[b][c]. [Confession]

Mon pere, je m'accuse generalement de tous les pechez que je pourrois avoir commis, et desquels il ne me souvient pas[d]; j'en demande pardon à Dieu, et m'en repens veritablement, et propose de ne l'offenser plus, moiennant le secours de sa grace; et je vous demande l'absolution de mes pechez si vous me jugez digne de la recevoir[e]. ... meâ culpâ, meâ culpâ, meâ maximâ culpâ... *Ou bien* J'en dis ma coulpe, ma tres-grande coulpe[f]; et partant je prie la bien-heureuse Vierge Marie... et vous mon pere, d'interceder pour moy auprés du Seigneur nôtre Dieu.

Reims 1677. Agen 1688. Amiens 1687. Clermont 1733. La Rochelle 1689-1744. Soissons 1694.

Variantes. [a] me] *om.* Cl. –[b] Je me confesse... confession] Je me confesse à Dieu, *jusqu'à ces paroles* J'en dis ma coulpe] Am. –[c] il ajoutera... confession] *om.* Ag. –[d] je ne me souviens pas] Cl. –[e] et je vous demande... recevoir] *om.* Am. –[f] C'est ma faute, c'est ma faute...] Cl.

P1640 *... Poenitens in principio facit Confessionem generalem latinâ lingua,* Confiteor, *usque ad* meâ culpâ, *vel lingua vulgari:* Je me confesse à Dieu; *usque ad illâ verbâ:* J'en dis ma coulpe, *vel saltem,* Confiteor Deo omnipotenti, et tibi Pater, *vel Gallicè:* Je me confesse à Dieu tout puissant, et à vous mon Pere. [Confession]

Omnibus declaratis Poenitens dicet:

De tous ces pechez et de tous les autres dont je ne me souviens pas, et generalement de tous ceux de ma vie passée, j'en demande pardon à Dieu, et à vous mon Pere penitence et absolution. *Postea perficit Confessionem generalem: a* mea culpâ, *usque ad finem*

Limoges 1678 *pars prima.*

CONFESSION PRIVÉE

P1641 Confiteor Deo, *usque ad* Meâ culpâ[a] ; *vel,* Je me confesse à Dieu, *usque ad haec verba,* J'en dis ma coulpe[a]. [Confession]
Meâ culpâ, etc. *vel vulga*[b] *linguâ illam absolvat generalem Confessionem.*

Langres 1679. Lyon 1692.

Variantes Lyon 1692. [a] *exclusivè*] *add.* –[b] vulga] vulgari.

P1642 Confiteor Deo omnipotenti… verbo, et opere.*Vel vulgari linguâ:* Je me confesse à Dieu… à tous les Saints, et à vous, mon Pere spirituel, de tous les pechez que j'ay jamais faits, soit en pensées, soit en paroles, ou oeuvres : et specialement de ceux que j'ay faits depuis ma derniere confession. [Confession]
Et generalement je m'accuse de tous les pechez que je pourrois avoir commis, dont je n'ay pas memoire : j'en demande pardon à Dieu, et m'en repens veritablement, et propose de ne l'offenser plus, moyennant sa grace, et vous demande l'absolution.
Meâ culpâ, meâ culpa. Ideo precor… orare pro me ad Dominum Deum nostrum. *Ou bien…* J'en dis ma coulpe, ma coulpe, ma tres grande coulpe, et partant je prie la bien-heureuse Vierge Marie… et vous mon pere, d'interceder pour moy auprés du Seigneur nostre Dieu.

Chartres 1680, 1689.

P1643 Confiteor *usque ad* meâ culpâ, *vel* Je me confesse à Dieu, *jusqu'à* j'en dis ma coulpe[a].
… De tous ces péchés, et de tous les autres[b], dont je ne me souviens pas, et généralement de tous ceux de ma vie passée, j'en demande pardon à mon[c] Dieu ; et à vous, mon Père, pénitence et absolution. *Postea perficit Confessionem generalem à* Meâ culpa *usque ad finem*[d].

Bayeux 1687. Chalon/Saône 1735. Nantes 1733, 1755, 1776.

Variantes. [a] j'en dis ma coulpe] c'est par ma faute ChS. – par ma faute. Nan. 1733, 1755. –[b] que je pourrois avoir commis] *add.* Nan. 1776. –[c] mon] *om.* ChS. Nan. –[d] *ou* c'est par ma faute] *add.* ChS. – *vel* par ma faute] *add.* Nan. 1733, 1755.

P1644 Confiteor Deo, *jusqu'à* meâ culpa, *ou,* Je me confesse à Dieu, *jusqu'à* J'en dis ma coulpe[a]. [Confession]
… Et generalement je m'accuse de tous les pechés que je pourrois avoir commis, et dont je ne me souviens pas, j'en demande pardon à Dieu, je m'en repens pour l'amour que je lui dois, et propose de ne le plus offenser, moiennant le secours de sa grace, et vous demande peni-

tence et absolution. Mea culpa, mea culpa, mea maxima culpa,... J'en dis ma coulpe, ma coulpe, ma tres-grande coulpe etc[b].

Verdun 1691, 1787.

Variantes. [a] Confiteor... Dieu] *jusqu'à ces paroles:* verbo et opere, (*ou*) Je me confesse à Dieu, etc. *jusqu'à celles-ci:* par paroles et par actions [Confession] Ver. 1787. Tr. – [b] J'en dis ma coulpe...] par ma faute... Ver. 1787.

P1645 Confiteor Deo omnipotenti, b. Mariae semper Virgini, b. Michaëli archangelo, b. Joanni Baptistae, sanctis apostolis Petro et Paulo, omnibus sanctis, et tibi Pater: quia peccavi nimis cogitatione, verbo et opere[a]. [Confession]

Je m'accuse generalement de tous les[b] pechés que je pourrois avoir commis, et dont je ne me souviens pas, et en demande pardon à Dieu, et à vous mon Pere, penitence et absolution. Mea culpa, mea culpa, mea maxima culpa, ideo precor b. Mariam[c]...

Sens 1694. Orléans 1726.

Variantes Orléans. [a] Vel gallicè: Je me confesse à Dieu... et à vous mon Pere, parce que j'ai excessivement peché par pensées, par paroles, et par actions] *add.* –[b] autres] *add.* –[c] Vel vernaculè. C'est par ma faute...] *add.*

P1646 Confiteor Deo omnipotenti, beatae Mariae semper virgini... Je me confesse à Dieu tout-puissant, à la bienheureuse Marie toûjours vierge, au bienheureux saint Jean Baptiste, aux apôtres saint Pierre et saint Paul, à tous les saints, et à vous, mon pere, d'avoir beaucoup offensé Dieu par pensée, par parole et par action. [Confession]

Voylà, mon pere, les pechez dont je me souviens. Je m'en accuse et généralement de tous ceux que je puis avoir commis. J'en demande pardon à Dieu de tout mon coeur. Je m'en repens pour l'amour que je luy dois, et je promets de ne plus l'offenser, moyennant le secours de sa grace. Je vous demande l'absolution, si vous me jugez digne de la recevoir, aprés m'avoir imposé la penitence que vous trouverez à propos. Meâ culpa... [Ou bien:] C'est par ma faute que je suis coupable de tant de pechez: ouy, c'est par ma faute, et ma très grande faute. C'est pourquoy je prie...

Toul 1700-1760.

P1647 Confiteor *en latin ou en françois, ou en langue vulgaire* ... verbo et opere. [Confession]

Je m'accuse generalement de tous les pechez que je puis avoir commis, et dont je ne me souviens pas, j'en demande pardon à Dieu, et à

CONFESSION PRIVÉE

vous, mon Pere, penitence et absolution, si vous me jugez digne de la recevoir. Meâ culpâ… *ou en françois, ou en langue vulgaire…*

Auch 1701, 1751, et Province d'Auch. Aire [1720], 1776. Sarlat 1708.

P1648 Confiteor *jusqu'à* meâ culpâ, *ou en françois,* Je me confesse *jusqu'à ces paroles,* Par ma faute. [Confession]
Je m'accuse generalement de tous les pechez que je puis avoir commis, et dont je ne me souviens pas ; je m'en repens de tout mon coeur, pour l'amour de Dieu, je lui en demande trés-humblement pardon, et à vous mon Pere, penitence et absolution. Meâ culpâ, meâ culpâ etc. *ou en françois :* c'est par ma faute, etc.

Bordeaux 1707-1777. Lodève 1773. Rodez 1733. Sarlat 1729.

P1649 Confiteor etc. *usque ad haec verba,* meâ culpâ. *Vel vulgari linguâ.* Ich beichte und bekenne. Je confesse à Dieu. *usque ad haec verba.* durch meine schuld etc. par ma faute. [Confession] meâ culpâ, *vel* durch meine schulde etc. par ma faute etc.

Metz 1713.

P1650 Confiteor Deo, *usque ad* meâ culpâ, Je me confesse à Dieu *usque ad haec verba,* c'est ma faute. [Confession]
… Et generalement je m'accuse de tous les autres pechez, que je pourrois avoir commis, dont je ne me souviens pas à présent, j'en demande pardon à Dieu, je m'en repens, et promets de ne le plus offenser, moyennant sa sainte grace, et vous demande l'absolution.
Tunc pectus suum ter percutiens, subjungit latinè, vel si melius novit Gallicè loquendo. Meâ culpâ, meâ culpâ, meâ maximâ culpâ… Ideo precor beatam Mariam…

Beauvais 1725.

P1651 [a] Je me confesse à Dieu etc.[b] … [Confession]
Et généralement je m'accuse de tous les autres[c] péchez que je pourrois avoir commis, dont je ne me souviens pas ; j'en demande pardon à Dieu, je m'en repens, et je fais résolution de ne le plus offenser moïennant sa grace, et vous demande pénitence et absolution[d][e][f].

Auxerre 1730. Bayeux, Coutances, Lisieux, Sées 1744. Beauvais 1783. Rouen 1739-1771. Strasbourg 1742.
Variantes. [a] Confiteor Deo… ad meâ culpâ (vel)] *add.* Rou. St. – Confiteor Deo, usque ad meâ culpâ, exclusive, vel] *add.* Bea. –[b] (jusqu'à ces paroles exclusivement) c'est ma faute] *add.* Bea. Rou. St. – Ich armer sündiger Mensch beichte une bekenne…] *add.* St. –[c] autres] *om.* Bea. Rou. St. –[d] Und insgemein gebe ich mich schuldig all deren

CHAPITRE XV

Sünden...] *add.* St. –[(e)] Meâ culpâ, meâ culpa, meâ maximâ culpâ. ... Ideo precor beatam Mariam, etc. (aut) c'est ma faute... C'est pourquoi je prie...] *add.* Bea. Rou. – [(f)] Meine Schuld, meine Schuld...] *add.* St.

P1652 Confiteor... quia peccavi nimis cogitatione, verbo et opere. *Ou en françois.* Je me confesse à Dieu tout-puissant, à la bienheureuse Marie toûjours vierge... et à vous, Mon Pere, de tous les péchés que j'ai commis, par pensées, par paroles, et par actions. [Confession]

De tous ces péchés, et de tous ceux dont je ne me souviens pas, j'en demande pardon à Dieu de tout mon coeur, et à vous, mon Pere, pénitence et absolution.

Mea culpa, mea culpa, mea maxima culpa... ideo precor... orare pro me ad Dominum Deum nostrum.

Ou en françois. C'est par ma faute, c'est par ma faute, c'est par ma très grande faute que je suis coupable de ces péchés. C'est pourquoi je prie la bienheureuse Marie... de prier pour moi le Seigneur notre Dieu.

Meaux 1734. Évreux 1741. Boulogne 1750-1780.

P1653 Je me confesse à Dieu tout-puissant, à la bienheureuse Marie toujours vierge, à S. Michel Archange, à S. Jean Baptiste... de tous les pechez que j'ay commis par pensées, par paroles, et par oeuvres; et specialement de ceux que j'ay faits depuis ma derniere confession, qui fut... [Confession]

Et generalement je m'accuse de tous les autres pechez que je pourrois avoir commis, dont il ne me souvient pas; je m'en repens, et j'en demande pardon à Dieu; je promets de ne l'offenser plus, moyennant sa grace; et je vous demande avec soumission, comme à mon Pere et à mon Juge, penitence et absolution.

Tunc pectus ter percutiens... absolvit confessionem generalem, seu vernaculè, seu latinè.

Angers 1735.

P1654 Confiteor *en latin ou en françois, jusqu'à* mea culpâ, *exclusivement.* [Confession]

De tous ces péchés, et de tous ceux dont je ne me souviens pas, j'en demande pardon à Dieu de tout mon coeur, et à vous, mon Pere, pénitence et absolution.

Meâ culpâ, meâ culpâ, etc. *en latin ou en françois, jusqu'à la fin du* Confiteor.

Bourges 1746. Carcassonne 1764. Limoges 1774. Luçon 1768. Montauban 1785. Poitiers 1766.

CONFESSION PRIVÉE

P1655 Confiteor Deo… Je me confesse à Dieu tout-puissant… [Confession]
De tous ces péchés, et de tous ceux que je n'ai pas déclarés par oubli
ou par ignorance, j'en demande pardon à Dieu de tout mon coeur ; et
à vous, mon Père, pénitence et absolution, si vous me jugez digne de
la recevoir. Mea culpa… C'est par ma faute…

Toulon 1750.

P1656 Confiteor, *en latin ou en françois, jusqu'à* meâ culpâ, *exclusivement.* [Confession]… *le Prêtre l'avertira (le Pénitent) d'achever son*
Confiteor[a].

Soissons 1753, 1778. Albi 1783. Narbonne 1789.

Variante Narbonne. [a] le Prêtre… Confiteor] meâ culpâ, meâ culpâ, etc. *jusqu'à la fin
du* Confiteor, *en latin ou en français.*

P1657 Confiteor Deo omnipotenti, beatae Mariae etc. (*seu vernaculè*) Je me
confesse à Dieu etc. *usque ad haec verba* verbo et opere. (vel) par paroles et par actions. [Confession]
Meâ culpâ… Par ma faute, par ma faute, par ma tres-grande faute.
C'est pourquoi je prie etc.

Arras 1757. Châlons/Marne 1776. Senlis 1764. Tours 1785.

P1658 Confiteor Deo omnipotenti beatae Mariae semper Virgini, beato Michaëli Archangelo… Je me confesse à Dieu tout-puissant, à la bienheureuse Marie toujours Vierge… [Confession]
De tous ces péchés, et de tous ceux dont je ne me souviens pas,
j'en demande pardon à Dieu de tout mon coeur, je m'en repens pour
l'amour que je lui dois ; je me propose de ne plus l'offenser, moyennant
sa grace, et vous demande, à vous mon Pere, pénitence et absolution.
Meâ culpâ, meâ culpâ, meâ maxima culpâ… c'est par ma faute…

Troyes 1768.

P1659 Confiteor Deo, *usque ad* meâ culpâ ; *vel vulgari linguâ,* Je me confesse
à Dieu, *usque ad haec verba,* J'en dis ma coulpe. [Confession]
Et généralement je m'accuse de tous les autres péchés que je pourrois avoir commis, dont je n'ai point de mémoire. Je demande pardon
à Dieu, je me repens de l'avoir offensé pour l'amour que je lui dois, et
je me propose de ne l'offenser plus moyennant sa grace. … Meâ culpâ
etc., *vel vulgari linguâ illam absolvit confessionem generalem.*

Laon 1782 (comme Laon 1671).

P1660 Confiteor, *en latin ou en français, jusqu'à* mea culpa, *exclusivement.*
[Confession]

802   CHAPITRE XV

Je m'accuse de tous ces péchés, de tous ceux de ma vie passée ; J'en demande pardon à Dieu ; et à vous mon Pere l'absolution. *Ici le Confesseur interrogera le Pénitent, s'il le juge nécessaire, si non il lui laissera finir le* Confiteor … mea culpa, etc. (*ou en français*, par ma faute) *jusqu'à la fin du* Confiteor.

Toulouse 1782. Saint-Papoul 1783.

P1661   Confiteor, *en latin ou en françois, jusqu'à* mea culpâ *inclusivement.*
[Confession]
     Je m'accuse de tous ces péchés ; de tous ceux de ma vie passée, et de tous ceux que je n'ai pas déclarés, par oubli, ou par ignorance ; j'en demande pardon à Dieu ; et à vous, mon Père, l'absolution, si vous me jugés digne de la recevoir, après m'avoir imposé la pénitence que vous trouverés à propos.
     Le pénitent achèvera ensuite le Confiteor…

Saint-Dié 1783.

7. Exhortation avant l'absolution

P1662   Or sus je m'en vay vous donner l'absolution, voicy le moment dans lequel vous allez être reconcilié avec vôtre Dieu, que le Sang de nôtre Seigneur J. C. vous va être appliqué, mettez vous au même état que si vous étiez au pied de la croix, et recevez ce sang precieux avec douleur et avec confiance, demandant pardon à ce bon Dieu de vos pechez, qui ont été la cause de sa mort.

Bourges 1666.

8. Formules d'absolution et prières d'accompagnement

Jusqu'en 1614, les formulaires d'absolution sont variés, tout en comprenant toujours la formule *Dominus noster I. C. te absolvat…* suivie de *Ego te absolvo a peccatis tuis, in nomine Patris*[39]…

Deux exceptions : Autun 1545, qui donne comme seule formule *Ego absolvo te a peccatis tuis in nomine Patris…* en se référant à Jean Gerson. Ce dernier en effet, de même que les Conciles de Florence et de Trente[40], déclare que la formule *Ego te absolvo…* suffit pour absoudre les péchés.

[39]   *Dominus noster I. C. te absolvat … Ego te absolvo…* ou formules très proches.
[40]   Concile de Trente. Session XIV, 25 nov. 1561, cap. III.

CONFESSION PRIVÉE

Chartres 1581 donne la formule *Et ego … absolvo te…* après *Misereatur…* et *Indulgentiam…* en ignorant *Dominus noster…*

Les rituels de Vienne 1578 et 1587 sont les premiers à utiliser les mêmes formules que les textes romano-vénitiens intitulés *Ordo baptizandi et alia sacramenta administrandi*, publiés apparemment à partir de 1592[41], formules qui seront reprises par le rituel romain en 1614[42].

Les formules romaines sont rapidement adoptées, sauf dans quelques diocèses de la moitié nord du pays, faisant figure d'exception.

Quelques rituels (Agen 1688, Auch 1701-1751…) précisent, après les prières *Misereatur…* et *Indulgentiam…* que si le prêtre juge à propos de différer l'absolution, il donnera ici une simple benediction après en avoir averti le pénitent; s'il trouve à propos de donner l'absolution, il dira les formules d'absolution proprement dites *Dominus noster J. C. … te absolvat …* et *Passio Domini nostri J. C. …*

Absolutionem et remissionem omnium peccatorum tuorum…
Voir: Indulgentiam, absolutionem et remissionem…

P1663 Dominus noster I. C. per magnam suam misericordiam, et meritum sanctissime passionis suae, te a peccatis tuis emundare et liberare dignetur. Et ego te absolvo à peccatis tuis, in nomine Patris…

Cambrai 1562.
Réf. Absent de Janini, Sac., PRG, Andrieu, Darragon, Deshusses.

P1664 Dominus noster I. C. per suam magnam misericordiam dignetur te absolvere. Et ego autoritate ipsius qua ego fungor. Absolvo te a vinculo excommunicationis minoris si ligaris, et absolvo te a peccatis tuis. In nomine Patris…

Strasbourg c. 1490-1513.
Réf. Absent de Janini, Sac., PRG, Andrieu, Darragon, Deshusses.

P1665 Dominus noster I. C. per suam misericordiam et meritum suae passionis te absolvat, et ego te absolvo à peccatis tuis, in nomine Patris…

Ypres 1576. Malines 1589. Chalon/Saône 1605.
Réf. Absent de Janini, Sac., PRG, Andrieu, Deshusses.

---

[41] Les absolutions de l'*Ordo baptizandi iuxta ritum S. R. Ecclesiae* (Molin Aussedat n° 1492, 1499 etc.) sont identiques à celles des *Sacra Institutio baptizandi* (Molin Aussedat n° 1493, 1526, 1536 etc.) et diffèrent de celles des *Ordo baptizandi et alia sacramenta…* publiés plus tard (Molin Aussedat n° 1516, 1520, 1521, 1532 etc.).

[42] Seule la formule *Dominus noster I. C., qui est summus pontifex…* diffère légèrement.

CHAPITRE XV

P1666 Dominus noster I. C. per suam misericordiam te absolvat, et ego auctoritate ipsius qua fungor, absolvo te ab omnibus peccatis tuis, et vinculo excommunicationis, si quam incurristi, et à participatione cum excommunicatis, si teneris, in quantum auctoritas mea se extendit, et restituo te sanctis sacramentis Ecclesiae, et unitati fidelium. In nomine Patris...

Lyon 1589 (*Absolutio quam debent facere confessores, quando audiunt confessionem*).
Réf. Sacra Institutio baptizandi. Absent de Janini, Sac., PRG, Andrieu, Deshusses.

P1667 Dominus noster I. C. per suam piissimam misericordiam te absolvat. Et ego absolvo te à sententia excommunicationis minoris, si quam incurristi, et ab omnibus peccatis tuis. In nomine Patris...

Vannes 1596.
Réf. Absent de Janini, Sac., PRG, Andrieu, Deshusses.

P1668 Dominus noster I. C. per virtutem et meritum sue amarissime passionis te absolvat. Et ego auctoritate ipsius, et sancte matris Ecclesie michi in hac parte commissa. Ego[a] te absolvo a sententiis excommunicationis minoris si quas incedisti[b] participando cum excommunicatis vel alias.

Et restituo te sacramentis sancte matris Ecclesie et unitati fidelium.

Et eadem auctoritate te absolvo ab omnibus peccatis tuis. In nomine Patris... (André de Escobar, *Modus confitendi*).

Saint-Brieuc 1506. Lyon 1542.
Réf. Absent de Janini, *Sac.*, PRG, Andrieu, Darragon, Deshusses.
Variantes. [a] Ego] *om.* Ly. –[b] incedisti] incurristi Ly.

P1669 Dominus noster I. C., qui beato Petro apostolo, collatis clavibus regni coelestis, dedit potestatem ligandi atque solvendi, ipse per suam piissimam misericordiam te absolvat, et ego authoritate ipsius et beatorum Petri et Pauli apostolorum eius, et... rev. D.D. nostri N. Cadurcensis Episcopi tibi concessa, et mihi commissa in quantum possum, debeo et valeo, absolvo te a vinculo excommunicationis, si sit excommunicatus, suspensionis, si suspensus, interdicti, si interdictus, quod incurristi propter talem casum N. et si sint plures propter tales casus N.N. illum vel illos nominando toties quoties illud vel illa incurristi, et restituo te sanctis sacramentis Ecclesiae, et communioni et unitati fidelium. In nomine Patris...

Cahors 1593-1619 [Absolution des cas réservés à l'évêque].
Réf. Absent de Janini, Sac., PRG, Andrieu, Deshusses.

P1670 Dominus noster I. C., qui est summus pontifex, et verus absolutor omnium criminum, per suam piissimam misericordiam te absolvat. Et ego auctoritate ab eo mihi concessa, absolvo te primo a sententia minoris

CONFESSION PRIVÉE

excommunicationis, si indigeas. Deinde absolvo te ab omnibus peccatis tuis. In nomine Patris…

Nevers 1582.

Réf. Absent de Janini, Sac., PRG, Andrieu, Darragon, Deshusses.

P1671 Dominus noster I. C. qui est summus pontifex, ipse[a] te absolvat ; et ego authoritate illius[b], absolvo te, primum[c], ab omni vinculo excommunicationis[d], in quantum possum et[e] indiges ; deinde absolvo te[f] ab omnibus[g] peccatis tuis. In nomine Patris…

Rouen 1611 (*Forma absolutionis sacramentalis*). Agen 1688. Bayeux 1627-1687. Bourges 1666-1746. Soissons 1753.

Réf. Absent de Janini, Sac., PRG, Andrieu, Deshusses.

Variantes. [a] ipse] *om.* Ag. Bou. So. – [b] illius] ipsius Ag. – ipsius mihi licet indigno concessa Bou. – mihi ab eo concessa So. – [c] primum] *om.* Ag. – in primis Bou. – imprimis] So. – [d] et interdicti] *add.* Bay. Bou. – (suspensionis) et interdicti] *add.* Ag. So. (*pro sacerdotibus*) – [e] tu] *add.* Ag. Bay. So. – [f] deinde absolvo te] ego te absolvo Ag. Bay. Bou. So. – [g] ab omnibus] à Ag. Bay. Bou.

P1672 Dominus noster I. C. qui est summus pontifex, per meritum suae passionis te absolvat. Et ego authoritate ipsius mihi in hac parte concessa, absolvo te quantum possum et indiges, imprimis a vinculo excommunicationis minoris si quam incurristi, deinde eadem authoritate absolvo te ab omnibus peccatis tuis. In nomine Patris…

Cahors 1593.

Réf. Absent de Janini, Sac., Deshusses.

P1673 Dominus noster I. C., qui est summus pontifex, per suam piissimam misericordiam te absolvat, et ego authoritate ipsius, mihi, licet indignissimo, concessa, absolvo te imprimis[a] à[b] vinculo excommunicationis[c], in quantum possim[d] et[e] indiges ; deinde ego te absolvo ab omnibus[f] peccatis tuis, in nomine Patris et Filii et Spiritus Sancti. Amen.

Paris 1601-1777. Beauvais 1637-1725. Boulogne 1750-1780. Lisieux 1742.

Réf. Absent de Janini, Sac., PRG, Andrieu, Deshusses.

Variantes. [a] imprimis] *om.* Boul. Pa. 1646-1697. – primum Bea. Lis. – [b] à] ab omni Boul. Lis. Pa. 1646-1777 – [c] et interdicti (*et si poenitens Clericus sit dicat Confessarius*) à vinculo excommunicationis, suspensionis et interdicti] *add.* Pa. 1615-1630. – suspensionis, et interdicti] *add.* Bea. Boul. Lis. Pa. 1646-1777 – [d] possum] Pa. 1615-1777. Bea. Boul. Lis. – [e] tu] *add.* Bea. Lis. – [f] ab omnibus] à Pa. 1646-1777.

P1674 Dominus noster I. C. qui est summus pontifex, per suam piissimam misericordiam te absolvat. Et ego auctoritate michi concessa, absolvo te

806 CHAPITRE XV

a sententia minoris excommunicationis si ligaris. Deinde ego absolvo te a peccatis tuis. In nomine Patris...

Saint-Brieuc 1506.
Réf. Absent de Janini, Sac., PRG, Andrieu, Darragon, Deshusses.

P1675 Dominus noster I. C., qui est summus pontifex, te absolvat ab omnibus peccatis tuis. Amen. Et ego authoritate ipsius mihi licet indigno concessa, absolvo te imprimis à vinculo minoris excommunicationis (si quam incurristi) deinde absolvo te ab omnibus peccatis tuis. In nomine Patris...

Limoges 1596.
Réf. Absent de Janini, Sac., PRG, Andrieu, Deshusses.

P1676 Dominus noster I. C., qui est summus pontifex, te absolvat, et ego auctoritate ipsius[a] absolvo te ab omni vinculo *(si fuerit ecclesiasticus additur* suspensionis et interdicti) excommunicationis, si quod incurristi,[b] quantum possum et indiges, deinde ego te absolvo ab omnibus peccatis tuis, in nomine Patris...

Vienne 1578-1587. Metz 1605-1713.
Réf. Absent de Janini, Sac., PRG, Andrieu, Deshusses.
Variante. [a] mihi licet indignissimo concessa] *add.* Met. 1713. –[b] in] *add.* Met.

P1677 Dominus noster I. C., qui est summus pontifex, te absolvat, et ego auctoritate ipsius, mihi licet indignissimo[a] ab eo[b] concessa, absolvo te in primis[c] à vinculo[d] excommunicationis[e], in quantum possum et[f] indiges. Deinde ego te absolvo[g] ab omnibus[h] peccatis tuis, in nomine Patris...

Strasbourg 1590. Arras 1623-1757. Bourges 1616. Cambrai 1606-1779. Coutances 1609-1618. Évreux 1606. Saint-Omer 1641-1727. Tournai 1625-1784.
Réf. Absent de Janini, Sac., PRG, Andrieu, Deshusses.
Variantes. [a] indignissimo] indigno Ar. Bou. Cam. Cou. 1618. SOm. Trn. –[b] ab eo] *om.* Ar. Bou. Cam. Cou. Ev. SOm. Trn. –[c] in primis] imprimis Ar. Cam. Trn. – primo SOm. –[d] vinculo] ab omni vinculo Bou. – vinculis Cou. 1609. –[e] [*si Poenitens sit in sacris Ordinibus constitutus, adjungat,* suspensionis, et interdicti] *add.* Cam. 1606-1707. SOm. –[f] tu] *add.* SOm. 1727. –[g] ego te absolvo] absolvo te Ev. –[h] ab omnibus] à Bou. – omnibus] *om.* Cam. 1659-1707.

P1678 Dominus noster I. C. qui est summus pontifex, te absolvat. Et ego eius auctoritate et ex apostolica commissione absolvo te ab omni vinculo tam maioris quam minoris excommunicationis, ab omnibus quoque ecclesiasticis censuris, si quas incurristi, et eadem auctoritate absolvo te ab omnibus peccatis tuis, in nomine Patris...

Saint-Omer 1606 (*Modus administrandi Sacramentum Poenitentiae sanis*).
Réf. Absent de Deshusses.

CONFESSION PRIVÉE

807

P1679 Dominus noster I. C., qui est summus pontifex, te absolvat, et ego autoritate ipsius, te absolvo ab omni vinculo excommunicationis (*si le pénitent est ecclésiastique il ajoûtera* : Suspensionis) et interdicti, in quantum possum et tu indiges ; deinde ego te absolvo à peccatis tuis, in nomine Patris...

Agen 1688. Chalon/Saône 1735.

P1680 Dominus noster I. C., qui est summus sacerdos, absolvat te, et ego authoritate mihi ab eo concessa absolvo te primum ab excommunicatione, in quantum possum et indiges, deinde ab omnibus peccatis tuis, in nomine Patris...

Reims 1585-1621. Amiens 1586-1607. Châlons/Marne 1606. Laon 1585-1621. Saint-Brieuc 1605.

Réf. Absent de Janini, Sac., Deshusses.

P1681 Dominus noster I. C. qui est summus sacerdos absolvat te[a]. Et ego authoritate mihi ab eo concessâ[b], te absolvo primum ab omni vinculo excommunicationis (suspensionis) et interdicti, in quantum possum et tu[c] indiges. Deinde, ego te absolvo ab omnibus[d] peccatis tuis, in nomine Patris, et Filii et Spiritus Sancti. Amen.

Verdun 1691-1787. Châlons/Marne 1649-1776. Reims 1783. Troyes1660.

Variante. [a] absolvat te] te absolvat ChM. Rei. Tro. –[b] mihi... concessâ] ipsius ChM. Tro. –[c] tu] *om.* ChM. Tro. –[d] ab omnibus] a ChM. Tro.

P1682 Dominus noster I. C., qui est summus sacerdos, ipse te absolvat, et ego auctoritate ipsius, mihi licet indigno concessa, absolvo primo à sententia minoris excommunicationis, si et in quantum possum, et indigeas, deinde ab omnibus peccatis tuis eadem auctoritate absolvo te, in nomine Patris...

Chartres 1580.

P1683 Dominus noster I. C., qui est summus sacerdos, ipse te absolvat, et ego te absolvo a peccatis tuis. In nomine Patris, et Filii et Spiritus Sancti. Amen.

Senlis 1526. Metz 1543.

P1684 Dominus noster I. C., qui est summus sacerdos, ipse te absolvat, et gratiam suam tibi infundat : Et ego authoritate quae fungor, absolvo te a vinculo excommunicationis quantum possum et indiges : deinde absolvo te a peccatis tuis, in nomine Patris, et Filii et Spiritus Sancti. Amen.

Poitiers 1619-1655[43]

---

[43] Formule d'absolution venant après les formules romaines *Misereatur... Indulgentiam...*, conseillée à la fin de *La Forme de faire le prosne les dimanches...* reliée à la suite des rituels

808 CHAPITRE XV

P1685 Dominus noster I. C., qui est supremus Pontifex, ipse te per suam piissimam misericordiam absolvat; et ego, ipsius auctoritate, mihi, quamvis indigno, concessâ, absolvo te, primum ab omni vinculo Excommunicationis, (Suspensionis), et Interdicti in quantum possum, et indiges; deinde, ego te absolvo à peccatis tuis; in nomine Patris et Filii et Spiritus Sancti. Amen.

Paris 1786.

P1686 Dominus noster I. C. qui est verus absolutor omnium criminum, per suam piissimam misericordiam te absolvat. Et ego auctoritate ipsius domini nostri I. C. et beati Petri apostoli, et officii mei michi commissa. Absolvo te a sententia excommunicationis si quam incurristi. Et restituo te communioni fidelium inquantum possum et valeo. Et eodem auctoritate, absolvo te ab omnibus peccatis tuis, et restituo te participationi sacramentorum. In nomine Patris et Filii et Spiritus Sancti. Amen.

Autun 1503. Cambrai 1503.
Réf. Absent de Janini, Sac., PRG, Andrieu, Darragon, Deshusses.

P1687 Dominus noster I. C. qui est verus absolutor omniumque criminum, per suam sanctam misericordiam te absolvat. Et ego autoritate[a] michi commissa[b] ab omnibus peccatis tuis michi dictis, ore confessis, corde contrictis[c], et negligenter oblitis, et a participatione cum excommunicatis si indigeas te[d] absolvo, et restituo te ad sacrosancta sacramenta nostre sancte matris Ecclesie. In nomine Patris et Filii et Spiritus Sancti. Amen.

Chartres 1490. Agen 1564, Angers 1543. Châlons/Marne 1569. Clermont 1505-1608. Limoges 1518. Maguelonne 1533. Meaux 1546. Orléans 1548-1581. Périgueux 1536. Sens 1500-c. 1580. Verdun 1554.
Réf. Absent de Janini, Sac., PRG, Andrieu, Darragon, Deshusses.
Variantes. [a] auctoritate] Sen. –[b] commissa] concessa ChM. –[c] contrictis] contritis Ag. Mea. Pé. Sen. –[d] te] *om.* Sen.

P1688 Dominus noster I. C., qui est verus et summus pontifex, per merita sue passionis te absolvat, et ego auctoritate beatorum apostolorum Petri et Pauli mihi commissa et tibi concessa, te absolvo a sententia excommunicationis, si quam incurristi, et ab omnibus peccatis et offensionibus tuis confessis, contritis, et oblitis: de quibus non recordaris, in quan-

de Poitiers de 1619-1655, f. sign. A8 de l'édition 1619.

CONFESSION PRIVÉE

tum in hac parte claves sancte matris ecclesie se extendunt. In nomine Patris…

Lyon 1542 (*Alia generalis absolutio in articulo mortis*)
Réf. Absent de Deshusses.

P1689 Dominus noster I. C., qui est verus et summus pontifex, per merita sue passionis te absolvat, et ego auctoritate suorum apostolorum Petri et Pauli te absolvo a sententia minoris excommunicationis, si quam incurristi: et ab omnibus peccatis tuis, confessis, contritis, et oblitis: de quibus non recordaris: et te restituo gremio sancte matris ecclesie. In nomine Patris…

Lyon 1542.

P1690 Dominus noster I. C. te absolvat. Et ego absolvo te a vinculo excommunicationis minoris si ligaris ea et a peccatis tuis in nomine Patris…

Bâle 1488.
Réf. Absent de Janini, Sac., PRG, Andrieu, Darragon, Deshusses.

P1691 Dominus noster J. C. te absolvat; et ego auctoritate illius absolvo te ab omnibus peccatis tuis in nomine Patris, et Filii…

Alet 1667 («si c'est une personne fort reglée, et qui ne s'est confessée que de fautes fort legeres»)

P1692 Dominus noster I. C. te absolvat, et ego auctoritate ipsius, et sanctae sedis Apostolicae mihi in hac parte concessa, te absolvo etc.

Vannes 1618-1631 (si le pénitent «se gaigne quelque jubilé ou indulgence»)

P1693 Dominus noster I. C. te absolvat, et ego auctoritate ipsius, mihi licet indignissimo concessa, absolvo te in primis ab omni vinculo excommunicationis, et[a] interdicti in quantum possum, et indiges. Deinde ego te absolvo ab omnibus peccatis tuis. In nomine Patris…

Bordeaux 1602, 1611 Rodez 1603. Vannes 1618-1631.
Réf. Absent de Janini, Sac., PRG, Andrieu, Deshusses.
Variantes. [a] *add.* marginale Bor. : Quand celuy qui confesse est promeu aux ordres sacrées [*sic*] il faut ajouter ces deux mots. *Suspensionis et interdicti.* – suspensionis et] *add.* Va. (si le pénitent est prêtre) – et interdicti] *add.* Rod.

P1694 Dominus noster I. C. te absolvat, et ego auctoritate ipsius, mihi, licet indigno, concessa, absolvo te imprimis ab omni vinculo excommunicationis minoris, si indiges, deinde absolvo te ab omnibus peccatis tuis. In nomine Patris…

Tournai 1591.

810   CHAPITRE XV

Réf. Absent de Janini, Sac., PRG, Andrieu, Deshusses.

P1695   Dominus noster I. C. te absolvat, et ego auctoritate ipsius, qua fungor[a], te absolvo (in quantum possum)[b] ab omni vinculo excommunicationis maioris, aut minoris[c], suspensionis, vel interdicti, si forte incurristi, et[d] eadem auctoritate, ego te absolvo à peccatis tuis, in nomine Patris…

Bordeaux 1588, 1596. Elne 1656.

Réf. Absent de Janini, Sac., PRG, Andrieu, Deshusses.

Variantes Elne. [a] qua fungor] *om.* –[b] in quantum possum] imprimis. –[c] maioris aut minoris] *om.* –[d] et] deinde.

P1696   Dominus noster I. C. te absolvat, et ego autoritate ipsius, te absolvo ab omni vinculo excommunicationis, in quantum possum, et indiges. Deinde absolvo te ab omnibus peccatis tuis. In nomine Patris…

Genève 1612.

P1697   Dominus noster I. C. te absolvat, et ego auctoritate ipsius, te absolvo ab omni vinculo excommunicationis, suspensionis, et interdicti, in quantum possum, et tu[a] indiges. Deinde ego te absolvo a peccatis tuis, in nomine Patris…

Romanum (*Ordo ministrandi sacramentum Poenitentiae*). Albi 1647. Évreux 1741. Lyon 1692. etc.

Réf. Absent de Janini, Sac., PRG, Andrieu, Deshusses.

Variante. [a] tu] *om.* Alb.

P1698   Dominus noster I. C. te absolvat, et ego authoritate ipsius, te absolvo ab omni vinculo excommunicationis minoris, si qua teneris. Deinde absolvo te à peccatis tuis, in nomine Patris…

Ordo baptizandi. Bâle 1595. Besançon 1619. Cahors 1604-1619.

Réf. Absent de Janini, Sac., PRG, Andrieu, Deshusses.

P1699   Ego absolvo te[a] à[b] peccatis tuis, in nomine Patris, et Filii, et Spiritus Sancti. Amen.

Autun 1545. Bordeaux 1588-1602 (*in casu necessitatis*). Elne 1656 (*in casu necessitatis*). Évreux 1606 (*in brevioribus confessionibus*).

Variantes. [a] te absolvo] Bor. –[b] à] ab omnibus Ev.

P1700   Ego absolvo te ab omnibus peccatis tuis, quae mihi modo confessus es, et ab omnibus aliis, quorum memoriam non habes, et omnia bona, quae fecisti, et facturus es, sint ad laudem Dei omnipotentis, et mala

CONFESSION PRIVÉE

omnia, quae patieris, et passus es, sint tibi in remissionem omnium peccatorum tuorum. In nomine Patris…

Lyon 1589 (*Absolutio, quam debent facere confessores, quando audiunt confessionem*)
Réf. Sacra Institutio baptizandi. Absent de PRG, Andrieu, Deshusses.

P1701   Ego te absolvo ab omnibus censuris et peccatis, in nomine Patris…

Romanum (Urgente aliquâ gravi necessitate in periculo mortis). Arras 1623 (urgente mortis periculo). Saint-Omer 1641-1727 (Urgente aliquâ gravi necessitate in periculo mortis). Etc.

P1702   Et ego auctoritate ipsius mihi, licet indigno, concessa absolvo te imprimis à vinculo excommunicationis, in quantum possum, et tu ipse indiges : et eadem auctoritate absolvo te ab omnibus peccatis tuis, in nomine Patris…

Chartres 1581.

P1703   Et ego authoritate ipsius mihi licet indigno concessa absolvo te in primis à censura ecclesiastica, et vinculo minoris excommunicationis (si quam incurristi) deinde absolvo te ab omnibus peccatis tuis, in nomine Patris…

Angoulême 1582.
Réf. Peronnet[44]. Absent de Janini, Sac., PRG, Andrieu, Deshusses.

P1704   Et super hoc[a] dominus noster I. C. qui est verus et summus pontifex per merita sue passionis te absolvat. Et ego auctoritate apostolorum suorum Petri et Pauli te absolvo a sententia minoris excommunicationis, si quam incurristi, et ab omnibus peccatis tuis, confessis, contritis, et oblitis, de quibus non recordaris. Et te restituo in gremium[b] sancte matris Ecclesie. In nomine Patris…

Lyon 1498 (*Ordo ad ministrandum sacramentum penitentie*). Lyon 1542.
Réf. Absent de Janini, Sac., PRG, Andrieu, Darragon, Deshusses.
Variantes. [a] Et super hoc] *om.* Ly. 1542. –[b] in gremium] gremio Ly. 1542.

P1705   Haec poenitentia, et meritum passionis Domini nostri I. C., suffragia sancte matris Ecclesiae, et bona quae fecisti, et per Dei gratiam facies, valeant tibi in remissionem omnium peccatorum tuorum. Et Dominus noster I. C., qui est summus sacerdos, per suam misericordiam te absolvat, et ego authoritate mihi ab eo concessa, absolvo te primum ab excommunicationis in quantum possum, et indiges, deinde ab omnibus peccatis tuis, in nomine Patris…

---

[44]   Sur Denis Peronnet, voir *infra* Auteurs cités, p. 1943.

812 CHAPITRE XV

Reims 1585-1621. Amiens 1586-1607. Châlons/Marne 1606. Laon 1585-1621. Saint-Brieuc 1605.

Réf. Absent de Janini, Sac., PRG, Andrieu, Deshusses.

P1706 Indulgentiam, absolutionem dominus noster I. C., qui est summus pontifex, tibi tribuat. Et ego authoritate ipsius mihi licet indigno concessa, Absolvo te ab omnibus peccatis tuis, in nomine Patris, et Filii, et Spiritus-sancti. Amen.

Cahors 1593-1619 [absolution des enfants de moins de six ou sept ans]

P1707 Indulgentiam[a] absolutionem et remissionem omnium peccatorum[b], spacium vere penitentie, et[c] emendationem vite, gratiam et consolationem Sancti Spiritus Paracliti, et perseverantiam in cunctis bonis operibus largiatur tibi Pater pius et misericors Dominus. Amen.

Chartres 1490. Agen 1564. Autun 1503. Cambrai 1503. Châlons/Marne 1569. *Clermont 1505-1608. Maguelonne 1533 (f. 46v-47).* Meaux 1546, Nevers 1582, *Orléans 1548-1581.* Sens 1500-c. 1580. Verdun 1554.

Réf. Darragon 2186, 2478, 2512, 3788, 7956. Absent de Janini, Sac., PRG, Andrieu, Deshusses.

Variantes. [a] Indulgentiam] *om.* Aut. Cam. –[b] tuorum] *add.* Ag. Ne. Sen. –[c] et] *om.* Aut. Cam.

P1708 Indulgentiam, absolutionem, et remissionem omnium[a] peccatorum tuorum, tribuat tibi omnipotens[b] et misericors Dominus. R. Amen.

Vienne 1578. Agen 1688. Arras 1623-1757. Bâle 1595. Besançon 1619. Bordeaux 1588-1611. Bourges 1666. Cahors 1593-1604. Cambrai 1606-1779. Chalon/Saône 1605. Chartres 1580-1581. Coutances 1609-1618. Elne 1656. Évreux 1606. Genève 1612. Limoges 1596. Lyon 1692. Metz 1543, 1605. Paris 1601-1786. Reims 1585-1621. Poitiers 1619-1655. *Romanum.* Rouen 1611. *Saint-Brieuc 1506*[45]. Saint-Omer 1641-1727. Strasbourg 1590. Tournai 1591-1784. Vannes 1596.

Réf. Darragon 2186, 2478, 2512, 8645. *Ordo baptizandi.* Absent de Janini, Sac., PRG, Andrieu, Deshusses.

Variantes. [a] omnium] *om.* Ar. Bes. Bor. Cha. El. Ly. Poi. *Rom.* SOm. –[b] pater, pius] *add.* Rei. Va.

P1709 Indulgentiam, absolutionem, et remissionem omnium peccatorum tuorum, tribuat tibi omnipotens et misericors Dominus. Amen. Et dominus noster I. C., qui est summus pontifex, te absolvat ab omnibus peccatis tuis. Amen.

Angoulême 1582.

---

[45] Saint-Brieuc 1506 : Indulgentiam, absolutionem, et remissionem omnium peccatorum tuorum tribuat, etc.

CONFESSION PRIVÉE   813

Réf. Peronnet. Absent de Janini, Sac., PRG, Andrieu, Deshusses.

P1710 Indulgentiam, absolutionem, et remissionem omnium peccatorum tuorum, tribuat tibi omnipotens et misericors Dominus. R. Amen. Et gratia Sancti Spiritus mundet te a delictis omnibus[a]. R. Amen.

Périgueux 1536. Saint-Omer 1606.
Réf. Absent de Janini, Sac., Deshusses.
Variante. [a] Et gratia… omnibus] *om.* SOm.

P1711 Indulgentiam, absolutionem, et remissionem omnium peccatorum tuorum, tribuat tibi omnipotens Pater pius et misericors Dominus. Amen.

Vannes 1596.

P1712 Indulgentiam et remissionem omnium peccatorum tuorum, spacium vere penitentie, cor contritum ac poenitens, finem bonum, ac vitam aeternam tribuat tibi omnipotens pius pater, et misericors Dominus. Amen.

Cambrai 1562.
Réf. Darragon 2434. Absent de Janini, Sac., PRG, Andrieu, Deshusses.

P1713 Indulgentiam[a] et remissionem omnium peccatorum tuorum tribuat tibi omnipotens et misericors Dominus. Amen.

Senlis 1526. Bayeux 1627. Metz 1543.
Variante. [a] absolutionem] *add.* Met.

P1714 Indulgentiam et remissionem peccatorum tuorum tribuat tibi pius Pater et misericors Dominus. Amen.

Strasbourg c. 1490.
Réf. Absent de Janini, Sac., PRG, Andrieu, Deshusses.

P1715 Ista poenitentia, et meritum passionis Domini nostri I. C., et merita beatissimae Dei genetricis virginis Mariae, et omnium sanctorum, omnia bona opera per te facta, et facienda, tibi cedant, et valeant in satisfactionem et remissionem peccatorum tuorum.

Vannes 1596.
Réf. Absent de Janini, Sac., PRG, Andrieu, Deshusses.

P1716 Ista poenitentia et meritum passionis Domini nostri I. C., suffragia sanctae matris Ecclesiae, et bona quae fecisti, quae per Dei gratiam facies, et mala quae sustinuisti, et valeant tibi in remissionem peccatorum tuorum, in augmentum gratiae, et praemium vitae aeternae.

Paris 1601.
Réf. Absent de Janini, Sac., PRG, Andrieu, Deshusses.

P1717 Merita domini nostri I. C. ac beatissime virginis Marie matris eius et omnium sanctorum humilitas confessionis ac omnia bona que feceritis et adversa que sustinueritis ac cuncta bona que fiunt in ecclesia Dei necnon indulgentie si quas acquisieritis, sint nobis in remissionem peccatorum in augmentum gratie et virtutum corporisque et anime salutem, et in vitam eternam. Amen.

Bâle 1488.

Réf. Absent de Janini, Sac., PRG, Andrieu, Darragon, Deshusses.

P1718 Meritum passionis domini nostri I. C., beate Marie virginis et omnium sanctorum et sanctarum merita[(a)], suffragia sancte matris Ecclesie, bona que fecisti et que per gratiam Dei facies, sint tibi in remissionem omnium peccatorum tuorum.

Saint-Brieuc 1506. Nevers 1582.

Réf. Absent de Darragon, Janini, Sac., Deshusses.

Variante. [(a)] beate Marie... merita] *om.* Ne.

P1719 Meritum passionis domini nostri I. C. et merita beatissimae Dei genitricis virginis Mariae, et omnium sanctorum eius, bona opera per te facta, et facienda, cedant tibi in satisfactionem peccatorum tuorum.

Ypres 1576. Malines 1589. Chalon/Saône 1605.

Réf. Absent de Janini, Sac., PRG, Andrieu, Deshusses.

P1720 Meritum passionis domini nostri I. C., merita et intercessiones beate Marie semper virginis et omnium sanctorum, humilitas huius confessionis, bonum propositum quod habetis[(a)], et bona que per Dei gratiam facietis[(b)], ac mala que patienter sustinueritis[(c)] prosint vobis[(d)] in remissionem peccatorum vestrorum. (André de Escobar, *Modus confitendi*)

Saint-Brieuc 1506. Lyon 1542.

Réf. Absent de Janini, Sac., PRG, Andrieu, Darragon, Deshusses.

Variantes. [(a)] habetis] habes Ly. –[(b)] facietis] facies Ly. –[(c)] sustinueritis] sustinueris Ly. –[(d)] vobis] tibi Ly.

P1721 Misereatur tui omnipotens Deus, dimittat tibi omnia peccata tua, custodiat te ab omni malo, conservet te in omni bono, perducat te in vitam eternam. Amen.

Strasbourg c. 1490-1513.

Réf. Absent de Janini, Sac., PRG, Andrieu, Deshusses.

CONFESSION PRIVÉE

P1722 Misereatur tui omnipotens Deus, et dimissis omnibus[a] peccatis tuis, perducat te cum gaudio[b] ad[c] vitam eternam. Amen.

> Cambrai 1562-1779. Bâle 1595. Bayeux 1627. Bordeaux 1588. Cahors 1593-1604. Chalon/Saône 1605. Coutances 1609-1618. Lyon 1692. Paris 1601-1786. Rodez 1603. Saint-Omer 1606-1727. Strasbourg 1590. Tournai 1591. Vienne 1578.
> *Réf. Ordo baptizandi.* Absent de Janini, Sac., PRG, Andrieu, Deshusses.
> *Variantes.* [a] omnibus] *om.* SOm 1641-1727. –[b] cum gaudio] *om.* Bal. Bay. Bor. Cah. Ch.S. Ly. Pa. Rod. SOm 1641-1727. St. Trn. Vi. –[c] ad] in Ch.S. Rod. SOm 1606. Trn.

P1723 Misereatur tui omnipotens Deus, et dimissis omnibus peccatis tuis, perducat te I. C. filius Dei vivi[a] ad vitam eternam. Amen.

> Chartres 1490. Agen 1564. Autun 1503. Bordeaux 1588-1611. Cahors 1604. Cambrai 1503. Châlons/Marne 1569. Clermont 1505-1608. Maguelonne 1533. Meaux 1546. Metz 1605. Nevers 1582. *Orléans 1548-1581.* Périgueux 1536. Reims 1585-1621. Rouen 1611. Sens 1500-c. 1580. Verdun 1554.
> *Réf.* Absent de Janini, Sac., PRG, Andrieu, Deshusses.
> *Variantes.* [a] I. C.… vivi] *om.* Bor. Cah. Cam. Rou. – vivi] *om.* Met. Rei. Sen.

P1724 Misereatur tui omnipotens Deus, et dimissis peccatis tuis, perducat te ad vitam eternam. Amen.

> Vienne 1578. Agen 1688. Besançon 1619. Bourges 1616-1666. Elne 1656. Évreux 1606. Genève 1612. Poitiers 1619-1655. *Romanum.* Vannes 1618-1631. Etc.
> *Réf. Ordo baptizandi.*

P1725 Misereatur tui omnipotens Deus, et dimittat tibi omnia peccata tua, et perducat te in vitam aeternam. Amen.

> Vannes 1596.

P1726 Misereatur tui omnipotens Deus, et dimittat tibi omnia[a] peccata tua, liberet ab omni malo, conservet et confirmet in omni opere bono, et perducat ad vitam aeternam[b].

> Chartres 1580-1581.
> *Variantes.* [a] omnia] *om.* Ch. 1581. –[b] Amen] *add.* Ch. 1581.

P1727 [a] Misereatur tui omnipotens Deus, et dimittat tibi omnia peccata tua, liberet ab omni malo[b], et perducat te[c] cum suis sanctis in vitam eternam. Amen.

> Bâle 1488. Lyon 1498-1542.
> *Réf.* Darragon 1442, 2694, 2849. Absent de Janini, Sac., PRG, Andrieu, Deshusses.
> *Variantes.* [a] Deo gratias] *add.* Ly 1498. – [b] liberet te ab omni malo] *om.* Ly. –[c] I. C.] *add.* Ly.

816 CHAPITRE XV

P1728 Misereatur tui omnipotens Deus, et perducat te in vitam eternam.
Amen[a].

Senlis 1526. Metz 1543.
Réf. Artus Fillon, *Speculum curatorum.* Absent de Janini, Sac., PRG, Andrieu, Darragon, Deshusses.
Variante. [a] Amen] *om.* Met.

P1729 Passio Domini nostri I. C., et merita beatae Mariae semper[a] virginis,
et omnium sanctorum,[b] et[c] quicquid boni feceris, et[d] mali[e] sustinueris[f], sint[g] tibi in remissionem[h] peccatorum[i], [j]augmentum
gratiae, [k]praemium vitae aeternae.

Vienne 1578. Agen 1688. Arras 1623-1757. Auch 1701-1751. Bâle 1595. Beauvais 1637. Besançon 1619. Bordeaux 1588-1611. Boulogne 1750. Bourges 1666. Cahors 1604. Cambrai 1606-1779. Châlons/Marne 1776. Clermont 1733. Coutances 1609-1618. Elne 1656.
Évreux 1606-1741. Genève 1612. Lyon 1692. Metz 1605-1713. Périgueux 1651. Rodez 1603.
Romanum. Saint-Omer 1606-1727. Strasbourg 1590. Tournai 1591.
Réf. Ordo baptizandi. Absent de Janini, Sac., PRG, Andrieu, Deshusses, Darragon.
Variantes. [a] semper] *om.* Bal. Bea. ChM. Ev. 1741. *Rom.* -[b] suffragia sanctae Matris
Ecclesiae] *add.* Bea. Met. 1713. -[c] et] *om.* Ag. Bal. El. *Rom.* - [d] vel] Ev. 1741. -[e] patienter] *add.* Ag. Cl. Ev. Met. 1713. Rod. -[f] propter Deum] *add.* El. -[g] sint]sit Bal. -
[h] omnium] *add.* Ev. -[i] tuorum] *add.* Cah. Ge. -[j] in] *add.* Bal. Bor. ChM. El. Ev. Rod.
Rom. etc. -[k] et] *add.* Ag. Ar. Auc. Bal. *Rom.* etc. - et in] *add.* Bal.

P1730 Passio Domini nostri I. C. et merita beatissimae semper virginis Mariae et omnium sanctorum, et omnia bona quae fecisti, valeant tibi in
remissionem peccatorum tuorum, in augmentum gratiae, et praemium
vitae aeternae. Amen.

Rouen 1611 (*Forma absolutionis sacramentalis*). Bayeux 1627.
Réf. Absent de Janini, Sac., PRG, Andrieu, Deshusses.

P1731 Passio Domini nostri I. C., merita beatae Mariae virginis et omnium
sanctorum, et bona quae fecisti et facies, et mala quae sustinuisti et sustinebis, sint tibi in augmentum gratiae et praemium vitae aeternae. Amen.

Cahors 1593.
Réf. Absent de Janini, Sac., PRG, Andrieu, Deshusses.

P1732 Passio Domini nostri I. C., merita beatae[a] Virginis et omnium sanctorum, suffragia sanctae matris Ecclesiae, quidquid boni feceris, et mali
sustinueris, valeant tibi in remissionem peccatorum, in augmentum
gratiae[b], et praemium vitae aeternae[c].

Paris 1615-1786. Boulogne 1750-1780.

CONFESSION PRIVÉE

Variantes. [a] Mariae] *add.* Pa. 1646-1697. –[b] in augmentum gratiae] gratiae incrementum Pa. 1786. –[c] Amen.] *add.* Pa. 1646-1786.

P1733 Precibus et meritis beatae Mariae semper virginis, beati Ioannis Baptistae, Petri, Pauli, et omnium sanctorum, et propter gloriam nominis sui, misereatur tui omnipotens Deus, dimittat tibi omnia peccata tua, liberet te ab omni malo, conservet te, et confirmet in omni opere bono, et perducat ad vitam aeternam. R. Amen.

Angoulême 1582. Limoges 1596.

Réf. Cf. Andrieu III, 569, 639. Absent de Janini, Sac., PRG, Deshusses.

P1734 Veram indulgentiam absolutionem et remissionem omnium peccatorum vestrorum tribuat vobis omnipotens Pater, pius et misericors Dominus : Et gratia Sancti Spiritus mundet vos a peccatis omnibus.

Cahors 1593 [Absolution et bén. pontificale de l'évêque de Cahors].

Réf. Absent de Janini, Sac., PRG, Andrieu, Deshusses.

9. Octroi d'indulgences

P1735 Auctoritate sanctae sedis Apostolicae mihi pro nunc commissa concedo tibi indulgentiam hoc privilegio contentam. In nomine Patris, etc.

Vel, concedo tibi omnes gratias quas concedere possum. In nomine Patris, etc.

Vannes 1618 (*La forme d'appliquer une Indulgence à l'article de la mort*)

P1736 Concedo tibi auctoritate mihi commissa, et tibi concessa, indulgentiam plenariam, in nomine Patris...

Bordeaux 1588-1596[46] (si poenitens habeat facultatem eligendi confessarium qui sibi conferat indulgentiam plenariam)

Réf. Absent de Deshusses.

P1737 Concedo tibi plenariam indulgentiam peccatorum tuorum, facultate mihi concessa, et commissa[a], virtute bullarum tuarum[b]. (Si poenitens habeat facultatem eligendi confessarium qui sibi conferat indulgentiam plenariam).

Bordeaux 1588-1596. Elne 1656.

Variantes Elne. [a] facultate… commissa] facultate tibi concessa, et mihi commissa. – [b] vel aliorum privilegiorum] *add.*

---

[46]   *Voir supra* formulaire de Bordeaux 1588 (P1530), octroi d'indugence.

P1738 Si praesens mortis periculum (Deo favente) evaseris, sit tibi haec indulgentia reservata, pro vero mortis articulo. [indulgence à l'article de la mort]

Bordeaux 1588-1596. Elne 1656.
Réf. Absent de Janini, Sac., Deshusses.

10. FORMULES FINALES

P1739 Amice vel Domine, et magister vel aliter. In multis Deum offendisti, et tuam salutem impedivisti[a], caveas de cetero a peccatis, et a laqueis dyaboli, et benefacere studeas. Deus tibi concedat, ut bona que fecisti et que facies in posterum, per Dei misericordiam convertantur in penitentiam et remissionem peccatorum tuorum. Amen.

Chartres 1490-1553. Agen 1564. Châlons/Marne 1569. Clermont 1505-1608. Maguelonne 1533. Meaux 1546, Orléans 1548-1581. Périgueux 1536. Sens 1500-c. 1580. Verdun 1554.
Réf. Absent de Janini, Sac., PRG, Andrieu, Deshusses.
Variante. [a] impedivisti] impedisti Ag. Pé. Sen.

P1740 Amice… (P1739) que fecisti facis et facere intendis mala et pene que tollerasti et que tollerabis tibi computentur et convertantur in remissionem peccatorum tuorum. Amen.

Autun 1503. Cambrai 1503.
Réf. Absent de Janini, Sac, Deshusses.

P1741 Ecce sanus factus es, iam noli peccare, ne deterius aliquid tibi contingat.

Malines 1589. Chalon/Saône 1605. Coutances 1609. Saint-Omer 1606. Tournai 1591.
Réf. Absent de Deshusses.

P1742 Frater vel Soror. Vade in pace. Deus det tibi gratiam suam. Amen.

Périgueux 1536.

P1743 Vade, et iam amplius noli peccare.

Bordeaux 1588-1611. Chalon/Saône 1605. Malines 1589. Saint-Omer 1606. Tournai 1591.

P1744 Vade, et iam amplius noli peccare, ne deterius aliquid tibi contingat.

Vannes 1596.

P1745 Vade in pace[a].

Lyon 1542. Coutances 1609.
Variante. et iam amplius noli peccare] *add.* Cou.

CONFESSION PRIVÉE

P1746 Vade in pace, et noli amplius[a] peccare.

> Lyon 1498, 1542. Vienne 1578.
> *Variante Vienne.* [a] amplius noli.

P1747 Vade in pace, et noli amplius peccare, ne deterius tibi contingat[a], Deus det tibi gratiam suam. Amen.

> Chartres 1490. Agen 1564. Autun 1503. Cambrai 1503. Châlons/Marne 1569. *Clermont 1505-1608. Maguelonne 1533.* Meaux 1546, *Orléans 1548-1581,* Périgueux 1536. Sens 1500-c. 1580. Verdun 1554.
> *Réf.* Absent de Deshusses.
> *Variante.* [a] et noli… contingat] *om.* Pé.

P1748 Vade in pace, ora pro me, et noli amplius peccare.

> Paris 1601.

11. Prières du prêtre après la confession

Les prières après la confession sont beaucoup plus rares que les prières avant la confession. Les premiers rituels proposant ces prières sont ceux d'Arras 1623, Tournai 1625 et Saint-Omer 1641.

P1749 Domine exaudi orationem meam, et clamor meus ad te veniat.

> Lyon 1787.

P1750 Kyrie eleison.

> Lyon 1787.

P1751 Pater noster…

> Lyon 1787.

P1752 V. Perfice gressus nostros in semitis tuis. R. Ut non moveantur vestigia nostra.

> Reims 1783.
> *Réf.* Absent de PRG, Andrieu, Deshusses.

P1753 Domine Deus omnipotens propitius esto mihi peccatori, ut dignè possim tibi gratias agere qui me indignum propter tuam misericordiam ministrum fecisti officii sacerdotalis, et me exiguum, humilemque, mediatorem constituisti, ad orandum et intercedendum ad Dominum nostrum J. C. filium tuum pro peccatoribus et ad penitentiam revertentibus; ideoque Domine, qui omnes homines vis salvos fieri, et ad agnitionem

820 CHAPITRE XV

veritatis venire; qui non vis mortem peccatorum, sed ut convertantur et vivant, suscipe orationem meam, quam fundo, pro famulis et famulabus tuis, qui ad poenitentiam venerunt, ut foveas in illis spiritum compunctionis, ne incurrant diaboli laqueos, et ad te per dignam satisfactionem revertantur. Per eumdem Christum Dominum nostrum.

Saint-Omer 1727 [proche de *Domine Deus omnipotens propitius…* prière du prêtre avant de confesser en 1606].

Réf. PRG II, 14, 234, Deshusses 3957. Absent de Janini, Sac., Andrieu.

P1754 Domine Deus, qui confitentium tibi corda purificas, et vitam poenitentium malle te dixisti quam mortem, da indulgentiam reis, et accusantium se medere vulneribus, ut omnium percepta remissione peccatorum, sincera tibi devotione deserviant; integrum sit eis atque perpetuum, quod gratia tua prius contulit, et deinceps misericordia reformavit. Per Christum.

Lyon 1787.

Réf. Absent de PRG, Andrieu, Deshusses.

P1755 Omnipotens et[a] sempiterne Deus, de cuius munere venit, ut tibi digne et laudabiliter serviatur: praesta supplicibus tuis, quos nostro ministerio[b] à peccatorum vinculis absolvisti, ut sicut de tua misericordia confidunt; ita gratia tua illos iugiter comitetur, et[c] nullis tentationibus deinceps a te separentur; meque, qui primus gratia tua indigeo, in meo munere illibatum conserva. Per Christum.

Arras 1623-1757. Châlons/Marne 1776. Narbonne 1789. Paris 1786. Reims 1783. Saint-Omer 1641. Toulouse 1782. Tournai 1625-1784. Tours 1785. Verdun 1787.

Réf. Absent de PRG, Andrieu, Deshusses.

Variantes. [a] et] *om.* ChM. Rei. SOm. Ver. –[b] nostro] famuli tui SOm. –[c] ita gratia… et] *om.* Pa.

CHAPITRE XVI

CONFESSION DES ENFANTS

Les rituels d'Angoulême 1582 et de Cahors 1593-1619 sont les seuls à présenter un examen de conscience pour les enfants, reprenant celui du *Manuel general et Instruction des curez et vicaires* de Denis Peronnet[1].

Les rituels de Cahors 1593-1619, à la suite du même Denis Peronnet, préconisent pour ceux de moins de six ou sept ans les formules d'absolution *Misereatur* et *Indulgentiam*; ils sont suivis par quelques rituels.

En 1623, le rituel d'Arras[2] est le premier à proposer pour les très jeunes « incapables d'absolution » la prière suivante :

> *Domine Iesu Christe qui dixisti: sinite parvulos venire ad me, talium est regnum coelorum; super hunc parvulum, tuae benedictionis gratiam infunde, ut gratia, aetate et sapientia apud Deum et homines proficiens, salutem consequatur aeternam. In nomine Patris, et Filii, et Spiritus sancti. Amen.*

Cette formule sera utilisée presque partout, avec parfois de minimes variantes. Il n'est pas question de la confession des enfants dans le rituel romain.

À la fin du XVIIIe siècle, les rituels de Châlons-sur-Marne 1776, suivis par Toulouse 1782, Tours 1785, Paris 1786, Lyon et Verdun 1787, Narbonne 1789… remplacent les termes de la prière d'Arras *tuae benedictionis gratiam* par *rorem tuae benedictionis.*

Limoges 1678-1698, suivi par Chalon-sur-Saône 1735, ajoute à la formule d'Arras *(ut) et à peccatis praeservari mereatur.*

Au XVIIIe siècle, seul les rituels de Toulon 1778 et Verdun 1787 manifestent un vrai souci de préparation des enfants à la confession.

---

[1] Sur Denis Peronnet, voir *infra* Auteurs cités, p. 1943. Édition Paris 1574 f. 190-191.
[2] Les rituels d'Arras de 1563 et 1600 étaient déjà suivis d'Ordonnances synodales donnant des instructions concernant l'éducation des enfants. Le rituel de Cambrai 1562 contient une instruction très proche de celles d'Arras.

822   CHAPITRE XVI

A. Formulaires
Angoulême 1582
Cahors 1593, 1604, 1619
[Angoulême 1582 : Charles de Bony]

Le texte du rituel d'Angoulême reprend avec quelques remaniements de style le *Manuel general et Instruction des curez et vicaires* de Denis Peronnet, reproduit par les rituels de Cahors.

Angoulême 1582 p. 301-302. *Quand les enfans qui sont au dessous l'aage de six ou sept ans, se presentent à l'absolution.*
Cahors 1593 f. 190v-192. **Cahors 1604,** *Manuale proprium,* p. 41-43. *Si les petits enfans au dessoubs de l'aage de six ou sept ans, se presentent à l'absolution.*

P1756 **Angoulême 1582**

Le Confesseur ne les interrogera pas[a], mais seulement leur fera reciter leur creance, et l'oraison dominicale, et la salutation angelique, et les exortera de craindre, aymer et servir Dieu, d'honorer leurs[b] peres et meres, et de leur obeir ; de hanter l'eglise[c], et assister[d] au service divin, et de saluer par honneur toutes personnes et de porter reverence aux vieilles gens ; de prier Dieu pour impetrer sa grace ; de le prier pour les peres et meres, et autres parents ; d'estre sages, et de mettre peine de bien apprendre[e], de ne mentir jamais, de ne se moquer de personne ; et de se recommander tousjours à Dieu. Apres leur donnera l'absolution, à la maniere usitée de l'Eglise[f].

Mais s'ils sont en aage de discretion. Le Confesseur les interrogera s'ils n'ont point esté rebelles à peres et meres, et à iceux desobey[g] ; s'ils ne les ont point provoqué à courroux[h] ;

s'ils n'ont point juré en vain le nom de Dieu, et sans propos, ou iceluy blasphemé ;

s'ils n'ont point juré par le nom des saincts, la foy, ou autrement[i] ;

s'ils n'ont point deffailly les dimanches, et autre jour des festes, de se rendre à l'Eglise de Dieu, et d'y assister au service divin[j] ;

s'ils ont defailly de confesser leurs pechés au prestre, au temps qu'ils le devoint [*sic*] faire[k] ;

s'ils ont rien prins ou derobé de l'autruy[l] ;

s'ils n'ont point tenu des propos deshonnestes ou injurié quelqu'un[m] ;

CONFESSION DES ENFANTS

et s'ils n'ont point desobey à ceux en la subjection de qui ils sont, ou à leurs precepteurs, estans paresseux d'estudier[n].

Le Confesseur prendra garde à l'aage et à la qualité de tels enfans, et s'*il est temps qu'ils communient à la saincte et sacrée Eucharistie, il les interrogera sur le decalogue*, autrement il suffira ce que dessus[o].

Il les exhortera de craindre et aymer Dieu, et d'iceluy servir de tout son coeur et puissance, sans crainte ou faintise[p].

de demander et invoquer l'ayde et adresse du[q] S. Esprit, pour entendre, cognoistre, et retenir ce qui appartient à leur salut ;

de hanter et suyvre les gens de vertu, et d'eux apprendre comme il se faut gouverner, et vivre[r], et de fuyr et eviter toutes mauvaises compaignies ;

de ne parler point trop, et sans discretion ;

d'ecouter volontiers les sages et sçavans, et les honorer ;

d'honorer pere, mere, precepteurs, et gens vieux[s] ;

ne se mocquer de personne ;

ne jouer à jeu de hazard ;

de n'estre dissolutz en habits, ny en parolles, et de se rendre amiables à tous ;

de prier Dieu pour leurs[t] parents, pour l'accroissement de la foy, et de l'Eglise catholique, pour la paix du Royaume, pour la personne du Roy, et de tous superieurs ;

d'avoir en singuliere recommandation la vertu, et la suivre autant que leur[u] pouvoir se peut estendre ; et de demander[v] tousjours l'ayde et grace de Dieu.

Variantes Cahors [*Peronnet*]. [a] pas] point. –[b] leurs] les. –[c] l'eglise] les eglises. – [d] souvent] *add.* –[e] d'estre sages… apprendre] de bien apprendre ce qu'on les enseignera aux escholes, et d'estre sages. –[f] à la maniere usitée de l'Eglise] en disant *Misereatur tui omnip. Deus*, etc. Et puis *Indulgentiam, absolutionem dominus noster I. C., qui est summus pontifex, tibi tribuat. Et ego authoritate ipsius mihi licet indigno concessa, Absolvo te ab omnibus peccatis tuis, in nomine Patris, et Filii, et Spiritus-sancti. Amen.* P1784 [g] rebelles… desobey] desobey à Peres et Meres. –[h] provoqué à courroux] courroucez. –[i] S'ilz ont point juré en vain… autrement] S'ilz ont point juré le nom de Dieu, ou des saincts, ou la foy, ou autrement. –[j] s'ils n'ont point deffailly… divin] S'ilz ont point failly d'assister au service divin les jours des dimanches et festes. – [k] s'ils ont defailly de confesser… faire] S'ilz ont point failly a se confesser au temps qu'ilz devoyent. –[l] de l'autruy] *om.* –[m] s'ils n'ont point tenu… quelqu'un] S'ilz ont point tenu quelque propos deshonneste. S'ilz ont point dit injure a autruy, comme a leurs compagnons, ou autres. –[n] et s'ils n'ont point desobey… estudier] S'ilz ont point desobey aux maistres qui les gouvernent, ou enseignent. S'ilz ont point esté paresseux d'estudier. –[o] Le Confesseur… dessus] Le Confesseur prendra garde a l'aage, et a la qualité de telz enfans, et s'ilz sont en aage de communier, ilz seront interrogez sur les Commandemens de Dieu, comme il est dit par cy devant. Mais s'ilz ne sont encores capables de communion, il suffira de les interroger seulement sur ce que dessus. –[p] Il les exhortera… faintise] Mais on les exhortera de craindre, aymer, et servir Dieu devotement, et sans feintise, ou hypocrisie. –[q] benoist] *add.* –[r] comme… vivre] comment il faut vivre. –[s] d'honorer… vieux] De porter reverence aux peres et meres, aux maistres, et aux anciens. –[t] leurs] les. –[u] leur] le. –[v] et de demander] en demandant.

Saint-Omer 1606

[Jacques Blaze]

Modus administrandi Sacramentum Poenitentiae sanis

P1757   **Saint-Omer 1606** *Pars prima*, p. 55

Confessarius nullo modo multorum puerorum simul confessiones audiat, id enim improbum et sacrilegum est.

Item, ne immisceat confessioni ea quae ad confessionem, aut subditorum salutem non pertinent, neque à confitentibus admisceri sinat.

Dum parvi pueri, qui nondum rationis capaces sunt, adducuntur ad confessionem, non debet eis sacerdos dare absolutionem sacramentalem.

Arras 1623, 1644, 1757[3]

[Arras 1623 : Hermann Ortemberg]

De promptitudine, mansuetudine, et prudentia, in
tractandis Poenitentibus necessaria.
De pueris

Les enfants doivent être reçus avec douceur et être traités avec un amour maternel afin qu'ils ne prennent pas le sacrement en horreur ; ils ne doivent pas être confessés ensemble ; pour les plus petits, qui n'ont pas l'usage de la raison, le prêtre pourra réciter la prière adaptée indiquée plus loin (*Domine Iesu Christe qui dixisti : sinite parvulos venire ad me…*)

Le rituel d'Arras est le premier à proposer pour les enfants « incapables d'absolution » cette bénédiction, qui sera utilisée, avec parfois de minimes variantes, dans la très grande majorité des rituels jusqu'à l'adoption du rituel romain au XIXe siècle.

P1758   **Arras 1623** [1° partie] p. 41-42

Sed et pueri blandiusculè suscipiendi sunt, et materno amore tractandi : ne horrorem aliquem Sacramenti Confessionis iam inde

---

3   Arras 1757 : instruction absente ; seulement formule *Domine I. C. qui dixisti…*

CONFESSION DES ENFANTS

ab initio concipiant; quem difficile sit postmodum curare. Exemplo Salvatoris: qui complexans eos, et manus illis imponens benedicebat. Marci 10.

Neque vero gregatim simul audiendi sunt; sed alius post alium. Qui si nonnihil iudicii habere noscantur, (puta si pudefieri incipiant de mendacio, de inobedientia etc.) et vel sponte vel interrogati peccatum aliquod confiteantur; tuto poterit iis absolutio sacramentalis impendi, etiamsi de eorundem capacitate non adeo constet.

In quibus autem nullus rationis usus apparet; loco absolutionis sacramentalis, poterit sacerdos, si videbitur, et tempus ferat, orationem convenientem super eos recitare, quae infra suo loco habetur.

Pars prima, p. 26. Porro super pueros Absolutionis incapaces, poterit, si videbitur, sequens benedictio recitari. Oratio super pueros.

Domine Iesu Christe qui dixisti: sinite parvulos venire ad me, talium est regnum coelorum; super hunc parvulum, tuae benedictionis gratiam infunde, ut gratia, aetate et sapientia apud Deum et homines proficiens, salutem consequatur aeternam. In nomine Patris, et Filii, et Spiritus sancti. Amen. P1783

Saint-Omer 1641, 1727

[Saint-Omer 1641: Christophe de France]
Benedictio super pueros absolutionis incapaces

P1759 **Saint-Omer 1641** p. 27. Pueri blandiuscule suscipiendi sunt, et materno amore à Confessario tractandi. Qui si nonnihil iudicii habere noscantur, et vel sponte vel interrogati peccatum aliquod confiteantur; tuto poterit iis absolutio sacramentalis impendi, etiamsi de eorum capacitate non adeo constet[a].

In quibus autem nullus rationis usus apparet, loco absolutionis sacramentalis, poterit sacerdos (si videbitur, et tempus ferat) sequentem benedictionem super eos recitare. *Domine I. C., qui dixisti…* P1783

Addition Saint-Omer 1727. [a] tuto… constet] non statim erunt sine absolutione propterea admittendi, quod de eorum capacitate non adeo constet, sed piis exhortationibus ac monitis, ad aetatis puerilis captum accommodatis, à Confessario benigne adjuvandi, ut eorum qualiscunque, et forte minus idonea dispositio promoveatur ac perficiatur, quo possit eis et utilius et tutius absolutio sacramentalis impendi.

Boulogne 1647-1780

[Boulogne 1647 : François Perrochel]
Benedictio super pueros Absolutionis incapaces

P1760 **Boulogne 1647**
p. 85. *Domine I. C. qui dixisti…* P1783

Châlons-sur-Marne 1649
Troyes 1660

[Châlons-sur-Marne 1649 : Félix Vialart de Herse]

P1761 **Châlons-sur-Marne 1649** p. 123. Advertendum quod pueris qui Absolutionis sunt incapaces, et iis qui nullum peccatum saltem veniale confessi sunt : danda est solum benedictio per orationem *Misereatur tui* etc. et *Indulgentiam*, etc.[a].

Addition Troyes : [a] vel per orationem subsequentem. *Domine I. C., qui dixisti, Sinite parvulos…* P1783

Clermont 1656

[Louis d'Estaing]
Ordo imponendi absolutionem aut benedictionem pueris antequam donentur rationis usu

P1762 **Clermont 1656** p. 59 [rubrique du début illisible sur le microfilm]
… Sed quibus nullus apparet rationis usus, poterit Sacerdos loco Absolutionis sequentem impertiri benedictionem. *Domine I. C., Fili Dei vivi, qui dixisti…* P1783

Bourges 1666

[Anne de Lévis de Ventadour]
Comment il faut se comporter en ce Sacrement à l'égard des enfans
[Instruction s'inpirant de près d'Arras 1623, 1644]

P1763 **Bourges 1666** Tome I p. 242. Il faut en premier lieu les accüeillir gracieusement avec toute la tendresse possible, et les traitter et carresser avec un amour maternel, à l'exemple de nôtre Seigneur, pour ne leur donner pas de l'aversion de ce Sacrement.

Secondement, il ne faut jamais les entendre à trouppe, comme il se fait en quelques lieux, mais seul à seul, et l'un apres l'autre, dans lesquels si on remarque quelque étincelle de raison ; par exemple, s'ils

CONFESSION DES ENFANTS

commencent d'avoir honte et rougir du mensonge, de la desobeyssance et semblables; et que d'eux mêmes ou par interrogations qu'on leur fait, ils s'accusent de quelque peché, on peut en assurance leur donner l'Absolution; *etiamsi,* porte le rituel d'Arras, *de eorumdem capacitate non adeo constet*: mais a ceux qui n'ont aucun usage de raison, encore qu'il soit tres-bon de leur faire toutes les demandes que l'on fait aux adultes, de leur faire dire le *Confiteor,* afin de les former et accoûtumer de bonne heure à la confession: le Prêtre neanmoins ne doit pas leur donner l'absolution; mais en son lieu il poura, si la commodité luy permet, leur donner la benediction qui est couchée dans le Manuel au titre de l'Ordre et Absolution des enfans...

p. 291 *Ordre de l'absolution et benediction des petits enfans.*

Quand aux enfans qui n'ont pas encore l'usage de raison, et qui ne se peuvent pas même confesser d'une peché veniel; lors qu'ils sont presentez aux prêtres pour les benir, soit qu'ils soient malades, soit qu'ils soient en santé, comme on fait d'ordinaire à la fête de Pasques; il leur fera dire s'ils peuvent le dire *Confiteor,* afin de les y acoûtumer, puis leur donnera la benediction en ces termes.

Domine I. C., qui dixisti: Sinite parvulos... P1783

Limoges 1678, 1698

[Limoges 1678: Louis de Lascaris d'Urfé]
Benedictio Parvulorum, qui nondum ad annos discretionis pervenerint
[Bénédiction au temps de Pâques des enfants trop jeunes pour se confesser]

P1764 **Limoges 1678** *pars secunda* p. 41. Cum parvuli qui nondum ad annos discretionis pervenerunt, nec ullum peccatum confiteri possunt, Sacerdotibus oblati fuerint, ut benedicantur; sicut fieri solet circa festum Paschae: ipsis, si fieri potest, genuflexis, et manibus junctis, dicto etiam ab ipsis: *Confiteor,* si illud recitare possunt, Sacerdos benedictionem impertietur his verbis.

*Domine I. C., Fili Dei vivi, qui dixisti: Sinite parvulos venire ad me, talium est enim Regnum caelorum, super hunc parvulum (hos parvulos), gratiam tuae benedictionis infunde, ut **et à peccatis praeservari mereatur (mereantur)**, et gratia, aetate, ac sapientia proficiens (proficientes) salutem consequatur (consequantur) aeternam. In nomine Patris...*
[rare] P1782

CHAPITRE XVI

Soissons 1694, 1753

[Soissons 1694 : Fabio Brulart de Sillery]

P1765 **Soissons 1694 p. 105.** Il ne faut pas donner l'absolution à des enfans qui n'en sont pas capables, mais une bénédiction…
Domine I. C. qui dixisti : sinite parvulos venire ad me, talium est enim regnum coelorum… P1783

Bordeaux 1707, 1728

[Bordeaux 1707 : Armand Bazin de Besons]

P1766 **Bordeaux 1707 p. 122-123.** Pour accoûtumer les jeunes Enfans à l'usage de la Confession, les Curez prendront un soin particulier de les instruire de la maniere dont il faut s'y presenter, aussi bien que de la necessité et de la vertu de ce Sacrement ; ils entendront leurs confessions en particulier, s'ils ont environ sept ans, et ne donneront neanmoins l'absolution qu'à ceux, dans la confession desquels ils trouveront matiere suffisante, et assez de raison pour être jugez capables de ce Sacrement.

A l'égard des autres enfans qui n'ont que cinq ou six ans ; c'est une sainte coutume, pour les introduire dans l'usage de ce sacrement, de les faire venir au tems pascal, les uns aprés les autres, devant un confesseur, lequel aprés leur avoir fait dire le Confiteor, leur donnera la benediction en ces termes. *Domine J. C. qui dixisti, sinite parvulos…* P1783

Lyon 1724

[François-Paul de Neufville de Villeroy]
Instruction VII. De la Confession

P1767 **Lyon 1724 p. 156-157.** 1.° Il est à propos d'entendre en confession les petits enfans dés l'âge de cinq ou six ans (comme a remarqué S. Charles) non en troupe comme il se pratique en quelques lieux, mais seul à seul, afin qu'ils commencent par ce moyen à s'instruire, et s'accoûtument peu à peu à l'usage du Sacrement de penitence.

2.° Quand ils sont un peu plus avancés en âge, il faut leur apprendre l'obligation qu'ils ont de connoître, aimer, servir Dieu, la necessité et les effets du Sacrement de penitence, et la maniere dont on doit s'en approcher.

3.° Il ne faut pas donner l'absolution à ceux qui n'apportent pas la matiere necessaire, et qui n'ont pas assez de raison pour en être jugés capables, mais dire simplement *Misereatur tui, etc.* A l'égard de ceux

CONFESSION DES ENFANTS

qui ont assez de connoissances, et qui ont fait des fautes considerables, on leur donnera l'absolution à l'ordinaire, et non pas sous condition, comme, *Si es contritus ego te absolvo, etc.* parce que cette sorte d'absolution n'a jamais été pratiquée dans l'Eglise, il n'y a aucun Concile ni aucun rituel qui en parle; le rituel Romain qui specifie les cas où l'on peut donner le Baptême et l'Extrême-Onction sous condition, ne dit pas la même chose du Sacrement de penitence, ce qu'il n'auroit pas manqué d'exprimer, si cette pratique étoit permise. Enfin on ne peut donner ainsi l'absolution ni aux enfans ni aux autres personnes sans violer la défense qu'a fait le Concile de Trente, de rien changer à ce qui est établi dans l'Eglise pour l'administration des Sacremens. Sess. 7. Can. 13.

Orléans 1726

[Louis-Gaston Fleuriau d'Armenonville]
Ordre de la confession et benediction des petits Enfans, qui ne sont pas encore capables d'absolution, soit en santé, ou en maladie

P1768   **Orléans 1726** p. 118. Un Curé ne sçauroit prendre trop de soin des enfans de sa paroisse. Il doit non seulement les instruire, les fêtes et dimanches, mais encore avertir leurs peres et meres de les lui envoyer dès le commencement du Carême pour les entendre en confession.

Après qu'ils auront fait le signe de la croix, il leur fera dire: *Benissez-moi, mon Pere, parce que j'ai peché. Je me confesse à Dieu tout puissant*, etc. s'ils le peuvent dire, afin de les y accoûtumer. Il doit les écouter avec patience; les aider à découvrir leurs pechez, en les interrogeant avec beaucoup de discrétion; les exciter à la contrition, et leur imposer une pénitence convenable.

Enfin il leur donnera la bénédiction en ces termes: *Domine Iesu Christe, qui dixisti…* P1783

Auxerre 1730

[Charles de Caylus]
De Confessione et Benedictione Puerorum

P1769   **Auxerre 1730** *Pars prima*, p. 93-94. Pueris erudiendis, statim atque in eis lumen rationis eluscere incipiet, Pastor praecipuè invigilare tenetur. Huic muneri non facit satis, si per aliquot hebdomadas duntaxat eos instruat. Operae pretium est ut singulis diebus dominicis et festivis ad Catechismum eos interesse procuret; et ubi primum noverit parvulos inter bonum et malum discernere, parentes et magistros monebit ut eos ad Poenitentiae tribunal deducant ter aut quater in anno, ut eorum Confessionem excipiat. Nec existimet Pastor pueris non esse differendam absolutionem. Sanctas enim Ecclesiae regulas de dilatione absolutionis erga juniores pueros eo attentius servare debet, quo facilius est eos in ea aetate, nondum obfirmatis pravis consuetudinibus, nec obdurato corde, à malo retrahere, et ad virtutem informare.

Si Pueri septimum annum nondum attigerint, vel eos peccati lethalis reos non esse judicaverit Parochus, eorum confessionem audiet primis Quadragesimae hebdomadibus. Quâ finitâ, loco absolutionis, super eos sequentem benedictionem proferet :

Domine I. C., qui dixisti, sinite parvulos venire ad me, talium enim est regnum coelorum, super hunc parvulum, (vel hos parvulos) tuae benedictionis gratiam infunde… P1783

Clermont 1733

[Jean-Baptiste Massillon]

P1770   **Clermont 1733** première partie, p. 278-279. Quand les enfans qui n'ont point encore l'usage parfait de la raison se présenteront au tribunal de la Pénitence, le Prêtre les recevra avec charité, les interrogera avec bonté, les écoutera avec patience l'un après l'autre, et quand il verra qu'ils ne sont point encore capables du Sacrement de Pénitence il se contentera de leur donner en peu de mots quelques avis suivant leur portée, et de leur imposer quelque pratique légere de pénitence, et au lieu d'absolution, il dira la priere suivante, ayant la main étenduë sur eux :

Domine I. C., qui dixisti, Sinite parvulos venire ad me… P1783

Chalon-sur-Saône 1735

[François de Madot]
Formule de bénédiction qu'on peut donner aux enfans qui n'ont pas encore atteint l'âge de discretion

P1771   **Chalon-sur-Saône 1735** p. 66. Comme on a coûtume environ la fête de Pâques d'offrir au Curé les enfans qui n'ont pas encore atteint l'âge de discretion, et qui par consequent ne peuvent pas confesser leurs péchez ; le Curé après les avoir fait mettre à genoux, s'il se peut, et leur avoir fait reciter le *Confiteor,* etc. leur donnera sa bénédiction, en ces termes :

Domine J. C., qui dixisti : sinite parvulos venire ad me, talium est enim regnum coelorum, super hunc parvulum, (vel hanc parvulam, vel hos parvulos,) gratiam tuae benedictionis infunde… P1782

CONFESSION DES ENFANTS

Bourges 1746

[Frédéric-Jérôme de Roye de La Rochefoucauld]
Ordre pour la bénédiction des enfans qui n'ont pas atteint l'usage de la raison

P1772 **Bourges 1746** première partie, p. 239. Le Curé ayant assemblé sur la fin du Carême les enfans qui n'ont pas encore atteint l'usage de la raison, et qui par conséquent ne sont pas tenus au précepte de la Confession annuelle, les fera mettre à genoux, leur fera dire le *Confiteor,* puis leur donnera la bénédiction suivante.

Domine I. C., qui dixisti: Sinite parvulos venire ad me, talium enim est regnum coelorum, super hos Parvulos tuae benedictionis gratiam infunde, ut gratiâ, aetate, et sapientiâ apud Deum et homines proficientes, salutem consequantur aeternam, in nomine Patris… P1783

Toulon 1749-1780

[Toulon 1749: Louis-Albert Joly de Choin]
De la Prudence du Confesseur à l'égard des Enfans

P1773 *Instructions du Rituel du Diocése de Toulon,* Toulon, 1749, Premiere partie, p. 489-492[4].

La prudence demande que l'on engage les petits enfants à venir se confesser, dès qu'ils sont capables de connoître que ce n'est pas bien de mentir, de se mettre en colere, de désobéir, de faire du mal aux autres petits enfants, etc. Car en les faisant venir à confesse, on les détourne de continuer à faire le mal, on les instruit peu à peu des premiers éléments de la Religion, on leur inspire l'amour de Dieu et la crainte de l'offenser, on les engage à apprendre leur catéchisme, à faire leurs prieres devotement, à obeir à leurs peres et meres, etc.

Il ne faut pas se contenter de les confesser une fois par an: il ne faut pas aussi le faire trop souvent; mais au moins trois ou quatre fois dans l'année. On doit les attirer à la confession par une grande douceur, et en leur témoignant beaucoup d'amitié et de bonté…

En les examinant sur les péchés qu'ils peuvent avoir commis avec d'autres enfants, il est bon de leur parler de ce que les autres ont fait… puis on examinera s'ils ont fait comme les autres, et s'ils ont appris à d'autres les mêmes malices.

Comme le poison de l'impureté n'épargne pas l'âge le plus tendre, il faut examiner prudemment les enfants sur ce péché…

---

4   Paris, BnF, B. 1701.

On doit encore observer, de ne jamais faire regarder aux enfants la confession comme un jeu ; en leur donnant, par exemple, comme il arrive souvent à plusieurs Confesseurs de le faire, les premieres fois qu'ils se confessent… des récompenses convenables à leur âge ; en badinant avec eux après qu'ils se sont confessés, sur la confession qu'ils ont faite. …

Comme les enfants ne sont pas si tôt capables d'absolution, qu'ils sont capables de péché, leurs premieres confessions ne sont ordinairement que des commencements de confession, et ne doivent pas être suivies de l'absolution … et lorsqu'on les voit assez instruits pour faire un acte de contrition, on doit leur faire faire une confession générale, dans laquelle on les examine plus exactement ; et si on leur trouve une connoissance et des dispositions suffisantes … on leur donne l'absolution.

Toutes les fois que les enfants viennent se confesser, il faut leur faire pratiquer toute la cérémonie du sacrement… Il faut qu'ils commencent par se mettre à genoux, à faire le signe de la croix, et dire : *Mon Pere, bénissez-moi, etc.* et ensuite le *Confiteor* en langue vulgaire jusqu'à *meâ culpâ.* Cela fait, le confesseur leur demandera ce qu'on demande aux autres pénitents, et tâchera de faire en sorte qu'ils disent eux-mêmes leurs péchés, et le nombre de chaque sorte de péché… Il est cependant bon de les interroger, après qu'ils ont dit tout ce qu'ils vouloient dire… Il faut aussi les accoutumer à terminer … par ces paroles, ou d'autres semblables : *Je m'accuse encore de tous mes autres péchés que je ne connois pas, et j'en demande pardon à Dieu, et à vous mon Pere, la pénitence et l'absolution, si vous m'en trouvez capable.* Après quoi le Confesseur leur fera achever le *Confiteor* … (P1781) lequel étant fini, il les exhortera à ne plus faire les mêmes péchés, et à ne pas manquer à leurs petits devoirs … il est bon de leur faire l'exhortation par forme de catéchisme ; par exemple, en leur faisant réciter les Commandements de Dieu… Après … le Confesseur leur prescrira une pénitence … il les exhortera de la faire aussi-tôt qu'ils se seront retirés du confessionnal ; après quoi il leur fera prononcer un acte de contrition … pendant qu'on les absoudra ; et il leur donnera l'absolution, s'il y a matiere suffisante dans leur confession, et s'il les trouve en état de la recevoir, et bien disposés. …

A l'égard des enfants qui n'ont pas encore assez de discernement, et qui n'ont pas l'usage de la raison, il est bon de leur faire toutes les demandes que l'on fait aux adultes, de leur faire dire le Confiteor en langue vulgaire… on les instruira, et on leur enjoindra quelques exercices de piété. Le Confesseur ne leur donnera pas l'absolution, à la place de laquelle il leur donnera la bénédiction suivante :

Domine J. C. … P1783

CONFESSION DES ENFANTS

Troyes 1768

[Claude-Matthias-Joseph de Barral]
Maniére d'administrer le Sacrement de Pénitence

P1774 **Troyes 1768** p. 150-151. Si c'étoit des Enfans, auxquels il n'y eût point lieu de donner l'absolution sacramentelle, on leur donneroit seulement la Bénédiction par la prière *Misereatur tui, etc.* et *Indulgentiam, etc.* ou par l'oraison suivante.

Domine J. C., qui dixisti : Sinite… P1783

Châlons-sur-Marne 1776
Paris 1786. Tours 1785

[Châlons-sur-Marne 1776 : Antoine-Eléonor Le Clerc de Juigné]
Ordo benedicendi pueris confessis, necnon absolvendis

P1775 **Châlons 1776**, tomus secundus, p. 75. Sacerdos, loco Absolutionis, erga pueros nondum illius capaces, poterit sequentem benedictionem recitare :

Domine J. C., qui dixisti : Sinite parvulos venire ad me, talium est enim regnum coelorum; super hunc parvulum (vel hanc parvulam) **rorem tuae benedictionis** *infunde…* P1783

Soissons 1778

[Henri-Joseph-Claude de Bourdeilles]

P1776 **Soissons 1778** p. 52-53. Quand les Enfans ont atteint l'âge de cinq à six ans, Messieurs les Curés doivent se les amener à l'Eglise vers la mi-Carême, leur faire réciter le Symbole des Apôtres, l'Oraison Dominicale, et les interroger sur les élémens de la Doctrine Chrétienne, afin de s'assurer par eux-mêmes de la vigilance ou de la négligence de leurs parens à les instruire. S'ils en trouvent quelques uns qui ayent plus d'ouverture d'esprit, ils les prendront à part pour leur faire faire une espece de Confession, et leur donner des avis proportionnés à leur capacité ; ainsi qu'ils en usent avec ceux d'un âge un peu plus avancé. S'ils ne trouvent pas en eux de matiere à Confession, ils leur donneront la Bénédiction suivante.

Bénédiction. *Domine J. C., qui dixisti : Sinite parvulos venire ad me…* P1783

Toulon 1778-1780

[Alexandre de Lascaris, évêque de Toulon,
et Gabriel-François Moreau, évêque de Mâcon]

P1777 *Instructions sur le Rituel*, Toulon, 1780, tome premier, p. 381-384. *De la prudence du Confesseur à l'égard des Enfants.*
Formulaire de Toulon 1750.

Rituel romain, pour l'usage du diocese de Toulon. Toulon, 1778 (tome III des *Instructions sur le Rituel*, Toulon 1780).
Du Sacrement de Pénitence, p. 139
Nous défendons aux Confesseurs, d'entendre par troupes les Confessions des enfans, et nous leur ordonnons de confesser en particulier et secrétement, tous ceux en qui ils remarqueront assez d'ouverture d'esprit et de raison pour discerner le mal ; en prenant soin de les instruire, s'ils ne le sont pas, de la nécessité, des parties, et des effets du Sacrement de Pénitence.

Toulouse 1782
Narbonne 1789. Saint-Papoul 1783

[Toulouse 1782 : Etienne-Charles de Loménie de Brienne]
Benediction, dont les Prêtres[a] *pourront faire usage, vis-à-vis*[b] *des Enfans qui ne sont pas, encore, capables de recevoir l'absolution*

P1778 **Toulouse 1782** p. 136. *Domine Jesu Christe, qui dixisti : sinite parvulos venire ad me, talium est enim regnum coelorum. Super hunc parvulum (hanc parvulam)*[c], **rorem tuae benedictionis** *infunde, ut gratiâ, aetate et sapientiâ apud Deum et homines proficiens*[d], *salutem consequatur*[e] *aeternam. In nomine Patris, et Filii, et Spiritus sancti. Amen.* P1783

Variantes Narbonne. [a] Prêtres] Confesseurs. –[b] vis-à-vis] à l'égard. –[c] hunc… parvulam] hos parvulos. –[d] proficientes. –[e] consequantur.

Lyon 1787

[Antoine de Malvin de Montazet]

P1779 **Lyon 1787** Seconde partie p. 89. Il ne faut pas donner l'Absolution à des Enfans qui n'en seroient pas capables, mais une Bénédiction en ces termes :
Domine J. C. qui dixisti, sinite parvulos… P1783

Verdun 1787

[Henri-Louis-René Desnos]
De la prudence du Confesseur à l'égard des Enfants

P1780 **Verdun 1787** Tome premier p. 210-211.

Des que l'on a le discernement du mal, on peut en avoir le repentir. C'est d'après ce principe, que nous exhortons les Curés à veiller sur les enfants confiés à leur soin, et à ne différer pas trop long-temps de les appeler au tribunal.

Il faut les y appeler souvent, parce que la confession est, de tous les préservatifs, le plus puissant contre les foiblesses et les dangers de leur âge; il ne faut pas les y appeler trop souvent, de crainte qu'ils ne se familiarisent avec une action, qui demande toute la réflexion, tout le respect dont ils sont capables. ... Ce qu'il convient... d'avoir envers tous, c'est un mélange de douceur et de gravité... un ton de bonté, mais de bonté paternelle...

Instruisez, avant tout, l'enfant qui se présente; imprimez-lui la plus haute idée de la grandeur et de la sainteté du sacrement, des dispositions qu'il exige, des sentiments et des actes qui doivent y préparer. S'il entame, de lui-même, son accusation, écoutez-le, sans l'interrompre; marquez-lui une grande attention; observez seulement les articles qui demandent des éclaircissements... Interrogez-le ensuite, avec le soin et la discrétion convenables, sur ses jeux, ses habitudes, ses liaisons, sur tous les objets sur lesquels il vous aura lui-même fourni des ouvertures. C'est surtout dans les questions sur le sixieme commandement, qu'il faut apporter la réserve la plus sévere...

Comme un enfant est d'ordinaire plus capable de sensibilité que de réflexion, employez, avec lui, l'exhortation, bien plus que le raisonnement et les reproches. ... Que la pénitence imposée soit toujours de nature à exprimer et à inspirer l'horreur des vices. Proposez-la nettement, précisément, en très-peu d'articles; telle ordinairement que, dans le plus court délai, elle puisse étre accomplie. Qu'elle soit surtout, autant qu'il est possible, plutôt encore un présevatif, qu'une peine. ...

Tome second p. 146-147. *Formule de bénédiction pour les enfants à qui on ne doit pas encore donner l'absolution.*

Domine I. C., qui dixisti: Sinite parvulos venire ad me, talium est enim Regnum caelorum... P1783

836 CHAPITRE XVI

B. Formules

[*Confiteor*]

P1781 Mon Pere, bénissez-moi, etc. ... Confiteor *en langue vulgaire jusqu'à* meâ culpâ. [Confession des péchés]
Je m'accuse encore de tous mes autres péchés que je ne connois pas, et j'en demande pardon à Dieu, et à vous mon Pere, la pénitence et l'absolution, si vous m'en trouvez capable.
Après quoi le Confesseur leur fera achever le Confiteor...

Toulon 1749-1780.

[Absolutions]

P1782 Domine I. C., Fili Dei vivi, qui dixisti: Sinite parvulos venire ad me, talium est enim Regnum caelorum, super hunc parvulum (hos parvulos), gratiam tuae benedictionis infunde, ut et à peccatis praeservari mereatur (mereantur), et gratia, aetate, ac sapientia proficiens (proficientes) salutem consequatur (consequantur) aeternam. In nomine Patris...

Limoges 1678-1698. Chalon/Saône 1735.

P1783 Domine Iesu Christe[a] qui dixisti: sinite parvulos venire ad me, talium[b] est[c] regnum coelorum; super hunc parvulum[d], tuae benedictionis gratiam[e] infunde[f], ut gratia, aetate et sapientia apud Deum et homines proficiens[g], salutem consequatur[h] aeternam. In nomine Patris, et Filii, et Spiritus sancti. Amen.

Arras 1623-1757. Auxerre 1730. Bordeaux 1707-1728. Boulogne 1647-1750. Bourges 1666-1746. Châlons/Marne 1776. Clermont 1656, 1733. Lyon 1787. Narbonne 1789. Orléans 1726. Paris 1786. Saint-Omer 1641-1727. Saint-Papoul 1783. Soissons 1694, 1753, 1778. Toulon 1749. Toulouse 1782. Troyes 1660-1768. Verdun 1787.
Variantes. [a] Fili Dei vivi] *add.* Cl. Or. –[b] enim] *add.* Boul. Bour. Or. Soi. Tlon. Tro. – [c] enim] *add.* Bor. Bou. Or. Ver. –[d] vel hanc parvulam] *add.* Cl. 1733, Soi. 1753-1778. Tro. 1768. – vel hos parvulos] *add.* Aux. Bour. –[e] tuae benedictionis gratiam] gratiam tuae benedictionis Or. – rorem tuae benedictionis ChM. Nar. Pa. SPa. Tols. Ver. – [f] rorem tuae benedictionis effunde] Ly. –[g] vel proficientes] *add.* Aux. Bour. –[h] vel consequantur] *add.* Aux. Bour.

P1784 Indulgentiam, absolutionem dominus noster I. C., qui est summus pontifex, tibi tribuat. Et ego authoritate ipsius mihi licet indigno concessa, Absolvo te ab omnibus peccatis tuis, in nomine Patris, et Filii, et Spiritus-sancti. Amen.

Cahors 1593-1619.
Châlons/Marne 1649. Troyes 1660, 1768: *Indulgentiam*, etc.

P1785 Misereatur tui omnip. Deus, etc.

Cahors 1604-1619. Châlons/Marne 1649. Troyes 1660, 1768.

CHAPITRE XVII

ABSOLUTIONS DE L'EXCOMMUNICATION

Les formulaires sont variés jusqu'à l'apparition du *Rituale romanum* en 1614. La cérémonie commence habituellement par la récitation d'un psaume, souvent le ps. 66 *Deus misereatur nostri*, suivi d'une oraison, généralement *Deus cui proprium*, et se termine par l'absolution. Les rituels de Bourges de 1616 à 1746 ajoutent au début un serment que les excommuniés doivent prêter sur l'Evangile.

1. Titres

P1786 Uzès 1500 2ᵉ partie f. 64-65. *Modus absolvendi excommunicatos.*

P1787 Autun 1503, 1523 (Éd. 1503 f. 13). Cambrai 1503 f. 20v-21. *Forma absolvendi excommunicatum ab excommunicatione maiori.*

P1788 Autun 1503, 1523 (Éd. 1503 f. 13v). Cambrai 1503 f. 21v. *Forma absolutionis pro illis qui habent indulgentiam eligendi sibi semel tantum confessorem qui eos absolvat ab omni casu pertinente ad papam.*

P1789 Le Mans c. 1505-1608 (Éd. c. 1505 f. 116v-117). *In absolvendis excommunicatis.*

P1790 Elne 1509 f. f4-f4v. *Absolutio excommunicati.*

P1791 Rodez 1513, c. 1542 (Éd. 1513 f. 70v-71). *Forma absolutionis excommunicatorum. Forma absolutionis excommunicatorum a iure.*

P1792 Nantes c. 1560. f. 100v-101v. *Forma absolutionis ab excommunicatione maiori non solenni.*

P1793 Cambrai 1562 f. 47v-48v. *De absolvendis excommunicatis.*

P1794 Poitiers 1581 f. O4v-O6. *Forma absolutionis ab excommunicatione maiori non solenni*: identique à Nantes c. 1560.

P1795 Bordeaux 1588-1611 (Éd. 1588 p. 52-54). *Forma absolvendi a maiori excommunicatione, quando absolutio fit solemniter, ante fores ecclesiae, in publica poenitentia.*

P1796 Bordeaux 1588-1611 (Éd. 1588 p. 54-55). *Forma absolutionis minus solemnis ab excommunicatione maiori.*

P1797	Bordeaux 1588-1611 (Éd. 1588 p. 56). *Absolutio ab excommunicatione minori.*
P1798	Lyon 1589 f. 6. Vannes 1596 f. 165v. *Forma absolvendi illos qui habent indulgentiam eligendi sibi semel tantum confessorem, qui eos absolvat ab omni casu etiam pertinente ad dominum papam.*
P1799	Lyon 1589 f. 6. *Alia forma absolvendi à minori excommunicatione.*
P1799bis	Strasbourg 1590 p. 10. *Forma absolvendi ab excommunicatione maiori. Forma absolvendi ab excommunicatione minori.*
P1800	Tournai 1591 f. 35-37. *Forma absolvendi excommunicatum*: identique à Ypres 1576.
P1801	Bâle 1595 p. 145-148. Besançon 1619. *Forma absolvendi excommunicatum a maiore excommunicatione. Ab excommunicatione minore…*
P1802	Vannes 1596 f. 164v-165. [Absolution solennelle d'un excommunié]
P1803	Vannes 1596 f. 166. *Forma absolvendi vigore commissionis, seu absolutionis generalis ab Episcopo seu eius generali vicario obtente.*
P1804	Vannes 1596 f. 166v. *Forma absolvendi à sententia excommunicationis incursae auctoritate canonis…*
P1805	Vannes 1596 f. 166v. *Forma absolvendi à sententia excommunicationis vigore monitorii generalis…*
P1806	Rodez 1603 p. 61-63. Vabres 1611. *Lors qu'il conviendra donner publiquement et avec solennité l'absolution de quelque cas, ou excommunication…*
P1807	Cahors 1604 p. 20-21. *De servandis in excommunicatione maiori. Forma absolutionis ab excommunicatione maiori*: reprend *Ordo baptizandi.*
P1808	Chalon-sur-Saône 1605 p. 52-53. *La forme d'absoudre les excommuniez.*
P1809	Évreux 1606-1621 (Éd. 1606 f. 23-24). Lisieux 1608-1661 *De servandis in maiori excommunicatione, ac de absolutione ab eadem, secundum ritum Romanae Ecclesiae*: reprend *Ordo baptizandi*, et donc Cahors 1604.
P1810	Saint-Omer 1606 p. 66-68. *Forma absolvendi excommunicatum.*
P1811	Rouen 1611 p. 74. *Forma absolutionis à sententia excommunicationis in confessione.*
P1812	Rouen 1611 p. 75-76. *Forma absolutionis à sententia excommunicationis publicè facienda.*
P1813	Genève 1612 p. 40-41. *De servandis in excommunicatione maiori. Forma absolutionis ab excommunicatione maiori*: reprend *Ordo baptizandi*, et donc Cahors 1604.
P1814	Genève 1612 p. 41 [Absolution solennelle d'un excommunié]. Formule de Malines 1589 et Tournai 1591.

ABSOLUTIONS DE L'EXCOMMUNICATION

P1815 *Romanum* 1614. Toul 1616-1652. Chartres 1627-1640, Rouen 1640, 1651, Meaux 1645, Paris 1646-1777[1], Albi 1647, Châlons-sur-Marne 1649, Chalon-sur-Saône 1653, Rodez 1671, etc. *De absolutione ab excommunicatione in foro exteriori.*

P1816 Bourges 1616 p. 41-44. *La façon d'absoudre solemnellement les excommuniés nommement et specialement denoncés, ou ceux qui ont griefvement et notoirement frappé et outragé quelque Ecclesiastique*: formulaire développé.

P1817 Arras 1623-1757 (Éd. 1623 2e partie p. 26-27). *Ordo absolvendi excommunicatum.*

P1818 Albi 1647. *La maniere d'absoudre de l'excommunication par sentence.*

P1819 Elne 1656 p. 94-96. *Ordo absolvendi ab excommunicatione maiori cum solemnitate*: identique à Bordeaux 1588.

P1820 Elne 1656 p. 96-98. *Ordo absolvendi ab excommunicatione maiori cum minori solemnitate*: très proche de Bordeaux 1588.

P1821 Bourges 1666. tome I, p. 292-301. *L'absolution de l'excommunication majeure, declarée par sentence, ou encouruë par quelque grand peché public, ou connu, quoy que non declarée par sentence.*

P1822 Limoges 1678, 1698 (Éd. 1678 p. 139-140). *De absolutione ab excommunicatione in foro interiori, et à casibus reservatis. Modus absolvendi...* [Formulaires absents du romain]. p. 140-146 *De absolutione ab excommunicatione in foro exteriori. Ordo et ritus absolvendi.* Rite romain avec addition de dialogues et d'une exhortation.

1822bis Bayeux 1687 p. 88-90. *Forma absolvendi Excommunicatum in foro exteriori.*

P1823 Agen 1688 p. 97-100. *La maniere d'absoudre de l'Excommunication donnée par sentence.* Rite romain.

P1824 Sens 1694 p. 70-72. *De l'absolution de l'Excommunication dans le for exterieur.* Rite romain; addition p. 71 « si l'excommunication a esté publique... ».

P1825 Orléans 1726 p. 109-110. Auxerre 1730 p. 112-113. *Ordo absolvendi ab Excommunicatione in foro exteriori.* Rite romain; rubriques différentes du romain (et d'Orléans 1726).

P1826 Meaux 1734. Évreux 1741. Troyes 1768. *Ordre qui doit être gardé pour absoudre de l'Excommunication.* Rite romain avec rubriques modifiées.

P1827 Rouen 1739. Lisieux 1742. Bayeux, Coutances, Lisieux, Sées 1744. *Ritus absolvendi ab excommunicatione in Foro exteriori.* Rite romain.

---

[1]   Paris 1777: la formule d'absolution *Dominus noster J. C., qui est summus Pontifex...* diffère légèrement.

840 CHAPITRE XVII

P1828 Bourges 1746. *Ordre pour absoudre de l'Excommunication.*
P1829 Poitiers 1766 p. 134-136. Luçon 1768. *Ordre pour absoudre de l'Excommunication, de la Suspense, et de l'Interdit.*
P1830 Châlons-sur-Marne 1776, tomus secundus, p. 75-76. *Ordo absolvendi Excommunicatum, in foro sive interno, sive externo.* Formulaire en partie différent du rituel romain
P1831 Paris 1786 t. III p. 98-101. *Ordo absolvendi Excommunicatum, in foro sive interno, sive externo.* Formulaire original.
[Etc.]

2. CHOIX DE FORMULAIRES

Uzès 1500

[Nicolas Maugras]
Sequitur modus absolvendi excommunicatos

[Les excommuniés viennent devant les portes de l'église en apportant leurs certificat d'absolution qu'ils présentent au prêtre. Celui-ci leur demande de s'agenouiller, et les asperge d'eau bénite en disant le psaume 66, l'oraison *Deus cui proprium est misereri*, et une formule appropriée d'absolution. Puis il leur demande de dire trois fois *Pater* et *Ave*, ou une autre pénitence.]

P1832 **Uzès 1500** [2ᵉ partie] f. 64-65
Et primo excommunicati accedant ante fores ecclesie portantes absolutiones suas quas presentent sacerdoti, et sacerdos visis absolutionibus faciat ipsos stare genibus flexis, et aspergat super eos aquam benedictam, dicendo ps. [66] *Deus misereatur nostri,* totum cum *Gloria Patri* P1859
Quo finito, dicat *Kyri eleyson... Pater...* V. *Salvum fac servum tuum...* P1872 V. *Esto ei Domine turris fortitudinis...* P1867. V. *Nihil proficiat...* P1871 V. *Mitte ei Domine...* P1868. V. *Domine exaudi orationem...* V. *Dominus vobiscum...*
Oremus. Deus cui proprium est misereri semper et parcere... P1873
Et ego auctoritate domini nostri I. C., et apostolorum Petri et Pauli, et auctoritate mihi commissa, te absolvo a sententia excommunicationis, qua ligatus eras ad instantiam N., et restituo te absolutum in facie sancte matris Ecclesie... [rare] P1908
Postmodum iniungat sibi quod dicat ter *Pater noster,* et *Ave Maria.* Vel aliquid aliud pro penitentia.

ABSOLUTIONS DE L'EXCOMMUNICATION

Et quando non habent absolutionem plenariam, sed suspensum hinc ad certum tempus absolvantur modo supradicto premonendo eum sive eos, quatinus habeant satisfacere parti hinc ad terminum in suspenso contentum sub pena excommunicationis alioquin lapso dicto termino in pristinam sententiam reincident.

Et quando sunt plures, absolvantur modo supradicto, sed dicuntur ea que dicuntur supra in speciali, hic in generali scilicet V. *Salvos fac servos tuos…*

f. 65 [Cas d'un excommunié ayant exercé des violences contre un ecclésiastique]

Item nota quod quando aliquis est excommunicatus ex eo quod violenter et maliciose manus ingessit in clericum vel aliam personam ecclesiasticam, sacerdos habita absolutione, aut licentia ipsum absolvendi, absolvat eum cum ps., precibus, et oratione supradictis dicendo

Et ego auctoritate domini nostri I. C. et apostolorum Petri et Pauli et auctoritate michi commissa et tibi concessa, te absolvo a sententia excommunicationis qua ligatus eras ex eo quia manus violentas et maliciose iniecisti in clericum… [rare] P1909 Iniungendo eidem quatinus satisfaciat parti lese et quod petat eidem veniam genibus flexis cum magna humilitate, et ultra predicta dicat aliquas orationes si sciat adminus *Pater noster*, et *Ave Maria* tribus vicibus.

Autun 1503, 1523. Cambrai 1503

[Autun 1503 : Louis d'Amboise][2]

Forma absolvendi excommunicatum ab excommunicatione maiori

P1833 **Autun 1503 f. 13**

Primo faciat absolvens iurare stare se subiectum preceptis sancte matris Ecclesie et suorum prelatorum neque eum excommunicationem contemnere. Et cum corda et baculo percutiat plane et leniter dorsum absolvendi dicendo ps. [50] *Miserere mei Deus* P1858 totum vel ps [66] *Deus misereatur nostri* P1859 ad longum. Postea dicat. *Kyrie eleyson… Pater noster…* V. *Salvum fac servum tuum…* [etc.] Oratio. *Deus cui proprium est misereri…* P1873

Dominus noster I. C. te absolvat, et ego auctoritate Dei omnipotentis, etc. P1888

---

[2] Le rituel d'Autun 1503 est imprimé en avril ; le rituel de Cambrai en septembre.

Autun 1503, 1523. Cambrai 1503

Forma absolutionis pro illis qui habent indulgentiam eligendi sibi semel tantum confessorem qui eos absolvat ab omni casu pertinente ad papam
[Absolution de cas réservés au pape]

f. 13v *Dominus noster I. C. te absolvat, et ego auctoritate ipsius et beatorum apostolorum Petri et Pauli, et summi pontificis michi commissa, tibi in hoc vice concessa, absolvo te ab omni vinculo excommunicationis maioris vel minoris…* P1891

Le Mans c. 1505-1608

[Le Mans c. 1505 : Philippe de Luxembourg]

P1834 **Le Mans** c. 1505 f. 116v-117

In absolvendis excommunicatis, caveant presbyteri in primis quod plegios accipiant competentes de emenda, et de parendo ecclesie mandatis, eorumque nomina apud eos scribant diligenter. Excommunicatus solenniter absolvatur verberando eum dicendo ps. penitentialem [50], scilicet *Miserere mei…* P1858 Et in fine *Kyrie eleyson. Pater…* V. *Salvum fac servum tuum…* etc.

Oremus. Presta quesumus Domine huic famulo tuo N. dignum penitentie fructum, ut ecclesie tue sancte, a cuius integritate deviarat peccando admissorum reddatur innoxius… P1874

Et ego auctoritate Dei omnipotentis et beate Marie virginis, et beatorum apostolorum Petri et Pauli, et omnium sanctorum, et domini epyscopi vel officialis, vel decani et capituli ecclesie N., te absolvo. In nomine Patris… [rare] P1907

Elne 1509

[Jacques de Serra]
Absolutio excommunicati

P1835 **Elne 1509** f. f4-f4v

Quia sepe contingit, ut curati vel alii sacerdotes habent excommunicatos absolvere, ideo hic apposui modum absolvendi illos.

Primo sacerdos accepta manu excommunicati dicat ei

Vos prometeu e iurau, que stareu en obediencia de sancta mare Esglesia. R. Hoc monssenyer.

Postea existente excommunicato genibus flexis, sacerdos iniungat illi in penitentiam ut dicat ter *Pater noster* cum *Ave Maria*, vel aliud

ABSOLUTIONS DE L'EXCOMMUNICATION

vel aliquem psalmum vel psalmos, si fuerit clericus. Et dictus sacerdos aspergat aquam benedictam super illum. Et accepta virga una vel tribus secundum consuetudinem aliquorum, verberet illum leviter, dicendo sequentia.

Kyrieleyson… Pater noster. V. Salvum fac servum tuum… etc. Oremus. Deus cui proprium est misereri… P1873

Et ego auctoritate domini nostri I. C. et beatorum apostolorum Petri et Pauli michi commissa absolvo te a sententia excommunicationis… [rare] P1910

Et si fuerit cum reincidentia, dicat, usque ad tempus N. cum reincidentia.

Rodez 1513, c. 1542

[Rodez 1513 : François d'Estaing]
Sequitur forma absolutionis excommunicatorum

[L'excommunié doit obtenir l'absolution ou un mandat juridique spécial de l'official qui l'a excommunié, et doit promettre d'obéir dorénavant aux préceptes de l'Eglise.]

P1836 **Rodez 1513** f. 70v-71

Primo advertendum est quod excommunicatus obtineat absolutionem sive aliquod specialem mandatum iuridicum ab officiali a quo est excommunicatus, sive fuerit diocesanus, sive metropolitanus aut alterius auctoritatis, quia illius est solvere cuius est ligare.

Et hiis attentis si fuerit excommunicatus a persona pro contumacia vel alius. Primo promitat excommunicatus et iuret esse de presenti et in futuro obediens preceptis ecclesie sive sit ante fores ecclesie vel alibi fit hoc modo.

Primo dicitur ps. [66] *Deus misereatur nostri,* totum cum *Gloria Patri. V. Salvum fac servum tuum Dne…* P1872 etc. *Oremus. Deus cui proprium est misereri…* P1873

Et ego auctoritate apostolica vel metropolitana, vel domini officialis, t., aut alterius prout fuerit. Te absolvo a sententia interdicti sive excommunicationis aut alias in qua innodotus eras ad instantiam t. Et sic absolutum restituo te sanctis ecclesie sacramentis et unitati fidelium precipiendo tibi quod a cetero tales sententias vel sibi similes non incurras. Et ego te absolvo. In nomine Patris… [rare] P1906

844 CHAPITRE XVII

Cambrai 1562

[Maximilien de Berghes]
Quaedam à curatis observanda circa excommunicationem

P1837 **Cambrai 1562** f. 45-47

Tria sunt potissimum quae curatus circa hunc articulum observare debet: Admonitio. Excommunicatio, et absolutio. …

f. 47-48v *De vitandis excommunicatis et observandis interdictis.*

Constitutione concilii Basiliensis cautum est quod nemo deinceps à communione alicuius in sacramentorum administratione, vel receptione, aut in aliis quibuscunque divinis vel extra, praetexta cuiuscunque sententiae, aut censurae ecclesiasticae, aut suspensionis, vel prohibitionis ab homine, vel à iure generaliter promulgatae tenetur abstinere, vel aliquem vitare, vel ecclesiasticum interdictum servare: nisi sententia, prohibitio, suspensio, vel censura huiusmodi ecclesiastica, fuerit contra personam, certam, collegium, universitatem, ecclesiam, aut locum certum specialiter aut expresse, fuerit à iudice publicata, vel denunciata. Aut si aliquem excommunicationis sententiam ita notorie constiterit incurrisse, quod nulla possit tergiversatione celari, aut aliquo iuris suffragio excusari.

De absolvendis excommunicatis. Nullus curatus à maiori excommunicatione sine mandato speciali sui superioris aliquem absolvere presumat. Si vero mandatum super absolvendo acceperit, ante omnia recipiat iuramentum, vel cautionem ab absolvendo, quod velit mandatis Ecclesiae, et absolventis, (quantum ad eam causam attinet propter quam est ligatus) parere: et laesis à se iuxta suas facultates satisfacere. Quod si à Canone ligatus est, praestet iuramentum se contra hunc canonem non facturum, nisi fortè in his casibus, qui à iure permittuntur.

Deinde super eum geniculantem (si per infirmitatem absolvendus non impeditur), orat ps.[50] *Miserere mei Deus*, P1858 vel [ps. 66] *Deus misereatur nostri*, P1859 etc. *Gloria Patri… Kyrie… Pater… Salvum fac servum tuum… Nihil proficiat inimicus in eo…* P1871 *Esto ei Dne turris fortitudinis…* P1867 *Dne exaudi… Dnus vob.* …

Oratio. *Deus cui proprium est misereri semper…* P1873

Hic subiungat hanc formam.

Dominus noster I. C. te absolvat, et ego te authoritate domini nostri Papae, vel rev. dni Episcopi Cameracensis, absolvo à vinculo excommunicationis maioris quam incidisti propter (Hic exprimat causam ac casum propter quem incurrit excommunicationem), *et restituo te sacramentis Ecclesie, et communioni fidelium. In nomine Patris…* P1895

ABSOLUTIONS DE L'EXCOMMUNICATION

Ceterum in foro conscientie ubi absolvens habet authoritate et rectam absolvendi intentionem, sufficit, si dixerit
Ego te absolvo à sententia excommunicationis maioris quam incurristi. In nomine... [rare] P1898
Porro in excommunicatione minore (quam omnes curati ad subditos facere possunt) sufficit haec simplex et communis forma:
Ego te absolvo ab excommunicatione minore. In nomine... [rare] P1901

Bordeaux 1588, 1596, 1602, 1611

[Bordeaux 1588: Antoine Prévost de Sansac]

P1838 **Bordeaux 1588** p. 52-54. *Forma absolvendi a maiori excommunicatione, quando absolutio fit solemniter, ante fores Ecclesiae, in publica poenitentia.*
Primum sacerdos habita superioris facultate, ad absolvendum, accipit ab excommunicato iuramentum, quod parebit mandatis Ecclesiae, et ipsius absolventis, super eo, propter quod, excommunicationis vinculo est ligatus. Etsi excommunicatus sit ob manifestam offensionem, debet priusquam absolvatur, satisfacere; vel si id statim fieri nequeat, adhibeat sufficientem cautionem.
Deinde sacerdos accepta in dextera manu virga, dicit ps. [50] *Miserere mei Deus... Gloria Patri...*
Et in quolibet versu, sacerdos cum virga leviter super scapulas verberat absolvendum. Finitis his, sacerdos dicit, *Kyrie... Pater noster... V. Salvum fac servum tuum... V. Nihil proficiat inimicus in eo... V. Esto ei Domine turris fortitudinis... V. Dominus vobiscum... Oremus. Deus cui proprium est misereri...* P1873
Oremus. Praesta quesumus Domine huic famulo tuo, dignum poenitentiae fructum... P1874
... Auctoritate Dei omnipotentis, et beatorum Petri et Pauli, ac Ecclesiae suae sanctae, et ea qua fungor, absolvo te à vinculo excommunicationis, qua ex tali causa ligatus eras, in nomine Patris... [rare]
Postea sacerdos apprehendens absolutum, manu dextera, introducit eum in ecclesiam, dicens.
Reduco te in gremium sanctae matris Ecclesiae, et ad consortium et communionem Christianorum... [rare] P1879
Postremo, absolutio fieri debent rationabilia praecepta. Ordinem absolvendi ab anathemate, quod pro gravioribus culpis incurritur, require in Pontificali.

p. 54-55 *Forma absolutionis minus solemnis, ab excommunicatione maiori.*

846 CHAPITRE XVII

Sacerdos absoluturus excommunicatum, praemisso iuramento, aut cautione de parendo mandatis Ecclesiae, si opus fuerit, et praemissa satisfactione, dicat unum ex ps. poenitentialibus, cum *Gloria Patri…* Deinde dicitur *Kyrie… Pater… V. Salvum fac servum tuum…* etc. *Oremus. Deus cui proprium est…* P1873

… Ego te absolvo à vinculo excommunicationis, qua ex tali causa ligatus eras; et restituo te communioni fidelium, in nomine Patris… P1899

Postea iniungat praecepta delicto convenientia; et si dubium sit, utrum sit excommunicatus, sacerdos dicat, *A vinculo excommunicationis, si fortè incurristi, etc.*

Et si absolutio sit ad reincidentiam, dicat: *Absolvo te ad reincidentiam, secundum formam mihi commissam, etc.* P1877bis

p. 56 *Absolutio ab excommunicatione minori.*

Auctoritate Dei omnipotentis, te absolvo à vinculo excommunicationis minoris, quam incurristi, et restituo te sacramentis Ecclesiae, in nomine Patris, etc. P1880

Tournai 1591

[Jean Vendeville]

P1839 **Tournai 1591** p. 35-37

Si excommunicationi confitens sit innodatus, sive à iure sit lata, sive ab homine: cum omnis excommunicatio maior sit casus vel papalis, vel saltem episcopalis, nullus sacerdos ab ea, sine permissu sui superioris, aliquem absolvere praesumat, nisi confitens sit in periculo mortis…

Forma absolvendi excommunicatum.

Ego te absolvo à sententia excommunicationis maioris quam incidisti, et restituo te sacramentis Ecclesiae. Tunc subiunget: *Deinde te absolvo à peccatis tuis, in nomine Patris…* P1897

[Absolution d'une excommunication mineure]

Ab excommunicatione autem minore absolvere potest, quisquis potestatem habet absolvendi à peccatis, dicendo:

Absolvo te à vinculo excommunicationis minoris, si quam incidisti. Tunc subjiciat. *Deinde absolvo te à peccatis tuis. In nomine Patris…* P1876

[Absolution solennelle d'une excommunication]

Si sacerdos singulare mandatum super absolvendo solemniter ab excommunicatione acceperit, ante omnia recipiat iuramentum, quod velit mandatis Ecclesiae et absolventis parere, et laesis à se, iuxta

ABSOLUTIONS DE L'EXCOMMUNICATION

suas facultates satisfacere, et super eum genua (si expedire videatur) flectentem, oret Ps. [50] *Miserere… Kyrie… Pater noster… V. Salvum fac servum tuum… etc. Oremus. Deus cui proprium est misereri…* P1873

Hic subiungat hanc formam. *Dominus noster I. C. te absolvat, et ego, auctoritate Domini nostri Papae, vel Reverend. Episcopi N. absolvo te à vinculo excommunicationis, in quam incidisti.*

Hic exprimat casum ac causam, propter quam incurrit excommunicationem. *Et restituo te sacramentis Ecclesiae et communioni fidelium. In nomine Patris…* P1889

Bâle 1595
[Jacques-Christophe Blarer de Wartensee]

P1840   **Bâle 1595** p. 146. *Forma absolvendi excommunicatum maiore excommunicatione*

Ego virtute commissionis mihi datae, te absolvo à sententia excommunicationis maioris, quam incidisti, et restituo te Sacramentis Ecclesiae. Tunc subiunget. *Et iterum absolvo te à peccatis tuis, in nomine Patris…* P1904

[Absolution d'une excommunication mineure]
(146-147) Ab excommunicatione minore quilibet absolvere potest, qui habet potestatem absolvendi à peccatis dicendo: *Dominus noster I. C. te absolvat*, etc., ut supra. P1698

[Absolution solennelle d'une excommunication]
(146-148) Si autem sacerdos singulare mandatum super absolvendo solenniter ab excommunicatione acceperit, ante omnia recipiat iuramentum, quod velit mandatis Ecclesiae et absolventis parere, et laesis à se, iuxta suas facultates satisfacere, et super eum genua flectentem, dicat ant.

Ne reminiscaris Domine delicta nostra, vel parentum nostrorum, neque vindictam sumas de peccatis nostris. P1870 Ps. *Miserere mei… Kyrie… Pater… V. Salvum fac servum tuum…* [etc.] *Oremus. Deus cui proprium est misereri semper…* P1873

Huic orationi subiungat hanc formam.

Dominus noster I. C. te absolvat, et ego authoritate Domini nostri Papae, vel reverend. Episcopi Basiliensi, absolvo te à vinculo excommunicationis, quam incidisti. Hic exprimat casum ac causam, propter quam incurrit excommunicationem. *Et restituo te sacramentis Ecclesiae et communioni fidelium, in nomine Patris…* P1889

848 CHAPITRE XVII

Vannes 1596

[Chapitre de Vannes, le siège épiscopal vacant]

P1841 **Vannes 1596** f. 164v-165

[Absolution solennelle d'une excommunication]

Si sacerdos singulare mandatum super absolvendo solenniter ab excommunicatione acceperit, ante omnia recipiat iuramentum, quod velit mandatis Ecclesiae et absolventis parere, et laesis à se, iuxta suas facultates satisfacere, et super eum genua flectentem, dicat ant. *Ne reminiscaris Domine, delicta nostra…* P1870 Ps. [50] *Miserere… Kyrie… Pater noster… V. Salvum fac servum tuum…* etc. … [la suite comme Tournai 1591]

Arras 1563[3], 1599

[Arras 1563 : François Richardot]

P1842 **Arras 1599**, *Ordonnances*, p. XXXVI-XXXVIII

Comment les curez et recteurs se debvront conduire quant aux admonitions, excommunications, et absolutions.

Quand les curez admonesteront quelque pecheur par ordonnance de leur superieur, à fin qu'il se retourne de son mesfait, ils mettront en avant la gravité du peché, defendu et soustenu par la contumace et opiniastreté du delinquant, et comment telle contumace proprement convenante au diable, pourroit causer un total abandonnement de Dieu, tellement que le transgresseur estant delaissé, pourroit par son obstination et dureté de son coeur, tomber en finale impenitence, qu'est droictement le peché contre le S. Esprit. Pareillement remonstreront lesdits curez, que l'admonestement qu'ils feront presentement pour reduire le pecheur, est la voix de l'Eglise, qui le revocque du mal. En quoy l'on doit recognoistre la vocation de Dieu, qui avec patience souffre et r'appelle le pecheur… remonstrant aussi le danger ou le pecheur se mect d'estre retranché par excommunication du corps mystic de nostre Seigneur J. C., fourclos de sa grace, de ses sacremens, et de la participation de son merite. …

p. XXXVIII … Et quand lesdicts curez absouldront ou declareront absouls ceux qui auroyent estez excommuniez, ils remettront en avant au peuple la joye que l'on doibt avoir sur le retour et conversion du pecheur, à l'exemple des anges de Dieu, qui font feste de la penitence dudict pecheur. …

---

3   Ordonnances synodales de 1562, reliées à la suite des rituels d'Arras de 1563 (édition disparue) et 1600. Voir P1423.

ABSOLUTIONS DE L'EXCOMMUNICATION

Rodez 1603. Vabres 1611

[Rodez 1603 : François de Corneillan]
[Absolution solennelle d'une excommunication]

P1843 **Rodez 1603** p. 61-63

Lors qu'il conviendra donner publiquement et avec solemnité l'absolution de quelque cas, ou excommunication, celuy qui en a la charge et pouvoir, aprés que le penitent aura dit à haute voix le *Confiteor*, luy fera reciter tout au long le pseaume penitentiel *Miserere mei Deus* ; ou bien s'il ne le scait, ny peut lire, luy mesme avec ceux qui luy assistent le recitera alteraitivement ; à la fin duquel dira le *Gloria Patri, Kyrie... Pater noster... V. Salvum fac servum tuum...* [etc.]

Oremus. Deus cui proprium est misereri semper... P1873

Et ego auctoritate omnipotentis Dei, ac beatorum Apostolorum Petri et Pauli mihi commissa, absolvo te à sententia excommunicationis... et habilito te ad actus legitimos : Deinde absolvo te ab omnibus peccatis tuis, in nomine Patris... [rare] P1911

Faut icy noter qu'en telles absolutions il n'est besoin d'exprimer, si on ne veut, la cause pour raison de laquelle on aura encouru la sentence d'excommunication, ou autres censures, et empeschemens ecclesiastiques.

Cahors 1604
Évreux 1606-1621. Genève 1612. Lisieux 1608-1661

[Cahors 1604 : Siméon-Etienne de Popian]

P1844 **Cahors 1604** *Ordo baptizandi*

p. 20 *De servandis in excommunicatione maiori.*

Animadvertat autem sacerdos, ne ab excommunicatione reservata aliquem absolvat, nisi obtenta prius facultate ; qua habita, antequam absolutionem impendat, haec meminerit observare. Primo, ut excommunicatus ei, ob cuius causam excommunicationem incurrit, satisfaciat ; quod si hoc praestare non potest, iubeat, ut sufficientem cautionem praebeat, vel saltem, quando neutrum horum potest efficere, iuret, se cum primum potuerit, satisfacturum. Secundo, si crimen, ob quod excommunicationem incidit, sit enorme, iuramentum exigat de parendo in posterum Ecclesiae mandatis. Tertio si excommunicatio fuerit publica, absolutio quoque publice fiat, et humerum eius qui absolvendus est, virga leviter ad singulos versiculos ps. percutiat, dicens

[Ps. *Miserere*] vel unum ex ps. poenitentialibus, cum *Gloria Patri. Kyrie... Pater noster... V. Salvum fac servum tuum...* etc.

Oremus. Deus, cui proprium est misereri semper, et parcere... P1873
Forma absolutionis ab excommunicatione maiori.

Ego absolvo te à vinculo excommunicationis, et restituo communi fidelium in nomine Patris... P1899

Quando vero excommunicatio est occulta, tunc non est adhibenda ulla caerimonia, sed tantum forma absolutionis, incipiendo ab illis verbis. *Ego absolvo* etc. ut supra.

Postea à peccatis absolvat, si poenitens eorum confessionem fecerit, et poenitentiam iniungat, etc.

Cambrai 1606
[Guillaume de Berghes]

P1845 **Cambrai 1606** p. 48. *De Excommunicationibus reservatis. Ex eadem Synodo*[4].

Quamquam praedecessores nostri Excommunicationes omnes, Suspensiones et interdicta synodalia sibi et successoribus suis reservaverint: nos tamen humanae fragilitati consulere cupientes, eas tantummodo reservamus in posterum quae in antiquis eorumdem praedecessorum nostrorum decretis iam de novo recusis reservatae declarantur. A caeteris absolvere poterunt omnes sacerdotes à nobis ad confessiones audiendas admissi, et deinceps admittendi, idque in foro conscientiae tantum.

Rouen 1611
[François de Joyeuse]

P1846 **Rouen 1611** p. 74. *Forma absolutionis à sententia excommunicationis in confessione.*

Si constiterit poenitentem esse innodatum sententia excommunicationis, à qua sacerdos eum possit absolvere. Prius absolvat eum à tali sententia his verbis.

Ego te absolvo, primum à sententia excommunicationis, quam propter (hoc aut illud) incurristi, et ab omni alio vinculo excommunicationis in quantum possum et indiges; Deinde absolvo te ab omnibus peccatis tuis. In nomine Patris... P1902

---

4   Ex Synodo dioecesana anni 1604.

ABSOLUTIONS DE L'EXCOMMUNICATION

p. 75 *Forma absolutionis à sententia excommunicationis publicè faciendae.*

Excommunicatus per sententiam ab homine latam, vel notoriè, non debet absolvi, nisi facultate concessa ab eo, qui sententiam tulit, vel authoritate superiori. Et si absolutio publicè facienda sit. Poenitens flexis genibus dicat ps. hunc integrum. *Miserere mei Deus*, etc. Sacerdos eum ad singulos versus ps., virga percutiat; finito ps. dicat sacerdos. *Kyrie… Pater noster… V. Salvum fac servum tuum…* etc. *Oremus. Deus cui proprium est misereri…* P1873

Authoritate Dei omnipotentis absolvo te à sententia excommunicationis, quâ propter (hoc aut illud) ligatus eras. Deinde restituo te communioni fidelium et sacramentis Ecclesiae. In nomine Patris… P1878

Genève 1612

[François de Sales]

P1847 **Genève 1612** p. 41. Si sacerdos singulare mandatum super absolvendo solemniter ab excommunicatione acceperit, iis omnibus utatur, quae superius dicta sunt in excommunicatione maiori[5]. Et post orationem *Deus cui proprium* utatur hac forma absolutionis.

Dominus noster I. C. te absolvat, et ego autoritate Domini nostrae Papae… absolvo te à vinculo excommunicationis, in quam incidisti… P1889

Rituale Romanum 1614

P1848 **De absolutione ab excommunicatione in foro exteriori.**

Si potestas absolvendi ab excommunicationis sententia Sacerdoti commissa fuerit a Superiore, et in mandato certa forma sit prescripta, illa omnino servanda est : si vero in mandato seu commissione dicitur : *In forma Ecclesiae consueta absolvat*; haec servanda sunt :

Primo, ut excommunicatus ei, ob cujus offensam in excommunicationem incurrit, prius, si potest, satisfaciat. Quod si tunc non possit, sufficientem cautionem praebeat, aut saltem, si eam praestare non potest, juret se, cum primum poterit, satisfacturum.

Secundo, si crimen, ob quod in excommunicationem incidit, sit grave, juramentum ab eo exigatur de parendo mandatis Ecclesiae, quae

---

[5] *Voir supra* formulaire *Ordo baptizandi*, Cahors 1604 etc.

illi fient pro tali causa : ac praecipue ne deinceps delinquat contra illum Canonem, vel Decretum, contra quod faciendo censuram incurrit.

Denique hunc absolvendi ritum observabit.

Poenitentem coram se utroque genu flexo, in humero (si vir fuerit) usque ad camisiam exclusive denudato, virga aut funiculis sedens leviter percutit, dicendo totum Ps. *Miserere mei Deus, etc.* cum *Gloria Patri, etc.*

… Kyrie… Pater noster… V. Salvum fac servum tuum…

Oremus. Deus cui proprium misereri semper, et parcere… P1873

… Dominus noster J. C. te absolvat : et ego auctoritate ipsius et Sanctissimi Domini nostri Papae… absolvo te a vinculo excommunicationis… 1894

Quod si Sacerdoti nulla sit a Superiore praescripta forma, nec sibi mandatum, ut in forma Ecclesiae communi, vel consueta absolvat, tunc nihilominus pro rei gravitate praedictam caeremoniam et preces adhibeat : at vero si res non fuerit adeo gravis, absolvere poterit, dicens :

Dominus noster J. C. te absolvat : et ego auctoritate ipsius, et Sanctissimi Domini nostri Papae (si a Papa fuerat delegatus), (vel *Rev. Episcopi N.* vel talis *Superioris*) *mihi concessa, absolvo te, etc.* ut supra.

In foro autem interiori, Confessarius habens facultatem absolvendi excommunicatum, absolvat juxta formam communem supra prascriptam in absolutione Sacramentali.

Bourges 1616

[André Frémiot]

P1849 **Bourges 1616** f. 41v-44. *La façon d'absoudre solemnellement les excommuniés nommement et specialement denoncés, ou ceux qui ont griefvement et notoirement frappé et outragé quelque Ecclesiastique.*

Le Prestre… fera jurer les excommuniez qu'ilz obeiront au jugement de l'Eglise… Et si l'offence est notoire… et qu'il y ait quelque restitution claire et evidente, il est expedient de la faire faire… avant que de proceder à l'absolution solemnele… Le Prestre designé… se transportera à la porte de l'Eglise… ou… l'excommunié estant à deux genoux, teste nuë, le Prestre ou autre tenant la saincte Croix presente, et ayant posé… les sainctes Evangiles sur un escabeau… ou un Missel ouvert, ledit excommunié tenant la main droicte sur un Evangile… lira ou… dira de mot à mot apres le Prestre, la forme du jurement qui s'ensuit…

ABSOLUTIONS DE L'EXCOMMUNICATION

P1850 *Je N. jure à Dieu tout-puissant, en la presence de la glorieuse Vierge Marie, et toute la court celeste, et de vous Monsieur N. Prestre etc. et des tesmoins soubz-signés, et de toute l'assistance, que je satisferay plenement à tout ce que Monseigneur… N. Archevesque de Bourges,… Messieurs ses grands Vicaires, Official, ou autres sur ce deputez m'ordonneront, et jugeront que je sois tenu de faire, pour la satisfaction ou amendement du delict, en vertu duquel j'ai esté excommunié, duquel presentement je me repens, et en requiers tres-humblement l'absolution, desirant de me rendre doresenavant plus respectueux et obeissant aux saincts Canons, ordonnances et sentences de la saincte Eglise. Qu'ainsi Dieu me soit en ayde, et les saincts Evangiles…*

Ce qui sera signé par le prestre… par l'excommunié penitent, par les tesmoings nommez… Puis le prestre… tenant une baguette en sa main droite estant à la porte de l'Eglise se levra [*sic*] et tous les assistans, excepté l'excommunié qui sera à genoux la teste nüe…

Ps. *Miserere mei Deus*… etc. les assistans diront le second V. *Et secundum multitudinem.* Etc. Et le Prestre le troisiesme, les assistans le quatriesme, et ainsi du reste, et à chaque V. le Prestre frappera de sa baguette le penitent excommunié disant *Miserere mei Deus, secundum etc.*

Gloria Patri… Kyrie… Pater noster… Deus meus sperantem in te… Salvum fac servum tuum… Nihil proficiat inimicus in eo… Esto ei Domine turris fortitudinis… Domine exaudi… Dominus vobiscum…

Oremus. Deus cui proprium est misereri semper… P1873 *Praesta quaesumus…* P1874

Le Prestre laissant la baguette qu'il tenoit en sa main droicte eslevant la mesme main, dira.

Auctoritate Dei omnipotentis, et beatorum apostolorum… absolvo te a vinculo excommunicationis quo tenebaris. In nomine Patris…

Cela faict le Prestre prenant l'excommunié par la main, le releve et l'introduit en l'Eglise disant:

Reduco te in gremium sanctae Matris Ecclesiae, et ad consortium et communicationem Christianorum… P1879

Que l'excommunié ainsi absouz, se confesse et reçoive le precieux corps de Dieu le mesme jour, qu'il est possible, ou pour le plus tard le dimanche ou feste la plus prochaine apres le jour de son absolution.

p. 47 *De l'excommunication mineure.*

Il semble moins necessaire d'absoudre solemnellement, ceux qui tombent en telle excommunication, et suffit que cela se face, avec l'absolution sacramentele [*sic*], en privé.

854 CHAPITRE XVII

Arras 1623, 1644, 1757

[Arras 1623 : Hermann Ortemberg]

P1851 **Arras 1623** p. 26-27. *Ordo absolvendi Excommunicatum.*
In absolutione excommunicati quae fit in foro conscientiae non requiritur determinata verborum forma, sed sufficit, si dicatur haec aut similis, cum intentione absolvendi :
Ego te absolvo à vinculo excommunicationis, et restituo te Sacramentis et communioni Ecclesiae, in nomine Patris, etc. P1898

[Si l'excommunication est solennelle, le rite suit le rite romain « in foro exteriori »].

Chartres 1627, 1639, 1640

[Léonor d'Estampes de Valançay]

P1852 **Chartres 1639** p. 96-101. *De absolutione ab excommunione in foro exteriori.*

[Absolution romaine avec addition de :]
Tertio, si excommunicatio fuerit publica, absolutio quoque publica fiat modo sequente ; si autem excommunicatio est occulta, tunc nulla adhibenda est caeremonia, sed tantum forma absolutionis est dicenda incipiendo ab his verbis, *Dominus noster I. C.* etc. ut infra.

Bourges 1666

[Anne de Lévis de Ventadour]
L'Absolution de l'Excommunication majeure, declarée par sentence, ou encouruë par quelque grand peché public ou connu, quoy que non declarée par Sentence

P1853 **Bourges 1666** tome 1, p. 292-301

[Formulaire remanié par rapport à Bourges 1616 : nouvelles instructions ; addition d'un dialogue initial :]
D. Que demandez-vous ? R. Je demande de tout mon coeur pardon à Dieu des fautes que j'ay commis, et l'absolution de l'excommunication que j'ay contracté.
[Nouvelle formule d'absolution :]
Dominus noster I. C. te absolvat, et ego authoritate ipsius, (et Sanctissimi Domini nostri Papae) (…Archiepiscopi Bituricensis…)… absolvo te à vinculo excommunicationis quam incurristi propter… Reduco te… P1893
[Ps. 116] *Laudate Dominum…* P1860

ABSOLUTIONS DE L'EXCOMMUNICATION

Que l'excommunié ainsi absous se confesse et reçoive le precieux corps de N.S. le même jour, s'il est possible…

Que si l'excommunié ne doit être absous qu'en particulier… dans la confession, le prêtre … se servira de la forme prescrite en l'absolution sacramentelle.

Si c'est hors la Confession : *Confiteor… Misereatur* et *Indulgentiam… Dominus noster I. C. te absolvat et ego authoritate ipsius, et mihi in hac parte tradita, absolvo te à vinculo excommunicationis quam incurristi, et restituo te communioni et unitati fidelium…* P1892

Bayeux 1687

[François de Nesmond]
Forma absolvendi Excommunicatos in foro exteriori…

P1854 **Bayeux 1787** p. 88-90

… S. *Demandez-vous pardon à Dieu de la faute que vous avez commise, et voulez-vous recevoir l'absolution de l'excommunication que vous avez encouruë?* Poenitent. R. *Oüy Monsieur.*

Tunc Sacerdos monet, ut manum ponat super Missale, in quo sancta Dei Evangelia continentur.

… *Jurez-vous et promettez vous à Dieu que vous obeïrez à l'avenir à l'Eglise, et que vous ne commettrez plus de telles fautes, et que vous satisferez à Dieu et au prochain pour les crimes, pour lesquels vous avez encouru l'excommunication?* R. *Oüy, monsieur, je le jure et promets.*

… Deinde poenitens genuflexus, ut supra… recitat Ps. *Miserere… Kyrie… Pater noster…* V. *Salvum fac…* V. *Nihil proficiat inimicus…* V. *Esto ei Domine…* V. *Domine exaudi…* V. *Dominus vob. …*

Oremus. Deus cui proprium est misereri semper et parcere… P1873
… *Dominus noster I. C. te absolvat, et ego auctoritate ipsius…* P1894

Bourges 1746

[Frédéric-Jérôme de Roye de La Rochefoucauld]
Ordre pour absoudre de l'Excommunication

P1855 **Bourges 1746** première partie, p. 239-242

[Rite légèrement différent du romain]

… Pour absoudre de l'Excommunication dans le for intérieur, on ne sert d'autre forme que de celle qui est prescrite pour l'absolution sacramentelle : *Dominus noster…* P1671

p. 240 … Si la commission … porte simplement que l'absolution sera donnée « in forma Ecclesiae consueta », on observera l'ordre qui suit.

856 CHAPITRE XVII

Le Prestre … ira … à la porte de l'Eglise, où tous s'étant assis et couverts, il fera cette demande au Pénitent qui doit être à genoux tête nuë :
D. *Que demandez-vous?*
Le Pénitent répondra : Je demande de tout mon coeur pardon à Dieu des fautes que j'ai commises, et l'absolution de l'excommunication que j'ai encouruë.
Le prêtre pourra faire ici une courte exhortation… Puis il prendra le Missel ou le livre des Evangiles sur ses genoux, et recevra le Serment du Pénitent en la forme qui suit :

P1856 *Je N. jure à Dieu tout-puissant, en votre présence, Monsieur, et celle des témoins soussignés, que j'exécuterai entiérement tout ce que Monseigneur l'Archevêque, Messieurs ses Grands Vicaires, Official, ou autres sur ce députés, m'ordonneront pour la satisfaction du crime qui m'a fait encourir l'Excommunication, dont je me repens et demande l'absolution, promettant sur les saints Evangiles que je touche, d'obéïr exactement aux Canons et Ordonnances de l'Eglise.*

Fait ce … jour du mois de … l'an … à la porte de l'Eglise de Saint N. en présence de Monsieur N. Prêtre, etc. et de N.N. témoins et autres assistans.

… Ps. *Miserere…* [la suite est romaine, sauf l'absolution :]
Dominus noster I. C. te absolvat…
Ensuite, [le prêtre] prenant le Pénitent par la main droite, il le relevera, l'introduira dans l'Eglise, et dira :
Reduco te in gremium sanctae matris Ecclesiaes… P1893
Il le conduira ensuite jusques dans le choeur de l'Eglise… Ps. *Laudate Dominum omnes gentes*, etc. P1860

Paris 1786

Ordo absolvendi Excommunicatum, in foro sive interno, sive externo

P1857 **Paris 1786** t. III p. 98-101
In Absolutione Excommunicati quae fit in foro interno, seu conscientiae, non requiritur determinata verborum forma ; sed, si non absolvatur simul à peccatis, haec, aut similis, cum intentione absolvendi, omnino sufficit.
Ego te absolvo à vinculo Excommunicationis, teque in Ecclesiae Communionem Sacramentorumque participationem restituo ; In nomine Patris, etc. P1900
Si vero Excommunicatus absolvatur simul à peccatis, eum absolvat Sacerdos juxta formam communem supra notatam in Absolutione sacramentali.

ABSOLUTIONS DE L'EXCOMMUNICATION

Non potest autem Sacerdos quemquam in foro externo ab Excommunicatione absolvere, nisi prius speciale mandatum ad hoc obtinnuerit ab eo qui Sententiam tulit, vel cui reservata est Excommunicatio, vel denique à superiore Judice in casu appellationis. ...

Itaque Poenitens, flexis genibus coram Sacerdote sedente, fecitat totum Ps. 50. *Misererre mei, Deus,* cum *Gloria Patri.*

... Kyrie... Pater noster...

V. *Salvum fac servum tuum...*

V. *Ne memineris iniquitatum ejus antiquarum. R. Cito anticipent eum misericordiae tuae.* Ps. 78. P1869

V. *Adjuva eum, Deus salutaris noster; et propter gloriam nominis tui, Domine, libera eum; R. Et propitius esto peccatis ejus propter nomen tuum.* P1863

V. *Domine exaudi orationem meam...* V. *Dominus vobiscum...*

Oremus. Deus, cui proprium est misereri semper et parcere... P1873

Dominus noster I. C., qui est supremus Pontifex, ipse te per suam piissimam misericordiam absolvat... P1887

Sacerdos igitur, pro rei gravitate, praedictam caeremoniam et preces adhibeat. Si autem res non fuerit adeo gravis, omisso Ps. *Miserere,* et precibus supradictis, absolvere poterit, dicens:

Dominus noster I. C. per suam piissimam misericordiam te absolvat; et ego, auctoritate ipsius, et sanctissimi Domini nostri Papae... P1885

3. PSAUMES

P1858   Ps. 50. Miserere mei Deus...

Autun 1503. Agen 1688. Cambrai 1503-1562. Bâle 1595. Bayeux 1687. Besançon 1619. Bordeaux 1588-1611. Bourges 1616. Chalon/Saône 1605. Elne 1656. Le Mans c. 1505-1608. Nantes c. 1556. Poitiers 1581. *Romanum.* Rodez 1603. Rouen 1611. Toulouse 1538. Tournai 1591. Vannes 1596.

P1859   Ps. 66. Deus misereatur nostri...

Uzès 1500. Autun 1503. Cambrai 1503-1562. Maguelonne 1533. Rodez 1513. Pont. R.

P1860   Ps. 116. Laudate Dominum omnes gentes...

Bourges 1666-1746 [à la fin de la cérémonie].

P1861   Psaumes pénitentiels (l'un des).

Cahors 1604.

858   CHAPITRE XVII

4. Antiennes, versets, répons

P1862   V. A porta inferi. R. Erue Domine animam eius.

Le Mans c. 1505.
Réf. PRG I, 284 ; II, 296. Andrieu III, 623 etc. Absent de Deshusses.

P1863   V. Adjuva eum, Deus salutaris noster ; et propter gloriam nominis tui, Domine, libera eum ; R. Et propitius esto peccatis ejus propter nomen tuum.

Paris 1786.

P1864   A. Ave Maria, gratia plena, Dominus tecum, benedicta tu in mulieribus, et benedictus fructus ventris tui Iesus. Sancta Maria mater Dei, ora pro nobis peccatoribus. Amen.

♪Nantes 1556. ♪Poitiers 1581 [prière conclusive].
Réf. Andrieu III, 525. Absent de PRG, Deshusses.

P1865   V. Domine exaudi orationem meam. R. Et clamor meus ad te veniat.

Uzès 1500. Autun 1503. Bourges 1616. Cahors 1604. Cambrai 1503-1562. Chalon/Saône 1605. Le Mans c. 1505. Nantes c. 1556. ***Romanum.*** Tournai 1591.
Réf. PRG II, 278, 343. Andrieu III, 545, 555 etc. Absent de Deshusses.

P1866   V. Dominus vobiscum. R. Et cum spiritu tuo.

Nantes c. 1556. ***Romanum.*** Etc.
Réf. Andrieu III, 545, 555 etc.

P1867   V. Esto ei Domine turris fortitudinis. R. A facie inimici.

Uzès 1500. Bâle 1595. Bordeaux 1588-1611. Bourges 1616. Cahors 1604. Cambrai 1562. Chalon/Saône 1605. Nantes c. 1556. Poitiers 1581. ***Romanum.*** Tournai 1591. Vannes 1596.
Réf. PRG I, 63, 77, 276, 282. II, 242, 248. Andrieu I, 272 etc. III, 545 etc. Absent de Darragon, Deshusses.

P1868   V. Mitte ei auxilium de sancto. R. Et de Syon tuere eum (eos).

Uzès 1500. Elne 1509.
Réf. PRG II, 61, 227, 230 etc. Andrieu III, 545, 555 etc. Absent de Darragon, Deshusses.

P1869   V. Ne memineris iniquitatum ejus antiquarum. R. Cito anticipent eum (vel eam) misericordiae tuae. Ps. 78.

Paris 1786.

P1870   A. Ne reminiscaris Domine delicta nostra, vel parentum nostrorum, neque vindictam sumas de peccatis nostris.

Malines 1589. Bâle 1595. Besançon 1619. Chalon/Saône 1605. Vannes 1596.
Réf. Andrieu III, 555. Absent de PRG, Deshusses.

ABSOLUTIONS DE L'EXCOMMUNICATION

P1871 V. Nihil proficiat inimicus in eo. R. Et filius iniquitatis non apponat nocere ei[a].

> Uzès 1500. Agen 1688. Bâle 1595. Bordeaux 1588-1611. Bourges 1616. Cahors 1604. Cambrai 1562. Chalon/Saône 1605. Nantes c. 1556. Poitiers 1581. *Romanum.* Tournai 1591. Vannes 1596.
>
> *Réf.* PRG I, 63, 77, 283; II, 230, 232, 248. Andrieu I, 171 etc. III, 555. Absent de Deshusses.
> *Variante.* [a] nocere ei] nocebit Bor.

P1872 V. Salvum (Salvos) fac servum tuum (servos tuos). R. Deus meus sperantem (sperantes) in te.

> Uzès 1500. Agen 1688. Autun 1503. Bâle 1595. Besançon 1619. Bordeaux 1588-1611. Bourges 1616. Cahors 1604. Cambrai 1503-1562. Chalon/Saône 1605. Elne 1509. Le Mans c. 1505. Nantes c. 1556. Paris 1786. Poitiers 1581. Rodez 1513. *Romanum.* Tournai 1591. Vannes 1596.
>
> *Réf.* PRG II, 232, 271. Andrieu I, 170, 266 etc. Absent de Darragon, Deshusses.

5. Oraisons

P1873 Deus cui proprium est misereri semper et parcere, suscipe deprecationem nostram, et[a] quem cathena sententie[b] constringit[c], miseratio tue pietatis[d] absolvat. Per Christum.

> Uzès 1500 (*Modus absolvendi excommunicatos*). Arras 1623-1757 (*Ordo absolvendi excommunicatum*). Autun 1503. Bâle 1595. Bayeux 1687. Bordeaux 1588 (*Forma absolutionis minus solemnis ab excommunicatione maiori; Forma absolvendi a maiori excommunicatione… solemniter…*). Bourges 1616-1746. Cahors 1604 (*De servandis in excommunicatione maiori*). Cambrai 1503-1562 (*Forma absolvendi excommunicatum ab excommunicatione maiori*). Cambrai 1503-1562 (*De absolvendis excommunicatis*). Chalon/Saône 1605. Elne 1609-1656. Évreux 1606. Nantes c. 1556 (*Forma absolutionis ab excommunicatione maiori non solenni*). Paris 1786. Poitiers 1581 (*idem*). Rodez 1513 (*Forma absolutionis excommunicatorum*). Rodez 1603. *Romanum* (*De absolutione in foro exteriori*). Rouen 1611. Saint-Omer 1606. Tournai 1591 (*Forma absolvendi excommunicatum*). Vannes 1596. Etc.
>
> *Réf.* Andrieu III, 611. Darragon 1310, 2505, 6961, 6976, 7940. Cf. PRG I, 320, Deshusses 851, 1327, 2686. Absent de Janini, Sac.
> *Variantes.* [a] et] ut Ar. Aut. Bal. Cah. Cam. El. Nan. Po. Rod. Trn. Va. – hunc famulum (tuum)] *add.* Ar. Aut. Bal. Bor. Bou. Cah. Cam. ChS. El. Ev. Nan. Po. Rod. Rom. Rou. SOm. Trn. Va. –[b] cathena sententie] excommunicationis poena Bal. SOm. Trn. Van. – cathena excommunicationis Bou. El. Rod. Rou. – excommunicationis catena Bor. Cah. – sententia excommunicationis Aut. Cam. Rod. 1603. – delictorum cathena El. 1509. – excommunicationis sententia Rom. Bay. –[c] constringit] ligat Aut. Cam. Rod. 1603. –[d] clementer] *add.* Bay. Cah. El. Rom. Rou.

860 CHAPITRE XVII

P1874 Presta quesumus Domine huic famulo tuo N. dignum penitentie fructum, ut ecclesie tue sancte, a cuius integritate deviarat[a] peccando, admissorum[b] reddatur innoxius veniam consequendo[c].

Le Mans c. 1505-1608 (*In absolvendis excommunicatis*). Nantes c. 1560 (*Forma absolutionis ab excommunicatione non solenni*). Bordeaux 1588-1611 (*Forma absolvendi a maiori excommunicatione*). Bourges 1616. Cambrai 1562. Elne 1656. Poitiers 1581.
Réf. Pont. R. Cf. PRG II, 62, Deshusse 1384. Cf. Andrieu I, 274; III, 611, 622. Cf. Darragon 2720. Absent de Janini, Sac.
Variantes. [a] deviarat] deviaverat Nan. Bor. El. Poi. –[b] admissorum] amissorum Bor. Nan. Poi. – commissorum Bou. El. –[c] reddatur... consequendo] veniam consequendo, reddatur innoxius Bor. Bou. El. Nan. Poi.

6. FORMULES D'ABSOLUTION

P1875 Absolvo te à vinculo excommunicationis huius, quam confessus es, et ab alia, si teneris, in quantum possumus, et debemus, et restituimus te ecclesiasticis sacramentis. In nomine Patris, et Filii, et Spiritus Sancti. Amen.

Lyon 1589 (*Alia forma absolvendi à minori excommunicatione*).
Réf. Absent de Janini, Sac., PRG, Andrieu, Deshusses.

P1876 Absolvo te à vinculo excommunicationis minoris si quam incidisti. Deinde absolvo te a peccatis tuis. In nomine Patris et Filii et Spiritussancti. Amen.

Tournai 1591 (*Forma absolvendi excommunicatum*).
Réf. Absent de Janini, Sac., PRG, Andrieu, Janini., Darragon, Deshusses.

P1877 Absolvo te à vinculo excommunicationis minoris si quam incurristi. Et iterum absolvo te à peccatis tuis. In nomine Patris...

Malines 1589. Chalon/Saône 1605.
Réf. Absent de Janini, Sac., PRG, Andrieu, Deshusses.

P1877bis Absolvo te ad reincidentiam, secundum formam mihi commissam, etc.

Bordeaux 1588 (*Forma absolutionis minus solemnis, ab excommunicatione maiori, si absolutio sit ad reincidentiam*).

P1878 Authoritate Dei omnipotentis absolvo te à sententia excommunicationis, quâ propter (hoc aut illud) ligatus eras. Deinde restituo te communioni fidelium et sacramentis Ecclesiae. In nomine Patris...

Rouen 1611 (*Forma absolutionis à sententia excommunicationis publicè faciendae*).
Réf. Cf. Andrieu III, 610. Absent de Deshusses.

ABSOLUTIONS DE L'EXCOMMUNICATION

P1879 Auctoritate Dei omnipotentis, et beatorum[a] Petri et Pauli, ac Ecclesiae suae sanctae[b], et ea qua[c] fungor, absolvo te a vinculo excommunicationis qua ex tali causa ligatus eras[d]. In nomine Patris...
   Reduco te in gremium sanctae matris Ecclesiae, et ad consortium et communionem[e] Christianorum[f], à quibus fueras per excommunicationis sententiam eliminatus[g], et restituo te participationi ecclesiasticorum sacramentorum. In nomine Patris...

> Bordeaux 1588 (*Forma absolvendi a maiori excommunicatione... solemniter...*). Bourges 1616-1666 (*La façon d'absoudre... les excommuniés...*). Elne 1656 (*Ordo absolvendi ab excommunicatione maiori cum solemnitate*).
> *Réf.* Andrieu III, 611; Pont. R. – Absent de Janini, Sac., Deshusses.
> *Variantes.* [a] apostolorum] *add.* Bou. El. –[b] Ecclesiae suae sanctae] sanctae Ecclesiae Bou. –[c] qua] quae Bou. –[d] qua... eras] quo tenebaris Bou. El. –[e] communionem] communionem Bou. –[f] Christianorum] totius Christianitatis et El. –[g] per excommunicationis... eliminatus] per excommunicationem diminutus Bou.

P1880 Auctoritate Dei omnipotentis, te absolvo à vinculo excommunicationis minoris, quam incurristi, et restituo te sacramentis Ecclesiae, in nomine Patris...

> Bordeaux 1588-1611 (*Absolutio ab excommunicatione minori*). Elne 1656 (*idem*).
> *Réf.* Cf. Andrieu III, 610. Absent de Janini, Sac., Deshusses.

P1881 Auctoritate Dei patris omnipotentis, et beatorum apostolorum Petri et Pauli mihi commissa, et Ecclesie sancte sue, et nostra absolvimus te à tali sententia qua ligatus eras, et te communioni Ecclesie, et participationi[a] omnium fidelium, ac ecclesiasticis sacramentis restituimus. In nomine Patris, et Filii, et Spiritus Sancti. Amen.

> Nantes c. *1556* (*Forma absolutionis ab excommunicatione maiori non solenni*). Poitiers 1581 (*idem*).
> *Réf.* Cf. Andrieu III, 610. Absent de Janini, Sac., Darragon, Deshusses.
> *Variante.* [a] participationi] participationis Po.

P1882 Dominus noster I. C. per suam piissimam misericordiam te absolvat. Et ego auctoritate ipsius ac rev. D. Episcopi Venetensis mihi commissa, et tibi concessa, absolvo te à sententia excommunicationis in te lata, auctoritate sacri canonis *Si quis suadente diabolo*[6], ob manuum iniectionem, seu percussionem per te in Dominum N. Presbyterum, citrà tamen sanguinis effusionem, corporis debilitationem, seu enormem et atrocem laesionem factas, salvis tamen actionibus, et interesse

---

[6]   *Si quis suadente diabolo :* Décret de Gratien, canon 29, cause 17, question 4.

praenominati N. citraque ullum praeiudicium sibi ob hoc inferendum, necnon ab aliis peccatis tuis. In nomine Patris…

Vannes 1596 f. 166-166v (*Forma absolvendi à sententia excommunicationis incursae auctoritate canonis « Si quis etc. » Et hoc vigore commissionis ordinarii*).
Réf. Absent de Janini, Sac., PRG, Andrieu, Deshusses.

P1883 Dominus noster I. C. per suam piissimam misericordiam te absolvat. Et ego auctoritate ipsius, ac… Domini Episcopi Venetensis mihi commissa, et tibi hac vice concessa, absolvo te, et relaxo à quibusvis excommunicationum, et interdictorum ecclesiasticorum sententiis, aliisque censuris ecclesiasticis in te auctoritate Statutorum Synodalium Veneten. Monitoriumque generalium ad quarumvis personarum instantiam tam, praefati Rev. Domini Episcopi, quam domini Officialis Venetensis respective auctoritatibus obtentôrum et impetratôrum, etiam auctoritate sacri Canonis *Si quis suadente diabolo,* ob manuum iniectionem, seu percussionem per te in quoscunque presbyteros, seu clericos privilegiatos (non tamen praelatos) citra tamen sanguinis effusionem, corporis debilitationem, seu enormen [*sic*] et atrocem laesionem, factas, quam alias quomodolibet latis, caeterisque tuis peccatis eidem D. Episcopo tanquam ordinario generaliter reservatis, à quibus de iure absolvere potest, salvis tamen actionibus, et interesse partium laesarum, et damnificatarum (si quae sint) citraque ullum praeiudicium sibi ob hoc inferendum, necnon ab aliis peccatis tuis. In nomine Patris…

Vannes 1596 f. 166 (*Forma absolvendi vigore commissionis, seu absolutionis generalis ab Episcopo seu eius generali vicario obtente*).
Réf. Absent de Janini, Sac., PRG, Andrieu, Deshusses.

P1884 Dominus noster I. C. per suam piissimam misericordiam te absolvat. Et ego auctoritate ipsius ac venerabilis D. Officialis Venetensis mihi commissa, et tibi concessa absolvo te à sententia excommunicationis in te lata auctoritate dicti D. Officialis, vigore, et in vim unius Monitorii generalis ad instantiam N. obtenti et impetrati : quia hoc humiliter petisti. Iurastique coram nobis, iuri stare, et mandatis dicti D. Officialis, et Ecclesiae in futurum obedire, et ad hoc dictus N. impetrans suum praebuit comsensum. Necnon à peccatis tuis, etc.

S'il se trouve autres cas on pourra changer les mots de la cause ou cas, suyvant la commission et pouvoir.

Vannes 1596 f. 166v (*Forma absolvendi à sententia excommunicationis vigore Monitorii generalis auctoritate D. Officialis incursae. Iuxta commissionem ab officiali obtentam*).
Réf. Absent de Janini, Sac., PRG, Andrieu, Deshusses.

ABSOLUTIONS DE L'EXCOMMUNICATION

863

P1885 Dominus noster I. C. per suam piissimam misericordiam te absolvat; et ego, auctoritate ipsius, et sanctissimi Domini nostri Papae (vel Ill. Archiepiscopi Parisiensis, vel talis Superioris) mihi, quamvis indigno, concessâ, absolvo te à vinculo Excommunicationis quam incurristi (*sive* incurrisse declaratus es) propter *tale factum vel causam*, etc. teque in Ecclesiae communionem Sacramentorumque participationem restituo; In nomine Patris et Filii et Spiritus Sancti. Amen.

Paris 1786 (Si autem res non fuerit adeo gravis)

P1886 Dominus noster I. C., qui est summus Pontifex, per suam piissimam misericordiam te absolvat, et ego auctoritate ipsius, et sanctissimi Domini nostri Papae (ou Rev. Episcopi N. ou N. Superioris) mihi, licet indignissimo, concessa. Absolvo te a vinculo excommunicationis, in[a] quam incurristi (ou incurrisse declaratus es) propter... et restituo te communioni et unitati Fidelium, et sanctis Sacramentis Ecclesiae, In nomine Patris et Filii et Spiritus Sancti. Amen.

Boulogne 1750. Paris 1777.
Variante Paris. [a] in] *om.*

P1887 Dominus noster I. C., qui est supremus Pontifex, ipse te per suam piissimam misericordiam absolvat; et ego, auctoritate ipsius, et sanctissimi Domini nostri Papae, (*vel* ill. D. Archiepiscopi Parisiensis, *vel* talis Superioris) mihi, quamvis indigno, commissâ, absolvo te à vinculo Excommunicationis quam incurristi (*sive* incurrisse declaratus es) propter *tale factum vel causam*, etc. teque in Ecclesiae communionem Sacramentorumque participationem restituo; In nomine Patris et Filii et Spiritus Sancti. Amen.

Paris 1786.

P1888 Dominus noster I. C. te absolvat, et ego auctoritate Dei omnipotentis, etc.

Autun 1503. Cambrai 1503 (*Forma absolvendi excommunicatum ab excommunicatione maiori*).
Réf. Absent de Janini, Sac., PRG, Andrieu, Darragon, Deshusses.

P1889 Dominus noster I. C. te absolvat, et ego auctoritate Domini nostri Papae, *vel* Reverendi Domini Episcopi N.[a] absolvo te à vinculo excommunicationis[b], in[c] quam incidisti[d]. Et restituo te sacramentis Ecclesiae et communioni fidelium. In nomine Patris...

Malines 1589. Arras 1623-1757 (*Ordo absolvendi excommunicatum*). Bâle 1595 (*Forma absolvendi excommunicatum maiore excommunicatione*). Genève 1612 [absolution solennelle d'une excommunication]. Strasbourg 1590 (*Forma absolvendi ab Excommu-*

nicatione maiori). Tournai 1591 (*Forma absolvendi excommunicatum*). Vannes 1596 [absolution solennelle d'une excommunication].
Réf. Absent de Janini, Sac., Andrieu, Deshusses.
Variantes. [a] Episcopi N.] Argentinensi Episcopi St. – Episcopi Basiliensi Bal. –[b] maioris] *add.* St. –[c] in] *om.* Bal. St. –[d] in quam incidisti] quam incurristi Ar. Va.

P1890   Dominus noster I. C. te absolvat, et ego auctoritate illius, et sanctissimi Domini nostri Papae (vel) Rev. Domini Episcopi, absolvo te a vinculo excommunicationis, quam incurristi propter, etc. et restituo te Sacramentis Ecclesiae et Communioni Fidelium. In nomine Patris…
Châlons/Marne 1776.

P1891   Dominus noster I. C. te absolvat, et ego auctoritate ipsius, et beatorum apostolorum Petri et Pauli, et summi pontificis, michi commissa, tibi in hoc[a] vice concessa, absolvo te ab omni vinculo excommunicationis maioris, vel minoris, vel sententia suspensionis et interdicti. Et dispenso tecum in[b] omni irregularitate si quam incurristi, et restituo te unioni et participationi fidelium, necnon sanctis sacramentis Ecclesie. Iterum[c] absolvo te ab omnibus peccatis tuis michi confessis, contritis, et oblitis. Cum circumstantiis eorum, quomodocunque[d] qualitercunque offendisti creatorem tuum, animam tuam, proximum tuum[e]. In nomine Patris et Filii et Spiritus Sancti. Amen.
Autun 1503. Cambrai 1503. (*Forma absolutionis pro illis qui habent indulgentiam eligendi… ab omni casu pertinente ad papam*). Lyon 1589 (*Forma absolvendi illos qui habent indulgentiam eligendi sibi semel tantum confessorem, qui eos absolvat ab omni casu etiam pertinente ad dominum papam*). Vannes 1596 (*idem*).
Réf. Absent de Janini, Sac., Andrieu, Darragon, Deshusses.
Variantes. [a] hoc] hac Ly. Van. –[b] tecum in] te ab Ly. Van. –[c] Iterum] Item Van. – [d] vel] *add.* Ly. Van. –[e] et regulam tuam] *add.* Ly. Van.

P1892   Dominus noster I. C. te absolvat, et ego authoritate ipsius, et mihi in hac parte tradita, absolvo te à vinculo excommunicationis quam incurristi, et restituo te communioni et unitati fidelium et sanctis sacramentis Ecclesiae. In nomine Patris…
Bourges 1666 (*Absolution de l'excommunication majeure « en particulier, hors la confession »*).
Réf. Absent de PRG, Andrieu, Deshusses.

P1893   Dominus noster I. C. te absolvat, et ego authoritate ipsius, et sanctissimi Domini nostri Papae (ou) Ill. et Rev. … Archiepiscopi Bituricensis…, (ou) Domini Officialis Bituricensis[a], absolvo te a vinculo excommunicationis[b], quam incurristi propter… In nomine Patris…

ABSOLUTIONS DE L'EXCOMMUNICATION

Reduco te in gremium sanctae matris Ecclesiae, et ad consortium et communicationem Christianorum à quibus fueras per excommunicationem diminutus, et restituo te participationi ecclesiasticorum Sacramentorum, in nomine Patris...

Bourges 1666 (*Absolution de l'excommunication majeure*). Bourges 1746 (*Ordre pour absoudre de l'Excommunication*).

Variantes. [a] Domini Officialis Bituricensis] N. Superioris mihi commissa... Bou. 1746. –[b] in] *add.* Bou. 1746.

P1894   Dominus noster I. C. te absolvat, et ego auctoritate ipsius, et sanctissimi Domini nostri Papae (vel Rev. Episcopi N. vel talis Superioris) mihi commissa, absolvo te a vinculo excommunicationis, in quam incurristi (vel incurrisse declaratus es) propter tale factum (vel causam, etc.); et restituo te communioni et unitati Fidelium, et sanctis Sacramentis Ecclesiae, In nomine Patris et Filii et Spiritus Sancti. Amen.

Romanum (*De absolutione ab excommunicatione in foro exteriori*). Bayeux 1687. Bordeaux 1707. Meaux 1734. Évreux 1741 etc.

P1895   Dominus noster I. C. te absolvat, et ego te authoritate Domini nostri Papae, *vel* rev. domini Episcopi Cameracensis (Basiliensi)[a] absolvo à vinculo excommunicationis maioris[b] quam incidisti propter..., et restituo te sacramentis Ecclesie, et communioni fidelium. In nomine Patris...

Cambrai 1562. Malines 1589. Bâle 1595. Besançon 1619. Chalon/Saône 1605. Genève 1612. Saint-Omer 1606.

Réf. Absent de Janini, Sac., PRG, Andrieu, Darragon, Deshusses.

Variantes. [a] vel... Basiliensi] vel Ordinarii tui SOm. – vel Rev. Archiepiscopi Bisuntini Bes. –[b] maioris] *om.* Ba. Bes. – in] *add.* ChS.

Ego te absolvo a sententia excommunicationis ... pro eo quod contraxisti matrimonium clandestinum...

Voir infra: Absolution de l'excommunication pour mariage clandestin.

P1896   Ego te absolvo à sententia excommunicationis maioris quam incidisti, et restituo te sacramentis Ecclesiae. Deinde te absolvo à peccatis tuis, in nomine Patris...

Tournai 1591 (*Forma absolvendi excommunicatum*).

Réf. Absent de Janini, Sac., PRG, Andrieu, Deshusses.

P1897   Ego te absolvo à sententia excommunicationis maioris quam incurristi. In nomine Patris...

Cambrai 1562.

Réf. Absent de Janini, Sac., PRG, Andrieu, Darragon, Deshusses.

866 CHAPITRE XVII

P1898 Ego te absolvo à vinculo excommunicationis, et restituo te Sacramentis et communioni Ecclesiae, in nomine Patris…

Arras 1623, 1644, 1757 (*Ordo absolvendi Excommunicatum*).
Réf. Absent de Janini, Sac., PRG, Andrieu, Darragon, Deshusses.

P1899 Ego te absolvo[a] à vinculo excommunicationis, qua ex tali causa ligatus eras[b] ; et restituo te[c] communioni fidelium, in nomine Patris…

Bordeaux 1588-1611 (*Forma absolutionis minus solemnis ab excommunicatione maiori*). Cahors 1604 (*De servandis in excommunicatione maiori*). Évreux 1606, 1621 (*De servandis in maiori excommunicatione*). Genève 1612 (*Forma absolutionis ab excommunione maiori*). Lisieux 1608, 1661 (*De servandis…*).
Réf. Ordo baptizandi. Absent de Janini, Sac., PRG, Andrieu, Deshusses.
Variantes. [a] absolvo te Cah. Ev. Ge. Lis. –[b] qua… eras] *om.* Cah. Ge. –[c] te] *om.* Cah.

P1900 Ego te absolvo à vinculo excommunicationis, teque in Ecclesiae Communionem Sacramentorumque participationem restituo ; In nomine Patris…

Paris 1786 (*Ordo absolvendi Excommunicatum, in foro sive interno, sive externo*).

P1901 Ego te absolvo ab excommunicatione minore. In nomine Patris…

Cambrai 1562 (*De absolvendis excommunicatis*). Strasbourg 1590 (*Forma absolvendi ab Excommunicatione minori*).
Réf. Absent de Janini, Sac., PRG, Andrieu, Darragon, Deshusses.

P1902 Ego te absolvo, primum à sententia excommunicationis, quam propter (hoc aut illud) incurristi, et ab omni alio vinculo excommunicationis in quantum possum et indiges ; Deinde absolvo te ab omnibus peccatis tuis. In nomine Patris…

Rouen 1611 (*Forma absolutionis à sententia excommunicationis in confessione*).

P1903 Ego virtute commissionis mihi datae absolvo te à vinculo excommunicationis, qua ex tali causa ligatus (lagata) eras, et restituo te communioni fidelium, et Sacramentis Ecclesiae, in nomine Patris… Et iterum absolvo te ab omnibus peccatis tuis. In nomine Patris…

Coutances 1609 (*Forma absolvendi excommunicatum*)

P1904 Ego virtute commissionis mihi datae, te absolvo à sententia excommunicationis maioris, quam incidisti, et restituo te sacramentis ecclesiae. Et iterum absolvo te à peccatis tuis, in nomine Patris…

Malines 1589. Bâle 1595. Chalon/Saône 1605.
Réf. Absent de Janini, Sac., PRG, Andrieu, Deshusses.

ABSOLUTIONS DE L'EXCOMMUNICATION

P1905 Ego virtute commissionis mihi datae, te absolvo à sententia excommunicationis maioris, quam incurristi, deinde absolvo te ab omnibus peccatis tuis, in nomine Patris…

Saint-Omer 1606 (*Forma absolvendi excommunicatum*).
Réf. Absent de Deshusses.

P1906 Et ego auctoritate apostolica vel metropolitana, vel domini officialis, t., aut alterius prout fuerit. Te absolvo a sententia interdicti sive excommunicationis aut alias in qua innodotus eras ad instantiam t. Et sic absolutum restituo te sanctis ecclesie sacramentis et unitati fidelium precipiendo tibi quod a cetero tales sententias vel sibi similes non incurras. Et ego te absolvo. In nomine Patris…

Rodez 1513 (*Forma absolutionis excommunicatorum*) [Fait suite à : *Deus cui proprium est…*].
Réf. Absent de Janini, Sac., PRG, Andrieu, Deshusses.

P1907 Et ego auctoritate Dei omnipotentis et beate Marie virginis, et beatorum apostolorum Petri et Pauli, et omnium sanctorum, et domini epyscopi [*sic*] vel officialis, vel decani et capituli ecclesie N., te absolvo. In nomine Patris…

Le Mans c. 1505-1608 (*In absolvendis excommunicatis*) [Fait suite à : *Presta quesumus Domine…*].
Réf. Cf. PRG II, 62. Andrieu I, 274 ; III, 611. Darragon 2720. Absent de Janini, Sac., Deshusses.

P1908 Et ego auctoritate domini nostri I. C., et apostolorum Petri et Pauli, et auctoritate mihi commissa, te absolvo a sententia excommunicationis, qua ligatus eras ad instantiam N. et restituo te absolutum (vos absolutos) in facie sancte matris Ecclesie in quantum possum et debeo, et illud quod non possum facere faciat et compleat divina maiestas, scilicet Pater, et Filius, et Spiritus Sanctus. Amen.

Uzès 1500 [Absolution publique d'un excommunié. Fait suite à : *Deus cui proprium est…*].
Réf. Absent de Darragon, Janini, Sac., PRG, Andrieu, Deshusses.

P1909 Et ego auctoritate domini nostri I. C. et apostolorum Petri et Pauli, et auctoritate michi commissa et tibi concessa, te absolvo a sententia excommunicationis qua ligatus eras ex eo quia manus violentas et maliciose iniecisti in clericum, vel presbyterum, aut diaconem, subdiaconem, etc. et restituo te absolutum in facie sancte matris Ecclesie in quantum possum et debeo etc.

Uzès 1500 [absolution d'un excommunié ayant exercé des violences contre un ecclésiastique. Fait suite à : *Deus cui proprium est…*].
Réf. Absent de Janini, Sac., PRG, Andrieu, Darragon, Deshusses.

CHAPITRE XVII

P1910 Et ego auctoritate domini nostri I. C., et beatorum apostolorum Petri et Pauli michi commissa, absolvo te a sentencia excommunicationis quam incurristi pro tali causa, et restituo te sancte ecclesie et unitati communioni fidelium. In nomine Patris...

Elne 1509 [Fait suite à : *Deus cui proprium est...*].

P1911 Et ego auctoritate omnipotentis Dei, ac beatorum Apostolorum Petri et Pauli mihi commissa, absolvo te à sententia excommunicationis, suspensionis (si sit suspensus), interdicti (si sit interdictus) et dispenso tecum super irregularitate (si irregularis) in quantum possum, et indiges, et habilito te ad actus legitimos : Deinde absolvo te ab omnibus peccatis tuis, in nomine Patris...

Rodez 1603 [Fait suite à : *Deus cui proprium est...*].

CHAPITRE XVIII

ABSOLUTIONS À L'ARTICLE DE LA MORT

1. Titres

P1912 Strasbourg [1490]-1513 (Éd. [1490], f. 22v-24) *Circa infirmos conside-randa. Modus absolvendi talem (infirmum) ab excommunicatione.*

P1913 Lyon 1498-1542 (Éd. 1498 f. 12v) *Alia generalis absolutio in articulo mortis.*

P1914 Rouen 1500-1573 (Éd. 1500 f. p1-p1v) *Absolutio in articulo mortis* [titre courant].

P1915 Autun 1503, 1523. Cambrai 1503 (Éd. Autun 1503 f. 13-13v) *Forma absolutionis abstracta de formulario Domini Pape pro habentibus indulgentiam plenariam a pena et culpa.*

P1916 Elne 1509 f. f5-f6. *Absolutio plenaria (in articulo mortis).*

P1917 Le Puy 1527 f. 98-98v. *Forma absolutionis a pena et culpa : si constet de privilegio domini pape in mortis articulo.*

P1918 Maguelonne 1533 f. 111v-112. *Forma absolutionis in articulo mortis.*

P1919 Lyon 1589. Vannes 1596. *Forma absolutionis abstracta de formulario Domini Papae pro habentibus indulgentiam plenariam in mortis articulo.* [Reprend *Sacra Institutio baptizandi*]

P1920 Limoges 1596, p. 28. *Forma absolutionis generalis in articulo mortis impertiendae.*

P1921 Rodez 1603. Vabres 1611. *Forma absolutionis generalis in articulo mortis, quando moribundus aliqua poenitentiae signa prius exhibuit.*

P1922 Arras 1623-1757. *Urgente mortis periculo.*

P1923 Bayeux 1687. *Absolutio urgente aliqua necessitate, aut in mortis articulo.*

Etc.

870 CHAPITRE XVIII

2. Choix de formulaires[1]

Strasbourg [1490]-1513

[Strasbourg 1490 : Albert de Bavière]
Circa infirmos consideranda

P1924 **Strasbourg 1490 f. 22v sign. c6-24 sign. c8**[2]

Notandum, quod infirmo de cuius morte timetur, nulla penitentia est imponenda, nisi talis fuerit penitentia, quam statim posset et vellet implere. Sed innotescenda est sibi, per modum consolationis, et non horroris, dicendo : *Si esses sanus, talem tibi iniungerem penitentiam*, vel *Si convalueris istam agas penitentiam etc.* De hoc claram habes doctrinam in confessionalibus doctorum.

Notandum quoque si infirmus fuerit excommunicationibus vel aliis censuris innodatus, a iure vel ab homine latis, Sacerdos coram testibus accipiat ab eo cautionem pignoraticiam [*sic*] aut fideiussoriam vel saltem promissoriam, quod infra mensis spacium post convalescentiam suam, velit parere iuri, si convaluerit. Si autem migraverit ex hoc seculo, quod velit omnia bona sua que reliquerit, obligata fore satisfactioni expensarum iuris et creditoribus, vel illis quos lesit. Cautione tali recepta eum coram testibus absolvat ab excommunicationibus et aliis censuris, restituendo eum unitati sancte matris Ecclesie. Deinde audiat eius confessionem, et sacramenta penitentie, eucharistie, ac unctionis extreme sibi communicet, secundum quod necessitas postulaverit. Et si illa infirmitate decesserit, corpus suum sepeliri debet ecclesiastica sepultura, si saltem secundum preceptum Ecclesie in Pasca precedente communicaverit. Nec oportet iudicis licentiam ad hoc requirere, nisi pascalem neglexisset communionem, aut alia subesset causa propter quam ecclesiastica sepultura sibi foret auferenda.

Modus absolvendi talem ab excommunicatione.

Sacerdos primo dicat ps. [50] *Miserere mei Deus…* vel alium penitentialem ps. Finito ps. sequitur *Kyrieleyson… Pater…* Preces *Salvum fac servum…* ut supra.

Oratio. *Deus cui proprium est misereri semper et parcere…* P1936
Sequitur forma. *Ego absolvo te a vinculo excommunicationis…*

---

[1] Les rituels de Lyon 1498 et 1542, Autun 1503 et 1523, Cambrai 1503, Le Puy 1527, et Limoges 1596 donnent la formule d'absolution sans rubrique.

[2] Le f. 24 est ch. par erreur 23.

ABSOLUTIONS À L'ARTICLE DE LA MORT

Si fuerit in multis excommunicationibus dicat *Ego absolvo te a vinculis excommunicationum...*

Bonum etiam foret exprimere excommunicationis causam dicendo *Ego absolvo te a vinculo excommunicationis quod incurristi propter contumaciam, vel iniectionem manuum in clericum,* aut alia causa que fuerit. P1944

Rouen 1500-1573

[Rouen 1500 : Georges Ier d'Amboise]
Absolutio in articulo mortis

P1925 **Rouen 1500 f. [p1]-[p1v]**

Nota quod quando infirmus visitatur si petat absolvi auctoritate apostolica virtute litterarum de perpetuum aut alias et quod timeat aut dubitet de vita prout in visitatione infirmorum notatur. Tunc sacerdos potest et debet uti hac forma absolutionis sequente.

Primo confessione facta dicat penitens. *Confiteor Deo etc.* Deinde sacerdos dicat *Misereatur tui omnip. et cetera.* P1948

Consequenter dicat absolutionem. *Dominus noster I. C. per virtutem et meritum sue amarissime passionis te absolvat...* P1942

Nota hic sacerdos exprimat auctoritatem quam habet et similiter in quibus habet absolvere quemadmodum communiter habetur in formis absolutionis qui in huiusmodi indulgentiis confessoribus dari consueverunt.

Elne 1509

[Jacques de Serra]
Absolutio plenaria (in periculo mortis)

P1926 **Elne 1509 f. f5-f6**

Si infirmus habet aliquam gratiam a summo Pontifice, cum qua possit absolvi plenarie, sacerdos potest uti forma absolutionis infra scripta post receptionem sacramenti extreme unctionis, et faciat sacerdos quod infirmus dicat confessionem generalem si in tali est dispositione. Sinautem [*sic*] aliquis de circunstantibus faciat confessionem generalem in persona infirmi genibus flexis dicendo

Yo peccador me confes a Deu etc.

Qua facta sacerdos dicat

Misereatur tui omnip. Deus etc. P1948

Absolutionem et remissionem omnium peccatorum tribuat tibi omnip. et misericors Deus. Amen. P1937

Forma absolutionis plenaria.

Auctoritate Dei et beatorum apostolorum Petri et Pauli, et sancte Romane Ecclesie michi commissa. Ego te absolvo… Eadem auctoritate absolvo te… Item auctoritate summi Pontificis mihi in hac parte commissa… P1938.

Passio domini nostri I. C. et merita virginis Marie et omnium sanctorum et sanctarum Dei omnia bona que fecisti et intendis facere si convalescis et mala que pacienter sustinuis… P1949

Sacerdos debet dare hoc sacramentum solum infirmis et in periculo mortis constitutis habentibus vel qui habuerunt aliquandiu usum rationis, et petentibus actu vel habitu, unde non debet dare ingressuris bellum mortale vel decapitandis, suspendendis, et pueris usum rationis non habentibus nec perpetuo furiosis.

Si Sacerdos viderit infirmum mutilatum in illis organis qui ungi debent vel quia nunquam habuit illa membra ut cecus natus debet ungere loca magis propinqua.

Sacerdos potest iterare hoc sacramentum cum in eo non imprimatur character non solum in diversis infirmitatibus quando in singulis timetur de morte, sed etiam in eadem infirmitate quando est diuturna ut ethica vel ydropisis quotienscunque ex tali infirmitate deducitur ad periculum mortis.

Maguelonne 1533

[Guillaume Pellissier]
Forma absolutionis in articulo mortis

P1927 **Maguelonne 1533 f. 111v-112**

Primo peccator dicat *Confiteor*, si sciat vel si possit, et si nesciat suppleat per alium, et dicat sacerdos ps. [66] *Deus misereatur nostri*, P1935 ad longum, cum Gloria Patri, et postea dicat.

Ego auctoritate Dei omnipotentis, et beatorum apostolorum Petri et Pauli, et summi pontificis in hac parte mihi commissa, et tibi concessa, te absolvo… P1945

Lyon 1589. Vannes 1596

[Lyon 1589 : Pierre d'Espinac]
Forma absolutionis abstracta de formulario Domini Papae pro habentibus
indulgentiam plenariam in mortis articulo
[Absolution papale à l'article de la mort avec indulgence plénière]

P1928 **Lyon 1589 f. 5**

Primo dicat infirmus, si potest, *Confiteor Deo omnipotenti.* Si vero non potest, dicat alius loco sui. Postea confessor, cui fuerit generaliter, vel specialiter confessus, dicat *Misereatur tui omnip. Deus.*
Consequenter subiugat et dicat absolutionem.
Auctoritate Dei, et beatorum apostolorum Petri et Pauli, et domini Papae N., et sanctae Romanae Ecclesiae tibi concessa, mihique in hac parte commissa, ego te absolvo ab omni sententia excommunicationis…
(Sacra Institutio baptizandi) P1940

Rodez 1603. Vabres 1611

[Rodez 1603 : François de Corneillan]

P1929 **Rodez 1603 p. 63**

Le confesseur voyant que le malade agonize à la mort, pourra luy donner avant qu'il trespasse, l'absolution comme s'ensuit.
Dominus noster I. C. te absolvat, et ego auctoritate ipsius absolvo te ab omni vinculo excommunicationis… P1943

Arras 1623, 1644, 1757

[Arras 1623 : Hermann Ortemberg]

P1930 **Arras 1623 p. 25**

Urgente autem mortis periculo, sufficiet, si dicatur :
Ego te absolvo ab omnibus censuris et peccatis, in nomine Patris…
P1946

Bayeux 1687

P1931 **Bayeux 1687 p. 87**

Urgente vero aliqua necessitate, aut in mortis articulo breviter dicere poterit.
Ego absolvo te ab omnibus censuris et peccatis, in nomine Patris…
P1946

3. *Confiteor*, Psaumes, Oraison

P1932 Confiteor Deo…

Rouen 1500-1573. Maguelonne 1533. Lyon 1589. Vannes 1596.

P1933 Yo peccador me confes a Deu *etc.*

Elne 1509 (*Absolutio plenaria*)

P1934 Ps. 50. Miserere mei Deus…

Strasbourg 1490 (*Modus absolvendi infirmum ab excommunicatione*).

P1935 Ps. 66. Deus misereatur nostri…

Maguelonne 1533.

P1936 Deus cui proprium est misereri semper et parcere, suscipe deprecationem nostram, et hunc famulum tuum quem sententia excommunicationis ligatum tenet, miseratio tue pietatis absolvat. Per
Christum.

Strasbourg 1490 (*Modus absolvendi infirmum ab excommunicatione*).
Réf. Andrieu III, 611. Cf. PRG II, 271, Deshusses I, 851, 1327.

4. Formules d'absolution

P1937 Absolutionem et remissionem omnium peccatorum tribuat tibi omnipotens et misericors Deus. Amen.

Elne 1509 (*Absolutio plenaria*)

P1938 Auctoritate Dei et beatorum apostolorum Petri et Pauli, et sancte
Romane Ecclesie michi commissa. Ego te absolvo ab omni vinculo
excommunicationis maioris et minoris suspensionis et interdicti si incurristi quantum possum : et restituo te sacramentis Ecclesie et unitati
fidelium. In nomine Patris. …

Eadem auctoritate absolvo te ab omnibus peccatis tuis confessis et
oblitis.

Item auctoritate summi Pontificis mihi in hac parte commissa in
quantum debeo et possum, te absolvo a penis tibi in purgatorio debitis propter culpas et offensas quas contra Deum commisisti. Conce-
dens tibi tantam indulgentiam, et tam plenam quantam tibi predictus
summus Pontifex de speciali gratia tibi facta concedere intendit : et
quantum in hac parte claves Ecclesie se extendunt. Et quantum bene-

ABSOLUTIONS À L'ARTICLE DE LA MORT

placitum fuerit in oculis divine maiestatis, et restituo te illi innocentie in qua eras quando fuisti baptizatus. In nomine Patris…

Elne 1509 (*Absolutio plenaria*)

P1939 Auctoritate Dei et beatorum apostolorum Petri et Pauli, et sancte Romane Ecclesie tibi concessa, mihique in hac parte commissa. Et ego te absolvo ab omni sententia excommunicationis, maioris vel minoris, si quam incurristi, et restituo te unitati fidelium et sanctis sacramentis Ecclesie. Item eadem auctoritate michi commissa, absolvo te ab omnibus peccatis tuis, contritis, confessis et oblitis, et a transgressionem regule et statutorum. Item auctoritate Dei et beatorum apostolorum Petri et Pauli et sancte romane Ecclesie: et etiam domini nostri pape N. summi pontificis michi in hac parte commissa inquantum claves sancte Ecclesie se extendunt, si ista vice morieris, absolvo te ab omnibus peccatis tuis in purgatorio debitis, propter culpas et offensas, quos contra Deum, animam tuam, et proximum tuum commisisti, et quantum michi permittitur restituo te illi innocens in qua eras quando baptizatus fuisti. Si vero ista vice non morieris, reservo tibi plenariam indulgentiam concessam a domino papa, pro ultimo articulo mortis tue, ut in ea commissione prefate indulgentie domini nostri pape continetur. In nomine Patris…

Autun 1503. Cambrai 1503.
Réf. Cf. Andrieu III, 610. Absent de Janini, Sac., PRG, Darragon, Deshusses.

P1940 Auctoritate Dei et beatorum apostolorum Petri et Pauli, et sanctissimi Domini Papae N., et sanctae Romanae Ecclesiae tibi concessa, mihique in hac parte commissa. Ego te absolvo ab omni sententia excommunicationis, maioris, vel minoris, si quam incurristi, in quantum mihi committitur, et restituo te unitati fidelium et sanctis sacramentis Ecclesiae. Item eadem auctoritate, absolvo te ab omnibus peccatis tuis, contritis, confessis et oblitis, et a transgressione regulae, et statutorum, inquantum claves sanctae Ecclesiae se extendunt, et absolvo te ab omnibus peccatis tuis[a] in Purgatorio debitis, propter culpas et offensas, quas contra Deum, animam tuam, et proximum tuum commisisti, et restituo te illi innocentiae, in qua eras, quando baptizatus fuisti. Et hoc, si, de qua aegrotas, infirmitate morieris. Si vero ista vice non morieris, reservo tibi plenariam indulgentiam tibi concessam a domino Papa, pro ultimo articulo mortis tuae. In nomine Patris…

Lyon 1589. Vannes 1596.
Réf. Sacra Institutio baptizandi
Variante. [a] peccatis tuis] peccatis tibi Va.

CHAPITRE XVIII

P1941 Dominus I. C. per suam piissimam misericordiam te absolvat. Et ego auctoritate Domini nostri I. C. et apostolorum Petri et Pauli, et a potestate mihi commissa per Dominum nostrum N. papam et indulti tibi privilegii qua fungor in hac parte: absolvo te quantum possum ab omni sententia excommunicationis, suspensionis, et interdicti, si quam incurristi, et ab omnibus peccatis tuis, et restituo te sacramentis Ecclesie, et eadem auctoritate do et concedo tibi plenam indulgentiam et remissionem omnium penarum, quibus pro peccatis existis obnoxius: quam romani pontifices consueverunt in te per speciale privilegium personis aliquibus impertiri: quantum claves ecclesie se extendunt, et gratum extiterit in ecclesiis divine maiestatis in augmentum virtutum et gratie in presenti, et glorie in futuro.

Le Puy 1527 (*Forma absolutionis a pena et culpa: si constet de privilegio domini pape in mortis articulo*)
Réf. Absent de PRG, Andrieu, Deshusses.

P1942 Dominus noster I. C. per virtutem et meritum sue amarissime passionis te absolvat et ego auctoritate ipsius et beatorum apostolorum Petri et Pauli et sancte romane Ecclesie et etiam domini nostri pape N. summi pontificis michi in hac parte commissa et tibi concessa. Absolvo te ab omni sentencia excommunicationis maioris vel minoris si quam incurristi, et restituo te unitati fidelium et sanctis sacramentis ecclesie. Item eadem auctoritate inquam tum claves sancte Ecclesie se extendunt si ista vice morieris, absolvo te ab omnibus peccatis tuis et a penis in purgatorio debitis propter culpas et offensas quas contra Deum, animam tuam et proximum tuum commisisti. Et quantum michi permittitur, restituo te illi innocentie in qua eras quando baptisatus fuisti. Si vero ista vice non morieris, reservo tibi plenariam indulgentiam concessam a domino papa per ultimo articulo mortis tue ut in ea commissione prefate indulgentie Domini nostri pape continetur. In nomine Patris etc.

Rouen 1500-1573 (*Absolutio in articulo mortis*)
Réf. Absent d'Andrieu, Deshusses, C.O., Janini, PRG.

> Dominus noster I. C., qui est verus et summus pontifex...
> *Voir*: Et super hoc dominus noster I. C., qui est verus et summus pontifex...

P1943 Dominus noster I. C. te absolvat. Et ego auctoritate ipsius et beatorum apostolorum Petri et Pauli[a], absolvo te ab omni vinculo excommunicationis maioris, vel minoris, vel[b] sententia suspensionis et interdicti, et restituo te unioni et participationi fidelium, necnon sanctis sacramentis Ecclesiae. Iterum[c] absolvo te ab omnibus peccatis tuis

ABSOLUTIONS À L'ARTICLE DE LA MORT

mihi confessis, contritis et oblitis, cum circunstantiis eorum, quomodocumque, vel qualitercumque offendisti creatorem tuum, animam tuam[d]. In nomine Patris…

Limoges 1596. Rodez 1603.
Réf. Absent de Janini, Sac., PRG, Andrieu, Deshusses.
Variantes. [a] et beatorum… Pauli] *om.* Rod. –[b] maioris… vel] *om.* Rod. –[c] Iterum] Deinde ego Rod. –[d] mihi confessis… tuam] *om.* Rod.

P1944 Ego absolvo te a vinculo excommunicationis (a vinculis excommunicationum) quod incurristi (propter contumaciam, vel iniectionem manuum in clericum…) et restituo te sacramentis ecclesie, et communioni fidelium. In nomine Patris.

Strasbourg 1490 (*Modus absolvendi infirmum ab excommunicatione*).
Réf. Absent de PRG, Andrieu, Deshusses.

P1945 Ego auctoritate Dei omnipotentis, et beatorum apostolorum Petri et Pauli, et summi pontificis in hac parte mihi commissa, et tibi concessa, te absolvo ab omnibus peccatis tuis confessis, contritis et oblitis, et ab omni sententia excommunicationis, sive a iure ab homine lata propter culpas et offensas quas contra Deum et proximum commisisti, et ab omnibus peccatis tuis. In nomine Patris et Filii et Spiritus Sancti. Amen. Et a penis purgatorii inquantum mihi permittitur, *ut supra*[3].

Maguelonne 1533.
Réf. Absent de Janini, Sac., PRG, Andrieu, Darragon, Deshusses.

P1946 Ego te absolvo[a] ab omnibus censuris et peccatis. In nomine…

Arras 1623-1757 (*urgente mortis periculo*). Bayeux 1687 (*urgente aliqua necessitte, aut in mortis articulo*). Metz 1713.
Variante. [a] te absolvo] absolvo te Bay.

P1947 Et super hoc[a] dominus noster I. C., qui est verus et summus pontifex, per merita sue passionis te absolvat. Et ego auctoritate beatorum apostolorum Petri et Pauli mihi commissa et tibi concessa, te absolvo a sententia excommunicationis, si quam incurristi. Et ab omnibus peccatis et offensionibus tuis confessis, contritis, et oblitis, de quibus non recordaris, in quantum in hac parte claves sancte matris Ecclesie se extendunt. In nomine Patris…

Lyon 1498, 1542.
Réf. Absent de Janini, Sac., PRG, Andrieu, Deshusses.
Variante Lyon 1542. [a] Et super hoc] *om.*

---

3   Aucune autre formule correspondante dans le rituel de Maguelonne 1533.

P1948 Misereatur tui omnipotens Deus *etc.*

Rouen 1500-1573. Elne 1509. Lyon 1589. Vannes 1596.

P1949 Passio domini nostri I. C. et merita virginis Marie et omnium sanctorum et sanctarum Dei omnia bona que fecisti et intendis facere si convalescis et mala que pacienter sustinuis, sustines, et sustinebis, omnia sint in remissione peccatorum tuorum et in augmentum gratie et in premium vite eterne et in nomine penitentie ego te absolvo In nomine Patris…

Elne 1509 (*Absolutio plenaria in articulo mortis*)

CHAPITRE XIX

ABSOUTES D'UN EXCOMMUNIÉ APRÈS SA MORT

1. Titres

P1950 Uzès 1500 2ᵉ partie f. 65. *Modus absolvendi excommunicatos.*

P1951 Le Mans c. 1505-1608 (Éd. c. 1505 f. 118). *Mortuus in excommunicatione absolvatur hoc modo.*

P1952 Rodez 1513-c. 1542 (Éd. 1513 f. 71). *Forma absolutionis cadaveris.*

P1953 Toulouse 1538, 1553[1] (Éd. 1538 f. 63v-65). *Forma absolutionis cadaveris excommunicati in forma ecclesie, stante cadavere in loco prophano.*

P1954 Rodez 1603 p. 64-66. *Forma absolvendi mortuum excommunicatum.*

P1955 *Romanum* 1614. Toul 1616. Tournai 1625. Chartres 1627-1640. Paris 1646-1786. Châlons-sur-Marne 1649. Rouen 1651, 1739. Rodez 1671, 1733. Angers 1676. Limoges 1678, 1698. Arras 1757 etc. *Ritus absolvendi excommunicatum jam mortuum.*

P1956 Vannes 1618 seconde partie, p. LXXXVI-LXXXVII. *Forme briefve pour absoudre «ad cautelam» un decedé sans confession et absolution sacramentale, à ce que l'Eglise puisse sans scrupule prier publiquement pour luy*: reprend *Romanum* avec quelques remaniements.

P1957 Bourges 1666. *Absolution d'un excommunié qui est déja mort*: reprend *Romanum.*

P1958 Alet 1667-1771. Nevers 1689. *Ordre pour l'absolution d'un excommunié aprés sa mort*: reprend *Romanum* avec rubriques développées en français.

P1959 Agen 1688 p. 100-101. *La maniere d'absoudre un Excommunié qui est des-ja mort.* Rite romain avec rubriques traduites en français.

P1960 Verdun 1691 p. 165-166. *Absolution d'un Excommunié qui est mort.* Rubriques différentes de *Romanum*; rite romain.

P1961 Bordeaux 1707-1728. *La maniere d'absoudre un Excommunié qui est mort.* Rite romain.

---

[1] Toulouse 1538: Molin Aussedat n° 1301; Toulouse 1553: Molin Aussedat n° 1303, 1304.

880   CHAPITRE XIX

P1962   Metz 1713 *Pars secunda*, p. 100-101. *Ordo absolvendi Excommunicatum mortuum.* Reprend *Romanum* sauf l'absolution.

P1963   Orléans 1726. *Ordo absolvendi excommunicatum jam mortuum.* Rubriques différentes de *Romanum*; rite romain.

P1964   Blois 1730. *Forme d'absoudre un Excommunié après sa mort.* Rite romain.

P1965   Meaux 1734. Évreux 1741. Bourges 1746. Soissons 1753. Carcassonne 1764. Poitiers 1766. Luçon 1768. Albi 1783. *Forme pour absoudre un Excommunié après sa mort.* Rubriques différentes de *Romanum*; rite romain.

P1966   Châlons-sur-Marne 1776. *Ordo absolvendi Excommunicatum jam mortuum.* Rubriques différentes de *Romanum*; rite romain.

P1967   Toulon 1780-1790, tome III. *Ordre qui doit être gardé pour absoudre un excommunié après sa mort.* Rite romain avec addition de rubriques.

2. Choix de formulaires

Uzès 1500

[Nicolas Maugras]
Modus absolvendi excommunicatos

[Lorsque la personne excommuniée est morte, ses parents demandent son « absolution » à ceux qui l'ont excommuniée et vont la présenter au curé; celui-ci se rend alors à la maison du défunt et l'absout en disant le ps. 66 *Deus misereatur nostri* P1979, ou le ps. *Miserere* P1978, et les mêmes prières que pour un excommunié vivant, tout en frappant le cadavre découvert avec une verge pendant la cérémonie.]

P1968   **Uzès 1500 2ᵉ partie f. 65**

Item nota quod quando aliquis moritur excommunicatus, antequam extrahatur a domo sua parentes habeant absolutionem ab illis qui tenent ipsum excommunicatum, et postea presentent eam curato, et curatus habita absolutione, accedat ad domum mortui, et cum superpellicio, stola, aqua benedicta, et virga in manu, et discooperto cadavere dicat ps. [66] *Deus misereatur nostri,* vel [50] *Miserere mei Deus,* cum precibus, oratione et absolutione supradictis, semper percutiendo cum virga cadaver donec absolutio fuerit finita.

Quibus peractis sepeliatur in nomine Domini more solito.

ABSOUTES D'UN EXCOMMUNIÉ APRÈS SA MORT

Le Mans c. 1505-1608

[Le Mans c. 1505 : Philippe de Luxembourg]

Mortuus in excommunicatione absolvatur hoc modo

[Si le défunt est enterré au cimetière ou à l'église, il n'est pas exhumé ; si ce n'est pas le cas, il est exhumé, et son corps ou son cercueil sont frappés de verges tandis que l'on récite les prières rituelles.]

P1969 **Le Mans c. 1505 f. 118**

Si sit sepultus in cimiterio vel ecclesia, non exhumabitur ; si alibi, exhumabitur, et corpus vel sepulchrum verberabitur, dicendo ps. penitentialem [50] *Miserere ... et in fine loco de Gloria*, dicitur *Requiem eternam*. Postea *Kyrie... Pater... V. Salvum fac servum tuum... V. A porta inferi... V. Requiescat in pace... V. Domine exaudi... V. Dominus vobisc. ...*
Oremus. Presta quesumus Domine huic famulo tuo N. dignam culpe et negligentie sive contemptus remissionem ut ecclesie tue sancte a cuius integritate dum viveret deviarat peccando, admissorum reddatur innoxius veniam consequendo, et ego auctoritate Dei... P1998

Rodez 1513, c. 1542

[Rodez 1513 : François d'Estaing]

Sequitur forma absolutionis cadaveris

[Si le défunt est enterré, on l'exhume de façon à ce qu'on puisse le voir avec son suaire ; s'il n'est pas enterré, l'absoute doit être solennelle et publique ; on dit le ps. 66 et une formule d'absolution adaptée en frappant trois fois le cadavre avec une baguette en signe de pénitence et pour provoquer la terreur du peuple, afin que « désormais les armes de l'Eglise ne soient plus tournées en dérision ».]

P1970 **Rodez 1513 f. 71**

Si cadaver fuerit sepultum exhumatur ita ut videri possit cum sudario suo. Si vero non fuerit sepultum, etiam absolvatur quocumque modo ut sequitur. Et ista absolutio est solennis et debet fieri in publico.
Et primo dicatur ps. *Miserere mei Deus totum etc. Gloria Patri,* oratione dominicali. Et versu et preces et oratione prout supra habetur in rubrica de excommunicato vivente, et absolvatur ut supra. Hoc excepto quia cum perventum fuerit ad hanc particulam *Et hunc famulum tuum,* dicetur *Et hoc cadaver quod cathena excommunicationis constringit miseratio etc.* P2004 prout supra[2].

---

[2]   Renvoi probablement à l'absolution des excommuniés, Rodez 1513 f. 70v-71 (P1836).

882 CHAPITRE XIX

Et percutiatur ter cadaver virga in signum penitentie et ad terrorem populi ibidem existentis ut exinde arma ecclesie non habeantur in spretum.

Toulouse 1538, 1553

[Toulouse 1538 : Odet de Châtillon]
Sequitur forma absolutionis cadaveris excommunicati in forma ecclesie, stante cadavere in loco prophano

[A la fin de la cérémonie, le corps reçoit la sépulture traditionnelle des fidèles («et tradatur sepulture fidelium ut moris est»).]

P1971 **Toulouse 1538 f. 63v-65**
Officians indutus supercilio [*sic*] et stola defferat virgam et aquam benedictam, et dicat ea que sequuntur. *Adiutorium nostrum... Sit nomen Domini...*

A. *Sicut oculi ancille.* P1995 Dicantur ps. sequentes sine *Gloria Patri.*
[Ps. 3] *Domine quid multiplicati sunt...* P1977

A. *Sicut oculi ancille in manibus Domine sue ita oculi istius, miserere ei Domine et dona ei indulgentiam.*

Percutiat cadaver cum virga in fine cuiuslibet A.

Oratio. *Deus cui proprium est parcere semper et misereri, suscipe deprecationem nostram ut nos et omnes famulos tuos quos delictorum cathena constringit, miseratio tue pietatis absolvat. Per Christum Dominum.* P2006 A. *Sicut oculi ancille.*

Ps. [122] *Ad te levavi oculos meos...* P1980 A. *Sicut oculi ancille...* Percutiat.

Oratio. *Prestare quesumus Domine huic famulo tuo digneris penitentie fructum, a cuius integritate si deviaverit*[a] *peccando, ad integram veniam consequendo reddatur innoxius. Per Dominum nostrum.* P1999 A. *Sicut oculi.*

Ps. [50] *Miserere mei Deus, secundum magnam...* P1978 A. *Sicut oculi...*

Percutiat cadaver ter et dicat *Pater noster* et *Ave Maria*, et postea dicat orationem de dominica currenti, qua finita dicat *Confiteor* ad longum, et postea dicat sacerdos

Misereatur tibi omnip. Deus et dimittat tibi omnia peccata tua et perducat te in vitam eternam. Amen. P2008

Dominus noster I. C. per meritum sue passionis te absolvat. Amen. Et infundat in te gratiam suam. Amen. Et ego auctoritate apostolorum

ABSOUTES D'UN EXCOMMUNIÉ APRÈS SA MORT

Petri et Pauli mihi commissa te absolvo ab omni sententia excommu-nicationis, et ab omnibus peccatis tuis. In nomine Patris et Filii etc.
P2007
Percutiat cadaver et aspergat eum et accendatur lumen et cantetur
Ad te levavi,… et tradatur sepulture fidelium ut moris est.
Variante. [a] deviaverit] devenerit Tols. 1553.

Rodez 1603. Vabres 1611

[Rodez 1603 : François de Corneillan]
Forma absolvendi mortuum excommunicatum

P1972 **Rodez 1603** p. 64-66

Affin de n'errer point en ceste absolution, il faut diligemment noter, que quand l'Eglise use d'excommunication ou absolution sur quelqu'un qui est desja mort, elle, à proprement parler, n'excommunie pas ou absoult, d'autant que celuy la n'estant plus capable d'absolution ou ex-communication ; mais c'est tant seulement declarer, que tel demeurant opiniastre en son peché, est decedé excommunié, et qu'on ne peut prier publiquement en l'eglise pour luy, ou bien que mourant avec signes de repentance, il est veritablement absous devant Dieu, et qu'on doit publiquement prier en l'eglise pour iceluy.

Apres faut noter, que si le trespassé est decedé excommunié par l'Evesque ou son Official, on doit avant que de le mettre en terre avoir recours à eux pour l'absolution. Que si par mesgarde et ignorance, on l'avoit déja enterré, suffira d'aller sur le sepulchre, et donner l'absolu-tion suivante, sans qu'il soit besoin de descouvrir le corps.

Le prestre donques… estant au devant du corps mort, ou prés de son sepulchre, dira avec les assistans le psalme *Miserere mei* avec *Glo-ria Patri* à la fin, *Kyrie… Pater noster…* V. *Salvum fac servum tuum…* V. *Domine exaudi…* V. *Dominus vobiscum…*

Oremus. Deus cui proprium est misereri semper et parcere, suscipe deprecationem nostram, ut hoc corpus, quod in hoc loco mortuum iacet, quodque excommunicationis cathena constringit, miseratio tuae pietatis absolvat : Et ego auctoritate rev. Domini. Episcopi Ruthenensis (vel Do-mini Officialis Ruthenensis) illud absolvo à sententia excommunicatio-nis, in nomine Patris… [rare] P2005

Tum percutiat ter virga corpus, vel sepulchrum (si iam erat inhu-matum) idque in signum poenitentiae, et ad terrorem adsistentium. Deinde aspergat aqua benedicta.

CHAPITRE XIX

Rituale Romanum 1614

Ritus absolvendi excommunicatum jam mortuum

[Si un excommunié meurt en ayant donné un signe de contrition, afin qu'il ne soit pas privé de sépulture ecclésiastique, mais qu'il puisse bénéficier des suffrages de l'Eglise autant que faire se peut, il peut être absout de la façon suivante : Si le corps n'est pas encore enterré, il est frappé de verges et absout, comme ci-dessous ; ensuite il est enterré dans un lieu sacré.

S'il est enterré dans un lieu profane, il est exhumé si c'est possible, frappé de verges, et après l'absolution, enterré dans un lieu sacré ; mais s'il ne peut être commodément exhumé, le lieu de sa sépulture est frappé de verges, puis il est absout.

S'il est enterré dans un lieu sacré, il n'est pas exhumé, mais la tombe est frappée de verges, tandis que le prêtre dit l'antienne *Exultabunt...*, le ps. *Miserere*, etc.]

P1973 Si quis excommunicatus, ex hac vita decedens, dederit signum contritionis, ne Ecclesiastica careat sepultura, sed Ecclesiae suffragiis, quatenus fieri potest, adjuvetur, absolvi potest hoc modo.

Si corpus nondum sepultum fuerit, verberetur, et absolvatur, ut infra ; deinde absolutum in loco sacro sepeliatur.

Si vero fuerit sepultum in loco profano, si commode fieri poterit, exhumabitur, et eodem modo verberabitur, et post absolutionem in loco sacro sepelietur ; sed si commode exhumari non potest, locus sepulturae verberetur, postea absolvatur.

Quod si in loco sacro sit sepultus, non exhumabitur, sed verberabitur sepulchrum. Dum autem corpus, sive sepulturam verberat Sacerdos, dicat A. *Exultabunt Domino ossa humiliata.* P1988 Ps. *Miserere mei, Deus, etc.*

Quo facto, absolvatur, dicendo :

Auctoritate mihi concessa, ego te absolvo a vinculo excommunicationis, quam incurristi... et restituo te communioni Fidelium... P2001

Ps. *De profundis.* P1981

V. *Requiem aeternam dona ei, Domine... Kyrie... Pater noster...*

V. *A porta inferi... V. Requiescat in pace... V. Domine exaudi...*

V. *Dominus vobiscum...*

Oremus. Da, quaesumus Domine, animae famuli tui, quem excommunicationis sententia constrinxerat... P1997

Vannes 1618

[Jacques Martin]

*Forme briefve pour absoudre, « ad cautelam », un decedé sans confession
et absolution sacramentale, à ce que l'Eglise puisse
sans scrupule prier publiquement pour luy*

[Reproduit le *Ritus absolvendi excommunicatum iam mortuum* du rituel
de Paul V avec quelques remaniements et les rubriques traduites en français.]

P1974 **Vannes 1618 p. LXXXVI-LXXXVII**

Le Recteur, ou autre ayant obtenu le pouvoir de l'Evesque ou de son
grand Vicaire, estant revestu d'un surplis avec l'estole et asperson en
main, se presentera au lieu où est le corps mort, et dira avec les assistans,
A. *Exultabunt Domino ossa humiliata.* P1988 Ps. *Miserere mei Deus, etc.*

Ce qu'estant fait il l'absoudra en ceste façon. *Auctoritate mihi concessa, ego te absolvo a vinculo excommunicationis, si quam incurristi, et
restituo te communioni fidelium. In nomine Patris…*

S'il est certain qu'il ait encouru excommunication dira, *quam incurristi propter tale factum.* P2002

V. *Requiem aeternam, etc.* V. *A porta inferi…* V. *Requiescat in pace…
Dominus vobiscum…*

*Oremus. Da, quaesumus Domine, animae famuli tui, quem excom-
municationis sententia constrinxerat* (vel *forsan constrinxerat*) *refrigerii
sedem…* P1997

Meaux 1734

[Henri de Thyard de Bissy]

Forme pour absoudre un Excommunié après sa mort

[Instruction légèrement différente du rituel romain (il n'est pas question
de contrition); mais il faut la permission de l'évêque ou de ses vicaires généraux. Le corps ou la tombe ne sont pas frappés de verges, comme prévu dans
le rituel romain.]

P1975 **Meaux 1734 p. 114-116**

On ne peut procéder à cette cérémonie qu'après en avoir obtenu la
permission de Monseigneur l'Evêque, ou celle de ses Vicaires généraux.
Pour lors on observera l'ordre qui suit.

Si le corps n'est pas encore enterré, on fera l'absolution en la maniére suivante; ensuite on l'enterrera dans un lieu saint en récitant les
priéres, et observant les cérémonies ordinaires.

S'il est déja enterré dans un lieu profane, on l'exhumera, s'il se peut commodément; et après l'absolution, il sera enterré dans un lieu saint; Si on ne peut le déterrer, on fera l'absolution au lieu de la sépulture, et on l'y laissera. Si le corps avoit déja été enterré (contre les regles) en un lieu saint, il ne faudroit pas l'exhumer, mais seulement faire l'absolution au lieu de la sépulture, en observant le rit qui suit.

[Rite romain avec addition à la fin de:]

Enfin il jette de l'eau bénite sur le corps ou la sépulture, en disant: V. *Requiem aeternam dona ei… V. Requiescat in pace. Amen.*

Évreux 1741
Albi 1783. Bourges 1746. Carcassonne 1764. Luçon 1768
Poitiers 1766. Soissons 1753

[Évreux 1741: Pierre de Rochechouart]
Forme pour absoudre un Excommunié après sa mort

P1976 **Évreux 1741** p. 211-213.

Formulaire de Meaux 1734 p. 114-116 sauf l'antienne *Secundum multitudinem miserationum tuarum dele iniquitatem meam* [rare] P1994 au lieu de l'antienne romaine *Exultabunt Domino ossa humiliata.*

3. PSAUMES

P1977 **Ps. 3. Domine quid multiplicati sunt.**

Toulouse 1538, 1553 (*Forma absolutionis cadaveris excommunicati*).

P1978 **Ps. 50. Miserere mei Deus.**

Uzès 1500. Le Mans c. 1505-1608. Metz 1713. Rodez1513-1603. *Romanum.* Toulouse 1538, 1553. Vabres 1611. Vannes 1618.

P1979 **Ps. 66. Deus misereatur nostri.**

Uzès 1500. Rodez 1513.

P1980 **Ps. 122. Ad te levavi oculos meos.**

Toulouse 1538, 1553 (*Forma absolutionis cadaveris excommunicati*)

P1981 **Ps. 129. De profundis.**

Romanum. Metz 1713 etc.

4. Antiennes, versets, répons

P1982 V. A porta inferi. R. Erue Domine animam ejus.

Le Mans 1505-1608. *Romanum.* Vannes 1618.
Réf. PRG I, 284 ; II, 296. Absent de Deshusses.

P1983 V. Adiutorium nostrum in nomine Domini. R. Qui fecit celum et terram.

Toulouse 1538, 1553.

P1984 A. Ave Maria, gratia plena…

Toulouse 1538, 1553.

P1985 Confiteor Deo…

Toulouse 1538, 1553.

P1986 V. Domine exaudi orationem meam. R. Et clamor meus ad te veniat.

Le Mans 1505-1608. Rodez 1603. *Romanum.* Vabres 1611.

P1987 V. Dominus vobiscum. R. Et cum spiritu tuo.

Le Mans 1505-1608. Rodez 1603. *Romanum.* Vabres 1611.

P1988 A. Exultabunt Domino ossa humiliata.

Romanum. Bordeaux 1707-1728. Blois 1730. Boulogne 1750. Meaux 1734. Metz 1713.
Vannes 1618. Etc.
Réf. PRG II, 296. Absent d'Andrieu, Deshusses.

P1989 Kyrie…

Le Mans 1505-1608. Rodez 1603. *Romanum.* Vabres 1611.

P1990 Pater noster…

Le Mans 1505-1608. Rodez 1603. *Romanum.* Toulouse 1538, 1553. Vabres 1611.

P1991 V. Requiem aeternam dona ei, Domine. R. Et lux perpetua luceat ei.

Le Mans 1505-1608. *Romanum.* Vannes 1618. etc.
Réf. Andrieu II, 501, 504 etc. Absent de Deshusses.

P1992 V. Requiescat in pace. R. Amen.

Romanum.
Réf. Andrieu II, 501. Absent de Deshusses.

P1993 V. Salvum fac servum tuum. R. Deus meus sperantem in te.

Le Mans 1505-1608. Rodez 1603. Vabres 1611.

888 CHAPITRE XIX

P1994 A. Secundum multitudinem miserationum tuarum dele iniquitatem meam.

Évreux 1741. Albi 1783. Luçon 1768. Lyon 1787. Poitiers 1766. Soissons 1753.
Réf. PRG II, 61. Absent d'Andrieu, Deshusses.

P1995 A. Sicut oculi ancille in manibus Domine sue, ita oculi istius, miserere ei Domine et dona ei indulgentiam.

Toulouse 1538, 1553 (*Forma absolutionis cadaveris excommunicati*)
Réf. Absent de Janini, Sac., PRG, Andrieu, Deshusses.

P1996 V. Sit nomen Domini benedictum. R. Ex hoc nunc et usque in seculum.

Toulouse 1538, 1553.

5. Oraisons

P1997 Da quaesumus Domine animae famuli tui, quem excommunicationis sententia constrinxerat[a], refrigerii sedem, quietis beatitudinem, et superni luminis claritatem. Per Christum.

Romanum. Bordeaux 1707-1728. Limoges 1678. Metz 1713. Vannes 1618.
Réf. Absent de Deshusses.
Variante. [a] *vel* forsan constrinxerat] *add.* Va.

P1998 Presta quesumus Domine huic famulo tuo N. dignam culpe et negligentie sive contemptus remissionem ut ecclesie tue sancte a cuius integritate dum viveret deviarat [*sic*] peccando, admissorum reddatur innoxius veniam consequendo, et ego auctoritate Dei omnipotentis et beate Marie virginis, ac beatorum apostolorum Petri et Pauli, et omnium sanctorum, et domini epyscopi [*sic*] vel officialis vel decani et capituli ecclesie N. te absolvo. In nomine Patris...

Le Mans c. 1505-1608 (*Mortuus in excommunicatione absolvatur hoc modo*)
Réf. Cf. Darragon 2554, 2569. Cf. Deshusses I, 1384. Absent de Janini, Sac., PRG.

P1999 Prestare [*sic* pour Presta] quesumus Domine huic famulo tuo digneris penitentie fructum, a cuius integritate si deviaverit[a] peccando, ad integram veniam consequando reddatur innoxius. Per Dominum nostrum.

Toulouse 1538, 1553 (*Forma absolutionis cadaveris excommunicati*)
Réf. Cf. PRG I, 319; II, 62, 276. Cf. Andrieu I, 274; III, 611. Absent de Janini, Sac., Deshusses.
Variante. [a] devenerit Tols. 1553.

6. Formules d'absolution

P2000 Authoritate mihi concessa, ego te absolvo à vinculo excommunicationis quam incurristi (vel incurrisse declaratus es) propter sacrilegium, adulterium, In nomine Patris...

Bordeaux 1707-1728.
Réf. Absent de PRG, Andrieu, Deshusses.

P2001 Auctoritate mihi[a] concessa, ego te absolvo à vinculo excommunicationis quam incurristi (vel incurrisse declaratus es) propter tale factum, et restituo te communioni fidelium, in nomine Patris

Romanum. Paris 1646-1777.
Variante. [a] licet indignissimo] *add.* Pa.

P2002 Auctoritate mihi concessa, ego te absolvo à vinculo excommunicationis, si quam incurristi (ou) quam incurristi propter tale factum, et restituo te communioni fidelium. In nomine Patris...

Vannes 1618.

P2003 Authoritate mihi licet indignissimo concessa, absolvo te à vinculo excommunicationis quam incurristi, et communioni, et unitati fidelium te restituo; in nomine Patris...

Metz 1713 (*Ordo absolvendi excommunicatum mortuum*)

P2004 Deus cui proprium est misereri semper et parcere, suscipe deprecationem nostram, et hoc cadaver quem cathena excommunicationis constringit, miseratio tue pietatis absolvat.

Et ego auctoritate apostolica vel metropolitana, vel domini officialis, t., aut alterius prout fuerit. Te absolvo a sententia interdicti sive excommunicationis aut alias in qua innodotus eras ad instantiam t. Et sic absolutum restituo te sanctis ecclesie sacramentis et unitati fidelium precipiendo tibi quod a cetero tales sententias vel sibi similes non incurras. Et ego te absolvo. In nomine Patris...

Rodez 1513 (*Forma absolutionis cadaveris*)
Réf. Absent de Janini, Sac., Deshusses.

P2005 Deus cui proprium est misereri semper et parcere, suscipe deprecationem nostram, ut hoc corpus, quod in hoc loco mortuum iacet, quodque excommunicationis cathena constringit, miseratio tuae pietatis absolvat.

890 CHAPITRE XIX

Et ego auctoritate rev. Domini. Episcopi Ruthenensis (vel Domini Officialis Ruthenensis) illud absolvo à sententia excommunicationis, in nomine Patris...

Rodez 1603. Vabres 1611 (*Forma absolvendi mortuum excommunicatum*)
Réf. Cf. Deshusses I 851, 1327. Absent de Janini, Sac.

P2006 Deus cui proprium est parcere semper et misereri, suscipe deprecationem nostram ut nos et omnes famulos tuos quos delictorum cathena constringit, miseratio tue pietatis absolvat. Per Christum Dominum.

Toulouse 1538, 1553 (*Forma absolutionis cadaveris excommunicati*)
Réf. Absent de Janini, Sac.

P2007 Dominus noster I. C. per meritum sue passionis te absolvat. Amen. Et infundat in te gratiam suam. Amen. Et ego auctoritate apostolorum Petri et Pauli mihi commissa te absolvo ab omni sententia excommunicationis, et ab omnibus peccatis tuis. In nomine Patris et Filii etc.

Toulouse 1538, 1553 (*Forma absolutionis cadaveris excommunicati*)
Réf. Absent de Janini, Sac. PRG, Andrieu, Deshusses.

P2008 Misereatur tibi [*sic*] omnipotens Deus et dimittat tibi omnia peccata tua et perducat te in vitam eternam. Amen.

Toulouse 1538, 1553 (*Forma absolutionis cadaveris excommunicati*)
Réf. Absent de Janini, Sac., PRG, Andrieu, Deshusses.

CHAPITRE XX

ABSOLUTION DE L'HÉRÉSIE

1. Présentation générale

L'absolution de l'hérésie apparaît en France au tout début du xviie siècle, huit ans après la signature de l'édit de Nantes en 1598.

Le rite, ignoré des rituels romano-vénitiens et du *Rituale romanum*, est présent dans le Pontifical romain[1]. Il débute en Normandie : Évreux 1606, Lisieux 1608, Rouen 1611/1612, Bayeux 1627, Sées 1634.

Le déjà célèbre François de Sales l'introduit à Genève en 1612, mais pour peu de temps car dès 1674 il ne figure plus dans les éditions du diocèse, proches du *Rituale romanum*.

La cérémonie atteint rapidement les diocèses du centre et du centre-ouest du pays : Bourges 1616, Chartres 1627, Orléans 1642, Meaux 1645, Poitiers 1655, Clermont 1656, Le Mans 1662, Angers 1676, Limoges 1678, Nevers 1689.

De nombreux diocèses du sud de la France l'adoptent également : Toulouse 1616, Béziers 1638, Auch 1642 et la province d'Auch (Comminges, Couserans, Lescar, Oloron, Tarbes), Cahors 1642, Albi 1647, Périgueux 1651, 1680, Rodez 1671, Agen 1688.

Les diocèses du nord et de l'est la connaissent, surtout dans la seconde moitié du siècle : Boulogne 1647, Châlons-sur-Marne 1649, Troyes 1660, Laon 1671, Reims 1677, Langres 1679, Metz 1686, Amiens 1687, Verdun 1691, Soissons 1694.

Lyon ne donne le rite qu'à partir de 1692 ; Paris à partir de 1697[2].

Au xviiie siècle, il se propage surtout dans la moitié sud du pays : Bordeaux 1707-1728, Sarlat 1729, Vabres 1729-1766, Narbonne 1736-1789, Lodève 1744-1773, Glandève 1751, Carcassonne 1764, Luçon 1768, Montauban 1785, Toulon 1790.

---

[1] Le formulaire du Pontifical romain est repris par Chartres 1627-1640, *Ordo ad reconciliandum Apostatam…* (P2062).

[2] Une rubrique interdit aux prêtres et religieux de pratiquer le rite, sauf exceptions (Paris 1646, 1654).

892 CHAPITRE XX

Ailleurs, quelques nouveaux diocèses le présentent : à l'est, Toul 1700-1760, Besançon 1705, Strasbourg 1742, Saint-Dié 1783 ; au nord, Tournai 1721-1784, Beauvais 1725, Arras 1757 ; au centre, Auxerre et Blois 1730 ; en Normandie, Coutances 1744.

La Bretagne et le sud-est, qui utilisent le rituel romain, l'ignorent, sauf Nantes à partir de 1755[3].

Au total, soixante-dix diocèses connaissent l'absolution de l'hérésie, autant au XVIIe siècle (une cinquantaine) qu'au XVIIIe siècle (même nombre).

Le terme « heresis » apparaît dès 1490 à Strasbourg dans les cas d'absolution réservés au pape ; à Agen 1564, ce cas concerne les inquisiteurs de l'hérésie qui, par haine, par bienveillance (excessive), par amour, ou par appât du gain, omettent d'agir contre quelqu'un, ou bien qui, pour les mêmes motifs, taxent quelqu'un d'hérésie.

Le rituel de Soissons 1576 est le premier à nommer les hérétiques dans les cas réservés au pape. Les cas réservés aux évêques les citent dès les premières listes connues (Chartres 1490).

Les formulaires sont variés, mais comprennent généralement quelques prières d'introduction : prières au Saint-Esprit à partir de 1655 (Poitiers), dont le *Veni creator*, parfois des questions sur la foi. Le psaume *Miserere* et le *Pater* sont partout récités sauf exceptions ; de même l'oraison *Deus cui proprium est misereri…*

Des formules d'abjuration, en latin, puis en français, sont ajoutées dans les rituels d'une quinzaine de diocèses (en majorité du sud-ouest si l'on compte les diocèses de la province d'Auch), la première apparaissant dans le rituel de Genève de 1612 du futur saint François de Sales ; elles sont peu-à-peu remplacées par la profession de foi tridentine en français (Bourges 1616) puis en latin, parfois dans les deux langues[4].

Un bref exorcisme provenant du Pontifical romain (*Exorcizo te immunde spiritus…*) apparaît dans quelques rituels.

Les absolutions sont très variées et toujours suivies (à part *Misereatur tui…* et *Indulgentiam…*) d'une formule de réconciliation : *Reduco te in gremium… Admitto te in gremium… Restituo te communioni et sacramentis…*

Les prières d'action de grâce apparaissent à partir de 1655 à Poitiers : la plus fréquente étant le *Te Deum*. A Poitiers 1655 on pourra en même

---

[3] Nantes utilise le rite romain au XVIIe siècle.
[4] Les décrets du concile de Trente sont publiés en France en 1615.

ABSOLUTION DE L'HÉRÉSIE

temps sonner les cloches et embrasser le nouveau converti. Ailleurs, on est plus discret, et le *Te Deum* peut être simplement dit ou chanté «juxta prudentiam Sacerdotis» (Metz 1713, Meaux 1734, Évreux 1741, etc.).

L'évangile *In principio* [Jean 1, 14] est lu dans quelques diocèses à partir de 1697 (Paris).

La révocation de l'édit de Nantes en 1685 ne semble pas avoir eu d'influence sur le rite ; on remarque simplement que les formules d'abjuration disparaissent après 1670 sauf à Toulouse 1736, et à Vabres 1729 et 1766.

Le nouveau converti est invité à signer la profession de foi et la formule d'abjuration immédiatement après l'avoir prononcée à Rouen 1611, Bayeux 1627, Bourges 1666-1746, etc.

Ailleurs, il signe à la fin de la cérémonie un acte ou certificat de l'abjuration et de l'absolution de l'hérésie qui sera envoyé aux archives du diocèse (Bordeaux 1708-1728, etc.).

2. Titres des formulaires

P2009 Évreux 1606 f. 22v-23, *De absolutione ab Haeresi.* Lisieux 1608-1661, Chartres 1627-1640. Éd. 1639 p. 101, Rouen 1640-1651, Meaux 1645, Paris 1646-1777, Boulogne 1647, Châlons-sur-Marne 1649, Périgueux 1651, 1680, 1763, Clermont 1656, Troyes 1660, Langres 1679, Chartres 1680-1689, Bayeux 1687.

P2010 Rouen 1611/1612 p. 76. Bayeux 1627 p. 117. Sées 1634-1695. *Forma absolutionis ab Haeresi.*

P2011 Genève 1612, 1632, 1643. Éd. 1612 p. 389-390. Toulouse 1616-1653. Éd. 1616 1er supplément p. 60-61. Béziers 1638. *Modus recipiendi hereticos in gremium Ecclesiae.*

P2012 Bourges 1616 f. 44-47. *Ce qu'il faut specialement observer pour l'absolution des Heretiques.*

P2013 Évreux 1621, 1706. *De Absolutione ab Haeresi, ab illis praestanda, qui specialem potestatem habuerint.* Éd. 1621 p. 67.

P2014 Chartres 1627-1640. Éd. 1639 p. 473-479. *Ordo ad reconciliandum apostatam, schismaticum, vel haereticum*[5].

---

[5] Les rituels de Chartres 1627-1680 présentent deux formulaires différents d'abjuration de l'hérésie.

894   CHAPITRE XX

P2015 Auch c. 1642 et province d'Auch (Couserans c. 1642, Lescar c. 1642, Oloron c. 1644, Tarbes c. 1644, Comminges 1648)[6]. Éd. Auch c. 1642 p. 90-94. *La maniere de recevoir les Heretiques au giron de l'Eglise hors du Sacrement de Penitence.*

P2016 Cahors 1642, *Manuale proprium parochorum cadurcensium*, p. 113-121. *Abiuratio haeresis.*

P2017 Orléans 1642-1726. Éd. 1642 p. 114-117. Le Mans 1662, Laon 1671, Limoges 1678-1698, Langres 1679, Auxerre 1730. *Ordo absolvendi ab Haeresi.*

P2018 Albi 1647 p. 440-448. *Comme il faut recevoir les heretiques à la foy catholique. La maniere d'absoudre les heretiques et excommuniez.*

P2019 Chalon-sur-Saône 1653 p. 48-49. *Absolution d'un Heretique.*

P2020 Poitiers 1655 p. 595-599. *Formulaire d'abjuration d'Heresie, ou Profession de Foy, que doit faire celuy ou celle qui veut quitter l'heresie.*

P2021 Bourges 1666 tome I, p. 304-322. *De l'absolution de l'Heresie, ou de l'Apostasie.*

P2022 Bourges 1666 tome I, p. 323-324. *Ordre de ce qu'il faut observer quand Monseigneur l'Archevêque donne l'absolution de l'Heresie*

P2023 Bourges 1666 tome I, p. 325-326. *Ordre de ce qu'il faut observer quand il faut absoudre de l'Heresie, et faire en même temps les ceremonies du Baptesme.* (Instruction)

P2024 Toulouse 1670-1736, Auch 1678, Oloron 1679, Vabres c. 1729-1766. *La maniere de recevoir les Heretiques à la Foy Catholique.*

P2025 Rodez 1671 p. 135-141. *De absolutione ab haeresi, et forma professionis Fidei.*

P2026 Angers 1676 p. 132-139, Angers 1735, Metz 1713. *Ritus absolvendi ab Haeresi.*

P2027 Reims 1677 p. 306-319. *Forme dont on se servira pour reconcilier les hérétiques lorsqu'ils viendront à l'Eglise catholique, et renonceront aux hérésies de Luther et de Calvin.*

P2028 Limoges 1678-1698. Éd. 1678 p. 146-154. *De absolutione ab Haeresi. Regulae. Ordo absolvendi ab Haeresi.*

P2029 Chartres 1680, 1689. Éd. 1680 p. 549-554. *Ordo ad reconciliandum Apostatam, Schismaticum, vel Haereticum, si per Pontificem fiat reconciliatio.*

P2030 Périgueux 1680, 1763. Sens 1694. *De l'absolution de l'Heresie.*

P2031 Metz 1686 p. 112-117. *Formula Professionis Fidei, qua quis uti debet qui Haeresim Lutheranam, seu Calvinianam detestari volens Ecclesiae Catholicae reconciliatur.*

---

[6]   Aucun exemplaire connu des possibles rituels de Bayonne, Dax, et Lectoure de la même époque.

ABSOLUTION DE L'HÉRÉSIE

P2032 Amiens 1687, 1784. *L'ordre d'absoudre de l'heresie.*

P2033 Agen 1688 p. 101-110. *Forme dont on se servira pour recevoir les heretiques à la foy catholique.*

P2034 Nevers 1689 p. 377. *Forme pour reconcilier les heretiques.*

P2035 Verdun 1691, 1787 (Éd. 1787 p. 166-174). Soissons 1694 p. 111-124. *Ordre pour absoudre un Heretique ou un Apostat.*

P2036 Lyon 1692 p. 79-90. *Ritus pro haereticis Ecclesiae reconciliandis observandus.*

P2037 Toul 1700, 1760. Éd. 1700 p. 187-195. *Ordre pour recevoir l'abjuration d'un hérétique.*

P2038 Auch 1701, 1751. Éd. Auch 1701 p. 145-154, et province d'Auch (Aire 1720, 1776, Bayonne 1751, Bazas 1701, 1752, Comminges c. 1728, 1751, Couserans 1751, Dax 1701, 1751, Lectoure 1751, Lescar 1751, Oloron 1720, 1751, Tarbes 1701-1751). Sarlat 1708, Glandève 1751. L'*Ordre qu'on observera pour absoudre les Heretiques.*

P2039 Besançon 1705 p. 141-142. *Absolutio Haeretici ad fidem catholicam conversi.*

P2040 Bordeaux 1707, 1728 (Éd. 1707 p. 156-170). Sarlat 1729, Rodez 1733, Lodève 1773. *La maniere de recevoir l'abjuration des heretiques, et de leur donner l'absolution de l'heresie.*

P2041 Poitiers 1712, 1714. Éd. 1712 p. 96-109. *Formulaire de l'abjuration de l'heresie publique, suivant l'ancien usage du Diocese de Poitiers.*

P2042 Tournai 1721, 1784. Arras 1757. Senlis 1764. *De publica absolutione ab Haeresi.*

P2043 Beauvais 1725 p. 117-124. *De absolutione ab Haeresi.*

P2044 Blois 1730. *Forme d'absoudre un Hérétique et de recevoir son abjuration.*

P2045 Clermont 1733. *Ordre ou maniere de recevoir l'abjuration des Hérétiques, et de leur donner l'Absolution de l'hérésie.*

P2046 Rodez 1733. *La maniere de recevoir l'abjuration des heretiques, et de leur donner l'absolution de l'heresie.*

P2047 Meaux 1734. Évreux 1741. Boulogne 1750, 1780. Toulon 1750. Troyes 1768. *Ordre qu'on doit suivre pour absoudre un hérétique dans le for exterieur, et recevoir son abjuration.*

P2048 Chalon-sur-Saône 1735. *Formule d'abjuration de l'hérésie.*

P2049 Narbonne 1736 p. 319-324. *Rit de l'abjuration de l'heresie.*

P2050 Rouen 1739, 1771 Éd. 1739 p. 138-142. Lisieux 1742, Bayeux, Coutances, Sées 1744, Lodève 1744, Strasbourg 1742. *Ritus absolvendi ab Haeresi, et professionis fidei quam emittere debent, qui ab haeresi aut schismate convertuntur.*

896   CHAPITRE XX

P2051 Bourges 1746, Limoges 1774, Toulouse 1782, Saint-Dié 1783, Montauban 1785, Narbonne 1789, Toulon 1790. *Ordre pour absoudre un hérétique dans le for extérieur, et recevoir son abjuration.*

P2052 Soissons 1753 tome II, p. 65-71, Carcassonne 1764, Poitiers 1766, Luçon 1768, Limoges 1774, Le Mans 1775, Albi 1783, Lyon 1787. *Maniere d'absoudre un Hérétique, et de recevoir son abjuration.*

P2053 Nantes 1755 p. 464-469. *De modo absolvendi ab haeresi in foro exteriori, ejusque abjurationem excipiendi.*

P2054 Châlons-sur-Marne 1776, Tours 1785, Paris 1786. *Ordo absolutionis publicae ab Haeresi.*

P2055 Nantes 1776 p. 118-124. *De modo absolvendi Haereticum ejusque abjurationem absolvendi.*
      [Le rite est absent des rituels d'Alet 1667-1771.]

3. Familles de formulaires

- Évreux 1606. Lisieux 1608-1661. Chartres 1627-1689. Éd. 1639 p. 101. (*De absolutione ab Haeresi*). Rouen 1640, 1651.
- Rouen 1611/1612. Bayeux 1627. Sées 1634, 1695.
- Genève 1612-1643. Toulouse 1616-1653. Béziers 1638. Albi 1647 (addition de la traduction de l'abjuration et de la profession de foi tridentine en latin et en français). Chalon-sur-Saône 1653, 1735 (rubriques en français).
- Évreux 1621-1706. Instruction d'Évreux 1606 et nouvelle formule d'absolution.
- Chartres 1627-1689. Éd. 1639 p. 473-479[7] (*Ordo ad reconciliandum Apostatam…*) [Pontifical de Guillaume Durand de Mende].
- Auch 1642 et Province d'Auch.
- Meaux 1645. Périgueux 1651, 1680, 1763 (rubriques traduites en français en 1680 et 1763).
- Boulogne 1647. Châlons-sur-Marne 1649. Troyes 1660.
- Toulouse 1670-1736. Auch 1678 [édition perdue]. Oloron 1679. Vabres c. 1729-1766.
- Reims 1677. Amiens 1687, 1784 (abrège Reims). Soissons 1694 (reprend Reims avec action de grâce de Verdun 1691).
- Metz 1686. Lyon 1692.
- Agen 1688. Auch 1701, 1751 et Province d'Auch.

---

[7]   Les rituels de Chartres 1627-1689 présentent deux formulaires différents d'abjuration de l'hérésie.

ABSOLUTION DE L'HÉRÉSIE

– Paris 1697-1777. Tournai 1721-1784. Beauvais 1725.
– Auch 1701-1751 et province d'Auch (Bazas 1701-1751, Aire 1720, 1776, Oloron 1720, 1751, Comminges c. 1728-1751, Bayonne 1751, Couserans 1751, Dax 1751, Lectoure 1751, Lescar 1751, Tarbes 1751). Sarlat 1708. Glandève 1751.
– Bordeaux 1707, 1728. Sarlat 1729. Rodez 1733. Lodève 1773.
– Meaux 1734. Évreux 1741. Boulogne 1750, 1780. Troyes 1768.
– Rouen 1739 et province de Rouen (Lisieux 1742. Bayeux, Coutances, Sées 1744). Strasbourg 1742. Lodève 1744.
– Bourges 1746. Limoges 1774. Toulouse 1782. Montauban 1785. Narbonne 1789.
– Soissons 1753. Carcassonne 1764. Poitiers 1766. Luçon 1768. Le Mans 1775. Albi 1783. Lyon 1787 (avec additions).
– Arras 1757. Senlis 1764.

4. Formulaires

Évreux 1606. Lisieux 1608, 1661

[Évreux 1606 : Jacques Davy du Perron]
De absolutione ab Haeresi

[Première apparition en France d'un formulaire d'absolution de l'hérésie : Lorsqu'un adulte baptisé par les hérétiques désire revenir vers l'Eglise catholique, le prêtre doit d'abord lui demander s'il veut abjurer l'hérésie et professer la foi catholique. Il lui enseignera durant plusieurs jours avec un très grand amour tout ce qu'un vrai catholique doit croire. Lorsqu'il le verra suffisamment instruit, il faudra lui suppléer les cérémonies du baptême qui ont été omises. Le converti récite ensuite la profession de foi tridentine, et le prêtre l'absout de l'hérésie.]

P2056 **Évreux 1606** f. 22v-23

Cum adultus aliquis ab haereticis baptizatus ad Catholicam redire cupiet Ecclesiam, prius illum Sacerdos in partem acceptum, seu domi, seu in Ecclesia interrogabit, num volens et lubens eiurare haeresim ac Catholicam profiteri fidem velit. Quo annuente, statim eundem cum maximo charitatis affectu per dies aliquot, ea omnia quae verum Catholicum scire convenit, edocebit; ubi vero eum satis instructum viderit, diem certum condicet, in quo se ad ecclesiam conferat, ut cae-

898 CHAPITRE XX

remoniae baptismi in eo suppleantur, prout dictum est supra. Cap. 1 § 9 f. 10[8].

Suppletis vero caeremoniis Conversus ante Sacerdotem genuflexus professionem fidei à Sacrosancta Tridentina Synodo praescriptam in manibus eius emittet, ac tum demum absolutionem ab haeresi in hac forma consequetur.

Ego authoritate Dei omnipotentis et beatorum apostolorum Petri et Pauli, ac Ecclesiae suae sanctae, absolvo te à vinculo excommunicationis, qua propter haeresim ligatus eras, in nomine Patris...

Reduco te in gremium sanctae matris Ecclesiae et ad consortium et communionem totius Christianitatis... P2196

Si publicè haec absolutio danda sit, ante eam servabuntur ea, quae in sequenti paragrapho praescripta habentur[9].

Rouen 1611/1612
Bayeux 1627. Sées 1634, 1695

[Rouen 1611/1612 : François de Joyeuse]
Forma absolutionis ab Haeresi

[Rite d'Évreux 1606 légèrement modifié. Si l'absolution est publique, le pénitent récite le livret d'abjuration et de profession qu'il a signé de sa main à la porte de l'église, puis, à genoux, le ps. *Miserere,* et reçoit l'absolution. Si l'absolution est privée, seule est prononcée la formule d'absolution.]

P2057 **Rouen 1612** p. 76

Qui revertitur ab haeresi, prius est instruendus in fide catholica. Post vero monendus erit, ut abiuret haeresim et profiteatur catholicam fidem.

Quando publice fit absolutio ad ianuam Ecclesiae, post recitatum libellum abiurationis et professionis, quem poenitens propria manu subsignatum dabit, dicat flexis genibus ps. *Miserere* etc. ... quibus peractis dicat sacerdos :

Authoritate Dei omnipotentis et beatorum apostolorum Petri et Pauli, absolvo te à vinculo excommunicationis, quo propter haeresim ligatus

---

[8]   Évreux 1606 f. 10v-11. *De supplendis iisdem caeremoniis erga adultos ab haereticis* baptizatos : Notandum ex responso Gregorii XIII... ad quaestionem ab Episcopis in Synodo Rothomagensi congregatis propositam, super baptismo ab haereticis collato, omissas Baptismi caeremonias supplendas esse in adultis, qui ab haereticis baptizati fuerint, cum ad haereseos abiurationem, ac fidei Catholicae professionem sese obtulerint, antequam beneficium absolutionis consequantur.

[9]   *Voir supra* formulaire de l'excommunication de l'*Ordo baptizandi* repris par Cahors 1604 et Évreux 1606 (P1844).

ABSOLUTION DE L'HÉRÉSIE

eras; deinde reduco te in gremium Ecclesiae, et restituo communioni fidelium. In nomine... [rare] P2179

Si vero privatim fiat absolutio, caeteris praetermissis, sub hac forma verborum dari potest. *Authoritate*, etc. ut supra.

Genève 1612, 1632, 1643
Albi 1647[10]. Auch c. 1642 et province d'Auch[11]. Béziers 1638
Chalon-sur-Saône 1653, 1735[12]. Toulouse 1616, 1632, 1641, 1653[13]

[Genève 1612 : François de Sales]
Modus recipiendi hereticos in gremium Ecclesiae

[Le rituel du futur saint François de Sales est le premier à présenter une formule d'abjuration, reprise dans plusieurs diocèses avec parfois des additions.]

P2058 **Genève 1612** p. 389-390

Ante omnia debet haereticus cathechizari; quo facto abiurationem suae haresis faciet in hunc modum.

[Abjuration]
Abiuratio haeresis.

Ego N. contrito et humiliato corde cognosco et confiteor coram sanctissima Trinitate, et tota Curia coelesti, et vobis testibus, me graviter peccasse, adhaerendo haereticis, et credendo varias haereses eorum; praesertim has sequentes N.N. Iam autem per Dei gratiam resipiscens, has praedictat, et omnes alias cuiuscunque tandem nominis sint aut gentis aut generis, libere, sponte et syncere abiuro, execror et anathematizo. Ad haec consentio in omnibus cum sancta Romana Ecclesia, atque corde et ore confiteor, ac promitto semper syncere me retenturum deinceps illam fidem, quam Romana Ecclesia tenet, observat, ac praedicat. Et haec omnia supradicta spondeo, ac iuro: ita me Deus adiuvet, et haec sancta Dei Evangelia. P2136

Forma absolutionis.

Sacerdos tenens in manibus ferulam, et stans, poenitente genua flectente, et leviter ad humeros eius percutiens, dicit ps. *Miserere mei Deus*, P2169 cum *Gloria Patri* etc. Quae verberatio omitti debet in mu-

---

[10] Albi 1647 (P2068).
[11] Auch c. 1642 (P2063).
[12] Chalon-sur-Saône 1653, 1735 (P2070).
[13] Toulouse 1616, 1er supplément, *S'ensuit ce qui a esté adjousté au present Rituel pour la commodité des Recteurs et Vicaires*, p. 60-61.

lieribus et in locis publicis, sed tantum recitetur ps. *Miserere*; quo dicto dicat:

Kyrie... Pater noster... V. Salvum fac servum tuum... P2178 V. Nihil proficiat inimicus in eo... P2176 V. Mitte ei auxilium de sancto... P2175 V. Domine exaudi... V. Dominus vob. ...

Oremus. Deus cui proprium est misereri... P2127
Sedens postea dicit. *Misereatur tui omnip. Deus, etc. P2203 Indulgentiam et absolutionem etc. P2202*

Postea. *Dominus noster I. C. te absolvat. Et ego vigore indulti, mihi à Rev. Episcopo N. ad hoc facultatem à sancta sede Apostolica habente concessi, absolvo te ab haeresi, et excommunicatione, aliisque censuris Ecclesiasticis quibus innodatis existis: Et restituo te unitati fidelium, ac gremio Ecclesiae, et participationi Ecclesiasticorum Sacramentorum. In nomine Patris...* [rare] P2194

Iniungatur salutaris poenitentia, et nomen inscribatur inter receptos in gremium Ecclesiae.

Bourges 1616

[André Frémiot]
Ce qu'il faut specialement observer pour l'absolution des Heretiques

P2059 **Bourges 1616 f. 44-47**

Si l'excommunié qu'on absoult solemnellement est haeretique, es cas que la necessité ou le droict le permettent, ou selon la delegation de ceux qui ont puissance de ce faire, apres le jurement cy dessus posé[14], il fera la profession de foy en françois, ou en latin selon la forme et teneur qui s'ensuit. L'on peut faire faire cette profession de foy à tous ceux qu'on absoult solemnellement de quelque sorte de peines d'Excommunication, Suspension ou Interdict. Mais de necessité il la faut faire faire à ceux qu'on absoult d'heresie.

Forme du jurement et profession de la foy catholique, dressée par nostre S. Pere le Pape Pie IIII. par sa Bulle expediée le XV. Novembre 1564 et de son Pontificat le V.

Je N. croy et professe d'une ferme Foy... P2154[15]

L'Absolution se donnera en la forme susdicte pour les autres excommuniez.

---

[14] Serment des excommuniés. *Voir supra* Absolutions de l'excommunication, Bourges 1616 (P1850).

[15] Profession de foi tridentine en français, faisant ici sa première apparition dans le rite d'absolution de l'hérésie.

ABSOLUTION DE L'HÉRÉSIE

Évreux 1621, 1706

[Évreux 1621: François de Péricard]
De Absolution ab Haeresi, ab illis praestanda, qui specialem potestatem habuerint
[Formulaires d'Évreux 1606 avec nouvelle formule d'absolution:]

P2060 **Évreux 1621 p. 67.** *Dominus noster I. C. te absolvat et ego auctoritate ipsius... absolvo te à vinculo excommunicationis, in quam propter haeresim incurristi, et restituo te communioni et unitati Fidelium et sanctis Sacramentis Ecclesiae, in nomine Patris...* [rare] P2193

Chartres 1627, 1639, 1640
Rouen 1640, 1651

[Chartres 1627-1640: Léonor d'Estampes de Valançay]
De absolutione ab Haeresi[16]

[Si un hérétique veut abjurer l'hérésie et professer (profiteri) la foi catholique, il faut auparavant l'instruire de la foi et suppléer les cérémonies du baptême qui ont été omises.]

P2061 **Chartres 1639 p. 101**
Cum aliquis adultus ab haereticis baptizatus vel educatus, aut etiam eiurata fide Catholica cum ipsis conversatus, Ecclesiae Romanae communioni restitui voluerit, Sacerdos illum, specialem à D. Episcopo facultatem habens, illum, ritè, seu domi, seu in Ecclesia de omnibus ad Fidem pertinentibus instruet, instructumque die condicto privatim vel publicè interrogabit. Num volens et lubens haeresim abiurare ac Catholicam fidem profiteri velit. Quo spondente, ad Ecclesiam deducet, omissis baptismi caeremonias, si fieri debeat, suppleturus, prout superius dictum est. Quibus suppletis vel dimissis, conversus ante Sacerdotem genuflexus, poenitens vel baptizandus professionem fidei à sacro-sancta Synodo Tridentina Synodo praescriptam in manibus eius emittet, ac tum demum absolutionem ab haeresi in hac forma consequetur.

[La profession de foi tridentine [texte non donné] est suivie de l'absolution:]
Ego auctoritate Dei... absolvo te à vinculo excommunicationis... Reduco te in gremium sanctae matris Ecclesiae... P2196

---

[16] Deux formulaires concernant les hérétiques à Chartres 1627-1640, le premier p. 101 donnant une simple formule d'absolution; le second p. 473-479 fournissant un long formulaire de réconciliation.

CHAPITRE XX

Si autem publicè haec absolutio danda sit, ante eam servabuntur ea quae supradicta sunt titulo *De absolutione ab excommunicatione in foro exteriori.*

Chartres 1627, 1639, 1640, 1680, 1689

[Chartres 1627-1640 : Léonor d'Estampes de Valançay]
Ordo ad reconciliandum Apostatam, Schismaticum, vel Haereticum

[Réconciliation en présence de l'évêque, reproduisant le long cérémonial de Guillaume Durand de Mende[17] et du Pontifical romain.]

P2062 **Chartres 1639 p. 473-479**

[Profession de foi sous forme de questions. Exorcisme. Signation sur le front]

Pontifex apostatam, schismaticum, vel haereticum reconciliare volens, paratus amictu, stola, pluviali albo, et mitra simplici sedet super faldistorium ante fores Ecclesiae sibi paratum, coram quo genuflectit reconciliandus, quem interrogat Pontifex de fide, dicens.

Credis duodecim Articulos Fidei ? Ille respondet. *Credo. …* P2143

Deinde Pontifex surgit cum mitra, et super illum genuflexum, dicit absolutè, incipiens.

Exorcizo te immunde spiritus, per Deum Patrem omnipotentem… P2163

Tunc signat illum cum pollice dexterae manus in fronte signo crucis, dicens.

Accipe signum crucis Christi, atque Christianitatis, quod prius acceptum non custodivisti, sed male deceptus abnegasti. P2164

[Entrée dans l'église. Prières pour le nouveau converti]

Deinde surgit ille, et Pontifex, retenta mitra, sinistra sua illum apprehendit per manum dexteram dicens.

Ingredere Ecclesiam Dei, à qua incaute aberrasti, ac evasisse te laqueo mortis, agnosce… P2167

Tum introducit illum in Ecclesiam per manum, ut eum apprehendit usque ad Altare maius, coram quo in infimo gradu ille genuflectit. Pontifex vero ascendit ad medium Altaris, ubi deposita mitra, stans versus ad illum, dicit absolutè.

Omnip. semp. Deus, hanc ovem tuam de faucibus lupi tua virtute subtractam paterna recipe pietate… P2134

---

[17] Andrieu, PRIII, 616-619.

Oremus. Deus, qui hominem ad imaginem tuam conditum miseri-
corditer reparas… P2129

[Second questionnaire. Renonciation à Satan. Prière au Saint-Esprit]

Deinde sedet ibidem Pontifex super faldistorio, et accepta mitra interrogat illum iterum de Fide Catholica, dicens.

Credis in Deum Patrem omnipotentem… R. *Credo. Credis et in I. C.*
eius Filium unicum… P2144

Postea interrogat Pontifex.

Homo, abrenuncias Sathanae, et Angelis eius? R. *Abrenuntio. …*
P2144

Tunc deposita mitra surgit Pontifex, et reconciliatus accedit ad pedes eius, coram eo genu flectens. Pontifex vero imponit manum dextram super caput illius, dicens:

Oremus. Domine Deus omnip., pater Domini nostri I. C., qui digna-
tus es hunc famulum tuum, ab errore Gentilitatis… P2130

[Abjuration, les mains posées sur les Évangiles. Signation du nouveau converti]

Post haec si reconciliatus sit, qui praecipuus et notabilis fautor schismatis extitit genuflexus, ut supra, facit publicè professionem, et abiurationem, Pontifice cum mitra in faldistorio ante altare sedente dicens:

Ego N. comperto divisionis laqueo quo tenebar, diutina mecum deli-
beratione pertractans, prona et spontanea voluntate ad unitatem Sedis
Apostolicae, divina gratia duce, reversus sum … P2137

Deinde super librum Evangeliorum, quem Pontifex ante se tenet apertum, ponit ambas manus extensas, iunctis digitis, dicens.

Sic me Deus adiuvet, et haec sancta Dei Evangelia.

Tum producto per Pontificem signo crucis, super reconciliatum, surgit reconciliatus, et discedit.

[Autre formule d'abjuration au cas où le converti est l'hérésiarque ou le principal auteur d'une hérésie]

Si vero reconciliatus fuerat haeresiarcha, seu praecipuus auctor alicuius haeresis, omissa promissione praecedente, facit sequentem, genuflexus coram Pontifice cum mitra in faldistorio ante Altare sedente, dicens.

Ego N. cognoscens veram Catholicam, et Apostolicam Fidem, anathe-
matizo hîc publicè omnem haeresim… P2138

904 CHAPITRE XX

Et mox ambas manus extensas, digitis non disiunctis, ponit super librum Evangeliorum, quem Pontifex ante se apertum tenet, dicens.
Sic me Deus adiuvet, et haec sancta Dei Evangelia.
Tum producto per Pontificem signo crucis super reconciliatum, surgit ipse reconciliatus, et discedit.

Rouen 1640, 1651

Voir Chartres 1627-1640, P2061.

Auch c. 1642 et province d'Auch

[Auch c. 1642: Dominique de Vic]
La maniere de recevoir les Heretiques au giron de l'Eglise
hors du Sacrement de Penitence

P2063 **Auch c. 1642 p. 90-93**
Avant toutes choses l'Heretique doit estre catechizé, ce qu'estant faict, il faira son abjuration ainsi que s'ensuit.
Je N. croy, confesse et professe, par une ferme foy, toutes et chacunes les choses qui sont contenues au Symbole de la Foy… P2155
Forme de l'absolution.
Le Prestre tout droit et tenant en ses mains une gaule frapera legerement sur les espaules le penitent à genoux, et dira le Ps. *Miserere…*
[formulaire de Genève 1612 et Toulouse 1616 sauf rubriques traduites en français]

Cahors 1642

[Alain de Solminihac]
Abiuratio haeresis

P2064 **Cahors 1642,** *Manuale proprium,* p. 113-121
Abiuratio haeresis, publicé in facie Ecclesiae, vel saltem praesentibus, ad minus duobus, aut tribus testibus per simplices, et non dogmatizantes haereticos, si norint legere; sin autem, pro ipsis alio legente, eisdem, cum adhibita attentione, genua flectentibus, coram parocho aut alio Sacerdoto facultatem habente proferenda.
Je N. recognoy, confesse d'un coeur contrit, et repenty, devant la tres Saincte Trinité, Pere, Fils et S. Esprit, devant la glorieuse Vierge Marie mere de I. C. … P2139[18]

---

[18]   Formule d'abjuration plus développée que celle de Genève 1612-1632.

Et immediaté dicet. *Confiteor Deo omnipotenti.*
Sacerd. *Misereatur tui* et *Indulgentiam.*
Et ego auctoritate Domini nostri I. C., et Beatorum Apostolorum Petri et Pauli, mihi in hac parte commissa, absolvo te à vinculo excommunicationis, in quam incurristi propter haeresim, et restituo te communioni, et unitati fidelium, et sanctis Sacramentis Ecclesiae. In nomine Patris…
[rare] P2201
Profession de foy. *Je N. d'une ferme foy, crois et professe toutes et chacunes les* [sic] *choses du Symbole de la foy, du quel use la sainte Eglise romaine…* P2156
Hic Sacerdos exhibebit profitenti et poenitenti praedicta Evangelia manu propria tangenda et illi tradet (si requisitus) fuerit actum attestorialem de praemissis.

Orléans 1642
[Nicolas de Nets]
Ordo absolvendi ab Haeresi

[Court formulaire comprenant la profession de foi tridentine suivie de l'absolution.]

P2065   **Orléans 1642** p. 114-117. Cum aliquis adultus ab haereticis baptizatus vel educatus, aut etiam eiuratâ fide Catholicâ cum ipsis conversatus, ad Ecclesiae Romanae unionem redire voluerit, prius illum Sacerdos potestatem habens, seu domi, seu in Ecclesia, de omnibus ad fidem pertinentibus instruet : inprimis vero examinabit diligenter num volens et lubens, haeresim abiurare, ac fidem Catholicam profiteri velit. Quo perspecto diem certum condicet, in quo se ad Ecclesiam conferat, ut si fieri debeat et opportunum pro ratione loci et personarum videatur, Caeremoniae baptismi suppleantur ; quibus suppletis, [vel si aliter visum fuerit] omissis, Sacerdos iterum publicè, poenitentem coram se genuflexum ea omnia edocebit, quae verum Catholicum convenit scire ; monitumque, brevi concione, vel potius catechismo interrogabit, num sponte velit profiteri : qui cum annuerit, professionem fidei à sacrosanctâ Tridentinâ Synodo praescriptam, in manibus emittet, ut sequitur.
Je N. croy et confesse par une ferme foy… P2157
Statim vero praedictae professionis fidei, si modo scribendi peritus sit, manu propria subscribet, ac demum absolutionem ab haeresi sacerdos ipsi his verbis impertietur.

CHAPITRE XX

Dominus noster I. C. qui est summus pontifex te absolvat: et ego authoritate illius, beatorumque apostolorum Petri et Pauli ac Ecclesiae sanctae mihi concessa absolvo te à vinculo excommunicationis in quam propter haeresim incurristi: Restituo te communioni fidelium, participationi Sacramentorum et plane reduco te in gremium sanctae matris Ecclesiae, in nomine Patris... P2186

Addatur in calce professionis, testimonium sacerdotis et testium aliquot signo roboratum, quod in Episcopio asservetur.

Meaux 1645
Périgueux 1651, 1680, 1763[19]

[Meaux 1645: Dominique Séguier]
De absolutione ab Haeresi

P2066 **Meaux 1645 p. 87-93**

Si potestas absolvendi ab Haeresi sacerdoti commissa fuerit à Papa vel ab Episcopo, Sacerdos, Haereticum ritè, seu domi, seu in Ecclesia de omnibus ad fidem pertinentibus instruet, et omissas baptismi caerimonas prout dictum est supra, administret. Quibus suppletis vel dimissis, genuflexus ante sacerdotem, professionem fidei à Sacrosancta Tridentina Synodo praescriptam emittet in hac forma.

Je N. croy et confesse par une ferme foy tous et un chacun les Articles contenus au Symbole de la Foy, duquel use la Sainte Eglise Romaine, à sçavoir[20]...

Ps. Miserere mei Deus... Gloria Patri. Kyrie... Pater... V. Salvum fac servum tuum... V. Nihil proficiat inimicus in eo... V. Esto ei Dne turris fortitudinis... V. Domine exaudi... V. Dominus vob. ...

Oremus. Deus cui proprium est misereri... P2127

Mox sedet cooperto capite, et iniungit poenitentiam, deinde dextera versus poenitentem elevata, dicit.

Ego auctoritate Dei omnipotentis et beatorum apostolorum Petri et Pauli, ac Ecclesiae suae sanctae, absolvo te à vinculo excommunicationis, qua propter haeresim ligatus eras, in nomine Patris... [comme Évreux 1606 etc.]

Tum apprehensa manu dextera ipsius paenitentis, dicat.

Reduco te in gremium sanctae matris Ecclesiae... P2196

---

[19] Rubriques traduites en français à Périgueux 1680 et 1763.

[20] Le textes de la profession de foi de Meaux et de Périgueux diffèrent en partie l'un de l'autre, mais comportent tous deux à la fin l'addition, en cas de défaillance, de la soumission aux peines portées par les Décrets et Constitutions canoniques. *Voir* P2157.

Paris 1646, 1654

[Jean-François de Gondi]
De absolutione ab Haeresi

[Instruction seule sans rite.]

P2067 **Paris 1646** p. 104. Prohibemus omnibus sacerdotibus, tam secularibus quam regularibus, etiam exemptis, sub poena excommunicationis majoris, ne publicè et extra Sacramentum Poenitentiae ab haeresi quemquam absolvant : praecipimusque, ut quoties aliqui haeresim abjurare, ac catholicam fidem profiteri voluerint, ad nos remittant, ut à nobis beneficium absolutionis ei impertiatur.

Quod si sacerdotibus quibusdam concessa fuerit facultas, ut privatim et in sacramento poenitentiae absolvant ab haeresi, volumus ut eius usu tamdiu abstineant, quamdiu illam videndam obtulerint nobis aut vicariis nostris.

Albi 1647

[Gaspard de Daillon du Lude]
Comme il faut recevoir les Heretiques à la foy Catholique

Formulaire de Genève 1612-1643, Toulouse 1616-1653, etc. avec rubriques traduites en français, et addition de la traduction française de l'abjuration, *Je N. avec un coeur contrit et humilié, recognois et confesse…* P2140, et de la profession de foi tridentine en latin et en français[21].

P2068 **Albi 1647** p. 440-448

Il faut avant toutes choses instruire et catechizer l'Heretique. Ce qu'estant fait, il fera l'abjuration de son heresie en latin ou en françois, comme il s'ensuit. …

Boulogne 1647
Châlons-sur-Marne 1649. Troyes 1660

[Boulogne 1647 : François Perrochel]
De absolutione ab Haeresi

P2069 **Boulogne 1647** p. 91

Prohibemus… [comme Paris 1646]

---

[21] Albi 1647 : premier rituel à donner la profession de foi tridentine en latin ; la traduction française reprend celle d'Auch c. 1642 (P2158).

CHAPITRE XX

Ubi vero absolvendus erit haereticus cum licentia et facultate concessa et visa (ut dictum est :) primum de omnibus ad fidem pertinentibus, domi, seu in Ecclesia, rite instruatur ; et omissae Baptismi caeremoniae (si ita fieri conveniat) prout supra notatum est, suppleantur : Quibus suppletis, vel omissis, genuflexus ante sacerdotem absolvendus, professionem fidei à sacrosancta Tridentina Synodo praescriptam emittet in hac forma : *Je N. croy…*
[Rite de Meaux 1645]

Chalon-sur-Saône 1653, 1735

[Chalon 1653 : Jacques de Neuchèze]
Absolution d'un Heretique

P2070 **Chalon-sur-Saône 1653** p. 48-49
[Formulaire de Genève 1612-1643 avec rubriques en français.]

L'heretique estant deuëment instruit des points de nostre religion, fera l'abjuration de son heresie, et en recevra l'absolution par celuy qui en aura le pouvoir, comme s'ensuit…

Poitiers 1655

[« Messieurs de l'Eglise de Poictiers » le siège épiscopal vacant]
Formulaire d'abjuration d'Heresie, ou Profession de Foy,
que doit faire celuy ou celle qui veut quitter l'heresie

Le rituel de Poitiers 1655 est le premier à proposer, avant la formule d'abjuration qui fait aussi office de profession de foi, les prières au Saint-Esprit *Veni creator*, et *Deus qui corda fidelium* ; après celle-ci l'oraison *Praesta quaesumus*, et à la fin, la sonnerie des cloches accompagnée du *Te Deum*. A l'issue de la cérémonie « ceux qui sont presens embrassent (le nouveau converti) en signe de communion en l'unité de la Foy ».

P2071 **Poitiers 1655** p. 595-599
Par le commandement de Monseigneur le Reverendissime Evesque de ce Diocese : Afin qu'uniformité soit gardée par ceux qui ont pouvoir d'absoudre *ab haeresi* en l'estenduë de ce Diocese.

ABSOLUTION DE L'HÉRÉSIE

[Formule d'abjuration, ou Profession de foi]

Je ... recognois et confesse d'un coeur humble et repentant, devant la Tres-saincte Trinité, et toute la Cour celeste, et vous qui estes icy presens tesmoins... P2141[22]

Advertissement a celuy qui doit recevoir la profession de Foy.

Il faut qu'avant la profession il scache que celuy qui la veut faire est suffisamment instruit des principaux poincts de la Foy, et principalement de ceux qui sont en controverse entre les Catholiques et herethiques, ce qui se doit entendre selon la capacité des personnes qui feront ladite profession.

2. Il est necessaire qu'il l'aye instruit de la façon de se confesser... et quand à la communion, il faudra sçavoir si on peut, de Monseigneur l'Evesque, quand il jugera qu'il sera à propos de la luy permettre.

3. Il sçaura de Monseigneur l'Evesque si le lieu et la commodité le permet, s'il faut que la profession se fasse publiquement ou en secret...

4. Il faut qu'il face faire la profession en presence de tesmoins, et jurer sur les Evangiles celuy qui la fait, qu'il la gardera inviolablement, et qu'il retire par devers luy ladite profession signée, comme il est porté au bas du formulaire.

5. Puis que c'est au nom de Monseigneur l'Evesque qu'on reçoit ces professions de foy il faudra que celuy qui la reçoit soit revestu de surpelis et de l'estolle.

[Prières au Saint-Esprit. Profession de foi. Ps. *Miserere.* Versets. Oraison *Praesta quaesumus.* Absolution. *Te Deum*]

6. Avant que recevoir la profession, il sera bon qu'il die le *Veni Creator*, P2120 et l'oraison *Deus qui corda fidelium.* P2123

7. Apres qu'on aura leu et juré à voix haute, et en presence de tesmoins la profession de foy, il faudra avant qu'il donne l'absolution de l'excommunication encouruë par l'heresie, qu'il die ce qui s'ensuit.

Le Ps. *Miserere... Kyrie... Pater...* V. *Salvum fac servum tuum... (Salvam fac ancillam tuam Domine...)* V. *Nihil proficiat inimicus in eo...* V. *Esto ei Domine turris fortitudinis...* V. *Domine exaudi...* V. *Dominus vob. ...*

Oremus. Praesta quaesumus Domine huic famulo tuo dignum Poenitentiae fructum, ut Ecclesiae tuae Sanctae à cuius integritate deviaverat peccando, admissam veniam consequendo reddatur innoxius. Per Christum. P2135

---

[22]   Nombreuses additions au texte de Genève 1612-1632.

CHAPITRE XX

Après il faudra qu'il luy donne l'Absolution en cette maniere. *Ego authoritate omnipotentis Dei ac beatorum Apostolorum Petri et Pauli mihi commissa, absolvo te ab omni vinculo excommunicationis in quantum possum et indiges, nominatim ab excommunicatione quam incurristi ob haeresim, et restituo te sacramentis Ecclesiae et communioni fidelium. In nomine...* [rare] P2199

8. Il faudra puis apres reciter ou chanter en action de grace le *Te Deum laudamus*, P2205 et sonner les cloches; que ceux qui sont presens l'embrassent en signe de communion en l'unité de la Foy.

9. Il seroit bon que celuy qui reçoit la profession fist une petite exhortation... l'advertissant de commencer une nouvelle vie, et de vivre saintement et conformement à la doctrine de l'Evangile, luy mettant en main quelques petits livres propres à ce faire, et seroit alors la vraye heure pour ouyr la confession, ayant droict apres l'absolution de l'heresie, d'entrer en joüissance des Sacremens de l'Eglise, le presentant à son Curé, *ut Pastor agnoscat ovem.*

Le tout soit à la gloire de Dieu.

Clermont 1656

[Louis d'Estaing]
De absolutione ab Haeresi

P2072 **Clermont 1656 p. 63**

Cum adultus aliquis ab Haereticis baptizatus vel educatus, aut etiam eiurata fide Catholica cum ipsis conversatus, Ecclesiae Romanae Communioni restitui voluerit, Sacerdos illum rite, seu domi, seu in Ecclesia de omnibus ad fidem pertinentibus instruet, instructumque die condicto privatim vel publice interrogabit: num volens et lubens haeresim abjurare ac Catholicam fidem profiteri velit. Quo spondente, ad Ecclesiam deducet, omissas Baptismi caeremonias, si fieri debeat, suppleturus, prout superius dictum est. Quibus suppletis vel dimissis, conversus ante Sacerdotem genuflexus, poenitens vel baptizandus professionem fidei à Sacrosancta Tridentina Synodo praescriptam in manibus eius emittet, ac tum demum absolutionem ab haeresi in hac forma consequetur.

Ego authoritate Dei omnipotentis et beatorum apostolorum Petri et Pauli... Reduco te in gremium sanctae matris Ecclesiae et ad consortium et communionem totius Christianitatis ... P2196

ABSOLUTION DE L'HÉRÉSIE

Si autem publicè haec absolutio danda sit, ante eam servabuntur ea quae supra dicta sunt Titulo de Absolutione ab excommunicatione notoriâ.

Le Mans 1662, 1680

[Le Mans 1662 : Philibert-Emmanuel de Beaumanoir de Lavardin]
Ordo absolvendi ab Haeresi
[Nouveau chapitre. L'instruction est très proche de celle de Clermont 1656.]

P2073 **Le Mans 1662** p. 108-112
Cum aliquis adultus ab haereticis baptizatus et educatus, aut etiam eiurata [*sic*] fide catholca cum ipsis conversatus, ad Ecclesiae Romanae unionem redire voluerit, prius illum sacerdos potestatem habens, seu domi, seu in Ecclesiâ, de omnibus ad fidem pertinentibus instruet : imprimis vero examinabit diligenter num volens et lubens, haeresim abiurare, ac fidem catholicam profiteri velit. Quo perspecto diem certum condicet, in quo se ad Ecclesiam conferat, ut si fieri debeat et opportunum pro ratione loci et personarum videatur. Caeremoniae baptismi suppleantur ; quibus suppletis (vel si aliter visum fuerit) omissis, sacerdos iterum publice, poenitentem coram se genuflexum ea omnia edocebit, quae verum catholicum convenit scire ; monitumque, brevi concione, vel potius Catechismo interrogabit num sponte velit profiteri : qui cum annuerit, professionem fidei à sacro-sancta Tridentinâ Synodo praescriptum, in manibus eius emittit, ut sequitur :
Je N. croy et confesse par une ferme foy... P2157
... Tum tangendo librum Evangeliorum, addit : *Ainsi Dieu me soit en aide, et ses saints Evangiles.*
Statim vero praedictae professioni fidei, si modo scribendi peritus sit, manu propria subscribet, ac demum absolutionem ab haeresi. Sacerdos ipsi his verbis impertietur.
Dominus noster I. C. qui est summus pontifex te absolvat... Restituo te communioni fidelium, participationi Sacramentorum et plane reduco te in gremium sanctae matris Ecclesiae, in nomine Patris... P2186
Addatur in calce professionis, testimonium Sacerdotis et testium aliquot signo roboratum, quod in Episcopo asservetur.

Bourges 1666

[Anne de Lévis de Ventadour]
De l'absolution de l'Heresie ou de l'Apostasie

[Long formulaire parfois proche du Pontifical de Guillaume Durand de Mende, et donc de Chartres 1627-1640 (p. 473-479).]

P2074 **Bourges 1666 tome I, p. 304-322**
Ordre de l'Absolution.
Le Curé ou autre Prêtre qui aura le pouvoir de faire la ceremonie… avertira et priera quelques Ecclesiastiques de l'assister en cete action.

L'heure destinées étant venuë, l'Heretique ou Apostat ira à l'Eglise, se tiendra ou dehors ou dedans l'Eglise proche la porte ; il seroit plus à propos que ce fût hors la porte au lieu où il y a un porche, si ce n'est que la personne qui se convertit voulut que la ceremonie fût faite en secret pour des raisons considerables, ausquelles on aura égard, quoy qu'on luy doive persuader de la faire publiquement.

Cependant le Curé… (et) les assistans ecclesiastiques… prenant une étole ou chappe blanche, s'il se peut… viendront se mettre à genoux devant le grand autel… où étant ils chanteront ou diront à voix basse, *Veni Creator Spiritus*… P2120 Lequel dit, le celebrant dira le V. et oraison du S. Esprit, les assistans luy répondans, puis ils iront processionelement deux à deux au lieu où est l'Heretique ou Apostat… l'un d'eux… portant la Croix.

[Profession de foi sous forme de questions]
D. *Quel est vôtre dessein venant en ce lieu ? R. C'est d'abjurer l'Heresie dans laquelle j'ay vécu, faire profession de la foy catholique apostolique et romaine.* … P2145

[Exhortation]
Il est vray que hors de l'Eglise de J. C. il n'y a point de salut…

[Profession de foi tridentine signée. Exorcisme. Signation sur le front]
Je N. croy et professe d'une ferme foy…
Apres la lecture de la profession de foy et de l'abjuration de l'heresie, Le Prêtre la luy fera signer…
Exorcizo te immunde spiritus, per Deum patrem omnipotentem, et per I. C. Filium eius… P2163
… Accipe signum crucis Christi quod male deceptus abnegasti. P2165

[Ps. *Miserere*. Versets. oraison *Deus cui proprium*. Second questionnaire. Absolution]

Puis luy et ses assistans se mettront à genoux, et tournez vers l'autel, ils reciteront le Ps. *Miserere…*

Kyrie… Pater noster… V. Salvum fac… etc.

Oremus. Deus cui proprium est misereri… P2127

D. *Perseverez-vous dans la pensée et le dessein que Dieu vous a donné, de vivre et mourir en la foy catholique apostolique et romaine? R. Ouy par la grace de Dieu.*

D. *Voulez-vous recevoir l'absolution? R. Ouy.* P2146

Dominus noster I. C. qui est summus pontifex te absolvat… P2186

[Entrée dans l'église. Prières pour le nouveau converti]

… (le celebrant) prendra par le bras droit le nouveau converty, le fera lever, et dira à celuy-là qui porte la croix qu'il marche ; les Ecclesiastiques suivront deux à deux… et ainsi tous iront processionellement devant le grand autel. …

… *Ingredere in Ecclesiam Dei, à qua incaute aberrasti…* P2167 …

Estant arrivez à l'autel, le Prêtre à l'entrée du balustre quittera le nouveau converty, lequel se mettra à genoux au milieu de la marche joignante ledit balustre…

Omnip. semp. Deus, hanc ovem tuam de faucibus lupi tua virtute substractam… P2134

Oremus. Deus, qui hominem ad imaginem tuam conditum misericorditer reparas… P2129

[Exhortation]

Vous êtes maintenant de la famille de J. C. nôtre Seigneur, et nous pouvons à cete heure vous appeler nôtre frere…

[Action de grâce]

Cela dit, il se tournera vers l'autel, et commencera à chanter, *Te Deum…* P2205 pendant lequel on sonnera toutes les cloches.

V. *Benedicamus Patrem, et Filium, cum sancto Spiritu. R. Laudemus et superexaltamus eum in saecula.* P2207

Oremus. Deus cuius misericordiae non est numerus, et bonitatis infinitus est thesaurus, piissimae majestati tuae, pro collatis donis gratias agimus, tuam semper clementiam exorantes ; ut qui petentibus postulata concedis, eosdem non deserens, ad praemia futura disponas. Per Christum. P2211

Bourges 1666

*Ordre de ce qu'il faut observer
quand Monseigneur l'Archevêque donne l'absolution de l'Heresie*

P2075   **Bourges 1666** tome I, p. 323-324

Rite très proche du précédent, avec addition avant le *Te Deum* d'une oraison très proche de Chartres 1627-1689 (*Ordo ad reconciliandum apostatam*) P2130

Deus omnipotens, pater Domini nostri I. C., qui dignatus es hunc famulum tuum, à mendacio haereticae pravitatis, clementer eruere, et ad Ecclesiam tuam sanctam revocare: tu, Domine, emitte in eum Spiritum sanctum Paraclitum de coelis. R. Amen.

V. *Spiritum sapientiae et intellectus. R. Amen. ... P2128*

Quoy dit, Monseigneur fait s'il veut l'exhortation ... sinon il commence ... *Te Deum laudamus*, que l'on continuë, et dit les oraisons comme il est marqué à la fin du Baptesme des Adultes, apres lesquelles il ... donne la Benediction solennelle...

Bourges 1666

[Anne de Lévis de Ventadour]
*Ordre de ce qu'il faut observer quand il faut absoudre de l'Heresie,
et faire en même temps les ceremonies du Baptesme*

P2076   **Bourges 1666** tome I, p. 325

Quand un Apostat, c'est à dire une personne qui... a reçu le Baptême avec les ceremonies de l'Eglise, on ne les fait pas de nouveau sur luy; mais si un Heretique Lutherien ou Calviniste se convertissant, veut et desire, à même temps qu'il recevra l'absolution de l'Heresie, recevoir les ceremonies du Baptesme; il sera tres-convenable de les faire... on observera tout ce qui est marqué jusqu'apres l'absolution de l'heresie, laquelle étant donnée avant que de faire entrer le nouveau converty dans l'Eglise, le prêtre lui fera les interrogations comme il est porté au titre de faire les ceremonies de Baptesme sur un Adulte. ...

ABSOLUTION DE L'HÉRÉSIE

Toulouse 1670-1736
[Auch 1678[23]]. Oloron 1679. Vabres c. 1729-1766

[Toulouse 1670 : Pierre de Bonzi]

La maniere de recevoir les Heretiques à la Foy Catholique

[Formulaire de Genève 1612-1632 et Toulouse 1616-1653 avec rubrique initiale développée, et addition de la traduction de l'abjuration avec des développements:]

P2077 **Toulouse 1670** p. 437-439

Lors qu'un Prestre a receu pouvoir d'absoudre quelqu'un de l'heresie, il doit auparavant l'instruire pendant quelque temps des mysteres de la Foy et des veritez de la Religion Catholique. Puis l'Heretique ayant esté catechisé, il se presentera à celuy qui a pouvoir de l'absoudre, et s'estant mis à genoux devant luy, il fera l'abjuration et profession de Foy suivante en Latin, ou en François, la lisant mot à mot, ou s'il ne sçait pas lire écoutant la lecture qui en sera faite par quelque autre.

Abiuration de l'Heresie. *Ego N. contrito et humiliato corde…*

Je N. reconnois et confesse avec un coeur contrit et humilié, en presence de la tres-sainte Trinité, Pere, Fils, et Saint Esprit, de la glorieuse Vierge Marie, Mere de J.-C. nostre sauveur, de tous les Saints et Saintes de Paradis, de vous, Monsieur, et de tous ceux qui sont icy presens…
P2142

Laon 1671

[César d'Estrées]

Ordo absolvendi ab Haeresi

P2078 **Laon 1671** p. 160-165

Si potestas absolvendi ab Haeresi Presbytero commissa fuerit ab Episcopo, Presbyter Haereticum ritè, seu domi, seu in Ecclesia de omnibus ad fidem pertinentibus instruet, examinabitque diligenter num sciens et volens, atque ex animo haeresim abiurare velit, ac fidem Catholicam profiteri. Quo praestito condictâque die Presbyter superpelliceo et stolâ ornatus poenitentem coram se genu flexum iterum publicè ea omnia edocebit quae verum Catholicum convenit scire, monitumque brevi exhortatione, seu Catechismo interrogabit num spontè velit haeresim abiurare, ac profiteri fidem Catholicam,

---

[23] Auch 1678 : édition disparue, reprise par les diocèses de la province d'Auch ; seul subsiste un exemplaire du rituel d'Oloron 1679 (Pau, Arch. dép. U.5049 R).

Apostolicam, et Romanam; qui cum responderit se ita velle, professionem fidei à Sacrosancta Synodo Trid. praescriptam emittet ut sequitur.

... Je N. crois d'une ferme foy...
Ps. Miserere... Kyrie... Pater... V. Salvum fac servum tuum... etc.
Oremus. Deus, cui proprium est misereri... P2127
Dominus noster I. C. qui est summus pontifex te absolvat, et ego auctoritate ipsius, et beatorum apostolorum Petri et Pauli, ac Ecclesiae suae sanctae, absolvo te à vinculo excommunicationis, qua propter haeresim ligatus eras. In nomine Patris...
Reduco te in gremium s. matris Ecclesiae, et ad consortium et communionem totius Christianitatis, à quibus fueras per excommunicationis sententiam eliminatus: et restituo te participationi Ecclesiasticorum Sacramentorum. In nomine Patris... [rare] P2187

Rodez 1671
[Gabriel de Voyer de Paulmy]
De absolutione ab haeresi, et forma professionis fidei

P2079 **Rodez 1671 p. 135-141**
Prohibemus omnibus Sacerdotibus... sub poena excommunicationis majoris, ne publicè et extra Sacramentum Poenitentiae, ab haeresi quemquam absolvant; praecipimusque ut quoties aliqui haeresim abjurare, ac Catholicam fidem profiteri voluerint, ad nos remittant, vel ad Vicarios nostros Generales... Ubi vero absolvendus erit haereticus cum licentia et facultate concessa et visa... de omnibus ad fidem pertinentibus, domi, seu in Ecclesia, ritè instruatur. Deinde genuflexus ante Sacerdotem Absolvendus, Professionem fidei à Sacro-sancta Tridentina Synodo praescriptam emittet.

[Rite de Meaux 1645 et Périgueux 1651 sauf l'absolution:]
Ego authoritate Dei omnipotentis, et sanctissimi Domini N. Papae (vel Ill. N. Episcopi Ruthenensis) mihi licet indignissimo commissa, absolvo te à vinculo excommunicationis, qua, propter haeresim ligatus es, in nomine Patris...
Tum apprehensa manu dextera ipsius poenitentis, dicat.
Reduco te in gremium Sanctae Matris Ecclesiae, et restituo te communioni, et unitati fidelium, et sanctis Sacramentis Ecclesiae, in nomine Patris... [rare] P2197

ABSOLUTION DE L'HÉRÉSIE

917

Angers 1676, 1735

[Angers 1676 : Henri Arnauld]
Ritus absolvendi ab Haeresi

P2080 **Angers 1676** p. 132-139

Cum aliquis adultus ab Haereticis vel Schismaticis baptizatus, et educatus, aut etiam ejurata fide catholica cum ipsis publicè conversatus ad Ecclesiae Romanae unionem redire voluerit, prius illum sacerdos sive domi, sive in ecclesia, privatim… de omnibus ad fidem sanctosque mores pertinentibus diligenter instruat; quaeratque imprimis, num ex animo et libenter Haeresim abjurare, fidemque et unitatem catholicam profiteri velit. …

Hymnus. *Veni creator…* P2120 V. *Emitte spiritum tuum, et creabuntur…* P2122

Oremus. Deus, qui corda fidelium… P2123

Profession de foy. *Je N. croy par une ferme foy, et embrasse tout generalement et en particulier ce qui est contenu dans le Symbole de la Foy…* P2159

Hic proferat Sacerdos librum Evangeliorum… *C'est ce que je N. prometz, ce que je voüe, ce que je jure. Ainsi Dieu me soit en aide, et ces saints Evangiles.*

… Quod si in ejus baptismo praetermissae furint caeremoniae; post emissam catholicae fidei professionem, antequam percipiat absolutionem, supplebuntur omissa, eodem modo quo in aliis adultis, si ita expedire visum fuerit.

Tunc Sacerdos… dicet. ps. *Miserere…* P2169 *Kyrie… Pater noster…* V. *Salvum fac servum tuum…* etc. *Oremus. Deus cui proprium est misereri…* P2127

Mox sedens cooperto capite, et dextera super abjurantem elevata, absolutionem ipsi impertietur, dicens.

Dominus noster I. C. te absolvat, et ego authoritate ipsius, et sanctissimi Domini nostri Papae (vel Rev. Episcopi) mihi commissa, absolvo te à vinculo excommunicationis, in quam incurristi propter (Calvinianam vel aliam) haeresim (vel schisma) in nomine Patris…

Tum apprehensa manu dextera reconciliati, dicat.

Reduco te in gremium s. Matris Ecclesiae, et ad consortium et communionem totius Christianitatis, à quibus fueras per excommunicationis sententiam eliminatus et restituo te participationi ecclesiasticorum sacramentorum, in nomine Patris… [rare] P2192

Conficiatur tandem professionis et reconciliationis scriptum testimonium…

Reims 1677

[Charles-Maurice Le Tellier]
Forme dont on servira pour reconcilier les hérétiques
lorsqu'ils viendront à l'Eglise catholique,
et renonceront aux hérésies de Luther et de Calvin

[Rite d'abjuration s'inspirant parfois du Pontifical de Guillaume Durand. La profession de foi sous forme de questions reprend chacun des articles du Credo et cite Luther et Calvin.]

P2081 **Reims 1677 p.** 306-319

Celui qui aura reçû le pouvoir de reconcilier un ou plusieurs hérétiques, sera revêtu d'un surplis et d'une étole à la porte de l'Eglise, étant tourné vers l'autel, et à genoux; le pénitent tenant un cierge à la main, et tout le monde étant aussi à genoux, on chantera l'hymne suivant.

[Prières au Saint-Esprit]
Veni Creator… P2120
Deus qui corda fidelium… P2123

[Exhortation. Profession de foi sous forme de questions]
Exhortation qu'on fera aux hérétiques, lors qu'on les reconciliera.
Vous devez considerer cette journée, comme la plus heureuse et la plus avantageuse que vous puissiez desirer; puisqu'elle vous donne la vie spirituelle, qu'elle vous découvre les veritez de la Religion, et vous délivre de l'esprit d'erreur et de mensonge…
L'Eglise enseigne ses veritez avec simplicité, sans faste et sans affectation; et elle demande à ses enfans la même simplicité et humilité chrétienne pour les recevoir. …
Renoncez donc à l'esprit de nouveauté, si vous voulez vous soumettre à ses veritez: dépoüillez vous de cet esprit de schisme et de division, pour embrasser sa charité et son union: quittez le party de ses ennemis et du mensonge, pour vous soumettre avec simplicité à la foy, dont elle fait profession…
D. Ne croyez vous pas les douze articles de la foy? R. Oüy, Monsieur. … P2147

[Profession de foi tridentine. Exorcisme]
Forme de la profession de foy catholique, apostolique, et romaine.
Je N. croy de ferme foy, et confesse tous et un chacun les articles contenus au Symbole de la foy, duquel use la Sainte Eglise Romaine…
Ensuite le Prêtre dira, tenant la main droite sur la teste du Pénitent qui doit être à genoux:

ABSOLUTION DE L'HÉRÉSIE

Exorcizo te, immunde spiritus, per Deum Patrem omnipotentem, et per J. C. … et per Spiritum Sanctum : ut recedas ab hoc famulo Dei quem Deus et Dominus noster ab erroribus… P2163

[Entrée dans l'église. Prière au Saint-Esprit]
Aprés cette priere, il prendra le Pénitent avec la main gauche, et le fera entrer dans le choeur de l'Eglise, disant :
Ingredere in Ecclesiam Dei, à qua incaute aberasti… P2167
En disant ces prieres il conduira le Pénitent jusqu'au premier degré de l'autel, et le Pénitent étant à genoux, le Prêtre tourné et tenant la main droite étendüe vers luy, dira cette priere :
Domine Deus omnip., Pater Domini nostri J. C., qui dignatus es hunc famulum tuum ab errore haereticae pravitatis clementer eruere… P2130

[*Miserere. Deus cui proprium.* Absolution]
Ensuite il recitera alternativement avec les Prêtres ou Clercs assistans, le Ps. *Miserere mei…* P2169 *Kyrie… Pater noster… V. Salvum fac servum tuum…* etc.
Oremus. Deus cui proprium est misereri semper et parcere… P2127
Authoritate Dei omnipotentis et beatorum apostolorum Petri et Pauli, atque Ecclesiae tuae sanctae, et ea qua fungor, absolvo te à vinculo excommunicationis, quam incurristi propter haeresim, participationem cum haereticis, et lectionem librorum haereticorum ; et restituo te sanctis Ecclesiae Sacramentis, et unioni fidelium, in nomine Patris… P2181
Formule qu'on prononcera au peuple qui sera present… *Le même Esprit de charité qui contriste les fidelles, lors que le Pere du mensonge engage quelques personnes dans l'hérésie par ses artifices nous doit aujourd'huy réjoüir…*

Limoges 1678, 1698

[Limoges 1678 : Louis de Lascaris d'Urfé]
De absolutione ab Haeresi

P2082 **Limoges 1678** *pars prima* p. 146-154
Regulae. Cum aliquis Adultus ab haereticis baptizatus et educatus, aut etiam ab ipsis subversus, Ecclesiae Catholicae communioni restitui voluerit, haec observabit Sacerdos.
I. Illum ritè de omnibus ad fidem pertinentibus instruat, nullumque in ipsius mente dubium superesse patiatur, antequam ad Ecclesiae communionem admittat.

CHAPITRE XX

II. Ejus voluntatem et propositum saepius explorabit, num libenter haeresim abjurare, et fidem catholicam profiteri velit. Diligenter etiam inquirere debet de statu et conditione eorum, qui haeresis absolutionem postulant, praesertim exterorum : ne forte ob quaestum vel aliam ejusmodi causam fidem catholicam amplecti velint, brevi ad vomitum reversuri, vel etiam ne se haereticos simulent, et haeresim specie tenus ejurent, ut his artibus ampliores eleemosynas a Catholicis conquirant.

III. Sacerdos extra mortis articulum ab haeresi revertentes absolvere non praesumat, nisi obtenta in scriptis à D. Episcopo facultate : Neque etiam id praestet extra ecclesiam, aut absque competenti testium numero.

IV. Acta abjurationis et absolutionis in regestum Ecclesiae referri debent, et ab haeretico ad fidem converso, tum à quatuor testibus, et à Sacerdote absolvente subsignari.

Ordo absolvendi ab Haeresi
Sacerdos… sedens, capite cooperto, Haereticum coram se genuflexum, et capite nudo, si sit vir, sic interrogat.

[Profession de foi sous forme de questions]

S. *Est-ce de vostre bonne volonté, et sans aucune contrainte, que vous voulez faire abjuration de l'heresie, et embrasser la foy catholique, apostolique, et romaine ?* R. *Ouy, Monsieur.*

S. *Croyez vous fermement tout ce que croit cette Ste Eglise, et que hors l'Eglise catholique, apostolique et romaine il n'y a point de salut ?* R. *Ouy, Monsieur je le crois.* P2148

Exhortation. *Comme la foy est le fondement de nôtre salut, et que sans elle il est impossible de plaire à Dieu…*

[Profession de foi tridentine. …]
[*Miserere. Pater, Deus cui proprium…* Absolution]

Finita exhortatione Poenitens genuflexus fidei professionem… emittet…[24]. Poenitens coram Sacerdote… genuflexis recitat Ps. *Miserere… Gloria Patri… Deinde sacerdos dicit Kyrie, Pater…*

V. *Salvum fac servum tuum… V. Nihil proficiat inimicus… V. Esto ei Domine turris fortitudinis… V. Domine exaudi… V. Dominus vobiscum…*

Oremus. Deus cui proprium est misereri semper… P2127

Ego auctoritate Dei… Reduco te in gremium sanctae matris Ecclesiae… P2196

---

[24] Le texte de la profession de foi est donné *pars secunda* p. 265-268 : *Je N. croys d'une ferme foy et confesse…*

[Action de grâce]

Ps. *Laudate...* P2204 V. *Gloria Patri...* V. *Benedicamus Patrem et Filium...* P2207 V. *Domine exaudi...* V. *Dominus vob. ...*

Oremus. Deus cujus misericordiae non est numerus... P2211

His expletis monendus est Conversus, ut sese ad Confessionem sacramentalem, et sacram Communionem tempore opportuno suscipiendam disponat : immo et ipse Sacerdos modum haec sacramenta rite suscipiendi accurate edocebit.

Praeparabit quoque Conversum ad sacras Baptismi caeremonias, quae in Haereticorum Baptismate omitti solent, devote suscipiendas, si eas administrari postulet Conversus, easque supplebit Parochus juxta ritum praescriptum in hoc Rituali p. 74[25]...

Demum Acta Absolutionis referet in Regestum sub hac formulâ. ...

Langres 1679

[Louis-Marie-Armand de Simiane de Gordes]
De absolutione ab Haeresi

P2083 **Langres 1679** p. 65-70

Cum aliquis Haereticus ad Ecclesiae Romanae unionem redire se velle significaverit, primum exploretur num volens et lubens haeresim abjurare, ac fidem catholicam profiteri velit ; deinde domi, seu in Ecclesia de omnibus ad eamdem Fidem pertinentibus rite instruatur : post haec die et hora condictis publice absolvendus ad Ecclesiam se conferat, et ibi coram Sacerdote specialem potestatem ab ill. D. Episcopo habente procumbat in genua, fideique professionem à Sacro-sancta tridentina Synodo praescriptam emittat in hunc modum.

Je N. crois et confesse par une ferme foy... P2157 *Ainsi je le jure sur les Saints Evangiles.*

... Miserere... Kyrie... Pater... V. *Salvum fac servum tuum...* etc.

Oremus. Deus, cui proprium est misereri... P2177

Dominus noster I. C. te absolvat : Et ego authoritate ipsius, et ill. Domini Episcopi Lingonensis mihi commissa, absolvo te à vinculo excommunicationis, quâ propter haeresim ligatus eras. In nomine Patris...

[proche d'Angers 1676]

Tum apprehensa manu dextera ipsius poenitentis, subjungat :

Reduco te in gremium sanctae matris Ecclesiae, et ad consortium et communicationem totius Christianitatis, à quibus fueras per excommu-

---

[25] Pages 74-75. *Ordo supplendi caeremonias Baptismi super adultum baptizatum.* Rite identique au supplément de baptême des enfants, sauf que l'adulte répond lui-même aux questions.

nicationis sententiam eliminatus, et restituo te participationi Ecclesiasticorum Sacramentorum. In nomine Patris... [rare] P2190

Postremo suppleat ipsi omissas Baptismi caeremonias, juxta ordinem superius praescriptum; si pro ratione loci et personarum ita fieri conveniat.

Chartres 1680, 1689

[Ferdinand de Neufville de Villeroy]
De absolutione ab Haeresi

P2084   **Chartres 1680 p. 137-141**

Cum aliquis adultus ab Haereticis baptizatus vel educatus, aut etiam ejurata Fide Catholica cum ipsis conversatus, Ecclesiae Romanae communioni restitui voluerit, Sacerdos, specialem à D. Episcopo facultatem habens, illum, ritè, seu domi, seu in Ecclesia de omnibus ad Fidem pertinentibus instructum, die condicto publicè vel privatim interrogabit: num volens et lubens, haeresim abjurare ac Catholicam Fidem profiteri velit. Quo spondente, ad Ecclesiam illum deducet, omissis Baptismi caeremonias, si fieri debeat, suppleturus prout superius dictum est: Quibus suppletis vel dimissis si publicè absolutio danda sit, hic ordo servabitur.

Poenitens professionem Fidei à sacro-sancta Synodo Tridentina praescriptam in manibus sacerdotis emittet ut sequitur. Quod si eam legere non possit ab alio legetur, monebiturque ipse poenitens ut mentem attentam habeat et singulos articulos se credere ac profiteri declaret. [proche de Chartres 1627-1640 p. 101, P2061]

[Rite de Chartres 1627-1640 p. 101, développé au cas où il a lieu en public: addition avant l'absolution *Ego auctoritate... de:*]
Miserere... Kyrie... Pater noster... V. Salvum fac servum tuum... etc. *Oremus. Deus cui proprium est misereri...* P2127

Chartres 1680, 1689

[Ferdinand de Neufville de Villeroy]
Ordo ad reconciliandum Apostatam, Schismaticum, vel Haereticum, si per Pontificem fiat reconciliatio

P2085   **Chartres 1680 p. 549-554**

[Cérémonial de Guillaume Durand de Mende. *Voir* Chartres 1627-1640 P2062]

ABSOLUTION DE L'HÉRÉSIE

Metz 1686

[Georges d'Aubusson de La Feuillade]
Formula Professionis Fidei, qua quis uti debet qui Haeresim Lutheranam,
seu Calvinianam detestari volens Ecclesiae Catholicae reconciliatur

[Formulaire original, repris en grande partie par Lyon 1692.]

P2086 **Metz 1686 p. 112-118**
Sacerdos qui potestatem absolvendi ab Haeresi, ab... Domino Episcopo, seu ab illius Vicario generali obtinuit, procedit ad Ecclesiam...
et flexis genibus ante altare cum poenitente cereum in manu tenente,
dicat Hymnum.

[Prières d'entrée]
Veni creator spiritus... P2120 V. *Emitte Spiritum tuum et creabun-*
tur... P2122
Oremus. Mentes nostras quaesumus Domine... P2124
Actiones nostras quaesumus Domine, aspirando praeveni... P2125
Concede misericors Deus fragilitati nostrae praesidium... P2126

[Profession de foi tridentine, *Miserere, Deus cui proprium...*]
Je N. d'une ferme foy, croy et confesse tous les articles contenus au
Symbole duquel use la sainte Eglise Romaine...
... Ps. Miserere. Kyrie... Pater noster... V. Salvum fac servum tuum...
etc.
Oremus. Deus cui proprium est misereri... P2127
Tunc Sacerdos injungit aliquam salutarem poenitentiam Poenitenti
qui recitabit vel alius pro illo, *Confiteor.*

[Absolutions]
... Misereatur tui omnip. Deus... P2203 *Indulgentiam, absolutio-*
nem... P2202
Ego authoritate omnipotentis Dei et beatorum apostolorum Petri et
Pauli, et sanctissimi Domini nostri Papae in hac parte mihi commissa
absolvo te à vinculo excommunicationis quam incurristi per haeresim
professam: Admitto te in gremium sanctissimae Matris Ecclesiae, et in
Sacramentorum ejus participationem et communioni et unitati fidelium
te restituo. In nomine Patris... [rare] P2200

924 CHAPITRE XX

Amiens 1687

[François Faure]

L'Ordre d'absoudre de l'Heresie

P2087 **Amiens 1687 p. 157-164**

Si l'Evêque donne à un Prêtre le pouvoir d'absoudre quelqu'un de l'hérésie, le Prêtre prendra soin de l'instruire des principaux points de la foi de l'Eglise catholique, et principalement de ceux qui ont servi de prétexte à la separation de ceux de leur secte : il lui demandera plusieurs fois, s'il veut quitter l'hérésie et rentrer dans les sein de l'Eglise, par une pleine et entiere volonté de ménager son salut, et de faire profession de la foi catholique ; et aprés qu'il l'aura suffisamment instruit, et qu'il aura reconnu en lui un veritable desir de rentrer dans l'unité de l'Eglise ; le jour assigné êtant venu, le Prêtre revêtu de surplis et d'êtole, et le penitent êtant à genoux, il l'instruira encore en public de tout ce qu'un veritable catholique doit sçavoir, et lui fera l'exhortation suivante.

Dieu vous inspire le dessein de vous unir à son Eglise, dont l'esprit du Schisme vous avoit jusqu'à present éloigné…

[Profession de foi sous forme de questions. Profession de foi tridentine. Miserere. Pater. Deus cui proprium]

D. *Est-ce librement et sans contrainte que vous desirez maintenant abjurer vôtre hérésie, et embrasser la foi catholique, apostolique et romaine ?* R. *Oüi, Monsieur.* … P2149

Puis le Penitent à genoux lira la Profession de foi suivante ; et s'il ne sçait pas lire, on le fera lire distinctement par un autre, en l'avertissant d'y joindre son coeur et son attention. *Je N. croi* [sic] *et confesse par une ferme foi, tous et un chacun les articles contenus au Symbole de la Foi…*

… Ainsi je le jure sur les saints Evangiles.

Ps. *Miserere… Kyrie… Pater noster…* V. *Salvum…* V. *Nihil proficiat inimicus in eo…* V. *Esto ei Domine turris fortitudinis…* V. *Domine exaudi…* V. *Dominus vobiscum…*

Oremus. Deus cui proprium est misereri semper… P2127

[Absolution]

Auctoritate Dei omnip. et beatorum apostolorum Petri et Pauli ac Ecclesiae sanctae, mihi concessa, absolvo te à vinculo excommunicationis, quam incurristi propter haeresim, restituo te communioni fidelium, participationi sacramentorum, et planè reduco te in gremium sanctae matris Ecclesiae. In nomine Patris… [rare] P2180

ABSOLUTION DE L'HÉRÉSIE

À la fin on dressera un Acte de la Profession de foi et de l'absolution, qui sera signé par le nouveau Converti, par le Prêtre, et quelques témoins, et cét Acte sera mis et gardé au Secretariat.

Bayeux 1687

[François de Nesmond]
De absolutione ab Haeresi

P2088 **Bayeux 1687** p. 90-94

Cum quis Adultus ab Haereticis baptizatus et educatus, aut etiam ab ipsis subversus Ecclesiae Catholicae communioni restitui voluerit. Haec observabit Sacerdos.

1. Illum de omnibus ad Fidem pertinentibus, et ad salutem necessariis ritè edoceat, et quantum poterit, nullum in ipsius mente dubium superesse patiatur, antequam ad Ecclesiae communionem admittat.

2. Ejus voluntatem et propositum saepius explorabit, causamque conversionis sciscitabitur ; ita ut si quoddam motivum humanum, sive temporale, sive sensuale agnoscat, eum aut remittat ad tempus, aut avertat ab ejusmodi motivis, aut ejus intentionem ad Deum salutemque aeternam dirigat ; et in primis sciscitetur, an liberè haeresim abjurare, et fidem catholicam profiteri velit ?

3. Sacerdos extra mortis articulum ab haeresi revertentes absolvere non praesumat, nisi prius obtentâ à D. Episcopo facultate ; neque etiam id praestet extra Ecclesiam, et absque quatuor testibus.

4. Acta abjurationis et absolutionis signata ab Haeretico converso, à quatuor testibus, et à Sacerdote absolvente, ad Secretariatum Episcopatûs mittantur ; et prius in Registrum Ecclesiae loci, sive parochialis, sive conventualis, referantur.

Forma absolutionis. … Sacerdos. *Est-ce de vôtre bonne volonté et sans aucune contrainte, que vous voulez faire abjuration de l'Heresie, et embrasser la Foy catholique, apostolique et romaine ?* R. *Oüy, monsieur.*
Sacerdos. *Croyez-vous fermement tout ce que croit cette sainte eglise, et que hors de l'Eglise catholique, apostolique et romaine, il n'y a point de salut ?* R. *Oüy, monsieur, je le crois.* P2148

Tunc Sacerdos Haereticum hortabitur proüt prudentiâ suggesserit, habitâ ratione temporis, loci et astantium.

… Haereticus genuflexus Fidei professionem à sancta Synodo Tridentinâ praescriptam leget ; vel eam, alio ipsam legente, de verbo ad verbum pronuntiabit, ut habetur in fine hujus Ritualis. (p. 406 : *Je croy et confesse d'une ferme foy toutes et chacunes les choses contenuës au Symbole de la Foy, duquel le sainte Eglise catholique se sert…*)

In fine… sacerdos moneat Haereticum, ut manum ponat super Librum Evangelii, ad haec verba… *Je le jure sur ces saints Evangiles*, et postea recitat ps. *Miserere… Kyrie* etc. ut supra in absolutione ab excommunicatione p. 89, et post orationem *Deus cui proprium est misereri…* P2127

Ego authoritate Dei omnip. et beatorum Apostolorum Petri et Pauli, absolvo te à vinculo excommunicationis, quo propter haeresim ligatus eras; deinde reduco te in gremium Ecclesiae, et restituo te communioni fidelium. In nomine… [rare] P2195

[Action de grâce]

Ps. [116] *Laudate Dominum omnes gentes…* P2204

V. *Benedicamus Patrem et Filium cum sancto Spiritu…* P2207 V. *Domine exaudi…* V. *Dominus vob. …*

Oremus. Deus cujus misericordiae non est numerus… P2211

His expletis monendus est Conversus, ut sese ad confessionem sacramentalem, et communionem tempore opportuno suscipiendam disponat.

Praeparabit quoque Conversum ad sacras Baptismi caeremonias, quae in Haereticorum Baptismate omittuntur, devotè suscipiendas, si eas sibi administrari postulet conversus, easque supplebit parochus juxta ritum in hoc Rituali praescriptum, p. 25, antequam eo sacramenta administret.

Agen 1688

[Jules Mascaron]

Forme dont on se servira pour recevoir les Heretiques à la Foy catholique

[Formulaire classique à part l'antienne *Veni Sancte Spiritus* qui apparaît uniquement ici.]

P2089 **Agen 1688** p. 101-110

Le Prêtre qui aura reçu le pouvoir d'absoudre les Heretiques, sera revétu d'un surplis et d'une estole, un peu éloigné de l'autel, étant tourné vers iceluy et à genoux, aussi bien que le Penitent et les assistans…

… Ant. *Veni Sancte Spiritus…* [rare] P2121

V. *Emitte spiritum tuum…* P2122

Oremus. Deus qui corda fidelium… P2123

(102-104) Exhortation qu'on fera aux heretiques lorsqu'on les reconciliera.

ABSOLUTION DE L'HÉRÉSIE

Vous devez benir Dieu N. pendant tout le cours de vôtre vie de la grace inestimable qu'il vous fait en ce jour. Ce Pasteur souverain et unique, aprés vous avoir retiré de l'égarement où vous avoient engagé les faux pasteurs que vous aviez suivis, et les pernicieuses maximes que vous aviez receües, vous admet aujourdhuy dans son bercail…

D. *Ne croyés-vous pas toutes les verités que l'Eglise catholique a decidées dans ses Conciles contre les nouveautés de Luther et de Calvin et specialement dans le Concile de Trente?* R. *Oüy.*

D. *Ne voulés vous pas embrasser toutes les verités qui sont contenuës dans la profession de foi, dont l'Eglise catholique se sert, et dont vous allez faire ou entendre la lecture?* R. *Oüi.* P2150

Forme de la Profession de foy catholique, apostolique, et romaine. *Je N. croy de ferme foy, et confesse tous et un chacun les articles…* [Profession de foi tridentine]

La maniere d'absoudre.

Miserere mei Deus… P2169 *Gloria Patri. Kyrie… Pater noster… V. Salvum fac… V. Nihil proficiat… V. Mitte ei… V. Dne exaudi… V. Dnus vob. …*

Oremus. Deus cui proprium est… P2127

Misereatur tui omnip. Deus, etc. Indulgentiam et absolutionem etc. Dominus noster I. C. te absolvat. Et ego vigore indulti… P2194

Aprés il lui enjoindra une pénitence utile et salutaire, et on l'escrira parmy ceux qui ont été reçûs au gyron de l'Eglise.

Nevers 1689

[Edouard Vallot]
Forme pour reconcilier les Heretiques

P2090 **Nevers 1689** p. 377

Celuy qui en aura reçu le pouvoir de l'Evêque sera revêtu d'un surplis et d'une étole, et étant à la porte du choeur à genoux avec l'heretique penitent, qui tiendra dans la même posture un cierge à la main, l'on chantera l'hymne *Veni Creator spiritus,* P2120 avec l'oraison *Deus qui corda etc.* P2123

Il fera ensuite un mot d'exhortation; aprés quoy il fera dire par le Penitent, ou par quelqu'autre (au cas que le penitent ne sçût pas lire) la formule de Profession de foy catholique… et ensuite il chantera le ps *Miserere mei… Kyrie… Pater…*

928 CHAPITRE XX

V. *Salvum fac servum tuum…* V. *Nihil proficiat inimicus in eo…*
V. *Esto ei Domine turris fortitudinis…* V. *Domine exaudi…* V. *Dominus*
vobiscum …

Oremus. Deus cui proprium est misereri semper et parcere, suscipe
deprecationem nostram… P2127

Authoritate Dei omnipotentis et beatorum apostolorum Petri et Pauli,
atque Ecclesiae suae sanctae, et ea qua fungor… P2181

Il chantera ensuite *Te Deum…* P2205 et amenera le penitent auprés
de l'autel, où il dira à la fin de cettte hymne l'oraison du dimanche.

Verdun 1691, 1787[26]

[Verdun 1691: Hippolyte de Béthune]
Ordre pour absoudre un Heretique ou un Apostat

P2091 **Verdun 1691 p. 166-174**

… Le Prêtre, à qui la commission est adressée, fera porter une chaise
et un missel au lieu, où se doit faire la ceremonie, qui ordinairement
doit être à la porte du choeur, où le nouveau converti sera à genoux
tenant un cierge à la main, et le prétre revétu d'un surplis et d'une etole
blanche, se mettra à genoux devant l'autel…

… *Veni creator…* P2120 V. et collecte du Saint-Esprit [sans préci-
sion].

La collecte étant dite, chacun prendra sa place, et l'Officiant ira
s'asseoir sur la chaise… et tourné vers le nouveau converti toûjours à
genoux, il lui demandera s'il persevere dans le dessein de faire profession de la religion catholique, apostolique, et romaine, d'embrasser sa
doctrine, et de renoncer à tout ce qui lui est contraire. […] L'Eglise est
comparée par S. Pierre,à l'Arche que Dieu commanda à Noé de bâtir
pour le sauver du déluge universel … c'est avec une joie extrême qu'il
lui tend la main pour l'y recevoir, et le tirer du peril évident, où il étoit,
puisque hors la vraie Eglise il n'y a point de salut. … c'est peu d'avoir
l'integrité de la foi, si on n'a pas la pureté des moeurs…

Profession de foi. *Je N. crois et confesse, par une ferme foi, tous les*
articles…

Ps. *Miserere… Kyrie… Pater…* V. *Salvum fac…* etc.

Oremus. Deus cui proprium est misereri… P2127

Ego authoritate Dei omnipotentis… Reduco te in gremium sanctae
matris Ecclesiae… P2196

---

[26] Nouvelle exhortation en 1787.

ABSOLUTION DE L'HÉRÉSIE

[Action de grâce]
Ici le prêtre fera entendre au nouveau converti qu'il n'est pas étranger dans la maison du Seigneur, que l'Eglise vient de le recevoir au nombre des ses enfans…
Te Deum… P2105 V. *Benedicamus Patrem*… P2207
Oremus. Deus, cujus misericordiae non est numerus, et bonitatis infinitus est thesaurus… P2211

Lyon 1692
[Camille de Neufville de Villeroy]
Ritus pro Haereticis Ecclesiae reconciliandis observandus

[Formulaire très proche de Metz 1686 ; addition, avant la profession de foi tridentine, d'une profession de foi sous forme de questions identique à Reims 1677 ; addition à la fin du *Te Deum*.]

P2092 **Lyon 1692** p. 78-90
Sacerdos potestate à D. Archiepiscopo, vel ejus Vicario generali ad reconciliationem sive unius, sive plurium simul Haereticorum recipiendam obtentâ, superpelliceo et stolâ coloris officio convenientis indutus, ante altare majus supra gradus genuflectet, et poenitente (seu poenitentibus) accensum (quolibet) cereum in manu dexterâ tenente… omnibus quoque, qui aderunt, genuflexis hymnum sequentem cantare incipiet.

[Prières d'entrée]
Veni creator spiritus… P2120 V. *Emitte Spiritum tuum et creabuntur*… P2122 V. *Domine exaudi*… V. *Dominus vobiscum*…
Oremus. Mentes nostras quaesumus Domine… P2124
Actiones nostras quaesumus Domine, aspirando praeveni… P2125
Concede misericors Deus fragilitati nostrae praesidium… P2126
Quâ finitâ oratione brevem… sermonem vulgari linguâ faciet, quo verbis doctrinâ, zelo et pietate plenis, illum vel illos, ad simplici docilique mente amplectendam Ecclesiae Catholicae fidem, et ad omnia que in eâ edocentur mysteria, nec non divinam Scripturam, sacrosanctos Canones, traditionesque sacras juxta ipsius verissimum sensum recipienda, denique ad pravae Novitatis ac Schismatico spiritui generosè renunciandum, adhortabitur ; quo sermone dicto poenitentem quemque de fidei articulis idiomate gallico sic interrogabit, singulis ad interrogata simul respondentibus.

930 CHAPITRE XX

[Profession de foi sous forme de questions]
… Ne croyez-vous pas les douze articles de la Foy? …

[Profession de foi tridentine. *Miserere. Confiteor. Deus cui proprium… Absolutions. Te Deum*]

Postea Poenitens (seu Poenitentes) unus post alterum sequentem fidei Professionem altâ et gallicâ voce legent… *Je N. crois de ferme foy, et confesse tous et un chacun les articles contenus au Symbole de la Foy, duquel use la sainte Eglise Romaine…*

… Ps. 50. Miserere. Kyrie… Pater noster… V. Salvum fac servum tuum… etc.

Oremus. Deus cui proprium est misereri… P2127

Tunc Sacerdos certam poenitenti vel poenitentibus injungere poterit poenitentiam… deinde jubebit, ut orationem *Confiteor,* devote et contrito corde quisque illorum recitet…

Misereatur tui omnip. Deus … Indulgentiam, absolutionem…

Auctoritate Omnipotentis Dei, et Beatorum Apostolorum Petri et Pauli, et Sanctissimi Domini nostri Papae (vel… Rev. Archiepiscopi Lugdunensis N.) Absolvo te (vos) à vinculo excommunicationis, quam propter haeresim professam incurristi (incurristis). Admitto te (vos) in gremium sanctae Matris Ecclesiae, et sacramentorum ejus participationi, communioni et unitati fidelium te (vos) restituo. In nomine… P2183

Quâ finitâ, Sacerdos eum (vel illos) docebit praedictam absolutionem non esse de peccatis, sed dumtaxat de excommunicatione, quam ob professam haeresim, illos tunc temporis ab Ecclesiâ resecantem, incurrerant. Quare ut ad ritè suscipienda, quam primum poterunt, Poenitentiae et Eucharistiae Sacramenta, ad id edocti, sese disponant, eos accuratè monebit, et hortabitur ut fideliter in illâ, quam emiserunt, professione perseverent, Deoque et ejus Ecclesiae … fideles usque ad obitum sese praestare satagant. …

Canticum SS. Ambrosii et Augustini. *Te Deum.* P2205

Quo finito Sacerdos recens conversum (vel conversos) congratulans amplectetur, eisque pacis osculum dabit (quod si fuerint foeminae, verbis piis et modestis sufficienter illas congratulabitur) dimittetque unumquemque poenitentium, dicens: *Vade in pace.* P2214

ABSOLUTION DE L'HÉRÉSIE

Sens 1694

[Hardouin Fortin de La Hoguette]
De l'Absolution de l'Heresie

P2093   **Sens 1694** p. 75-80

Si le pouvoir d'absoudre de l'Heresie est commis à un Prêtre par le Pape ou par Monseigneur l'Archevêque, il instruira l'Heretique de tout ce qui appartient à la foy, et il luy administrera les ceremonies du Baptême qui luy ont esté obmises, (si Monseigneur l'Archevêque le juge à propos) ainsi qu'elles sont prescrites cy-devant; lesquelles estant suppléees ou obmises, l'Heretique à genoux devant le Prêtre, prononcera la Profession de Foy prescrite par le Concile de Trente, en cette forme. *Je N. croy d'une ferme foy, et confesse…*

Apres quoy il mettra la main sur l'Evangile, disant:
Ainsi je le jure sur les Saints Evangiles que je touche.

Pour lors le Prêtre à genoux avec le penitent et les autres assistans, dit le ps. *Miserere… Gloria Patri, etc. Kyrie… Pater noster, etc.*

Et ensuite le Prêtre se tenant debout du côté de l'autel, dit.
Et ne nos inducas in tentationem… V. *Salvum fac servum tuum* [etc.]

Oremus. Deus cui proprium est misereri… P2127

Apres tout cela, ayant la tête couverte et assis, il luy imposera la penitence…

Ego autoritate Dei omnipotentis…

Et puis le prenant par la main droite, il dit. *Reduco te in gremium sanctae matris Ecclesiae…* P2196

Soissons 1694

[Fabio Brulart de Sillery]
Ordre pour absoudre un Heretique ou un Apostat

P2094   **Soissons 1694** p. 111-124

[Formulaire de Reims 1677 avec nouvelles exhortations, se terminant par l'action de grâce de Verdun 1691.]

932 CHAPITRE XX

Sées 1695

[Mathurin Savary]
Forma absolutionis ab Haeresi

[Rite de Sées 1634 reproduisant Rouen 1611/1612, avec addition d'une instruction.]

P2095 **Sées 1695 p. 61**

Licet nonnulli potestatem absolvendi haereticos summo Pontifici, vel saltem solis Episcopis, et his quidem in suis Dioecesibus, et in foro interiori tantum reservari pretendant, alius tamen in Gallia usus invaluit : nam Vicariis Generalibus aliisque Sacerdotibus specialiter ab Episcopo suo deputatio, haec facultas etiam in foro exteriori conceditur : quà de causa formam in tali absolutione servandam hîc duximus apponendam, cum hoc tamen notatu, quod Sacerdos deputatus praescriptas caeremonias, exceptis quae solis Episcopis conveniunt, servabit.

Qui vero ab haeresi revertitur, prius est instituendus in fide catholica. Quo facto deducatur ad Ecclesiam, ubi coram Sacerdote deputato et ad id praeparato, professionem fidei à Sacrosancta Tridentina Synodo praescriptum emittet, et absolutionem ab haeresi sua postulabit...

Ego authoritate Dei omnipotentis... [comme Sées 1634]

Si vero in foro exteriori haec fiat absolutio, ad januam Ecclesiae unde et ritu infra praescriptis.

Paris 1697, 1701, 1777
Beauvais 1725. Tournai 1721, 1784

[Paris 1697 : Louis-Antoine de Noailles]
De absolutione ab Haeresi

La profession de foi tridentine en français semble être la première à qualifier les hommes de *miserables* ; la formule d'absolution *Dominus noster I. C.* est reprise par plusieurs rituels postérieurs. La lecture du prologue de Jean *In principio erat Verbum* apparaît ici pour la première fois.

P2096 **Paris 1697 p. 118-128**

Prohibitum est omnibus Sacerdotibus tam regularibus, quam saecularibus, etiam exemptis, sub poena excommunicationis majoris, ne publicè, et extra Sacramentum Poenitentiae ab haeresi quemquam absolvant.

Quoties autem aliqui haeresim ejurare, ac catholicam fidem profiteri volurint, ad Poenitentiarium vel alium à D.D. Archiepiscopo delegatum accedant, à quo, post editam fidei professionem, absolvantur.

ABSOLUTION DE L'HÉRÉSIE

[Profession de foi tridentine. Absolutions. In principio erat Verbum]

Forma professionis fidei catholicae, apostolicae, et romanae.

Ego N. firma fide… Je croy d'une foy ferme … Je crois … en J. C. … qui est descendu des cieux pour nous hommes miserables… P2160

Misereatur … Indulgentiam…

Dominus noster I. C. per suam misericordiam te absolvat, et ego autoritate ipsius, et ill. Archiepiscopi, mihi licet indignissimo concessa, absolvo te ab excommunicatione quam incurristi propter haeresim : et restituo te communioni et Sacramentis Ecclesiae, in nomine Patris… P2184

Le commencement du saint Evangile selon saint Jean. R. La gloire en soit à vous, Seigneur.

Initium sancti Evangelii secundum Joannem. R. Gloria tibi Domine.

Au commancement [sic] *étoit le Verbe… In principio erat Verbum…* [Jean 1, 1-14] P2213 R. *Deo gratias.*

Toul 1700, 1760

[Toul 1700 : Henri de Thyard de Bissy]
Ordre pour recevoir l'abjuration d'un hérétique

P2097 **Toul 1700 p. 187-195**

Il faut une commission expresse, laquelle n'est jamais comprise dans le pouvoir qu'on reçoit d'absoudre des cas reservez. Les confesseurs même qui ont pouvoir d'absoudre des cas reservez au saint siege, ne peuvent absoudre de l'hérésie hors le sacrement de penitence.

Le curé ou le prêtre, qui a reçû le pouvoir nécessaire, s'étant assuré de la sincerité de celuy qui desire abjurer son hérésie, aprés l'avoir instruit dans la doctrine catholique, convient avec luy du jour et de l'heure pour recevoir son abjuration.

Tout étant prêt… et le peuple assemblé dans la nef… Le nouveau converti est à genoux au milieu de l'assemblée, vis-à-vis du prêtre, lequel commence à genoux l'hymne *Veni creator* qu'il poursuit avec les assistans. Il dit ensuite, étant debout, le V. et la collecte du saint Esprit. [comme Verdun 1691]

… il luy demande, s'il persevère dans le dessein de faire profession de la religion catholique, apostolique et romaine, et s'il renonce à tout ce qui luy est contraire.

Il … l'exhorte … de rendre graces à Dieu de la misericorde qu'il luy fait en le faisant renoncer aux erreurs de la secte qu'il a professée ; de luy demander pardon de ses égaremens…

Formule de profession de la foy catholique … *Je croy d'une foy ferme…*

Le nouveau converti recite le *Confiteor… P2170*

Misereatur … Indulgentiam…

Dominus noster I. C., per suam piissimam misericordiam, te absolvat, et ego auctoritate mihi commissa, absolvo te ab excommunicatione quam incurristi propter haeresim : et restituo te communioni et sacramentis Ecclesiae : in nomine Patris… P2185

… On entre ensuite dans le choeur. Le nouveau converti se met à genoux au milieu du choeur. Le prêtre entonne le *Te Deum… etc.* P2205

V. Benedicamus Patrem… P2207

Oremus. Deus, cujus misericordiae non est numerus, et bonitatis infinitus est thesaurus… P2211

V. Dominus vobiscum… V. Benedicamus Domino. R. Deo gratias. P2206

… Si le nouveau converti témoigne un grand desir de recevoir les cérémonies du batême, et que l'évêque ordonne de les luy donner, le curé convient avec luy du tems, et ne l'admet à la confession et à la communion qu'aprés avoir reçu les ceremonies du batême.

Auch 1701, 1751 et Province d'Auch
Glandève 1751. Sarlat 1708

[Auch 1701 : Anne-Tristan de La Baume de Suze]
L'Ordre qu'on observera pour absoudre les Heretiques

[Rite d'Agen 1688 sauf au début, l'hymne *Veni creator* P2120 remplaçant l'antienne *Veni sancte Spiritus*. L'exhortation, comprenant les interrogations, est remaniée.]

P2098 **Auch 1701 p. 145-154**

Il n'est pas necessaire N. de vous faire icy un long discours pour vous remontrer, que hors l'Eglise de J-C., il n'y a point de salut, qu'elle est cette Arche figurée par celle de Noë, hors laquelle quiconque se trouve, perit : que comme il n'y a qu'un Dieu, et qu'un Baptême, il n'y a aussi qu'une foy, que cette foy s'est inviolablement conservée dans l'Eglise Catholique…

D. Ne croyez-vous pas toutes les veritez que l'Eglise catholique a decidées dans les conciles, contre les nouveautez de Luther et de Calvin, et specialement dans le concile de Trente ? R. Oüy.

ABSOLUTION DE L'HÉRÉSIE

D. *Ne voulez-vous pas embrasser toutes les veritez qui sont contenues dans la profession de foy, dont l'Eglise catholique se sert, et dont vous allez faire ou entendre la lecture?* R. *Oüy.* P2150

Besançon 1705

[François-Joseph de Grammont]
Absolutio Haeretici ad Fidem Catholicam conversi

[Formulaire proche du Pontifical de Guillaume Durand de Mende.]

P2099 **Besançon 1705 p. 141-142**
Sacerdos potestatem habens absolvendi ab haeresi, cum Haereticum notorium Ecclesiae reconciliare voluerit : postquam illum de mysteriis Fidei Catholicae sufficienter instructum noverit, et de conversionis ipsius firmitate et sinceritate certus fuerit, curabit illum adduci ad fores Ecclesiae, ubi Sacerdos superpelliceo et stolâ violacei coloros indutus stans recto capite, Conversum genuflexum interrogabit : Num ex toto corde abjuret haeresim et errores quos hactenus professus est, et Fidem sanctae apostolicae et romanae Ecclesiae velit amplecti ? Quo annuente proponet illi Sacerdos praecipuos articulos Fidei, qui in professione Fidei Concilii Tridentini continentur, quae ipsi legenda tradetur, si litteras sciat.

[Exorcisme. Signation]
His finitis Sacerdos sequentem exorcismum proferet.
Exorcizo te immunde spiritus per Deum Patrem omnipotentem…
P2163
Tunc signat eum pollice in fronte, dicens :
Accipe signum Crucis Christi, quod malè deceptus abnegasti. P2165

[Entrée dans l'église. Prière pour le nouveau converti]
Deinde Sacerdos manu ejus apprehensa introducit in Ecclesiam, dicendo :
Ingredere in Ecclesiam Dei, à qua incautè recessisti, et te evasisse laqueum Diaboli agnosce. [rare] P2168
Ubi pervenerit ante majus Altare converso genuflexo Sacerdos dicit :
Omnipotens sempiterne Deus, hanc ovem tuam à faucibus lupi tuâ virtute subtractam, paternâ recipe pietate… [rare] P2133

CHAPITRE XX

[Profession de foi tridentine. Absolution. Prière pour le nouveau converti]

Deinde conversus recitabit Symbolum Fidei, et eo finito Sacerdos interrogabit illum, utrum haec firmiter credat; quod postquam asseruerit, dabit illi sacerdos absolutionem ut sequitur.

Ego authoritate mihi à Superioribus concessa, absolvo te à vinculo excommunicationis, quam incurristi propter haeresim et pravos errores quos professus es: et restituo te Communioni et Sacramentis Ecclesiae. In nomine Patris… [rare] P2198

Oremus. Domine Deus omnipotens, pater Domini nostri I. C., qui dignatus es hunc famulum tuum, ab errore haereticae pravitatis clementer eruere… P2130

Bordeaux 1707, 1728
Lodève 1773. Mâcon 1778. Rodez 1733[27]
Sarlat 1729. Toulon 1750-1790[28]

[Bordeaux 1707: Armand Bazin de Besons]
*La maniere de recevoir l'abjuration des heretiques,
et de leur donner l'absolution de l'heresie*

P2100 **Bordeaux 1707 p. 156-170**

Nul prêtre, même ayant le pouvoir d'absoudre des cas reservez, ne peut sans un pouvoir special de Monseigneur l'Archevêque, recevoir l'abjuration de ceux qui ont fait profession publique de l'heresie, et les reconcilier à l'Eglise.

Le prêtre auquel on aura adressé quelqu'un pour ce sujet, l'instruira soigneusement des veritez de la religion catholique… et lors qu'il le trouvera suffisamment instruit, il recevra publiquement son abjuration, et le reconciliera à l'Eglise en cette maniere. …

[Prières au Saint-Esprit. Exhortation. Profession de foi sous forme de question]

Hymne. *Veni creator…* P2120 V. *Emitte Spiritum tuum, et creabuntur…* P2122

Oremus. Deus qui corda fidelium sancti spiritus illustratione docuisti… P2123

---

[27] Nouvelle exhortation initiale; suppression de la seconde exhortation.
[28] Instruction initiale proche de Meaux 1734; absolutions de Meaux 1734.

ABSOLUTION DE L'HÉRÉSIE

Exhortation. *Vous avez grand sujet… de remercier Dieu de la grâce qu'il vous a faite aujourd'hui, de vous appeler des tenebres, à son admirable lumiere. …*

D. *Croyez-vous toutes les Veritez, que l'Eglise Catholique, Apostolique et Romaine enseigne, et qui sont contenuës dans la Profession de Foi dont Elle se sert, et dont vous allez faire (ou entendre) la lecture ? R. Oüi, Monsieur, je le crois. P2151*

[Profession de foi tridentine. Ps. *Miserere.* Pater. *Deus cui proprium.* Absolutions]

Formule de la profession de la foi catholique, apostolique et romaine.

Je N. croy de ferme foi, et confesse tous et un chacun les articles contenus au Symbole de la Foy…

Ps. 50. Miserere… Gloria Patri… V. Pater noster… V. Salvum fac servum tuum… [etc.]

Oremus. Deus cui proprium est misereri semper et parcere… P2127

Misereatur tui omnip. Deus… Indulgentiam absolutionem et remissionem…

Dominus noster I. C. te absolvat. Et ego vigore indulti, mihi à Rev. Domino Burdigalensi Archiepiscopo traditi… P2194

Exhortation. *C'est maintenant… qu'on peut vous dire ce que l'apôtre S. Paul écrivit aux nouveaux fidéles d'Ephese : Vous n'êtes plus étranger, mais vous êtes citoyen de l'Eglise…*

[Action de grâce]

Hymne. *Te Deum…* etc. P2205

[Recommandations]

On ne doit pas abandonner le Nouveau Fidéle aprés son abjuration ; mais il faut le disposer soigneusement à la participation des sacremens, principalement à celui de la Penitence, et le lui administrer, si-tôt qu'il y paroîtra suffisamment preparé ; afin de le reconcilier avec Dieu le plûtôt qu'il sera possible.

Quant au Sacrement de la sainte Eucharistie, comme il demande de plus saintes dispositions, on ne doit le donner aux nouveaux convertis qu'aprés quelque-tems d'épreuve, lors qu'ils ont témoigné le desirer, et qu'ils l'ont demandé avec instances.

Si quelque nouveau Converti demandoit qu'on fit sur lui les ceremonies du Baptême, qui ont été obmises, lors qu'il a reçû ce sacrement ; les curez nous en donneront avis, et si nous jugeons à propos qu'on lui accorde cette grâce, ils observeront ce qui est prescrit ci-devant, touchant la maniere de suppléer les ceremonies qui ont été obmises dans le Baptême.

CHAPITRE XX

938

Poitiers 1712, 1714

[Jean-Claude de La Poype de Vertrieu]
Formulaire de l'abjuration de l'Heresie publique,
suivant l'ancien usage du Diocese de Poitiers

[Rite de Poitiers 1655 sans l'abjuration et avec mention de l'évêque de Poitiers dans l'absolution, P2199.]

P2101 **Poitiers 1712 p. 96-109**

Nul Prestre ayant même le pouvoir d'absoudre des cas reservez ne peut sans une permission expresse et speciale de Monseigneur l'Evêque ou de MM. ses Grands-Vicaires, recevoir l'abjuration de l'heresie publique, et reconcilier à l'Eglise ceux qui en ont fait profession.

On entend par ces Heretiques publics, ceux qui sont nez dans une Communion separée de la S. Eglise catholique, apostolique et romaine, qui y ont esté baptisez, y ont vécu, n'en ont jamais abjuré les erreurs; ou ceux qui estant nez et baptisez dans la S. Eglise Romaine, ont eu le malheur d'apostasier, et de passer dans une communion heretique.

Avant même que de recevoir l'abjuration, il faut s'assurer autant qu'il est possible de la sincerité de la conversion de celuy qui la doit faire; pour cela il faut l'eprouver pendant un temps suffisant, et l'instruire de toutes les veritez de la Foy, sur tout de celles qui sont combattuës par les heretiques, de la communion desquelz il estoit. Il faut aussi le disposer à se confesser au plustost et même de communier quand on le jugera à propos.

On aura soin de consulter Monseigneur l'Evêque sur la maniere de faire faire cette abjuration, si ce doit estre en public, ou en particulier. Mais de quelque maniere qu'elle se fasse ce doit estre en presence de temoins irreprochables dans la foy et les moeurs, connus et domiciliez.

Il seroit à propos que le Prestre qui la recevra, commençât cette action par un petit discours, dans lequel il fit voir l'avantage qu'il y a pour ceux qui ont vécu dans l'erreur d'entrer dans le sein de l'Eglise, et qu'il finit par une exhortation au nouveau converti de mener une vie conforme à la foy qu'il vient d'embrasser.

Le Prestre revetu d'un surplis et d'une etole estant arrivé au pié de l'autel commencera l'hymne *Veni Creator spiritus,* P2120 que l'on recitera tout entiere aprés laquelle il dira le V. *Emitte Spiritum tuum, et creabuntur.* R. *Et renovabis faciem terrae.* P2122

Oremus. Deus qui corda fidelium sancti Spiritus… P2123

ABSOLUTION DE L'HÉRÉSIE

Apres cette oraison le Prestre montera à l'autel, et s'il juge à propos de faire un discours, il le fera alors…

Le discours fini, le nouveau converti lira la profession de Foy à haute voix et distinctement. Il touchera le saint Evangile en faisant le serment qui est marqué à la fin.

Forma professionis Fidei Catholicae… Formule de Profession de la Foy catholique… P2160

[La suite comme Poitiers 1655]

… L'absolution estant donnée le prestre commencera… le *Te Deum laudamus*, que l'on recitera tout entier.

On pourra sonner les cloches en signe de joye, et si le nouveau converti est un homme, le prestre et les autres hommes presens, l'embrasseront en signe de communion dans l'unité de la foy, si c'est une femme, il n'y aura que les femmes qui l'embrasseront.

Le nouveau converti, avant que de se retirer, signera avec les témoins une copie de la Profession de foy, qu'il laissera au prestre qui aura reçu son abjuration ; et que l'on renvoyera à Monseigneur l'Evêque pour estre mise en son greffe.

Metz 1713

[Henri-Charles du Cambout de Coislin]
Ritus absolvendi ab Haeresi

P2102 **Metz 1713** *Pars secunda*, p. 89-99

In omnibus absolutionibus publicis, Sacerdos indutus sit superpelliceo, et stolâ, aut violaceâ, aut coloris diei convenientis.

Cum aliquem ab haeresi absolvere debet Sacerdos ; flexis genibus ante altare, cum poenitente : dicitur, aut cantatur :

[Prières au Saint-Esprit. Profession de foi tridentine en allemand, français, latin. Ps. *Miserere*. *Confiteor*. Absolutions]

Veni creator spiritus… P2120 V. *Emitte Spiritum tuum et creabuntur…* P2122

Oremus. Deus qui corda fidelium Sancti Spiritus illustratione docuisti… P2123

Professio fidei. *Ich glaube vestiglich… Je croi* [sic] *d'une foi ferme…*

Forma professionis fidei catholicae, apostolicae et romanae. *Ego N. firmâ fide credo…*

940 CHAPITRE XX

[La profession de foi en français est légèrement remaniée:] ... *Je reçois aussi la Sainte Ecriture, selon le sens qu'a toûjours tenu, et que tient encore presentement la sainte Eglise nôtre Mere...* P2161
Ps. 50. *Miserere. Gloria Patri, etc. Kyrie,... Pater noster... V. Salvum fac... etc.*
Oremus. Deus cui proprium est... P2127 *Confiteor etc. Misereatur, Indulgentiam.*
Dominus noster I. C., qui est summus pontifex, te absolvat: et ego authoritate ipsius, quam beatis Apostolis, et Ecclesiae suae sanctae concessit; et mihi, in hâc parte, licet indigno [si non sit ordinarius, addit: Ab ill. et Rev. Domino Episcopo Metensi,] concessa; absolvo te [vos] à vinculo excommunicationis in quam incurristi [incurristis] per haeresim professam: admitto te [vos] in gremium sanctissimae matris Ecclesiae, et in Sacramentorum ejus participationem, et communioni et unitati fidelium te [vos] restituo. In nomine Patris... [rare] P2188
Poteri dici: *Te Deum,* aut omitti, juxta prudentiam Sacerdotis.

Orléans 1726
[Louis-Gaston Fleuriau d'Armenonville]
Ordo absolvendi ab Haeresi

P2103 **Orléans 1726 p.** 112-117
Prohibitum est omnibus Sacerdotibus tam regularibus, quam saecularibus, etiam exemptis, sub poena excommunicationis majoris, ne publicè, et extra Sacramentum Poenitentiae ab haeresi quemquam absolvant. [comme Paris 1697]
Cum aliquis adultus ab haereticis baptizatus vel educatus... [comme Orléans 1642] ... Quibus suppletis, (vel si aliter visum fuerit, omissis,) Sacerdos genuflexus, et stolâ indutus, juxta se habens poenitentem coram se pariter genu flexum, et gestantem in manu cereum accensum, inchoat

[Prières au Saint-Esprit. Question. Signation. Profession de foi tridentine]
Hymnum *Veni creator...* P2120 V. *Emitte...* P2122 V. *Domine exaudi...* V. *Dominus vobiscum...*
Oremus. Deus qui corda fidelium... P2123
Oremus. Mentes nostras, quaesumus, Domine, Paracletus... P2124
D. *Est-ce de vôtre bonne volonté, sans aucune contrainte, et dans la seule vûë de vôtre salut, que vous voulez faire abjuration de l'Hérésie, et*

ABSOLUTION DE L'HÉRÉSIE

embrasser la foi catholique, apostolique, et romaine? R. Oüi, Monsieur.
P2152
Tum sacerdos... poenitentem in fronte signat...
Accipe signum Crucis Christi, atque Christianitatis in vitam aeternam. R. Amen. P2166
Profession de foi. *Je N. croi* [sic] *d'une foi ferme, et professe tant en general qu'en particulier* ... Tum tangendo Librum Evangeliorum addit: *Ainsi Dieu me soit en aide, et ces saints Evangiles.*

[**Miserere. Pater. Prières pour le converti**]
... Ps. 50. *Miserere...* P2169 *Gloria Patri* etc. *Kyrie... Pater noster...*
V. *Salvum fac servum tuum...* [etc.]
Oremus. Deus cui proprium est miserere semper et parcere... P2127
Oremus. Omnipotens sempiterne Deus, hanc ovem tuam... P2134
Oremus. Deus qui hominem ad imaginem tuam... P2129

[**Absolutions**]
Misereatur ... Indulgentiam...
Dominus noster J. C. qui est summus pontifex... P2186

Auxerre 1730

[Charles de Caylus]
Ordo absolvendi ab Haeresi

P2104 **Auxerre 1730 p. 115-120**

[Le début de la cérémonie reprend Orléans 1726, profession de foi tridentine comprise. La suite (absolutions et prologue de S. Jean) reprend Paris 1697.]

Blois 1730

[Jean-François Lefebvre de Caumartin]
Forme d'absoudre un Hérétique et de recevoir son abjuration

P2105 **Blois 1730 p. 110-116**

La formule *Reduco te in gremium* comportant les termes *per excommunicationem et haeresim* est reprise par une vingtaine de rituels postérieurs. On remarque l'absence de l'oraison *Deus cui proprium est misereri...* P2127 présente apparemment dans tous les rituels de la même époque.

Nul ne peut, sans un pouvoir spécial de Nous, recevoir l'abjuration de ceux qui ont fait publiquement profession de l'hérésie. Le Prêtre à qui la commission en sera adressée, aura soin d'abord que ceux qui se

CHAPITRE XX

presentent soient bien instruits de la doctrine catholique, apostolique et romaine, et s'assurera de la sincérité de leur retour. …

[Prières au Saint-Esprit. Profession de foi tridentine]
… *Veni Creator*… P2120 V. *Emittes Spiritum tuum et creabuntur*… P2122

Oremus. Deus qui corda fidelium sancti Spiritus illustratione docuisti… P2123

… le Prêtre demandera au nouveau converti s'il persévére dans le dessein de faire profession de la religion catholique… d'embrasser sa doctrine, et de renoncer à tout ce qui lui est contraire; et après qu'il aura répondu qu'oüi, il le félicitera en peu de mots sur son heureux retour… il l'exhortera à perseverer constamment jusqu'à la mort dans la profession de foi qu'il va faire, et à éviter soigneusement tout ce qui pourroit l'en détourner; il finira, en l'avertissant qu'il faut joindre la pureté des moeurs à l'integrité de la foi…

Profession de foi. *Je N. croi* [sic] *et confesse tant en general qu'en particulier tous les articles*… [la suite proche de Paris 1697 P2160]

[Absolutions]
Ensuite le Prêtre s'étant levé, dira *Misereatur*… *Indulgentiam*… puis s'étant assis et couvert il ajoûtera en étendant la main droite sur le nouveau converti:

… *Dominus noster I. C. te absolvat, et ego autoritate ipsius, et ill. Episcopi Blesensis mihi commissa, absolvo te à vinculo excommunicationis, quâ propter haeresim ligatus eras: in nomine Patris*…

Puis le prenant par la main droite, il dira:

Reduco te in gremium sanctae matris Ecclesiae, et ad consortium et communionem totius christianitatis à quibus fueras per excommunicationem et haeresim eliminatus, et restituo te participationi ecclesiasticorum sacramentorum, in nomine Patris… P2191

Si le nouveau converti souhaitoit qu'on fit sur lui les cerémonies du baptême qui ont été omises quand il a reçu ce sacrement chez les hérétiques, il faudroit nous en donner avis, et si nous jugions à propos qu'on les lui suppléât, on observeroit l'ordre prescrit … pour les adultes…

Clermont 1733

[Jean-Baptiste Massillon]
*Ordre ou maniere de recevoir l'abjuration des Hérétiques,
et de leur donner l'Absolution de l'hérésie*

P2106 **Clermont 1733** première partie, p. 285-295

Il est défendu à tous Prêtres, et à tous Religieux, même soy disant exempts, soûs peine d'excommunication majeure encouruë par le seul fait, de donner à qui que ce soit l'absolution de l'Hérésie publiquement, et hors du Sacrement de Pénitence, s'ils ne sont spécialement commis à cet effet par Nous ou nos Vicaires Généraux.

Quand le Prêtre qui aura une telle commission voudra recevoir une abjuration : Voici l'ordre de la cérémonie. Le Prêtre qui sera commis pour réconcilier un ou plusieurs Hérétiques, revêtu du surplis et d'une étole, se mettra à genoux sur un des degrez du grand Autel. Le Pénitent derriere lui, un peu éloigné de l'autel se tiendra à genoux ayant à la main un cierge allumé.

[Prières au Saint-Esprit. Profession de foi sous forme de questions. Profession de foi tridentine]

Le Prêtre entonnera, ou dira sans chant l'Hymne *Veni Creator…* P2120

V. *Emitte Spiritum tuum et creabuntur… P2122 Oremus. Deus qui corda fidelium…* P2123

Il n'est pas nécessaire, N. de vous faire ici un long discours pour vous remontrer que hors l'Eglise de J. C. il n'y a point de salut… [comme Auch 1701]

D. *Ne croyez vous pas les douze articles de la foy? R. Oüy, Monsieur…* P2147

Formule de profession de la foy catholique apostolique et romaine. *Je croy d'une foy ferme et je professe tant en general qu'en particulier tous les articles …*

[Miserere. Pater. Deus cui proprium]

Ps. *Miserere. Gloria Patri… Kyrie… Pater… V. Salvum fac servum tuum… etc.*

Oremus. Deus cui proprium est misereri semper et parcere… P2127

[Absolutions. Évangile *In principio*]

Misereatur… Indulgentiam…

Dominus noster I. C. per suam misericordiam te absolvat… P2184

… In principio erat Verbum… P2213

Meaux 1734
Amiens 1784. Boulogne 1750, 1780. Évreux 1741. Troyes 1768

[Meaux 1734 : Henri-Pons de Thyard de Bissy]
Ordre qu'on doit suivre pour absoudre un hérétique dans le for extérieur,
et recevoir son abjuration

P2107 **Meaux 1734 p. 118-128**

Il n'est permis à aucun Prêtre d'absoudre de l'hérésie hors du Tribunal de la Pénitence, ni de recevoir l'abjuration de ceux qui l'ont professée publiquement, sans un pouvoir spécial de Nous ou de nos Vicaires Généraux.

Le prêtre à qui la commission sera adressée, examinera si celui qui se presente est suffisamment instruit de la doctrine catholique…

Si la commission porte qu'après l'abjuration on lui suppléera les cérémonies du baptême qui ont été omises, lorsqu'il l'a reçu chez les hérétiques, il s'y conformera ; autrement il se contentera de le réconcilier en la maniere suivante.

S'étant revêtu d'un surplis et d'une etole violette, il se rendra devant le grand autel, et s'y étant mis à genoux sur la plus basse marche avec les Ecclesiastiques assistans, il commencera l'Hymne *Veni creator*… P2120 V. *Emittes spiritum tuum, et creabuntur*… P2122

Oremus. Deus, qui corda fidelium[29]… P2123

le Prêtre… demandera au nouveau converti s'il persévére dans le dessein de faire profession de la Religion catholique, apostolique et romaine ; d'embrasser sa doctrine, et de renoncer à tout ce qui lui est contraire ; et après qu'il aura répondu qu'il y persiste, il le félicitera en peu de mots sur son heureux retour ; il lui représentera la grace singuliére que Dieu lui fait en le tirant de ses erreurs, et des ténèbres de l'hérésie, pour le mettre dans le sein de la seule véritable Eglise, hors laquelle il n'y a point de salut ; il l'exhortera à persévérer constamment jusqu'à la mort dans la profession de foi qu'il va faire, à éviter soigneusement tout ce qui pourroit l'en détourner, et à joindre à l'intégrité de cette foi, la pureté des moeurs et les bonnes oeuvres sans lesquelles cette foi seroit vaine et sans mérite devant Dieu. …

[Profession de foi catholique] *Ego N. firmâ fide… Je N. crois d'une foi ferme, et professe…*

---

[29] Instruction et prières au Saint-Esprit reprises à Bourges 1746, Toulon 1750-1790, Soissons 1753, Carcassonne 1764, Poitiers 1766, Luçon 1768, Limoges 1774, Le Mans 1775, Toulouse 1782, Albi 1783, Narbonne 1789, Montauban 1785.

ABSOLUTION DE L'HÉRÉSIE

Alors le Prêtre se met à genoux avec le nouveau converti et les assistans…

Ps. *Miserere… Kyrie… Pater noster…* V. *Salvum fac servum tuum…* etc.

Oremus. Deus cui proprium est misereri semper et parcere… P2127
Puis il impose une pénitence au nouveau Converti…

Dominus noster I. C. te absolvat, et ego autoritate ipsius, et Rev. Episcopi Meldensi mihi commissa, absolvo te à vinculo excommunicationis…

Puis le prenant par la main droite, il dira: *Reduco te in gremium sanctae Matris Ecclesiae…* P2191

Le Prêtre pourra selon sa prudence, conclure… en récitant ou en chantant, *Te Deum,* etc.

Le Prêtre écrira l'acte d'abjuration, conformément à la formule qui se trouve à la fin de ce rituel, et l'envoyera aussitôt au Secrétariat de l'Evêché, sans en délivrer par lui-même aucune expédition.

Narbonne 1736

[René-François de Beauvau]
Rit de l'abjuration de l'Heresie

[Formulaire s'inspirant du Pontifical de Durand de Mende (depuis *Exorcizo te…* jusqu'après *Domine, Deus omnip.*) et de Bordeaux 1707-1728 avec quelques remaniements.]

P2108 **Narbonne 1736** p. 319-324

Il n'appartient qu'à Monseigneur l'Archevêque, ou aux Prêtres, auxquels il donne une commission speciale, de recevoir l'Abjuration de ceux qui ont fait profession publique de l'Heresie…

Le nouveau converti tenant un cierge allumé, se met à genoux au fonds de l'Eglise…

[Prières au Saint-Esprit. Profession de foi sous forme de questions. Profession de foi tridentine]

… *Veni Creator…* P2120 V. *Emittes Spiritum tuum…* P2122 *Oremus. Deus qui corda…* P2123

… *Croyez-vous M. toutes les verités que l'Eglise catholique… enseigne…* P2151

… *Je N. crois de ferme foy…* (Profession de foi tridentine de Bordeaux 1707-1728)

CHAPITRE XX

[Exorcisme. Signation. Entrée dans l'église. Prières pour le nouveau converti]

Exorcizo te, immunde spiritus… P2163 *Accipe signum Crucis Christi…* P2164

… Ingredere in Ecclesiam Dei, à qua incaute aberrasti… P2167

Tu autem, omnip. Deus, hanc ovem tuam de fauce lupi tua virtute subtractam… P2134

Oremus. Deus, qui hominem ad imaginem tuam conditum misericorditer reparas… P2129

Oremus. Domine Deus omnip., Pater Domini nostri I. C.[30]. P2130

[**Miserere. Pater. Deus cui proprium. Praesta quaesumus Domine**]
… tous étant à genoux, on recite le Ps. 50 *Miserere* pendant lequel le commissaire frape [*sic*] légèrement avec une baguête le nouveau converti. … V. *Kyrie… Pater noster…* V. *Salvum fac servum tuum…* [etc.]

Oremus. Deus, cui proprium est misereri semper… P2127

Oremus. Praesta quaesumus Domine huic famulo tuo dignum poenitentiae fructum… P2135

[**Absolution.** *Te Deum*]
Authoritate Dei omnipotentis, et beatorum apostolorum Petri et Pauli, et Ecclesiae sanctae tuae, et ea qua fungor mihi à Rev. Domino Narbonensi Archiepiscopo ac Primate commissa; absolvo te à vinculo excommunicationis, aliisque censuris ecclesiasticis quibus propter haeresim ligatus etas. Reduco te in gremium sanctae matris Ecclesiae, et restituo te participationi ecclesiasticorum sacramentorum. In nomine… [rare] P2182

On pourra ajoûter le *Te Deum* P2205 avec les prieres de l'Action de graces.

---

[30] Variante notable dans cette oraison : « … *Adimple illum lumine splendoris tui* » devient ici : « *Adimple eum spiritu timoris Domini* ».

Rouen 1739, 1771
Bayeux 1744. Coutances 1744, 1777. Lisieux 1742[31], 1744
Lodève 1744. Sées 1744. Strasbourg 1742

[Rouen 1739 : Nicolas de Saulx-Tavanes]

Ritus absolvendi ab Haeresi, et Professionis fidei quam emittere debent,
qui ab haeresi aut schismate convertuntur

P2109   **Rouen 1739** p. 138-142

Christi Pastoris exemplo quaerenda est ovis devia, et ad caulas reducenda ; id est ab erroribus ad saniorem mentem, à schismate ad unitatem revocandi, qui viam veritatis deserverunt, et à Charistiana communione sunt alieni. Nihil homine Ecclesiastico dignius : unde ipsi ob oculos saepissime volvenda est haec Augustini sententia. *Ideo vos quaero quia periistis : noli, inquiunt, me quaerere : hoc sanè vult iniquitas quâ divisi sumus, sed non vult charitas quâ fratres sumus[32].* Ubi autem Sacerdos aliquis, suis doctrina, zelo, charitate, hominem haereticum vel schismaticum ab erroribus liberaverit, judicaveritque Catholicae Ecclesiae communioni posse prudenter restitui, DD. Archiepiscopum adeat, qui rei cognitâ veritate, quid agendum sit praescribet. Nulli enim Sacerdoti tam Saeculari quam Regulari etiam exempto licet publicè et extra sacramentum Poenitentiae quemquam ab haeresi absolvere et Ecclesiae reconciliare nisi ex commissione speciali, quique hoc fecerit poenam majoris excommunicationis ipso facto incurrit. Ubi vero concessa fuerit illa commissio seu licentia, sequens servabitur ritus reconciliationis.

[Prières au Saint-Esprit. Profession de foi catholique sous forme de question]

… Veni creator… P2120 V. *Emittes spiritum tuum…* P2122 *Oremus. Deus qui corda fidelium…* P2123

Persistez-vous dans le dessein de faire profession de la Religion catholique, apostolique et romaine, d'embrasser sa doctrine, et de renoncer de coeur et d'esprit à toutes les erreurs qu'elle condamne ? … P2153

---

[31]   Titre de Lisieux 1742 : *Ritus absolvendi et reconciliandi Haereticum.* Rubriques en partie différentes à Lisieux ; absence de la demande *Persistez-vous…* Le V. final *Benedicat nos…* devient : V. *Benedicamus Patrem…*

[32]   S. Augustin, *Enarrationes in Psalmos*, ps. 18, Enarratio 2 (*Corpus Christianorum Series latina* 38, p. 109).

[Exhortation. Profession de foi tridentine. Ps. *Miserere. Deus cui proprium. Confiteor.* Absolutions]

Professio Fidei. *Je crois d'une foi ferme et professe tant en général qu'en particulier…*

Ps. *Miserere… Gloria Patri… Kyrie… Pater noster… V. Salvum fac servum tuum…* [etc.]

Oremus. Deus cui proprium est… P2127

Confiteor… Misereatur… Indulgentiam…

Ego authoritate Dei omnipotentis… Reduco te in gremium… P2196

[Action de grâce]

… Te Deum… P2205

V. *Benedicat nos Deus, Deus noster, benedicat nos Deus.* R. *Et metuant eum omnes fines terrae.* [rare] P2208

Oremus. Omnip. semp. Deus, qui dedisti famulis tuis in confessione verae fidei aeternae Trinitatis gloriam agnoscere, et in potentia majestatis adorare unitatem, quaesumus, ut ejusdem fidei firmitate ab omnibus semper muniamur adversis. Per Christum. P2212

Bourges 1746
Limoges 1774. Montauban 1785. Narbonne 1789
Toulouse 1782

[Bourges 1746 : Frédéric-Jérôme de Roye de La Rochefoucauld]

Ordre pour absoudre un Hérétique dans le for extérieur, et recevoir son abjuration

P2110 **Bourges 1746 p. 245-252**

Instruction initiale de Meaux 1734 et Évreux 1741 comprenant les prières au Saint-Esprit. Le rite reprend Bourges 1666 avec absolution légèrement différente :

Dominus noster I. C. qui est summus Pontifex te absolvat: et ego authoritate illius, beatorumque apostolorum Petri et Pauli ac ill. et rev. Domini Archiepiscopi Bituricensis[33] *mihi concessa absolvo te…* P2186

---

[33] Le titre épiscopal varie selon les diocèses.

ABSOLUTION DE L'HÉRÉSIE

Toulon 1750, 1778, 1790
Mâcon 1778

[Toulon 1750 : Louis-Albert Joly de Choin]
Ordre qu'on doit suivre pour absoudre un hérétique dans le for intérieur,
et recevoir son abjuration

P2111 **Toulon 1750** p. 332-345.

Formulaire de Bordeaux 1707-1728 sauf l'instruction initiale et la formule d'absolution de Blois 1730 *Dominus noster I. C. te absolvat ; et ego autoritate ipsius…* P2191

Il n'est permis à aucun Prêtre, même ayant pouvoir pour absoudre des cas réservés, d'absoudre de l'hérésie hors du Tribunal de la Pénitence, sans un pouvoir spécial de Nous, ni de recevoir l'abjuration de ceux qui l'ont professée publiquement. Le prêtre à qui la commission… [la suite comme Bordeaux 1707-1728]

Soissons 1753
Albi 1783. Carcassonne 1764. Luçon 1768. Lyon 1787[34]
Le Mans 1775. Poitiers 1766

[Soissons 1753 : François de Fitz-James]
Maniere d'absoudre un hérétique, et de recevoir son abjuration

Rite très simplifié par rapport à Soissons 1694.

P2112 **Soissons 1753** p. 65-71

[Instruction très proche de Meaux 1734 et Évreux 1741, comprenant les prières au Saint-Esprit. Profession de foi tridentine en français.]

Je N. crois d'une foi ferme…
Ps. *Miserere. Gloria Patri. Kyrie… Pater noster… Deus cui proprium…*
Puis (le prêtre) impose une pénitence au nouveau converti…
Dominus noster J. C. te absolvat, et ego autoritate ipsius, et… Episcopi Suessionensis mihi commissa, absolvo te à vinculo excommunicationis, quà propter haeresim ligatus eras, in nomine Patris…
Reduco te in gremium sanctae matris Ecclesiae… P2191
Le prêtre pourra selon sa prudence conclure cette cérémonie, en recitant ou chantant *Te Deum…*

---

[34] Lyon 1787 : quelques remaniements. Voir infra P2119.

Nantes 1755

[Pierre Mauclerc de La Muzanchère]
De modo absolvendi ab haeresi in foro exteriori,
ejusque abjurationem excipiendi

[Formulaire absent des éditions précédentes de Nantes.]

P2113 **Nantes 1755 p. 464-469**

Sacerdos ad hoc delegatus à DD. Episcopo, explorabit primum diligenter utrum is qui Ecclesiae catholicae communionem restitui postulat, sincerè agat, et si sufficienter edoctus sit fidem Catholico-Romanam. Tum superpelliceo et stolâ violacei coloris indutus, procedet ad majus Altare, ubi genuflexus, praecinet Hymnum *Veni, Creator*, P2120 prosequente Choro...

V. *Emitte Spiritum tuum, et creabuntur. ...* P2122
Oremus. Deus qui corda fidelium... P2123

Deinde accedet cum assistentibus ad portam Chori, ubi sedens et operto capite, à recens converso, cereum accensum manu tenente, sciscitabitur num persistat in sincero et firmo proposito amplectendi et profitendi fidem Catholico-Romanam? Quo respondente, se persistere et in eâ professione mori velle, brevi sermone ipsi gratulabitur, et ad perserantiam illum hortabitur; postea ei offeret emittendam sequentem fidei professionem à Conc. Trid. praescriptam, quam leget ipse, vel alius ejus nomine, si legere nesciat.

Formule de profession de la foi catholique... *Je N. crois d'une foi ferme, et professe...*

Ps. *Miserere. Gloria Patri. Kyrie... Pater noster... V. Salvum fac servum tuum... V. Nihil proficiat inimicus... V. Esto ei Domine turris fortitudinis... V. Domine exaudi... V. Dominus vobiscum...*

Oremus. Deus, cui proprium est misereri... P2127

... Dominus noster J. C. te absolvat. Reduco te in gremium sanctae matris Ecclesiae... P2191

Demum, si expedire judicaverit, ceremoniam absolvet recitando vel cantando Hymnum *Te Deum*, etc. Quibus finitis, referet actum abjurationis in Registrum Ecclesiae...

ABSOLUTION DE L'HÉRÉSIE

Arras 1757. Senlis 1764

[Arras 1757: Jean de Bonneguise]
De publicâ absolutione ab Haeresi

P2114 **Arras 1757** p. 119-127

Cum omnibus Presbyteris, tam saecularibus, quam regularibus, etiam exemptis, prohibitum sit, ne publicè et extra Sacramentum Poenitentiae ab Haeresi quemquam absolvant; idcirco ii omnes, qui Haeresim ejurare ad Catholicam fidem profiteri voluerint, ad Poenitentiarium, vel alium à DD. Episcopo, aut Vicariis ejus Generalibus delegatum Sacerdotem accedant, à quo, post editam fideli professionem, absolvantur.

[Profession de foi tridentine en latin et en français]
Ps *Miserere. Gloria Patri*, etc. *Kyrie… Pater noster…*
V. *Salvum fac servum tuum… V. Nihil proficiat inimicus in eo…*
V. *Esto ei… V. Domine exaudi… V. Dominus vob. …*
Oremus. Deus cui proprium est misereri… P2127
… Dominus noster J. C. te absolvat… Reduco te in gremium… P2191
Ad arbitrium Sacerdotis, concludendi hanc caeremoniam, per recitationem, vel cantum Hymni *Te Deum, etc.*

Châlons-sur-Marne 1776. Tours 1785[35]

[Châlons 1776: Antoine-Eléonor Le Clerc de Juigné]
Ordo absolutionis publicae ab Haeresi

P2115 **Châlons-sur-Marne 1776** *Pars secunda*, p. 87-97

Prohibemus omnibus sacerdotibus, tam saecularibus quam regularibus, etiam exemptis, sub poena excommunicationis majoris, ne publicè et extra sacramentum Poenitentiae ab Haeresi quemquam absolvant: praecipimusque ut, quoties aliquis Haeresim abjurare, ac Catholicam fidem profiteri voluerit, ad nos remittant, ut à nobis beneficium absolutionis ei impertiatur.

Quod si sacerdotibus quibusdam concessa fuerit facultas, ut privatim et in Sacramento Poenitentiae absolvant ab Haeresi, volumus ut ejus usu tamdiu abstineant, quamdiu illam videndam obtulerint nobis aut vicariis nostris generalibus.

Ubi vero, cum licentia et facultate concessa, Haereticus absolvendus erit in foro exteriori…

---

[35] Absence d'instruction à Tours.

CHAPITRE XX

… Veni Creator… P2120 V. Emittes Spiritum tuum, et creabuntur…
P2122

Oremus. Deus, qui corda fidelium sancti Spiritus… P2127

Exhortatio. *Que ce jour, mon cher frere, où vous avez le bonheur d'ouvrir les yeux à la vérité, et d'entrer dans le sein de l'Eglise Catholique, soit à jamais présent à votre esprit. …*

Formule de profession de foi catholique, apostolique et romaine. …

Ps. *Miserere… Gloria Patri, etc. Kyrie… Pater noster, etc. V. Salvum fac servum tuum… [etc.] Oremus. Deus, cui proprium est misereri… P2127*

Dominus noster J. C. te absolvat… Reduco te in gremium sanctae matris Ecclesiae… P2191

Te Deum. P2205

Nantes 1776

[Jean-Augustin Fretat de Sarra]
De modo absolvendi Haereticum ejusque abjurationem excipiendi

P2116 **Nantes 1776** p. 118-124

Formulaire de Nantes 1755 avec addition après l'oraison *Deus qui corda fidelium* d'un questionnaire et d'une exhortation:

… S. Est-ce de votre bonne volonté, et sans aucune contrainte, que vous voulez faire abjuration de l'hérésie, et embrasser la foi catholique, apostolique et romaine? R. Oui, monsieur.

S. *Croyez-vous fermement tout ce que croit et enseigne la Sainte Eglise, et que hors de l'Eglise catholique, apostolique et romaine il n'y a point de salut. R. Oui, monsieur, je le crois. P2148*

Exhortation. *Comme la foi est le fondement du salut, et que sans elle il est impossibe de plaire à Dieu…*

Saint-Dié 1783

[Barthélémy-Louis-Martin de Chaumont]
*Ordre pour absoudre un hérétique dans le for intérieur,
et recevoir son abjuration*

P2117 **Saint-Dié 1783** p. 167-177

[Instruction initiale de Meaux 1734, Évreux 1741, Bourges 1746, comprenant les prières au Saint-Esprit.]

Exhortation. *Que ce jour, mon cher frere, où vous avez le bonheur d'ouvrir les yeux à la vérité…* [comme Châlons 1776]

ABSOLUTION DE L'HÉRÉSIE

Formule de profession de foi catholique, apostolique et romaine.
Je N. crois d'une foi ferme…
Ps. *Miserere… Gloria Patri, etc. Kyrie… Pater noster, etc. V. Salvum fac servum tuum… [etc.]*
Oremus. Deus cui proprium est misereri… P2127

[Absolution. Prière pour le nouveau converti]
… Dominus noster I. C. qui est summus pontifex te absolvat, et ego auctoritate illius… absolvo te à vinculo excommunicationis… restituo te communioni fidelium, participationi sacramentorum… P2186
Le prêtre se rendra ensuite devant le grand autel…
Oremus. Omnipotens, sempiterne Deus, hanc ovem tuam, de faucibus lupi, tuâ virtute ereptam, paternâ respice pietate; ne de familiae tuae damno inimicus exultet; sed de conversione et liberatione ejus, Ecclesia tua, ut pia mater, de filio recepto gratuletur. Per Christum Dominum nostrum. [rare] P2132

[Action de grâce]
Te Deum. etc. P2205

Paris 1786

[Antoine-Eléonor Le Clerc de Juigné]
Ordo absolutionis publicae ab Haeresi

P2118 **Paris 1786** tome III, p. 108-117
Ex antiquo hujus Dioecesis instituto, sub poena excommunicationis vetitum est, ne quis, sive Secularis, sive Regularis Sacerdos, etiam Ordinarii jurisdictione immunis, publicè et extra Poenitentiae Sacramentum ab Haeresi quemquam absolvat. Erroris autem publica ejuratio praeire semper debet absolutioni sacramentali, nisi, gravibus de causis, omittendam censuerimus ejurationem publicam, sive praemittendam absolutionem sacramentalem.

Quoties vero aliquis Haeresim ejurare, et catholicam fidem profiteri voluerit, ad Poenitentiarium nostrum, vel alium à nobis delegatum accedat, à quo, post editam fideli professionem, absolvatur.

Cum igitur, impetratâ licentiâ, Haereticus absolvendus erit in foro externo, haec observari oportebit. …

Rite de Châlons 1776 sauf, à la fin, une formule d'absolution et l'addition de l'évangile *In principio* :

… Misereatur tui omnipotens Deus… Indulgentiam, absolutionem…

CHAPITRE XX

Dominus noster I. C., qui est supremus pontifex, ipse te per suam piissimam misericordiam absolvat; et ego auctoritate ipsius, et ill. Archiepiscopi Parisiensis, mihi, quamvis indigno, concessa, absolvo te ab excommunicatione quam incurristi propter haeresim: teque in Ecclesiae communionem sacramentorumque participationem restituo. In nomine Patris... [rare] P2189

Initium sancti Evangelii secundum Joannem... [Jean 1, 1-14] *In principio...* P2213

Te Deum... P2205

Lyon 1787
[Antoine de Malvin de Montazet]
Manière d'absoudre un Hérétique, et de recevoir son abjuration

P2119 **Lyon 1787** Deuxième partie, p. 103-117
[Formulaire de Soissons 1753, avec addition après l'absolution d'une prière pour le nouveau converti et de l'action de grâce de Rouen 1739.]

... [**Absolution**] *Dominus noster I. C. per suam piissimam misericordiam te absolvat... Reduco te in gremium s. matris Ecclesiae, et ad consortium et communionem totius Christianitatis, à quibus fueras per excommunicationem et haeresim eliminatus et restituo te participationis Ecclesiae sacramentorum...* P2191

Domine Deus omnipotens, pater Domini nostri I. C., qui dignatus es hunc famulum tuum, ab errore haereticae pravitatis clementer eruere, et ad Ecclesiam tuam sanctam revocare: emitte in eum Spiritum sanctum Paraclitum de coelis. Spiritum sapientiae, et intellectus. Spiritum consilii, et fortitudinis. Spiritum scientiae, et pietatis, ut qui in terris Ecclesiam matrem veneratur, Deum in coelis Patrem habere mereatur. Per eumdem Christum. [rare] P2131

5. Hymne, antienne et oraisons au Saint-Esprit

P2120 **Veni creator** [Hymne]
Poitiers 1655-1714. Angers 1676, 1735. Auch 1701, 1751. Auxerre 1730. Blois 1730. Bordeaux 1707-1777. Boulogne 1750, 1780. Bourges 1666, 1746. Châlons/Marne 1776. Clermont 1733. Évreux 1741. Lodève 1773. Lyon 1692-1787. Meaux 1734. Metz 1686, 1713. Nantes 1755, 1776. Narbonne 1736. Nevers 1689. Orléans 1726. ♪Paris 1786. Poitiers 1655-1714. Reims 1677. Rodez 1733. Rouen 1739, 1771. Saint-Dié 1783. Soissons 1694,

ABSOLUTION DE L'HÉRÉSIE

1753. Strasbourg 1742. Toul 1700-1760. Toulon 1750. Troyes 1768. Verdun 1691, 1787. Etc[36]…

P2121 A. Veni Sancte spiritus, reple tuorum corda fidelium, et tui amoris in eis ignem accende.

Agen 1688.
Réf. Cf. Andrieu III 289 (note 2), 369, 492, 502. Absent de PRG, Deshusses.

P2122 V. Emitte[a] Spiritum tuum, et creabuntur. R. Et renovabis faciem terrae.

Angers 1676, 1735. Agen 1688. Auch 1701, 1751. Auxerre 1730. Blois 1730. Bordeaux 1707-1777. Bourges 1666, 1746. Châlons/Marne 1776. Clermont 1733. Évreux 1741. Lyon 1692-1787. Meaux 1734. Metz 1686, 1713. Nantes 1755, 1776. Narbonne 1736. Orléans 1726. Paris 1786. Poitiers 1712-1714. Rouen 1739. Saint-Dié 1783. Soissons 1753. Toul 1700-1760. Toulon 1750. Verdun 1691, 1787. Etc[37].
Réf. Andrieu II, 360(22). Cf. PRG II, 136. Absent de Deshusses.
Variante. [a] Emitte] Emittes Bl. Bou. Ly. 1787. Mea. SDié. So.

P2123 Deus qui corda fidelium sancti Spiritus illustratione docuisti : da nobis in eodem Spiritu recta sapere, et de ejus semper consolatione gaudere. Per Christum.

Poitiers 1655-1714. Agen 1688. Angers 1676, 1735. Auch 1701, 1751. Auxerre 1730. Blois 1730. Bordeaux 1707-1777. Bourges 1746. Châlons/Marne 1776. Clermont 1733. Évreux 1741. Meaux 1734. Metz 1713. Nantes 1755-1776. Meaux 1734. Narbonne 1736. Nevers 1689. Orléans 1726. Paris 1786. Poitiers 1655-1714. Reims 1677. Rouen 1739. Saint-Dié 1783. Soissons 1694, 1753. Toul 1700, 1760. Toulon 1750. Verdun 1691, 1787. Etc.
Réf. Cf. Andrieu II, 360(24), Absent de PRG, Deshusses.

P2124 Mentes nostras, quaesumus Domine, Paraclitus[a], qui à te procedit, illuminet, et inducat in omnem, sicut tuus promisit Filius, veritatem.

Metz 1686. Auxerre 1730. Lyon 1692. Orléans 1726.
Réf. Deshusses 538, *480*. Absent de PRG, Andrieu.
Variante. [a] Paracletus] Or.

---

[36] Tous les formulaires sauf quelques exceptions (Chartres 1680, 1689, Agen 1688…) à partir de Poitiers 1655.

[37] Tous les formulaires sauf exceptions (Chartres 1680, 1689…) à partir d'Angers 1676.

6. Oraisons au cours de la cérémonie

P2125 Actiones nostras, quaesumus Domine, aspirando praeveni, et adjuvando prosequere : ut cuncta nostra oratio et operatio à te semper incipiat et per te coepta finiatur.

Metz 1686. Lyon 1692.
Réf. Andrieu I, 171 ; II, 580 ; III, 401 etc. Deshusses 198, 4119. Absent de PRG.

P2126 Concede misericors Deus fragilitati nostrae praesidium, ut qui sanctae Dei genitricis memoriam agimus, intercessionis ejus auxilio à nostris iniquitatibus resurgamus[a]. Per eundem Christum.

Metz 1686. Lyon 1692.
Réf. Cf. Deshusses 660, 1852. Absent de PRG, Andrieu.
Variante. [a] resurgamus] liberemur Ly.

P2127 Deus cui proprium est misereri semper et parcere, suscipe deprecationem nostram[a], ut[b] hunc famulum tuum quem haeresis, et[c] excommunicationis[d] catena[e] constringit, miseratio tuae pietatis[f] absolvat. Per Christum.

Évreux 1606-1741. Agen 1688. Amiens 1687. Angers 1676, 1735. Arras 1757. Auch c. 1642-1751. Bayeux 1687. Béziers 1638. Bordeaux 1707-1777. Boulogne 1647-1780. Bourges 1666-1746. Chalon/Saône 1653. Châlons/Marne 1649-1776. Chartres 1680, 1689. Clermont 1733. Genève 1612, 1632. Langres 1679. Laon 1671. Limoges 1678, 1698. Lyon 1692-1787. Meaux 1645, 1734. Metz 1686, 1713. Nantes 1755, 1776. Narbonne 1736. Nevers 1689. Orléans 1726. Paris 1786. Périgueux 1651-1763. Poitiers 1655-1714. Reims 1677. Rodez 1671. Rouen 1611-1739. Sens 1694. Soissons 1694, 1753. Toulon 1750. Toulouse c. 1616-1736. Troyes 1660, 1768. Verdun 1691, 1787. Etc. …[38].
Réf. Andrieu III, 611. Cf. PRG I, 320, II, 271 ; Deshusses 851, 1327, 2686.
Variantes. [a] deprecationem nostram] deprecationes nostras Or. –[b] ut] et Ar. –[c] haeresis et] *om.* An. Ar. Bou. 1666. ChM. Ly. Mea. 1734. Met. Nar. Ne. Or. Pa. Pé. Po. Rei. Sen. –[d] excommunicationis] delictorum Ne. Or. Rei. –[e] haeresis… catena] excommunicationis sententia Bou. Cha. Ly. 1787. Nan. Rou. Ver. –[f] clementer] *add.* Bou. Cha. Lao. Nan. Nar. Or. Rei. Rou. Tlon.

2128 Deus omnipotens, pater Domini nostri I. C., qui dignatus es hunc famulum tuum, à mendacio haereticae pravitatis, clementer eruere, et ad Ecclesiam tuam sanctam revocare : tu, Domine, emitte in eum Spiritum sanctum Paraclitum de coelis. R. Amen.

V. Spiritum sapientiae et intellectus. R. Amen.
V. Spiritum consilii et fortitudinis. R. Amen.

---

[38] Apparemment tous les formulaires, sauf Blois 1730.

ABSOLUTION DE L'HÉRÉSIE

V. Spiritum sapientiae [sic pour scientiae], et pietatis. R. Amen.

V. Adimple illum lumine splendoris tui, et in nomine eiusdem Domini nostri I. C. signetur signo Crucis in vitam aeternam. R. Amen.

Bourges 1666 (*Ordre de ce qu'il faut observer quand Monseigneur l'Archevêque donne l'absolution de l'Heresie*)

P2129   Deus, qui hominem ad imaginem tuam conditum misericorditer reparas, quem mirabiliter creasti; respice propitius super hunc famulum tuum, ut quod huius[a] ignorantiae caecitate[b], hostili[c] et diabolica fraude surreptum est, indulgentia tuae pietatis ignoscat et absolvat[d]; et altaribus sacris, recepta veritatis tuae communione, reddatur. Per Christum.

Chartres 1627-1689 (*Ordo ad reconciliandum apostatam…*). Bourges 1666-1746. Limoges 1774. Montauban 1785. Narbonne 1736, 1789. Orléans 1726. Toulouse 1782.
Réf. Andrieu, PR III, 617. Cf. PRG II, 225(bis). Absent de Deshusses.
Variantes. [a] huius] illius Or. – [b] et] *add.* Or. – [c] huius ignorantiae… hostili] hujus ignorantiâ, caecitate hostili Bou. – [d] et absolvat] *om.* Or.

P2130   Domine Deus omnipotens, pater Domini nostri I. C., qui dignatus es hunc famulum tuum, ab errore Gentilitatis, (vel) mendacio[a] haereticae pravitatis, (sive) Iudaicae superstitionis[b] clementer eruere, et ad Ecclesiam tuam sanctam revocare: tu, Domine, emitte in eum Spiritum sanctum Paraclitum de coelis. R. Amen[c].

     Spiritum sapientiae, et intellectus. R. Amen.

     Spiritum consilii, et fortitudinis. R. Amen.

     Spiritum scientiae, et pietatis. R. Amen.

     Adimple illum lumine splendoris tui[d], et in nomine eiusdem Domini nostri I. C. signetur signo Crucis in vitam aeternam. R. Amen.

Chartres 1627-1689 (*Ordo ad reconciliandum apostatam…*). Besançon 1705. Narbonne 1736. Reims 1677. Soissons 1694.
Réf. Andrieu, PR III, 617. Cf. PRG II, 226. Absent de Deshusses.
Variantes. [a] errore Gentilitatis] *om.* Nar. – Gentilitatis vel mendacio] *om.* Rei. Soi. – [b] Iudaicae superstitionis] *om.* Nar. Rei. Soi. – Gentilitatis… superstitionis] haereticae pravitatis Bes. – [c] Amen] *om.* Bes. – [d] lumine… tui] spiritu timoris Domini Nar.

P2131   Domine Deus omnipotens, pater Domini nostri I. C., qui dignatus es hunc famulum tuum, ab errore haereticae pravitatis clementer eruere, et ad Ecclesiam tuam sanctam revocare: emitte in eum Spiritum sanctum Paraclitum de coelis. Spiritum sapientiae, et intellectus. Spiritum consilii, et fortitudinis. Spiritum scientiae, et pietatis, ut qui in terris

958 CHAPITRE XX

Ecclesiam matrem veneratur, Deum in coelis Patrem habere mereatur. Per eumdem Christum.

Lyon 1787.
Réf. Cf. PRG II, 226. Absent d'Andrieu, Deshusses.

P2132 Omnipotens sempiterne Deus, hanc ovem tuam à faucibus lupi tuâ virtute subtractam, paternâ recipe pietate : ut tuo gregi piâ benignitate adnecte. Per Christum Dominum nostrum. R. Amen.

Besançon 1705.
Réf. Absent de PRG, Andrieu, Deshusses.

P2133 Omnipotens, sempiterne Deus, hanc ovem tuam, de faucibus lupi, tuâ virtute ereptam, paternâ respice pietate ; ne de familiae tuae damno inimicus exultet ; sed de conversione et liberatione ejus, Ecclesia tua, ut pia mater, de filio recepto gratuletur. Per Christum Dominum nostrum.

Saint-Dié 1783.
Réf. cf. Pont. R.

P2134 Omnipotens sempiterne[a] Deus, hanc ovem tuam de faucibus lupi tua virtute subtractam, paterna recipe pietate, et gregi tuo reforma pia benignitate ; ne de familiae tuae damno inimicus exultet, sed de conversione et liberatione eius Ecclesia tua, ut pia mater de filio reperto gratuletur. Per Christum Dominum nostrum. R. Amen.

Chartres 1627-1689. Bourges 1666, 1746. Limoges 1774. Montauban 1785. Narbonne 1736, 1789. Orléans 1726. Toulouse 1782.
Réf. Pont. R. Absent de PRG, Andrieu, Deshusses.
Variante. [a] Omnipotens sempiterne] Tu autem omnipotens Nar. 1736.

P2135 Praesta quaesumus Domine huic famulo tuo dignum Poenitentiae fructum, ut Ecclesiae tuae Sanctae à cuius integritate deviaverat peccando, admissam[a] veniam consequendo reddatur innoxius. Per Christum.

Poitiers 1655-1714. Narbonne 1736.
Réf. PRG I, 319, II, 62, 276 ; Andrieu I, 61, 65, 274, III, 611 ; Deshusses 1384, 3964.
Variante. [a] admissam] admissorum Nar.

Tu autem, omnipotens Deus, hanc ovem tuam…
Voir : Omnipotens sempiterne Deus, hanc ovem tuam… P2134

7. Formules d'abjuration

P2136 Ego N. contrito et humiliato corde cognosco et confiteor coram sanctissima Trinitate, et tota Curia coelesti, et vobis testibus, me graviter peccasse, adhaerendo haereticis, et credendo varias haereses eorum; praesertim has sequentes N.N. Iam autem per Dei gratiam resipiscens, has praedictas, et omnes alias cuiuscunque tandem nominis sint aut gentis aut generis, libere, sponte et syncere abiuro, execror et anathematizo. Adhaec consentio in omnibus cum sancta Romana Ecclesia, atque corde et ore confiteor, ac promitto semper syncere me retenturum deinceps illam fidem, quam Romana Ecclesia tenet, observat, ac praedicat. Et haec omnia supradicta spondeo, ac iuro: ita me Deus adiuvet, et haec sancta Dei Evangelia.

> Genève 1612-1632. Albi 1647. Auch [1678]. Béziers 1638. Chalon/Saône 1653, 1735. Oloron 1679. Toulouse 1616-1736. Vabres c. 1729-1766.

P2137 Ego N. comperto divisionis laqueo quo tenebar, diutina mecum deliberatione pertractans, prona et spontanea voluntate ad unitatem Sedis Apostolicae, divina gratia duce, reversus sum: ne vero non pura mente, seu simulata reversus existimer, spondeo sub ordinis mei casu, et anathematis obligatione, atque promitto tibi (tali) Episcopo, et per te sancto Petro Apostolorum Principi, atque sanctissimo in Christo Patri, ac Domino nostro Domino N. Papae N. et successoribus suis, me nunquam quorumlibet suasionibus, vel quocumque alio modo, ad schisma, de quo Redemptoris nostri gratia liberante ereptus sum, reversurum, sed semper in unitate sanctae Ecclesiae Catholicae, et in communione Romani Pontificis per omnia permansurum; unde iurans dico per Deum omnipotentem, et sancta Dei Evangelia, me in unitate et communione praemissis inconcusse mansurum. Et si (quod absit) ab hac me unitate aliqua occasione, vel argumento divisero, periurii reatum incurrens, aeternae obligatus poenae inveniar, et cum auctore schismatis habeam in futuro saeculo portionem.

Sic me Deus adiuvet, et haec sancta Dei Evangelia.

> Chartres 1627-1689 (*Ordo ad reconciliandum apostatam…*).
> *Réf.* Andrieu PR III, 618; Durand de Mende, *Pontifical;* Pont. R.

P2138 Ego N. cognoscens veram Catholicam, et Apostolicam Fidem, anathematizo hîc publicè omnem haeresim, praecipue illam de qua hactenus extiti infamatus, quae astruere conatur hoc, vel illud. Consentio autem sanctae Romanae Ecclesiae; et Apostolicae Sedi ore et corde profiteor

CHAPITRE XX

me credere sic, vel sic, et eamdem Fidem tenere quam sancta Romana Ecclesia auctoritate Evangelica et Apostolica tenendam tradit. Iurans hoc per sanctam, omousion, id est, eiusdem substantiae Trinitatem, per sacrosancta Evangelia Christi ; eos autem qui contra Fidem hanc venerint, cum dogmatibus et sectatoribus suis aeterno anathemate dignos esse pronuntio. Et si ego ipse, quod absit, aliquando contra haec aliquid assentiri, aut praedicare praesumpsero, canonem severitati subiaceam.

Sic me Deus adiuvet, et haec sancta Dei Evangelia.

Chartres 1627-1689 (*Ordo ad reconciliandum apostatam...*)[39].
Réf. Andrieu PR III, 619 ; Durand de Mende, *Pontifical* ; Pont. R.

P2139   Je N. recognoy, confesse d'un coeur contrit, et repenty, devant la tres Saincte Trinité, *Pere, Fils et S. Esprit, devant la glorieuse Vierge Marie mere de J. C., nostre Sauveur, et tous les Saincts, et Sainctes de paradis, et devant vous, mon Pere spirituel,* et tous autres, qui sont icy presents à tesmoins, que j'ay grandement failly, et offensé, adherant aux heretiques, *oyant leurs presches,* et suivant leurs erreurs. Or maintenant que j'ay esté instruit, et me suis recogneu par la grace de Dieu je delaisse, rejette, et condamne *toutes les heresies de ce temps, et particulierement celle de Calvin, à laquelle j'ay adheré depuis longues années* ; ensemble toutes autres erreurs, de quelque nom, qu'ils soient appellez, et consens librement, adhere volontairement, à tout ce que croit, et tient la saincte *mere* Eglise *Catholique, Apostolique,* Romaine, *hors laquelle je croy qu'il n'y a point de salut* ; et fais profession de coeur, et de bouche et promets de garder et suivre sincerement, et inviolablement, la foy, qu'icelle Eglise tient, et enseigne. Ainsi l'asseure [*sic*] et jure sur ces Evangiles. Faiyt et signé de ma main propre (s'il sçait signer) A.N. ce du mois de mil six cens.

Et immediaté dicet. *Confiteor Deo omnipotenti.*

Cahors 1642 [additions, ici en *italiques*, au texte latin de Genève 1612 *Ego N. contrito corde...*].

P2140   Je N. avec un coeur contrit et humilié, recognois et confesse en presence de la tres-saincte Trinité, de la Cour celeste, et de vous tous qui estes icy presens, que j'ay grandement peché, lors que j'ay suivy le party des heretiques et creu leurs heresies : principalement celles cy : (Il faut ici declarer celles qu'il a creu.) Or me recognoissant maintenant par la grace de Dieu, j'abjure, deteste, et anathematize librement, franche-

---

[39]   Formule d'abjuration au cas où le converti est l'hérésiarque ou le principal auteur d'une hérésie.

ABSOLUTION DE L'HÉRÉSIE

ment, et sincerement, les heresies susdites, et toutes autres de quelque espece ou genre qu'elles soient : Et promets que je suiray [*sic*] toujours en tout et par tout les sentiments, et la Foy que l'Eglise Romaine tient, observe et preche. Et jure et promets, Dieu aydant, et les saincts Evangiles, tout ce que dessus.

Albi 1647 [traduction de la formule d'abjuration de Genève 1612 : *Ego N. contrito et humiliato corde…*][40]

P2141 Je [N.] recognois et confesse d'un coeur humble et repentant, devant la Tres-saincte Trinité, et toute la Cour celeste, et vous qui estes icy presens tesmoins : que j'ay griefvement peché ad'herant aux heretiques, et croyant leurs erreurs et heresies, notamment celle de Luther et Calvin. Or maintenant par la grace de Dieu estant remis au bon chemin, je deteste, et anathematise les susdites heresies, et toutes autres Sectes, croyant à la Se Eglise Catholique Apostolique et Romaine, hors laquelle il n'y a point de salut ; et faisant profession de tout ce qu'elle croit et professe, et particulierement j'adore la Tres-saincte Eucharistie, et le S. Sacrement de l'Autel, auquel est contenu le vray Corps et Sang de I. C. avec son Ame et Divinité, soubs les Especes du Pain et du Vin. De plus j'invoque tous les Saincts de Paradis pour estre à mon secours par leurs prieres, sur tous [*sic*], la Benoiste Vierge Marie Mere de Dieu. J'advoue qu'il y a sept Sacremens, par lesquels la grace nous est communiquée. Il y a un Purgatoire, où les Ames sont purgées apres cette vie : Et recognois nostre S. Pere le Pape, pour Souverain Pasteur de l'Eglise universelle, successeur de S. Pierre, Vicaire de I. C. Je promets de garder et suivre inviolablement desormais la Foy qu'icelle Eglise Catholique Apostolique et Romaine, colomne et appuy de verité tient et presche. Ainsi je jure devant Dieu, sur les Sainctes Evangiles, que je touche. Signé. Le jour de mil six cent.

Poitiers 1655 [nombreuses additions au texte de Genève 1612].

P2142 Je N. reconnois et confesse avec un coeur contrit et humilié, en presence de la tres-sainte Trinité, *Pere, Fils, et Saint Esprit, de la glorieuse Vierge Marie, Mere de J.-C. nostre sauveur, de tous les Saints et Saintes de Paradis, de vous, Monsieur*, et de tous ceux qui sont icy presens que je prens à témoins ; que j'ay griévement peché en adherant aux Heretiques, *oyant leurs preches*, et croyant leurs erreurs, et principalement telles et telles (en les nommant), et puisque Dieu par sa grace m'a

---

[40] Le rituel d'Albi 1647 contient la formules d'abjuration latine de Genève 1612 suivie de sa traduction en français.

960 CHAPITRE XX

retiré de l'aveuglement, où j'avois esté jusques à present, je renonce à
ces erreurs, et à toutes les autres de quelque espece et qualité qu'elles
soient, et je les deteste de tout mon coeur, de ma franche volonté, et
sans aucune contrainte, et je tiens et confesse de coeur et de bouche la
mesme Foy que la Sainte Eglise Catholique, Apostolique, et Romaine
tient, preche et enseigne, que je jure et promets de tenir Dieu aidant
toute ma vie. (Et en mettant les mains étenduës sur le livre des Evangiles qui luy sera presenté par le Prestre, il ajoûtera:) Ainsy Dieu me
soit en aide, et les saints Evangiles.

Toulouse 1670-1736. Auch 1678. Oloron 1679. Vabres c. 1729-1766. [Traduction de la formule de Genève 1612 « *Ego N. contrito corde...* avec quelques additions, ici en *italiques*].

8. PROFESSIONS DE FOI SOUS FORME DE QUESTIONS

P2143 Credis duodecim Articulos Fidei? Ille respondet. Credo.
Credis in Deum Patrem omnipotentem, creatorem caeli et terrae?
Ille respondet. Credo.
Credis et in I. C. Filium eius unicum Dominum nostrum? Ille res-
pondet. Credo.
Credis quod conceptus est de Spiritu sancto, natus ex Maria Vir-
gine? Ille respondet. Credo.
Credis quod passus est sub Pontio Pilato, crucifixus, mortuus, et
sepultus? Ille respondet. Credo.
Credis quod descendit ad inferos? Ille respondet. Credo.
Credis quod tertia die resurrexit à mortuis? Ille respondet. Credo.
Credis, quod ascendit ad coelos, et sedet ad dexteram Dei Patris
omnipotentis? Ille respondet. Credo.
Credis quod venturus est iudicare vivos et mortuos? Ille respondet.
Credo.
Credis in Spiritum sanctum? Ille respondet. Credo.
Credis sanctam Ecclesiam Catholicam, Sanctorum communio-
nem? Ille respondet. Credo.
Credis remissionem omnium peccatorum? Ille respondet. Credo.
Credis carnis resurrectionem et vitam aeternam? Ille respondet.
Credo.

Chartres 1627-1640 (*Ordo ad reconciliandum apostatam...*) [première profession de
foi].
Réf. Andrieu, PR III, 617; Pont. R.

ABSOLUTION DE L'HÉRÉSIE

P2144   [Second questionnaire] Credis in Deum Patrem omnipotentem creatorem coeli, et terrae?... R. Credo.

Credis et in I. C. eius Filium unicum Dominum nostrum natum et passum? R. Credo.

Credis in Spiritum sanctum, sanctam Ecclesiam Catholicam, Sanctorum communionem, remissionem peccatorum, carnis resurrectionem, et vitam aeternam post mortem? R. Credo.

... Homo, abrenuncias Sathanae, et Angelis eius? R. Abrenuntio.

Abrenuntias omni sectae Gentilitatis, vel haereticae pravitatis, sive Iudaicae superstitionis? R. Abrenuntio.

Vis esse, et vivere in unitate sanctae fidei Catholicae? R. Volo.

Chartres 1627-1640 (*Ordo ad reconciliandum apostatam...*)
Réf. Andrieu, PR III, 617; Pont. R.

P2145   D. Quel est vôtre dessein venant en ce lieu?[a] R.[b] C'est d'abjurer l'Heresie dans laquelle j'ay vécu, faire profession de la foy catholique apostolique et romaine

D. Est-ce de vôtre propre volonté, franche[c] liberté, et sans aucune contrainte, et pour faire vôtre salut que vous voulez faire abjuration de l'heresie, embrasser la Foy et vous mettre dans l'Eglise catholique apostolique et romaine? R. Ouy[b].

D. Croyez-vous que hors de l'Eglise catholique apostolique et romaine il n'y a point de salut? R. Ouy[b] je le crois.

Bourges 1666, 1746. Limoges 1774. Montauban 1785. Narbonne 1789. Toulouse 1782.
Variantes. [a] venant en ce lieu] en vous présentant ici Bou. 1746. Tols. –[b] Monsieur] *add.* Bou. 1746. –[c] franche] avec Bou. 1746. Tols.

P2146   [Second questionnaire] D. Perseverez-vous dans la pensée et[a] le dessein que Dieu vous a donné, de vivre et mourir en la foy de l'Eglise catholique, apostolique et romaine? R. Ouy par la grace de Dieu.

D. Voulez-vous recevoir l'absolution? R. Ouy.

Bourges 1666, 1746. Limoges 1774. Montauban 1785. Narbonne 1789. Toulouse 1782.
Variante. [a] dans la pensée et] *om.* Bou. 1746. Lim. Mon. Nar. Tols.

P2147   Ne croyez vous pas les douze articles de la foy? R. Oüy, Monsieur.

Ne croyez vous pas en Dieu le pere Tout puissant, createur du ciel et de la terre? R. Oüy.

Ne croyez vous pas en J. C. son fils unique, nôtre Seigneur? R. Oüy.

Ne croyez vous pas qu'il a été conçu du Saint Esprit...

964   CHAPITRE XX

... D. Ne croyez-vous pas[a] les veritez que l'Eglise catholique a deci-dées dans ses conciles, et specialement dans le concile de Trente, contre les nouveautez de Luther et de Calvin ? R. Oüi.

D. Ne voulez-vous pas embrasser toutes les veritez qui sont conte-nuës dans la profession de foi, dont l'Eglise catholique se sert, et dont vous allez faire ou entendre la lecture ? R. Oüi.

Reims 1677. Lyon 1692. Clermont 1733. Soissons 1694.
Variante. [a] toutes] *add.* Agen. Lyon.

P2148   *Sacerdos.* Est-ce de vôtre bonne volonté et sans aucune contrainte, que vous voulez faire abjuration de l'Heresie, et embrasser la Foy catho-lique, apostolique et romaine ? R. Oüy, monsieur.

Sacerdos. Croyez-vous fermement tout ce que croit cette sainte Eglise, et que hors de l'Eglise catholique, apostolique et romaine, il n'y a point de salut ? R. Oüy, monsieur, je le crois.

Limoges 1678-1698. Bayeux 1687. Nantes 1776.

P2149   D. Est-ce librement et sans contrainte que vous desirez maintenant abjurer vôtre héresie, et embrasser la foi catholique, apostolique et ro-maine ? R. Oüi, Monsieur.

D. Ne croiez-vous pas tous les articles de foi contenüs dans le Sym-bole des Apôtres ? R. Oüi.

D. Ne croyez-vous pas aussi toutes les veritez que l'Eglise catholique a decidées dans ses conciles, et specialement dans le concile de Trente, contre les nouveautez de Luther et de Calvin ? R. Oüi.

D. Ne voulez-vous pas embrasser toutes les veritez qui sont conte-nuës dans la profession de foy, dont l'Eglise catholique se sert, et dont vous allez faire ou entendre la lecture ? R. Oüi. [comme Reims 1677]

Amiens 1687-1784.

P2150   D. Ne croyés-vous pas[a] toutes les verités que l'Eglise catholique a deci-dées dans ses[b] Conciles contre les nouveautés de Luther et de Calvin et specialement dans le Concile de Trente ? R. Oüy. [comme Amiens 1687]

D. Ne voulés vous pas[c] embrasser toutes les verités qui sont conte-nuës dans la profession de foi, dont l'Eglise catholique se sert, et dont vous allez faire ou entendre la lecture ? R. Oüi. [comme Reims 1677 et Amiens 1687]

Agen 1688. Auch 1701-1751 et Province d'Auch. Sarlat 1708. Glandève 1751.
Variantes. [a] Ne croyez-vous pas] Croyez-vous Auch 1751. –[b] ses] les Auch. –[c] Ne voulez-vous pas] Voulez-vous Auch 1751.

ABSOLUTION DE L'HÉRÉSIE

P2151 **D.** Croyez-vous toutes les Veritez, que l'Eglise Catholique, Apostolique et Romaine enseigne, et qui sont contenuës dans la Profession de Foi dont Elle se sert, et dont vous allez faire (ou entendre) la lecture? R. Oüi, Monsieur, je le crois.

Bordeaux 1707-1777. Lodève 1773. Narbonne 1736. Rodez 1733. Sarlat 1729. Toulon 1750-1790.

P2152 Est-ce de votre bonne volonté, sans aucune contrainte, et dans la seule vuë de votre salut, que vous voulez faire abjuration de l'hérésie et embrasser la foi catholique, apostolique et romaine? R. Ouï, Monsieur.

Orléans 1726. Auxerre 1730.

P2153 Persistez-vous dans le dessein de faire profession de la Religion catholique, apostolique et romaine, d'embrasser sa doctrine, et de renoncer de coeur et d'esprit à toutes les erreurs qu'elle condamne?

Rouen 1739, 1771. Bayeux 1744. Coutances 1744. Lisieux 1742. Lodève 1773. Sées 1744. Strasbourg 1742.

9. Profession de foi du concile de Trente

Les rituels de Strasbourg 1590 et 1670, et Metz 1605, 1631 et 1662 donnent le texte de la profession de foi tridentine en latin et en allemand[41] indépendamment de tout rite concernant les hérétiques.

Les décrets du concile de Trente sont promulgués par les évêques français en 1615, mais ont déjà antérieurement été acquis ou projetés par des conciles provinciaux (Reims 1564, Rouen 1581, Reims, Bordeaux, Tours, Angers 1583, Bourges 1584, Aix-en Provence 1585, Toulouse 1590, Narbonne 1609)[42].

La profession de foi tridentine apparaît au cours du rite d'absolution de l'hérésie, principalement en français: Bourges 1616, puis Auch et province d'Auch c. 1642, Cahors et Orléans 1642, Meaux 1645, Albi et

---

[41] À Strasbourg 1590 p. 343-349, la profession de foi tridentine en latin et allemand vient après un petit catéchisme en allemand (*Der klein Catechismus*) comme à Trèves 1574, et est intitulée: *Formula professionis fidei catholicae, a Pio IIII… edita, quae parochis serviet, cum in suscipiendis sacellanis et ludi magistris, tum in informandis illis qui ab errore ad Ecclesiae gremium revertuntur.* À Metz les textes (latin, français et allemand en 1605; français et allemand en 1631-1662) viennent parmi différents formulaires. Titre latin en 1605: *Formula Professionis Fidei Catholicae, à Pio IIII. Pontifice maximo edita.*

[42] Cf. A. Michel, «Trente, concile de – Réception dans les États», *Dictionnaire de théologie catholique*, t. 15 (1946), col. 1492-1496.

CHAPITRE XX

Boulogne 1647, Châlons-sur-Marne 1649, Périgueux 1651, 1680, Troyes 1660, Le Mans 1662, Bourges 1666, Laon et Rodez 1671, Angers 1676, Reims 1677, Limoges 1678, Langres 1679, Metz 1686, Agen 1688, Toul 1700, Poitiers 1712…

Les traductions françaises sont variées ; certaines font des additions : par exemple, à la fin du formulaire, la soumission aux peines portées par les Décrets et Constitutions canoniques en cas de défaillance (Meaux 1645, Périgueux 1651…), ou le qualificatif « *miserables* » ajouté à « *hommes* » dans la formule *Je croy… en un seul Seigneur, J. C. … qui est descendu des cieux pour nous hommes miserables…* (Paris 1697, Toul 1700, Poitiers 1712, Blois 1730…).

Le texte latin est cité beaucoup plus rarement : Albi 1647, Paris 1654-1786, Poitiers 1712, Metz 1713, Beauvais 1725, Tournai 1721, 1784 etc.

CHOIX DE FORMULES DE PROFESSION DE FOI TRIDENTINE

Bourges 1616

[André Frémiot]
Forme du jurement et profession de la foy catholique,
dressée par nostre S. Pere le pape Pie IIII,
par sa Bulle expediée le XV novembre 1564 et de son Pontificat le V

P2154 **Bourges 1616** f. 44-47

Je N. croy et professe d'une ferme Foy, toutes les choses, qui sont en general ou particulier, contenuës au Symbole de la Foy, duquel se sert la saincte Eglise Catholique, Apostolique et Romaine, qui est tel.

Je croy en un Dieu, Pere tout-puissant, createur du Ciel et de la Terre, de toutes les choses visibles et invisibles : Et en un seul J. C., nostre Seigneur, Filz unique de Dieu, né du Pere avant tous les siecles, Dieu né de Dieu, lumiere de lumiere, vray Dieu né du vray Dieu, engendré non créé, consubstantiel et ayant la mesme nature que son Pere ; par lequel toutes choses ont esté créées, lequel pour nous hommes, et pour nostre salut, est descendu des Cieux, s'est incarné par la vertu du S. Esprit, né de la Vierge Marie. Et s'est faict homme, a esté pour nous aussi crucifié soubz Ponce Pilate, a enduré la mort, a esté ensepveli, le troisiesme jour est resuscité, comme il estoit predict és sainctes Escriptures ; est monté aux cieux ; est assis à la dextre de Dieu son Pere ; et viendra de rechef avec gloire, pour juger les vivans et les mors ; le Regne duquel n'aura plus de fin.

ABSOLUTION DE L'HÉRÉSIE

Je croy au S. Esprit nostre Seigneur, qui nous vivifie et sanctifie; procedant du Pere et du Filz: lequel doibt estre adoré et glorifié pareillement, avec le Pere et le Filz; qui a parlé par les Prophetes.

Je croy la saincte Eglise Catholique et Apostolique; je confesse un Baptesme, necessaire pour la remission des pechez, et j'attens la resurrection des mors, et la vie du siecle à advenir. Ainsi soit-il.

J'admetz et ambrasse [*sic*] les traditions apostoliques, ecclesiastiques, et toutes les observations et constitutions de l'Eglise.

J'admetz aussi les sainctes Escriptures, selon le sens, et intelligence qu'a tenu et tient nostre Mere saincte Eglise, à laquelle appartient de juger du vray sens, et bonne interpretation des sainctes Escriptures; et jamais je ne les prendray, n'interpreteray, sinon que selon l'unanime, et commun consentement des sainctz Peres.

Je professe de plus qu'il y a sept, vraiment et proprement Sacremens de la nouvelle Loy, instituez de nostre Seigneur J. C. pour le salut du genre humain, bien que tous ne soient pas à un chascun necessaires, qui sont Baptesme, Confirmation, l'Eucharistie, Penitence, Extrem' unction, Ordre sacré, Mariage. Qu'ilz conferent la grace, et que d'iceux le Baptesme, la Confirmation et l'Ordre, ne se peuvent reïterer sans sacrilege;

Je reçois aussi et approuve les ceremonies, receuës et approuvées de l'Eglise Catholique, desquelles on se sert en l'administration solemnele des susdictz Sacremens.

Je croy et ambrasse tout ce que le sacré et sainct Concile de Trente a en general, et particulier defini et declaré du peché originel, et de la justification.

Je professe pareillement qu'en la Messe, est offert à Dieu, un vray, propre et propitiatoire sacrifice pour les vivans et trespassez; et qu'au sainct Sacrement de l'Eucharistie, est vraiment, reelement, et substantielement, le corps et sang, avec l'ame et la divinité, de nostre Seigneur J. C.: Et qu'en iceluy se faict la conversion, et changement de toute la substance du pain au corps, et de toute la substance du vin au sang, laquelle conversion l'Eglise Catholique appelle transsubstantiation. Je confesse aussi que tout Nostre Seigneur J. C. est tout entierement et vray sacrement, reçeu soubz et en une seule des especes de pain, ou du vin.

Je tiens aussi fermement, qu'il y a un Purgatoire, et que les ames lesquelles y sont detenuës, sont aydées par les prieres et suffrages des fideles et gens de bien.

Semblablement qu'il faut honorer, et invoquer les Sainctz qui regnent avec nostre Seigneur J. C., qu'ilz offrent des oraisons pour nous à Dieu, et qu'il faut venerer leurs reliques.

968   CHAPITRE XX

J'asseure aussi tres-fermement, que l'on doibt avoir et garder les images de nostre Seigneur, de la bien heureuse Vierge et Mere de Dieu, et des autres sainctz et sainctes, et leur deferer l'honneur et culte qui leur est deu.

J'asseure de plus, que la puissance de conceder des Indulgences, a esté laissée par Nostre Seigneur J. C. en l'Eglise, et que l'usage d'icelle est tres-salutaire, et profitable au peuple chrestien.

Je recognois la saincte Eglise Catholique, Apostolique et Romaine, pour mere et maistresse de toutes les autres ; je prometz et jure obeissance à nostre sainct Pere le Pape, Evesque et Pontife de Rome, successeur du bien-heureux sainct Pierre, et vicaire de J. C.

Je reçois indubitablement, et professe toutes les choses qui nous ont esté laissées, definies, et declarées, par les sainctz Canons et Conciles generaux, et principalement, par le sainct et sacré Concile de Trente, condamnant pareillement, rejettant, et anathematizant, toutes les choses contraires à icelles, et toutes les haeresies condamnées, rejettées, et anathematizées par l'Eglise.

En fin je procureray, autant qu'il me sera possible, que cette vraye foy Catholique, hors laquelle personne ne peut estre sauvé, et laquelle presentement je professe volontairement, et tiens vraiment, sera aussi retenuë, confessée, enseignée, preschée et defenduë, entiere et sans corruption tres-constamment (aydant Dieu) jusques au dernier soupir de nostre vie, par moy et par ceux, qui en quelque façon que soit, seront en ma charge, et dependeront de moy.

Je N. prometz, vouë, et jure tout ce que dict est, Ainsi Dieu me soit en ayde, et ces saincts Evangiles. Ainsi soit il.

Auch c. 1642 et province d'Auch :
Couserans c. 1642, Lescar c. 1642, Oloron c. 1644, Tarbes c. 1644, Comminges 1648. Albi 1647

[Auch c. 1642 : Dominique de Vic]
Abjuration[43]

P2155   **Auch c. 1642 p. 90-93**
Je N. croy, confesse et professe, par une ferme foy, toutes et chacunes les choses qui sont contenues au Symbole de la Foy, duquel la Saincte Eglise Romaine use, à sçavoir. Je croy en un Dieu Pere tout puissant… [*Credo*]

---

43   *Abjuration* : titre d'Auch et de sa Province ; *Profession de foy* : titre d'Albi. Quelques variantes d'orthographe à Albi.

Je reçois et embrasse tres-fermement les traditions apostoliques et ecclesiastiques, et autres observations et constitutions de la mesme Eglise.

Semblablement je reçois la sacrée Escriture selon le sens qu'a tenu et tient la Saincte Mere Eglise, à laquelle appartient de juger du vray sens et interpretation des Escritures sacrées, et ne la prendray jamais sinon selon l'unanime consentement des Peres.

Je professe aussi qu'il y a vrayement et proprement sept Sacremens de la nouvelle loy, instituez par J. C. nostre Seigneur necessaires à salut, combien que non tous à chacune personne, sçavoir est le Baptesme, Confirmation, Ordre et Mariage ; qu'iceux conferent graces ; et que trois d'iceux, c'est à sçavoir, le Baptesme, Confirmation, et Ordre, ne peuvent estre reiterés sans sacrilege.

Je reçois semblablement la practique et ceremonies approuvées [*sic*] de l'Eglise Catholique, en la solennelle administration de tous les susdits Sacremens.

J'embrasse et reçois toutes choses et chacunes les choses qui ont esté definies et declarées touchant le peché originel, et justification au sacro-sainct Concile de Trente.

Je professe pareillement en la Messe estre offert a Dieu le vray, propre et propitiatoire sacrifice pour les vivans et trespassez, et au tres-sainct Sacrement de l'Eucharistie estre vrayement, rellement et substantiellement le corps et le sang ensemble, avec l'ame et la divinité de N.S.J. C., et qu'il y est faicte conversion de toute la substance du pain au corps, et de toute la substance du vin au sang, laquelle conversion l'Eglise Catholique appelle Transubstantiation.

Je confesse que sous une seule des deux especes tout J. C., et l'entier et vray Sacrement est reçeu.

Je tiens constamment qu'il y a un Purgatoire, et que les ames des fideles qui y sont detenuës sont aydées par les suffrages des fideles.

Semblablement, qu'il faut honorer et invoquer les Saincts qui regnent avec J. C., et qu'ils offrent oraisons à Dieu pour nous, et qu'il faut honorer leurs reliques.

J'asseure tres-fermement qu'il faut avoir et retenir les Images de J. C. et de la Mere de Dieu tousjours Vierge, et pareillement des autres Saincts, et leur rendre l'honneur et la veneration qui leur est deuë.

J'afferme que la puissance des Indulgences a esté laissée en l'Eglise par J. C., et que l'usage d'icelles est fort salutaire au peuple chrestien.

Je recognois la saincte Eglise Catholique Apostolique et Romaine, pour mere et maistresse de toutes les Eglises, et jure vraye obeyssance au Pontife Romain, successeur de sainct Pierre, Prince des Apostres et Vicaire de J. C.

Pareillement je reçois et professe sans aucune [sic] doubte les autres choses baillées, definies, et declarées par les sacrez Canons, et Conciles Oecumeniques, et principalement par le Sacro-Sainct Concile de Trente, et ensemble je condamne, rejette, et anathematize aussi toutes les choses contraires, toutes heresies condamnées et rejettées, et anathematizées par l'Eglise.

Je N. susdict promets, voüe, jure, retiens et confesse la vraye foy Catholique (hors laquelle personne ne peut estre sauvé) laquelle sans contraincte je professe, et tiens presentement veritablement, et retiendray et confesseray tres-constamment, moyenant [sic] la grace de Dieu, icelle entiere et inviolable, jusques au dernier soupir de ma vie, et fairay tant qu'il me sera possible, tenir, enseigner, et prescher a mes sujets, ou à ceux desquels j'auray charge en mon office et estat : ainsi Dieu me veuille ayder, et ces saincts Evangiles de Dieu.

Cahors 1642

[Alain de Solminihac]
Profession de foy

P2156   **Cahors 1642,** *Manuale proprium,* p. 115-121

Je N. d'une ferme foy, crois et professe toutes et chacunes les [sic] choses du Symbole de la foy, du quel use la sainte Eglise romaine : sçavoir est, Je croy en Dieu…

Je croy semblablement en un souverain Seigneur J. C. …

Je croy au sainct Esprit souverain Seigneur et vivifiant…

Je croy et embrasse avec toute fermeté les traditions des Apostres et de l'Eglise, ensemble toutes les observations, usages et ordonnances d'icelle.

Je croy la saincte Escriture et la reçois selon le sens et intelligence, qu'a tousjours tenu et tient nostre saincte mere l'Eglise, à laquelle appartient le jugement de la vraye intelligence et interpretation des Escritures sacrées…

Je confesse aussi qu'il y a sept sacrements, lesquels sont proprement et veritablement appellez Sacrements de la nouvelle Loy…

Je croy aussi les ceremonies approuvées par l'Eglise…

J'approuve toutes et chascunes les decisions et declarations faictes au saint et sacré Concile de Trente, touchant le peché originel, et la justification de l'homme. Je proteste qu'en la saincte messe on offre à Dieu un vray, propre et propitiatoire sacrifice pour les vivants et pour les morts ; Et qu'en ce sainct Sacrement de l'Eucharistie est vrayment, et réellement et substantielement le corps et le sang avec l'ame et la divi-

ABSOLUTION DE L'HÉRÉSIE

nité de nostre sauveur J. C.; et qu'en iceluy est faicte une conversion de toute la susbstance du pain au corps et de toute la susbstance du vin au sang : laquelle conversion l'Eglise catholique appelle transubstantiation.

Je confesse aussi que soubs l'une des especes on prend et reçoit J. C. tout entier, et son vray sacrement.

Je maintiens qu'il y a un purgatoire ou les ames detenuës peuvent estre soulagées des suffrages et bienfaicts des fideles.

… J'advoüe davantage que nostre Redempteur a laissé en son Eglise la puissance des Indulgences…

Je recognois la saincte Eglise catholique apostolique et romaine estre la mere et maistresse de toutes les Eglises, promets et jure vraye obeissance au sainct P. Pape de Rome comme vicaire de J. C. successeur de S. Pierre chef des apostres.

J'approuve sans aucun doute et fais profession de tout ce qui a esté decis [*sic*], determiné, et declaré par les saincts Canons… Ensemble je deteste, reprouve et condamne tout ce qui est contraire à iceux, et generalement toutes les heresies, qui ont esté condamnées et anathematisées d'icelle Eglise ; je les condamne aussi de ma part, les rejette et anathematise.

Or en cette vraye foy catholique sans laquelle nul ne peut estre sauvé, laquelle presentement je proteste et confesse volontairement et crois veritablement, je veux moyennant la grace de Dieu persister entierement et inviolablement jusques au dernier souspir et mettre peine entant [*sic*] qu'il me sera possible, qu'elle soit tenuë, preschée et enseignée de mes sujets, et de tous ceux qui sont soubs ma charge, ainsi moy susdit N. le promets, le voüe et le jure.

Et ainsi Dieu me veüille ayder et ces saincts Evangiles que je touche.

Orléans 1642
Le Mans 1662. Langres 1679
[Meaux 1645]. [Périgueux 1651-1763][44]

[Orléans 1642 : Nicolas de Nets]
Professio fidei à sacrosancta Tridentina Synodo praescripta

P2157 **Orléans 1642** p. 115

Je N. croy et confesse par une ferme foy tous et un chacun les articles contenus au Symbole de la Foi, duquel use la sainte Eglise Romaine. A sçavoir : Je croy en un seul Dieu…

---

[44] Meaux 1645 et Périgueux 1651-1763 : Très nombreuses variantes de texte, avec une addition à la fin faisant référence aux Décrets et Constitutions canoniques.

CHAPITRE XX

Je reçois et embrasse tres-fermement les traditions apostoliques et ecclesiastiques… Semblablement je reçois la saincte Escriture, selon le sens et intelligence qu'a tenu et tient ladite saincte Mere Eglise, à laquelle apartient de juger du vray sens et interpretation des Escritures sacrées, et ne la prendray ny interpreteray jamais, sinon selon le consentement unanime des Peres anciens.

Je confesse aussi qu'il y a vrayement et proprement sept Sacremens de la Loy evangelique, instituez par J. C. nostre Seigneur, et necessaires au salut du genre humain, bien que tous ne le soient pas à un chacun…

… Je N. promets, voüe, et jure retenir et confesser tres-constamment jusques au dernier souspir de ma vie (avec l'ayde de Dieu) entiere et inviolable cete [sic] vraye foy catholique, hors laquelle persone [sic] ne peut estre sauvé, et de laquelle je fais profession à present de mon gré et sans aucune contrainte.

Comme aussi je promets, voüe, et jure d'avoir soin qu'elle soit tenuë, enseignée, et presché [sic] autant qu'il me sera possible à tous ceux qui seront soubs moy, ou dont j'auray charge.[a]

Tum tangendo librum Evangeliorum, addit.

Ainsy Dieu me soit en ayde, et ces saincts Evangiles[b].

Variantes. [a] Je N. promets… charge] Je N. voüe et jure, tenir et confesser, sans aucune contrainte, cette vraye Foy catholique, sans laquelle personne ne peut estre sauvé : et promets que je la garderay et tiendray constamment, moyennant la grace de Dieu, jusques au dernier souspir de ma vie ; et tant qu'il me sera possible la feray tenir, garder et observer par tous ceux desquels j'auray charge en ma maison et en mon estat ; et au cas qu'il m'advienne de faire le contraire à l'advenir (ce que Dieu ne vüeille) je me soubmets à toutes les peines portées par les Saints Decrets et Constitutions canoniques. Mea. Je N. voüe et jure que je tiens et confesse sans aucune contrainte et tiendrai, Dieu aydant, toute ma vie, cette vraye Foy catholique, sans laquelle personne ne peut estre sauvé, et la feray tenir de tout mon pouvoir à tous ceux qui dépendront de moy. Que si j'y manque (ce qu'à Dieu ne plaise) je me sousmets à toutes les penes [sic] portées par les saincts Decrets et Constitutions canoniques Pé. –[b] Ainsy… Evangiles] Ainsi je le jure sur les Saints Evangiles Lan. Mea. Pé.

Albi 1647

[Albi 1647 : Gaspar de Daillon du Lude]
Profession de Foy

P2158 **Albi 1647** p. 441-444

Ego N. firma fide credo et profiteor omnia et singula, quae continentur in Symbolo fidei, quo Sancta Romana Ecclesia utitur, videlicet :

Credo in unum Deum, Patrem omnipotentem, factorem coeli et terrae… [*Credo*]

Apostolicas et Ecclesiasticas Traditiones, reliquasque eiusdem Ecclesiae observationes, et constitutiones firmissime admitto et amplector.

Item sacram Scripturam, iuxta eum sensum, quem tenuit et tenet sancta mater Ecclesia, cuius est iudicare de vero sensu et interpretatione sacrarum Scripturarum, admitto, nec eam unquam, nisi iuxta unanimem consensum Patrum, accipiam, et interpretabor.

Profiteor quoque septem esse verè et propriè Sacramenta novae legis, à I. C. Domino nostro instituta, atque ad salutem humani generis, licet non omnia singulis necessaria, scilicet : Baptismum, Confirmationem, Eucharistiam, Poenitentiam, Extremam unctionem, Ordinem et Matrimonium, illaque gratiam conferre, et ex his Baptismum, Confirmationem, et Ordinem, sine sacrilegio reiterari non posse.

Receptos quoque et approbatos Ecclesiae Catholicae ritus, in supradictorum omnium Sacramentorum solenni administratione, recipio et admitto.

Omnia et singula, quae de peccato originali, et de iustificatione in sacrosancta Tridentina Synodo definita et declarata fuerunt, amplector et recipio.

Profiteor pariter in Missa offerri Deo, verum, proprium, et propitiatorium sacrificium pro vivis et defunctis, atque in sanctissimo Eucharistiae Sacramento esse verè, realiter, et substantialiter corpus et sanguinem, unà cum anima et divinitate domini nostri I. C., fierique conversionem totius substantiae panis in corpus, et totius substantiae vini in sanguinem, quam conversionem Catholica Ecclesia Transubstantionem appellat.

Fateor etiam sub altera tantum specie, totum atque integrum Christum, verumque Sacramentum sumi.

Constanter teneo Purgatorium esse, animasque ibi detentas fidelium suffragiis iuvari.

Similiter et Sanctos una cum Christo regnantes, venerandos atque invocandos esse, eosque orationes Deo pro nobis offerre, atque eorum reliquias esse venerandas.

Firmissime assero, Imagines Christi ac Deiparae semper virginis, necnon aliorum Sanctorum habendas et retinendas esse, atque eis debitum honorem et venerationem impertiendam.

Indulgentiarum etiam potestatem à Christo in Ecclesia relictam fuisse, illarumque usum Christiano populo maxime salutarem esse, affirmo.

Sanctam Catholicam et Apostolicam Romanam Ecclesiam, omnium Ecclesiarum matrem et magistram agnosco; Romanoque Pontifici, beati Petri Apostolorum principis successori, ac Iesu Christi vicario, veram obedientiam spondeo, ac iuro.

Caetera idem omnia à sacris Canonibus, et Oecuminicis Conciliis, ac praecipuè à sacrosancta Tridentina Synodo tradita, definita et declarata, indubitanter recipio atque profiteor; simulque contraria omnia atque haereses quascunque ab Ecclesia damnatas, et reiectas, et anathematizatas, pariter ego damno, rejicio, et anathematizo. Hanc veram Catholicam fidem, extra quam nemo salvus esse potest, quam in praesenti, spontè profiteor et veraciter teneo, eandem integram et inviolatam, usque ad extremam vitae spiritum constantissimè (Deo adiuvante) retinere et confiteri: atque à meis subditis, vel illis, quorum cura ad me in munere meo spectabit, teneri, doceri, et praedicari, quantum in me erit, curaturum. Ego idem N. spondeo, voveo, ac iuro, sic me Deus adiuvet, et haec sancta Dei Evangelia.

> p. 444-446 [Profession de foi tridentine en français]
> *Voir supra* Auch c. 1642 et Province d'Auch.

Angers 1676, 1735

[Angers 1676: Henri Arnauld]
Profession de foy

P2159 **Angers 1676 p. 134-137**

Je N. croy par une ferme foy, et embrasse tout generalement et en particulier ce qui est contenu dans le Symbole de la Foy, dont se sert la sainte Eglise Romaine, et dont voicy la teneur.

Je crois en un Dieu Pere tout-puissant…

… Je professe aussi que dans la Messe on offre à Dieu un vray, propre et propitiatoire sacrifice pour les vivans et pour les morts: Et que dans le tres-saint Sacrement de l'Eucaristie [*sic*] est rellement et substantiellement le corps et le sang de N.S.J. C., avec son ame et sa divinité; et qu'il s'y fait une veritable conversion de toute la substance du pain en son corps, et du vin en son sang, lequel changement l'Eglise Catholique appelle transubstantiation.

Je confesse que sous chacune des especes on reçoit J. C. tout entier et le veritable Sacrement.

… C'est ce que je N. prometz, ce que je voüe, ce que je jure. Ainsi Dieu me soit en aide, et ces saints Evangiles.

ABSOLUTION DE L'HÉRÉSIE

Paris 1697-1786
Arras 1757. Auxerre 1730. Chalon-sur-Saône 1735
Châlons-sur-Marne 1776. Clermont 1733. Lisieux 1742
Poitiers 1712, 1714. Rouen 1739. Soissons 1753
Toul 1700. Tournai 1721, 1784

[Paris 1697: Louis-Antoine de Noailles]

Forma professionis fidei catholicae, apostolicae et romanae.
Formule de profession de la Foy catholique, apostolique et romaine

P2160 **Paris 1697** p. 119-126

Je croy d'une foy ferme et professe tant en general qu'en particulier tous les articles contenus au Symbole de la Foy, dont se sert la sainte Eglise Romaine…

… Je croy … en un seul Seigneur, J. C. … qui est descendu des cieux pour nous hommes miserables[a]…

Je professe[b] encore… qu'il y a sept sacremens de la Loy nouvelle vraiement et proprement ainsi appellez, instituez par notre Seigneur J. C. … lesquels[c] sont necessaires au salut du genre humain, quoiqu'ils ne le soient pas tous pour chaque homme[d] en particulier[e]…

… Je N. promets, voue, et jure sur ces saints Evangiles de Dieu, de garder et confesser tres constamment jusqu'au dernier soupir de ma vie, avec l'aide de Dieu, cette foi catholique pure et entiere, hors laquelle personne ne peut être sauvé, et dont présentement je fais profession sans aucune contrainte, et tant qu'il me sera possible, je la ferai garder, enseigner, et prêcher par ceux sur qui j'ay autorité, et dont le soin m'aura été commis.

Variantes. [a] miserables] *om.* Ar. Aux. So. Trn. –[b] Je professe] Je confesse Aux. ChS. –[c] lesquels] *om.* So. – et qui] Aux. –[d] pour… homme] à chacun So. –[e] pour chaque particulier] Aux.

Metz 1713

[Henri-Charles du Cambout de Coislin]

Professio fidei

P2161 **Metz 1713** *Pars secunda*, p. 90-95

Je croi [*sic*] d'une foi ferme, et je professe tous les articles contenus au Symbole de la Foi, dont se sert la sainte Eglise Romaine; sçavoir, Je crois en un seul Dieu…

976   CHAPITRE XX

Je reçois et j'embrasse tres-fermement les Traditions apostoliques et ecclesiastiques, et toutes les Ordonnances et Constitutions de la même Eglise.

Je reçois aussi la Sainte Ecriture, selon le sens qu'a *toûjours* tenu, et
que tient encore *presentement* la sainte Eglise *nôtre* Mere, qui a le droit
de juger du veritable sens, et de l'interprétation des Saintes Ecritures ; et
je ne la prendrai, ni ne l'interpréterai jamais que selon le consentement
unanime des Peres.

… Je fais pareillement profession *de croire*, qu'en la Messe on offre à
Dieu un Sacrifice veritable, *proprement dit*, et propitiatoire, pour les vivans et pour les morts, et que le corps et le sang, avec l'ame et sa divinité
de N.S.J. C. sont veritablement, réellement, et en substance, au tres-saint
Sacrement de l'Eucharistie, et qu'il s'y fait un changement de toute la substance du pain au corps, et de toute la substance du vin au sang ; lequel
changement l'Eglise Catholique appelle transubstantiation. …

Metz 1713 [Les mots en italiques le sont dans le texte].

Blois 1730
Meaux 1734. Évreux 1741. Bourges 1746. Rouen 1739, 1771
Carcassonne 1764. Luçon 1768. Limoges 1774
Toulouse 1782. Saint-Dié 1783

[Blois 1730 : Jean-François Lefebvre de Caumartin]

[*Profession de foi*]

P2162 **Blois 1730 p. 111-115**

Je N. croi [*sic*] et confesse[a] tant en général qu'en particulier, tous
les articles contenus au Simbole[b] de la Foi, dont se sert la sainte Eglise
Romaine…

… Je croy … en un seul Seigneur, J. C. … qui est descendu des cieux
pour nous hommes miserables[c]…

Je reçois aussi la sainte Ecriture selon le sens que l'Eglise notre sainte
Mere a tenu et qu'elle tient, à laquelle il apartient de juger du vrai sens
et de l'interpretation des Ecritures saintes ; et je ne la prendrai ni inter-
preterai jamais que selon le consentement unanime de Peres.

… Je professe encore qu'il y a sept sacremens de la loi nouvelle,
vraiement et proprement ainsi apelez[d], institués par N. S. J. C., nécessaires au salut du genre humain, quoiqu'ils ne le soient pas tous pour
chaque homme[e] en particulier…

… Je N. promets, voüe, et jure sur ces saints Evangiles de Dieu, de
garder et confesser très-constamment jusqu'au dernier soupir[f] de ma
vie[g], avec l'aide de Dieu… [comme Paris 1697]

Variantes. [a] Je N. croi et confesse] Je N. crois d'une foi ferme, et professe Ar. Bou. Car. Ev. Luç. Lim. SDié. Tou. –[b] Symbole] Bou. Car. Etc. –[c] miserables] *om.* Bou. Car. Ev. Mea. SDié. –[d] vraiement… apelez] *om.* Bou. Car. Lim. Luç. Tou. –[e] pour chaque homme] à chacun Ev. Mea. –[f] soupir] jour Bou. Lim. etc. –[g] jusqu'au… vie] *om.* Car.

10. Exorcisme

P2163   Exorcizo te immunde spiritus, per Deum Patrem omnipotentem, et per I. C. Filium eius, et per Spiritum Sanctum, ut recedas ab hoc famulo Dei, quem Deus et Dominus noster ab erroribus et deceptionibus[a] tuis liberare, et ad sanctam matrem Ecclesiam Catholicam atque Apostolicam revocare dignatur. Ipse tibi imperat[b] maledicte, ac[c] damnate, qui pro salute hominum passus, mortuus, et sepultus est[d], te atque omnes vires tuas superavit, ac resurgens caelos ascendit, inde venturus iudicare vivos et mortuos, et saeculum per ignem.

Chartres 1627-1689 (*Ordo ad reconciliandum apostatam…*). Besançon 1705. Bourges 1666-1746. Limoges 1774. Montauban 1785. Narbonne 1736, 1789. Reims 1677. Soissons 1694. Toulouse 1782.
Réf. Andrieu III, 616. Absent de PRG.
Variantes. [a] deceptionibus] perceptionibus Rei. Soi. –[b] imperat] imperet Nar. Rei. Soi. –[c] ac] *om.* Bou. 1746. –[d] qui] *add.* Bou. Tols.

11. Signation sur le front

P2164   Accipe signum crucis Christi, atque Christianitatis, quod prius acceptum non custodivisti, sed male deceptus abnegasti.

Chartres 1627-1689 (*Ordo ad reconciliandum apostatam…*). Narbonne 1736.
Réf. Andrieu III, 616. Absent de PRG, Deshusses.

P2165   Accipe signum crucis Christi quod male deceptus abnegasti.

Bourges 1666-1746. Besançon 1705. Limoges 1774. Montauban 1785. Narbonne 1789. Toulouse 1782.
Réf. Absent de PRG, Andrieu, Deshusses.

P2166   Accipe signum crucis Iesu Christi, atque Christianitatis in vitam aeternam. Amen.

Orléans 1726. Auxerre 1730.
Réf. Absent de PRG, Andrieu, Deshusses.

CHAPITRE XX

12. Entrée dans l'église

P2167 Ingredere[a] Ecclesiam Dei, à qua incaute aberrasti, ac evasisse te[b] laqueo[c] mortis, agnosce; horresce idola[d]; respue omnem[e] pravitatem, sive superstitionem haereticam, vel Gentilem, aut Iudaïcam[f]. Cole Deum Patrem omnipotentem, et I. C. Filium eius, et Spiritum sanctum[g], vivum, et verum Deum, sanctam, et individuam Trinitatem[h].

Chartres 1627-1689 (*Ordo ad reconciliandum apostatam...*). Bourges 1666-1746. Limoges 1774. Montauban 1785. Narbonne 1736, 1789. Reims 1677. Soissons 1694. Toulouse 1782.

Réf. Andrieu III, 616. Absent de PRG, Deshusses.

Variantes. [a] in] *add.* Bou. Rei. Soi. –[b] de] *add.* Rei. –[c] laqueo] laqueos Nar. 1736 – [d] horresce idola] *om.* Nar. 1736. Rei. –[e] omnem] morum Rei. –[f] vel... Iudaicam] *om.* Bou. Nar. Rei. Tols. –[g] unum] *add.* Bou. Rei. Tols.

P2168 Ingredere in Ecclesiam Dei, à qua incaute recessisti, et te evasisse laqueum Diaboli agnosce.

Besançon 1705.

13. Absolution et réconciliation

A. Psaume

P2169 Ps. 50 *Miserere mei Deus.*

Rouen 1611-1739. Agen 1688. Albi 1647. Amiens 1687. Angers 1676, 1735. Arras 1757. Auch c. 1642-1751. Bayeux 1687. Béziers 1638. Bordeaux 1707-1777. Boulogne 1647-1780. Bourges 1666. Chalon/Saône 1653, 1735. Châlons/Marne 1649, 1776. Chartres 1680. Clermont 1733. Évreux 1741. Genève 1612-1643. Langres 1679. Laon 1671. Lyon 1692-1787. Meaux 1645, 1734. Metz 1686, 1713. Nantes 1755-1776. Narbonne 1736. Nevers 1689. Orléans 1726. Paris 1786. Périgueux 1651-1763. Poitiers 1655-1766. Reims 1677. Rodez 1671. Rouen 1739, 1771. Soissons 1694, 1753. Toulon 1750. Toulouse c. 1616-1736. Troyes 1660, 1768. Verdun 1691, 1787. Etc.

[Tous les formulaires, sauf Évreux 1606-1706, Lisieux 1608, 1661, Chartres 1627-1640, Rouen 1640, 1651].

B. Confiteor

P2170 Confiteor Deo omnipotenti...

Cahors 1642. Bayeux 1744, Coutances 1744, Metz 1686. Lisieux 1742. Lodève 1744. Lyon 1692. Metz 1713. Rouen 1739, 1771. Sées 1744. Strasbourg 1742. Toul 1700, 1760.

C. Versets

P2171 V. Domine exaudi orationem meam. R. Et clamor meus ad te veniat.

Genève 1612-1643. Poitiers 1655-1714. Chalon/Saône 1735. Nantes 1755-1776. Etc.

P2172 V. Dominus vobiscum. R. Et cum spiritu tuo.

Genève 1612-1643. Poitiers 1655-1714. Chalon/Saône 1735. Nantes 1755-1776. Etc.

P2173 V. Esto ei Domine turris fortitudinis. V. A facie inimici.

Meaux 1645. Angers 1676. Arras 1757. Boulogne 1647. Bourges 1666. Châlons/Marne 1649, 1776. Chartres 1680, 1689. Langres 1679. Laon 1671. Lyon 1787. Nantes 1755-1776. Narbonne 1736. Orléans 1726. Périgueux 1651-1763. Poitiers 1655-1714. Reims 1677. Rodez 1671. Rouen 1739, 1771. Troyes 1660. Etc.

P2174 V. Kyrie eleison. R. Christe eleyson.

Genève 1612-1643. Béziers 1638. Poitiers 1655-1714. Chalon/Saône 1735. Périgueux 1651-1763. Soissons 1753. Toulouse 1616-1736. Etc.

P2175 V. Mitte ei auxilium de sancto. R. Et de Sion tuere eum.

Genève 1612. Agen 1688. Albi 1647. Auch c. 1642-1751. Bordeaux 1707-1777. Châlon/Saône 1653, 1735. Clermont 1733. Chalon/Saône 1653. Toulouse c. 1616-1736. Etc.

P2176 V. Nihil proficiat inimicus in eo. R. Et filius iniquitatis non apponat nocere ei.

Genève 1612. Agen 1688. Albi 1647. Angers 1676. Arras 1757. Auch c. 1642-1751. Béziers 1638. Bordeaux 1707-1777. Bourges 1666. Chalon/Saône 1653-1735. Châlons/Marne 1776. Chartres 1680. Clermont 1733. Langres 1679. Laon 1671. Lyon 1787. Meaux 1645. Nantes 1755-1776. Narbonne 1736. Orléans 1726. Périgueux 1651-1763. Poitiers 1655-1714. Reims 1677. Rodez 1671. Rouen 1739. Toulouse c. 1616-1736. Etc.

P2177 V. Pater noster qui es in coelis…

Genève 1612-1643. Périgueux 1651-1763. Poitiers 1655-1714. Toulouse 1616-1736. Etc.

P2178 V. Salvum fac servum tuum. R. Deus meus sperantem in te.

Genève 1612-1643. Agen 1688. Albi 1647. Angers 1676. Arras 1757. Auch c. 1642-1751. Béziers 1638. Bordeaux 1707-1777. Bourges 1666. Chalon/Saône 1653-1735. Châlons/Marne 1776. Chartres 1680. Clermont 1733. Langres 1679. Laon 1671. Lyon 1787. Meaux 1645. Nantes 1755-1776. Narbonne 1736. Orléans 1726. Périgueux 1651-1763. Poitiers 1655-1714. Reims 1677. Rodez 1671. Rouen 1739. Toulouse c. 1616-1736. Etc.

D. Formules d'absolution

P2179 (a) Authoritate Dei omnipotentis et beatorum apostolorum Petri et Pauli, absolvo te à vinculo excommunicationis, quo propter haeresim

980 CHAPITRE XX

ligatus eras; deinde reduco te in gremium Ecclesiae, et restituo communioni fidelium. In nomine…

Rouen 1611. Bayeux 1627. Sées 1634, 1695.
Variante. [a] Ego] *add.* Sée.

P2180 Auctoritate Dei omnipotentis et beatorum apostolorum Petri et Pauli ac Ecclesiae sanctae, mihi concessa, absolvo te à vinculo excommunicationis, quam incurristi propter haeresim, restituo te communioni fidelium, participationi sacramentorum, et planè reduco te in gremium sanctae matris Ecclesiae. In nomine Patris…

Amiens 1687.

P2181 Authoritate Dei omnipotentis et beatorum apostolorum Petri et Pauli, atque Ecclesiae tuae[a] sanctae, et ea qua fungor, absolvo te à vinculo excommunicationis, quam incurristi propter haeresim, participationem cum haereticis, et lectionem librorum haereticorum[b]; et restituo te sanctis Ecclesiae Sacramentis, et unioni fidelium, in nomine Patris…

Reims 1677. Nevers 1689. Soissons 1694.
Réf. Cf. Andrieu III, 611.
Variantes. [a] tuae] suae Ne. –[b] participationem… haereticorum] *om.* Ne.

P2182 Authoritate Dei omnipotentis, et beatorum apostolorum Petri et Pauli, et Ecclesiae sanctae tuae, et ea qua fungor mihi à Rev. Domino Narbonensi Archiepiscopo ac Primate commissa; absolvo te à vinculo excommunicationis, aliisque censuris ecclesiasticis quibus propter haeresim ligatus eras. Reduco te in gremium sanctae matris Ecclesiae, et restituo te participationi ecclesiasticorum sacramentorum. In nomine…

Narbonne 1736.

P2183 Auctoritate omnipotentis Dei, et Beatorum Apostolorum Petri et Pauli, et Sanctissimi Domini nostri Papae (vel… Rev. Archiepiscopi Lugdunensis N.) Absolvo te (vos) à vinculo excommunicationis, quam propter haeresim professam incurristi (incurristis). Admitto te (vos) in gremium sanctae Matris Ecclesiae, et sacramentorum ejus participationi, Communioni et unitati Fidelium te (vos) restituo. In nomine…

Lyon 1692.

Voir aussi: Ego authoritate…

P2184 Dominus noster I. C.[a] per suam[b] misericordiam te absolvat, et ego autoritate ipsius, et illustriss. Archiepiscopi[c], mihi licet indignissimo concessa, absolvo te ab excommunicatione quam incurristi propter

ABSOLUTION DE L'HÉRÉSIE

haeresim : et restituo te communioni et Sacramentis Ecclesiae, in nomine Patris…

Paris 1697-1777. Auxerre 1730. Beauvais 1725. Clermont 1733. Tournai 1721, 1784.
Variante. (a) qui est summus Pontifex] *add.* Cl. –(b) piissimam] *add.* Aux. Cl. –(c) Archiepiscopi] Domini Episcopi Aux. Cl.

P2185 Dominus noster I. C. per suam piissimam misericordiam te absolvat, et ego auctoritate mihi commissa, absolvo te ab excommunicatione quam incurristi propter haeresim : et restituo te communioni et sacramentis Ecclesiae : in nomine Patris…

Toul 1700-1760.

Dominus noster I. C. per suam piissimam misericordiam te absolvat…
Voir aussi : Dominus noster I. C. te absolvat…

P2186 Dominus noster I. C. qui est summus pontifex te absolvat : et ego authoritate illius, beatorumque apostolorum Petri et Pauli ac Ecclesiae sanctae(a) mihi concessa absolvo te à vinculo excommunicationis in(b) quam propter haeresim incurristi.

Restituo te communioni fidelium, participationi Sacramentorum, et plane reduco te in gremium sanctae matris Ecclesiae, in nomine Patris…

Orléans 1642-1726. Bourges 1666-1746. Limoges 1774. Le Mans 1662-1680. Montauban 1785. Narbonne 1789. Saint-Dié 1783. Toulouse 1782.
Variantes. (a) Ecclesiae sanctae] Domini Archiepiscopi Bituricensis Bou. 1746. – et rev. Episcopi Sanc-Deodatensis] SDié. – et Rev. Domini D. Episcopi] *add.* Or. 1726. [Etc.] – (b) in] *om.* Bou. 1666. SDié.

P2187 Dominus noster I. C. qui est summus pontifex te absolvat : et ego auctoritate ipsius, et beatorum apostolorum Petri et Pauli, ac Ecclesiae suae sanctae, absolvo te à vinculo excommunicationis, qua propter haeresim ligatus eras.

Reduco te in gremium s. matris Ecclesiae, et ad consortium et communionem totius Christianitatis, à quibus fueras per excommunicationis sententiam eliminatus, et restituo te participationi Ecclesiasticorum Sacramentorum. In nomine Patris…

Laon 1671.

P2188 Dominus noster I. C. qui est summus pontifex te absolvat : et ego authoritate ipsius, quam beatis Apostolis, et Ecclesiae suae sanctae concessit ; et mihi, in hâc parte, licet indigno [*si non sit ordinarius, addit :* Ab ill. et Rev. Domino Episcopo Metensi,] concessa ; absolvo te [vos] à vinculo excommunicationis in quam incurristi [incurristis] per haeresim professam : admitto te [vos] in gremium sanctissimae matris Ecclesiae, et in Sacramentorum ejus participationem, et communioni et unitati fidelium te [vos] restituo. In nomine Patris…

Metz 1713.

Dominus noster I. C. qui est summus Pontifex…

Voir aussi : Dominus noster I. C. per suam misericordiam…

P2189 Dominus noster I. C., qui est supremus pontifex, ipse te per suam piissimam misericordiam absolvat ; et ego auctoritate ipsius, et ill. Archiepiscopi Parisiensis, mihi, quamvis indigno, concessa, absolvo te ab excommunicatione quam incurristi propter haeresim : teque in Ecclesiae communionem sacramentorumque participationem restituo. In nomine Patris…

Paris 1786.

P2190 Dominus noster I. C. te absolvat : Et ego authoritate ipsius, et ill. Domini Episcopi Lingonensis mihi commissa, absolvo te à vinculo excommunicationis, quâ propter haeresim ligatus eras. In nomine Patris…

Reduco te in gremium sanctae matris Ecclesiae, et ad consortium et communionem totius Christianitatis, à quibus fueras per excommunicationis sententiam eliminatus, et restituo te participationi Ecclesiasticorum Sacramentorum. In nomine Patris…

Langres 1679.

P2191 Dominus noster I. C.[a] te absolvat, et ego autoritate ipsius, et ill. Episcopi Blesensis[b] mihi commissa, absolvo te à vinculo excommunicationis quâ propter haeresim ligatus eras : in nomine Patris…

Reduco te in gremium sanctae matris Ecclesiae, et ad consortium et communionem totius Christianitatis, à quibus fueras per excommunicationem et haeresim eliminatus, et restituo te participationi ecclesiasticorum[c] sacramentorum, in nomine Patris…

Blois 1730. Albi 1783. Arras 1757. Boulogne 1750, 1780. Carcassonne 1764. Châlons/Marne 1776. Évreux 1741. Le Mans 1775. Luçon 1768. Lyon 1787. Meaux 1734. Nantes 1755-1776. Poitiers 1766. Senlis 1764. Soissons 1753. Toulon 1750-1790. Tours 1785. Troyes 1768.

Variantes. [a] per suam piissimam misericordiam] *add.* Ly. –[b] ill. Episcopi Blesensis] Archiepiscopi Albiensi Alb. – Rev. Episcopi Atrebatensis Ar. [Etc.] –[c] ecclesiasticorum] Ecclesiae Ly.

ABSOLUTION DE L'HÉRÉSIE

P2192 Dominus noster I. C. te absolvat, et ego authoritate ipsius, et sanctissimi Domini nostri Papae (vel Rev. Episcopi) mihi commissa, absolvo te à vinculo excommunicationis, in quam incurristi propter (Calvinianam vel aliam) haeresim (vel schisma) in nomine Patris…

Reduco te in gremium sanctae Matris Ecclesiae, et ad consortium et communionem totius Christianitatis, à quibus fueras per excommunicationis sententiam eliminatus et restituo te participationi ecclesiasticorum sacramentorum, in nomine Patris…

Angers 1676, 1735.

P2193 Dominus noster I. C. te absolvat, et ego auctoritate ipsius, et sanctissimi Domini nostri Papae (si à Papa fuerit delegatus) [vel. Rev. Domini Episcopi N.] (si ab Episcopo) mihi concessa, absolvo te à vinculo excommunicationis, in quam propter haeresim incurristi, et restituo te communioni et unitati fidelium et sanctis Sacramentis Ecclesiae, in nomine Patris…

Évreux 1621, 1706.

P2194 Dominus noster I. C. te absolvat. Et ego vigore indulti, mihi à Rev. Episcopo N.[a] ad hoc facultatem à sancta sede Apostolica habente[b] concessi[c], absolvo te ab haeresi, et excommunicatione, aliisque censuris Ecclesiasticis quibus innodatus existis[d] : Et restituo te unitati fidelium, ac gremio Ecclesiae, et participationi Ecclesiasticorum Sacramentorum. In nomine Patris…

Genève 1612-1643. Agen 1688. Aire 1776. Albi 1647. Auch c. 1642-1751. Béziers 1638. Bordeaux 1707-1777. Chalon/Saône 1653-1735. Glandève 1751. Lodève 1773. Oloron 1679. Rodez 1733. Sarlat 1708, 1729. Toulouse c. 1616-1736. Vabres c. 1729-1766.

Variantes. [a] N.] Adurensi Aire-Aginnensi Ag. – Archiepiscopo N.] Auc. [Etc.] –[b] ad hoc… habente] *om.* Aire. Auc. 1701-1751. Bor. –[c] ad hoc facultatem… concessi] *om.* Ag. – concessi] traditi Auc. 1701-1751. Bor. –[d] existis] extitisti Ag. Aire. Auc 1701-1751. Bor.

P2195 Ego authoritate Dei omnipotentis et beatorum Apostolorum Petri et Pauli, absolvo te à vinculo excommunicationis, quo propter haeresim ligatus eras ; deinde reduco te in gremium Ecclesiae, et restituo te communioni fidelium. In nomine…

Bayeux 1687.

P2196 Ego authoritate Dei omnipotentis et beatorum apostolorum Petri et Pauli, ac Ecclesiae suae sanctae[a], absolvo te à vinculo excommunicationis, qua propter haeresim ligatus eras, in nomine Patris…

CHAPITRE XX

Reduco te in gremium sanctae matris Ecclesiae et ad consortium et communionem totius Christianitatis, à quibus fueras per excommunicationis sententiam eliminatus, et restituo te participationi Ecclesiasticorum sacramentorum. In nomine Patris...

Évreux 1606. Bayeux 1744. Coutances 1744. Boulogne 1647. Châlons/Marne 1649. Chartres 1627-1689. Clermont 1656. Limoges 1678-1698. Lisieux 1608-1742. Lodève 1744. Meaux 1645. Périgueux 1651-1763. Rouen 1640-1771. Sées 1744. Sens 1694. Strasbourg 1742. Troyes 1660. Verdun 1691, 1787.

Réf. P. Rom.

Variante. [a] mihi ab... Archiepiscopo Rotomagensi concessa] *add.* Rou. 1739. – mihi ab... Episcopo Lexoviensi concessa] *add.* Lis. 1742.

P2197 Ego authoritate Dei omnipotentis, et Sanctissimi Domini nostri Papae (vel ill. N. Episcopi Ruthenensis) mihi licet indignissimo commissa, absolvo te à vinculo excommunicationis, qua, propter haeresim ligatus es, in nomine Patris...

Reduco te in gremium sanctae matris Ecclesiae, et restituo te communioni, et unitati fidelium, et sanctis Sacramentis ecclesiae, in nomine Patris...

Rodez 1671.

P2198 Ego authoritate mihi à Superioribus concessa, absolvo te à vinculo excommunicationis, quam incurristi propter haeresim et pravos errores quos professus es : et restituo te Communioni et Sacramentis Ecclesiae. In nomine Patris...

Besançon 1705.

P2199 Ego authoritate omnipotentis Dei ac beatorum Apostolorum Petri et Pauli[a] mihi commissa, absolvo te ab omni vinculo excommunicationis in quantum possum et indiges, nominatim ab excommunicatione quam incurristi ob haeresim, et restituo te sacramentis Ecclesiae et communioni fidelium. In nomine...

Poitiers 1655-1714.

Variante. [a] et illustrissimi et reverendissimi D. Episcopi Pictaviensis] *add.* Poi. 1712-1714.

P2200 Ego authoritate omnipotentis Dei et beatorum apostolorum Petri et Pauli, et sanctissimi Domini nostri Papae in hac parte mihi commissa absolvo te à vinculo excommunicationis quam incurristi per haeresim professam : Admitto te in gremium sanctissimae Matris Ecclesiae, et in Sacramentorum ejus participationem et communioni et unitati fidelium te restituo. In nomine Patris...

ABSOLUTION DE L'HÉRÉSIE

Metz 1686.

P2201 Et ego auctoritate Domini nostri I. C., et Beatorum Apostolorum Petri et Pauli, mihi in hac parte commissa, absolvo te à vinculo excommunicationis, in quam incurristi propter haeresim, et restituo te communioni, et unitati fidelium, et sanctis Sacramentis Ecclesiae. In nomine Patris…

Cahors 1642.

Voir aussi: Authoritate…

P2202 Indulgentiam, absolutionem et remissionem omnium peccatorum…

Genève 1612-1643. Agen 1688. Albi 1647. Auch c. 1642-1751. Auxerre 1730. Beauvais 1725. Blois 1730. Bordeaux 1707-1777. Cahors 1642. Châlon/Saône 1653, 1735. Clermont 1733. Glandève 1751. Lyon 1692. Metz 1686, 1713. Orléans 1726. Paris 1697-1786. Rouen 1739, 1771. Sarlat 1708. Strasbourg 1742. Toul 1700-1760. Toulouse c. 1616-1736. Tournai 1721, 1784. Etc.

P2203 Misereatur tui omnipotens Deus, et dimissis peccatis tuis perducat te ad vitam aeternam. Amen.

[Mêmes formulaires que *Indulgentiam, absolutionem*…].

14. ACTION DE GRÂCE

P2204 Ps. 116. Laudate Dominum.

Limoges 1678, 1698. Bayeux 1687.

P2205 Te Deum.

Poitiers 1655-1766. Albi 1783. Arras 1757. Bordeaux 1707-1777. Bourges 1666, 1746. Carcassonne 1764. Châlons/Marne 1776. Limoges 1774. Luçon 1768. Lyon 1692-1787. Le Mans 1775. Montauban 1785. Nantes 1755-1776. Narbonne 1736, 1789. Nevers 1689. Paris 1786. Rouen 1739. Saint-Dié 1783. Soissons 1694-1753. Toul 1700-1760. Toulon 1778. Toulouse 1782. Toul 1700-1760. Tours 1785. Verdun 1691, 1787. Etc.

A. VERSETS

P2206 V. Benedicamus Domino. R. Deo gratias.

Toul 1700-1760.

P2207 V. Benedicamus Patrem et Filium cum sancto Spiritu. R. Laudemus, et superexaltemus eum in saecula.

986

CHAPITRE XX

Bourges 1666-1746. Bayeux 1687. Bordeaux 1707-1777. Limoges 1678-1774. Lisieux 1742. Montauban 1785. Narbonne 1789. Saint-Dié 1783. Soissons 1694. Toul 1700-1760. Toulon 1778. Toulouse 1782. Verdun 1691, 1787.
Réf. Andrieu III, 680. Absent de PRG, Deshusses.

P2208 V. Benedicat nos Deus, Deus noster, benedicat nos Deus[a]. R. Et metuant eum omnes fines terrae.

Rouen 1739, 1771. Auxerre 1730. Bayeux 1744. Coutances 1744. Lisieux 1742. Lodève 1744. Lyon 1787. Sées 1744. Strasbourg 1742.
Réf. Cf. Andrieu I, 138(37); II, 351. Absent de PRG, Deshusses.
Variante. [a] benedicat… Deus] *om.* Ly.

P2209 V. Domine exaudi orationem meam…

Limoges 1678, 1698. Bayeux 1687.

P2210 V. Dominus vobiscum…

Limoges 1678, 1698. Bayeux 1687.

B. ORAISONS

P2211 Deus cujus misericordiae non est numerus, et bonitatis infinitus est thesaurus, piissimae Majestati tuae, pro collatis donis gratias agimus, tuam semper clementiam exorantes, ut qui petentibus postulata concedis, eosdem non deserens, ad praemia futura disponas. Per Christum.

Bourges 1666-1746. Bayeux 1687. Bordeaux 1707-1777. Limoges 1678-1774. Montauban 1785. Narbonne 1789. Saint-Dié 1783. Soissons 1694. Toul 1700, 1760. Toulon 1750-1790. Toulouse 1782. Verdun 1691, 1787.
Réf. Absent de PRG, Andrieu, Deshusses.

P2212 Omnipotens sempiterne Deus, qui dedisti famulis tuis in confessione verae fidei aeternae Trinitatis gloriam agnoscere, et in potentia majestatis adorare unitatem, quaesumus, ut ejusdem fidei firmitate ab omnibus semper muniamur adversis. Per Christum.

Rouen 1739, 1771. Bayeux 1744. Coutances 1744. Lisieux 1742. Lodève 1744. Lyon 1787. Sées 1744. Strasbourg 1742.
Réf. Andrieu III, 679; Deshusses 1806. Absent de PRG.

ABSOLUTION DE L'HÉRÉSIE

15. Conclusion

P2213 Au commencement étoit le Verbe… In principio erat Verbum… [Jean I, 1-14]

Paris 1697-1786. Auxerre 1730. Beauvais 1725. Clermont 1733. Tournai 1721, 1784.

P2214 Vade in pace.

Lyon 1692.

16. Choix de formules d'actes d'abjuration de l'hérésie

Bordeaux 1707-1728

[Armand Bazin de Besons]

P2215 **Bordeaux 1707-1728** p. 541

L'an mil… le… jour du mois de… en présence des témoins soussignez N.N. de la Paroisse de… Diocése de… âgé de… ans ou environ, ayant reconnu que hors de la vraye Eglise, il n'y a point de salut ; de sa bonne volonté et sans aucune contrainte, il a fait profession de la foi catholique, apostolique et romaine et fait abjuration de l'Heresie de (Luther ou de Calvin, etc.) entre mes mains, de laquelle je lui ai donné publiquement l'absolution, en vertu du pouvoir que Monseigneur l'Archevêque de Bordeaux m'a donné pour cet effet ; en foi de quoi, je…

Lodève 1744
Aire 1776. Lyon 1787. Toulouse 1782

[Lodève 1744 : Jean-Georges de Souillac]

P2216 **Lodève 1744** p. 378

L'an… N. … de la Paroisse de … Diocèse de … âgé (ou âgée de) … en présence des témoins soussignés[a] ayant reconnu que hors[b] la vraie Eglise il n'y a point de salut, de sa bonne[c] volonté et sans aucune contrainte, a fait[d] profession de la foi catholique, apostolique et romaine et abjuré l'Hérésie de Luther (ou de Calvin, ou de…) entre mes mains[e] de laquelle je lui ai[f] donné publiquement l'absolution[g] en vertu du pouvoir que Monseigneur l'Evêque de Lodève m'a donné pour cet effet[h]…

Variantes. [a] en présence… soussignés] *om.* Ly. –[b] de] *add.* Air. Ly. –[c] propre] Ly. – [d] sa] *add.* Ly. Tols. –[e] entre mes mains] *om.* Ly. – entre nos mains] Air. –[f] nous lui avons] Air. Ly. –[g] dans l'Eglise de… suivant la forme et les cérémonies prescrites par le rituel] *add.* Ly. –[h] l'Evêque… effet] l'Evêque d'Aire nous a donné pour cet effet Air. – l'Archevêque de Lyon nous a donné à cet effet Ly.

Rouen 1771
[Dominique de La Rochefoucauld]
Formule d'acte d'abjuration et d'absolution de l'hérésie

P2217 **Rouen 1771 p. 313.**

L'an mil … le … jour du mois de … je soussigné Prêtre etc. … en vertu de la commission à moi donnée par Monseigneur l'Archevêque, en date du … signée … ai reçu la profession de foi de N. … âgé … natif de … fils de N … et de N … faisant profession de la Religion prétendue réformée (ou autres suivant la circonstance) et après l'abjuration par lui faite des erreurs de Calvin (ou de Luther, ou autre) et le serment prêté sur les saints Evangiles de garder et conserver jusqu'au dernier soupir de sa vie la foi catholique, je l'ai réconcilié solemnellement à l'Eglise catholique, apostolique et romaine ; en foi de quoi il a signé le présent acte avec moi et les témoins à ce appellés.

CHAPITRE XXI

AUTRES CAS D'ABSOLUTION

1. Absolutions de l'excommunication pour mariage clandestin

Jusqu'au concile de Trente, le mariage est valide par simple consentement mutuel, sans la présence du curé ; mais le fait de ne pas s'être présenté devant le curé fait encourir aux mariés une excommunication.

L'absolution pour mariage clandestin apparaît dans les rituels de trois diocèses du midi au XVIe siècle : Uzès 1500, Rodez 1513, Maguelonne 1526 et 1533.

Uzès 1500 et Maguelonne 1526 : La cérémonie du mariage débute, après la proclamation des bans, par l'absolution des excommuniés pour mariage clandestin. Uzès précise que les excommuniés pour mariage clandestin déjà contracté peuvent être absous sans lettres, mais que ceux qui vont se marier doivent en présenter.

Rodez 1513 : La formule d'absolution, venant après l'absolution d'un excommunié, concerne un pénitent ayant contracté un mariage clandestin, ou ayant assisté à un mariage clandestin, ou ayant frappé un clerc ou un prêtre.

a. Formulaires

Uzès 1500

[Nicolas Maugras]
Incipit modus administrandi sacramentum matrimonii

P2218 **Uzès 1500** [2e partie] f. 14v-15

… Quod si nullum impedimentum appareat sacerdos indutus superpellicio et stola absolvat omnes excommunicatos a clandestina excommunicatione. Et nota quod excommunicati pro matrimonio clandestine contracto possunt absolvi absque litteris, contrahentes vero non debent absolvi sine litteris.

990 CHAPITRE XXI

Sacerdos aspergendo aquam benedictam supra excommunicatos dicat ps. [66] *Deus misereatur nostri* etc., dicitur totum cum *Gloria Patri*. Preces V. *Salvos fac servos tuos et ancillas tuas…* P2228 V. *Esto eis Domine turris fortitudinis…* V. *Nichil proficiat inimicus in eis…* V. *Domine exaudi orationem meam…* V. *Dominus vobisc. …*

Oremus. Oratio. *Deus cui proprium est misereri…* R. *Amen*. P2230 Forma absolutionis. *Et ego auctoritate Domini nostri I. C. …* P2232 Et aspergat aquam benedictam super eos iniungendo eis penitentiam salutarem.

Rodez 1513

[François d'Estaing]
Sequitur forma absolutionis excommunicatorum
a iure dum tamen ab habente potestatem habeat licentiam
[Cas d'un excommunié ayant contracté un mariage clandestin,
ou ayant assisté à un mariage clandestin, ou ayant frappé un clerc ou un prêtre]

P2219 **Rodez 1513** f. 71

Sequitur forma absolutionis excommunicatorum a iure dum tamen ab habente potestatem habeat licentiam.

Fiat prout supradictum est[45]. Excepto quod cum perventum fuerit ad locum scilicet *Ego te absolvo etc.*, dicetur

Ego te absolvo a sententia excommunicationis lata a iure per constitutiones provinciales et sinodales pro eo quod contraxisti matrimonium clandestinum cum tali, vel pro eo quod presens fuisti in matrimonio clandestine contracto inter talem et talem, vel pro eo quod manus violentas in clericum aut sacerdotem iniecisti. Sive aliter prout casus requirit. Et hoc contra iuris prohibitiones. Et sic absolutum restituo te sanctis ecclesie sacramentis et unitati fidelium. In nomine Patris… P2231

Maguelonne 1526

[Guillaume Pellissier]
Sequitur ordo ad matrimonium copulandum

P2220 **Maguelonne 1526** f. 53-53v

Primo benedicantur arre, ut infra continetur. Deinde denuntietur et publicetur matrimonium.

Item absolvantur contrahentes dicendo ps. [66] *Deus misereatur nostri, totum cum Gloria Patri*. P2222

---

[45] *Voir supra* Forma absolutionis excommunicatorum, Rodez 1513 (P1836).

Preces. *Salvum fac servum tuum et ancillam tuam… Ostende nobis Domine misericordiam tuam… Domine exaudi… Dominus vobisc. …*

Oratio. *Deus cui proprium est misereri semper et parcere, suscipe deprecationem nostram…* P2230

Alia oratio. *Exaudi quesumus Domine supplicum preces, et confitentium tibi parce peccatis, ut pariter eis indulgentiam tribuas benignus et pacem. Per Christum Dominum nostrum*[46]. P2233

Forma absolutionis.

Et ego auctoritate Domini nostri I. C., et beatorum apostolorum Petri et Pauli… R. Amen. P2232

Porrigendo aquam benedictam.

Maguelonne 1533

[Guillaume Pellissier]

P2221 **Maguelonne 1533** f. 15

[Le rite (sans titre) est placé entre les fiançailles et le mariage ; la rubrique initiale diffère de celle de 1526 :]

Hic absolvantur assistentes et non contrahentes per vicarium, curatum vel presbyterum, quia dicti contrahentes debent habere literas ab episcopo quando desponsantur in ecclesia, dicendo ps. [66] *Deus misereatur nostri*, totum cum *Gloria Patri*. [La suite est identique à 1526]

B. FORMULES

Psaume

P2222 Ps. 66 Deus misereatur nostri…

Uzès 1500. Maguelonne 1526, 1533. Rodez 1513.

Versets

P2223 V. Domine exaudi orationem meam. …

Uzès 1500. Maguelonne 1526, 1533. Rodez 1513.

P2224 V. Dominus vobiscum…

Uzès 1500. Maguelonne 1526, 1533. Rodez 1513.

---

[46] *Exaudi quaesumus…* : collecte de la messe *Pro remissione peccatorum* du missel romain de Pie V (J.-B. Molin et P. Mutembe, *Le rituel du mariage en France du XIIe au XVIe siècle*, Paris, 1974, p. 57 n. 27).

992 CHAPITRE XXI

P2225 V. Esto eis Domine turris fortitudinis R. A facie inimici.

Uzès 1500.

P2226 V. Nichil proficiat inimicus in eis. R. Et filius iniquitatis non apponat nocere eis.

Uzès 1500.

P2227 Ostende nobis Domine misericordiam tuam. R. Et salutare tuum da nobis.

Uzès 1500. Maguelonne 1526, 1533.

P2228 V. Salvos fac servos tuos et ancillas tuas. R. Deus meus sperantes in te.

Uzès 1500.

P2229 Salvum fac servum tuum et ancillam tuam. R. Deus meus sperantes in te.

Uzès 1500. Maguelonne 1526, 1533. Rodez 1513.

Oraisons et absolutions

P2230 Deus cui proprium est misereri semper et parcere, suscipe deprecationem nostram, et hos famulos tuos et ancillas tuas[(a)], quos delictorum cathena constringit, miseratio tue pietatis absolvat. Per Christum[(b)].

Uzès 1500. Maguelonne 1526, 1533. Rodez 1513.
Réf. PRG I, 320. Deshusses 851, 1327, *957,* 2686. Molin-Mutembe p. 57[47].
Variantes. [(a)] hos… tuas] hunc famulum tuum et ancillam tuam Mag. –[(b)] Per Christum] *om.* Mag.

P2231 Et ego auctoritate apostolica vel metropolitana, vel domini officialis, t., aut alterius prout fuerit.
Ego te absolvo a sententia excommunicationis lata a iure per constitutiones provinciales et sinodales pro eo quod contraxisti matrimonium clandestinum cum tali, vel pro eo quod presens fuisti in matrimonio clandestine contracto inter talem et talem, vel pro eo quod manus violentas in clericum aut sacerdotem iniecisti. *Sive aliter prout casus requirit.* Et hoc contra iuris prohibitiones. Et sic absolutum restituo te sanctis ecclesie sacramentis et unitati fidelium. In nomine Patris…

Rodez 1513 (*Forma absolutionis excommunicatorum a iure dum tamen ab habente potestatem habeat licentiam.*)
Réf. Absent de Janini, Sac., PRG, Andrieu.

---

[47] J.-B. Molin et P. Mutembe, *Le rituel du mariage en France du XIIe au XVIe siècle*, Paris, 1974.

AUTRES CAS D'ABSOLUTION

P2232 Et ego auctoritate Domini nostri I. C., et beatorum apostolorum Petri et Pauli, et potestate michi[a] in hac parte concessa, absolvo vos a sentia excommunicationis quam clandestine contrahendo incurristis, et sic absolutos restituo vos in divinis et beneficiis sancte matris Ecclesie in nomine Patris et Filii et Spiritus Sancti. Amen.

Uzès 1500. Maguelonne 1526, 1533.
Absent de PRG, Andrieu.
Variante. [a] mihi] Mag.

P2233 Exaudi quesumus Domine supplicum preces, et confitentium tibi parce peccatis, ut pariter eis indulgentiam tribuas benignus et pacem. Per Christum Dominum nostrum.

Maguelonne 1526, 1533.
Réf. Cf. PRG II, 19, 62, 243, 273. Cf. Andrieu II, 483. Cf. Deshusses 842, 1323, 2681. Molin-Mutembe p. 57.

2. ABSOLUTIONS DES CAS RÉSERVÉS AU PAPE

TITRES

P2234 *Forma absolutionis pro illis qui habent indulgentiam eligendi sibi semel tantum confessorem qui eos absolvat ab omni casu pertinente ad papam.* Autun 1503, 1523. Cambrai 1503. Lyon 1589. Vannes 1596 f. 165v.
Voir supra: Absolutions de l'excommunication, P1798, P1833.

P2235 *Forma absolutionis abstracta de formulario domini pape pro habentibus indulgentiam plenariam a pena et culpa.* Autun 1503 f. 13-13v. Cambrai 1503.
Voir supra: Absolutions à l'article de la mort, P1915.

P2236 *Forma absolutionis abstracta de formulario Domini Papae pro habentibus indulgentiam plenariam in mortis articulo.* Lyon 1589. Vannes 1596 f. 165.
Voir supra: Absolutions à l'article de la mort, P1928.

3. Dispenses et absolutions
de l'irrégularité d'une ordination

a. Titres

P2237 Cambrai 1562 f. 48v. [sans titre]

P2238 Bordeaux 1588-1611 (Éd. 1588 p. 56). *Forma dispensandi in irregularitate.*

P2239 Rodez 1603 p. 60 ; Vabres 1611 [sans titre]

P2240 Évreux 1606-1621 (Éd. 1606 f. 24). Lisieux 1608-1661. *De absolutionibus a suspensione, irregularitate et interdicto.*

P2241 Rouen 1611/1612 p. 76. *Forma dispensationis super irregularitate.*

P2242 ***Romanum*** 1614. *De modo absolvendi a suspensione vel ab interdicto (atque etiam dispensandi super irregularite) extra vel intra sacramentalem confessionem.* Paris 1646. Etc.

P2243 Bourges 1666. Verdun 1691. Soissons 1694. *Absolution de l'irrégularité.* Rite romain.

P2244 Rodez 1733. *La maniere de dispenser de l'irrégularité, et de réhabiliter dans le tribunal de la Pénitence :* reprend *Romanum.*

P2245 Rouen 1739. Lisieux 1742. *Ritus absolvendi à suspensione, vel ab interdicto, atque etiam dispensandi super irregularitate extra vel intra Confessionem sacramentalem.* Rite romain.

P2246 Meaux 1734. Évreux 1741. Bourges 1746. Soissons 1753. Carcassonne 1764. Albi 1783 p. 189-190. Toulon 1790. *Forme de dispenser de l'irrégularité.* Rite romain.

P2247 Nantes 1755-1776. *Ordo dispensandi super irregularitate.* Rite romain. Etc.

Rodez 1603. Vabres 1611
[Rodez 1603 : François de Corneillan]

P2248 **Rodez 1603** p. 60. Si celuy qui [se] confesse est Prestre, ou promeu à quelque ordre sacré, le Confesseur en luy donnant l'absolution, adjoustera aprés le mot *Excommunicationis*, ces deux icy, *Suspensionis et interdicti ;* Et s'il se trouve que le penitent soit tombé en quelque irrégularité, sur laquelle il aye autorité, ou privilege special de dispenser, il adjoustera aprés le mot, *interdicti ; Et dispenso tecum super irregularitate, inquantum possum, et indiges, et habilito te ad actus legitimos. Deinde, ego te absolvo ab omnibus, etc.* P2253

AUTRES CAS D'ABSOLUTION

Rituale Romanum 1614

De modo absolvendi a Suspensione vel ab Interdicto
extra vel intra sacramentalem confessionem

P2249 Si Sacerdoti sit commissa facultas absolvendi aliquem à suspensione vel interdicto…

… Auctoritate mihi ab N. tradita, ego absolvo te… P2273

Si vero Confessario, sive in foro conscientiae, sive extra, data est potestas dispensandi super irregularitate, tunc posteaquam absolverit à peccatis, addat consequenter

Et eâdem auctoritate dispenso te super irregularitate, vel *irregularitatibus,* si sunt plures, *in quam* vel *in quas* ob talem, *vel tales causas,* eas exprimendo, *incurristi, et habilem reddo, et restituo te executioni Ordinum et Officiorum tuorum. In nomine Patris…* P2256

Si nullum habet Ordinem, dicatur: *Habilem reddo te ad omnes ordines suscipiendos,* vel etiam ad alia, juxta tenorem mandati.

Quod si necesse sit titulum beneficii restituere, et fructus malè perceptos condonare, subjungat: *Et restituo tibi titulum* seu *titulos beneficii,* seu *beneficiorum, et condono tibi fructus malè perceptos. In nomine Patris…* P2257

[Si vero dispenset sacerdos extra confessionem, incipiet ab illis verbis: *Auctoritate mihi concessa dispenso tecum super irregularitate, etc.* ut supra. P2250]

Advertat autem ne ullo modo in iis facultatis suae terminos excedat.

B. FORMULES

P2250 Auctoritate mihi concessa dispenso tecum super irregularitate, etc. (*Si vero dispenset sacerdos extra confessionem*)

Romanum [certaines éditions]

P2251 Dispenso tecum super irregularitate, ex praehabitis actibus contracta, et idoneum te reddo ad executionem, vel susceptionem quorumcunque ordinum ecclesiasticorum.

Bordeaux 1588 (*Forma dispensandi in irregularitate*)
Absent de Janini, Sac., PRG, Andrieu, Deshusses.

P2252 Dispenso tecum super irregularitate, quam contraxisti propter hoc vel illud.

Évreux 1606-1621. Lisieux 1608-1661.

CHAPITRE XXI

P2253 Dominus noster I. C. te absolvat, et ego auctoritate ipsius mihi licet indignissimo concessa, absolvo te in primis ab omni vinculo excommunicationis, suspensionis, et interdicti; Et dispenso tecum super irregularitate, inquantum possum, et indiges, et habilito te ad actus legitimos. Deinde ego te absolvo ab omnibus peccatis tuis, in nomine Patris...

Rodez 1603.
Réf. Absent de Janini, Sac., PRG, Andrieu.

P2254 Ego authoritate domini nostri Papae, vel authoritate ordinaria, vel vigore tibi concessi privilegii et mihi exhibiti, absolvo te ab irregularitate, et restituo te sacramentis Ecclesie, et dispenso tecum. In nomine Patris...

Cambrai 1562.
Réf. Absent de Janini, Sac., PRG, Andrieu, Darragon.

P2255 Ego dispenso tecum de irregularitate quam propter (hoc aut illud) contraxisti: et restituo te exequutioni sacrorum ordinum. In nomine Patris...

Rouen 1611/1612.

P2256 Et eâdem auctoritate[a] dispenso te super irregularitate in quam, (*vel super irregularitatibus in quas*) *ob talem, vel tales causas,* (*eas exprimendo*) incurristi et habilem reddo, et restituo te executioni Ordinum et Officiorum tuorum. In nomine Patris...

Romanum. Bourges 1746. Carcassonne 1764. Nantes 1755-1776 (Postquam absolverit à peccatis). Soissons 1694. Etc.
Variante. [a] Et eadem auctoritate] Et autoritate mihi à santissimo Domino nostro Papa (ou ab... Domino Archiepiscopo Bituricensi tradita) Bou. – Et authoritate mihi à N. tradita Soi. –[b] et] *add.* Bou. Soi. etc.

P2257 Habilem reddo te ad omnes ordines suscipiendos (*Si nullum habeat ordinem*)

Et restituo tibi titulum beneficii, (*vel* titulos beneficiorum), et condono tibi fructus malè perceptos. In nomine Patris... (*si necesse sit titulum beneficii restituere, et fructus malè perceptos condonare*)

Romanum. Soissons 1694. Etc.

AUTRES CAS D'ABSOLUTION

4. Absolutions de la suspense ou de l'interdit

A. Titres

P2258 Bordeaux 1588, 1611 (Éd. 1588 p. 56). *Forma absolutionis à suspensione et interdicto.*

P2259 Évreux 1606-1621 (Éd. 1606 f. 24). Lisieux 1608-1661. *De absolutionibus a suspensione, irregularitate et interdicto.*

P2260 ***Romanum*** 1614. Toul 1616-1652. Rouen 1640, 1651, pars II. Rodez 1671. etc. *De modo absolvendi a Suspensione vel ab Interdicto extra vel intra sacramentalem confessionem.* P2249

P2261 Bourges 1616 f. 47-48. *Forme d'absoudre de la Suspension declarée ou denoncée. De l'absolution de l'Interdict.*

P2262 Paris 1646-1777. *De modo absolvendi a suspensione vel ab interdicto, atque etiam dispensandi super irregularite, extra vel intra sacramentalem confessionem.* Rite romain.

P2263 Elne 1656 1e partie p. 106. *Forma absolutionis à suspensione.*

P2264 Elne 1656 1e partie p. 114. *Forma absolutionis ab interdicto.*

P2265 Bourges 1666 tome I, p. 302-303. *Absolution de la suspension ou interdit…* Rite romain.

P2266 Rodez 1733. *L'absolution de la suspense et de l'interdit.*

P2267 Paris 1786. *Ordo absolvendi à suspensione vel ab interdicto.* Rite romain.

P2268 Toulon 1790. *Maniere d'absoudre de la suspense, ou de l'interdit.*
Etc.

B. Formules

P2269 Absolvo te à sententia interdicti, qua ligatus teneris, ob talem causam, in nomine Patris…

Bordeaux 1588-1611 (*Forma absolutionis à suspensione et interdicto*)

P2270 Absolvo te à vinculo suspensionis, quam incurristi ob talem causam; et restituo te pristinae executioni in nomine Patris…

Bordeaux 1588-1611 (*Forma absolutionis à suspensione et interdicto*)
Réf. Absent de Janini, Sac., PRG, Andrieu.

P2271 Absolvo te a vinculo suspensionis, quam incurristi propter hoc vel illud et restituo te pristinae executioni, quam antea habebas.

Évreux 1606-1621. Lisieux 1608-1661.

P2272 Absolvo te auctoritate qua fungor, a vinculo suspensionis (à sententia et poena interdicti); et restituo te pristinae capacitati (Christianorum

998 CHAPITRE XXI

et Ecclesiae Catholicae libertati), in quantum possum et indiges. In nomine Patris…

Bourges 1616.

P2273 Auctoritate mihi ab N. tradita, ego absolvo te a vinculo suspensionis, vel interdicti, quam *vel* quod propter tale factum *vel* causam incurristi, *seu* incurrisse declaratus es. In nomine Patris
… Et restituo tibi titulum beneficii (titulos beneficiorum), et condono tibi fructus male perceptos. In nomine Patris…

Romanum. Bourges 1746. Carcassonne 1764. Etc.

P2274 Auctoritate omnipotentis Dei, ac beatorum Apostolorum Petri et Pauli mihi commissa, absolvo te à sententia suspensionis (interdicti), quam incurristi propter N. (exprimat causam) in quantum possum et indiges, et habilito te ad actus legitimos. In nomine Patris…

Elne 1656.

P2275 Deus cui proprium est misereri semper, et parcere, suscipe deprecationem nostram, et hunc famulum tuum quem suspensionis (interdicti) catena constringit, miseratio tuae pietatis absolvat. Per Dominum.

Bourges 1616.
Réf. Cf. PRG I, 320.

P2276 Deus cui proprium est misereri semper, et parcere, suscipe deprecationem nostram, ut quem sententia suspensionis ligat, miseratio tuae pietatis absolvat. Per Christum…

Elne 1656.

P2277 Dominus noster I. C., qui est summus Pontifex, te absolvat, et ego auctoritate ipsius, mihi licet indigno concessa, absolvo te imprimis à vinculo excommunicationis, suspensionis et interdicti, in quantum possum et indiges. Deinde ego te absolvo ab omnibus peccatis tuis, in nomine Patris…

Cambrai 1606. Évreux 1606.
Réf. Absent de Janini, Sac.

P2278 Revoco, vel removeo interdictum propter talem causam tibi, vel in tali loco impositum.

Évreux 1606-1621. Lisieux 1608-1661.

P2279 Si teneris aliquo vinculo suspensionis, à quo te possum absolvere, absolvo te in nomine Patris, etc.

Bordeaux 1588-1611 (*Forma absolutionis à suspensione et interdicto*)
Réf. Absent de Janini, Sac.

AUTRES CAS D'ABSOLUTION

5. Absolution en temps de Jubilé

Saint-Omer 1606

[Jacques Blaze]

Saint-Omer 1606 p. 65

P2280 *Iubilaei tempore quando sacerdotibus ab Ordinario probatis largissima absolvendi facultas conceditur… sic est proferenda absolutionis forma:*

P2281 Dominus noster Iesus, etc. Et ego eius auctoritate et ex apostolica commissione absolvo te ab omni vinculo tam maioris quam minoris excommunicationis, ab omnibus quoque ecclesiasticis censuris, si quas incurristi, et eadem auctoritate absolvo te ab omnibus peccatis tuis, in nomine Patris…

Saint-Omer 1641, 1727

[Saint-Omer 1641: Christophe de France]
Modus absolvendi tempore Iubilaei

Saint-Omer 1641 p. 28

P2282 *Quando sacerdotibus ab Ordinario approbatis largissima absolvendi facultas conceditur, paucissimis mutatis poterit sacerdos sic absolutionem proferre.*

P2283 Dominus noster J. C., qui est summus Pontifex, te absolvat: et ego authoritate ipsius, et ex Apostolicâ commissione absolvo te ab omni vinculo tam maioris quam minoris excommunicationis, et ab omnibus aliis censuris ecclesiasticis, si quas incurristi, et eâdem authoritate absolvo te ab omnibus peccatis tuis, in nomine Patris… [rare]

Réf. Absent de PRG, Andrieu, Deshusses.

6. Absolution ou dispense d'un serment

Elne 1656

[Sebastianus Garriga, vicaire général (?) Siège épiscopal vacant]
Forma absolvendi, aut relaxandi iuramentum

Elne 1656 première partie, p. 118

P2284 *Saepe Parochis et curam animarum gerentibus, relaxatio à iuramento aut eius absolutio à superioribus committitur. Id autem iis vel similibus verbis praestare poterunt. …*

... Ps. Miserere mei Deus, etc. *Et in fine* Kyrie... Pater noster...
V. Salvum fac servum tuum... V. Nihil proficiat inimicus in eo...
V. Esto ei Domine turris fortitudinis... V. Domine exaudi... V. Dominus vob. ...

P2285 Deus, cui proprium est misereri semper, et parcere, suscipe deprecationem nostram, ut quem obligatio iuramenti ligat, miseratio tuae pietatis absolvat. Per Christum...

P2286 Auctoritate mihi à superiore concessa, relaxo tibi iuramentum, de quo in literis commissionis sit mentio, quo ligatus teneris (exprimat ad quem finem si forte totaliter non relaxatur...) In nomine...

Advertat autem ne extra Sacramentum Poenitentiae absolvat à peccato contra iuramentum commisso, etsi de tali absolutione fieret in literis commissionis, mentio.

7. Absolution particulière des censures et de l'irrégularité

Verdun 1691. Soissons 1694

[Verdun 1691 : Hippolyte de Béthune]
Absolution qui se donne en particulier des Censures et de l'Irrégularité, hors le Sacrement de Penitence

P2286bis **Verdun 1691** p. 162-163 ; **Soissons 1694** p. 106-107

Quand quelqu'un n'a pas été publiquement déclaré Suspens, ou Interdit, ou Excommunié, il doit être absous en particulier.

... Confiteor... Misereatur... Indulgentiam...

... Dominus noster I. C., qui est summus Sacerdos, te absolvat, et ego authoritate mihi à N. traditâ, absolvo te à vinculo excommunicationis, vel suspensionis, vel interdicti, quam (quod,) propter tale factum, (vel causam,) incurristi. In nomine Patris...

AUTRES CAS D'ABSOLUTION

8. Absolution publique des censures

Verdun 1691. Soissons 1694

[Verdun 1691: Hippolyte de Béthune]
Absolution publique des Censures

P2287 **Verdun 1691** p. 163-164; **Soissons 1694** p. 107-109
… Ps. Miserere… Kyrie… Pater noster…
V. Salvum fac servum tuum… V. Nihil proficiat inimicus in eo…
V. Esto ei turris fortitudinis [sic]… V. Domine exaudi… V. Dominus
vobiscum…

P2288 Deus, cui proprium est misereri semper et parcere, suscipe deprecationem nostram, ut hunc famulum tuum, (hanc famulam tuam) quem
(quam) excommunicationis sententia constringit, miseratio tuae pietatis clementer absolvat. Per Christum…

Réf. PRG II, 271. Cf. Andrieu II, 554; III, 623(36). Absent de Janini, Sac.

P2289 Dominus noster I. C., qui est summus Sacerdos te absolvat, et ego
authoritate ipsius, et sanctissimi Domini nostri Papae (Ill. Episcopi
nostri, vel, talis Superioris) mihi commissa, te absolvo à vinculo excommunicationis quam incurristi et incurrisse declaratus es propter
tale factum, vel causam, et restituo te communioni et unitati fidelium,
et sanctis sacramentis Ecclesiae, in nomine Patris…

Réf. Absent de Janini, Sac., PRG, Andrieu.

Voir aussi chapitre I: Pénitence publique, Réconciliation des pénitents, Alet 1667 p. 167-174. Nevers 1689 p. LXXI-LXXXVI. *Ordre pour la
reconciliation des penitens, et pour l'absolution publique des censurez.*
P47.

TABLE DES MATIÈRES

Avant-propos	5
Plan de la collection	9
Introduction	11
Additions au *Répertoire des rituels et processionnaux imprimés*	19
Bibliographie sélective	23
Règles d'édition	33
Abréviations et sigles utilisés	35
Abréviations des noms de diocèses	37

Chapitre premier
Pénitence publique

1. Expulsion des pénitents le Mercredi des Cendres	39
a. Formulaires	39
b. Formules	46
2. Réconciliation des pénitents le Jeudi Saint	51
a. Formulaires	51
b. Formules	58

Chapitre II
Office du Mercredi des cendres

1. Présentation des formulaires	67
2. Titres et schémas des offices	68
3. Choix de formulaires	71
4. Exhortations annonçant le Mercredi des Cendres	87
5. Prières à des intentions diverses	89
a. Versets	90

TABLE DES MATIÈRES

b. Oraisons à des intentions diverses	92
6. Bénédiction des cendres et procession durant l'imposition	97
a. Psaumes	97
b. Antiennes, versets, répons	97
c. Oraisons	100
7. Imposition des cendres	106
8. Messe	107

CHAPITRE III
ABSOLUTIONS GÉNÉRALES DURANT LE CARÊME
ET LE JOUR DE PÂQUES

1. Présentation des formulaires	109
2. Titres et schémas	110
3. Jours où ont lieu les absolutions générales	120
4. Déroulement du rite	122
5. Choix de formulaires	123
6. Instructions	144
7. Psaumes	148
8. *Je me confesse à Dieu*	149
9. Antiennes, versets, répons	152
10. Prières litaniques sans les listes des saints	161
11. Oraisons et bénédictions	179
12. Absolutions générales et prières d'accompagnement durant le Carême, y compris le Mercredi des Cendres, le jour de Pâques, et pour les Confessions générales	191
13. Bénédiction du pain	206
14. Formules finales	207
15. Messe	207

CHAPITRE IV
ABSOLUTIONS GÉNÉRALES À LA FIN DU PRÔNE DOMINICAL
OU DE L'EXHORTATION PASCALE

1. Formules d'absolution en latin	210
2. Formules de pardon en français	211

CHAPITRE V
CONFESSIONS GÉNÉRALES LE JOUR DE PÂQUES

1. Présentation des formulaires	213
2. Péchés confessés dans les confessions générales	215

TABLE DES MATIÈRES

3. Titres des formulaires comportant une confession générale   216

CHAPITRE VI
CONFESSIONS GÉNÉRALES DE CHARTRES 1490-1553, PARIS 1497, PARIS C. 1505-1542, LAON 1538, ET FORMULAIRES S'Y RATTACHANT

1. Présentation   221
2. Analyse   222
3. Formulaires   225
    a. Titres et introductions   225
    b. Première partie : obligation de communier le jour de Pâques   226
    c. Seconde partie : confession générale   243

CHAPITRE VII
CONFESSIONS GÉNÉRALES DE PARIS À PARTIR DE 1552

1. Paris 1552-1630 et formulaires s'y rattachant   267
2. Paris 1646, 1654 et formulaires s'y rattachant   275
3. Paris 1697, 1701, 1777 et formulaires s'y rattachant   283
4. Paris 1786   300

CHAPITRE VIII
CONFESSIONS GÉNÉRALES DE REIMS

1. Reims c. 1495-c. 1540 et formulaires s'y rattachant   303
2. Reims 1554   314
3. Reims 1585, 1621 et formulaires s'y rattachant   319
4. Reims 1677 et formulaires s'y rattachant   323

CHAPITRE IX
AUTRES CONFESSIONS GÉNÉRALES   329

CHAPITRE X
PÉNITENCE PRIVÉE

Titres des premiers formulaires   377

CHAPITRE XI
CONSEILS AUX PRÊTRES. INTERROGATOIRE DU PÉNITENT EXEMPLES DE PÉNITENCES   381

CHAPITRE XII
EXAMENS DE CONSCIENCE CATALOGUES DE PÉCHÉS 443

CHAPITRE XIII
INSTRUCTIONS SUR LA CONTRITION, LE DÉLAI
ET LE REFUS D'ABSOLUTION 613

CHAPITRE XIV
CONSEILS AUX PÉNITENTS SELON LEUR ÉTAT DE VIE
OU LEUR CARACTÈRE 713

CHAPITRE XV
CONFESSION PRIVÉE

1. Premiers formulaires de confession	729
2. Choix d'exhortations	771
3. Prières du prêtre avant la confession	774
a. Antiennes, versets, répons (et autres formules)	775
b. Oraisons	776
4. Prière du pénitent avant la confession	782
5. Dialogue initial (en latin ou en français)	782
a. Le pénitent	783
b. Réponse du prêtre	785
6. *Confiteor* et actes de contrition	787
7. Exhortation avant l'absolution	802
8. Formules d'absolution et prières d'accompagnement	802
9. Octroi d'indulgences	817
10. Formules finales	818
11. Prières du prêtre après la confession	819

CHAPITRE XVI
CONFESSION DES ENFANTS

1. Formulaires	822
2. Formules	836

CHAPITRE XVII
ABSOLUTIONS DE L'EXCOMMUNICATION

1. Titres	837
2. Choix de formulaires	840

TABLE DES MATIÈRES

3. Psaumes   857
4. Antiennes, versets, répons   858
5. Oraisons   859
6. Formules d'absolution   860

CHAPITRE XVIII
ABSOLUTIONS À L'ARTICLE DE LA MORT

1. Titres   869
2. Choix de formulaires   870
3. *Confiteor*, Psaumes, Oraison   874
4. Formules d'absolution   874

CHAPITRE XIX
ABSOUTES D'UN EXCOMMUNIÉ APRÈS SA MORT

1. Titres   879
2. Choix de formulaires   880
3. Psaumes   886
4. Antiennes, versets, répons   887
5. Oraisons   888
6. Formules d'absolution   889

CHAPITRE XX
ABSOLUTION DE L'HÉRÉSIE

1. Présentation générale   891
2. Titres des formulaires   893
3. Familles de formulaires   896
4. Formulaires   897
5. Hymne, antienne et oraisons au Saint-Esprit   954
6. Oraisons au cours de la cérémonie   956
7. Formules d'abjuration   959
8. Professions de foi sous forme de questions   962
9. Profession de foi du concile de Trente   965
10. Exorcisme   977
11. Signation sur le front   977
12. Entrée dans l'église   978
13. Absolution et réconciliation   978
    a. Psaume   978
    b. *Confiteor*   978

1008   TABLE DES MATIÈRES

c. Versets	979
d. Formules d'absolution	979
14. Action de grâce	985
a. Versets	985
b. Oraisons	986
15. Conclusion	987
16. Choix de formules d'actes d'abjuration de l'hérésie	987

CHAPITRE XXI
AUTRES CAS D'ABSOLUTION

1. Absolutions de l'excommunication pour mariage clandestin	989
a. Formulaires	989
b. Formules	991
2. Absolutions des cas réservés au pape	993
3. Dispenses et absolutions de l'irrégularité d'une Ordination	994
4. Absolutions de la suspense ou de l'interdit	997
5. Absolution en temps de Jubilé	999
6. Absolution ou dispense d'un serment	999
7. Absolution particulière des censures et de l'irrégularité	1000
8. Absolution publique des censures	1001